독서

⬇ 정답과 해설은 EBS*i* 사이트(www.ebs*i*.co.kr)에서 다운로드 받으실 수 있습니다.

🔍 EBS*i* 사이트에서 본 교재의 문항별 해설 강의 검색 서비스를 제공하고 있습니다.

교재 내용 문의
교재 및 강의 내용 문의는
EBS*i* 사이트(www.ebs*i*.co.kr)의 학습 Q&A 서비스를
활용하시기 바랍니다.

교재 정오표 공지
발행 이후 발견된 정오 사항을
EBS*i* 사이트 정오표 코너에서 알려 드립니다.
교재 → 교재 자료실 → 교재 정오표

교재 정정 신청
공지된 정오 내용 외에 발견된 정오 사항이 있다면
EBS*i* 사이트를 통해 알려 주세요.
교재 → 교재 정정 신청

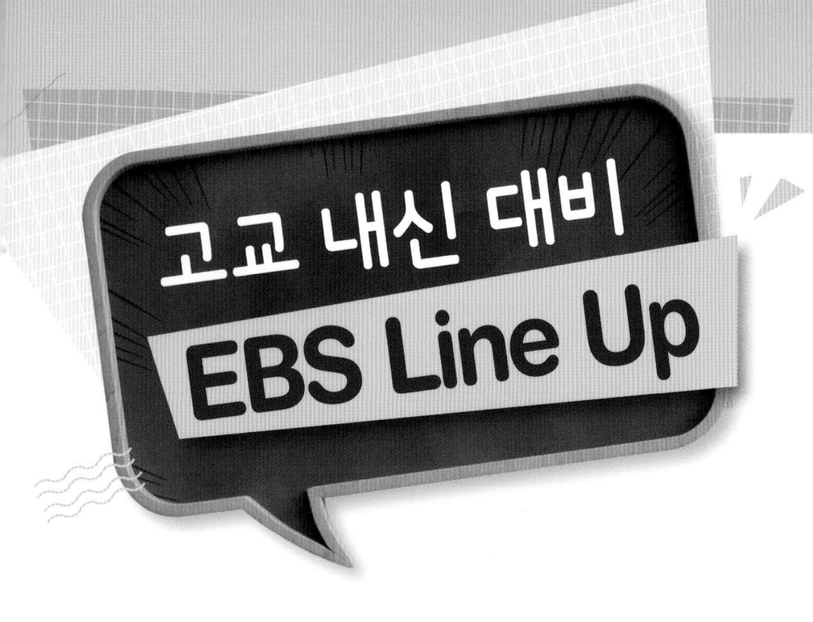

고등학교 0학년 필수 교재
고등예비과정
국어, 영어, 수학, 한국사, 사회, 과학 6책

모든 교과서를 한 권으로,
교육과정 필수 내용을 빠르고 쉽게!

국어 · 영어 · 수학 내신 + 수능 기본서
올림포스
국어, 영어, 수학 16책

내신과 수능의 기초를 다지는 기본서
학교 수업과 보충 수업용 선택 No.1

국어 · 영어 · 수학 개념+기출 기본서
올림포스 전국연합학력평가 기출문제집
국어, 영어, 수학 8책

개념과 기출을 동시에 잡는 신개념 기본서
최신 학력평가 기출문제 완벽 분석

한국사 · 사회 · 과학 개념 학습 기본서
개념완성
한국사, 사회, 과학 19책

한 권으로 완성하는 한국사, 탐구영역의 개념
부가 자료와 수행평가 학습자료 제공

수준에 따라 선택하는 영어 특화 기본서
영어 POWER 시리즈
Grammar POWER 3책
Reading POWER 4책
Listening POWER 2책
Voca POWER 2책

원리로 익히는 국어 특화 기본서
국어 독해의 원리
현대시, 현대 소설, 고전 시가, 고전 산문, 독서 5책

국어 문법의 원리
수능 국어 문법, 수능 국어 문법 180제 2책

유형별 문항 연습부터 고난도 문항까지
올림포스 유형편
수학(상), 수학(하), 수학 Ⅰ, 수학 Ⅱ, 확률과 통계, 미적분 6책

올림포스 고난도
수학(상), 수학(하), 수학 Ⅰ, 수학 Ⅱ, 확률과 통계, 미적분 6책

최다 문항 수록 수학 특화 기본서
수학의 왕도
수학(상), 수학(하), 수학 Ⅰ, 수학 Ⅱ, 확률과 통계, 미적분 6책

개념의 시각화 + 세분화된 문항 수록
기초에서 고난도 문항까지 계단식 학습

단기간에 끝내는 내신
단기 특강
국어, 영어, 수학 8책

얇지만 확실하게, 빠르지만 강하게!
내신을 완성시키는 문항 연습

독서

이 책의 **구성**과 **특징**

Structure

독해의 원리를 잡으면 독서가 더 이상 두렵지 않습니다!!

이 책은 독서를 관통하는 6개의 독해 원리를 제시하여 이를 바탕으로 다양한 독서 지문들을 이해하고 문제를 해결하는 능력을 향상시킬 수 있도록 구성했습니다.
절대적인 독서 제재들과 함께 제시된 다양한 배경지식과 내신과 수능 대비 문제를 통해서 독서에 대한 실전 능력을 탄탄하게 다질 수 있을 것입니다.

1부 독서의 6가지 독해 원리

Step1 원리 학습

독서 지문의 독해에 적용되는 6가지 원리를 단계별로 학습할 수 있도록 하였습니다.

- 원리 학습 정리 노트: 원리 학습의 포인트를 정리하면서 다시 한 번 원리 정복!

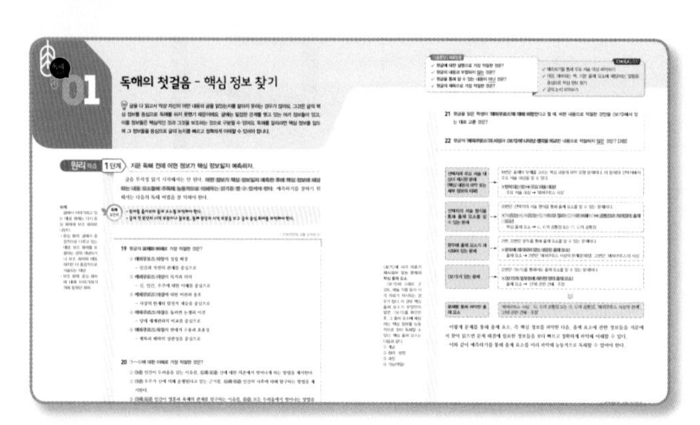

Step2 적용 학습

독해 원리가 일대일로 적용되는 지문과 문제들을 제시하여 독해의 감각을 익힐 수 있도록 하였습니다.

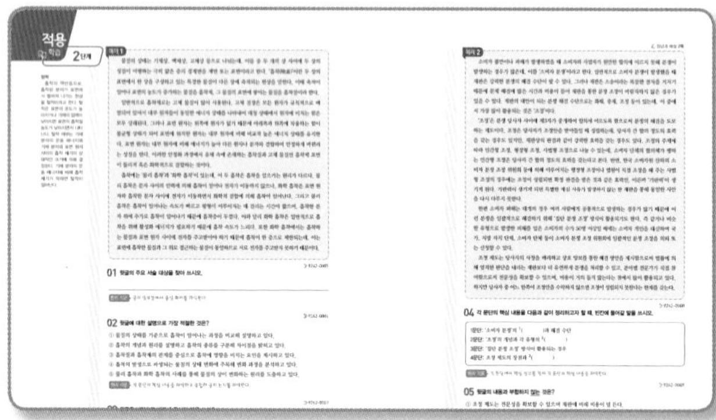

Step3 실전 학습

원리를 통한 독해를 본격적으로 연습하는 단계입니다. 독서 지문과 문제들을 원리를 통해 풀어 보면서 원리 학습의 기반을 다질 수 있도록 하였습니다.

- 원리 학습 점검 노트: 원리를 활용하여 문제를 잘 풀고 있는지 다시 한 번 점검!

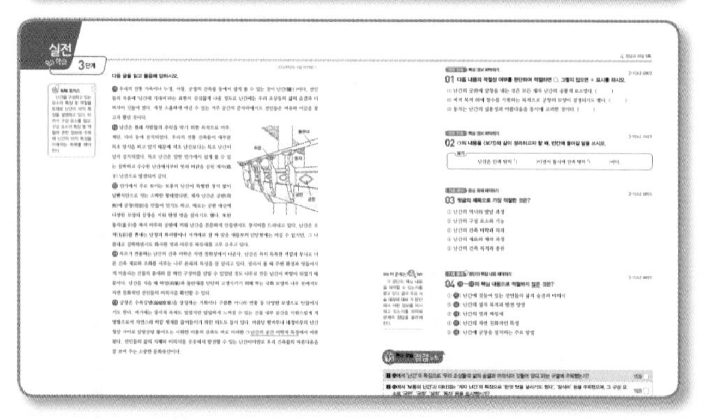

2부 독해 원리로 여는 독서

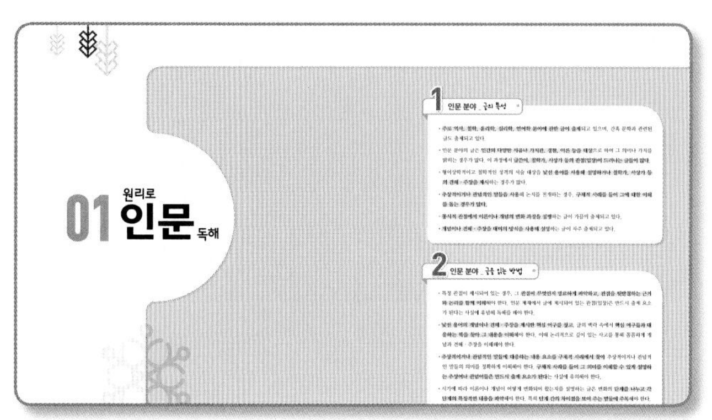

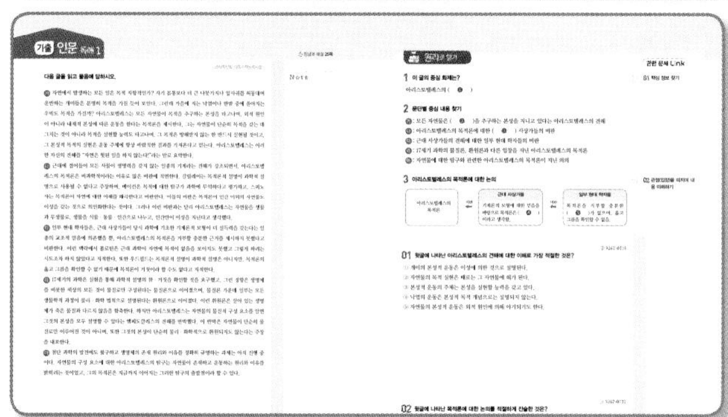

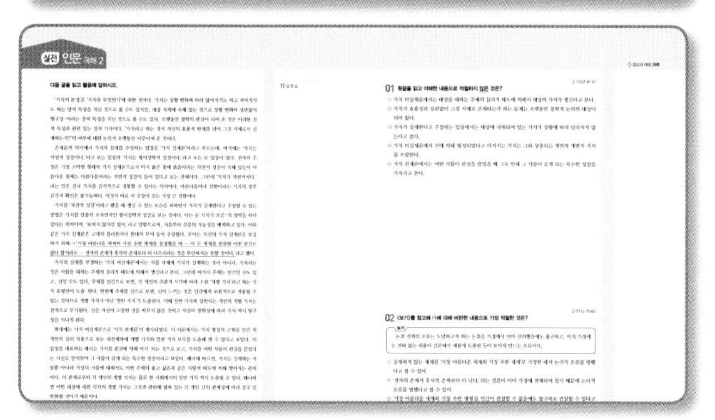

Step1 영역별 독해

1부에서 학습한 독해의 원리를 독서의 5가지 영역별로 적용해 볼 수 있도록 구성하였습니다.
영역별 글의 특성과 독해 방법을 도입부에 제시하여 보다 쉽게 독해에 접근할 수 있도록 하였습니다.

Step2 기출 독해

영역별 대표 기출 지문과 문제들을 제시하여 원리 학습을 더욱 튼튼히 다지고 실전 감각을 기를 수 있도록 하였습니다.
- 문제 풀이 비법 노트: 어려운 문제도 쉽게 접근할 수 있는 단계별 해결책!

Step3 실전 독해

이 책만의 새로운 지문과 문제들을 제시하여 실전 독해 능력을 키우고 독해의 원리를 완벽히 체득할 수 있도록 하였습니다.
- 출제 포인트: 출제자의 눈으로 문제의 핵심을 간파하는 독해력 향상의 비법!

- 원리로 다시 읽기: 어느 지문에나 적용되는 독해의 원리 완벽 마스터!

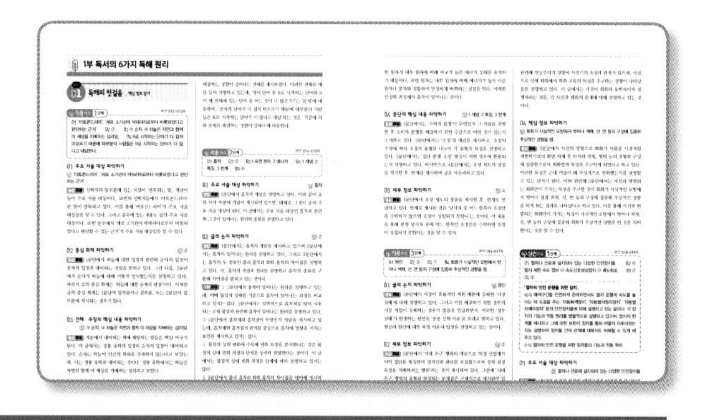

정답과 해설

친절한 해설을 통해 문제에 대한 접근 방법과 해결 과정을 익힐 수 있도록 구성하였습니다.

EBS 스마트북 활용 안내

EBS 스마트북은 스마트폰으로 바로 찍어 해설 영상을 수강할 수 있고, 교재 문제를 파일(한글, 이미지)로 다운로드하여 쉽게 활용할 수 있습니다.

학생 모르는 문제, 찍어서 해설 강의 수강

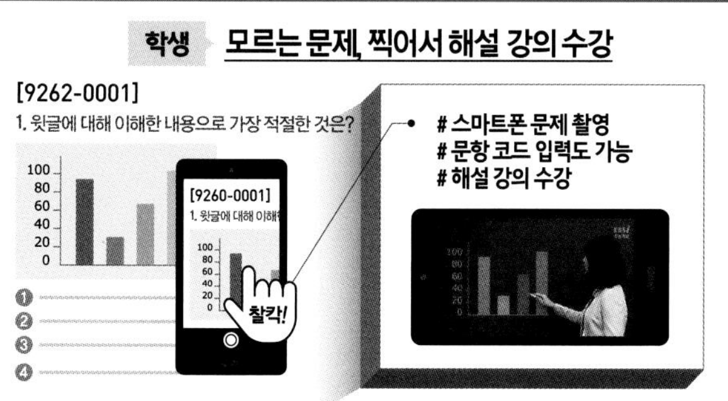

※ EBSi 고교강의 앱 설치 후 이용하실 수 있습니다.
※ 기존과 같이 문항 코드 입력으로도 사용할 수 있습니다.

교사 교재 문항을 한글(HWP) 문서로 저장

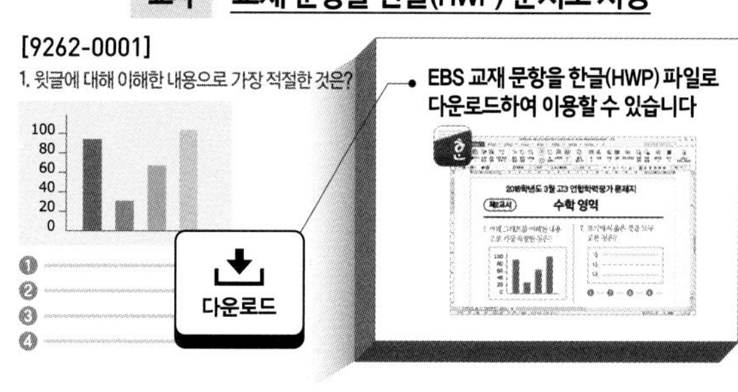

※ 교사지원센터(http://teacher.ebsi.co.kr) 접속 후 '교사 인증'을 통해 이용 가능

이 책의 **차례**

Contents

1부 독서의 6가지 독해 원리

원리 01 독해의 첫걸음 – 핵심 정보 찾기 8

[적용 학습]
1단계 | 순자의 천관 / 카너먼의 견해 12
2단계 | 흡착 / 조정 제도 14
3단계 | 공공 선택 이론 / 사진과 회화의 관계 16
[실전 학습]
1단계 | 열차의 안전 운행을 위한 장치 18
2단계 | 해밀턴의 포괄 적합도 이론 20
3단계 | 난간의 건축 미학 22

원리 02 정보 간의 관계에 유의해 내용 이해하기 24

[적용 학습]
1단계 | 제3자 효과 이론 / 연호의 사용 28
2단계 | 영화의 내레이션 / 보편 논쟁 / 법관의 유형 30
3단계 | 거래 효용 / 외부성 / 고전적 조건 형성 32
[실전 학습]
1단계 | 우리나라 범종의 특성과 변화 양상 34
2단계 | 다이내믹 스피커의 작동 원리 36
3단계 | 베토벤 교향곡의 음악사적 의의 38

원리 03 글의 구조와 전개 방식 파악하기 40

[적용 학습]
1단계 | 정서의 본질에 대한 철학적 탐구 44
2단계 | 범죄학의 흐름 46
3단계 | 플래시 메모리의 구조와 작동 원리 48
[실전 학습]
1단계 | GPS의 위치 측정 50
2단계 | 교류 분석 이론의 주요 개념과 의의 52
3단계 | 근대 도시의 삶의 양식과 영화에 대한 벤야민의 견해 54

원리 04 숨은 정보 찾기 56

[적용 학습]
1단계 | 아우라 / 피아노가 소리를 내는 원리 60
2단계 | 비고츠키의 언어 발달 과정 / 컷어웨이 62
3단계 | 상속 제도 / 몽타주 64
[실전 학습]
1단계 | 기업 결합 66
2단계 | 심해저 생물의 생존 방식 68
3단계 | 비트겐슈타인의 그림 이론 70

원리 05 관점(입장)을 따지며 내용 이해하기 72

[적용 학습]
1단계 | 희생양 매커니즘 / 프레이밍 효과 76
2단계 | 예술의 본질 / 뉴턴과 아인슈타인의 시간관 78
3단계 | 비극론 / 정책 투표 이론 80
[실전 학습]
1단계 | 데카르트의 회의론 82
2단계 | 본질주의와 반본질주의 84
3단계 | 성품의 탁월함에 대한 아리스토텔레스의 견해 86

원리 06 사례나 상황에 적용하기 88

[적용 학습]
1단계 | 스투디움과 풍크툼 / 무중력 92
2단계 | 필립스 곡선 / 지식 재산권 94
3단계 | 디드로 효과 / 유사와 상사 96
[실전 학습]
1단계 | 정합성의 이해 98
2단계 | 지식 경영론 101
3단계 | 이상 기체 상태 방정식과 반데르발스 상태 방정식 104

2부 독해 원리로 여는 독서

01 원리로 인문 독해 108

[기출 인문 독해]
1 아리스토텔레스의 목적론 110
2 맹자의 '의' 사상 114
3 '심신 이원론'과 '심신 일원론' 118
[실전 인문 독해]
1 진리는 스스로 찾는 것–서경덕 122
2 가치의 문제 126
3 샤프츠버리와 도덕감 윤리학 130
4 우리는 누구인가 – 민족, 종족, 인종 134
5 칸트의 선의지와 정언 명령 138
6 중화의 개념에 대한 인식의 변화 양상 142
7 언어적 세계가 우리의 현실 세계를 만든다 148
8 맹자의 부동심과 대장부 152

02 원리로 예술 독해 156

[기출 예술 독해]
1 단토의 예술 종말론과 그 의미 158
2 하이퍼리얼리즘의 특성과 표현 기법 162
3 연주 개념의 역사적 변천 166
[실전 예술 독해]
1 루카치의 리얼리즘 예술론 170
2 예술과 매체, 뫼비우스의 띠 174
3 전위 영화 178
4 현대 예술과 아름다움 182
5 표현주의 미학 186

03 원리로 사회 독해 190

[기출 사회 독해]
1 채권과 CDS 프리미엄 192
2 사법의 계약과 그 효력 196
3 집합 의례 200
[실전 사회 독해]
1 감가상각의 의미와 계산 204
2 리디노미네이션의 개념과 효과 208
3 근대 국가의 발전 과정과 관련 이론 212
4 방송 산업 216
5 상징적 상호 작용 이론 220
6 종교 자유의 원칙 224
7 부정부패의 개념과 발생 원인 228

04 원리로 과학 독해 232

[기출 과학 독해]
1 종단 속도와 힘의 평형 234
2 전향력의 발생 원인과 물체 운동의 편향성 238
3 단백질의 분해 과정과 필수 아미노산의 의의 242
[실전 과학 독해]
1 입의 진화 246
2 무지개의 원리 250
3 온도 따라 변신하는 물 254
4 돌연변이, 질병과 진화의 열쇠 258
5 하늘이 파란 이유 262
6 위의 기능과 소화 266
7 식물의 빛 흡수와 광합성 270
8 신기루 현상의 원리 274

05 원리로 기술 독해 278

[기출 기술 독해]
1 디지털 데이터의 부호화 과정 280
2 주사 터널링 현미경(STM) 284
3 디젤 엔진의 오염 물질 저감 기술 288
[실전 기술 독해]
1 음성 인터페이스 기술 292
2 고속 항공기의 S 라인 동체와 면적 법칙 296
3 밀리미터파가 바꾸는 세상 300
4 타(Rudder), 작지만 강한 힘 304
5 잠수함 탐지 기술 308

원리 익히기

독서의

6가지 독해 원리

01 독해의 첫걸음 – 핵심 정보 찾기

02 정보 간의 관계에 유의해 내용 이해하기

03 글의 구조와 전개 방식 파악하기

04 숨은 정보 찾기

05 관점(입장)을 따지며 내용 이해하기

06 사례나 상황에 적용하기

독해의 첫걸음 - 핵심 정보 찾기

글을 다 읽고서 막상 자신이 어떤 내용의 글을 읽었는지를 말하지 못하는 경우가 많아요. 그것은 글의 핵심 정보를 중심으로 독해를 하지 못했기 때문이에요. 글에는 밀접한 관계를 맺고 있는 여러 정보들이 있고, 이들 정보들은 핵심적인 것과 그것을 보조하는 것으로 구분될 수 있어요. 독해를 잘하려면 핵심 정보를 짚으며 그 정보들을 중심으로 글의 논지를 빠르고 정확하게 이해할 수 있어야 합니다.

원리 학습 1단계 지문 독해 전에 어떤 정보가 핵심 정보일지 예측하자.

글을 무작정 읽기 시작해서는 안 된다. **어떤 정보가 핵심 정보일지 예측한 후에 핵심 정보에 해당하는 내용 요소들에 주목해 능동적으로 이해**하는 읽기를 할 수 있어야 한다. 예측하기를 잘하기 위해서는 다음의 독해 비법을 잘 익혀야 한다.

화제

글에서 이야기하고 있는 대상. 화제는 다시 중심 화제와 보조 화제로 나뉜다.
- 중심 화제: 글에서 중점적으로 다루고 있는 대상. 보조 화제를 포괄하는 상위 개념이거나 보조 화제와 대등하지만 더 중점적으로 서술되는 대상
- 보조 화제: 중심 화제에 대해 이야기하기 위해 동원된 화제

- 문제를 훑어보며 출제 요소를 파악해야 한다.
- 글의 첫 문단의 시작 부분이나 끝부분, 둘째 문단의 시작 부분을 보고 글의 중심 화제를 파악해야 한다.

| 2020학년도 6월 모의평가 |

19 윗글의 표제와 부제로 가장 적절한 것은?

① 에피쿠로스 사상의 성립 배경
　- 인간과 자연의 관계를 중심으로
② 에피쿠로스 사상의 목적과 의의
　- 신, 인간, 우주에 대한 이해를 중심으로
③ 에피쿠로스 사상에 대한 비판과 옹호
　- 사상의 한계와 발전적 계승을 중심으로
④ 에피쿠로스 사상을 둘러싼 논쟁과 이견
　- 당대 세계관과의 비교를 중심으로
⑤ 에피쿠로스 사상의 현대적 수용과 효용성
　- 행복과 쾌락의 상관성을 중심으로

20 ㉠~㉢에 대한 이해로 가장 적절한 것은?

① ㉠은 인간이 두려움을 갖는 이유를, ㉡과 ㉢은 신에 대한 의존에서 벗어나게 하는 방법을 제시한다.
② ㉠은 우주가 신에 의해 운행된다고 믿는 근거를, ㉡과 ㉢은 인간의 사후에 대해 탐구하는 방법을 제시한다.
③ ㉠과 ㉡은 인간이 영혼과 육체의 관계를 탐구하는 이유를, ㉢은 모든 두려움에서 벗어나는 방법을 제시한다.
④ ㉠과 ㉡은 인간이 잘못된 믿음에서 벗어날 수 있는 근거를, ㉢은 행복에 이르도록 하는 방법을 제시한다.
⑤ ㉠과 ㉡은 인간의 존재 이유와 존재 위치에 대한 탐색의 결과를, ㉢은 인간이 우주의 근원을 연구하는 방법을 제시한다.

기출동향 | 대표발문

✔ 윗글에 대한 설명으로 가장 적절한 것은?
✔ 윗글의 내용과 부합하지 않는 것은?
✔ 윗글을 통해 알 수 있는 내용이 아닌 것은?
✔ 윗글의 제목으로 가장 적절한 것은?

CHECKLIST

✔ 예측하기를 통해 주요 서술 대상 파악하기
✔ 대응, 대비되는 짝, 기본 출제 요소에 해당하는 말들을 중심으로 핵심 정보 찾기
✔ 글의 논지 파악하기

21 윗글을 읽은 학생이 **'에피쿠로스'에 대해 비판**한다고 할 때, 비판 내용으로 적절한 것만을 〈보기〉에서 있는 대로 고른 것은?

22 윗글의 **'에피쿠로스'의 사상**과 **〈보기〉에 나타난 생각을 비교**한 내용으로 적절하지 않은 것은? [3점]

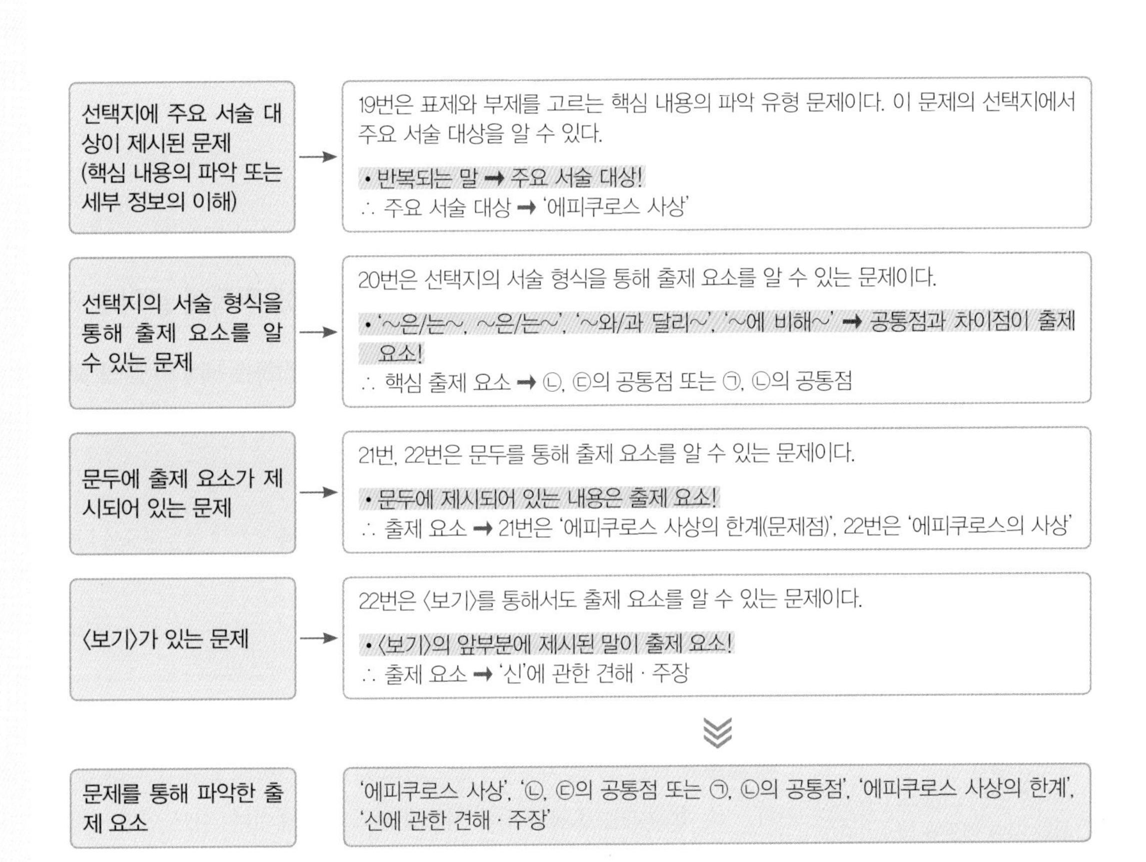

이렇게 문제를 통해 출제 요소, 즉 핵심 정보를 파악한 다음, 출제 요소에 관한 정보들을 지문에서 찾아 읽으면 문제 해결에 필요한 정보들을 보다 빠르고 정확하게 파악해 이해할 수 있다.

이와 같이 예측하기를 통해 출제 요소를 미리 파악해 능동적으로 독해할 수 있어야 한다.

〈보기〉에 시각 자료가 제시되어 있는 문제의 핵심 출제 요소

〈보기〉에 그래프, 구성도, 예술 작품 등의 시각 자료가 제시되는 경우가 많다. 이 경우 핵심 출제 요소가 무엇인지 알면, 〈보기〉를 확인한 후, 그 출제 요소에 해당하는 핵심 정보를 능동적으로 찾아 독해할 수 있다. 핵심 출제 요소는 다음과 같다.
① 개념
② 원리 · 방법
③ 과정
④ 기능(역할)

| 2020학년도 6월 모의평가 |

1 고대 그리스 시대의 사람들은 신에 의해 우주가 운행된다고 믿는 결정론적 세계관 속에서 신에 대한 두려움이나, 신이 야기한다고 생각되는 자연재해나 천체 현상 등에 대한 두려움을 떨치지 못했다. 에피쿠로스는 당대의 사람들이 이러한 잘못된 믿음에서 벗어나도록 하는 것이 중요하다고 보았고, 이를 위해 인간이 행복에 이를 수 있도록 자연학을 바탕으로 자신의 사상을 전개하였다.

2 에피쿠로스는 신의 존재는 인정하나 신의 존재 방식이 인간이 생각하는 것과는 다르다고 보고, 신은 우주들 사이의 중간 세계에 살며 인간사에 개입하지 않는다는 ㉠이신론(理神論)적 관점을 주장한다. (……)

중심 화제에 관한 정보도 핵심 정보가 된다. 지문을 본격적으로 읽기 전에 첫 문단의 앞부분이나 끝부분 또는 둘째 문단의 앞부분을 보면 중심 화제를 알 수 있다.
→ 윗글의 경우, 첫 문단의 마지막 문장, 둘째 문단의 첫 문장을 통해 '에피쿠로스의 견해 · 주장'이 중심 화제임을 알 수 있다.

이와 같이 문제 훑어보기를 통해 출제 요소를, 글의 시작 부분에서 중심 화제를 파악하여 어떤 정보가 핵심 정보일지 예측한 후, 관련 정보들을 능동적으로 찾아 이해하는 읽기를 해야 한다.

2단계 출제 요소와 중심 화제에 관한 정보에 주목해 글의 논지를 파악하자.

출제 요소나 중심 화제에 대해 설명하거나 주장하는 내용이 글의 핵심 정보가 된다. 이와 관련하여 독해 비법에 따라 핵심 어구를 짚으며, 핵심 어구 중심으로 내용을 정확하게 이해하는 독해를 할 수 있어야 한다.

대응 · 대비되는 짝
수능 지문에는 대응이나 대비의 관계로 맺어진 정보들이 많이 제시된다.
- 대응하는 짝: 동일하거나 유사한 의미를 나타내는 말들의 짝이다. 추상적인 말을 구체적인 말로 풀어 설명하는 경우, 어떤 대상을 다른 대상에 빗대어 설명하는 경우 등에서 대응하는 짝을 찾을 수 있다.
- 대비되는 짝: 두 대상 간의 공통점이나 차이점을 제시하기 위해 두 대상을 견주는 경우 이들 대상은 대비되는 짝이다. 특히 차이점을 나타내는 말들에 주목할 수 있어야 한다.

- 핵심 정보를 제시하는 데에 사용된 중요한 단어, 어구를 찾아 그 말들을 중심으로 독해해야 한다.
- 대응 · 대비되는 짝을 찾아 그에 해당하는 말이나 어구를 중심으로 내용을 이해해야 한다.

| 2020학년도 6월 모의평가 |

2 에피쿠로스는 신의 존재는 인정하나 신의 존재 방식이 인간이 생각하는 것과는 다르다고 보고, 신은 우주들 사이의 중간 세계에 살며 인간사에 개입하지 않는다는 ㉠이신론(理神論)적 관점을 주장한다. 그는 불사하는 존재인 신은 최고로 행복한 상태이며, 다른 어떤 것에게도 고통을 주지 않고, 모든 고통은 물론 분노와 호의와 같은 것으로부터 자유롭다고 말한다. 따라서 에피쿠로스는 인간의 세계가 신에 의해 결정되지 않으며, 인간의 행복도 자율적 존재인 인간 자신에 의해 완성된다고 본다.
3 한편 에피쿠로스는 인간의 영혼도 육체와 마찬가지로 미세한 입자로 구성된다고 본다. 영혼은 육체와 함께 생겨나고 육체와 상호 작용하며 육체가 상처를 입으면 영혼도 고통을 받는다. 더 나아가 육체가 소멸하면 영혼도 함께 소멸하게 되어 인간은 사후(死後)에 신의 심판을 받지 않으므로, 살아 있는 동안 인간은 사후에 심판이 있다고 생각하여 두려워할 필요가 없게 된다. 이러한 생각은 인간으로 하여금 죽음에 대한 모든 두려움에서 벗어나게 하는 근거가 된다.
4 이러한 에피쿠로스의 ㉡자연학은 우주와 인간의 세계에 대한 비결정론적인 이해를 가능하게 한다. 이는 원자의 운동에 관한 에피쿠로스의 설명에서도 명확히 드러난다. 그는 원자들이 수직 낙하 운동이라는 법칙에서 벗어나기도 하여 비스듬히 떨어지고 충돌해서 튕겨 나가는 우연적인 운동을 한다고 본다. 그리고 우주는 이러한 원자들에 의해 이루어졌으므로, 우주 역시 우연의 산물이라고 본다. 따라서 우주와 인간의 세계에 신의 관여는 없으며, 인간의 삶에서도 신의 섭리는 찾을 수 없다고 한다. 에피쿠로스는 이러한 생각을 인간이 필연성에 얽매이지 않고 자신의 삶을 주체적으로 살아갈 수 있게 하는 자유 의지의 단초로 삼는다.

독서쌤의 TIP

문제에서 글의 중심 화제를 묻거나 제목(표제, 부제)을 묻는 경우가 있어. 이런 경우 글의 중심 화제와 관련해 각 문단에서 어떤 정보를 제시했는지 각 문단의 핵심 내용을 파악한 후, 그 핵심 내용들을 모두 포괄하는 내용을 제시한 선택지를 정답으로 고르면 돼. 그리고 글쓴이의 견해 · 주장이 첫 문단이나 마지막 문단에 제시되어 있으면 그것이 글의 논지가 된다는 사실도 함께 알아 두렴.

5 에피쿠로스는 이를 토대로 자유로운 삶의 근본을 규명하고 인생의 궁극적 목표인 행복으로 이끄는 ㉢윤리학을 펼쳐 나간다. 결국 그는 인간이 신의 개입과 우주의 필연성, 사후 세계에 대한 두려움에서 벗어날 수 있도록 함으로써, 자신의 삶을 자율적이고 주체적으로 살 수 있는 길을 열어 주었다. 그리고 쾌락주의적 윤리학을 바탕으로 영혼이 안정된 상태에서 행복 실현을 추구할 수 있는 방안을 제시하였다.

★ '원리 학습 1단계'로 파악한 내용

출제 요소	'에피쿠로스 사상', '㉡, ㉢의 공통점 또는 ㉠, ㉡의 공통점', '에피쿠로스 사상의 한계', '신에 관한 견해 · 주장'
중심 화제	'에피쿠로스 사상'

★ '원리 학습 2단계'를 적용하여 독해하기

2	• '에피쿠로스'의 '신'에 대한 견해 · 주장 신: 우주들 사이의 중간 세계에 살며 인간사에 개입× ⇒ ㉠이신론적 관점 불사하는 존재, 최고로 행복한 상태 • 이신론적 관점에서 제시된 '에피쿠로스'의 '인간'에 대한 견해 · 주장 인간의 세계: 신에 의해 결정× 인간의 행복: 자율적 존재인 인간 자신에 의해 완성
3	• '에피쿠로스'의 '영혼'에 관한 견해 · 주장 인간의 영혼: 육체와 마찬가지로 미세한 입자로 구성 육체와 함께 생겨남, 육체와 상호 작용(육체에 상처 → 영혼도 고통) 육체가 소멸하면 영혼도 소멸 → 인간은 사후에 신의 심판×
4	• '에피쿠로스'의 비결정론적인 이해 ㉡자연학(미세한 입자, 즉 원자들: 우연적인 운동을 함. → 원자들로 이루어진 우주 역시 우연의 산물) → 우주와 인간의 세계에 신의 관여× → 인간이 자신의 삶을 주체적으로 살아갈 수 있게 하는 자유 의지의 단초로 삼음. (㉠, ㉡의 공통점: 1문단에서 제시한 잘못된 믿음에서 인간이 벗어날 수 있는 근거를 제공함.)
5	• '에피쿠로스'의 ㉢윤리학 → 영혼이 안정된 상태에서 행복 실현을 추구할 수 있는 방안을 제시

원리 학습 정리 노트

예측하기를 통해 [1]□□ □□와 [2]□□ □□ 파악하기 » 문제의 문두, 〈보기〉, 선택지, 글의 첫 문단의 앞부분과 끝부분, 둘째 문단의 시작 부분을 보고 출제 요소와 중심 화제를 파악하자.

[3]□□ · [4]□□되는 짝, 기본 출제 요소에 해당하는 말들을 중심으로 핵심 정보 찾기 » 대응 · 대비되는 짝, 기본 출제 요소를 고려해 주요 서술 대상에 관해 설명하거나 주장하는 내용을 찾아 이해하자.

글의 논지 파악하기 » 중심 화제와 각 문단의 내용을 종합하여 글의 논지를 파악하자.

답 1 출제 요소 2 중심 화제 3 대응 4 대비

| 2020학년도 6월 모의평가 |

예제 1

38 윗글에 대한 이해로 적절하지 않은 것은?

① 유사성은 아무리 강하더라도 개체성의 조건이 될 수 없다.

② 바닷물을 개체라고 말하기 어려운 이유는 유기적 상호 작용이 약하기 때문이다.

③ 새로운 미토콘드리아를 복제하기 위해서는 세포 안에 미토콘드리아가 반드시 있어야 한다.

④ 미토콘드리아의 대사 과정에 필요한 단백질은 미토콘드리아의 막을 통과하여 세포질로 이동해야 한다.

⑤ 진핵 세포가 되기 전의 고세균이 원생미토콘드리아보다 진핵 세포와 더 강한 인과성으로 연결되어 있다.

40 〈보기〉는 진핵 세포의 세포 소기관을 연구한 결과들이다. 윗글을 바탕으로 할 때, 각각의 세포 소기관이 박테리아로부터 비롯되었다고 판단할 수 있는 것만을 〈보기〉에서 고른 것은?

9262-0001

01 위의 두 문제를 통해 알 수 있는 글의 '주요 서술 대상'이 무엇인지 쓰시오.

원리 적용 ▸ 문두에 명시되어 있는 어구와 각 선택지의 앞부분에 주목해 출제 요소가 된 주요 서술 대상을 파악한다.

순자의 천론(天論)

순자에게 하늘은 물리적 의미의 하늘이다. 순자는 유가의 인격적이고 도덕적인 하늘을 거부했다. 이는 유가의 정통성을 부인한 것이었다. 하늘에 의해 운명이 결정되지 않는다는 입장을 토대로 그는 인간 스스로 운명의 창조자가 되어야 한다고 보았다. 순자는 기존의 유가의 천론을 부정함으로써 인간의 능동적이고 주체적인 참여를 주장한 사상가이다.

예제 2

공자에서 맹자로 이어지는 정통 유학에서 하늘은 인간에게 도덕적 가치를 제공하는 근원이었다. 하늘은 사람의 위에서 자연과 함께 이 세상을 지배하는 섭리였다. 즉 인간 사회의 문제는 늘 천명(天命)*과의 관계 속에서 다루어졌다. 그러나 순자는 하늘을 의지를 지닌 인격적 존재가 아니라, 객관적 법칙에 의해 지배되는 자연 현상으로 보았다.

순자는 하늘의 작용은 신비롭지만 일정한 불변의 법칙을 따르고 있어 "농사에 힘쓰고, 쓰는 것을 절약하여 사용하면 하늘이 가난하게 할 수 없고, 생명을 기르는 방법을 갖추어서 때에 맞추어 움직이면 하늘이 병들게 할 수 없다. 도를 닦아 덕을 밝혀서 어긋남이 없게 하면 하늘은 화를 줄 수가 없다."라고 하였다. 이는 하늘이 인간의 화복(禍福)의 주재자가 아니라, 인간이 스스로의 의지와 행동에 의해 자신의 운명을 개척할 수 있음을 선언한 것이다. 순자는 하늘과 인간을 분리하고, 하늘에 의지가 있음을 인정하지 않았다. 그래서 하늘과 땅의 운행 원리나 법칙은 인간의 의지나 행위와는 무관하게 객관적인 것으로 파악하였다.

*천명 인력(人力)으로 어찌할 수 없는 하늘의 명령.

9262-0002

02 윗글의 중심 화제로 가장 적절한 것은?

① 인간 사회와 천명의 관계

② 하늘에 대한 순자의 관점

③ 인간 세상을 지배하는 하늘의 섭리

④ 일정한 불변의 법칙을 따르는 하늘의 작용

⑤ 도덕적 가치의 근원에 대한 정통 유학의 입장

원리 적용 ▸ 글의 첫 문단의 시작 부분이나 끝부분, 둘째 문단의 시작 부분에 주목하여 중심 화제를 파악한다.

정답과 해설 2쪽
9262-0003

03 윗글에서 대비되는 짝을 찾아 ㉮, ㉯에 들어갈 말을 쓰시오.

정통 유학	↔	㉮
• 하늘은 인간에게 도덕적 가치를 제공하는 근원임. • (　　　㉯　　　)		• 하늘은 의지를 지닌 인격적 존재가 아니라, 객관적 법칙에 의해 지배되는 자연 현상임. • 하늘이 인간의 화복(禍福)의 주재자가 아님.

원리 적용 대비되는 짝에 주목해 주요 서술 대상에 관한 핵심 정보를 파악한다.

| 2019학년도 3월 고1 전국연합학력평가 |

예제 3

심리학자인 카너먼은 인간이 논리적 사고 과정을 통해 합리적으로 문제를 해결하기보다는 직감에 의해 문제를 해결하는 경향이 강하다고 주장하였다. 예컨대 "영어 단어 중 R로 시작하는 단어와 R이 세 번째에 있는 단어 중 어느 것이 더 많은가?"라는 질문에, 실제로는 후자의 단어가 더 많지만 전자의 단어가 더 쉽게 떠오르기 때문에 대부분의 사람들은 R로 시작하는 단어가 더 많다고 대답한다. 그는 이것이 해당 사례를 자주 접하거나 쉽게 떠올릴 수 있으면, 발생 빈도수가 높다고 판단하는 인간의 심리적 특성에 기인한다고 보았다. 그는 실제 인간의 행동에 나타나는 다양한 양상을 연구하여 인간은 합리적 선택을 한다는 전통 경제학의 전제에 반기를 들고, 심리학적 연구 성과를 경제학에 접목시킨 새로운 이론을 제안했다.

9262-0004

04 '카너먼'의 견해 · 주장을 이해하는 과정에서 주목해야 할 핵심 어구를 다음과 같이 대응하는 짝을 통해 찾으려고 한다. 빈칸에 들어갈 내용을 쓰시오.

인간은 직감에 의해 문제를 해결하는 경향이 강하다.	

원리 적용 대응하는 짝에 주목해 주요 서술 대상에 관한 핵심 정보를 파악한다.

적용 학습 2단계

탈착
흡착의 역반응으로, 흡착된 분자가 표면에서 떨어져 나가는 현상을 탈착이라고 한다. 탈착은 표면의 온도가 높아지거나 기체의 압력이 낮아지면 표면의 흡착질 농도가 낮아지면서 나타난다. 탈착 여부는 기체 분자의 운동 에너지와 기체 분자와 표면 원자 사이의 흡착 세기의 상대적인 크기에 의해 결정된다. 기체 분자의 운동 에너지에 비해 흡착 세기가 약하면 탈착이 일어난다.

예제 1

물질의 상태는 기체상, 액체상, 고체상 등으로 나뉘는데, 이들 중 두 개의 상 사이에 두 상의 성질이 이행하는 극히 얇은 층의 경계면을 계면 또는 표면이라고 한다. '흡착(吸着)'이란 두 상의 표면에서 한 상을 구성하고 있는 특정한 물질이 다른 상에 축적되는 현상을 말한다. 이때 축적이 일어나 표면의 농도가 증가하는 물질을 흡착제, 그 물질의 표면에 쌓이는 물질을 흡착질이라 한다.

일반적으로 흡착제로는 고체 물질이 많이 사용된다. 고체 결정은 모든 원자가 규칙적으로 배열되어 있어서 내부 원자들이 동일한 에너지 상태를 나타내어 대칭 상태에서 원자에 미치는 힘은 모두 상쇄된다. 그러나 표면 원자는 위쪽에 원자가 없기 때문에 아래쪽과 위쪽에 작용하는 힘이 불균형 상태가 되어 표면에 위치한 원자는 내부 원자에 비해 비교적 높은 에너지 상태를 유지한다. 표면 원자는 내부 원자에 비해 에너지가 높아 다른 원자나 분자와 결합하여 안정하게 바뀌려는 성질을 띤다. 이러한 안정화 과정에서 유체 속에 존재하는 흡착질과 고체 물질인 흡착제 표면이 물리적 혹은 화학적으로 결합하는 것이다.

흡착에는 '물리 흡착'과 '화학 흡착'이 있는데, 이 두 흡착은 흡착을 일으키는 원리가 다르다. 물리 흡착은 분자 사이의 인력에 의해 흡착이 일어나 전자가 이동하지 않으나, 화학 흡착은 표면 원자와 흡착한 분자 사이에 전자가 이동하면서 화학적 결합에 의해 흡착이 일어난다. 그리고 물리 흡착은 흡착이 일어나는 속도가 빠르고 평형이 이루어지는 데 걸리는 시간이 짧으며, 흡착한 분자 위에 추가로 흡착이 일어나기 때문에 흡착층이 두껍다. 이와 달리 화학 흡착은 일반적으로 흡착을 위해 활성화 에너지가 필요하기 때문에 흡착 속도가 느리다. 또한 화학 흡착에서는 흡착하는 물질과 표면 원자 사이에 전자를 주고받아야 하기 때문에 흡착이 한 층으로 제한되는데, 이는 표면에 흡착한 물질과 그 위로 접근하는 물질이 동일하므로 서로 전자를 주고받지 못하기 때문이다.

9262-0005

01 윗글의 주요 서술 대상을 찾아 쓰시오.

원리 적용 ▸ 글의 앞부분에서 중심 화제를 파악한다.

9262-0006

02 윗글에 대한 설명으로 가장 적절한 것은?

① 물질의 상태를 기준으로 흡착이 일어나는 과정을 비교해 설명하고 있다.
② 흡착의 개념과 원리를 설명하고 흡착의 종류를 구분해 차이점을 밝히고 있다.
③ 흡착질과 흡착제의 관계를 중심으로 흡착에 영향을 미치는 요인을 제시하고 있다.
④ 흡착의 발생으로 파생되는 물질의 상태 변화에 주목해 변화 과정을 분석하고 있다.
⑤ 물리 흡착과 화학 흡착의 사례를 통해 물질의 상이 변화하는 원리를 도출하고 있다.

원리 적용 ▸ 각 문단의 핵심 내용을 파악하고 종합해 글의 논지를 파악한다.

9262-0007

03 윗글을 바탕으로 빈칸에 들어갈 말을 쓰시오.

고체의 표면에서 흡착이 일어나는 까닭은 내부 원자에 비해 1(　　　)의 2(　　　)가 높기 때문이다.

원리 적용 ▸ 출제 요소가 되는 기본 핵심 정보를 파악해 이해한다.

예제 2

소비자 불만이나 피해가 발생하였을 때 소비자와 사업자가 원만한 합의에 이르지 못해 분쟁이 발생하는 경우가 많은데, 이를 '소비자 분쟁'이라고 한다. 일반적으로 소비자 분쟁이 발생했을 때 재판은 강력한 분쟁의 해결 수단이 될 수 있다. 그러나 재판은 소송이라는 복잡한 절차를 거치기 때문에 문제 해결에 많은 시간과 비용이 들어 재판을 통한 분쟁 조정이 바람직하지 않은 경우가 있을 수 있다. 재판의 대안이 되는 분쟁 해결 수단으로는 화해, 중재, 조정 등이 있는데, 이 중에서 가장 많이 활용되는 것은 '조정'이다.

'조정'은 분쟁 당사자 사이에 제3자가 중개하여 합의에 이르도록 함으로써 분쟁의 해결을 도모하는 제도이다. 조정은 당사자가 조정안을 받아들일 때 성립하는데, 당사자 간 합의 정도의 효력을 갖는 경우도 있지만, 재판상의 판결과 같이 강력한 효력을 갖는 경우도 있다. 조정의 주체에 따라 민간형 조정, 행정형 조정, 사법형 조정으로 나눌 수 있는데, 소비자 단체의 협의체가 행하는 민간형 조정은 당사자 간 합의 정도의 효력을 갖는다고 본다. 반면, 한국 소비자원 산하의 소비자 분쟁 조정 위원회 등에 의해 이루어지는 행정형 조정이나 법원이 직접 조정을 해 주는 사법형 조정의 경우에는 조정이 성립되면 확정 판결을 받은 것과 같은 효력인, 이른바 '기판력'이 생기게 된다. 기판력이 생기게 되면 특별한 재심 사유가 발생하지 않는 한 재판을 통해 동일한 사안을 다시 다루지 못한다.

한편 소비자 피해는 대개의 경우 여러 사람에게 공통적으로 발생하는 경우가 많기 때문에 이런 분쟁을 일괄적으로 해결하기 위해 '집단 분쟁 조정' 방식이 활용되기도 한다. 즉 같거나 비슷한 유형으로 발생한 피해를 입은 소비자의 수가 50명 이상일 때에는 소비자 개인을 대신하여 국가, 지방 자치 단체, 소비자 단체 등이 소비자 분쟁 조정 위원회에 일괄적인 분쟁 조정을 의뢰 또는 신청할 수 있다.

조정 제도는 당사자의 사정을 배려하고 상호 양보를 통한 해결 방안을 제시함으로써 법률에 의해 엄격한 판단을 내리는 재판보다 더 유연하게 분쟁을 처리할 수 있고, 분야별 전문가가 직접 참여함으로써 전문성을 확보할 수 있으며, 비용이 거의 들지 않는다는 점에서 많이 활용되고 있다. 하지만 당사자 중 어느 한쪽이 조정안을 수락하지 않으면 조정이 성립되지 못한다는 한계를 갖는다.

9262-0008

04 각 문단의 핵심 내용을 다음과 같이 정리하고자 할 때, 빈칸에 들어갈 말을 쓰시오.

1문단: '소비자 분쟁'의 1(   )과 해결 수단
2문단: '조정'의 개념과 각 유형의 2(   )
3문단: '집단 분쟁 조정' 방식이 활용되는 경우
4문단: 조정 제도의 장점과 3(   )

원리 적용 각 문단에서 핵심 정보를 찾아 각 문단의 핵심 내용을 파악한다.

9262-0009

05 윗글의 내용과 부합하지 않는 것은?

① 조정 제도는 전문성을 확보할 수 있으며 재판에 비해 비용이 덜 든다.
② 행정형 조정이나 사법형 조정은 조정이 확정되면 기판력이 생기게 된다.
③ 소비자 분쟁을 해결하는 데에 재판이 조정보다 강력한 수단이 될 수 있다.
④ 분쟁 당사자 중에 어느 한쪽만 조정안을 수락해도 조정이 성립될 수 있다.
⑤ 국가나 지방 자치 단체가 소비자 분쟁 조정 위원회에 조정을 신청할 수 있다.

원리 적용 대비되는 짝에 주목해 주요 서술 대상에 관한 핵심 정보를 파악한다.

적용 학습 3단계

정부 실패
정부는 기업의 독점적 시장 지배 행위와 기업 간의 부당 거래를 막아 공정 경쟁 환경을 조성하고, 소득 분배의 형평성을 실현함으로써 빈부 격차가 심화되는 것을 방지하고, 사기업이 감당할 수 없는 공공재를 공급하려는 목적으로 시장에 개입한다. 하지만 정부의 시장 개입이 의도한 결과를 내지 못하거나, 기존의 상태를 더욱 악화시키는 경우가 있다. 이러한 상황을 '정부 실패'라고 한다.

예제 1

시장이 효율적인 자원 배분에 실패할 때가 있다. '시장 실패'란 시장이 자원 배분을 효율적으로 하지 못하는 상태를 가리킨다. 시장 실패는 자원 배분의 효율성을 높이기 위해 정부가 공공 정책을 통해 시장에 개입해야 한다는 논리적 근거를 제공한다. 그러나 정부의 시장 개입도 성공하기보다 실패하는 경우가 많았다. 공공 선택 이론은 비시장적 의사 결정에 관한 경제적 연구를 통해 이와 같은 '정부 실패'가 왜 발생하는지를 설명하였다.

공공 선택 이론은 국가적 차원의 정치적 의사 결정 과정에 관심을 가졌다. 공공 선택 이론은 시장 체제에 대비되는 정치 체제를 유권자, 이익 집단, 정치인, 일반 관료 등 네 집단으로 구성된 시스템으로 간주하고, 각 행위 주체 모두 시장의 주체와 같이 자기 이익을 극대화한다고 가정한다. 공공 선택 이론은 이러한 가정하에서 정부의 공공 정책이란 정치인과 관료가 공익에 이바지하려는 노력의 결과물이 아니라, 해당 정책에 특수한 이해관계를 가진 집단들이 의사 결정 과정에 개입하여 생겨난 산출물에 지나지 않는다고 보았다. 또한 정치인이나 관료 역시 자신의 이익을 극대화하려는 합리적 행위자로서 보다 많은 편익을 제공해 주는 이익 집단 쪽에 유리한 정책을 결정한다고 주장하였다. 이처럼 특정 산업계가 이익 집단을 형성하여 정치인과 관료를 포섭함으로써 정책 결정 과정을 지배하려는 행위를 '지대 추구' 행위라고 한다.

그렇다면 어떻게 이런 일이 가능한 것일까? 공공 선택 이론에서는 이를 '합리적 무지'로 설명한다. '합리적 무지'란 특정 정보를 얻기 위해 치러야 할 비용이 해당 정보를 통해 얻을 것으로 기대되는 수익보다 클 경우 차라리 정보 습득을 하지 않고 무지한 상태를 유지하려는 경향을 말한다. 이익 집단이 추구하는 정책 비용이 일반 시민에게 넓게 분산되어 있고 개인당 부담 비용이 적은 경우, 정보 수집에는 상당한 비용이 소요되는 반면 선택에 따른 결과(기대 이익)는 별로 없기 때문에 정보 수집에 힘을 기울이지 않게 된다. 그래서 특정 집단이 다른 사람들에게는 작은 해를 끼치는 정책을 추진할 때, 사람들은 이런 정책에 대해 알려고 하거나 반대하기 위한 비용을 지불하려 하지 않는 현상이 발생할 수도 있는 것이다. 이로 인해 이익 집단에게 편익을 제공받는 정치인이나 관료들은 재정 건전성, 지속 가능성 등을 고려한 견고한 정책보다 단기적 성과를 보일 수 있는 정책에 매달리게 되는 것이다. 공공 선택 이론은 이와 같은 이유들로 인해 공공 정책을 통한 정부의 개입이 실패할 가능성이 매우 크다고 보았다.

9262-0010

01 윗글의 핵심 내용을 다음과 같이 정리하고자 할 때, 빈칸에 들어갈 말을 쓰시오.

'정부 실패'의 발생 (　　　　　)에 대한 공공 선택 이론의 입장

원리 적용 주요 서술 대상에 관한 정보에 주목해 글의 논지를 파악한다.

9262-0011

02 윗글을 통해 알 수 있는 내용이 아닌 것은?

① '시장 실패'의 개념
② 공공 선택 이론의 정치 체제에 대한 가정
③ '지대 추구' 행위의 유형과 파생되는 문제점
④ 정부의 공공 정책 결정에 대한 공공 선택 이론의 입장
⑤ 공공 정책 결정 과정에서 '합리적 무지'가 나타나는 이유

원리 적용 출제 요소가 되는 기본 핵심 정보를 파악해 이해한다.

정답과 해설 3쪽

인상주의 작품의 주요 특징
① 그리는 대상의 고유 색보다 빛에 의해 변하는 색을 추구한다.
② 색채를 중시했기 때문에 물체의 윤곽이 뚜렷하지 않고 단지 간단한 명암 표현과 짧은 붓 자국으로 이루어진 색채가 두드러진다.
③ 역사, 종교, 신화 등을 제재로 삼지 않고, 거리 풍경, 카페, 광장, 공원 등에서 접할 수 있는 평범한 일상적 현실과 자연 풍경을 많이 다루었다.

예제 2

1870년대 들어 인상주의가 탄생하면서 사진과 회화의 관계는 더욱 긴밀해진다. 인상주의 그림은 순간적으로 바라본 풍경이나 일상생활의 모습을 재빨리 담아내려 하였다. 그래서 모네의 밀짚더미나 루앙 성당 그림에서처럼 아침, 점심, 해가 질 때나 안개가 끼었을 때의 모습 등 같은 대상이 시간에 따라 다르게 보이는 모습이 그려지기도 하였다. 이러한 빛과 순간에 대한 관심은 다분히 사진기의 속성과 관계가 있다. 순간적으로 빛 아래서 찍어 냈던 카메라의 눈처럼 화가의 눈으로 자연과 일상생활을 포착하려 하였던 것이다. 또한 발레리나 그림으로 유명한 드가는 비관례적인 구도나 특이한 포즈를 그릴 때 움직임을 순간 포착한 사진을 이용하였으며, 그 밖의 여러 작가의 그림에서도 사진에서 사용되는 프레이밍* 기법이 응용되었다.

그러나 인상주의자들은 순간적인 모습을 표현할 때 사진과 똑같이 재현한 것이 아니라, 회화만이 가지는 특성인 붓 터치와 색채, 형태의 구성 등에 관심을 기울였다. 예를 들어 강물이 햇빛을 받아 반짝이는 모습을 그릴 때, 짧은 붓 터치와 물결 같은 화필을 구사하여 작은 점묘나 짧은 선들로 화면을 구성함으로써 가까이서 보면 무엇을 그렸는지 알아보기 힘들기도 하였다. 이렇게 회화는 사물을 사진처럼 재현하기보다 화면 위에 붓 터치와 색채, 형태 등의 조형과 구성에 집중함으로써 회화만의 특성을 추구하게 된다. 그래서 많은 학자들이 근대 미술이 왜 추상적으로 변화하게 되었는가에 대한 부분적 해답을 사진의 발명에서 찾곤 한다.

결국 사진은 미술가들에게 정확히 관찰하고 드로잉을 할 수 있게 도와주었던 동반자이자 전통적으로 미술이 담당해 왔던 현실을 정확히 모사하는 역할을 수행하는 경쟁자였다. 이러한 과정에서 미술가들은 ㉠사진과 변별되는 회화만이 가지는 특성을 추구하고자 노력하였고, 그것은 회화가 사실적인 모방에서 벗어나 점점 색채, 선, 면 등의 구성에 집중해 추상적인 경향을 띠게 되는 결과로 나타났다. 한편 사진은 오랜 시간이 걸렸지만 점차 예술로 인정받기 시작하며 20세기 전환기에는 유명한 사진 예술가들이 등장하게 된다.

*프레이밍(framing) 사진을 찍을 때에, 피사체를 파인더의 테두리 안에 적절히 배치하여 화면을 구성하는 일.

9262-0012

03 윗글의 제목으로 가장 적절한 것은?

① 사진과 회화의 관계
② 사진과 인상주의 회화의 공통점
③ 사진이 예술로 인정받기까지의 과정
④ 사진이 인상주의의 탄생에 끼친 영향
⑤ 사진 예술에 영향을 미친 회화의 사조

원리 적용 각 문단의 핵심 내용을 파악하고 종합해 글의 논지를 파악한다.

9262-0013

04 ㉠의 구체적인 내용을 쓰시오.

원리 적용 대비되는 짝에 주목해 주요 서술 대상에 관한 핵심 정보를 파악한다.

| 2018학년도 9월 고1 전국연합학력평가 |

다음 글을 읽고 물음에 답하시오.

독해 포커스
열차나 선로에 설치되어 있는 여러 안전장치들의 기능, 작동 원리 등을 병렬적으로 설명하고 있는 글이다. 장치의 기능에 주목하며, 원리에 대한 이해를 바탕으로 작동 과정을 정확하게 이해하도록 한다.

열차 운행의 중요한 과제는 열차를 신속하게 운행하면서도 열차끼리의 충돌 사고를 방지하는 것이다. 열차를 운행할 때는 일반적으로 역과 역 사이에 일정한 간격으로 구간을 설정하고 하나의 구간에는 한 대의 열차만 운행하도록 하는데, 이러한 구간을 '폐색구간'이라고 한다. 폐색구간을 안전하게 관리하면서도 열차 운행의 속도를 높이는 데 도움을 주기 위해서 열차나 선로에는 다양한 안전장치들이 설치되어 있다.

'자동폐색장치(ABS)'는 폐색구간의 시작과 끝에 신호를 설치하고 궤도회로*를 이용하여 열차의 위치에 따라 신호를 자동으로 제어하는 장치이다. 폐색구간에 열차가 있을 때에는 정지 신호인 적색등이 켜지고, 열차가 폐색구간을 지나간 후에는 다음 기차가 진입해도 좋다는 녹색등이 표시된다. 이를 바탕으로 뒤따라오는 열차의 기관사는 앞 구간의 열차 유무를 확인하여 열차의 운행 속도를 제어하고 앞 열차와의 안전거리를 유지하며 열차 사고를 방지한다.

그런데 악천후나 응급 상황으로 기관사가 신호기에 표시된 정지 신호를 잘못 인식하거나 확인하지 못해 충돌 사고가 발생하는 경우가 있다. 이러한 충돌 사고를 방지하기 위한 장치를 설치하는데, 이를 '자동열차정지장치(ATS)'라고 한다. ATS는 선로 위의 지상장치와 열차 안의 차상장치로 구성되는데, 열차가 지상장치를 통과할 때 지상장치에서 차상장치로 신호기 점등 정보를 보낸다. 이때 차상장치에 '정지'를 의미하는 적색등이 켜지면 벨이 울려 기관사에게 알려 준다. 그러면 기관사는 이를 확인하고 제동장치를 작동하여 열차를 감속하거나 정지시키는 등 열차 전반의 운행을 제어하고 앞 열차와의 안전거리를 유지해야 한다. 그런데 벨이 5초 이상 계속 울리고 있는데도 열차 속도가 줄어들지 않으면 ATS는 이를 위기 상황으로 판단하고 제동장치에 비상 제동을 명령하여 자동으로 열차를 멈춰 서게 한다. 이렇게 ATS는 위기 상황으로 인한 충돌 사고를 예방해 준다. 하지만 평상시 기관사의 운전 부담을 줄여 주는 데는 한계가 있다.

[A]
'자동열차제어장치(ATC)'는 신호에 따라 여러 단계로 나누어진 열차 제한 속도 정보를 지상장치에서 차상장치로 전송한다. 그리고 전송된 제한 속도를 넘지 않도록 열차의 속도를 자동으로 감시하고 제어함으로써 선행 열차와의 충돌을 막아 주고 좀 더 효율적인 열차 운행이 가능하게 해 준다. ATC는 송수신장치, 열차검지장치, 속도신호생성장치, 속도검출기, 처리장치, 제동장치 등으로 구성되어 있다.

여러 개의 궤도회로로 나뉜 선로 위를 A열차와 B열차가 달리고 있다고 가정해 보자. A, B열차가 서로 다른 궤도회로에 각각 진입하면 지상의 송수신장치에서 열차검지장치로 신호를 보내고 열차검지장치는 이 신호를 바탕으로 선로 위에 있는 A, B열차의 위치를 파악한다. 속도신호생성장치는 앞서가는 A열차의 위치와 뒤따라오는 B열차의 위치를 바탕으로 B열차가 주행해야 할 적절한 속도를 연산하여 B열차의 제한 속도를 결정한다. 이 속도는 B열차가 위치하고 있는 궤도회로에 전송되고 지상의 송수신장치를 통해 B열차에 일정 시간 간격으로 계속 전달된다.

그러면 B열차의 운전석 계기판에는 수신된 제한 속도와 속도검출기를 통해 얻은 B열차의 현재 속도가 동시에 표시되어 기관사가 제한 속도를 확인하며 운전할 수 있도록 한다. 이때 열차의 현재 속도가 제한 속도를 초과하면 처리장치에서 자동으로 신호를 보내고 신호를 받은 제동장치가 작동되며 열차의 속도를 줄여 준다. 속도가 줄어 제한 속도 이하가 되면 제동이 풀리고 기관사는 속도를 높이게 된다. ATC는 열차가 제한 속도를 넘지 않도록 자동으로 속도를 조절하기 때문에 과속으로 인한 사고를 예방해 주지만, 제한 속도 안에서는 기관사가 직접 속도를 감속하고 가속해야 한다는 점에서 기관사의 부담은 여전히 남아 있다.

많은 사람들이 이용하는 열차의 특성상 열차 충돌 사고가 발생하면 큰 인명 피해로 이어진다. 그래서 현재까지도 열차 사이의 안전거리를 확보하면서도 운행 간격을 최대한 단축하고 열차의 운행 속도를 높이는 기술에 대한 연구가 지속적으로 이루어지고 있다.

*궤도회로 레일을 전기회로의 일부로 사용하여 레일상의 열차를 검지하는 회로. 신호와 경보기 등을 제어하고 지상에서 차상에 정보를 전달함.

원리 이해 주요 서술 대상 파악하기

9262-0014

01 1문단의 끝부분을 통해 알 수 있는, 윗글의 주요 서술 대상을 쓰시오.

원리 이해 문단의 핵심 내용 파악하기

9262-0015

02 [A]의 핵심 정보를 다음과 같이 정리할 때, ㉮~㉰에 들어갈 말을 쓰시오.

자동열차제어장치 (ATC)	• 신호에 따라 여러 단계로 나누어진 (㉮)를 지상장치에서 차상장치로 전송함. • 열차의 속도를 자동으로 감시하고 제어함.

A, B열차가 서로 다른 궤도회로에 진입 → 송수신장치에서 열차검지장치로 신호를 보냄. → 열차검지장치는 A, B열차의 위치를 파악함. → (㉯)가 A 뒤를 따르는 B열차의 적절한 속도를 연산하여 B열차의 제한 속도를 결정함. → 제한 속도가 (㉰)에 전송되고 지상의 송수신장치를 통해 B열차에 일정 시간 간격으로 계속 전달됨. → 기관사가 제한 속도를 확인하며 운전함.(열차가 제한 속도를 넘지 않도록 자동으로 조절함.)

이 문제는! 글의 주요 서술 대상을 파악하고, 그 대상에 관한 세부 정보를 정확하게 이해할 수 있는지를 묻는 문제이다.

기출 문제 세부 정보 파악하기

9262-0016

03 윗글의 내용과 일치하지 않는 것은?

① '폐색구간'은 한 대의 열차만 운행하도록 정해진 구간이다.
② '자동폐색장치'는 정지 신호를 오인하여 발생하는 사고를 예방해 준다.
③ '자동폐색장치'는 궤도회로를 이용하여 열차 위치에 따라 신호를 자동으로 제어한다.
④ '자동열차정지장치'는 지상장치와 차상장치로 구성되어 있다.
⑤ '자동열차정지장치'는 위기 상황에서 자동으로 작동하여 열차를 정지시킨다.

이 문제는! 각 문단의 핵심 내용을 포괄하는 글의 중심 내용을 찾는 문제이다. 주요 서술 대상을 파악하고, 그에 대해 어떤 정보를 제시하고 있는지를 파악하면 쉽게 해결할 수 있는 문제이다.

기출 문제+ 중심 화제 파악하기

9262-0017

04 윗글의 중심 내용으로 가장 적절한 것은?

① 열차 사이의 운행 간격 조절 방법
② 열차 안전사고의 발생 현황과 그 원인
③ 열차 운행 구간의 종류와 안전장치의 필요성
④ 열차 속도 검출 방식의 역사와 관련 장치의 발달
⑤ 열차의 안전 운행을 위한 장치들의 작동 원리와 과정

원리 학습 점검 노트

1 1문단의 끝부분을 통해 '열차나 선로에 설치되어 있는 다양한 안전장치들'을 글의 주요 서술 대상으로 파악했는가?	YES ☐
2 2, 3문단에서 각각 '자동폐색장치(ABS)', '자동열차정지장치(ATS)'의 기능을 파악하고, 4, 5, 6문단에서 '자동열차제어장치(ATC)'를 구성하는 요소들의 기능을 중심으로 작동 과정과 원리를 이해했는가?	YES ☐

| 2019학년도 6월 고2 전국연합학력평가 |

다음 글을 읽고 물음에 답하시오.

독해 포커스
일벌이나 일개미의 이타적 행동이 자연선택되는 것에 대해 해밀턴이 제시한 이론을 설명한 글이다. 다윈 이론의 한계를 이해하고, 그 한계를 보완한 이론을 해밀턴이 제시했음을 이해해야 한다. 그리고 '간접 적합도', '직접 적합도', '포괄 적합도', '유전적 근연도', '해밀턴 규칙' 등의 개념에 대한 이해를 바탕으로 이타적 행동이 자연선택 되는 것에 대해 해밀턴이 어떻게 설명했는지를 이해하는 데 초점을 맞추어 독해해야 한다.

고래의 유선형 몸매나 북극곰의 흰색 털처럼 주어진 환경에 어울리는 생물학적 '적응'은 어떻게 일어났을까? 찰스 다윈은 「종의 기원」에서 '자연선택에 의한 진화'를 그 해답으로 제시하였다. 개체*의 번식에 도움이 되는 유전적 변이만을 여러 세대에 걸쳐 우직하게 골라내는 자연선택의 과정이 결국 환경에 딱 맞는 개체를 만들어 낸다는 것이다. 다윈은 자연선택이 각 개체의 적합도(fitness), 즉 번식 성공도를 높이는 방향으로 일어난다고 보았다. 그렇다면 자신은 번식을 하지 않으면서 집단을 위해 평생 헌신하는 일벌이나 일개미의 행동은 어떻게 설명할 수 있을까? 다윈은 그와 같은 경우 집단의 번성에 이득을 주므로 자연선택이 되었다고 결론을 내렸는데, 이것은 자연선택이 개체에게 이득이 되는 방향으로 일어난다는 그의 기본적인 생각에서 벗어난 것이었다.

㉠윌리엄 해밀턴은 다윈 이론의 틀 안에서 일벌이나 일개미와 같은 개체의 이타적 행동이 자연선택 되는 과정을 규명하고자 하였다. 즉, 다윈 시대에는 없던 '유전자' 개념을 진화 이론에 도입함으로써, 개체 자신의 번식 성공도는 낮추면서 상대방의 번식 성공도를 높이는 이타적 행동이 여러 세대를 거치면서 결국은 개체 자신에게 이득이 되는 방향으로 자연선택이 됨을 입증하려 한 것이다.

다윈이 정리한 자연선택의 과정을 해밀턴은 각 개체가 다음 세대에 자신의 유전자 복제본을 더 많이 남기는 과정으로 보았다. 이때 행위 당사자인 개체는 자기 자신의 번식 성공도를 높임으로써 직접 자신의 유전자 복제본을 남길 수도 있지만, 자신과 유전자를 공유할 확률이 있는 상대의 번식 성공도를 높이는 데 도움을 줌으로써 간접적으로 자신의 유전자 복제본을 남길 수도 있다. 해밀턴은 전자는 '직접 적합도'를 높이는 것으로, 후자는 '간접 적합도'를 높이는 것으로 설명하며, 개체의 자연선택은 두 적합도를 합한 '포괄 적합도'를 높이는 방향으로 일어난다고 보았다.

해밀턴에 따르면 이타적 행동 또한 개체의 포괄 적합도를 높이는 방향으로 자연선택이 일어난다. 그런데 이타적 행동은 개체 자신의 번식 성공도인 직접 적합도를 낮추게 되므로 그를 상쇄하고도 남을 정도로 간접 적합도를 높일 수 있어야 자연선택이 일어날 수 있다. 즉, 개체 자신이 남기는 유전자 복제본에 대한 손실보다 유전자를 공유할 확률이 있는 상대방을 통해 남기는 유전자 복제본에 대한 이득이 더 클 때 이타적 행동은 선택되는 것이다. 이때 개체와 상대방이 유전자를 공유할 확률을 '유전적 근연도'라 하는데, 유전적으로 100% 같은 경우는 유전적 근연도가 1이 된다. 유전적 근연도의 값이 클수록 개체와 상대방이 유전자를 공유할 가능성이 크므로, 개체가 상대방을 통해 자신의 유전자 복제본을 남길 수 있는 가능성 또한 커진다. 이를 바탕으로 해밀턴은 아래와 같은 '해밀턴 규칙'을 도출하였다.

ⓐ $rb > c$ (단, $b > c > 0$으로 가정함.)

즉, 이타적 행동은 그로 인해 상대방이 얻는 이득(b)이 충분히 커서 1보다 작은 유전적 근연도(r)를 가중하더라도 개체가 감수하는 손실(c)보다 클 때 선택된다는 것을 확인할 수 있다. 이러한 해밀턴의 규칙은 이득, 손실, 유전적 근연도의 세 가지 변수를 활용하여 이타성이 진화하는 조건을 알려 준다.

해밀턴의 '포괄 적합도 이론'은 다윈의 이론을 발전시켜 이타성이 왜 진화했는지를 매끄럽게 설명함으로써 진화생물학자들이 이타적 행동에 대해 통찰력을 가질 수 있는 계기를 제공하였으며, 자연선택이 유전자의 수준에서 일어난다는 점을 분명히 하여 이후 진화에 대한 연구의 길잡이가 되었다.

*개체 하나의 독립된 생물체.

원리 이해 문단의 핵심 내용 파악하기

9262-0018

01 1문단과 2문단의 내용 관계에 유의하여 다음과 같이 핵심 내용을 정리할 때 ㉮, ㉯에 들어갈 말을 쓰시오.

문제점
자연선택이 (㉮)에게 이득이 되는 방향으로 일어난다는 다윈의 이론으로는 일벌이나 일개미의 행동을 설명하기 어려움.

대안(방안)
해밀턴은 다윈 이론의 틀 안에서 일벌이나 일개미의 (㉯) 행동이 자연선택 되는 과정을 규명하고자 함.

원리 이해 핵심 정보 파악하기

9262-0019

02 ⓐ를 바탕으로 '유전적 근연도'가 작음에도 이타적 행동이 자연선택 되는 경우에 대해 서술하시오.

이 문제는! 글의 표제와 부제를 파악하는 문제이다. 글 전체를 포괄할 수 있는 중심 화제를 파악하면 정답을 선택하는 데 도움을 받을 수 있다.

기출 문제 중심 화제 파악하기

9262-0020

03 윗글의 표제와 부제로 가장 적절한 것은?

① 진화생물학의 발전 과정 – 적합도에 관한 논쟁을 중심으로
② 해밀턴 규칙의 성립 조건 – 유전자, 개체, 집단의 위계성을 중심으로
③ 자연선택을 통한 생물학적 적응 – 유전적 근연도 값을 중심으로
④ 포괄 적합도 이론의 의의와 한계 – 진화의 패러다임 변화를 중심으로
⑤ 이타적 행동이 자연선택 되는 이유 – 해밀턴의 이론을 중심으로

이 문제는! 글의 주요 서술 대상에 관한 정보들을 정확하게 이해했는지를 묻고 있는 문제이다. 주요 서술 대상이 이론인 경우, 견해·주장을 나타내는 말들을 핵심 어구로 주목하며 독해하면 문제 해결에 도움을 받을 수 있다.

기출 문제+ 핵심 정보 파악하기

9262-0021

04 ㉠에 대한 이해로 적절하지 않은 것은?

① 자연선택이 개체에 이득이 되는 방향으로 일어난다는 다윈 이론의 틀을 유지하였다.
② 유전자 개념을 진화 이론에 도입하여 이타적 행동이 자연선택 되는 것을 설명하였다.
③ 각 개체가 다음 세대에 유전자 복제본을 많이 남기는 과정으로 자연선택을 이해하였다.
④ 유전적 근연도 값이 클수록 개체가 유전자 복제본을 다음 세대로 남길 가능성이 커진다고 주장하였다.
⑤ 직접 적합도를 높여 포괄 적합도를 크게 하는 방향으로 이타적 행동의 자연선택이 일어난다고 보았다.

원리 학습 점검 노트

1 1, 2문단의 '문제점 – 대안(방안)' 관계에 주목하여 해밀턴의 이론이 글의 중심 화제임을 파악했는가?	YES ☐
2 '직접 적합도'와 '간접 적합도'의 개념을 대비되는 짝에 유의하여 정확하게 이해하고, 이를 바탕으로 자연선택이 '포괄 적합도'를 높이는 방향으로 일어난다는 내용을 이해했는가?	YES ☐
3 '유전적 근연도'의 개념에 대한 이해를 통해 '해밀턴 규칙'으로 이타적 행동의 자연선택이 이루어지는 것에 대해 이해했는가?	YES ☐

| 2009학년도 6월 모의평가 |

다음 글을 읽고 물음에 답하시오.

독해 포커스
난간을 구성하고 있는 요소의 특징 및 역할을 토대로 난간의 미적 특징을 설명하고 있다. 따라서 구성 요소를 짚고, 구성 요소의 특징 및 역할에 관한 정보에 주목해 난간의 미적 특징을 이해하는 독해를 해야 한다.

㉮ 우리의 전통 가옥이나 누정, 사찰, 궁궐의 건축물 등에서 쉽게 볼 수 있는 것이 난간(欄干)이다. 선인들의 작품에 '난간에 기대어'라는 표현이 심심찮게 나올 정도로 난간에는 우리 조상들의 삶의 숨결과 미의식이 깃들어 있다. 자칫 소홀하게 여길 수 있는 거주 공간의 끝자락에서도 선인들은 여유와 미감을 찾고자 했던 것이다.

㉯ 난간은 원래 사람들의 추락을 막기 위한 목적으로 마루, 계단, 다리 등에 설치되었다. 우리의 전통 건축물이 대부분 목조 양식을 띠고 있기 때문에 석조 난간보다는 목조 난간이 널리 설치되었다. 목조 난간은 일반 민가에서 쉽게 볼 수 있는 질박하고 수수한 난간에서부터 멋과 미감을 살린 계자(鷄子) 난간으로 발전되어 갔다.

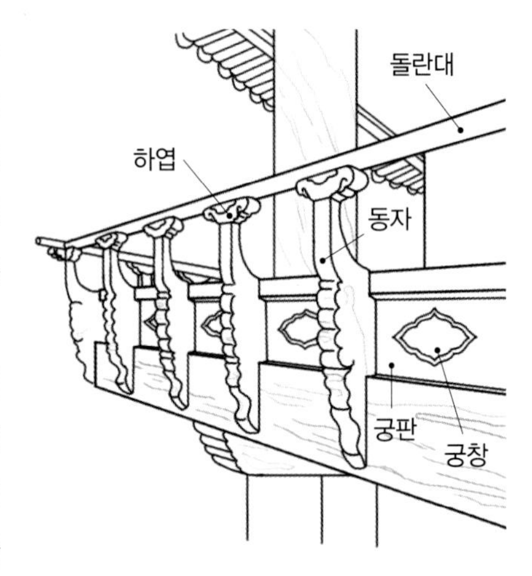

㉰ 민가에서 주로 보이는 보통의 난간이 특별한 장식 없이 널빤지만으로 잇는 소박한 형태였다면, 계자 난간은 궁판(穹板)에 궁창(穹窓)을 만들어 잇기도 하고, 때로는 궁판 대신에 다양한 모양의 살창을 끼워 한껏 멋을 살리기도 했다. 또한 동자(童子)를 짜서 마루와 궁판에 끼워 난간을 튼튼하게 만들면서도 장식미를 드러내고 있다. 난간은 오채(五彩)를 뽐내는 단청의 화려함이나 서까래로 잘 짜 맞춘 대들보의 단단함에는 비길 수 없지만, 그 나름대로 질박하면서도 화사한 멋과 야무진 짜임새를 고루 갖추고 있다.

㉱ 목조가 연출하는 난간의 건축 미학은 자연 친화성에서 나온다. 난간은 특히 독특한 색깔과 무늬로 다른 건축 재료와 조화를 이루는 나무 본래의 특성을 잘 살리고 있다. 멀리서 볼 때 주변 환경과 멋들어지게 어울리는 건물의 품새와 잘 짜인 구성미를 살릴 수 있었던 것도 나무로 만든 난간이 바탕이 되었기 때문이다. 난간을 지을 때 하엽(荷葉)과 돌란대를 단단히 고정시키기 위해 박는 국화 모양의 나무 못에서도 자연 친화적인 선인들의 미의식을 확인할 수 있다.

㉲ 궁창은 수복강녕(壽福康寧)을 상징하는 거북이나 구름뿐 아니라 연꽃 등 다양한 모양으로 만들어지기도 한다. 여기에는 장식적 목적도 있었지만 답답하게 느껴질 수 있는 건물 내부 공간을 시원스럽게 개방함으로써 자연스레 바깥 세계를 끌어들이기 위한 의도도 들어 있다. 여름날 툇마루나 대청마루의 난간 창살 사이로 살랑살랑 불어오는 시원한 미풍의 감촉도 바로 이러한 ㉠<u>난간의 공간 미학적 특징</u>에서 비롯된다. 선인들의 삶의 지혜와 미의식을 곳곳에서 발견할 수 있는 난간이야말로 우리 건축물의 아름다움을 잘 보여 주는 소중한 문화유산이다.

원리 이해 핵심 정보 파악하기

9262-0022

01 다음 내용의 적절성 여부를 판단하여 적절하면 ○, 그렇지 않으면 × 표시를 하시오.

(1) 난간의 궁판에 살창을 내는 것은 모든 계자 난간의 공통적 요소였다. (　　　)

(2) 미적 목적 외에 장수를 기원하는 목적으로 궁창의 모양이 결정되기도 했다. (　　　)

(3) 동자는 난간의 실용성과 아름다움을 동시에 고려한 것이다. (　　　)

원리 이해 핵심 정보 파악하기

9262-0023

02 ㉠의 내용을 〈보기〉와 같이 정리하고자 할 때, 빈칸에 들어갈 말을 쓰시오.

보기

난간은 안과 밖의 1(　　　　)이면서 동시에 안과 밖의 2(　　　　)이다.

기출 문제 중심 화제 파악하기

9262-0024

03 윗글의 제목으로 가장 적절한 것은?

① 난간의 역사와 발달 과정
② 난간의 구성 요소와 기능
③ 난간의 건축 미학과 의의
④ 난간의 재료와 제작 과정
⑤ 난간의 건축 목적과 종류

이 문제는!
각 문단의 핵심 내용을 파악할 수 있는지를 묻고 있다. 글의 주요 서술 대상에 대해 각 문단에서 어떤 정보를 제시하고 있는지를 파악해 문제의 정답을 골라야 한다.

기출 문제+ 문단의 핵심 내용 파악하기

9262-0025

04 가~마의 핵심 내용으로 적절하지 않은 것은?

① 가: 난간에 깃들어 있는 선인들의 삶의 숨결과 미의식
② 나: 난간의 설치 목적과 발전 양상
③ 다: 난간의 멋과 짜임새
④ 라: 난간의 자연 친화적인 특성
⑤ 마: 난간에 궁창을 설치하는 주요 방법

원리 학습 점검 노트

1 가에서 '난간'의 특징으로 '우리 조상들의 삶의 숨결과 미의식이 깃들어 있다.'라는 구절에 주목했는가?	YES □
2 나에서 '보통의 난간'과 대비되는 '계자 난간'의 특징으로 '한껏 멋을 살리기도 했다', '장식미' 등을 주목했으며, 그 구성 요소로 '궁판', '궁창', '살창', '동자' 등을 표시했는가?	YES □
3 다에서 '난간'의 특징으로 '질박하면서도 화사한 멋과 야무진 짜임새'를 주목했는가?	YES □
4 라에서 '난간'의 특징으로 '자연 친화성', '자연 친화적인 선인들의 미의식'을 주목했는가?	YES □
5 마에서 '난간의 공간 미학적 특징'을 주목했는가?	YES □

정보 간의 관계에 유의해 내용 이해하기

한 편의 글에는 다양한 정보가 담겨 있기 마련이에요. 그런데 이러한 정보들은 단순히 나열되어 있는 것이 아니라 서로 밀접한 관련을 맺고 있지요. 가령 추상적인 개념을 구체적인 정보로 설명하기도 하고, 정보들을 서로 대비하기도 하지요. 또 정보들이 원인과 결과, 근거와 주장의 관계를 맺고 있기도 해요. 그렇기 때문에 정보 간의 관계에 유의하며 글을 읽어야만 글을 논리적으로 이해할 수 있답니다.

원리 학습 1단계 개념(주지) – 부연의 관계에 유의해 대응하는 정보를 찾아 글의 내용을 이해하자.

글쓴이는 중심 서술 대상(중심 화제)에 대한 독자의 이해를 돕기 위해 다양한 정보를 제시한다. 그래서 중심 서술 대상(중심 화제)과 이를 설명하기 위해 제시된 부연 정보 간의 의미 관계와 내용을 파악하지 못하면 글의 내용을 온전히 이해할 수 없다. 따라서 글을 읽을 때에는 설명하려는 **개념(주지)을 찾고 이를 설명하기 위해 제시된 구체적인 설명이나 사례를 찾아 연결하며 글을 읽을 수 있어야 한다.**

주지와 부연

주지는 '주장이 되는 요지나 근본이 되는 중요한 뜻.'이라는 의미를 지닌 말이다. 따라서 한 편의 글에서 '주지' 혹은 '주지 문단'이란, 글쓴이가 전달하고자 하는 명확한 중심 화제나 핵심 내용을 의미한다. 즉 글에서 중점적으로 다루고 있는 개념, 현상, 핵심 주장, 이론 등이 바로 그것이다. 따라서 주지 혹은 주지 문단은 중심 화제와 관련하여 일반화되거나 원칙적이며 핵심적인 정보를 전달하는데, 이런 이유로 인해 의미 이해가 쉽지 않다.

반면 부연은 '이해하기 쉽도록 설명을 덧붙여 자세히 말함.'이라는 의미를 지닌 말이다. 그러므로 글에서 '부연' 혹은 '부연 문단'이란, 앞서 언급한 주지 부분의 의미를 쉽게 설명하거나 구체적인 정보를 제공하여 중심 화제나 핵심 내용에 대한 독자의 이해를 돕는 부분을 의미한다.

- 추상적 어구나 서술에 대응되는 구체적 설명이나 정보를 찾아 연결해야 한다.
- 개념(대상)과 그것의 구체적 사례를 찾아 연결해야 한다.

> 국가들 사이에 벌어지는 패권 경쟁을 설명하기 위해 발전된 국제 정치 이론으로 패권 안정 이론(중심 서술 대상)을 들 수 있다. '패권 안정 이론'은 국가들 사이의 힘이 불균등하게 분포되어 있을 때 국제 정치 체제가 안정되고 평화가 유지될 수 있다고 보는 입장이다. 달리 말하면 다른 국가들에 비해 압도적 힘의 우위를 가진 패권 국가가 존재할 때 국제 정치 질서가 안정된다는 것이다.(구체적 설명) 예를 들어 제2차 세계 대전 직후 군사적, 경제적 측면에서 압도적 힘을 가진 미국이 새로운 국제 정치 질서를 관리했을 때 국제 정치 체제가 안정되었다는 것이다.(구체적 사례)

윗글을 읽어 보면 '패권 안정 이론'이라는 추상적 개념어(구)가 중심 서술 대상임을 알 수 있다. 그리고 이러한 '패권 안정 이론'이라는 추상적 개념을 설명하기 위해 구체적인 설명과 사례가 제시되어 있음을 알 수 있다. 특히 달리 말하면 뒤에는 '패권 안정 이론'에 대한 구체적 설명이, 예를 들어 뒤에는 제2차 세계 대전 직후 미국의 행위가 구체적 사례로 제시되어 있다. 따라서 '패권 안정 이론'이라는 중심 서술 대상을 정확히 이해하려면 이와 관련한 구체적 정보나 사례를 찾아 연결하며 읽어야 한다.

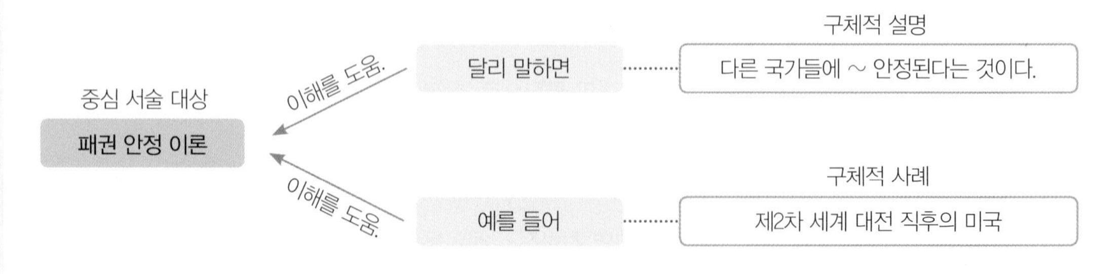

기출동향 | 대표발문

- ✔ ㉠, ㉡에 대한 설명으로 적절하지 않은 것은?
- ✔ ㉠, ㉡이 모두 동의할 내용으로 가장 적절한 것은?
- ✔ ㉠의 이유로 가장 적절한 것은?
- ✔ 윗글을 바탕으로 할 때, 〈보기〉의 ㉠~㉢에 들어갈 내용으로 적절한 것은?

CHECKLIST

- ✔ 개념-부연의 관계에 대응하는 정보 찾기
- ✔ 대응 · 대비되는 짝에 주목하여 핵심 정보 이해하기
- ✔ 인과 관계를 바탕으로 원인(이유) 추론하기
- ✔ 비례 · 반비례 관계에 주목하여 원리 이해하기

2단계 대비 관계를 파악하며 글의 내용을 이해하자.

'대비'의 방식은, 설명하려고 하는 특정 대상을 부각하거나 대상과 관련한 다양한 정보를 입체적으로 제공하기 위해 사용되는 설명 방식이다. 따라서 대비의 방식에 유의하여 글을 읽지 않으면, 글쓴이가 의도적으로 강조하거나 부각하고자 하는 정보를 파악하지 못하게 된다. 따라서 글을 읽을 때에는 **대비되는 정보를 대응시키며 글을 읽고 각 대상 간의 공통점과 차이점을 정확히 파악**하여야 한다.

- 상반된 의미를 지닌 개념어(구)나 대등한 위상의 개념어(구)가 제시된 경우, 대비되는 내용을 찾으며 글을 읽어야 한다.
- 대비 관계에 있는 대상 간의 차이점과 공통점을 파악하되, 특히 차이점에 주목해야 한다.

| 2014학년도 대학수학능력시험 A/B형 |

요즘 시청자들은 자신도 모르는 사이에 간접 광고에 수시로 노출되어 광고와 더불어 살아가는 환경에 놓이게 됐다. 방송 프로그램의 앞과 뒤에 붙어 방송되는 직접 광고와 달리 PPL(product placement)이라고도 하는 간접 광고는 프로그램 내에 상품을 배치해 광고 효과를 거두려 하는 광고 형태이다. 간접 광고는 직접 광고에 비해 시청자가 리모컨을 이용해 광고를 회피하기가 상대적으로 어려워 시청자에게 노출될 확률이 더 높다.

광고주들은 광고를 통해 상품의 인지도를 높이고 상품에 대한 호의적 태도를 확산시키려 한다. 간접 광고에서는 이러한 광고 효과를 거두기 위해 주류적 배치와 주변적 배치를 활용한다. 주류적 배치는 출연자가 상품을 사용 · 착용하거나 대사를 통해 상품을 언급하는 것이고, 주변적 배치는 화면 속의 배경을 통해 상품을 노출하는 것인데, 시청자들은 주변적 배치보다 주류적 배치에 더 주목하게 된다.

(대등한 위상, 상반된 개념 / 개념 / 간접 광고만 구체적으로 설명)

독서쌤의 TIP

대비 관계에 있는 대상들을 효과적으로 이해하려면 각각의 대상에 적절한 표시를 해 두는 것이 효과적이란다. 상반된 속성을 지닌 각각의 개념어(구)에 각각 삼각형(△)이나 역삼각형(▽) 표시를 해 두고, 구체적 설명에는 밑줄이나 물결 표시 등을 해 두면 시각적 대비가 되면서 내용 이해에 도움이 된단다. 물론 중심 화제는 혼란을 피하기 위해 동그라미(○)로 표시해 두는 것이 좋겠지.

윗글에는 '직접 광고'와 '간접 광고', '주류적 배치'와 '주변적 배치'라는 상반된 의미를 가진 개념어(구)가 제시되어 있다. 특히 '직접 광고'에 대한 구체적 설명은 없지만 '간접 광고'에 대한 설명은 매우 구체적이다. 또 '주류적 배치'와 '주변적 배치'도 모두 '간접 광고'에서 활용하는 방법이다. 그러므로 글쓴이는 '간접 광고'와 관련한 정보를 강조하고 전달하고자 한다는 것을 알 수 있다. 따라서 '간접 광고'의 개념과 '주류적 배치'와 '주변적 배치'의 차이점에 주목하여 글을 읽어야 한다.

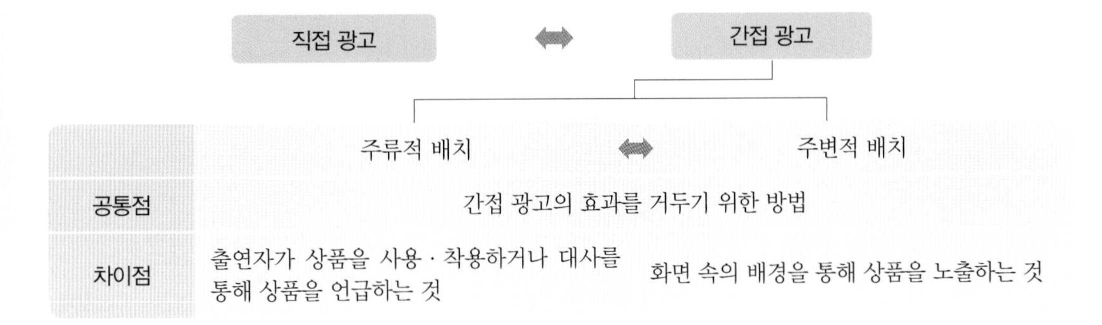

	주류적 배치	주변적 배치
공통점	간접 광고의 효과를 거두기 위한 방법	
차이점	출연자가 상품을 사용 · 착용하거나 대사를 통해 상품을 언급하는 것	화면 속의 배경을 통해 상품을 노출하는 것

3단계 원인(이유)과 결과(현상)의 관계를 파악하며 글의 내용을 이해하자.

독서 지문으로 제시되는 글은 대부분 논설문과 설명문이다. 논설문은 글쓴이의 가치관, 주장, 이론 등이 제시되고 이를 논리적으로 뒷받침하는 경우가 많고, 설명문은 원리, 법칙, 현상 등이 제시되고 그 이유나 원인, 전제를 설명하는 경우가 많다. 따라서 이러한 **글을 읽을 때에는 원인(이유)과 결과(현상)의 관계를 파악**하며 글의 내용을 이해해야 한다.

'원인'과 '결과'의 선후 관계

원인을 분석하거나 결과를 분석하는 사고 작용은 모두 시간의 변화에 따른 어떤 현상의 변화를 중시한다는 점에서 서사 및 과정과 밀접한 연관이 있다. 원인과 결과는 시간의 변화에 따른 상태의 변화와 밀접하게 연관되기 때문에 어느 시점을 기준으로 하느냐에 따라 원인이 결과가 될 수도 있고, 결과가 원인이 될 수도 있다. 그래서 원인과 결과의 관계를 중심으로 글의 내용을 전개할 때에는 원인을 먼저 제시한 다음에 결과를 제시할 수도 있고, 결과를 먼저 제시한 다음에 원인을 제시할 수도 있다. 따라서 원인과 결과의 관계를 분석하며 글을 읽을 때에는 시간적 선후 관계를 엄격히 구분하며 읽어야 한다.

- 원인(이유)과 결과(현상)의 관계를 나타내는 표현에 주목해야 한다.
- 과정에 따라 원인(이유)과 결과(현상)가 제시된 경우, 단계에 유의해 인과 관계를 파악해야 한다.
- 원리에 관한 정보가 제시된 경우 그 내용에 주목하며 글을 읽어야 한다.

| 2015학년도 9월 모의평가 A형 |

가 음식이 상한 것과 가스가 새는 것을 쉽게 알아차릴 수 있는 것(결과(현상))은 우리에게 냄새를 맡을 수 있는 후각이 있기 때문(원인(이유))이다. 이처럼 후각은 우리 몸에 해로운 물질을 탐지하는 문지기 역할을 하는 중요한 감각이다. 어떤 냄새를 일으키는 물질을 '취기재(臭氣材)'라 부르는데, 우리가 어떤 냄새가 난다고 탐지할 수 있는 것(결과(현상))은 취기재의 분자가 코의 내벽에 있는 후각 수용기를 자극하기 때문(원인(이유))이다.

나 일반적으로 인간은 동물만큼 후각이 예민하지 않다. 물론 인간도 다른 동물과 마찬가지로 취기재의 분자 하나에도 민감하게 반응하는 후각 수용기를 갖고 있다. 하지만 개[犬]가 10억 개에 이르는 후각 수용기를 갖고 있는 것에 비해 인간의 후각 수용기는 1천만 개에 불과하여(원인(이유)) 인간의 후각이 개의 후각보다 둔한 것(결과(현상))이다.

글 속에서 특정 결과(현상)의 원인(이유)을 제시할 때에는 '왜', '~ 때문에', '~하기 위하여', '~으로 인해', '~ 때문이다' 등의 표현들이 사용되는 경우가 많다. 가의 '때문이다'라는 표현에 주목해 보면 '냄새를 맡을 수 있는 후각이 있는 것'이 원인(이유)이고 '음식이 상한 것과 가스가 새는 것을 쉽게 알아차릴 수 있는 것'이 결과(현상)임을 알 수 있다. 그런데 나는 원인(이유)과 결과(현상)의 관계를 확인할 수 있는 표현이 겉으로 드러나 있지 않다. 하지만 내용의 논리적 관계에 따라 '인간의 후각이 개의 후각보다 둔한 것'이 결과(현상)이고 '개가 인간에 비해 훨씬 많은 후각 수용기를 가진 것'이 원인(이유)임을 파악할 수 있다.

가에 나타난 원인(이유)과 결과(현상)의 관계

결과(현상)		원인(이유)
음식이 상한 것과 가스가 새는 것을 쉽게 알아차릴 수 있는 것	⬅	냄새를 맡을 수 있는 후각이 있기 때문
어떤 냄새가 난다고 탐지할 수 있는 것	⬅	취기재의 분자가 코의 내벽에 있는 후각 수용기를 자극하기 때문

나에 나타난 원인(이유)과 결과(현상)의 관계

원인(이유)		결과(현상)
개[犬]가 10억 개에 이르는 후각 수용기를 갖고 있는 것에 비해 인간의 후각 수용기는 1천만 개에 불과	➡	인간의 후각이 개의 후각보다 둔한 것

4단계 비례와 반비례의 관계를 파악하며 글의 내용을 이해하자.

경제, 과학 분야의 지문에서는 수학의 변수와 같은 속성을 지닌 대상이나 용어들이 등장한다. 그런데 이러한 대상들은 대체로 복잡한 관계를 형성하거나 변화하기 때문에 대상 간의 관계를 이해하는 것이 쉽지 않다. 하지만 여러 개의 대상이 제시된다 하더라도 일반적으로 각각의 대상이 비례 혹은 반비례의 관계를 보이는 경우가 많다. 따라서 **여러 개의 대상이 제시되고 각각의 대상들이 다른 대상의 변화에 영향을 주는 관계가 제시될 때에는, 각각의 대상과 대응되는 대상을 짝지어 하나씩 구분한 후 비례와 반비례의 관계를 확인**하며 글을 읽어야 한다.

- 서로 영향을 주고받는 대상이나 항목들을 짝을 지어 구분한다.
- 영향 관계에 있는 대상 중 하나의 대상이 변화할 때 다른 대상이 어떻게 변화하는지 확인한다.
- 비례와 반비례의 관계를 확인한 후 선택지의 내용을 확인한다.

| 2020학년도 6월 모의평가 |

거시 건전성 정책의 목표를 효과적으로 달성하기 위해서는 경기 변동과 금융 시스템 위험 요인 간의 상관관계를 감안한 정책 수단의 도입이 필요하다. 금융 시스템 위험 요인은 경기 순응성을 가진다. 즉 경기가 호황일 때는 금융 회사들이 대출을 늘려 신용 공급을 팽창시킴에 따라 자산 가격이 급등하고, 이는 다시 경기를 더 과열시키는 반면 불황일 때는 그 반대의 상황이 일어난다.

윗글에서는 상당히 다양한 대상들이 영향 관계를 맺고 있음을 확인할 수 있다. 영향 관계의 요소들을 정리해 보면, '경기'. '금융 회사의 대출', '신용 공급', '자산 가격'이 있다. 그리고 이러한 요소들의 영향 관계를 간단히 정리해 보면 다음과 같다.

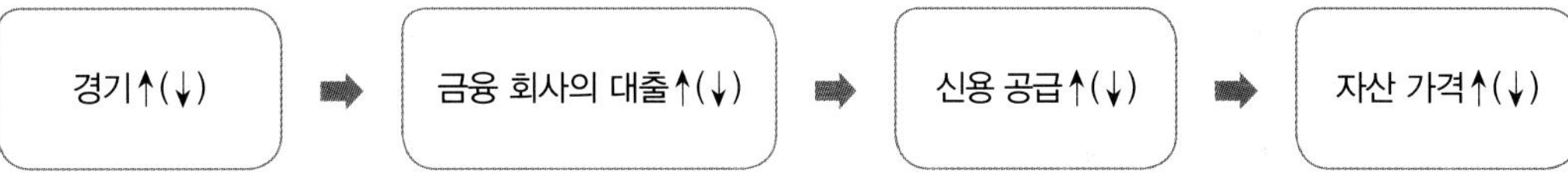

〈경기 : 금융 회사의 대출 : 신용 공급 : 자산 가격은 모두 비례 관계〉

원리 학습 정리 노트

개념(주지) – 1□□의 관계에 유의해 대응하는 정보를 찾아 글의 내용 이해하기	추상적 어구나 서술에 대응되는 구체적 사례나 추가 정보를 찾아 연결하며 글을 읽자.
2□□ 관계를 파악하며 글의 내용 이해하기	상반되거나 대등한 개념어(구)가 제시되면 대비 관계에 유의하여 각 대상 간의 차이점과 공통점을 파악하며 글을 읽자.
원인(이유)과 3□□(현상)의 관계를 파악하며 글의 내용 이해하기	원인(이유)과 결과(현상)의 관계를 나타내는 표현에 주목하고, 대상 간의 시간적 선후 관계를 따지거나, 논리적 관계를 확인하며 원인(이유)과 결과(현상)의 관계를 파악하며 글을 읽자.
비례와 4□□□의 관계를 파악하며 글의 내용 이해하기	서로 영향을 주고받는 대상, 항목들을 짝지어 구분한 후, 비례와 반비례의 관계를 확인하며 글을 읽자.

답 1 부연 2 대비 3 결과 4 반비례

| 2007학년도 대학수학능력시험 |

예제 1

제2차 세계 대전 중, 태평양의 한 전투에서 일본군은 미군 흑인 병사들에게 자신들은 유색인과 전쟁할 의도가 없으니 투항하라고 선전하였다. 이 선전물을 본 백인 장교들은 그것이 흑인 병사들에게 미칠 영향을 우려하여 급하게 부대를 철수시켰다. 사회학자인 데이비슨은 이 사례에서 아이디어를 얻어서 대중 매체가 수용자에게 미치는 영향과 관련한 '제3자 효과' 이론을 발표하였다.

이 이론의 핵심은 사람들이 대중 매체의 영향력을 차별적으로 인식한다는 데에 있다. 곧 사람들은 수용자의 의견과 행동에 미치는 대중 매체의 영향력이 자신보다 다른 사람들에게 더 크게 나타나리라고 믿는 경향이 있다는 것이다. ⓐ예를 들어 선거 때 어떤 후보에게 탈세 의혹이 있다는 신문 보도를 보았다고 하자. 그때 사람들은 후보를 선택하는 데에 자신보다 다른 독자들이 더 크게 영향을 받을 것이라고 여긴다. 이러한 현상을 데이비슨은 '제3자 효과'라고 하였다.

제3자 효과는 대중 매체가 전달하는 내용에 따라 다르게 나타난다. ⓑ예컨대 대중 매체가 건강 캠페인과 같이 사회적으로 바람직한 내용을 전달할 때보다 폭력물이나 음란물처럼 유해한 내용을 전달할 때, 사람들은 자신보다 다른 사람들에게 미치는 영향력을 더욱 크게 인식한다는 것이다. 이러한 인식은 수용자의 구체적인 행동에도 영향을 미쳐, 제3자 효과가 크게 나타나는 사람일수록 내용물의 심의, 검열, 규제와 같은 법적 · 제도적 조치에 찬성하는 성향을 보인다.

9262-0026

01 '제3자 효과'에 대한 설명으로 적절한 것만을 골라 바르게 묶은 것은?

㉠ 사람들은 대중 매체가 나보다 다른 사람들에게 더 큰 영향력을 미친다고 생각한다.
㉡ 대중 매체의 영향력은 인식 차원을 넘어 구체적인 행동에도 영향을 미칠 수 있다.
㉢ 대중 매체의 내용이 폭력물이나 음란물인 경우 대중 매체의 차별적 영향력이 작아진다.
㉣ 대중 매체의 영향을 많이 받는 사람일수록 법적 · 제도적 조치에 대해 반발하는 성향을 보인다.

① ㉠, ㉡　② ㉠, ㉢　③ ㉡, ㉢　④ ㉡, ㉣　⑤ ㉢, ㉣

원리 적용 추상적 어구나 서술에 대응되는 구체적 설명이나 사례를 찾아 연결한다.

9262-0027

02 ⓐ, ⓑ를 통해 설명하고자 하는 내용을 다음과 같이 정리할 때, 빈칸에 들어갈 말을 쓰시오.

• ⓐ: 사람들은 대중 매체의 영향력을 [1]□□□으로 인식한다.
• ⓑ: 제3자 효과는 대중 매체가 전달하는 [2]□□에 따라 다르게 나타난다.

원리 적용 추상적 어구나 서술에 대응되는 구체적 설명이나 사례를 찾아 연결한다.

정답과 해설 6쪽

묘청의 서경 천도 운동
고려 서경(西京, 지금의 평양)의 승려 출신 묘청이 고려의 수도를 개경에서 서경으로 옮기려고(천도) 전개한 정치적 움직임과 후에 천도 운동이 좌절되자 무력으로 중앙 정부에 저항한 이른바 '묘청의 난'을 포괄하여 말한다.
특히 이 과정에서 묘청은 국호를 대위국(大爲國), 연호를 천개(天開)라 선포한 바 있다.

예제 2

연호(年號)는 해의 차례를 나타내기 위하여 붙이는 이름으로, 본디 군주 국가에서 임금이 즉위하면 그 임금의 치세를 나타내기 위해 붙이던 칭호를 말한다. 그래서 어떤 군주가 다스리기 시작하는 바로 그때를 원년으로 하여 치세의 해를 셈하였다. 이러한 전통은 한나라 무제가 동중서의 건의를 받아서 '건원(建元)'이라는 연호를 사용한 데서 시작되었다.

국가의 질서가 새로워지는 것이 연호의 제정으로 나타난다면, 연호의 제정은 역으로 새로운 국가 질서를 의미하는 것이 된다. 그래서 동일한 왕의 치세 중에도 반란을 진압했다든가 정치적 혁신을 꾀했다든가 하면 연호가 새로이 제정되었다. 연호를 바꿈으로써 새로운 시간을 시작한다는 의미를 부여하고 국면 전환을 도모했던 것이다.

그렇다면 ㉠우리나라의 연호 사용 양상은 어떠했을까? 우리나라는 중국의 연호를 따르는 것이 일반적이었지만 독자적인 연호를 제정해 사용하기도 하였다. 독자적인 연호를 사용한다는 것은 시간을 셈하는 근거가 중국 황제의 치세가 아니라 우리나라 왕의 치세임을 의미하는 것이었다. 고려 시대 태조와 광종은 독자적인 연호를 사용한 바 있다. 특히 고려 시대 중엽 서경 천도 운동을 펼쳤던 묘청은 우리의 왕이 중국의 황제와 마찬가지로 독자적인 치세를 이루는 왕임을 표명하고자 고려의 독자적인 연호 사용을 주장하였다. 하지만 묘청의 난이 김부식 등에 의해 진압되고 그 이후 고려가 원나라의 속국이 되면서 독자적인 연호를 세우는 일은 생각할 수 없는 일이 되었다. 조선 시대를 통틀어 일상에서는 임인년, 갑자년처럼 간지에 따라 연도를 셈하는 것이 보통이었다. 그러나 장구한 시간을 적는 역사서라면 사정이 달랐다. 간지에 따른 해는 60년마다 반복되기 때문에 역사서에 그것만 사용하면 혼란이 생길 수밖에 없었다. 그래서 『조선왕조실록』에서는 우선 왕의 치세 햇수를 적고 작은 글씨로 중국 황제의 연호와 연호에 따른 햇수를 적어 연도를 표기하였다.

9262-0028

03 윗글의 중심 화제와 관련하여 각 문단의 내용을 다음과 같이 정리할 때, 빈칸에 들어갈 말을 쓰시오.

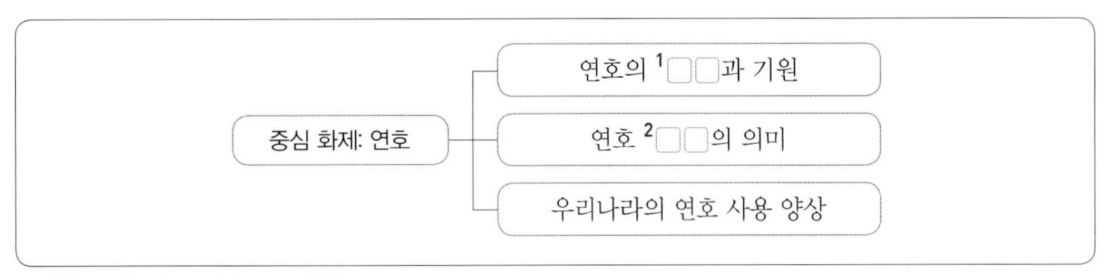

원리 적용 개념(주지) – 부연의 관계에 주목해 글의 중심 화제와 핵심 정보를 파악한다.

9262-0029

04 ㉠에 대한 설명으로 적절하지 않은 것은?

① 중국의 연호를 따르는 것이 일반적이었다.
② 고려 태조와 광종은 독자적인 연호를 사용하였다.
③ 묘청은 중국 황제의 연호를 사용해야 한다고 주장하였다.
④ 고려가 원나라의 속국이 되면서 독자적인 연호를 사용하지 않았다.
⑤ 『조선왕조실록』에는 우리 왕의 치세 햇수와 중국 황제의 연호가 함께 표기되었다.

원리 적용 추상적 어구나 서술에 대응되는 구체적 설명이나 사례를 찾아 연결한다.

예제 1

관객들에게 스토리 정보를 전달하는 정도에 따라 영화의 내레이션은 비제한적 내레이션과 제한적 내레이션으로 구분해 볼 수 있다. 비제한적 내레이션은 영화를 이해하는 데 필요한 정보를 대사나 자막 등을 통해 친절하게 제한 없이 제공하는 것을 말한다. 이때 관객들은 내레이터가 제시하는 내용에 따라 영화를 보게 되므로 쉽게 영화의 서사 구조나 장면을 이해하게 되는 장점이 있는 반면, 수동적 위치에 놓일 수밖에 없게 된다. 이와는 반대로 제한적 내레이션이란 관객들에게 영화를 이해하는 데 필요한 정보를 거의 제공하지 않고 관객의 인식 범위를 주인공의 인식에 한정시키는 것을 말한다. 제한적 내레이션은 내레이션을 제한함으로써 관객들에게 호기심과 놀라움을 불러일으키며 관객 스스로 플롯으로부터 스토리를 재구성하도록 하는 것이다.

9262-0030

01 윗글에서 대비되는 짝에 해당하는 어구 두 개를 찾아 쓰시오.

원리 적용 ▸ 글을 읽으며 대비되는 내용 요소에 주목한다.

보편 논쟁

중세 초기 스콜라 철학의 주요한 논쟁거리로, 보편(Universals)이라는 것이 현실 속에서 실질적으로 존재하느냐 하는 문제에 대해 실재론자들과 유명론자들 사이에서 벌어진 논쟁이다. 고대 아리스토텔레스와 플라톤의 철학에 그 기원을 두고 있으며, 중세에 가서 신학 논쟁과 깊이 연결되면서 큰 학문적 쟁점으로 떠올랐다. 이후 이 논쟁은 근대 철학에서도 여러 차례 학자들의 주목을 받았으며 철학 이외의 다양한 분야에서도 이따금 활용되었다. 보편의 존재 여부와 의미에 대한 논의이므로 일반적으로 '보편 논쟁'이란 명칭으로 불린다.

예제 2

중세 철학자들의 관심을 집중시킨 ㉠보편 논쟁이란 '보편자'가 실재하느냐 그렇지 않느냐를 둘러싼 것이었다. 실재론은 '보편이 개체에 선행한다.'라는 명제로 표현된다. 실재론의 입장을 대표하는 인물은 안셀무스이며, 보편자의 개념은 기욤므에 의해 극단화된다. 기욤므는 일반적인 유개념(類概念)만이 실재하는 본체와 일치한다고 주장했다. 이것은 마치 "소크라테스는 인간이다."라고 말하는 경우에 '인간다움'만이 실제로 존재한다고 주장하는 것과 같다. 따라서 보편적 실체로서의 '인간다움'은 단 하나의 구체적이고 개별적인 인간마저 존재하지 않을지라도 반드시 존재한다고 한다. 예를 들어서 실체로서의 '희다는 것'은 '흰색을 띤 어떤 하나의 사물(white thing)'도 없을지라도 여전히 존재한다고 본다.

이와는 달리 개별적 사물이 존재할 뿐 보편이란 허황한 이름에 지나지 않는다는 주장을 유명론이라고 부른다. 이 입장은 '보편은 개체 다음에 온다.'라는 명제로 표현된다. 유명론을 대표하는 인물은 로스켈리누스이다. 현실은 단순한 개별체들에 의해서 구성되어 있을 뿐이라고 생각한 로스켈리누스는 보편자란 인간이 안출해 낸 이름에 지나지 않는다고 한다. 따라서 보편자로서의 '희다는 것', 곧 '흰색'이란 존재하지 않을 뿐만 아니라 전적으로 무의미한 것으로 본다. 존재하는 것은 오로지 흰색을 띤 구체적인 사물들, 곧 흰 꽃, 흰 종이 등밖에 없다는 것이다.

9262-0031

02 ㉠과 관련하여 윗글의 내용을 다음과 같이 정리할 때, 빈칸에 들어갈 말을 쓰시오.

	실재론	1□□□
명제	보편이 2□□에 선행한다.	보편은 개체 다음에 온다.
대표 인물	안셀무스, 기욤므	3□□□□□□
핵심 주장	일반적인 4□□□만이 실재하는 본체와 일치한다.	개별적 사물이 존재할 뿐, 5□□□란 허황한 이름에 지나지 않는다.

원리 적용 ▸ 대비 관계에 있는 대상들의 차이점과 공통점을 파악한다.

정답과 해설 6쪽

예제 3

사법부의 권한은 고정되어 있는 것이 아니라 변한다. 세계적으로 그 변화는 사법권이 확대, 강화되는 흐름을 보이고 있다. 이처럼 사법권이 확대, 강화되면 법률을 해석하고 적용하는 법관의 역할도 변할 수밖에 없다. 일반적으로 법관의 역할 변화는 사법의 창의성이라 할 수 있는 법 형성력을 높이는 방향으로, 또한 사법의 정치적 독립을 높이는 방향으로 이루어지는데, 대체로 '집행자 → 대리자 → 수호자' 등으로 이행된다.

㉠집행자로서의 법관은 입법부가 법을 만들면서 구현하고자 한 입법 의지에 충실하다. 법의 해석을 통한 개입의 필요 없이 법이 모든 사건에 직접 적용될 수 있음을 전제로 한다는 점에서 독립성과 창의성 모두 가장 낮은 유형이지만, 관료적 성격이 짙어 위계와 서열이 강조되는 사법 체계에서는 이러한 유형이 나타난다. 이런 법관 유형은 다수에 의한 지배를 기본 원리로 삼는 민주주의 체제와 충돌할 여지가 거의 없다.

㉡대리자로서의 법관은 기본적으로 입법 의지를 따르면서 제한적으로 조정력을 행사하는 법관이다. 집행자에 비해 창의성은 비교적 높은 수준이지만 독립성은 그다지 높지 않아, 이 유형의 법관은 법의 결함을 보충하는 역할 정도만 맡는다. 의회 우위의 원칙이 존중되는 국가에서 이런 유형을 볼 수 있는데, 이 역시 민주주의 체제와 갈등을 일으킬 여지는 별로 없다.

㉢수호자로서의 법관은 무엇보다 시민들의 권리를 수호하는 데에 적극적이다. 이를 위해 경우에 따라서는 정치적 대의 기구의 의사나 다수의 의사에 반하기도 한다. 입헌 민주주의의 권력 제한 이념에 뿌리를 둔 이 유형의 법관은 정치 기관이나 다수로부터 개인 혹은 소수자들의 권리를 보호하는 역할을 맡는다. 그런 만큼 법 형성 활동에서 상당히 적극성을 띤다. 이에 따라 입법 후 사회 상황의 변화로 인한 법률의 결함을 메울 수 있고, 선거의 공정성을 감시하는 등 수호자로서의 법관 유형은 순기능이 많지만, 때로는 민주주의 체제와 갈등 관계에 놓일 수도 있다.

9262-0032

03 윗글에서 '법관의 유형'과 관련하여 대등한 위상을 가진 개념어(구)를 모두 찾아 쓰시오.

원리 적용 대등한 위상의 개념어(구)가 여러 개 제시된 경우, 대비 관계에 유의한다.

9262-0033

04 ㉠~㉢을 비교한 내용으로 적절하지 않은 것은?

① ㉠은 ㉡에 비해 창의성이 낮은 법관 유형이다.
② ㉠은 ㉢과 달리 민주주의 체제와 충돌할 여지가 거의 없다.
③ ㉡은 ㉢과 달리 법관이 시민의 권리를 보호하는 데 적극적이다.
④ ㉠과 ㉡은 모두 법률의 입법 의지를 따른다는 점에서 공통적이다.
⑤ ㉡과 ㉢은 모두 법률에 결함이 있을 수 있다고 생각한다는 점에서 공통적이다.

원리 적용 대비 관계에 있는 대상 간의 차이점과 공통점을 파악한다.

예제 1

㉠기업들은 왜 기준이 되는 가격을 실제 판매 가격보다 높게 매기는 것일까? 여기에는 권장 소비자 가격보다 훨씬 낮은 가격으로 물건을 샀다는 느낌을 갖게 하여 판매를 증가시키기 위한 의도가 깔려 있다. 경영학에서는 이러한 느낌을 '거래 효용'이라고 설명한다. 거래 효용은 소비자들이 스스로 느끼는 만족감을 의미하며, 거래 효용이 없으면 소비자들은 좋은 가격에 상품을 구매하고서도 만족감을 느끼지 못한다. 그런데 다른 상점에서 자신이 산 가격보다 낮은 가격에 똑같은 상품이 팔리고 있다는 사실을 소비자들이 알게 되면 권장 소비자 가격은 기준 가격으로서의 역할을 더 이상 하지 못하게 된다. 그러면 소비자들은 어떤 가격을 지불하더라도 늘 속는 기분이 들 것이다. 또한 제조 업체와 유통 업체, 그리고 소비자 사이의 건전한 유통 질서 수립에 큰 장애가 발생할 것이다.

9262-0034

01 ㉠의 질문에 대한 답을 찾아 쓰시오.

(   ) 위해서

원리 적용 ▸ 원인(이유)과 결과(현상)의 관계를 나타내는 표현에 주목하며 글을 읽는다.

| 2012학년도 대학수학능력시험 |

예제 2

어떤 경제 주체의 행위가 자신과 거래하지 않는 제3자에게 의도하지 않게 이익이나 손해를 주는 것을 '외부성'이라 한다. 과수원의 과일 생산이 인접한 양봉업자에게 벌꿀 생산과 관련한 이익을 준다든지, ㉠공장의 제품 생산이 강물을 오염시켜 주민들에게 피해를 주는 것 등이 대표적인 사례이다.

[A] 외부성은 사회 전체로 보면 이익이 극대화되지 않는 비효율성을 초래할 수 있다. 개별 경제 주체가 제3자의 이익이나 손해까지 고려하여 행동하지는 않을 것이기 때문이다. 예를 들어, 과수원의 이윤을 극대화하는 생산량이 Q_a라고 할 때, 생산량을 Q_a보다 늘리면 과수원의 이윤은 줄어든다. 하지만 이로 인한 과수원의 이윤 감소보다 양봉업자의 이윤 증가가 더 크다면, 생산량을 Q_a보다 늘리는 것이 사회적으로 바람직하다. 하지만 과수원이 자발적으로 양봉업자의 이익까지 고려하여 생산량을 Q_a보다 늘릴 이유는 없다.

9262-0035

02 ㉠의 사례를 [A]처럼 설명할 때, 〈보기〉의 ㉮~㉰에 들어갈 말로 옳은 것은?

보기

공장의 이윤을 극대화하는 생산량이 Q_b라고 할 때, 생산량을 Q_b보다 (㉮   ) 공장의 이윤은 줄어든다. 하지만 이로 인한 공장의 이윤 감소보다 주민들의 피해 감소가 더 (㉯   ), 생산량을 Q_b보다 (㉰   ) 것이 사회적으로 바람직하다.

	㉮	㉯	㉰
①	줄이면	크다면	줄이는
②	줄이면	크다면	늘리는
③	줄이면	작다면	줄이는
④	늘리면	작다면	줄이는
⑤	늘리면	작다면	늘리는

원리 적용 ▸ 영향 관계에 있는 대상 간의 비례, 반비례 관계를 파악한다.

고전적 조건 형성 이론
어떤 자극에 의해 일어나는 반응을 그것과 다른 성질의 자극으로도 동일한 반응을 일으키게 할 수 있다는 것을 설명해 주는 학습 이론이다. 고전적 조건 형성 이론은 1904년 러시아의 생리학자 파블로프(Ivan P. Pavlov)에 의하여 제창된 이론으로서 '고전적 조건 반사 이론'이라고도 부른다.
파블로프의 고전적 조건 형성 이론은 비록 개의 실험을 통해 개발된 이론이지만 그 후 작업장의 근로자나 학교의 학생들에게도 적용되었다. 그러나 이후 인간은 동물과 같이 단순하지 않기 때문에 이 이론을 통해 학습 효과를 얻는 데는 한계가 있음이 드러나기도 했다.

예제 3

생물학에서 반사란 '특정 자극에 대해 기계적으로 일어난 국소적인 반응'을 의미한다. 파블로프는 '벨과 먹이' 실험을 통해 동물의 행동에는 두 종류의 반사 행동, 즉 무조건 반사와 조건 반사가 존재한다는 결론을 내렸다. 뜨거운 것에 닿으면 손을 빼내는 것이나, 고깃덩이를 씹는 순간 침이 흘러나오는 것은 무조건 자극에 의한 무조건 반사다. 하지만 모든 자극이 반사 행동을 일으키는 것은 아니다. 생명체에게 있어 반사 행동을 유발하지 않는 자극들을 중립 자극이라고 한다.

㉠중립 자극도 무조건 자극과 짝지어지게 되면 생명체에게 반사 행동을 일으키는 조건 자극이 될 수 있다. 그것이 바로 조건 반사인 것이다. 예를 들어 벨 소리는 개에게 있어 중립 자극이기 때문에 처음에 개는 벨 소리에 반응하지 않는다. 개는 오직 벨 소리 뒤에 주어지는 먹이를 보며 침을 흘릴 뿐이다. 하지만 벨 소리 뒤에 먹이를 주는 행동을 반복하다 보면 벨 소리는 먹이가 나온다는 신호로 인식되며 이에 대한 반응을 일으키는 조건 자극이 되는 것이다. 이처럼 중립 자극을 무조건 자극과 연결시켜 조건 반사를 일으키는 과정을 '고전적 조건 형성'이라 한다.

그렇다면 이러한 조건 형성 반응은 왜 생겨나는 것일까? 이는 [ⓐ]이다. 어떠한 의미 없는 자극이라 할지라도 그것이 의미 있는 자극과 결합되어 제시되면 대뇌 피질은 둘 사이에 연관성이 있다는 것을 파악하고 이를 기억하여 반응을 일으킨다. 하지만 대뇌 피질은 한번 연결되었다고 항상 유지되지는 않는다. 예를 들어 '벨 소리-먹이' 조건 반사가 수립된 개에게 벨 소리만 들려주고 먹이를 주지 않는 실험을 계속하다 보면 개는 벨 소리에 더 이상 반응하지 않게 되는 조건 반사의 '소거' 현상이 일어난다.

9262-0036

03 ㉠을 '원인(이유) – 결과(현상)'의 관계로 분석하시오.

- 원인(이유): ______
- 결과(현상): ______

원리 적용 정보 간의 논리적 관계를 확인하며 원인(이유)과 결과(현상)의 관계를 이해한다.

9262-0037

04 ⓐ에 들어갈 수 있는 말로 가장 적절한 것은?

① 대뇌 피질이 '학습'을 할 수 있기 때문
② 생명체는 보다 강한 자극을 좋아하기 때문
③ 대뇌 피질은 무조건 반사를 일으키기 때문
④ 조건 반사가 시간이 지나면 소거되기 때문
⑤ 지속적인 자극을 주어 반응을 일으키기 때문

원리 적용 정보 간의 논리적 관계를 확인하며 원인(이유)과 결과(현상)의 관계를 이해한다.

| 2017년학년도 3월 고1 전국연합학력평가 |

다음 글을 읽고 물음에 답하시오.

독해 포커스
이 글은 우리나라 범종에 대해 설명하고 있는 글로, 크게 두 가지 측면에 주의하며 글을 이해할 필요가 있다. 먼저 우리나라 범종이, 중국과 일본의 범종과 어떠한 차이를 가지고 있는지 이해해야 하며, 동시에 우리나라 범종이 신라 시대를 거쳐 고려 시대와 조선 시대에 어떠한 변화를 보이고 있는지를 확인하며 글을 읽어야 한다. 그리고 중심 화제와 관련하여 비교 혹은 대비를 통한 내용 이해하기 유형의 문항이 출제될 것을 예상하며 글을 읽어야 한다.

절에서 시간을 알리거나 의식을 행할 때 쓰이는 종을 범종이라고 한다. 범종은 불교가 중국에 유입되면서 나타나기 시작하여 우리나라와 일본의 사찰로 퍼져 나갔다. 중국 종의 영향 속에서도 우리나라와 일본의 범종은 각각 독특한 조형 양식을 발전시켰는데, 우리나라 범종의 전형적인 조형 양식은 신라에서 완성되었다. 신라에서는 독창적이고 섬세한 조형 양식을 지닌 대형 종을 주조하였는데, 이는 중국이나 일본의 주조 공법으로는 만들기 어려운 것이었다. 이러한 신라 종의 조형 양식은 조선 초기를 기점으로 한 ㉠큰 변화가 나타나기 전까지 후대의 범종으로 계승되었다.

신라 종의 몸체는 항아리를 거꾸로 세워 놓은 것과 비슷하게 가운데가 불룩하게 튀어나온 모습을 하고 있다. 이와 달리 중국 종은 몸체의 하부가 팔(八) 자로 벌어져 있으며, 일본 종은 수직 원통형으로 되어 있다. 범종의 정상부에는 종을 매다는 용 모양의 고리인 용뉴(龍鈕)가 있는데, 신라 종의 용뉴는 쌍용 형태인 중국 종이나 일본 종의 용뉴와는 달리 한 마리 용의 모습을 하고 있다. 그리고 용뉴 뒤에는 우리나라의 범종에서만 특징적으로 나타나는 음통이 있다.

주조 공법이 발달했던 신라의 범종에는 섬세한 문양들이 장식되어 있어 중국 종이나 일본 종과 차이를 보인다. 신라 종의 상부와 하부에는 각각 상대와 하대라고 부르는 동일한 크기의 문양 띠가 있는데, 여기에는 덩굴무늬나 연꽃무늬 등의 불교적 상징물이 장식되어 있다. 상대 바로 아래 네 방향에는 사다리꼴의 유곽이 있으며 그 안에 연꽃 봉우리 형상이 장식된 유두가 9개씩 있어, 단순한 꼭지 형상의 유두가 있는 일본 종이나 유두와 유곽 모두 존재하지 않는 중국 종과 차이를 보인다. 그리고 가장 불룩하게 튀어나온 종의 정점부에는 타종 부위인 당좌(撞座)가 있으며, 이 당좌 사이에는 천인상(天人像)이 아름답게 장식되어 있어 가로 세로의 띠만 있는 일본 종과 차이가 있다.

고려 시대에는 이러한 신라 종의 조형 양식이 미약한 변화 속에서 계승된다. 전기에는 상대와 접하는 종의 상판 둘레에 견대라 불리는 어깨 문양의 장식이 추가되고 유곽과 당좌의 위치가 달라지며, 천인상만 부조되어 있던 자리에 삼존불 등이 함께 나타난다. 그리고 고려 후기로 가면 전기 양식의 견대가 연꽃을 세운 모양으로 변하고, 원나라의 침입 이후 전래된 라마교의 영향으로 범자(梵字) 문양 등의 장식이 나타난다. 한편, 범종이 소형화되어 신라 종의 조형 양식이 계승되면서도 그러한 조형 양식을 지닌 대형 종의 주조 공법은 사라지게 된다.

조선 초기에는 새 왕조를 연 왕실 주도로 다시 대형 종이 주조된다. 이때 조선에서는 신라의 대형 종 주조 공법을 대신하여 중국 종의 주조 공법을 도입하게 된다. 그러면서 중국 종처럼 음통이 없이 쌍용으로 된 용뉴가 등장하며, 당좌가 사라지고, 신라 종의 섬세한 장식 대신 중국 종의 전형적인 장식들이 나타나게 된다. 이후 불교를 억제하는 정책에 따라 한동안 범종 제작이 통제되었고, 16세기에 사찰 주도로 소형 종이 주조되면서 사라졌던 신라 종의 조형 양식이 다시 나타난다. 그 후 이러한 혼합 양식과 복고 양식이 병립하다가 복고 양식이 사라지면서 우리나라의 범종은 쇠퇴기에 접어들게 된다.

원리 이해 ▶ 대비를 통해 내용 이해하기

9262-0038

01 윗글을 읽고 각 나라 범종의 차이점을 정리할 때, ㉮~㉲에 들어갈 말을 쓰시오.

	신라	중국	일본
전반적인 모양	(㉮)가 불룩하게 튀어나온 모습	몸체의 하부가 팔(八) 자로 벌어져 있음.	수직 (㉯)
용뉴의 형태	한 마리의 용	(㉰) 형태	
문양	사다리꼴 유곽 안에 연꽃 봉우리 형상이 장식된 유두가 9개씩 있음.	유두와 (㉱) 모두 존재하지 않음.	단순한 꼭지 형상의 유두가 있음.
(㉲)	있음.	없음.	

기출 문제 ▶ 대비를 통해 내용 이해하기

9262-0039

02 〈보기〉는 신라 시대에 만들어진 범종의 그림이다. 이 범종의 ⓐ~ⓔ와 관련된 설명으로 적절하지 않은 것은?

보기

① 용이 한 마리인 형태의 ⓐ는 쌍용 형태인 중국 종이나 일본 종과 차이가 있다.
② ⓑ는 중국 종이나 일본 종에는 존재하지 않는 신라 종의 독특한 조형 양식에 해당한다.
③ 중국 종에는 ⓒ가 존재하지 않고, 일본 종에 존재하는 것은 ⓒ와 형상이 다르다.
④ 일본 종은 신라 종과 달리 ⓓ의 주변에 가로 세로의 띠가 있다.
⑤ 신라 종은 중국 종이나 일본 종과 달리 몸체의 정점부가 ⓔ 부분보다 불룩하게 튀어나와 있다.

이 문제는!
글의 중심 화제와 관련한 비교와 대비를 통해 세부 정보를 확인하는 문항이다. 글의 중심 화제의 여러 가지 요소들이 비교 대상들과 각각 어떤 차이가 있는지 주목하며 글을 읽고 이를 선택지의 내용과 꼼꼼히 대조하여 확인해야 한다.

기출 문제 ▶ 원인(이유) – 결과(현상)의 관계 파악하기

9262-0040

03 ㉠이 나타나게 된 이유로 가장 적절한 것은?

① 조선 시대에 불교를 억제하는 정책을 펴면서 범종 제작이 통제되었기 때문이다.
② 고려 시대에 종이 소형화되면서 신라 종의 조형 양식이 전승되지 못했기 때문이다.
③ 중국 종의 주조 공법으로 대형 종을 만들면서 중국 종의 조형 양식을 따르게 되었기 때문이다.
④ 16세기에 사찰 주도로 범종을 주조할 때 신라 종의 조형 양식을 복원하는 데 한계가 있었기 때문이다.
⑤ 조선 초기에 사찰 주도로 대형 종을 주조하면서 섬세한 조형 양식을 지닌 신라 종을 따르고자 했기 때문이다.

이 문제는!
글에 제시된 정보를 바탕으로 특정한 결과가 나타나게 된 원인을 파악하는 문항이다. 특히 이 문항은 원인과 결과를 제시하고 있는 지점이 멀리 떨어져 있는 경우에 해당하므로 '조선 초기'라고 하는 시점을 중심으로 관련 정보를 탐색하며 원인과 결과의 관계를 확인할 수 있어야 한다.

원리 학습 점검 노트

1 2, 3문단의 내용을 통해 신라, 중국, 일본의 범종이 어떤 차이점을 가지고 있는지 파악하였는가?	YES ☐
2 2, 3, 4문단의 내용을 통해 우리나라 범종의 시대별 특징을 비교하고 그 차이점을 이해하였는가?	YES ☐
3 5문단의 내용을 통해 조선 시대의 범종이 이전 시대와 달리 변화하게 된 원인을 파악하였는가?	YES ☐

| 2017학년도 3월 고2 전국연합학력평가 |

다음 글을 읽고 물음에 답하시오.

독해 포커스
이 글은 다이내믹 스피커가 작동하는 원리를 과학적 원리를 활용해 설명하고 있다. 기술이나 과학 분야의 글은 특정 결과(현상)에 대응되는 원인(이유)이 선행하고, 이것이 분명하게 제시되는 특징이 있다. 이러한 종류의 글을 읽을 때에는 특정 현상이 유발되는 이유나 선행하는 과정을 화살표 등으로 연결해 가며 글을 읽으면 이러한 관계를 명료하게 이해하는 데 도움이 된다.

북을 치면 소리가 난다. 북을 쳤을 때 북의 가죽에서 진동이 일어나고 이로 인해 공기가 진동하여 소리를 내는 것이다. 이때 공기가 가죽의 진동을 받아 생기는 진동수가 크면 높은 음이, 작으면 낮은 음이 난다. 그리고 공기의 진폭이 크면 강한 소리가, 작으면 약한 소리가 난다. 스피커도 이와 같은 원리로 전류의 진동수나 진폭에 따라 다양한 소리를 재생한다.

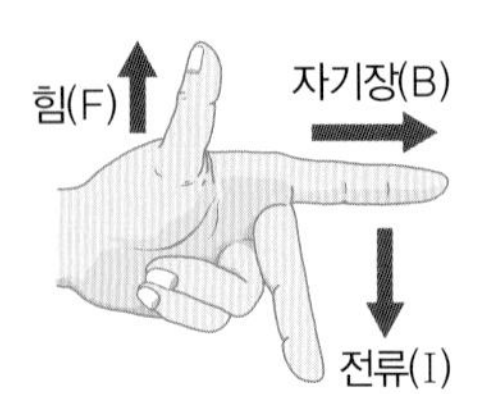

〈그림〉 플레밍의 왼손 법칙

일반적으로 널리 사용되는 스피커로는 다이내믹 스피커가 있다. 다이내믹 스피커는 영구 자석에 의해 형성되는 자기장이 보이스 코일에 흐르는 전류와 수직 방향을 이루도록 하여 진동판을 움직이는 힘이 위아래로 작용하게 함으로써 소리를 재생하는 메커니즘을 갖는다. 이러한 메커니즘은 왼쪽의 〈그림〉에서와 같이 자기장과 전류의 방향이 수직을 이룰 때 생성되는 힘이 자기장과 전류의 수직 방향으로 작용한다는 플레밍의 왼손 법칙으로 설명할 수 있다.

다이내믹 스피커의 주요 부품으로는 영구 자석, 탑 플레이트, 보이스 코일, 보빈, 진동판, 댐퍼, 폴피스 등이 있다. 영구 자석은 자기장을 형성하고, 탑 플레이트는 이 자기장을 보이스 코일 방향으로 제어하는 역할을 한다. 보이스 코일은 보빈에 감겨 있는 도선으로, 이 코일에 전류가 흐르면 영구 자석이 형성하는 자기장과 상호 작용을 하여 생성되는 힘이 보이스 코일을 위아래로 움직이게 한다. 보이스 코일에 고정되어 있는 보빈은 보이스 코일이 받는 힘을 진동판에 그대로 전달하여 소리를 재생하게 한다. 댐퍼는 스피커의 외형을 이루는 단단한 프레임에 보빈을 지지시켜 보빈에 감겨 있는 보이스 코일이 위아래로 원활하게 움직일 수 있도록 보이스 코일의 중심을 잡아 준다. 그리고 폴피스는 전류가 흐르면서 보이스 코일에서 발생하는 열을 영구 자석과 탑 플레이트로 분산시켜 식혀 주는 역할을 한다.

다이내믹 스피커에서 소리를 재생하기 위해서는 보이스 코일이 위아래로 반복하여 움직이면서 진동판을 진동시켜야 한다. 진동판의 반복 운동은 전류의 방향이 계속해서 바뀌는 교류 전류를 보이스 코일에 흘려줌으로써 이루어진다. 영구 자석에서 나오는 자기장의 방향은 동일하지만 보이스 코일에 흐르는 교류 전류의 방향이 전환됨에 따라 보이스 코일이 받는 힘이 이전과 반대 방향으로 작용하게 된다. 그렇게 되면 진동판이 위아래로 반복 운동을 하며 소리가 재생된다.

한편 자기장(B)과 전류(I)의 세기가 커짐에 따라 보이스 코일에 작용하여 진동판을 진동시키는 힘(F)은 커진다. 그런데 영구 자석에서 형성되는 자기장의 세기는 항상 일정하기 때문에 스피커에서 재생되는 소리의 크기는 보이스 코일에 흐르는 전류의 변화에 따라 달라진다.

이 문제는!
이 문제는 결과(현상)에 대응되는 원인(이유)을 파악하는 문항이다. 선행하는 과정이 후속되는 과정의 원인(이유)이 된다는 점을 고려하며 글을 읽을 때 원인과 결과의 관계를 표시해 가며 읽어야 한다.

원리 이해 원인(이유) – 결과(현상)의 관계 파악하기

9262-0041

01 '다이내믹 스피커'가 작동하는 원리를 인과 관계에 유의하여 다음과 같이 정리하고자 할 때, ㉠~㉢에 들어갈 말을 쓰시오.

원인		결과 / 원인		결과
• 영구 자석에 의해 (㉠)이 형성됨. • 보이스 코일에 교류 전류가 흐르며 영구 자석의 자기장과 (㉡) 방향을 이룸.	➡	보이스 코일이 위아래로 움직이면서 (㉢)을 진동시킴.	➡	진동판의 진동으로 공기가 진동하여 소리가 남.

기출 문제 개념에 대응되는 구체적 설명 찾기

9262-0042

02 '다이내믹 스피커'에 대한 설명으로 적절하지 않은 것은?

① 전류는 보이스 코일에서 열을 발생시킨다.
② 보이스 코일과 보빈이 움직이는 방향은 동일하다.
③ 전류의 방향이 변하지 않으면 소리를 재생하지 못한다.
④ 보이스 코일에 전류를 흘려주면 보이스 코일이 힘을 받는다.
⑤ 보이스 코일이 받은 힘은 전류와 자기장의 상호 작용을 유도한다.

이 문제는!
비례와 반비례의 관계를 파악하며 글의 내용을 이해한 후 이를 적용하는 문항이다. 특정 요소가 다른 요소와 어떠한 관계를 가지고 있으며, 그러한 특정 요소가 변화할 때 다른 요소가 어떤 방향으로 변화하는지에 주목하며 글을 읽어야 한다. 그리고 이러한 관계를 위아래를 나타내는 화살표로 표시해 두면 문항을 해결하는 데에도 도움이 된다.

기출 문제 대상 간의 비례, 반비례 관계 파악하기

9262-0043

03 윗글을 바탕으로 할 때, 〈보기〉의 ㉠에 들어갈 내용으로 적절한 것은?

보기

이퀄라이저는 특정 주파수 대역의 음을 세게 하거나 약하게 하여 음악에 따라 음색을 조절하며 감상할 수 있게 하는 장치이다. 예를 들어 클래식 음악을 감상할 때는 저음 대역에 해당하는 전류의 (㉠) 방법을 통해 스피커에서 나오는 저음을 강화할 수 있다.

① 세기를 크게 하는
② 진폭을 작게 하는
③ 방향을 전환시키는
④ 진동수를 크게 하는
⑤ 진동수와 진폭을 작게 하는

원리 학습 점검 노트

1 글 전반에서 다이내믹 스피커에 대한 부연 설명을 정확히 이해하였는가?	YES ☐
2 3, 4문단에서 다이내믹 스피커의 주요 부품이 작동하는 원리를 인과 관계에 주목하여 이해하였는가?	YES ☐
3 5문단에서 스피커에 흐르는 전류의 세기와 재생되는 소리의 크기가 어떤 관계인지 파악하였는가?	YES ☐

다음 글을 읽고 물음에 답하시오.

독해 포커스
베토벤의 교향곡이 높은 평가를 받게 된 이유를 설명하고 있는 글이므로 주어진 결과를 뒷받침할 수 있는 이유(근거)를 이해하는 데 초점을 맞추어 글을 읽어야 한다.

가 ㉠베토벤의 교향곡은 서양 음악사에 한 획을 그은 걸작으로 평가된다. 그 까닭은 음악 소재를 개발하고 그것을 다채롭게 처리하는 창작 기법의 탁월함으로 설명될 수 있다. 연주 시간이 한 시간 가까이 되는 제3번 교향곡 '영웅'에서 베토벤은 으뜸화음을 펼친 하나의 평범한 소재를 모티브로 취하여 다양한 변주와 변형 기법을 통해 통일성을 유지하면서도 가락을 다채롭게 들리게 했다. 이처럼 단순한 소재에서 착상하여 이를 다양한 방식으로 가공함으로써 성취해 낸 복잡성은 후대 작곡가들이 본받을 창작 방식의 전형이 되었으며, 유례없이 늘어난 교향곡의 길이는 그들이 넘어서야 할 산이었다.

나 그렇다면 오로지 작품의 내적인 원리만이 베토벤의 교향곡을 ㉡19세기 중심 레퍼토리로 자리매김하게 했을까? 베토벤의 신화를 이해하기 위해서는 19세기 초 음악사의 중심에 서고자 했던 독일 민족의 암묵적 염원을 들여다볼 필요가 있다. 그것은 1800년을 전후하여 뚜렷하게 달라진 빈(Wien)의 청중의 음악관, 음악에 대한 독일 비평가들의 새로운 관점, 그리고 당시 유행한 천재성 담론에 반영되었다.

다 빈의 새로운 청중의 귀는 유럽의 다른 지역 청중과는 달리 순수 기악을 향해 열려 있었다. 순수 기악이란 악기에서 나오는 소리 외에는 다른 어떤 것과도 연합되지 않는 음악을 뜻한다. 당시 청중은 언어가 순수 기악이 주는 의미를 담기에 부족하다고 생각했기 때문에 제목이나 가사 등의 음악 외적 단서를 원치 않았다. 그들이 원했던 것은 말로 형용할 수 없는, 무한을 향해 열려 있는 '음악 그 자체'였다.

라 또한 당시 음악 비평가들은 음악을 앎의 방식으로 이해하기를 원했다. 이는 음악을 정서의 촉발자로 본 이전 시대와 달리 음악을 감상자가 능동적으로 이해해야 할 대상으로 인식하기 시작했음을 뜻한다. 슐레겔은 모든 순수 기악이 철학적이라고 보았으며, 호프만은 베토벤의 교향곡이 '보편적 진리를 향한 문'이라고 주장하였다. 요컨대 당시의 빈의 청중과 독일의 음악 비평가들은 베토벤의 교향곡이 음악의 독립적 가치를 극대화한 음악이자 독일 민족의 보편적 가치를 실현해 주는 순수 기악의 정수라 여겼다.

마 더욱이 당시 독일 지역에서 유행한 천재성 담론도 베토벤의 교향곡이 특별한 지위를 얻는 데 한몫했다. 그 시대가 요구하는 천재상은 타고난 재능으로 기존의 관습에서 벗어나 새로운 전통을 창조하는 자였다. 베토벤은 이전의 교향곡의 전통을 수용하면서도 자신만의 독창적인 색채를 더하여 교향곡의 새로운 지평을 열었다고 여겨졌다. 베토벤이야말로 이러한 천재라는 인식이 널리 받아들여지면서 그의 교향곡은 더욱 주목받았다.

원리 이해 원인(이유) – 결과(현상)의 관계 파악하기

9262-0044

01 ㉮에 언급된 ㉠의 이유를 간단하게 쓰시오.

기출 문제+ 원인(이유) – 결과(현상)의 관계 파악하기

9262-0045

02 ㉡의 이유를 모두 골라 바르게 묶은 것은?

ㄱ. 베토벤이 교향곡의 새로운 지평을 연 천재로 인식되었기 때문에
ㄴ. 독일의 사회적, 역사적 배경과 베토벤의 불우한 삶이 조응되었기 때문에
ㄷ. 빈의 청중이 베토벤의 교향곡과 같이 언어가 배제된 순수 기악을 선호했기 때문에
ㄹ. 비평가들이 베토벤 교향곡을 음악의 독립적 가치를 극대화한 작품으로 평가했기 때문에

① ㄱ, ㄴ ② ㄴ, ㄹ ③ ㄷ, ㄹ ④ ㄱ, ㄷ, ㄹ ⑤ ㄴ, ㄷ, ㄹ

이 문제는!

이 문제는 관점의 차이를 바탕으로 중심 서술 대상에 대한 반응의 적절성을 평가하는 문제이다. 이 문제를 해결하기 위해서는 먼저 대비되는 관점의 차이를 분명히 인식하고 이를 구체적 상황에 적용하여 적절한 반응을 보이고 있는지 면밀하게 따져 보아야 한다.

기출 문제 관점의 대비를 통해 내용 이해하기

9262-0046

03 〈보기〉와 윗글을 이해한 내용으로 가장 적절한 것은?

보기

로시니는 베토벤과 동시대인으로 당대 최고의 인기를 누리던 오페라 작곡가였다. 당시 순수 기악이 우세했던 빈과는 달리 이탈리아와 프랑스에서는 오페라가 여전히 음악의 중심에 있었다. 당대의 소설가이자 음악 비평가인 스탕달은 로시니가 빈의 현학적인 음악가들과는 달리 유려한 가락에 능하다는 이유를 들어 그를 최고의 작곡가로 평가하였다.

① 슐레겔은 로시니를 '순수 기악의 정수'를 보여 준 베토벤만큼 높이 평가하지 않았겠군.
② 호프만은 당시의 이탈리아와 프랑스에서 유행하던 음악이 '새로운 전통'을 창조했다고 보았겠군.
③ 음악을 '앎의 방식'으로 보는 관점을 가진 사람들에게 오페라는 교향곡보다 우월한 장르로 평가받았겠군.
④ 스탕달에 따르면, 로시니의 음악은 베토벤이 세운 '창작 방식의 전형'을 따름으로써 빈의 현학적인 음악가들을 뛰어넘은 것이겠군.
⑤ 당시 오페라가 여전히 인기를 얻을 수 있었던 것은 음악을 '정서의 촉발자'가 아닌 '능동적 이해의 대상'으로 보려는 청중의 견해 때문이었겠군.

원리 학습 점검 노트

1 ㉮에서 베토벤 교향곡이 서양 음악사에 한 획을 그은 걸작으로 평가되는 이유(근거)를 파악했는가?	YES ☐
2 ㉯, ㉰, ㉱, ㉲에서 베토벤의 교향곡이 19세기 중심 레퍼토리로 자리매김한 이유(근거)를 파악했는가?	YES ☐
3 ㉯, ㉰, ㉱에서 베토벤이 활동하던 시절과 그 이전 시대에 선호했던 음악 유형의 차이점을 이해했는가?	YES ☐

글의 구조와 전개 방식 파악하기

글의 구조와 전개 방식이란 글에서 전달하려는 내용이 어떠한 순서나 방식으로 배치되었는가를 말하는 것이에요. 이런 배치를 생각하면서 글을 읽으면 글의 의도나, 글에서 강조하는 것을 쉽게 파악할 수 있어요. 넓은 시각에서 전체를 바라보면, 세세한 것만을 볼 때에는 보지 못하던 것들을 볼 수 있는 것처럼 말이죠. 글을 읽을 때 무작정 읽기보다는 문단 내에서 어떠한 방식으로 내용을 전개하는지, 문단과 문단 간의 관계는 어떤 식으로 짜여 있는지를 고려해야 합니다.

원리 학습 1단계 글의 중심 화제를 파악하고 각 문단의 시작 부분을 확인하여 글의 구조를 짐작하자.

일반적으로 글의 도입부에서 중심 화제를 밝히고 그에 대한 정보를 제시하는 경우가 많다. 그렇기 때문에 **글의 시작 부분에서 중심 화제를 파악**할 수 있어야 한다. 그런 다음 **각 문단의 시작 부분에 주목**하여 **중심 화제와 관련하여 어떤 정보가 제시되어 있는지**를 빠르게 훑어보도록 한다. 그러면 글의 구조를 짐작할 수 있다.

- 글의 첫 문단의 시작이나 끝부분, 또는 둘째 문단의 시작 부분에 주목하여 중심 화제를 파악해야 한다.
- 각 문단의 시작 부분을 훑어보고 중심 화제와 각 문단의 관련성을 파악하여 글의 구조를 짐작해야 한다.

| 2019학년도 6월 고2 전국연합학력평가 |

1 물가란 시장에서 거래되는 개별 상품의 가격을 종합하여 평균한 것으로, 물가 변동은 전반적인 상품의 가격 변동을 나타낸다. 물가지수는 이러한 물가 변동을 알기 쉽게 지수화한 경제지표를 일컫는다. 지수란 기준이 되는 시점의 수치를 100으로 해서 비교 시점의 수치를 나타낸 것인데, 이를테면 어느 특정 시점의 물가지수가 115라면 이는 기준 시점보다 물가 수준이 15% 높다는 것을 의미한다.

2 물가지수를 정확하게 측정하려면 모든 재화와 서비스의 가격 변동을 조사해야 하지만 이는 현실적으로 불가능하다. (……)

3 이러한 물가지수는 어떤 용도로 쓰일까? 먼저, 물가지수는 화폐의 구매력을 측정할 수 있는 수단이 된다. (……)

4 또한 물가지수는 명목 가치를 실질 가치로 바꾸는 역할을 한다. (……)

1문단에서 확인 가능한 정보	→	물가와 물가지수의 개념 → 글의 중심 화제 [첫 문단에 개념이 제시되어 있는 경우, 그 개념은 글의 중심 화제와 관련이 있다.]
2, 3, 4문단의 시작 부분에서 확인 가능한 정보	→	• 2문단 시작 부분을 통해 '물가지수의 측정'에 관한 내용이 2문단에 제시되어 있음을 짐작할 수 있음. • 3문단 시작 부분을 통해 '물가지수의 용도'에 관한 내용이 3문단에 제시되어 있음을 짐작할 수 있음. • 4문단 시작 부분을 통해 '물가지수의 용도'에 관한 내용이 4문단에 제시되어 있음을 짐작할 수 있음.

중심 화제인 '물가지수'에 관한 정보가 병렬적으로 제시되어 있는 구조임.

기출동향 | 대표발문

✔ 윗글에서 다룬 내용이 아닌 것은?
✔ 윗글에 대한 설명으로 가장 적절한 것은?
✔ 윗글의 내용 전개 방식에 대한 설명으로 가장 적절한 것은?
✔ 윗글의 논지 전개 방식으로 가장 적절한 것은?

CHECKLIST

✔ 글의 중심 화제를 파악하고 글의 구조 예측하기
✔ 각 문단의 중심 내용을 토대로 문단 간의 관계 이해하기
✔ 문단 간의 관계를 고려하여 글의 구조 파악하기
✔ 글의 구조를 바탕으로 글의 논지 이해하기

2단계 각 문단의 중심 내용을 파악하고 문단 간의 관계를 이해하자.

형식 문단과 내용 문단

- 형식 문단: 일반적으로 생각하는 개념의 문단. 들여쓰기를 통해 형식적으로 구분되는 문단
- 내용 문단: 내용을 기준으로 나눈 문단. 여러 개의 형식 문단이라도 하나의 내용을 담고 있으면 하나의 내용 문단으로 묶을 수 있다.

중심 화제와 각 문단의 시작 부분만 보고 글의 구조를 세부적으로 파악하는 것은 어려운 일이다. 글의 구조를 어느 정도 파악했으면 **각 형식 문단의 중심 내용을 파악**하고, 그 내용을 고려하여 **하나의 내용 문단으로 묶을 수 있는 것들이 있는지 확인**하며 글의 세부 구조를 이해하는 독해를 할 수 있어야 한다.

독해 포인트

- 글의 중심 화제와 관련하여 각 문단에서 무엇에 대해 서술하는지 확인해야 한다.
- 문단에서 자주 반복되는 단어, 어구 등에 유의해 내용의 흐름을 파악해야 한다.
- 글의 내용을 전개하는 방식을 고려해 핵심 정보에 주목하는 독해를 해야 한다.

글의 내용 구조를 고려한 독해 방법

- **대비**: 대상 간의 공통점이나 차이점을 나타내는 말들을 핵심 어구로 주목해 그 내용을 이해한다.
- **병렬**: 중심 화제와 관련해 각 문단에서 어떤 정보를 중점적으로 제시하고 있는지에 유의해야 한다. 즉, 글 전체의 중심 화제를 파악하고, 각 문단의 중심 화제를 파악해 세부적으로 정보를 이해하는 읽기를 해야 한다.
- **문제 제기와 해결 방안**: 문제로 삼고 있는 것이 무엇인지 파악한 다음, 문제를 해결하기 위한 방안이나 대안을 제시한 부분을 주목한다.
- **인과**: 주로 결과를 주고 원인을 중점적으로 서술하는 경우가 많으므로, 원인에 주목하며 읽는다.
- **예시**: 구체적인 예를 들어 가며 설명하는 대상은 주요 서술 대상이다. 개념과 예시의 핵심 내용 요소를 대응시켜 그 내용을 정확하게 이해하는 읽기를 해야 한다.
- **통시적 제시**: 시간의 흐름에 따른 변화의 과정을 설명하는 경우가 많으므로, 단계를 구분하고 각 단계 간의 차이점에 주목하면서 읽는다.

| 2019학년도 6월 고2 전국연합학력평가 |

1 물가란 시장에서 거래되는 개별 상품의 가격을 종합하여 평균한 것으로, 물가 변동은 전반적인 상품의 가격 변동을 나타낸다. 물가지수는 이러한 물가 변동을 알기 쉽게 지수화한 경제지표를 일컫는다. 지수란 기준이 되는 시점의 수치를 100으로 해서 비교 시점의 수치를 나타낸 것인데, 이를테면 어느 특정 시점의 물가지수가 115라면 이는 기준 시점보다 물가 수준이 15% 높다는 것을 의미한다.

1문단의 시작 부분 또는 끝부분 주목하기 → '물가'와 '물가지수'의 개념을 제시하고 있다. 이와 같이 **1**문단에서 개념을 제시하면 그 정보는 글의 중심 화제와 관련이 있다.
- 중심 화제: 물가지수
- 중심 내용: 물가와 물가지수의 개념

2 물가지수를 정확하게 측정하려면 모든 재화와 서비스의 가격 변동을 조사해야 하지만 이는 현실적으로 불가능하다. 그래서 정부는 일정 기준에 의해 선정된 대표 품목만을 대상으로 가격을 조사하여 물가지수를 구한다. 이때 선정된 품목들의 가격지수부터 구하게 되는데, 가격지수란 기준이 되는 시점에서 개별 상품의 가격 변동을 지수로 나타낸 수치를 말한다. 이처럼 선정된 품목들의 개별 가격지수

독서쌤의 TIP

경제 관련 지문에 개념을 설명하는 정보가 나오면 핵심 정보로 여기고 반드시 주목하는 것이 좋단다.

의 합을 평균하는 방법으로 물가 수준의 변화를 파악하는 것을 단순물가지수라고 한다. 그러나 모든 품목이 전체 물가에 동일한 영향을 주는 것으로 전제하기 때문에 단순물가지수로 현실적인 물가 상승률을 드러내는 데에는 한계가 있다. 따라서 해당 품목이 차지하는 중요도에 따라 가격지수에 가중치를 부여하여 체감 물가에 근접한 결과를 측정하고자 한다. 이때 품목별 가중치를 가격지수에 곱한 후 합하여 얻어지는 값을 가중물가지수라고 한다. 가중물가지수는 거래 비중이 큰 품목의 가격 변동이 물가지수에 더 많이 영향을 미치도록 계산한 것이다.

2문단의 중심 내용 파악하기 →

'가격지수', '단순물가지수', '가중물가지수' 등의 개념을 바탕으로 물가지수를 측정하는 방법에 대해 설명하고 있다.
➜ 중심 내용: 물가지수의 측정 방법과 관련 개념

3 이러한 물가지수는 어떤 용도로 쓰일까? 먼저, 물가지수는 화폐의 구매력을 측정할 수 있는 수단이 된다. 만일 시장에서 물가가 지속적으로 상승하는 경우 구입할 수 있는 상품의 양은 물가가 오르기 전보다 감소하게 되므로 화폐의 구매력은 떨어지게 된다. 다음으로, 물가지수는 경기판단지표로서의 역할을 한다. 일반적으로 물가는 경기가 호황일 때 수요 증가에 의하여 상승하고 경기가 불황일 때 수요 감소로 하락한다.

4 또한 물가지수는 명목 가치를 실질 가치로 바꾸는 역할을 한다. 금액으로 표시되어 있는 통계 자료를 다룰 때 종종 현재의 금액을 과거 어느 시점(T년도)의 금액으로 환산할 필요성을 느끼게 되는데, 이때 물가지수가 이용된다. 현재의 금액을 두 기간 사이의 물가지수 비율로 나누어 과거 시점의 금액으로 환산할 수 있는 것이다.

$$\text{T년도 금액} = \text{현재 금액} \div \frac{\text{현재 물가지수}}{T\text{년도 물가지수}}$$

독서쌤의 TIP

문단은 나뉘어 있지만 내용적으로 하나로 묶이는 문단들이 있을 수 있어. 이런 경우 하나의 내용 문단으로 묶어 중심 내용을 파악하도록 하자.

5 이처럼 금액으로 표시되어 있는 통계 자료를 물가지수 등락률로 나눔으로써 가격 변동 효과를 제거할 수 있는데, 원래의 통계치인 '현재 금액'은 명목 가치에, 환산하여 얻어지는 통계치인 'T년도 금액'은 실질 가치에 해당한다.

3~5문단의 중심 내용 파악하기 →

3문단에서 물가지수가 '화폐의 구매력 측정 수단', '경기판단지표'로 쓰인다는 사실을 설명한 다음, 4문단에서 '명목 가치를 실질 가치로 바꾸는 역할'을 한다고 설명하고 있다. 그리고 5문단에서는 4문단에서 제시한 '명목 가치', '실질 가치'에 대응하는 요소가 무엇인지를 밝히고 있다.
➜ 중심 내용: 물가지수의 용도

6 물가지수는 이용 목적에 따라 여러 가지 형태로 작성되는데, 그것을 보여 주는 사례가 소비자물가지수와 생산자물가지수이다. 소비자물가지수는 소비자가 일상생활에서 구입하는 상품이나 서비스의 가격 변동을 알아보기 위해, 생산자물가지수는 생산자가 생산을 위해 거래하는 상품의 가격 변동을 알아보기 위해 작성된다. 두 물가지수가 같은 품목을 포함한다고 하더라도 품목에 부여하는 가중치는 서로 다르다. 예를 들어 경유는 기업에서 연료로 쓰이는 비중이 크기 때문에 생산자물가지수를 산출할 때 부여하는 가중치가 소비자물가지수에서보다 훨씬 크다. 반면, 채소는 가계에서 소비하는 비중이 커서 소비자물가지수를 산출할 때 부여하는 가중치가 생산자물가지수에서보다 크다. 조사하는 품목이 다르고, 같은 품목이라고 하더라도 두 지수에서 적용되는 가중치가 다르다 보니 소비자물가지수와 생산자물가지수가 서로 다른 방향의 변동을 나타내거나, 같은 방향으로 움직이더라도 변동 수준에 차이를 보이는 경우를 쉽게 볼 수 있다.

6문단의 중심 내용 파악하기	→	이용 목적에 따라 '소비자물가지수', '생산자물가지수' 등으로 작성되며, '소비자물가지수'와 '생산자물가지수'의 품목과 가중치가 달라 변동도 다르게 나타나는 것에 대해 설명하고 있다. → 중심 내용: '소비자물가지수'와 '생산자물가지수'의 차이점

7 **생산자물가지수는 소비자물가지수에 앞서 움직이는 양상**을 보이기도 하는데, 이는 **가격 조사 단계의 차이에서 원인**을 찾을 수 있다. 생산자물가지수는 생산자 판매 단계의 공장도 가격을 조사하여 작성되는 반면, 소비자물가지수는 소비자 구입 단계의 소매가격을 조사하여 작성된다. 원재료, 중간재 등을 포괄하는 생산자물가지수에는 시장 변화의 영향이 곧바로 파급되지만, 소비자물가지수에는 몇 차례의 가공 단계를 거쳐 소비재로 만들어진 후에야 그 영향이 도달하게 되므로 생산자물가지수가 소비자물가지수보다 앞서 변동하게 되는 것이다. 즉, 생산자물가지수의 상승은 시차를 두고 소비자물가지수의 상승으로 이어질 가능성이 높다. 이와 같은 이유로 **소비자물가지수의 선행지표로서 생산자물가지수를 이해하기도 한다.**

7문단의 중심 내용 파악하기	→	생산자물가지수가 소비자물가지수에 앞서 움직이는 양상과 그 원인에 대해 설명하고 있다. → 중심 내용: 생산자물가지수가 소비자물가지수에 앞서 변동하는 양상과 그 원인

문단 간의 관계

각 문단에서 물가지수 관련 개념, 물가지수의 측정 방법, 물가지수의 용도, 물가지수의 종류에 따른 차이점 등 물가지수와 관련하여 여러 가지 정보를 제시하고 있음.
→ 문단 간의 관계: 병렬

3단계 문단 간의 관계를 고려하여 글의 논지를 이해하자.

독서쌤의 TIP
문단 간의 관계를 고려하여 각 문단의 중심 내용을 포괄할 수 있는 것을 떠올리면 글의 논지를 파악할 수 있어.

각 문단의 중심 내용을 파악하면, **문단 간의 관계**를 알 수 있다. 이를 바탕으로 **글의 논지를 정확하게 이해할 수 있어야 한다.**

물가지수에 대해 여러 정보를 병렬적으로 제시함. (물가지수 관련 개념, 물가지수의 측정 방법, 물가지수의 용도, 물가지수의 종류에 따른 차이점)	→	물가지수 관련 개념을 제시하고, 용도를 밝히고 있으며, 종류에 따른 변동 양상의 차이점을 설명하고 있다.

원리 학습 정리 노트

[1]□□ □□ 파악과 글의 [2]□□를 예측하기	»	무엇에 대한 글인지 파악하고 글의 짜임새를 짐작하자.
문단의 [3]□□ □□을 파악하기	»	글의 중심 화제와 관련해 각 문단에서 어떤 내용을 제시하고 있는지를 파악하자.
문단의 중심 내용과 문단 간의 [4]□□를 고려하여 글의 [5]□□를 이해하기	»	문단의 중심 내용과 문단 간의 관계를 통해 글의 구조를 파악하고 이러한 구조를 토대로 글의 논지를 정확하게 이해하자.

답 1 중심 화제 2 구조 3 중심 내용 4 관계 5 논지

적용 학습 1단계

감정에 대한 최초의 심리학 연구 결과

감정에 대한 최초의 본격적인 심리학적 연구 결과는 제임스의 「감정이란 무엇인가」이다. 이 논문에서 그는 흥분을 일으키는 사실을 지각하면 바로 신체 변화가 나타나는데 이러한 변화에 대한 느낌을 감정이라고 했다. 어떤 자극이 주어지면 가슴이 두근거리거나, 속이 거북하거나, 손에 땀이 나거나, 근육이 긴장되는 등의 신체적 반응을 보이는데, 이러한 신체적 반응에 대한 느낌이 감정이라는 것이다. 그에 따르면 우리가 말로 표현하는 의식적인 감정은 생리적 상태의 반영일 뿐이다.

예제

1 일반적으로 사람들은 정서와 감정을 동일한 것으로 여긴다. 그런데 오늘날의 심리 철학에서는 '정서'라는 개념을 특정 시점에서의 주관의 정신 상태라고 정의하면서 정서와 감정을 개념적으로 구분하고, 정서의 본질에 대해 이전부터 계속되어 온 철학적 탐구를 이어 가고 있다.

2 정서의 본질에 대한 전통적인 논의는 크게 두 방향의 이론으로 설명할 수 있는데, 하나는 '감정 이론'이고 다른 하나는 '인지주의적 이론'이다. 다음 사례에서 드러나는 정서의 요소를 바탕으로 두 이론의 대립하는 방향성을 확인할 수 있다. 민호가 전신주 옆에서 버스를 기다리고 있을 때, 전신주 변압기에서 연기가 솟아났고 민호는 갑자기 공포에 빠져들게 된 상황을 가정해 보자. 이때 민호의 공포라는 정서에서 감정적 요소에 해당하는 것은 민호가 느끼는 공포감이라는 느낌이고, 인지적 요소에 해당하는 것은 민호가 연기를 보았을 때 '민호 자신이 위험한 상황에 처했다.'라는 명제로 표현될 수 있는 판단이나 믿음이다. 감정 이론은 전자를 중심으로 정서를 정의하는 이론이고, 인지주의적 이론은 후자를 중심으로 정서를 정의하는 이론이다.

3 감정 이론은 특정 정서를 그 정서가 내포하는 특정 감정 즉 자신도 모르게 생기는 느낌과 동일시하는 이론이다. 감정 이론에 따르면, 정서를 이해하는 것은 인지적인 요소가 아니라 감정적인 요소를 통해서 가능하다. 감정 이론은 앞의 예에서 공포라는 민호의 정서를 공포감이라는 감정적 요소와 동일시하면서 민호의 정서를 이해하는 데 있어 인지적 요소는 배제한다. 인지적 요소인 판단과 믿음은 앞의 예에서 민호가 연기를 보았다고 가정했을 때 그 '연기'와 같은 구체적인 대상을 전제하는데, 감정 이론은 판단과 믿음을 배제하기 때문에 정서의 지향적인 성격을 부정한다. 또한 감정 이론을 바탕으로 할 때, 감정은 정서와 동일시되므로 의지에 의해 통제되기 힘든 감정의 속성은 그대로 정서의 속성이 된다.

4 감정 이론은 사람들이 일상적으로 정서를 감정과 동일시하는 보편적인 성향을 잘 설명할 수 있다는 장점을 지닌다. 그러나 감정 이론은 정서들을 분류하는 데 한계를 지닌다. 왜냐하면 감정 이론은 감정 외적인 인지적 요소를 배제하고 감정적 요소만을 강조하기 때문에 개별 정서의 차이를 구분하여 설명하지 못하고 단지 각각의 정서가 다르게 느껴진다고 이야기한다. 그리고 감정 이론은 정서가 규범적 성격을 가질 수 있다는 점을 설명할 수 없다. 왜냐하면 감정 이론은, 어떻게 느끼느냐에 대한 감정 외적인 상황을 고려하지 않은 채 내적인 감정과 동일시되는 정서 자체에 초점을 맞추기 때문이다. 그래서 감정 이론은 그 정서의 규범적인 적절성 여부, 즉 그 정서가 당위적인 가치 기준에 부합하는지 여부를 판단하는 것이 불가능하다.

5 인지주의적 이론은 정서의 인지적 요소를 정서와 동일시하거나 적어도 정서의 필수적인 요소로 인정하는 이론이다. 이 이론에 따르면, 감정 자체는 정서와 동일시될 수 없고 판단이나 믿음과 같은 인지적 요소들의 복합체에 의해 초래되는 결과일 뿐이다. 인지주의적 이론은, 앞의 예에서 민호가 자신의 머리 위에 변압기가 떨어질 수 있다고 판단하여 위험한 상황에 처했다고 믿는 것을 민호가 경험하는 공포라는 정서 상태와 동일시하거나 적어도 이 공포라는 정서를 규정하는 데 필수적인 요소로 인정한다. 그리고 민호의 공포감은 민호의 판단과 믿음의 결과로 가지게 된 감정일 뿐이라고 본다.

6 인지주의적 이론의 장점은 앞서 언급한 감정 이론의 두 가지 문제점을 해결할 수 있다는 것이다. 인지주의적 이론은 정서들을 개별 정서로 분류하는 것이 가능하다. 왜냐하면 사람들이 비슷하다고 생각하는 정서를 판단이나 믿음이라는 인지적 요소를 바탕으로 각각의 정서로 구분할 수 있기 때문이다. 그리고 인지주의적 이론은 정서가 규범적 성격을 가질 수 있다는 점을 설명할 수 있다. 왜냐하면 인지주의적 이론이 정서와 동일시하거나 적어도 정서의 필수적인 요소로 여기는

판단과 믿음에는 당위적인 가치 기준이 개입될 수 있기 때문이다. 그러나 인지주의적 이론은 인지적 요소만을 지나치게 강조하기 때문에, 사람들의 보편적인 성향에서 드러나는 감정적 요소를 경시하고 있다.

7 감정 이론과 인지주의적 이론은 유사한 맥락에서 한계를 지니고 있다. 그래서 오늘날의 심리 철학은 두 이론을 정서의 다면적인 성격을 설명하기 위한 철학적 바탕으로 삼되, 두 이론과 달리 정서의 다면적 성격을 종합적으로 설명할 수 있는 새로운 이론적 틀을 마련하기 위해 노력하고 있다.

9262-0047

01 1, 2를 통해 윗글의 중심 화제를 다음과 같이 파악할 때, 빈칸에 들어갈 알맞은 말을 쓰시오.

정서의 1(　　　　　　)에 대한 2(　　　　　　)인 논의

원리 적용 글의 첫 문단의 시작 부분이나 끝부분, 둘째 문단의 시작 부분에 주목하여 중심 화제를 파악한다.

9262-0048

02 윗글의 전개 방식에 대한 설명으로 가장 적절한 것은?

① 중심 화제에 대한 대비되는 두 이론을 소개한 후 각 이론의 장단점을 제시하고 있다.
② 중심 화제에 대한 상반된 이론을 제시한 후 두 이론을 절충한 새로운 이론을 비판하고 있다.
③ 중심 화제에 대한 두 이론의 가설을 제시하고 통계를 바탕으로 가설의 타당성을 검증하고 있다.
④ 중심 화제에 대한 두 이론의 대표적인 학자들을 제시하고 그들이 후속 연구에 미친 영향을 소개하고 있다.
⑤ 중심 화제에 대해 새롭게 등장한 두 이론과 각각의 등장 배경을 소개하고 기존 이론의 등장 배경과 대비하고 있다.

원리 적용 글의 중심 화제를 고려하여 내용 전개 방식을 파악한다.

9262-0049

03 내용을 기준으로 3~6을 두 부분으로 나누시오.

/

원리 적용 내용적으로 묶을 수 있는 문단들을 한 내용 문단으로 묶는다.

적용 학습 2단계

범죄 예방 건축 기준
'범죄 예방 건축 기준'은 내용적으로 범죄 예방 디자인 개념과 기본 원리에 초점을 맞추어 규정하고 있으며, 공통 기준과 건축물의 용도별 기준으로 구분되어 있다. 공통 기준은 '접근 통제', '영역성 확보', '활동의 활성화', '조경', '조명', '폐쇄회로 텔레비전 안내판의 설치' 등의 기준으로 구분된다. 그리고 용도별 기준은 다음과 같이 구분된다.
① 아파트
② 단독 주택, 다세대 주택, 연립 주택 및 아파트(500세대 미만)
③ 문화 및 집회 시설, 교육연구 시설, 노유자 시설, 수련 시설, 오피스텔
④ 일용품 소매점(24시간 편의점 등)
⑤ 다중 생활 시설(고시원 등)

예제

1 범죄란 사회 질서를 파괴하고 타인의 육체나 정신에 고통을 주거나 재산 또는 명예에 손상을 입히는 행위로, 사회의 안녕과 개인의 안전에 해를 끼친다. 그래서 사람들은 여러 논의를 통해 범죄 발생률을 낮추려고 노력해 왔고, 그 결과 탄생한 것이 바로 '범죄학'이다.

2 ㉠'고전주의 범죄학'은 법적 규정 없이 시행됐던 지배 세력의 불합리한 형벌 제도를 비판하며 18세기 중반에 등장했다. 고전주의 범죄학에서는 범죄를 포함한 인간의 모든 행위는 자유 의지에 입각한 합리적 판단에 따라 이루어지므로, 범죄에 비례해 형벌을 부과할 경우 개인의 합리적 선택에 의해 범죄가 억제될 수 있다고 보았다. 고전주의 범죄학의 대표자인 베카리아는 형벌은 법으로 규정해야 하고, 그 법은 누구나 이해할 수 있도록 문서로 만들어야 한다고 강조했다. 또한 형벌의 목적은 사회 구성원에 대한 범죄 행위의 예방이며, 따라서 범죄를 저지를 경우 누구나 법에 의해 확실히 처벌받을 것이라는 두려움이 범죄를 억제할 것이라고 확신했다. 이러한 고전주의 범죄학의 주장은 각 국가의 범죄 및 범죄자에 대한 입법과 정책에 많은 영향을 끼쳤다.

3 19세기 중반 이후 사회 혼란으로 범죄율과 재범률이 증가하자, 범죄의 원인을 과학적으로 증명하려 한 ㉡'실증주의 범죄학'이 등장했다. 실증주의 범죄학은 고전주의 범죄학의 비과학성을 비판하며, 범죄의 원인을 개인의 자유 의지로는 통제할 수 없는 생물학적 · 심리학적 · 사회학적 요소에서 찾으려 했다. 이 분야의 창시자인 롬브로소는 범죄 억제를 위해서는 범죄자들의 개별적 범죄 기질을 도출하고 그 기질에 따른 교정이나 교화, 또는 치료를 실시해야 한다고 생각했다. 이를 위해 그는 범죄자만의 특성과 행위 원인을 연구하여 범죄자들의 유형을 구분하고 그 유형에 따라 형벌을 달리할 것을 주장했다. 그는 출생부터 범죄자의 기질을 타고나 범죄를 저지를 수밖에 없는 범죄자의 경우 초범일지라도 무기한 구금을 해야 하지만, 우발적으로 범죄를 저지른 범죄자의 수감에는 반대했고, 이러한 생각은 이후 집행 유예 제도의 이론적 기초가 되었다.

4 이러한 범죄학의 큰 흐름들은 범죄를 억제하려는 그동안의 법체계와 정책의 근간이 되어 왔다. 하지만 1970년대 이후 이러한 시도들의 범죄 감소 효과에 대한 비판이 일면서, 환경에 의한 범죄 유발 요인과 환경 개선을 통한 범죄 기회의 감소 효과 등을 연구하는 '환경 범죄학'이 주목받기 시작했다. 이러한 가운데 건축학이나 도시 설계 전문가들은 범죄의 원인과 예방의 해법을 환경과 디자인에서 찾아야 한다고 주장했다. 바로 '셉테드(CPTED)'라 불리는 범죄 예방 설계가 그것이다. 셉테드는 건축 설계나 도시 계획 등을 통해 대상 지역의 방어적 공간 특성을 높여, 범죄 발생 가능성을 줄이고 지역 주민들이 안전감을 느끼도록 하여 궁극적으로 삶의 질을 향상시키는 종합적인 범죄 예방 전략을 의미한다.

5 셉테드는 다음의 원리로 이루어진다. 우선 '자연적 감시의 원리'는 공간과 시설물에 대한 가시권을 확보하고 잠재적 범죄자의 은폐 장소를 최소화시킴으로써 내부인이나 외부인의 행동을 주변 사람들이 자연스럽게 관찰할 수 있게 만드는 것이다. 다음으로 '접근 통제의 원리'는 보행로, 조경, 문 등을 통해 사람들의 통행을 일정한 경로로 유도하여 허가받지 않은 사람들의 출입을 통제하거나 차단하는 것을 말한다. '영역성의 원리'는 안과 밖이라는 공간 영역을 조성하여 외부인의 침범 기준을 명확히 확립하는 것을 말한다. 이 외에도 공공장소 및 시설에 대한 내부인들의 활발한 사용을 유도하여 그 근방의 범죄를 감소시킨다는 '활동의 활성화 원리', 공공장소와 시설물이 처음 설계된 대로 지속적으로 유지 및 관리되어야 한다는 '유지 및 관리의 원리'가 있다. 이 모든 원리는 범죄 예방의 전략과 목표를 범죄자 개인이 아닌 도시 및 건축 환경의 설계와 계획에 두고 있다는 점에서 공통적이다.

6 우리나라는 2005년 즈음부터 셉테드를 도입하여 도시 설계와 건축물에 범죄 예방 설계 활용

을 본격화하기 시작했다. 그동안의 법과 정책, 그리고 셉테드가 동시에 강화된다면 좀 더 안전한 사회를 만들 수 있을 것이다.

9262-0050

01 윗글에 대한 설명으로 가장 적절한 것은?

① 예상되는 반론을 반박하며 주장을 강화하고 있다.
② 필자의 관점을 명시한 후 다른 관점과 비교하고 있다.
③ 핵심 개념의 가치와 효용을 비유적으로 제시하고 있다.
④ 두 이론의 장점을 절충하여 새로운 이론으로 통합하고 있다.
⑤ 통시적 관점에서 문제 해결에 관한 여러 입장을 설명하고 있다.

원리 적용 글의 중심 화제를 고려하여 내용 전개 방식을 파악한다.

9262-0051

02 2~5의 중심 내용을 다음과 같이 정리할 때, 빈칸에 알맞은 말을 쓰시오.

2 범죄 억제 방법에 관한 1(   )의 입장
3 범죄의 2(   )에 대한 과학적 증명을 중시한 실증주의 범죄학의 입장
4 환경 범죄학의 대두와 범죄 예방 설계인 3(   )의 도입 요구
5 셉테드가 이루어지는 여러 4(   )

원리 적용 각 문단의 중심 내용을 파악한다.

9262-0052

03 ㉠과 ㉡에 대한 이해로 적절하지 않은 것은?

① ㉠은 법적 근거 없이 부과된 형벌은 정당하지 않다고 지적하고 있군.
② ㉡은 범죄자들의 특성과 행위 원인을 바탕으로 범죄자의 유형을 구분해야 한다고 말하고 있군.
③ ㉠은 ㉡과 달리 연구의 초점을 범죄의 처벌보다는 범죄의 원인에 두고 있군.
④ ㉠은 ㉡과 달리 범죄에 따른 형벌을 예외 없이 적용하는 것이 범죄율을 낮출 수 있다고 보고 있군.
⑤ ㉡은 ㉠과 달리 인간의 자유 의지를 통해서는 범죄 욕구를 제어할 수 없다고 판단하고 있군.

원리 적용 문단 간의 대비되는 관계를 고려하여 대상 간의 차이점을 파악한다.

9262-0053

04 각 문단의 중심 내용을 고려하여 윗글의 논지를 다음과 같이 파악할 때, 빈칸에 알맞은 말을 쓰시오.

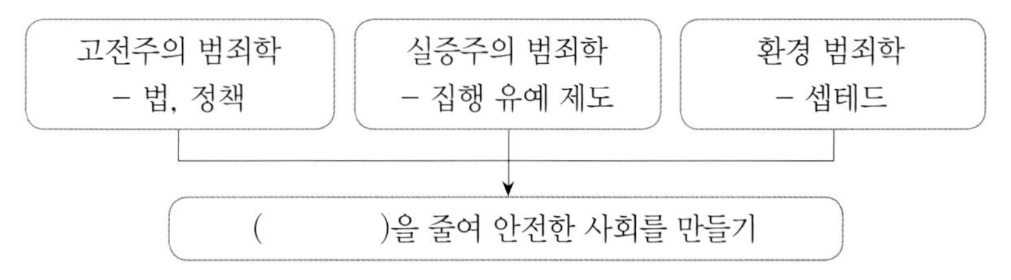

원리 적용 문단 간의 관계를 고려하여 글의 논지를 파악한다.

플래시 메모리의 터널링 현상 응용

플로팅 게이트는 부도체로 도체를 둘러싸서 만들기 때문에 평상시 전자는 부도체 때문에 임의로 플로팅 게이트 안으로 들어가거나 그 안에서 p형 반도체로 나올 수 없다. 하지만 플로팅 게이트 쪽에 일정 전압을 걸면 p형 반도체의 전자가 플로팅 게이트 안으로 들어가며, p형 반도체에 일정 전압을 걸어 주면 플로팅 게이트 안의 전자가 p형 반도체로 나올 수 있다. 이것은 터널링 현상을 응용한 것이다. 터널링은 입자가 자신의 총 에너지보다 높은 에너지 장벽인 '퍼텐셜 장벽'을 뚫고 지나가는 것이다. 터널링이 일어날 확률은 퍼텐셜 장벽의 높이가 낮고 폭이 좁을수록 커진다. 전압을 걸면 퍼텐셜 장벽의 높이와 폭을 조절할 수 있기 때문에 전압을 걸어 부도체의 퍼텐셜 장벽을 낮춤으로써 플로팅 게이트와 p형 반도체 간에 전자의 이동이 가능하게 만드는 것이다.

| 2014학년도 6월 모의평가 A형 |

예제

1 플래시 메모리는 수많은 스위치들로 이루어지는데, 각 스위치에 0 또는 1을 저장한다. 디지털 카메라에서 사진 한 장은 수백만 개 이상의 스위치를 켜고 끄는 방식으로 플래시 메모리에 저장된다. 메모리에서는 1비트의 정보를 기억하는 이 스위치를 셀이라고 한다. 플래시 메모리에서 셀은 그림과 같은 구조의 트랜지스터 1개로 이루어져 있다. 플로팅 게이트에 전자가 들어 있는 상태를 1, 들어 있지 않은 상태를 0이라고 정의한다.

2 플래시 메모리에서 데이터를 읽을 때는 그림의 반도체 D에 3V의 양(+)의 전압을 가한다. 그러면 다른 한쪽의 반도체인 S로부터 전자들이 D 쪽으로 이끌리게 된다. 플로팅 게이트에 전자가 들어 있을 때는 S로부터 오는 전자와 플로팅 게이트에 있는 전자가 마치 자석의 같은 극처럼 서로 반발하기 때문에 전자가 흐르기 힘들다. 한편 플로팅 게이트에 전자가 없는 상태에서는 S와 D 사이에 전자가 흐르기 쉽다. 이렇게 전자의 흐름 여부, 즉 S와 D 사이에 전류가 흐르는가로 셀의 값이 1인지 0인지를 판단한다.

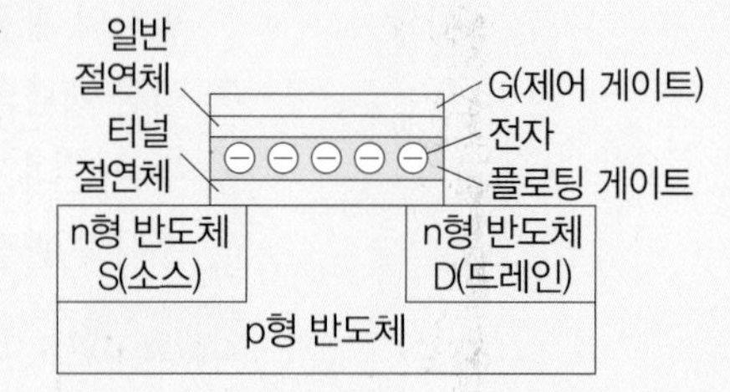

3 플래시 메모리에서는 두 가지 과정을 거쳐 데이터가 저장된다. 일단 데이터를 지우는 과정이 필요하다. 데이터 지우기는 여러 개의 셀이 연결된 블록 단위로 이루어진다. 블록에 포함된 모든 셀마다 G에 0V, p형 반도체에 약 20V의 양의 전압을 가하면, 플로팅 게이트에 전자가 있는 경우, 그 전자가 터널 절연체를 넘어 p형 반도체로 이동한다. 반면 전자가 없는 경우는 플로팅 게이트에 변화가 없다. 따라서 해당 블록의 모든 셀은 0의 상태가 된다. 터널 절연체는 전류 흐름을 항상 차단하는 일반 절연체와는 다르게 일정 이상의 전압이 가해졌을 때는 전자를 통과시킨다.

4 이와 같은 과정을 거친 후에야 데이터 쓰기가 가능하다. 데이터를 저장하려면 1을 쓰려는 셀의 G에 약 20V, p형 반도체에는 0V의 전압을 가한다. 그러면 p형 반도체에 있던 전자들이 터널 절연체를 넘어 플로팅 게이트로 들어가 저장된다. 이것이 1의 상태이다.

5 플래시 메모리는 EPROM과 EEPROM의 장점을 취하여 만든 메모리이다. EPROM은 한 개의 트랜지스터로 셀을 구성하여 셀 면적이 작은 반면, 데이터를 지울 때 칩을 떼어 내어 자외선으로 소거해야 한다는 단점이 있다. EEPROM은 전기를 이용하여 간편하게 데이터를 지울 수 있지만, 셀 하나당 두 개의 트랜지스터가 필요하다. 플래시 메모리는 한 개의 트랜지스터로 셀을 구성하며, 전기적으로 데이터를 쓰고 지울 수 있다. 한편 메모리는 전원 차단 시에 데이터의 보존 유무에 따라 휘발성과 비휘발성 메모리로 구분되는데, 플래시 메모리는 플로팅 게이트가 절연체로 둘러싸여 있기 때문에 전원을 꺼도 1이나 0의 상태가 유지되므로 비휘발성 메모리이다. 이런 장점 때문에 휴대용 디지털 장치는 주로 플래시 메모리를 이용하여 데이터를 저장한다.

정답과 해설 11쪽

9262-0054

01 1을 통해 알 수 있는 글의 중심 서술 대상을 쓰시오.

원리 적용 ▸ 글의 시작 부분에서 중심 서술 대상을 파악한다.

9262-0055

02 2~5의 시작 부분을 통해 각 문단의 중심 내용을 다음과 같이 파악할 때, 빈칸에 들어갈 알맞은 말을 쓰시오.

	문단의 시작 부분		중심 내용
2	플래시 메모리에서 데이터를 읽을 때는 ~	→	플래시 메모리의 데이터 1(　　　) 원리
3	플래시 메모리에서는 두 가지 과정을 거쳐 데이터가 저장된다. 일단 데이터를 지우는 과정이 필요하다. ~	→	플래시 메모리의 데이터 저장을 위해 데이터를 2(　　　) 과정과 원리
4	이와 같은 과정을 거친 후에야 데이터 쓰기가 가능하다. ~	→	플래시 메모리에 데이터를 3(　　　) 원리
5	플래시 메모리는 EPROM과 EEPROM의 장점을 취하여 만든 메모리이다. ~	→	EPROM과 EEPROM의 4(　　　)을 취하여 만든 플래시 메모리의 특징

원리 적용 ▸ 문단의 시작 부분을 확인하여 문단의 중심 내용을 짐작한다.

9262-0056

03 3, 4를 하나의 내용 문단으로 묶고자 할 때, 어떤 내용으로 묶을 수 있는지 쓰시오.

원리 적용 ▸ 내용적으로 묶을 수 있는 문단들을 한 내용 문단으로 묶는다.

9262-0057

04 윗글에 대한 설명으로 가장 적절한 것은?

① 대상의 구조를 바탕으로 작동 원리를 설명하고 있다.
② 대상의 장점을 설명한 뒤 사용 방법을 알려 주고 있다.
③ 대상의 크기를 기준으로 자세한 기능을 설명하고 있다.
④ 대상의 구성 요소를 설명한 뒤 제작 원리를 알려 주고 있다.
⑤ 대상의 단점을 나열하고 새로운 방식의 필요성을 제기하고 있다.

원리 적용 ▸ 문단의 중심 내용을 바탕으로 논지 전개 방식을 이해한다.

| 2019학년도 3월 고1 전국연합학력평가 |

다음 글을 읽고 물음에 답하시오.

독해 포커스
GPS가 현재 위치를 파악하는 원리와 방법을 설명하고 있다. 위성과 수신기 사이의 거리를 구하는 방법, 삼변 측량법 등을 구체적 사례를 통해 설명하고 있다. 따라서 이 글을 독해할 때는 사례에 유의하여 원리와 방법을 정확하게 이해하는 데 초점을 맞추어야 한다.

우리는 내비게이션을 통해 목적지까지의 경로를 탐색하거나 스마트폰을 이용해 자신이 현재 있는 위치를 확인할 수 있다. 이는 GPS(Global Positioning System)로 인해 가능한 것이다. 그렇다면 GPS는 어떻게 현재 위치를 파악하는 것일까?

GPS는 크게 GPS 위성과 GPS 수신기 등으로 구성된다. 현재 지구를 도는 약 30개의 GPS 위성은 일정한 속력으로 정해진 궤도를 돌면서, 자신의 위치 정보 및 시각 정보를 담은 신호를 지구로 송신한다. 이 신호를 받은 수신기는 위성에서 신호를 보낸 시각과 자신이 신호를 받은 시각의 차이를 근거로, 위성 신호가 수신기까지 이동하는 데 걸린 시간을 계산하여 위성과 수신기 사이의 거리를 구한다. 위성이 보낸 신호는 빛의 속력으로 이동하므로, 신호가 이동하는 데 걸린 시간(t)에 빛의 속력(c)을 곱하면 위성과 수신기 사이의 거리(r)를 구할 수 있다. 이를 식으로 표시하면 'r=t×c'이다.

그런데 GPS가 현재 위치를 정확하게 파악하기 위해서는 상대성 이론을 고려해야 한다. 상대성 이론에 따르면 대상이 빠르게 움직일수록 시간은 느리게 흐르고, 대상에 미치는 중력이 약해질수록 시간은 빠르게 흐른다. 실제로 위성은 지구의 자전 속력보다 빠르게 지구 주변을 돌고 있기 때문에 지표면에 비해 시간이 느리게 흘러, 위성의 시간은 하루에 약 7.2㎲*씩 느려지게 된다. 또한 위성은 약 20,000km 이상의 상공에 있기 때문에 중력이 지표면보다 약하게 작용해 지표면에 비해 시간이 하루에 약 45.8㎲씩 빨라지게 된다. 그 결과 GPS 위성에 있는 원자시계의 시간은 지표면의 시간에 비해 매일 약 38.6㎲씩 빨라진다. 이러한 차이는 하루에 약 11km의 오차를 발생시킨다. 이를 방지하기 위해 GPS는 위성에 탑재된 원자시계의 시간을 지표면의 시간과 일치하도록 조정하여 위성과 수신기 사이의 거리를 정확하게 구하게 된다.

이렇게 계산된 거리는 수신기가 자신의 위치를 파악하는 데 사용되는데, 이를 이해하기 위해서는 삼변 측량법을 알아야 한다. 삼변 측량법은 세 기준점 A, B, C의 위치와, 각 기준점에서 대상 P까지의 거리를 이용하여 P의 위치를 측정하는 방법이다.

가령, 〈그림〉과 같이 평면상의 A(0, 0)에서 거리가 5만큼 떨어진 지점에, B(4, 0)에서 거리가 3만큼 떨어진 지점에, C(0, 3)에서 거리가 4만큼 떨어진 지점에 P(x, y)가 있다고 하자. 평면상의 한 점에서 같은 거리에 있는 점을 모두 연결하면 원이 된다. 그러므로 A를 중심으로 반지름이 5인 원, B를 중심으로 반지름이 3인 원, C를 중심으로 반지름이 4인 원을 그리면 세 원이 교차하는 지점이 하나 생기는데, 이 지점이 바로 P(4, 3)의 위치가 된다. 이때 세 개의 점 A, B, C를 GPS 위성으로 본다면 이들의 좌푯값은 위성의 위치 정보이고, P의 좌푯값은 GPS 수신기의 위치 정보에 해당한다고 할 수 있다.

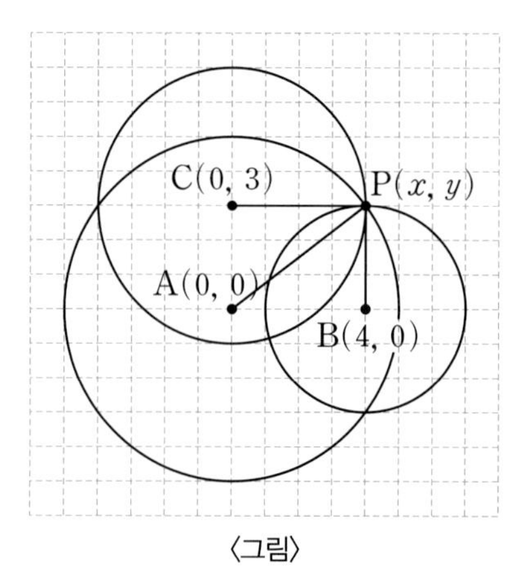

〈그림〉

그러나 실제 공간은 2차원 평면이 아닌 3차원 입체이기 때문에 GPS 위성으로부터 동일한 거리에 있는 점들은 원이 아니라 구(球)의 형태로 나타난다. 그 결과 세 개의 GPS 위성을 중심으로 하는 세 개의 구가 겹치는 지점은 일반적으로 두 군데가 된다. 하지만 이 중 한 지점은 지구 표면 가까이에 위치하게 되고, 나머지 한 지점은 우주 공간에 위치하게 된다. GPS 수신기는 이 두 교점 중 지구 표면 가까이에 있는 지점을 자신의 현재 위치로 파악하게 된다.

*㎲(마이크로초) 1초의 100만분의 1.

원리 이해 중심 화제 파악하기

9262-0058

01 첫 문단을 통해 알 수 있는 윗글의 중심 화제를 쓰시오.

■ 이 문제는!

글의 전개 방식을 파악할 수 있는지를 묻는 문제이다. 글의 중심 화제와 관련하여 정보들이 어떻게 제시되어 있는지를 파악하도록 한다.

기출 문제 내용 전개 방식 파악하기

9262-0059

02 윗글의 내용 전개 방식으로 가장 적절한 것은?

① GPS의 발전 과정을 시간의 순서로 제시하고 있다.
② GPS의 위치 파악 방법을 사례를 들어 설명하고 있다.
③ GPS를 다른 대상과 비교하며 장단점을 설명하고 있다.
④ GPS의 다양한 종류를 일정 기준에 따라 분류하고 있다.
⑤ GPS의 유용성을 설명하며 앞으로의 전망을 제시하고 있다.

■ 이 문제는!

이 글의 중심 화제인 GPS에 관한 정보들을 정확하게 이해하고 있는지를 묻는 문제이다. 독해할 때 중심 화제와 관련해 제시되어 있는 핵심 정보들을 정확하게 이해해야 한다.

기출 문제+ 핵심 정보 파악하기

9262-0060

03 윗글에서 알 수 있는 내용으로 적절한 것은?

① GPS 수신기는 GPS 위성에 보낸 신호를 바탕으로 자신의 위치 정보를 계산한다.
② GPS는 지표면의 시간을 위성에 탑재된 원자시계의 시간과 일치하도록 조정한다.
③ GPS 위성은 약 20,000km 이상의 상공에서 속력이 변화하면서 정해진 궤도를 돈다.
④ GPS 수신기의 위치가 변화해도 GPS 위성 신호가 수신기에 도달하는 시간은 변하지 않는다.
⑤ 삼변 측량법이란 기준점의 위치 및 대상과 기준점 사이의 거리를 이용하여 대상의 위치를 파악하는 방법이다.

원리 학습 점검 노트

1 1문단의 끝부분을 통해 중심 화제를 파악하고, 그와 관련하여 2문단에서 위성과 수신기 사이의 거리를 구하는 방법에 주목했는가?	YES ☐
2 3문단에서 GPS가 위성에 탑재된 원자시계의 시간을 지표면의 시간과 일치하도록 조정하는 이유를 이해했는가?	YES ☐
3 4, 5, 6문단에서 삼변 측량법으로 GPS 수신기의 위치를 구하는 원리와 방법을 이해했는가?	YES ☐

| 2019학년도 6월 고2 전국연합학력평가 |

다음 글을 읽고 물음에 답하시오.

독해 포커스
교류 분석 이론의 주요 개념인 '자아상태'와 '스트로크'에 대해 설명하고 있는 글이다. 관련 개념을 구체적 사례를 중심으로 설명하고 있는데, 이와 같이 사례를 바탕으로 개념을 설명하는 경우 그 개념은 반드시 출제 요소가 된다. 따라서 지문을 읽으면서 개념을 정확하게 이해할 수 있어야 한다.

1 에릭 번이 창시한 '교류 분석 이론'은 심리 치료 및 상담에 널리 활용되는 이론이다. 이 이론을 이해하기 위한 주요 개념들로 ㉠'자아상태'와 ㉡'스트로크'가 있다.

2 자아상태 모델은 인간의 성격을 A(어른), P(어버이), C(어린이)의 세 가지 자아상태로 설명하며, 건강하고 균형 잡힌 성격이 되려면 세 가지 자아상태를 모두 필요로 한다고 본다. 이때 자아상태란 특정 순간에 보이는 일련의 행동, 사고, 감정의 총체를 일컫는 것이므로 특정 순간마다 자아상태는 달라질 수 있다. 예를 들어 보자. 김 군이 교통이 혼잡한 도로에서 주변 상황을 살피며 차를 몰고 있다. 그때 갑자기 다른 차가 끼어든다. 뒤따르는 차가 없는 것을 얼른 확인하고 브레이크를 밟아 충돌을 면한다. 이때 김 군은 'A 자아상태'에 놓여 있다. A 자아상태는 지금 여기에서 가장 현실적인 대책을 찾는, 객관적이며 합리적인 자아상태이다.

3 끼어들었던 차가 사라지자 김 군은 어릴 때 아버지가 했던 것처럼 "저런 운전자는 운전을 못하게 해야 해!"라고 말한다. 이때 김 군은 'P 자아상태'로 바뀐 것이다. P 자아상태는 자신 혹은 타인을 가르치려 들거나 보살피려 하는 자세를 취하는 자아상태로서, 어린 시절 부모가 자신에게 했던 행동이나 태도, 사고를 내면화한 것이다. 어릴 때 무엇을 해야 하는지 가르치고 통제했던 부모의 역할을 따라 하고 있다면 'CP(통제적 어버이)' 상태, 따뜻하게 배려하고 돌봐 주었던 부모처럼 남을 돌봐 준다면 'NP(양육적 어버이)' 상태에 놓여 있다고 말한다.

4 잠시 후 김 군은 직장 상사와의 약속에 늦었다는 사실을 알고 당황한다. 이때 김 군은 학창 시절에 지각하여 선생님에게 벌을 받을까 겁을 먹었던 기억이 되살아나 'C 자아상태'로 이동한 것이다. C 자아상태는 어릴 때 했던 것처럼 행동하거나 사고하거나 감정을 느끼는 자아상태이다. 부모의 요구에 순응하며 살았던 행동 양식들을 재연할 경우를 'AC(순응하는 어린이)' 상태, 부모의 요구나 압력과 상관없이 독립적으로 행동했던 어린 시절의 방식대로 행동할 경우를 'FC(자유로운 어린이)' 상태라고 한다.

5 세 가지 자아상태 중 어느 한 상태에서 누군가에게 말을 걸면 상대방도 어느 한 상태에서 반응하게 된다. 이러한 의사소통 과정에서 자신이 기대하는 반응이 올 수도 있고, 기대하지 않는 반응이 올 수도 있다. 우리는 남들이 자기를 알아봐 줬으면 좋겠다는 인정의 욕구로 인해 서로 상대방을 인지한다는 신호를 보낸다. 이런 행위를 '스트로크(stroke)'라 부르는데, 스트로크는 다음과 같이 구분할 수 있다. 먼저 언어로 신호를 보내는 언어적 스트로크와 몸짓, 표정 등으로 신호를 보내는 비언어적 스트로크로 나눌 수 있다. 다음으로 상대방을 즐겁게 하는 긍정적 스트로크와 상대방을 고통스럽게 하는 부정적 스트로크로 나눌 수 있다. 끝으로 "일을 참 잘 처리했더군."과 같이 상대방의 행위에 반응하는 조건적 스트로크와 "난 당신이 좋아."와 같이 아무 조건 없이 존재 그 자체에 반응하는 무조건적 스트로크로 나눌 수 있다.

6 일반적으로 사람들은 상대로부터 긍정적 스트로크를 받기 원하지만, 긍정적 스트로크가 충분하지 않다고 여기면 부정적 스트로크라도 얻으려고 한다. 어떤 스트로크든 스트로크를 받지 못하는 것보다는 낫다는 원리가 작용하는 것이다. 그리고 어떤 행위를 통해 자신이 원하는 스트로크를 받게 되면, 그 스트로크를 계속 받기 위해 같은 행동을 반복하며 강화한다.

7 이와 같은 개념을 바탕으로 정립된 교류 분석 이론은 관찰 가능한 인간 행동을 간결하고 쉬운 용어로 분석함으로써 사람들이 이해하기 쉽게 설명해 준다. 또한 과거의 경험을 통해 인간의 성격을 파악할 수 있게 했을 뿐 아니라 인간의 욕구와 관련지어 의사소통 과정을 분석할 수 있게 한 점에서도 의의가 있다.

원리 이해 문단의 중심 내용 파악하기

9262-0061

01 2~6문단의 중심 내용을 다음과 같이 정리할 때, 빈칸에 들어갈 말을 쓰시오.

2: 자아상태의 1(　　　)과 A 자아상태의 사례
3: 2(　　　　　)의 사례와 두 유형
4: 3(　　　　　)의 사례와 두 유형
5: 스트로크의 4(　　　)과 스트로크의 구분
6: 5(　　　　)를 받는 것에 관한 사람들의 경향

원리 이해 글의 내용 구조 파악하기

9262-0062

02 2~4문단의 중심 내용을 고려하여 문단 간의 관계를 밝히시오.

이 문제는!
글의 전개 방식을 파악할 수 있는지를 묻는 문제이다. 특정 이론이 중심 화제인 경우 이론의 주요 내용을 설명하기 마련인데, 이때 관련 개념을 설명하는 경우가 많으므로 이에 유의하도록 한다.

기출 문제 내용 전개 방식 파악하기

9262-0063

03 윗글의 전개 방식에 대한 설명으로 가장 적절한 것은?

① 이론이 정립된 과정을 소개하고, 각 단계의 차이점을 설명하고 있다.
② 이론이 가지는 한계점을 지적하고, 이를 보완하는 다른 이론을 제시하고 있다.
③ 이론을 이해하는 데 필요한 개념을 설명하고, 이론이 지니는 의의를 밝히고 있다.
④ 이론이 나타나게 된 배경을 제시하고, 이론의 타당성을 사례를 들어 검증하고 있다.
⑤ 이론을 구성하는 요소들을 나열하고, 요소 간의 공통점과 차이점을 분석하고 있다.

이 문제는!
글의 중심 화제와 관련하여 핵심 정보에 대해 정확하게 이해할 수 있는지를 묻는 문제이다. 핵심 정보를 파악하고 그 내용을 정확하게 이해할 수 있어야 한다.

기출 문제+ 핵심 정보 파악하기

9262-0064

04 ㉠, ㉡에 대한 설명으로 적절하지 않은 것은?

① ㉠은 일련의 행동, 사고, 감정의 총체로 특정 순간마다 달라질 수 있다.
② ㉠의 상태 중 현실적인 대책을 찾는 것을 A 자아상태로 설명할 수 있다.
③ ㉡의 긍정적 스트로크를 충분히 받지 못한 사람들은 일반적으로 부정적 스트로크를 거부한다.
④ ㉡은 인간의 욕구와 관련지어 의사소통 과정을 분석하는 데 도움을 줄 수 있다.
⑤ ㉠의 어느 한 상태에서 상대방을 인지한다는 신호를 보내는 행위를 ㉡으로 설명할 수 있다.

원리 학습 점검 노트

1 1문단에서 '자아상태'와 '스트로크'의 개념이 글의 중심 화제임을 파악했는가?	YES ☐
2 2, 3, 4문단이 병렬적으로 자아상태의 세 유형에 대해 설명하고 있으며, 5, 6문단에서 스트로크에 관해 설명하고 있음에 유의하여 독해했는가?	YES ☐
3 7문단에서 자아상태와 스트로크의 개념을 바탕으로 정립된 교류 분석 이론의 의의를 파악했는가?	YES ☐

3단계

다음 글을 읽고 물음에 답하시오.

독해 포커스
근대 도시의 삶의 양식에 관한 생산학파와 소비학파의 입장이 대비되고 있으며, 그 두 입장을 아우르는 입장으로 벤야민의 견해가 제시되어 있다. 이와 같이 여러 입장이 제시되어 있는 글은 입장 간의 공통점과 차이점에 주목하여 독해해야 한다.

근대 도시의 삶의 양식은 많은 학자들의 관심을 끌어 왔다. 오랫동안 지배적인 관점으로 받아들여진 것은 삶의 양식 중 노동 양식에 주목하는 생산학파의 견해였다. 생산학파는 산업혁명을 통해 근대 도시 특유의 노동 양식이 형성되는 점에 관심을 기울였다. 그들은 우선 새로운 테크놀로지를 갖춘 근대 생산 체제가 대규모의 노동력을 각지로부터 도시로 끌어 모으는 현상에 주목했다. 또한 다양한 습속을 지닌 사람들이 어떻게 대규모 기계의 리듬에 맞추어 획일적으로 움직이는 노동자가 되는지 탐구했다. 예를 들어, 미셸 푸코는 노동자를 집단 규율에 맞춰 금욕 노동을 하는 유순한 몸으로 만들어 착취하기 위해 어떤 훈육 전략이 동원되었는지 연구하였다. 또한 생산학파는 노동자가 기계화된 노동으로 착취당하는 동안 감각과 감성으로 체험하는 내면세계를 상실하고 사물로 전락했다고 고발하였다. 이렇게 보면 근대 도시는 어떠한 쾌락과 환상도 끼어들지 못하는 거대한 생산 기계인 듯하다.

이에 대하여 소비학파는 근대 도시인이 내면세계를 상실한 사물로 전락한 것은 아니라고 하면서 생산학파를 비판하기 시작했다. 예를 들어, 콜린 캠벨은 금욕주의 정신을 지닌 청교도들조차 소비 양식에서 자기 환상적 쾌락주의를 가지고 있었다고 주장하였다. 결핍을 충족시키려는 욕망과 실제로 욕망이 충족된 상태 사이에는 시간적 간극이 존재할 수밖에 없다. 그런데 근대 도시에서는 이 간극이 좌절이 아니라 오히려 욕망이 충족된 미래 상태에 대한 주관적 환상을 자아낸다. 생산학파와 달리 캠벨은 새로운 테크놀로지의 발달 덕분에 이런 환상이 단순한 몽상이 아니라 실현 가능한 현실이 될 것이라는 기대를 불러일으킨다고 보았다. 그는 이런 기대가 쾌락을 유발하여 근대 소비 정신을 북돋웠다고 긍정적으로 평가했다.

근래 들어 노동 양식에 주목한 생산학파와 소비 양식에 주목한 소비학파의 입장을 아우르려는 연구가 진행되고 있다. 일찍이 근대 도시의 복합적 특성에 주목했던 발터 벤야민은 이러한 연구의 선구자 중 한 명으로 재발견되었다. 그는 새로운 테크놀로지의 도입이 노동의 소외를 심화한다는 점은 인정하였다. 하지만 소비 행위의 의미가 자본가에게 이윤을 가져다주는 구매 행위로 축소될 수는 없다고 생각했다. 소비는 그보다 더 복합적인 체험을 가져다주기 때문이다. 벤야민은 이런 사실을 근대 도시에 대한 탐구를 통해 설명한다. 근대 도시에서는 옛것과 새것, 자연적인 것과 인공적인 것 등 서로 다른 것들이 병치되고 뒤섞이며 빠르게 흘러간다. 환상을 자아내는 다양한 구경거리도 근대 도시 곳곳에 등장했다. 철도 여행은 근대 이전에는 정지된 이미지로 체험되었던 풍경을 연속적으로 이어지는 파노라마로 체험하게 만들었다. 또한 유리와 철을 사용하여 만든 상품 거리인 아케이드는 안과 밖, 현실과 꿈의 경계가 모호해지는 체험을 가져다주었다. 벤야민은 이러한 체험이 근대 도시인에게 충격을 가져다준다고 보았다. 또한 이러한 충격 체험을 통해 새로운 감성과 감각이 일깨워진다고 말했다.

벤야민은 근대 도시의 복합적 특성이 영화라는 새로운 예술 형식에 드러난다고 주장했다. 19세기 말에 등장한 신기한 구경거리였던 영화는 벤야민에게 근대 도시의 작동 방식과 리듬에 상응하는 매체다. 영화는 조각난 필름들이 일정한 속도로 흘러가면서 움직임을 만들어 낸다는 점에서 공장에서 컨베이어 벨트가 만들어 내는 기계의 리듬을 떠올리게 한다. 또한 관객이 아닌 카메라라는 기계 장치 앞에서 연기를 해야 하는 배우나 자신의 전문 분야에만 참여하는 스태프는 작품의 전체적인 모습을 파악하기 어렵다. 분업화로 인해 노동으로부터 소외되는 근대 도시인의 모습이 영화 제작 과정에서도 드러나는 것이다. 하지만 동시에 영화는 일종의 충격 체험을 통해 근대 도시인에게 새로운 감성과 감각을 불러일으키는 매체이기도 하다. 예측 불가능한 이미지의 연쇄로 이루어진 영화를 체험하는 것은 이질적인 대상들이 복잡하고 불규칙하게 뒤섞인 근대 도시의 일상 체험과 유사하다. 서로 다른 시 · 공간의 연결, 카메라가 움직일 때마다 변화하는 시점, 느린 화면과 빠른 화면의 교차 등 영화의 형식 원리는 ㉮정신적 충격을 발생시킨다. 영화는 보통 사람의 육안이라는 감각적 지각의 정상적 범위를 넘어선 체험을 가져다준다. 벤야민은 이러한 충격 체험을 환각, 꿈의 체험에 빗대어 '시각적 무의식'이라고 불렀다. 관객은 영화가 제공하는 시각적 무의식을 체험함으로써 일상적 공간에 대해 새로운 의미를 발견하게 된다. 영화관에 모인 관객은 이런 체험을 집단적으로 공유하면서 동시에 개인적인 꿈의 세계를 향유한다.

근대 도시와 영화의 체험에 대한 벤야민의 견해는 생산학파와 소비학파를 포괄할 수 있는 이론적 단초를 제공한다. 벤야민은 근대 도시인이 사물화된 노동자이지만 그 자체로 내면세계를 지닌 꿈꾸는 자이기도 하다는 사실을 보여 준다. 벤야민이 말한 근대 도시는 착취의 사물 세계와 꿈의 주체 세계가 교차하는 복합 공간이다. 이렇게 벤야민의 견해는 근대 도시에 대한 일면적인 시선을 바로잡는 데 도움을 준다.

원리 이해 논지 전개 방식 파악하기

9262-0065

01 1문단과 2문단의 논지 전개 방식을 다음과 같이 정리할 때, 빈칸에 들어갈 말을 쓰시오.

> 근대 도시의 1(　　　　)에 대한 생산학파와 소비학파의 입장을 2(　　　　)하고 있다.

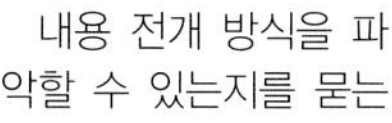

내용 전개 방식을 파악할 수 있는지를 묻는 문제이다. 문단의 중심 내용을 파악하고 문단 간에 내용의 연결이 어떻게 이루어지고 있는지를 파악하면 문제의 정답을 쉽게 판단할 수 있다.

기출 문제 내용 전개 방식 파악하기

9262-0066

02 윗글의 내용 전개 방식으로 가장 적절한 것은?

① 근대 도시의 삶의 양식에 대한 벤야민의 주장을 기준으로, 근대 도시의 산물인 영화를 유형별로 분류하고 있다.
② 근대 도시와 영화의 개념을 정의한 후, 근대 도시의 복합적 특성을 밝힌 벤야민의 견해에 대해 그 의의와 한계를 평가하고 있다.
③ 근대 도시의 삶의 양식에 대한 벤야민의 관점을 활용하여, 근대 도시의 기원과 영화의 탄생 간에 공통점과 차이점을 비교하고 있다.
④ 근대 도시의 복합적 특성에 따른 영화의 변화 양상을 통시적으로 살펴본 후, 근대 도시와 영화의 체험에 대한 벤야민의 주장을 비판하고 있다.
⑤ 근대 도시의 삶의 양식에 대한 서로 다른 견해를 소개한 후, 근대 도시와 영화에 대한 벤야민의 견해가 근대 도시의 복합적 특성을 드러냄을 밝히고 있다.

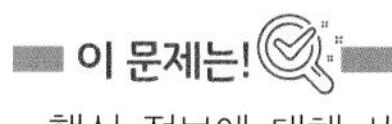

핵심 정보에 대해 세부적으로 이해할 수 있는지를 묻는 문제이다. 서술 대상에 관한 여러 정보를 정확하게 이해하는 것이 중요하다.

기출 문제+ 핵심 정보 이해하기

9262-0067

03 ㉮에 대한 이해로 적절한 것은?

① 관객의 새로운 감성과 감각에 의해 초래된다.
② 영화가 다루고 있는 독특한 주제에서 발생한다.
③ 근대 도시의 일상 체험에서 유발되는 충격과 유사하다.
④ 촬영 기법이나 편집 등 영화의 형식적 요소에 의해 발생이 억제된다.
⑤ 육안으로 지각 가능한 범위를 넘어서지 않는 영화적 체험으로부터 발생한다.

원리 학습 점검 노트

1 1, 2문단에서 근대 도시의 삶의 양식에 대한 생산학파와 소비학파의 입장 차이를 나타내는 말들을 중심으로 독해했는가?	YES ☐
2 3문단에서 생산학파와 소비학파의 입장을 아우르는 견해로 제시된 벤야민의 입장을 나타내는 핵심 어구를 찾아 그 내용을 중심으로 독해했는가?	YES ☐
3 4문단에서 영화에 대한 벤야민의 입장을 나타내는 핵심 어구에 주목했는가?	YES ☐
4 5문단에서 벤야민의 견해의 의의가 제시되어 있음을 파악했는가?	YES ☐

숨은 정보 찾기

글에는 명시적으로 제시되어 있는 정보들도 있지만, 그 정보들 사이에 감추어져 있는 정보들도 있어요. 그렇기 때문에 독자들은 여러 맥락을 고려하여 감추어져 있는 정보들을 파악할 수 있어야 합니다. 이와 같이 독해하는 것을 '추론적 독해'라고 하죠. 추론적 독해는 독자로 하여금 적극적으로 글의 의미를 구성할 수 있게 해 줍니다.

원리 학습 1단계 정보 간의 관계에 유의하여 생략된 정보를 찾자.

글쓴이가 생략한 정보를 찾아내기 위한 가장 기본적인 방법은 정보 간의 관계를 살펴보는 것이다. 글쓴이는 정보 간의 관계를 통해 추론이 가능한 정보에 대해서 독자가 이해할 수 있으리라 보고 정보를 생략하기 때문이다. **정보 간의 관계에 주목**하여 **글쓴이의 기본적인 관점, 생략된 원인이나 결과 등**을 찾아보도록 하자.

- '논거-주장'의 관계로 정보가 제시되는 경우, 그 관계에 유의하여 어떤 논거로 주장을 뒷받침하고 있는지를 파악해야 한다.
- '원인-결과'의 관계로 연결되어 있는 정보의 경우, 인과 관계를 따져 보면서 생략된 원인 혹은 결과를 찾아야 한다.

| 2019학년도 6월 모의평가 |

독서쌤의 TIP

'논거-주장'의 관계에서 논거는 구체적 사실로 제시되는 경우가 많아. 어떤 현상이나 양상에 대한 분석은 견해 · 주장을 바탕으로 이루어지기 마련이기 때문에 내용의 타당성을 높이기 위해 구체적인 근거를 제시하지. 어떤 현상이나 양상을 분석하고 있으면, 그것을 뒷받침하는 구체적 사실을 짚으렴.

1 17세기 초부터 유입되기 시작한 서학(西學) 서적에 담긴 서양의 과학 지식은 당시 조선의 지식인들에게 적지 않은 지적 충격을 주며 사상의 변화를 이끌었다. 하지만 ㉠19세기 중반까지 서양 의학의 영향력은 천문 · 지리 지식에 비해 미미하였다. 일부 유학자들이 서양 의학 서적들을 읽었지만, 이에 대해 논평을 남긴 인물은 극히 제한적이었다.

2 이런 가운데 18세기 실학자 이익은 주목할 만한 인물이다. 그는 「서국의(西國醫)」라는 글에서 아담 샬이 쓴 『주제군징(主制群徵)』의 일부를 채록하면서 자신의 생각을 제시하였다. 『주제군징』에는 당대 서양 의학의 대변동을 이끈 근대 해부학 및 생리학의 성과나 그에 따른 기계론적 인체관은 담기지 않았다. 대신 기독교를 효과적으로 전파하기 위해 신의 존재를 증명하려 했던 로마 시대의 생리설, 중세의 해부 지식 등이 실려 있었다. 한정된 서양 의학 지식이었지만 이익은 그 우수성을 인정하고 내용을 부분적으로 수용하였다. 뇌가 몸의 운동과 지각 활동을 주관한다는 아담 샬의 설명에 대해, 이익은 몸의 운동을 뇌가 주관한다는 것은 긍정하였지만, 지각 활동은 심장이 주관한다는 전통적인 심주지각설(心主知覺說)을 고수하였다.

3 이익 이후에도 서양 의학이 조선 사회에 끼친 영향은 두드러지지 않았다. 당시 유학자들은 서양 의학의 필요성을 느끼지 못하였고, 의원들의 관심에서도 서양 의학은 비껴나 있었다. 당시에 전해진 서양 의학 지식은 내용 면에서도 부족했을 뿐 아니라, 지구가 둥글다거나 움직인다는 주장만큼 충격적이지는 않았다. 서양 해부학이 야기하는 윤리적 문제도 서양 의학의 영향력을 제한하는 요인으로 작용하였으며, 서학에 대한 조정(朝廷)의 금지 조치도 걸림돌이었다. 그러던 중 19세기 실학자 최한기는 당대 서양에서 주류를 이루고 있던 최신 의학 성과를 담은 홉슨의 책들을 접한 후 해부학 전반과 뇌 기능을 중심으로 문제의식을 본격화하였다. 인체에 대한 이전 유학자들의 논의가 도덕적 차원에 초점이 있었던 것과 달리, 그는 지각적 · 생리적 기능에 주목하였다.

기출동향 | 대표발문

✔ ㉠에 들어갈 말로 가장 적절한 것은?
✔ 윗글로 미루어 알 수 있는 내용으로 적절한 것은?
✔ 윗글을 읽고 추론한 내용으로 적절하지 않은 것은?
✔ 윗글을 이해한 내용으로 적절하지 않은 것은?

CHECKLIST

✔ 정보 간의 관계에 주목하여 생략된 정보 찾기
✔ 판단이나 결론에 주목하여 숨겨져 있는 전제 추리하기
✔ 글의 여러 정보를 종합하여 숨어 있는 정보 추론하기

㉠의 이유 추론하기 →

3문단에서는 ㉠과 관련하여 서양 의학이 조선 사회에 끼친 영향이 두드러지지 않았다는 분석을 제시한 후, 그것을 뒷받침하는 구체적 사실을 제시하고 있음.
- 당시에 전해진 서양 의학 지식은 내용 면에서 부족했음.
- 천문 지리 지식에 비해 충격적이지 않았음.
- 서양 해부학이 윤리적 문제를 야기했음.
- 서학에 대한 조정의 금지 조치가 있었음.

3문단의 첫 문장에서 ㉠과 관련 있는 현상에 대해 분석한 견해를 제시하고 있다. 그리고 이어서 이를 뒷받침하는 구체적인 사실들을 제시하고 있다. 이러한 관계에 유의하여 ㉠의 이유를 추론할 수 있는 토대가 되는 정보들을 주목해야 한다.

2단계 판단이나 결론의 내용을 바탕으로 숨겨져 있는 전제를 파악하자.

글의 **'전제'란 어떤 판단 · 결론을 논리적으로 성립할 수 있게 해 주는 바탕이 되는 명제나 사실**을 의미한다. 그렇기 때문에 **판단이나 결론의 논리적 성립에 주목하면 생략되어 있는 전제를 추리**할 수 있다.

- 글의 핵심 내용에 대한 글쓴이의 판단, 결론을 찾아 이해해야 한다.
- 글쓴이의 판단이나 결론을 논리적으로 성립하게 해 주는, 결코 부정되어서는 안 되는 속성을 전제로 파악할 수 있어야 한다.

독서쌤의 TIP

판단이나 결론을 이끌어 내는 과정에서 글쓴이가 당연하게 여기고 있는 지점이 어디인지 생각해 볼까? 그 지점에서 바로 전제를 이끌어 낼 수 있어.

| 2015학년도 대학수학능력시험 A형 |

민간 위탁은 주로 다음과 같은 몇 가지 방식으로 운용되고 있다. 가장 일반적인 것은 '경쟁 입찰 방식'이다. 이는 일정한 기준을 충족하는 민간 업체 간 경쟁 입찰을 거쳐 서비스 생산자를 선정, 계약하는 방식이다. 공원과 같은 공공 시설물 관리 서비스가 이에 해당한다. 이 경우 정부가 직접 공공 서비스를 제공할 때보다 서비스의 생산 비용이 절감될 수 있고 정부의 재정 부담도 경감될 수 있다. 다음으로는 '면허 발급 방식'이 있다. 이는 서비스 제공을 위한 기술과 시설이 기준을 충족하는 민간 업체에게 정부가 면허를 발급하는 방식이다. 자동차 운전면허 시험, 산업 폐기물 처리 서비스 등이 이에 해당한다. 이 경우 공공 서비스가 갖춰야 할 최소한의 수준은 유지하면서도 공급을 민간의 자율에 맡겨 공공 서비스의 수요와 공급이 탄력적으로 조절되는 효과를 얻을 수 있다. 또한 '보조금 지급 방식'이 있는데, 이는 민간이 운영하는 종합 복지관과 같이 안정적인 공공 서비스 제공이 필요한 기관에 보조금을 주어 재정적으로 지원하는 것이다.

하지만 민간 위탁 업체는 수익성을 중심으로 공공 서비스를 제공하기 때문에, ❶수익이 나지 않을 경우에는 민간 위탁 업체가 제공하는 공공 서비스가 기대 수준에 미치지 못할 수 있다. 또한 민간 위탁 제도에 의한 공공 서비스 제공의 성과는 정확히 측정하기 어려운 경우가 많아서 ❷평가와 개선이 지속적으로 이루어지지 않을 때에는 오히려 민간 위탁 제도가 공익을 저해할 수 있다. 따라서 민간 위탁 제도의 도입을 결정할 때에는 서비스의 성격과 정부의 관리 능력 등을 면밀히 검토하여 신중하게 결정해야 한다.

윗글은 '민간 위탁 제도에 의한 공공 서비스 제공'을 다루고 있는 글의 일부이다. 제시된 부분의 뒷부분이 글의 마지막 문단이며, 이를 토대로 이 글의 결론은 '민간 위탁 제도의 도입은 신중하게 결정되어야 한다.'임을 알 수 있다. 이러한 결론을 이끌어 내기 위한 근거 ❶과 ❷를 통해 추론해 보면 이 글의 핵심 소재와 관련한 전제는 '공공 서비스는 기대 수준에 도달해야 하며, 공익성을 저해해서는 안 된다.'임을 파악할 수 있다.

(결론) 민간 위탁 제도의 도입은 신중하게 결정되어야 한다.

❶ 수익이 나지 않을 경우 민간 위탁 업체의 공공 서비스가 기대 수준에 못 미칠 수 있다.

❷ 평가와 개선이 이루어지지 않을 경우 민간 위탁 제도가 공익을 저해할 수 있다.

(전제) 공공 서비스는 기대 수준에 도달해야 하며, 공익성을 저해해서는 안 된다.

3단계 글에 흩어져 있는 여러 정보를 종합해서 숨어 있는 정보를 추론하자.

글에 직접적으로 제시되어 있지 않은 정보를 추론할 때에는 글의 정보를 두세 가지 종합해야 정답을 도출해 낼 수 있다. **이때 주목해야 하는 정보는 중심 대상의 특징을 나타내는 정보이다.** 대상의 특징을 두 가지 이상 종합하여 만들어 낸 진술이 선택지에 자주 등장하기 때문이다.

독해 포인트

- 글의 핵심이 되는 소재인 중심 대상의 특징을 드러낸 정보에 주목하여 글을 읽고, 이것들을 종합한 진술이 선택지에 있는지를 확인해야 한다.
- 단어나 문장의 포함 관계에 주목해야 한다. 글에 하위 개념으로 대상의 특징이 드러나 있는 경우 선택지에는 이를 포괄하는 상위 개념이 나온다.

상위 개념과 하위 개념
'사람'과 '남자'라는 두 단어의 의미상 관계에서 '사람'은 '남자'를 포함하고, '남자'는 '사람'의 작은 부분으로 볼 수 있다. 이때 '사람'을 상위 개념이라 하고, '남자'를 하위 개념이라 한다.

| 2017학년도 9월 모의평가 |

철근 콘크리트는 근대 이후 가장 중요한 건축 재료로 널리 사용되어 왔지만 철근 콘크리트의 인장 강도를 높이려는 연구가 계속되어 프리스트레스트 콘크리트가 등장하였다. 프리스트레스트 콘크리트

는 다음과 같이 제작된다. ❶먼저, 거푸집에 철근을 넣고 철근을 당긴 상태에서 콘크리트 반죽을 붓는다. ❷콘크리트가 굳은 뒤에 당기는 힘을 제거하면, 철근이 줄어들면서 콘크리트에 압축력이 작용하여 외부의 인장력에 대한 저항성이 높아진 프리스트레스트 콘크리트가 만들어진다.

* 윗글을 바탕으로 추론한 내용으로 가장 적절한 것은?

④ 프리스트레스트 콘크리트는 철근이 복원되려는 성질을 이용하여 콘크리트에 압축력을 줌으로써 인장 강도를 높인 것이다.

윗글의 핵심 소재는 프리스트레스트 콘크리트이며, 이를 제작하는 과정을 설명하고 있다. 문장 ❶과 ❷는 프리스트레스트 콘크리트를 만드는 일련의 과정으로 연결되어 있다. 따라서 ❶의 '철근을 당긴다'는 정보와 ❷의 '당기는 힘을 제거하면 철근이 줄어든다'는 두 정보를 종합하여 '철근이 복원되려는 성질'이라는 결론을 도출해 낼 수 있어야 한다.

철근을 당김. + 당기는 힘을 제거하면 철근이 줄어듦. = 철근이 복원되려는 성질 이용

원리 학습 정리 노트

정보 간의 [1]□□에 주목하여 생략된 정보 찾기	정보 간의 관계에 주목하여 글쓴이의 기본적인 관점이나 생략된 원인 혹은 결과를 찾아보자.
판단 · 결론에 주목하여 숨겨져 있는 [2]□□ 찾기	판단 · 결론을 먼저 찾고, 당연하게 여겨지거나 결코 부정되어서는 안 되는 속성이 있는지 생각해 보자.
글의 정보를 [3]□□해서 숨어 있는 정보 찾기	중심 대상의 특징을 드러낸 정보, 단어나 문장의 포함 관계에 주목하여 종합적 성격의 진술이나 상위 개념이 선택지로 구성되었는지 확인하자.

답 1 관계 2 전제 3 종합

적용 학습 1단계

아우라
본래는 사람이나 물체에서 발산하는 기운 또는 영기(靈氣) 같은 것을 뜻하는 말이었는데, 베냐민에 의해 예술 개념으로 자리잡게 되었다. 유일한 원본에서만 나타나는 것이며 독특한 거리감을 지닌 사물에서만 가능하므로 복제품이나 대량 생산된 상품에서는 경험될 수 없는 것이다.

예제 1

'아우라'란 예술 작품에서 흉내 낼 수 없는 고고한 분위기를 뜻하는 말로, 독일의 철학자 발터 베냐민의 예술 이론에서 나온 말이다. 베냐민은 현대에 와서 예술 작품에 대한 기술 복제가 가능해지면서 전통적 예술에서 중요하게 여겨 왔던 아우라가 붕괴되고 있다고 보았다. 아무리 완벽한 복제라 하더라도 특정한 시간과 공간에서 원작이 가지는 유일무이한 현존성은 결코 복원될 수 없는 것이므로, 기술 복제된 예술 작품에서는 역사적 유일성과 진품성에서 느껴지는 분위기라고 할 수 있는 아우라가 붕괴될 수밖에 없다는 것이다. 이로써 아우라를 상실한 기술 복제 시대의 예술 작품은 이제 '숭배 가치'의 대상이 아니라 '전시 가치'의 대상이 되었다고 보았다.

베냐민에 따르면, 아우라를 가진 전통적 예술 작품을 수용해 온 방식은 개인이 예술 작품을 관조하며 그 속에 몰입하고 완전히 빠져드는 것이었다. ㉠예술 작품 속에 완전히 빠져 들어가 그것과 한순간 일체가 되는 경험이야말로 예술 작품의 아우라를 경험하기 위한 본질적인 조건으로 본 것이다. 따라서 전통적 예술 작품의 수용에서는 완전한 정신 집중과 몰입을 통한 동일화 현상이 일어나게 된다. 이것은 대상에 대한 비판 가능성을 차단하여 대상의 숭배 가치가 강화되도록 만든다. 이에 반해 전시 가치의 대상으로 등장한 기술 복제 시대의 예술 작품은 아우라를 지닌 예술 작품처럼 그 아래 무릎 꿇고 조아리기 위한 것이 아니라, 그저 보고 듣고 즐기기 위한 감각적 수용의 대상으로 존재한다. 그러므로 여기서는 정신을 집중하는 방식이 아니라 정신을 분산시키는 방식, 말하자면 예술 작품과 비판적 거리를 두고 예술 작품을 오락의 대상으로 여기는 지각 방식이 보다 적절한 것으로 여겨졌다. 그래서 베냐민은 관조와 몰입이라는 개인적 수용 방식을 부정하고 '정신 산만한 지각 방식'이 기술 복제 시대의 예술 작품에 더 잘 어울린다고 했다.

9262-0068

01 윗글에서 대비되는 두 개념을 다음과 같이 정리할 때, 빈칸에 들어갈 말을 쓰시오.

전통적 예술 작품	기술 복제 시대의 예술 작품
• 1( )를 뜻하는 '아우라'를 지님.	• '아우라'를 상실함.
• 숭배 가치의 대상인 예술 작품 – 그 아래 무릎 꿇고 조아리기 위한 것	• 3( )의 대상인 예술 작품 – 감각적 수용의 대상
• 지각 방식 – 관조와 몰입, 정신을 2( ) 방식	• 지각 방식 – 작품과 비판적 거리를 둔 4( ) 지각 방식

원리 적용 대비 관계에 유의하여 정보를 파악한다.

9262-0069

02 ㉠과 동일한 내용을 나타내는 표현을 본문에서 찾아 쓰시오.

원리 적용 주요 서술 대상의 특징을 파악한다.

9262-0070

03 윗글을 통해 알 수 있는, '예술 작품'에 대한 글쓴이의 관점으로 가장 적절한 것은?

① 예술 작품에 완전히 몰입하는 방식은 대상을 비판적으로 바라볼 수 있게 해 준다.
② 아우라를 상실한 예술 작품은 그 아래 무릎 꿇고 조아리기 위한 숭배 가치의 대상이 된다.
③ 기술 복제 시대의 예술 작품에는 관조와 몰입을 바탕으로 한 개인적 수용 방식이 잘 어울린다.
④ 예술 작품을 기술적으로 완전히 복제하면 원작이 가지는 유일무이한 현존성도 다양한 곳에서 존재할 수 있게 된다.
⑤ 기술 복제의 시대로 이행하면서 예술 작품이 지닌 아우라는 붕괴되고 예술 작품은 감각적 수용의 대상으로 변모된다.

원리 적용 정보 간의 관계에 유의하여 글쓴이의 기본적인 관점을 파악한다.

| 2016학년도 10월 고3 전국연합학력평가 |

피아노가 소리를 내는 원리
건반 악기인 피아노는 정확하게 표현하자면 건반으로 연주하는 현악기이다. 건반과 연결된 해머가 현을 때리면 현이 진동하게 되고, 이 진동으로 생성된 음이 음향판에서 증폭되어 특유의 음색을 가진 소리를 낸다.

예제 2

우선 피아노에서 핵심적 역할을 하는 '액션'을 살펴볼 필요가 있다. 각 건반마다 하나씩 있는 액션은 크게 세 가지 역할을 한다. 우선 액션은 건반을 누른 힘보다 더 큰 힘으로 액션에 있는 해머가 현을 때리도록 하는 지렛대 역할을 한다. 둘째, 건반을 누를 때에는 해당 현의 댐퍼*가 현에서 떨어지게 했다가 손을 건반에서 뗄 때 댐퍼가 현에 다시 붙게 한다. 건반을 누르고 있는 동안에는 해머에 의해 진동을 시작한 현이 계속 진동할 수 있게 하고, 그 건반에서 손을 떼면 댐퍼가 다시 현에 붙도록 하여 다른 현이 진동할 때 공명하지 않게 만드는 것이다. 셋째, 해머가 현을 때리는 즉시 액션은 해머를 현에서 이탈하게 한다. 액션이 이처럼 작동하는 이유는 만약 해머가 현을 때리고 곧바로 떨어지지 않거나, 해머가 현을 때린 후 그 반동으로 인해 제멋대로 움직인다면 해머의 방해로 현이 자유롭게 진동하지 못하기 때문이다.

(……)

피아노의 페달 역시 페달을 밟고 있는 동안 특정 역할을 수행하여 음색에 영향을 주기도 한다. 피아노의 세 페달 중 오른쪽에 있는 페달을 '댐퍼 페달'이라고 한다. 이 페달을 밟으면 모든 현에서 댐퍼가 일제히 떨어지게 된다. 만약 댐퍼 페달을 밟고 건반을 누른다면 현의 진동은 건반을 누르지 않은 다른 현에도 공명을 일으킬 것이다. 또한 건반에서 손을 떼도 이 같은 현상이 어느 정도 지속될 것이다. 그러므로 댐퍼 페달은 연주된 음을 지속적으로 울리게 하여 음향을 풍부하게 하고 음과 음 사이를 부드럽게 연결하는 효과를 낸다. 왼쪽 페달은 '소프트 페달'이라고 하는데, 이 페달을 밟으면 해머가 한쪽으로 조금씩 움직여서 해당 건반의 해머가 때리는 현의 수를 3현은 2현으로, 2현은 1현으로 감소시킨다. 이를 통해 음량을 감소시킬 수 있다. 가운데 페달은 ㉠<u>'소스테누토 페달'</u>이라고 하는데, 이를 밟은 채 건반을 누르면 해머가 때린 현의 댐퍼만이 현에서 떨어지게 된다. 이로 인해 음색에 변화를 줄 수 있다.

*댐퍼 현의 진동을 눌러서 소리가 울리지 않게 하는 장치.

9262-0071

04 ㉠을 밟았을 때의 효과를 바르게 추론한 것은?

① 건반에서 손을 떼도 해당 건반 음이 지속된다.
② 건반에서 손을 떼도 해당 건반 음 외의 다른 음이 공명한다.
③ 건반에서 손을 떼지 않아도 해당 건반 음을 멈춘다.
④ 건반을 누를 때 해당 건반 음의 음량을 감소시킨다.
⑤ 건반을 누를 때 해당 건반 음 외의 다른 음이 공명한다.

원리 적용 정보 간의 관계에 유의하여 생략되어 있는 결과를 추론한다.

비고츠키의 언어 발달 과정
러시아의 심리학자 비고츠키는 언어와 사고의 관계를 기준으로 언어 발달의 과정을 원시적 언어 단계, 외적 언어 단계, 자기 중심적 언어 단계, 내적 언어 단계로 나누어 사고가 언어화되는 과정을 설명하였다.

예제 1

이처럼 비고츠키는 상호 독립적으로 발달하던 사고와 언어가 어느 시기에 교차하면서 사고가 언어화된다고 보았다. 마치 인접한 ⓐ두 개의 물방울이 ⓑ서서히 모여 ⓒ하나의 물방울이 되는 것처럼, 언어와 사고도 발생 초기에는 서로 독립적으로 발달하다가 아동이 성장함에 따라 점차 하나로 겹쳐지면서 사고가 언어화되는 것이다. 이와 같은 언어와 사고의 관계를 고려할 때, 아동의 언어 발달은 곧 사고 발달을 의미하므로, 언어 교육은 아동의 학습 능력을 신장시키는 데에 직접적인 영향을 미친다는 결론에 이르게 된다. 비고츠키는 언어와 사고의 관계를 중심으로 언어 발달의 과정을 설명했으며, 이는 아동 교육에 있어서 언어 교육의 중요성을 강조하는 학자들의 이론적 바탕이 되었다는 점에서 교육적으로 의의가 있다.

9262-0072

01 윗글의 내용을 바탕으로 하여, ⓐ~ⓒ의 원관념을 추론하여 빈칸에 쓰시오.

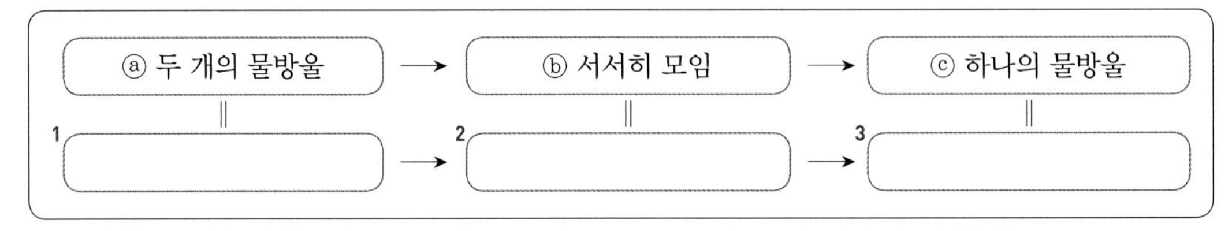

원리 적용 정보 간의 관계에 주목하여 생략된 정보를 추론한다.

9262-0073

02 윗글의 '비고츠키'의 관점에서 〈보기〉와 같은 결론을 내렸다고 할 때, 그 밑바탕에 깔려 있는 생각으로 가장 적절한 것은?

보기

언어 교육은 학습 능력을 신장시키므로 교육적 의의가 있다.

① 언어와 사고는 초기에 서로 독립적으로 발달한다.
② 언어 교육은 모든 학생을 대상으로 이루어져야 한다.
③ 아동이 성장하면서 언어가 사고화되는 양상을 보인다.
④ 아동의 언어가 발달하는 것은 사고력이 발달하는 것을 의미한다.
⑤ 교육적 의의를 달성하기 위해서는 학문적 연구가 선행되어야 한다.

원리 적용 결론에 주목하여 숨겨진 전제를 찾아본다.

정답과 해설 14쪽

컷어웨이
장면 안에 혹은 장면 사이에 다른 영상을 삽입하여 관객의 시선을 다른 곳으로 유도하는 편집 기법. 극적 완급이나 시간을 조절하는 데 사용된다.

예제 2

일반적으로 관객들은 영화를 볼 때 주인공의 활약상에 초점을 맞추면서도 동시에 영화 속 사건에 대한 총체적 인식을 추구한다. 그래서 관객들은 카메라가 사건의 주변부를 배제한 채 시종일관 주인공이나 각 장면의 중심인물만을 보여 주는 것을 원하지 않는다. 이렇게 사건의 주변부까지 면밀히 관찰하고자 하는 관객의 욕망을 충족시키고, 극적 완급이나 시간 조절을 통해 감독의 연출 의도를 효과적으로 전달하기 위한 영화의 기법이 컷어웨이(cutaway)이다. 이것은 장면 안에, 혹은 장면과 장면 사이에 주 행위와 직접적으로는 상관없지만 어떤 식으로든 그 장면과 연관이 있는 영상을 끼워 넣어, 관객의 시선을 잠시 다른 곳으로 유도하여 관객이 사건의 주변부까지 관찰하게 만드는 편집 기법이다. 원래 컷어웨이는 부자연스러운 장면 연결을 보완하기 위해 사용되었으나, 추가적인 정보나 감정을 드러내거나 불필요한 동작이나 대사를 생략하는 등 점차 다양한 용도로 활용되면서 그 예술적 효과가 강화되었다.

컷어웨이는 맥락에 맞는 적절한 지점에서 사용해야 효과를 볼 수 있는데, ㉠필요하지 않은 지점에서 컷어웨이를 남용한다면 영화의 완성도나 관객의 호응은 오히려 떨어질 수도 있게 된다.

9262-0074

03 윗글의 '컷어웨이'에 대한 설명으로 적절하지 않은 것은?

① 극적 완급이나 시간의 조절을 가능하게 한다.
② 관객이 영화의 중심인물에 주목하도록 돕는다.
③ 감독의 연출 의도를 효과적으로 전달할 수 있게 한다.
④ 남용하기보다는 맥락에 맞게 사용하는 것이 필요하다.
⑤ 한 가지 용도에만 머무르지 않고 점차 용도가 확장되는 모습을 보인다.

원리 적용 주요 서술 대상의 특징을 파악한다.

9262-0075

04 ㉠에 전제되어 있는 견해를 다음과 같이 기술하고자 한다. 빈칸에 들어갈 말을 쓰시오.

전제: 편집 기법은 적절히 활용되어 (   )에 기여해야 한다.

원리 적용 결론에 주목하여 숨겨져 있는 전제를 추론한다.

적용 학습 3단계

상속
일정한 친족 관계가 있는 사람 사이에 한쪽이 사망하거나 법률상의 원인이 발생하였을 때 재산적 또는 친족적 권리와 의무를 포괄적으로 승계하는 제도

예제 1

상속이란 피상속인의 사망에 의해 피상속인이 가지고 있던 모든 재산상의 권리 · 의무가 일정한 신분 관계에 있는 자에게 포괄적으로 승계되는 것을 말하는데, 상속인이 되면 피상속인의 재산에 관한 포괄적 권리 · 의무를 승계할 수 있다. 상속 재산에 대한 각자의 배당 비율을 일컫는 상속분은 피상속인의 유언에 의해 지정될 수 있는데, 이 경우 유언에 따라 상속분이 나누어진다. 피상속인이 상속분을 지정하지 않았을 때는 법정 상속분에 따르는 것이 일반적이다. 법정 상속분에 따르면, 형제자매처럼 같은 상속 순위의 상속인이 여럿인 경우에는 똑같이 나누어 재산을 상속받는 것을 원칙으로 한다.

(……)

'단순 승인'은 상속인이 피상속인의 재산에 관한 포괄적 권리 · 의무를 모두 승계하는 것으로, 일반적으로 상속인이 상속 개시가 있음을 안 날로부터 3개월 내에 상속에 대한 특별한 의사 표시를 하지 않았을 때에 이루어진다. 이와 같은 단순 승인으로 인해 피상속인의 권리 · 의무가 모두 승계되어 상속인이 피해를 보는 경우가 생길 수도 있다. 대표적인 예가 상속인에게 빚이 승계되는 경우이다. 피상속인이 가지고 있던 재산상의 권리 · 의무에는 피상속인의 재산뿐만 아니라 빚도 포함된다. 원래 빚을 갚아야 할 피상속인이 사망했기 때문에 상속인이 그 빚을 갚을 필요가 없다고 생각하기 쉽지만 원칙적으로는 그렇지 않다. 이에 민법에서는 ㉠'한정 승인'과 '상속 포기' 제도를 마련해 두고 있다.

9262-0076

01 ㉠을 마련한 취지를 추론한 내용으로 가장 적절한 것은?

① 피상속인의 재산을 누락시키지 않기 위해 마련되었다.
② 상속분에 대한 공동 상속인들의 다툼을 중재하기 위해 마련되었다.
③ 법에 따른 상속분 배분의 불공평한 점을 보완하기 위해 마련되었다.
④ 상속인의 재산과 관련한 피상속인의 유언을 존중하기 위해 마련되었다.
⑤ 상속으로 인해 침해될 수 있는 상속인의 재산권을 보호하기 위해 마련되었다.

원리 적용 글의 정보를 종합해서 숨은 정보를 추론한다.

9262-0077

02 다음은 01번에서 정답을 찾기 위해 선택한 정보들이다. 빈칸에 들어갈 말을 쓰시오.

- 정보 1: 단순 승인은 1(   )이다.
- 정보 2: 단순 승인으로 인해 상속인이 피해를 보는 경우도 있다.
- 정보 3: 재산에 관한 권리 · 의무에는 2(   )도 포함된다.

원리 적용 숨은 정보를 찾기 위해 종합해야 할 정보를 선택한다.

독서쌤의 **TIP**
글의 정보를 종합해서 숨은 정보를 찾기 위해서는 핵심 정보 중 주어진 조건과 관련된 정보를 선별해 낼 수 있어야 해. 이를 위해서 글을 읽으면서 중심이 되는 정보가 무엇인지 정리해 보고, 조건과의 연관성을 파악해 보자.

정답과 해설 14쪽

몽타주
러시아 영화감독 에이젠시테인이 주장한 이론으로, 영화에서 특정한 이야기를 효과적으로 전달하기 위한 편집을 의미한다. 쿨레쇼프의 제자였던 에이젠시테인은 그의 이론을 계승하여 이미지의 충돌과 그로 인한 새로운 의미의 창출을 중시하였다.

예제 2

몽타주는 영화에서 특정한 이야기를 효과적으로 전달하기 위해 모든 예술적 요소들을 배열, 결합하거나 불필요한 것을 삭제하는 등의 편집을 의미한다. 러시아 영화감독 중에 이런 몽타주의 힘을 발견하고 이론화시킨 첫 번째 사람은 쿨레쇼프이다. 그는 한 여인의 얼굴을 찍은 똑같은 장면(shot)을 3개 만들었다. 그리고 그 장면에 잠자는 아이의 얼굴, 먹음직스러운 빵, 날카로운 칼을 찍은 장면을 각각 연결했다. 그 결과 관객들은 아기의 얼굴에 이어 놓은 여인의 얼굴에서는 자비를, 빵에 이어 놓은 여인에게서는 배고픔을, 그리고 칼에 이어 놓은 여인에게서는 공포를 보았다. 이를 통해 쿨레쇼프는 (　　　㉠　　　)이 몽타주의 핵심이라고 생각했다.

9262-0078

03 윗글의 내용을 다음과 같이 도식화한다고 할 때, 빈칸에 들어갈 말을 쓰시오.

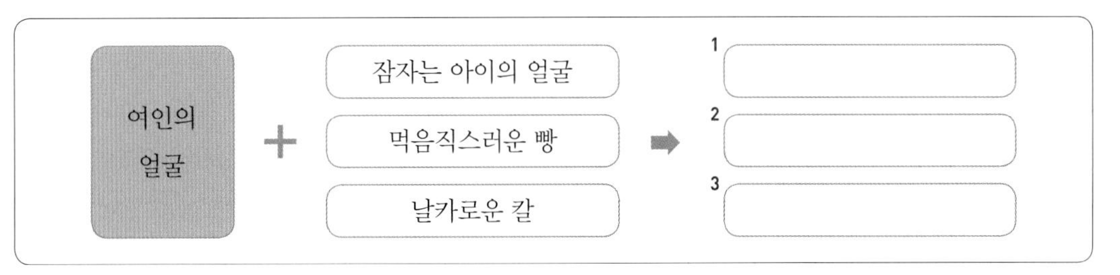

원리 적용 주요 서술 대상의 특징을 파악한다.

9262-0079

04 ㉠에 들어갈 말로 가장 적절한 것은?

① 장면 그 자체가 가진 내재적 의미를 강조하는 것
② 장면과 장면의 유사성을 통해 중심적 의미를 강화하는 것
③ 장면과 장면의 차이점을 통해 대비적 효과를 부각하는 것
④ 장면과 장면의 연결을 통해 새로운 의미를 만들어 내는 것
⑤ 장면과 장면의 부조화를 통해 충격적인 의미를 만들어 내는 것

원리 적용 글의 정보를 종합해서 숨은 정보를 추론한다.

실전 학습 1단계

| 2010학년도 대학수학능력시험 |

다음 글을 읽고 물음에 답하시오.

독해 포커스
시장에서 이루어지고 있는 기업 간의 결합이라는 현상과 이에 대한 정부의 개입에 대해 설명하고 있는 글이다. 기업 결합의 심사 과정에 대해 자세하게 진술함으로써 그 부정적 측면을 가려내야 한다는 글쓴이의 관점이 비교적 뚜렷하게 드러나 있는 글이다. 개념을 사례에 적용하여 이해할 수 있는지를 묻는 문제 유형은 자주 출제되므로, 지문에서 언급되는 개념을 명확하게 이해하고 이를 사례에 적용하여 문제를 해결할 수 있도록 한다.

둘 이상의 기업이 자본과 조직 등을 합하여 경제적으로 단일한 지배 체제를 형성하는 것을 '기업 결합'이라고 한다. 기업은 이를 통해 효율성 증대나 비용 절감, 국제 경쟁력 강화와 같은 긍정적 효과들을 기대할 수 있다. 하지만 기업이 속한 사회에는 간혹 역기능이 나타나기도 하는데, 시장의 경쟁을 제한하거나 소비자의 이익을 침해하는 경우가 그러하다. 가령, 시장 점유율*이 각각 30%와 40%인 경쟁 기업들이 결합하여 70%의 점유율을 갖게 될 경우, 경쟁이 제한되어 지위를 남용하거나 부당하게 가격을 인상할 수 있는 것이다. 이 때문에 정부는 기업 결합의 취지와 순기능을 보호하는 한편, 시장과 소비자에게 끼칠 폐해를 가려내어 이를 차단하기 위한 법적 조치들을 강구하고 있다. 하지만 기업 결합의 위법성을 섣불리 판단해서는 안 되므로 여러 단계의 심사 과정을 거치도록 하고 있다.

이 심사는 기업 결합의 성립 여부를 확인하는 것부터 시작한다. 여기서는 해당 기업 간에 단일 지배 관계가 형성되었는지가 관건이다. 예컨대 주식 취득을 통한 결합의 경우, 취득 기업이 피취득 기업을 경제적으로 지배할 정도의 지분을 확보하지 못하면, 결합의 성립이 인정되지 않고 심사도 종료된다.

반면에 결합이 성립된다면 정부는 그것이 영향을 줄 시장의 범위를 획정*함으로써, 그 결합이 동일 시장 내 경쟁자 간에 이루어진 수평 결합인지, 거래 단계를 달리하는 기업 간의 수직 결합인지, 이 두 결합 형태가 아니면서 특별한 관련이 없는 기업 간의 혼합 결합인지를 규명하게 된다. 문제는 어떻게 시장을 획정할 것인지인데, 대개는 한 상품의 가격이 오른다고 가정할 때 소비자들이 이에 얼마나 민감하게 반응하여 다른 상품으로 옮겨 가는지를 기준으로 한다. 그 민감도가 높을수록 그 상품들은 서로에 대해 대체재, 즉 소비자에게 같은 효용을 줄 수 있는 상품에 가까워진다. 이 경우 생산자들이 동일 시장 내의 경쟁자일 가능성도 커진다.

이런 분석에 따라 시장의 범위가 정해지면, 그 결합이 시장의 경쟁을 제한하는지를 판단하게 된다. 하지만 설령 그럴 우려가 있는 것으로 판명되더라도 곧바로 위법으로 보지는 않는다. 정부가 당사자들에게 결합의 장점이나 불가피성에 관해 항변할 기회를 부여하여 그 타당성을 검토한 후에, 비로소 시정 조치 부과 여부를 최종 결정하게 된다.

*__시장 점유율__ 특정 업종의 제품 시장에서 취급되는 전체 거래량 중에서 특정 기업이 차지하는 비율.
*__획정__ 경계 따위를 명확히 구별하여 정함.

이 문제는!
글에서 제시된 이론을 실제 사례에 적용할 수 있는지를 확인하는 문제이다. 타사 상품 가격의 인상에 대한 민감도를 근거로 나타날 수 있는 반응을 추론할 수 있다.

원리 이해 ▶ 정보 종합하여 추론하기

9262-0080

01 〈보기〉는 어느 지역의 4가지 음료수 A~D에 대한 소비자의 구매 성향을 조사한 결과이다. 빈칸에 들어갈 알맞은 말을 쓰시오.

보기

가격 인상 \ 판매량	A의 판매량	B의 판매량	C의 판매량	D의 판매량
A 가격 10% 인상	20% ↓	15% ↑	5% ↑	변화 없음
B 가격 10% 인상	15% ↑	20% ↓	3% ↑	2% ↑
C 가격 10% 인상	3% ↑	2% ↑	20% ↓	15% ↑

* 이 지역에는 4개의 회사만이 각각 한 종류의 음료수를 생산하며, 이들 회사는 다른 음료수를 생산할 수 없다. (↑ : 증가, ↓ : 감소)

☞ A의 소비자들은 1(　　　　)를 대체재에 가까운 것으로 인식하는군.
☞ C 생산 회사와 D 생산 회사가 결합한다면 2(　　　　) 결합으로 볼 가능성이 크군.

이 문제는!
'기업 결합'이라는 중심 소재에 대한 글쓴이의 관점을 파악하는 문제이다. 글쓴이가 기업 결합의 순기능과 역기능에 주목한 까닭이 무엇일지 생각해 보면 정답을 선택할 수 있다.

기출 문제 ▶ 글쓴이의 관점 파악하기

9262-0081

02 윗글의 취지로 가장 적절한 것은?

① 기업 결합의 성립 여부는 기업 스스로의 판단에 맡겨야 한다.
② 기업 결합으로 얻은 이익은 사회에 환원하는 것이 바람직하다.
③ 기업 결합을 통한 기업의 확장은 경제 발전에 도움이 되지 않는다.
④ 기업 활동에 대한 위법성 판단에는 소비자의 평가가 가장 중요하다.
⑤ 기업 결합의 순기능을 살리되 그에 따른 부정적 측면을 신중히 가려내야 한다.

이 문제는!
글의 내용을 도식화하였을 때 빈칸에 들어갈 내용을 추론하는 문제이다. 글의 핵심 내용을 바탕으로 흐름을 정리해 보면 판단의 기준이 되는 내용이 무엇인지 알 수 있다.

기출 문제 + 정보 종합하여 추론하기

9262-0082

03 윗글에 나타난 기업 결합의 심사 과정을 도식화한 것이다. ⓐ, ⓑ에 들어갈 내용으로 알맞은 것은?

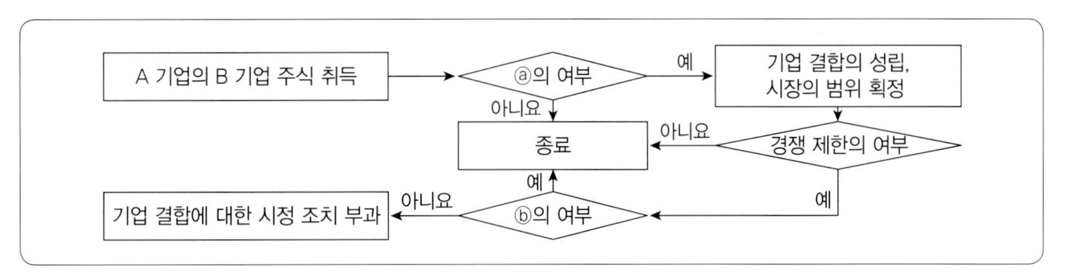

	ⓐ	ⓑ
①	A 기업에 대한 지배 관계 형성	경쟁 제한
②	A 기업에 대한 지배 관계 형성	항변의 타당성
③	B 기업에 대한 지배 관계 형성	항변의 타당성
④	B 기업에 대한 지배 관계 형성	경쟁 제한
⑤	B 기업에 대한 지배 관계 형성	주식 취득

원리 학습 점검 노트

1 '기업 결합의 심사 과정'을 통해 '기업 결합의 부정적 측면'을 가려내야 한다는 글쓴이의 기본적인 관점을 파악했는가?	YES ☐
2 한 기업의 가격 인상에 따른 다른 기업의 판매량 추이를 보고 '대체제'와 '동일 시장 내 경쟁 관계'임을 파악했는가?	YES ☐
3 기업 결합의 심사 과정의 각 단계를 파악하고 생략된 내용을 추론했는가?	YES ☐

| 2008학년도 6월 모의평가 |

다음 글을 읽고 물음에 답하시오.

독해 포커스
심해저에서도 생물이 생존할 수 있는 까닭에 대해 설명하고 있는 글이다. 먼저 의문을 제기하고 그에 대해 답변을 풀어 나가는 방식을 통해 과학적 사실을 쉽게 이해할 수 있도록 진술하고 있다. 처음에 언급된 중심 개념인 '생물의 생존', 그리고 뒤이어 제시되고 있는 '심해 열수구 지역의 특징'이라는 두 가지 개념을 혼합하여 글의 핵심 내용을 이해할 수 있도록 한다.

전 세계 해양의 평균 수심은 4,000미터 가까이 되며, 심해저에는 태양 에너지가 도달할 수 없어서 광합성을 하는 일차 생산자*가 생존할 수 없다. 심해저에 서식하는 동물은 결국 바다의 표면에서 해저로 떨어져 내리는 유기물에 의존할 수밖에 없다. 그것들은 해양 생물들이 분해되고 남은 잔존물로서 '바다의 눈(marine snow)'이라 불린다. 해양 생물이 죽게 되면 다른 생물의 먹이가 되거나 미생물에 의해 분해되어, 심해저에 도달할 때쯤이면 거의 남는 것이 없다. 그런 까닭에 심해저에 많은 수의 생물이 살기란 매우 어렵다. 하지만 생물은 항상 새로운 생존 방법을 찾아오지 않았던가?

1977년 생물학 역사상 가장 흥분되는 발견 중의 하나가 있었다. 일단의 해양학자들은 잠수정 앨빈호를 이용하여 동부 태평양의 갈라파고스 제도 부근 해저 산맥에 있는 심해 열수구* 지역을 탐사하고 있었다. 그들은 태양 에너지가 전혀 도달하지 못하는 그곳에서 뜻밖에 많은 생물의 군집을 발견하였는데, 모두가 처음 보고되는 새로운 생물이었다.

수천 미터 깊이의 심해저에 있는 열수구 지역은 지각 활동으로 인해 흘러나오는 뜨거운 용출수 때문에 주변의 해수에 비해 온도가 높다. 곳에 따라서는 열수구로부터 섭씨 350도가 넘는 해수가 뿜어져 나오기도 한다. 지각 틈새에서 흘러나오는 고온의 해수에는 다양한 광물질이 녹아 있으며, 다량의 황화 수소가 포함되어 있다. 그 지역에서는 검은색의 매연을 내뿜는 굴뚝과 같은 구조가 광물질의 침전으로 형성된다.

심해 열수구 지역의 우점종*은 '리프티아'라고 불리는 커다란 관벌레인데, 매우 독특하게 진화된 영양 방식을 갖고 있어서 입이나 소화 기관이 없다. 그 대신에 관벌레는 '영양체(trophosome)'라고 불리는 매우 특수한 기관이 있는데, 그 안에는 세균이 가득 차 있다. 리프티아의 몸통은 기다란 관의 안쪽에 들어 있다. 관의 바깥쪽으로 돌출된 밝고 붉은색의 깃털 구조는 아가미와 같은 역할을 하며, 이산화 탄소와 산소, 그리고 황화 수소를 교환한다. 관벌레의 순환계는 매우 잘 발달되어 있고, 순환계 속의 혈액은 황화 수소와 화학적으로 결합하는 특수한 헤모글로빈을 포함하고 있다. 그래서 관벌레는 황화 수소를 세균에 충분히 공급할 수 있다. 그 세균들은 화학 합성을 통해서 관벌레에게 먹이가 될 유기물을 공급하며, 관벌레는 세균이 필요로 하는 황화 수소를 비롯한 무기물을 공급한다.

이와 같이 심해 열수구에서는 화학 합성 세균이 해양의 표층에서 광합성을 하는 식물성 플랑크톤과 같은 일차 생산자의 역할을 하고 있었다. 수천 미터 깊이의 심해에서 태양 에너지에 전혀 의존하지 않는 새로운 생물이 진화되어 왔던 것이다.

*__일차 생산자__ 이산화 탄소를 유기 탄소로 합성하여 생태계의 새로운 생물량을 만들어 내는 광독립 영양 생물.
*__심해 열수구__ 따뜻한 물 또는 270~380℃ 되는 뜨거운 물이 수 km의 바다 밑의 지각으로부터 스며 나오는 곳.
*__우점종__ 생물 군집에서 그 군집의 성격을 결정하고, 군집을 대표하는 종류. 군집 안에서 가장 수가 많거나 넓은 면적을 차지하고 있는 종.

이 문제는!
글의 내용을 바르게 이해하고 숨겨진 내용을 추론할 수 있는지 확인하는 문제이다. 광합성을 하는 일차 생산자인 식물성 플랑크톤에 대한 언급은 지문에 나와 있지만, 심해저 생물이 아닌 일반 바다 생물에 대해서까지 언급하고 있지는 않으므로 이에 대해 추론해 볼 수 있다.

원리 이해 세부 내용 추론하기

9262-0083

01 다음 빈칸에 들어갈 말을 쓰시오.

심해 열수구에서 화학 합성 세균이 1(　　　　　)과 같은 일차 생산자 역할을 하여 생물이 존재할 수 있었다는 점을 볼 때, 일반적으로 해양 생물은 2(　　　　　)을 하는 일차 생산자와 생물의 유기물을 섭취하여 생존한다는 사실을 추론해 낼 수 있다.

이 문제는!
글의 내용을 근거로 〈보기〉의 추론에 개연성을 높일 수 있는 진술이 무엇일지를 추론하는 문제이다. 지문에서 태양 에너지가 도달할 수 없는 심해저에 생물이 존재할 수 있었던 것은 심해 열수구가 존재하기 때문이라고 본 점을 고려하여 문제를 해결할 수 있다.

기출 문제 숨겨져 있는 전제 추론하기

9262-0084

02 윗글의 내용을 근거로 하여 〈보기〉의 천문학자가 ⓐ와 같이 추론했다고 할 때, 이 추론의 개연성을 높여 줄 수 있는 증거로 가장 적절한 것은?

보기

목성의 위성 유로파는 태양에서 너무 멀리 떨어져 있어 광합성에 충분한 태양 에너지가 도달하기 어렵다. 유로파의 표면은 두꺼운 얼음층으로 덮여 있으며, 그 아래에는 물이 있는 것으로 생각된다. 1990년대 말 목성 탐사선 갈릴레오는 유로파를 지나면서 자기력을 조사해 얼음 아래에 100km 수심의 소금물 바다가 있다는 사실을 밝혀냈으며, 최근 미 항공 우주국 NASA는 허블 우주 망원경으로 유로파 남극 근처에서 물기둥으로 추정되는 물체가 최대 200km 높이까지 치솟았다가 다시 표면으로 돌아오는 장면을 포착했다고 발표했다. 이에 대하여 천문학자들은 ⓐ유로파의 밝은 얼음층 밑의 바다에 생명체가 존재할 가능성이 있다고 말하였다.

① 유로파에 소행성이 충돌했다는 증거
② 유로파가 지각 활동을 하고 있다는 증거
③ 유로파의 대기에 산소가 포함되어 있다는 증거
④ 유로파가 태양에 점점 가까워지고 있다는 증거
⑤ 유로파의 얼음층 밑의 물이 지구의 바다만큼 깊다는 증거

이 문제는!
글의 내용을 근거로 한 추론의 적절성을 판단하는 문제이다. 제시된 내용의 이해를 바탕으로 하여 선택지의 타당성을 판단한다.

기출 문제+ 세부 내용 추론하기

9262-0085

03 윗글을 이해한 내용으로 적절하지 않은 것은?

① 심해저에서 열수구 지역과 열수구가 아닌 지역은 온도 차이가 꽤 클 것이다.
② 해양 생물의 유기물은 심해저보다는 수면에 가까운 바다에 많이 남아 있을 것이다.
③ 심해 열수구에서 화학 합성 세균은 생물들에게 먹이를 제공하는 역할을 수행할 것이다.
④ 심해 열수구 지역에서 사는 생물들의 개체 수를 조사해 보면 리프티아가 가장 많을 것이다.
⑤ 리프티아의 몸통은 이산화 탄소와 산소, 황화 수소를 교환하므로 어류의 아가미와 같은 역할을 수행할 것이다.

원리 학습 점검 노트

1 '심해 열수구'의 특징에 주목하여 그 내용을 정확하게 이해했는가?	YES □
2 '심해 열수구 지역'에서 일차 생산자 역할을 하는 '화학 합성 세균'과 '리프티아'의 상호 작용의 과정을 파악했는가?	YES □
3 '지각 활동이 심해저에 미친 영향'을 '유로파에 생명체가 존재할 가능성'과 연결하여 추론했는가?	YES □

| 2012학년도 대학수학능력시험 |

다음 글을 읽고 물음에 답하시오.

독해 포커스
비트겐슈타인이 제시한 이론을 소개하고 있는 글로서, 인물의 핵심 주장인 '언어와 세계의 관계', 그리고 '의미 있는 명제'에 대해 분명히 인식하는 것이 필요하다. 또한 기존의 철학에 대한 문제 제기에서 시작된 이론이므로 어떤 점에서 기존 철학자들의 생각과 차이를 보이는지 비교하면서 읽으면 내용을 보다 쉽게 파악할 수 있다.

비트겐슈타인이 1918년에 쓴 『논리 철학 논고』는 '빈학파'의 논리실증주의*를 비롯하여 20세기 현대 철학에 큰 영향을 주었다. 그는 많은 철학적 논란들이 언어를 애매하게 사용하여 발생한다고 보았기 때문에 언어를 분석하고 비판하여 명료화하는 것을 철학의 과제로 삼았다.

그는 이 책에서 언어가 세계에 대한 그림이라는 '그림 이론'을 주장한다. 이 이론을 세우는 데 그에게 영감을 주었던 것은, 교통사고를 다루는 재판에서 장난감 자동차와 인형 등을 이용한 ㉠모형을 통해 ㉡사건을 설명했다는 기사였다. 그런데 모형을 가지고 사건을 설명할 수 있는 이유는 무엇일까? 그것은 모형이 실제의 자동차와 사람 등에 대응하기 때문이다. 그는 언어도 이와 같다고 보았다. 언어가 의미를 갖는 것은 언어가 세계와 대응하기 때문이다. 다시 말해 언어가 세계에 존재하는 것들을 가리키고 있기 때문이다. 언어는 명제들로 구성되어 있으며, 세계는 사태들로 구성되어 있다. 그리고 명제들과 사태들은 각각 서로 대응하고 있다. 이처럼 언어와 세계의 논리적 구조는 동일하며, 언어는 세계를 그림처럼 기술함으로써 의미를 가진다.

'그림 이론'에서 명제에 대응하는 '사태'는 '사실'이 아니라 사실이 될 수 있는 논리적 가능성을 의미한다. 따라서 언어를 구성하는 명제들은 사실적 그림이 아니라 논리적 그림이다. 사태가 실제로 일어나서 사실이 되면 그것을 기술하는 명제는 참이 되지만, 사태가 실제로 일어나지 않는다면 그 명제는 거짓이 된다. 어떤 명제가 '의미 있는 명제'가 되기 위해서는 그 명제가 실재하는 대상이나 사태에 대해 언급해야 하며, 그것에 대해서는 참, 거짓을 따질 수 있다. 만약 어떤 명제가 실재하지 않는 대상이나 사태가 아닌 것에 대해 언급하면 그것은 '의미 없는 명제'가 되며, 그것에 대해 참, 거짓을 따질 수 없다. 따라서 경험적 세계에 대해 언급하는 명제만이 의미 있는 것이 된다.

이러한 관점에서 비트겐슈타인은 기존의 철학자들이 다루었던 신, 영혼, 형이상학적* 주체, 윤리적 가치 등과 관련된 논의가 의미 없는 말들에 불과하다고 보았다. 왜냐하면 그 말들이 가리키는 대상이 세계 속에 존재하지 않는, 즉 경험 가능하지 않은 대상이기 때문이다. 이와 같은 형이상학적 문제와 관련된 명제나 질문들은 의미가 없는 말들이다. 그러한 문제는 우리의 삶을 통해 끊임없이 드러나는 신비한 것들이지만 이에 대해 말로 답변하거나 설명할 수는 없다. 그래서 비트겐슈타인은 "말할 수 없는 것에 대해서는 침묵해야 한다."라고 말했다.

*__논리실증주의__ 과학의 논리적인 분석의 방법을 철학에 적용하려는 사상을 가리킴.
*__형이상학적__ 경험할 수 없는.

■ 이 문제는! 
글에서 언급한 학자라면 특정 명제에 대해 어떠한 반응을 내릴 것이라는 결론을 이미 내리고, 그 이유를 추론하도록 하는 문제이다. 글에 제시된 관점을 바탕으로 그 이유를 추론해 볼 수 있다.

원리 이해 글쓴이의 관점 추론하기

9262-0086

01 〈보기〉의 문장에 대해 비트겐슈타인이 '의미 없는 명제'라고 판단했다고 할 때, 그 이유를 추론하여 쓰시오.

보기

선생님은 한평생 바람직한 삶을 살아왔다.

■ 이 문제는!
글에 제시된 두 개념 간의 관계를 바탕으로 이를 다른 단어에도 적용시켜 보는 문제이다. 모형이 사건에 대응되므로 이를 설명할 수 있다는 점에 초점을 맞추어, 〈보기〉에 제시된 단어와 대응 관계를 이루는 단어가 무엇인지 찾아볼 수 있다.

원리 이해 개념 간의 관계를 바탕으로 추론하기

9262-0087

02 〈보기〉의 단어의 의미 관계가 윗글의 ㉠ : ㉡의 관계와 유사하다고 할 때, ⓐ, ⓑ에 들어갈 말을 윗글에서 찾아 쓰시오.

보기

언어 : ⓐ

명제 : ⓑ

• ⓐ:

• ⓑ:

■ 이 문제는!
비트겐슈타인이 제시한 개념이 지니고 있는 내재적 한계를 지적하고 있는 문제이다. '경험 가능하지 않은 대상'이라는 내용에 주목하여 이와 관련된 판단을 추론해 볼 수 있다.

기출 문제 정보 종합하여 추론하기

9262-0088

03 윗글로 미루어 볼 때, 비트겐슈타인이 〈보기〉와 같이 말한 이유로 가장 적절한 것은?

보기

사다리를 딛고 올라간 후에 그 사다리를 던져 버리듯이, 『논리 철학 논고』를 이해한 사람은 거기에 나오는 내용을 버려야 한다. ㉮이 책의 내용은 의미 있는 언어의 한계를 넘어선 것이기 때문에 엄밀하게 보면 '말할 수 있는 것'의 범주에 속하지 않는다.

① ㉮는 자신이 내세웠던 철학의 과제를 넘어서는 주제들을 다루고 있기 때문이다.
② ㉮는 객관적 세계에 존재하는 대상을 과학적으로 분석하여 서술하고 있기 때문이다.
③ ㉮는 실재하는 대상이 아니라 논리적으로 가능한 사태에 대해 기술하고 있기 때문이다.
④ ㉮는 경험적 세계가 아니라 언어와 세계의 논리적 관계에 대해 언급하고 있기 때문이다.
⑤ ㉮는 기존의 철학자들이 다루었던 형이상학적 물음에 대해 관념적으로 답하고 있기 때문이다.

원리 학습 점검 노트

1 '언어'와 '세계', '모형'과 '사건', '명제'와 '사태'의 대응 관계를 이해했는가?	YES ☐
2 비트겐슈타인의 '의미 있는 명제'와 '의미 없는 명제'가 무엇인지 파악한 후 차이점을 정확하게 이해했는가?	YES ☐
3 03번 문항에서 『논리 철학 논고』에 실린 비트겐슈타인의 이론 그 자체도 '논리적 관계'를 다루고 있는 '경험 가능하지 않은 대상'이라는 점을 파악했는가?	YES ☐

관점(입장)을 따지며 내용 이해하기

관점은 사물이나 현상을 관찰할 때 그 사람이 보고 생각하는 태도나 방향을 의미해요. 입장도 관점과 유사한 의미로 사용되죠. 관점(입장)에 따라 대상에 대해 주장하거나 설명하는 것이 다를 수 있기 때문에 관점(입장)을 이해해야 글의 내용을 정확하게 이해할 수 있어요. 그렇기 때문에 관점(입장)을 따지며 글의 내용을 이해해야 하는 겁니다.

원리 학습 1단계 견해 · 주장을 찾아 핵심 어구 중심으로 그 내용을 이해하자.

관점(입장)은 견해 · 주장을 통해 드러난다. 그렇기 때문에 관점(입장)을 따지며 독해하기 위해서는 견해 · 주장을 나타내는 핵심 어구를 찾아 그 내용을 정확하게 이해할 수 있어야 한다. 특히 특정 학자나 학파의 이론, 사상 등을 설명하는 글은 관점(입장)을 파악하는 독해를 해야 한다.

1. '~해야 한다.', '~을(고) 주장한다.', '~고 본다.', '~고 여기다.', '~을 중시하다.', '~에 따르면 ~이다(해야 한다).', '~이(가) 필요하다.' 등과 같은 형식에 유의해 견해 · 주장을 제시하는 문장을 찾아야 한다.
2. 핵심 어구를 짚어 그 어구를 중심으로 견해 · 주장을 정확하게 이해해야 한다.

철학 관련 지문의 특징

수능에서는 동양과 서양의 철학 관련 지문이 자주 출제된다. 이때 주요 철학자, 사상가의 관점(입장)을 설명하는 경우가 대부분이다. 그리고 글에 추상적, 관념적인 말들이 많이 사용되는데, 이 말들을 잘 이해하기 위해서는 추상적, 관념적인 말들의 구체적 의미를 파악할 수 있는 말들을 대응하는 짝으로 지문에서 찾아 짚으며 독해해야 한다.

| 2016학년도 6월 모의평가 B형 |

첫째 이야기에서는 온전하게 회복해야 할 '참된 자아'를 잊은 것이고 둘째 이야기에서는 세상을 기웃거리면서 시비를 따지려 드는 '편협한 자아'를 잊은 것이라고 볼 수 있다. 참된 자아를 잊은 채 대상에 탐닉하는 식으로 자아와 세계가 관계를 맺게 되면 그 대상에 꼼짝없이 종속되어 괴로움이 증폭된다고 장자는 생각한다. 한편 편협한 자아를 잊었다는 것은 편견과 아집의 상태에서 벗어나 세계와 자유롭게 소통하는 합일의 경지에 도달할 수 있음을 의미한다.

장자는 이 경지를 만물의 상호 의존성으로 설명한다. 자아와 타자는 서로의 존재를 온전히 전제할 때 자신들의 존재가 드러날 수 있다고 그는 말한다. 예컨대, 내가 편견 없는 눈의 감각으로 꽃을 응시하면 그 꽃으로 인해 나의 존재가 성립되고 나로 인해 그 꽃 또한 존재의 의미를 획득하게 된다는 것이다. 이런 관계가 성립되기 위해서는 끊임없이 타자를 위해 마음의 공간을 비워 두는 수행이 필요하다. 장자는 이런 수행을 통해서 개체로서의 자아를 뛰어넘어 세계의 모든 존재와 일체를 이루는 자아에 도달할 수 있다고 주장한다. 장자가 나비가 되어 자신조차 잊은 채 자유롭게 날 수 있었던 것은 나비를 있는 그대로 온전하게 받아들일 수 있었기 때문에 가능했다. 만물과 조화롭게 합일한다는 '물아일체'로 호접몽 이야기를 끝맺는 까닭이 여기에 있다.

윗글의 내용을 정확하게 이해하기 위해서는 '장자'의 견해 · 주장을 찾아 그의 관점(입장)을 파악해야 한다. 윗글에서 장자의 견해 · 주장을 이해하려면 먼저 **'첫째 이야기'와 '둘째 이야기'의 대비되는 짝부터 핵심 어구**로 짚어야 한다.

첫째 이야기		둘째 이야기
'참된 자아'를 잊은 것		'편협한 자아'를 잊은 것

기출동향 | 대표발문

✔ 윗글의 '율곡'과 〈보기〉의 '플라톤'의 견해를 비교하여 이해한 것으로 가장 적절한 것은?
✔ 〈보기〉를 바탕으로 윗글의 아리스토텔레스의 입장을 비판한 것으로 적절한 것은?

CHECKLIST

✔ 견해 • 주장을 찾아 핵심 어구 중심으로 내용 이해하기
✔ 여러 관점들 간의 차이점 파악하기
✔ 대비되는 관점을 토대로 상대의 견해 • 주장이나 논거의 문제점을 비판적으로 이해하기

'첫째 이야기'와 '둘째 이야기'와 관련해 장자는 어떤 견해 · 주장을 제시하고 있을까? 이 또한 대비되는 짝을 통해 빠르게 이해할 수 있어야 한다. 장자의 견해 · 주장은 다음과 같이 정리된다.

견해 · 주장을 출제 요소로 삼아 만들어지는 문제 유형
견해 · 주장은 여러 유형의 문제에서 출제 요소로 활용된다.
① 세부 정보 확인
② 관점(입장)의 파악
③ 관점(입장)의 구체적 사례(상황)에의 적용
④ 관점(입장)에 대한 비판

'참된 자아'를 잊으면 대상에 꼼짝없이 종속되어 괴로움이 증폭됨.  '편협한 자아'를 잊으면 세계와 자유롭게 소통하는 합일의 경지에 이를 수 있음.

여기서도 핵심 어구는 대비되는 짝인데, **'대상에 꼼짝없이 종속되어'와 '세계와 자유롭게 소통하는'이 대비되는 짝이므로 핵심 어구**가 된다. 이 어구들을 중심으로 **장자의 견해 · 주장을 이해**해야 한다.

다음 문단에서 장자는 '만물의 상호 의존성'에 관한 견해 · 주장을 제시하고 있다. 여기서는 '만물의 상호 의존성'을 그와 대응하는 짝인 '자아와 타자는 서로의 존재를 온전히 전제할 때 자신들의 존재가 드러날 수 있다'라는 말을 토대로 이해해야 한다. **대응하는 짝은 글의 핵심 어구가 된다.**

만물의 상호 의존성 —대응— 자아와 타자는 서로의 존재를 온전히 전제할 때 자신들의 존재가 드러날 수 있다.

이와 같이 대응하는 짝을 짚은 다음에는, '이런 관계가 성립되기 위해서는 끊임없이 타자를 위해 마음의 공간을 비워 두는 수행이 필요하다'와 '이런 수행을 통해서 개체로서의 자아를 뛰어넘어 세계의 모든 존재와 일체를 이루는 자아에 도달할 수 있다'는 장자의 견해 · 주장에 주목하는 읽기를 해야 한다.
이렇게 **장자의 견해 · 주장을 파악함으로써 그가 '편협한 자아'를 잊어 세계와 자유롭게 소통하는 합일의 경지에 이르는 것을 중시**하는 입장을 지니고 있었음을 알 수 있다.

글에서 견해 · 주장을 제대로 찾지 못하면 관점(입장)을 파악할 수가 없다. 그리고 관점(입장)을 모르는 상태에서는 글 내용에 대한 정확한 이해를 하기 어렵다. 이러한 점에 유의해 **견해 · 주장을 정확하게 찾아 관점(입장)을 따지는 독해**를 해야 한다.

2단계 둘 이상의 관점(입장)이 제시된 경우, 관점(입장) 간의 차이점에 주목하자.

글에는 하나의 관점(입장)이 제시되기도 하지만, 둘 이상의 관점(입장)이 제시되기도 한다. 이 경우 차이점은 반드시 출제 요소가 된다.

1 견해·주장을 나타내는 말들 중에서 차이점을 나타내는 대비되는 짝을 핵심 어구로 주목해야 한다.
2 무엇에 대해 관점(입장)이 다른지 파악하고 그에 따라 어떤 견해 · 주장을 제시했는지를 이해해야 한다.

관점(입장) 간의 대비
둘 이상의 관점(입장)이 제시되어 있으면, 무엇에 대해 관점(입장)이 다른지가 제시되어 있다. 옆의 지문은 '명명덕', '친민'에 대해 주희와 정약용의 입장이 다르다는 것이 언급되어 있다. 이러한 내용에 주목한 후, 그에 대해 두 사람의 견해 · 주장이 어떻게 다른지를 보여 주는 말들을 찾아 그 말들이 나타내는 의미를 이해하는 읽기를 해야 한다.

| 2014학년도 9월 모의평가 B형 |

주희와 정약용은 '명명덕'과 '친민'에 대해 서로 다르게 해석한다. 주희는 '명덕(明德)'을 인간이 본래 지니고 있는 마음의 밝은 능력으로 해석한다. 인간이 올바른 행동을 할 수 있는 것은 명덕을 지니고 있어서인데 기질에 가려 명덕이 발휘되지 못하게 되면 잘못된 행동을 하게 된다. 따라서 도덕 실천을 위해서는 명덕이 발휘되도록 기질을 교정하는 공부가 필요하다. '명명덕'은 바로 명덕이 발휘되도록 공부한다는 뜻이다. 반면, 정약용은 명덕을 '효(孝)', '제(弟)', '자(慈)'의 덕목으로 해석한다. 명덕은 마음이 지닌 능력이 아니라 행위를 통해 실천해야 하는 구체적 덕목이다. 어떤 사람을 효자라고 부르는 것은 그가 효를 실천할 수 있는 마음의 능력을 가지고 있어서가 아니라 실제로 효를 실천했기 때문이다. '명명덕'은 구체적으로 효, 제, 자를 실천하도록 한다는 뜻이다.

윗글을 독해할 때는 '명명덕', '친민'에 관해 **주희와 정약용의 견해 · 주장이 어떻게 다른지 대비되는 짝에 주목**해 관점(입장)을 이해하는 읽기를 해야 한다.

주희		정약용
• 명덕: 인간이 본래 지닌 마음의 밝은 능력으로 봄. • 명명덕: 명덕이 발휘되도록 공부한다는 뜻으로 봄.		• 명덕: 행위를 통해 실천해야 하는 '효', '제', '자'의 덕목으로 봄. • 명명덕: 구체적으로 '효, 제, 자'를 실천하도록 한다는 뜻으로 봄.

둘 이상의 관점(입장)이 제시되어 있으면, 이와 같이 **무엇에 대해 입장이 다른지 파악하고, 그에 따라 각각 어떤 견해 · 주장을 제시**하고 있는지 이해해야 한다.

3단계 대비되는 관점(입장)을 토대로 상대의 견해 · 주장이나 논거의 문제점을 파악하자.

수능에서는 **대비되는 관점(입장)을 토대로 상대의 견해 · 주장이나 논거의 문제점을 비판적으로 이해**해야 하는 글이 출제되고 있다. 지문 자체에서 그러한 읽기를 해야 하는 경우도 있고, 지문에 제시된 입장에서 〈보기〉에 제시된 것을 비판하거나, 〈보기〉에 제시된 입장에서 지문에 제시된 것을 비판해야 하는 경우도 있다.

1 지문에 제시된 관점(입장)에서 〈보기〉의 견해·주장이나 논거의 문제점을 파악해야 한다.
2 〈보기〉에 제시된 관점(입장)에서 지문의 견해 · 주장이나 논거의 문제점을 파악해야 한다.

비판적 사고에 관한 문제 유형

특정 관점(입장)에서 상대의 견해 · 주장이나 논거의 문제점을 비판적으로 파악할 수 있는지를 묻는 문제가 출제되고 있다. 이 유형의 문제는 두 관점(입장)의 차이점을 찾은 후, 그 차이점을 고려해 상대의 견해 · 주장이나 논거의 문제점을 지적하고 있는 내용을 지닌 선택지를 정답으로 골라야 한다.

| 2010학년도 9월 모의평가 |

최근에 각국의 소득 수준이 위도나 기후 등의 지리적 조건과 밀접한 상관관계를 가진다는 통계적 증거들이 제시되었다. 제도와 달리 지리적 조건은 소득 수준의 영향을 받지 않는다. 이 때문에 지리적 조건이 사람들의 건강이나 생산성 등과 같은 직접적인 경로를 통해 경제 성장에 영향을 끼친다는 해석이 설득력을 얻게 되었다.

제도를 중시하는 경제학자들은, 지리적 조건이 직접적인 원인이라면 경제 성장에 더 유리한 지리적 조건을 가진 나라가 예나 지금이나 소득 수준이 더 높아야 하지만 그렇지 않은 사례가 많다는 사실에 주목하였다. 이들은 '지리적 조건과 소득 수준 사이의 상관관계'와 함께 이러한 '소득 수준의 역전 현상'을 동시에 설명하려면, 제도가 경제 성장의 직접적인 원인이고 지리적 조건은 제도의 발달 방향에 영향을 주는 간접적인 경로를 통해 경제 성장과 관계를 맺는 것으로 보아야 한다고 주장한다. 다시 말해 지리적 조건은 지금의 경제 성장의 직접적인 원인이 아니라는 것이다. 오히려 지리적 조건은 과거에 더 잘살던 지역에서는 경제 성장에 불리한 방향으로, 더 못살던 지역에서는 유리한 방향으로 제도가 발달하게 된 '제도의 역전'이라는 역사적 과정에 영향을 끼쳤다는 것이다.

지리 결정론

지리적 조건이 직접적인 경로를 통해 경제 성장에 영향을 끼친다.

반박

제도 결정론

- 경제 성장에 더 유리한 지리적 조건을 가진 나라가 소득 수준이 더 높지 않은 사례가 많다.
- 제도가 경제 성장의 직접적인 원인이고 지리적 조건은 간접적인 경로를 통해 경제 성장과 관계를 맺는다.

윗글을 읽을 때는 위와 같이 '지리 결정론'의 관점(입장)을 나타내는 견해 · 주장을 찾아 주목하고, **그 관점(입장)의 문제점을 지적하고, 상반된 견해 · 주장을 주목**해야 한다.

원리 학습 정리 노트

1□□ · 2□□을 찾아 핵심 어구 중심으로 그 내용을 이해하기	관점(입장)은 견해 · 주장을 통해 드러난다. 따라서 견해 · 주장을 잘 찾기 위한 연습을 해 보자.
여러 관점(입장) 간의 3□□□에 주목하기	견해 · 주장에 관한 정보에서 차이점을 보여 주는 말들을 중심으로 내용을 이해하는 읽기를 하자.
상대의 견해 · 주장이나 4□□의 문제점을 비판적으로 이해하기	특정 관점(입장)에서 상대의 견해 · 주장이나 논거의 타당성을 비판적으로 이해할 수 있도록 하자.

답 1 견해 2 주장 3 차이점 4 논거

적용 학습 1단계

인간의 욕망에 관한 르네 지라르의 이론
르네 지라르는 인간의 욕망을 '욕망의 삼각 구조'로 설명했다. 그는 '주체, 욕망, 매개자'를 삼각형의 꼭짓점에 놓고, 주체의 욕망은 매개자를 모방하려는 데서 비롯된다고 설명했다. 이와 같은 관점에서 보면, 매개자가 주체의 경쟁자가 되었을 때, 둘은 상호 모방함으로써 차이가 없어지게 된다. 그러면 둘의 경쟁은 더욱 치열해져 끝없는 경쟁과 증오로 폭력을 낳게 되는데, 르네 지라르는 이것이 공동체로 확대되어 공동체의 위기를 초래할 수 있다고 보았다.

예제 1

르네 지라르는 이러한 위기가 닥칠 때 '희생양 메커니즘'이 작동한다고 보았다. 희생양 메커니즘이란 공동체가 어떤 존재를 희생시킴으로써 공동체의 위기 상황을 극복해 가는 희생 제의의 과정이다. 희생 제의는 차이의 소멸로 생성된 극단의 무질서와 폭력의 에너지를 일정한 방향으로 배출시키는 일종의 '대체 폭력'으로, 위기에 빠진 집단의 내부적 폭력을 '정화'하는 기능을 한다. 이런 희생 제의가 제대로 작동하기 위해서는 첫째, 공동체 집단이 그들 내부에 만연해 있던 폭력을 어떻게 사라지게 했는가를 결코 알아서는 안 된다는 것이고, 둘째, 위기의 원인이 애초에 희생양에게 있었다고 여기며 자신들의 폭력을 정당화할 수 있어야 한다는 것이다. 이런 이유로 공동체 전체가 만장일치로 희생시킬 존재로 누구를 선택할 것이냐의 문제가 매우 중요해진다. 차이의 무화(無化)에서 비롯된 공동체의 위기를 해소할 수 있도록, 희생양은 공동체 구성원들이 자신들과의 차이를 부여할 수 있는 존재이면서도 또 다른 폭력을 유발할 가능성이 없는 존재여야 한다. 그래서 희생양으로 선택되는 존재들은 이방인, 전쟁 포로, 짐승 등 '타자'이거나 '타자로 만들어진 존재'의 성격을 가진다.

9262-0089

01 윗글에서 무엇에 대한 '르네 지라르'의 입장을 제시하고 있는지 쓰시오.

원리 적용 대상을 파악하고 그에 대해 어떤 견해 · 주장을 제시하고 있는지 파악한다.

9262-0090

02 '르네 지라르'의 견해로 적절하지 않은 것은?

① 희생양 메커니즘을 통해 공동체 위기의 원인이 희생양에게 전가된다.
② 희생 제의는 위기에 빠진 공동체 집단 내부의 폭력을 정화할 수 있다.
③ 희생양 메커니즘은 공동체의 위기 상황 극복을 위한 수단으로 사용된다.
④ 공동체의 희생 제의의 희생양으로 선택되는 존재는 그 공동체에 속하지 않는 존재이다.
⑤ 공동체 구성원이 희생 제의의 작동 과정을 모두 알아야 희생 제의가 제대로 작동할 수 있다.

원리 적용 견해 · 주장을 나타내는 세부 정보를 찾아 정확하게 이해한다.

예제 2

사람들은 매일 수많은 뉴스를 접하며 다양한 프레임에 노출된다. 뉴스 프레임은 어떤 이슈나 사건에 의미를 부여하는 중심 시각 틀로서 다양한 시각들 사이에서 언론에 의해 선택되고 강조된다. 그래서 프레임에 대한 초기 연구는 뉴스 제작 과정에 집중하여 언론이 어떻게 현실을 재단해 프레임을 형성하는가에 주목했다. 그러나 최근에는 뉴스를 언론과 수용자가 상호 작용하는 의미 생산 과정으로 보는 입장에서, 언론에 의해 의도된 프레임과 수용자의 해석 결과로 나타나는 해석적 프레임 사이에 어떤 관계가 있는지를 따지게 되었다. 그리하여 프레임 작용의 결과, 즉 프레이밍 효과에 대한 논의도 본격화되었다.

프레이밍 효과에 대한 연구는 뉴스 프레임이 어떻게 수용자의 해석적 프레임으로 연결되느냐 하는 데 초점을 맞춘다. '뉴스 프레임을 수용자가 어떻게 받아들이느냐'에 대한 연구는 ㉠'개념 접근성'에 의한 설명과 ㉡'개념 적용성'에 의한 설명으로 크게 나눌 수 있다. '개념 접근성'에 의한 설명은 정보 처리를 할 때 주어진 자극에 따라 특정 개념이 활성화될 확률에 주목한다. 만약 노출 빈도가 높아 특정 개념의 활성화가 반복된다면, 그에 따라 특정 개념의 접근성이 증가한다는 것이다. 이와 달리 '개념 적용성'에 의한 설명은, 주어진 자극에 대해 특정 개념이 활성화되기 이전에 이미 수용자에게 주어진 자극의 특성에 잘 호응하는 개념들이 있을 수 있다는 데 주목한다. 수용자에게는 주어진 자극에 잘 호응하는 개념들이 있어서 다른 개념보다 더 쉽게 활성화될 수 있는 특정 개념이 있을 수 있다. 이런 개념을 일컬어 다른 개념보다 적용성이 높다고 한다.

9262-0091

03 윗글에서 '뉴스 프레임'에 대한 연구 경향의 변화 과정을 찾아 요약하시오.

원리 적용 시기적으로 달라진 입장 간의 차이점에 주목한다.

9262-0092

04 '프레이밍 효과'에 대한 ㉠, ㉡의 입장을 다음과 같이 정리할 때, 빈칸에 들어갈 말을 쓰시오.

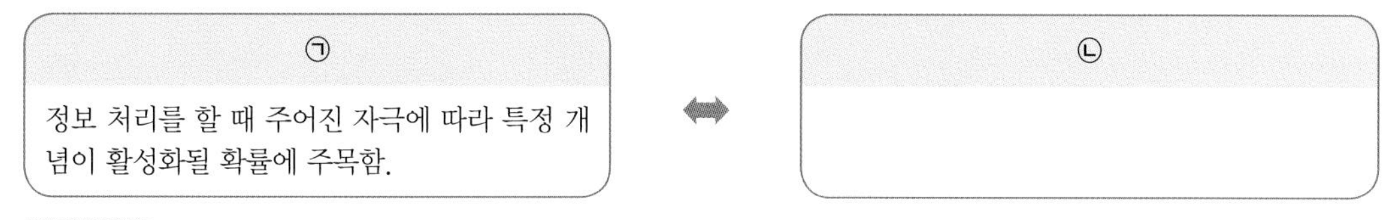

원리 적용 차이점을 나타내는 핵심 어구 중심으로 대비되는 견해 · 주장을 이해한다.

9262-0093

05 <보기>의 밑줄 친 '아이엔거'의 입장은 ㉠, ㉡ 중 어느 것에 해당하는지 쓰시오.

보기

일화 중심적 프레임은 이슈의 사회 구조적 원인과 결과를 밝히기보다 이슈를 개별화된 개인 또는 집단의 문제로 묘사하고, 결과로서 드러난 징후적 사건에만 초점을 맞추는 뉴스 제시 방식을 말한다. 아이엔거는 뉴스 수용자가 일화 중심적 프레임을 반복적으로 접함으로써 특정 사회 문제를 사회 구조적인 문제라기보다는 개인의 행위나 인품의 문제로 인식하게 되어 그 사회 문제에 대한 책임을 묻거나 처벌 대상을 판단하는 문제에 대해 개인의 행위나 인품을 주로 문제 삼게 된다고 보았다.

원리 적용 대응하는 내용 요소를 중심으로 공통된 입장을 파악한다.

'예술'의 의미

'예술'의 어원은 그리스어 '테크네(technē)'이다. 테크네는 일정한 과제를 해결해 낼 수 있는 숙련된 능력 또는 활동으로서 '기술'을 의미했던 말이다. 아리스토텔레스는 효용성 측면에서 기술을 생활상 '필요에 의한 기술'과 '기분 전환과 쾌락을 위한 기술'로 나누었는데, 전자는 실용적인 여러 기술들을, 후자는 이른바 예술을 가리키는 것이었다. 이러한 기술로서의 예술의 의미가 미적 의미로 한정되어 기술 일반과 구별되는 '미적 기술(fine art)'이라는 뜻을 지니게 된 것은 18세기에 이르러서다. 오늘날 예술이나 아트(art)는 미적 의미에서 '수공(手工)' 또는 '효용적 기술'의 의미까지 모두 포함하고 있다.

예제 1

'예술이란 무엇인가?'라는 물음에는 모든 예술에는 공통된 본질이 있고, 이 본질을 가진 것은 예술로 부를 수 있다는 생각이 내포되어 있다. 그리고 이러한 물음을 통해 그동안 예술의 본질은 모방, 표현 등으로 설명되어 왔다. 하지만 20세기 초에 이르러 '과연 예술의 본질은 있는가?'라는 근본적인 질문이 제기되었다. 와이츠(Weitz)는 예술이 지시하는 대상들인 회화, 조각, 문학, 음악 등에 속한 작품들을 관찰한 결과 일련의 유사성만 있을 뿐 공통된 본질을 발견할 수 없다고 지적하였다. 또한 끊임없이 변화하고 새로운 창조를 이루어 내는 예술의 특성상 예술 개념은 근본적으로 열린 개념일 수밖에 없다고 보았다. 따라서 어떤 공통적인 본질을 통해 예술을 정의할 수 없다고 와이츠는 주장하였다.

하지만 맨델바움(Mandelbaum)은 이러한 와이츠의 '예술 정의 불가론'에 대하여 반박하고 나섰다. 그는 예술에 포함될 수 있는 모든 대상들에 공통적인 속성이 존재할 것이라고 보았다. 우선 그는 그 대상들이 갖고 있는 속성을 전시적 성질과 비전시적 성질로 구분하였다. 그리고 지금까지 예술을 정의할 때는 색채나 형태, 소리와 같이 작품에서 직접적으로 확인할 수 있는 전시적 성질에 초점을 맞추었지만, 예술 작품들의 집합만이 고유하게 갖고 있는 공통적인 속성은 작품 밖에 놓인 비전시적 성질일 것이라는 견해를 제시하였다. 맨델바움은, 와이츠가 예술을 정의할 수 없다고 한 것은 그가 예술의 비전시적 성질을 간과했기 때문이라고 주장하였다.

9262-0094

01 윗글에 대해 다음과 같이 설명하고자 할 때, 빈칸에 들어갈 말을 쓰시오.

( )에 대한 여러 입장을 제시하고 있다.

원리 적용 무엇에 관한 입장인지 파악한 다음 입장의 구체적인 내용을 이해한다.

9262-0095

02 윗글을 읽고 알 수 있는 내용으로 적절하지 않은 것은?

① 20세기 이전에는 모방, 표현의 측면에서 예술의 본질에 대해 설명했다.
② 멘델바움은 전시적 성질을 통해 예술의 본질을 정의할 수 있다고 여겼다.
③ 와이츠는 예술이 새로운 창조를 통해 지속적으로 변화하는 것이라고 여겼다.
④ 와이츠는 예술 작품들 간에는 유사성만 있을 뿐 공통된 본질이 없다고 보았다.
⑤ 맨델바움은 예술의 범주에 속하는 작품들은 모두 공통적 속성을 지니고 있다고 보았다.

원리 적용 여러 입장 간의 차이점을 중심으로 세부 정보를 이해한다.

정답과 해설 17쪽

예제 2

17세기에 수립된 ㉠뉴턴의 역학 체계는 3차원 공간에서 일어나는 물체의 운동을 취급하였는데 공간 좌표인 x, y, z는 모두 시간에 따라 변하는 것으로 간주하였다. 뉴턴에게 시간은 공간과 무관한 독립적이고 절대적인 것이었다. 즉, 시간은 시작도 끝도 없는 영원한 것으로, 우주가 생겨나고 사라지는 것과 아무 관계없이 항상 같은 방향으로 흘러간다. 시간은 빨라지지도 느려지지도 않는 물리량이며 모든 우주에서 동일한 빠르기로 흐르는 실체인 것이다. 이러한 뉴턴의 절대 시간 개념은 19세기 말까지 물리학자들에게 당연한 것으로 받아들여졌다.

하지만 20세기에 들어 시간의 절대성 개념은 ㉡아인슈타인에 의해 근본적으로 거부되었다. 그는 빛의 속도가 진공에서 항상 일정하다는 사실을 기초로 하여 상대성 이론을 수립하였다. 이 이론에 의하면 시간은 상대적인 개념이 되어, 빠르게 움직이는 물체에서는 시간이 느리게 간다. 광속을 c라 하고 물체의 속도를 v라고 할 때 시간은 $\frac{1}{\sqrt{1-(v/c)^2}}$배 팽창한다. 즉, 광속의 50%의 속도로 달리는 물체에서는 시간이 약 1.15배 팽창하고, 광속의 99%로 달리는 물체에서는 7.09배 정도 팽창한다. v가 c에 비하여 아주 작을 경우에는 시간 팽창 현상이 거의 감지되지 않지만 v가 c에 접근하면 팽창률은 급격하게 커진다.

아인슈타인에게 시간과 공간은 더 이상 별개의 물리량이 아니라 서로 긴밀하게 연관되어 함께 변하는 상대적인 양이다. 따라서 운동장을 질주하는 사람과 교실에서 가만히 바깥 풍경을 보고 있는 사람에게 시간의 흐름은 다르다. 속도가 빨라지면 시간 팽창이 일어나 시간이 그만큼 천천히 흐르는 시간 지연이 생긴다.

9262-0096

03 윗글에서 '뉴턴'의 시간관을 나타내는 핵심 어구 네 개를 찾아 쓰시오.

원리 적용 관점을 나타내는 핵심 어구를 중심으로 그 내용을 이해한다.

9262-0097

04 윗글을 바탕으로 하여 〈보기〉의 이유를 쓰시오.

보기

광속에 가까운 초고속 우주선을 타고 여행할 때, 지구에 정지해 있을 때보다 천천히 늙는다.

원리 적용 특정 입장에 관한 내용을 구체적 상황에 적용해 추론한다.

9262-0098

05 ㉡의 입장에서 ㉠의 생각을 다음과 같이 비판하고자 할 때, 빈칸에 들어갈 말을 쓰시오.

시간은 모든 (　　　　)에서 동일하게 흐르는 것이 아니므로 절대적이지 않다.

원리 적용 상반된 입장에서 상대 입장의 주장이나 논거의 문제점을 지적한다.

적용 학습 3단계

아리스토텔레스가 말한 '비극의 기능'

아리스토텔레스에 따르면 두려움과 연민은 고통과 관련된 감정이다. 비극의 사건들은 억울한 것이기 때문에 연민을 불러일으키고 그 사건이 우리에게도 닥쳐올지 모른다는 두려움을 불러일으킨다. 따라서 연민은 타자의 입장에서, 두려움은 자신의 입장에서 고통을 느끼는 것이다. 비극의 카타르시스 효과는 관객이 느끼는 감정을 순화하는 것이며, 고통을 쾌감으로 대체함으로써 고통을 정화하는 것이다.

예제 1

플라톤은 회화와 비극으로 대표되는 예술의 모방적 활동에 대해 비판적인 입장을 취했다. 그 이유는 예술의 모방적 활동이 본질에서 떨어져 있기 때문이다. 플라톤에 따르면 그림은 실재를 있는 그대로 모방하지 못한다. 보이는 것을 보이는 그대로 모방할 뿐이다. 즉 본질을 모방하는 것이 아니라 보이는 현상을 모방하는 것이다. 플라톤은 현상을 모방한다는 관점에서 비극에 대해서도 같은 태도를 취했다. 플라톤에 따르면 비극 작가는 자신이 모방하는 것들에 대해 진정으로 알지 못한다. 자신이 보았던 현상들에 대해 사람들의 감정을 움직이기 위해서 운율과 리듬 등을 통해 채색하여 말할 뿐이다. 그는 ㉠비극이 쓸데없이 사람들의 감정을 자극함으로써 사람들을 타락시키고 오염시킨다고 생각했다.

이에 대해 아리스토텔레스는 그의 저서인『시학』에서 "비극은 적절한 크기를 가지는 고귀하고 완결된 행동의 모방이다. 비극은 연극의 여러 부분에 따로따로 적용되는 여러 종류의 언어적 장식에 의해 예술적으로 고양된 언어를 사용한다. 비극은 서술적 형식이 아니라 극적인 형식으로 제시되며, 연민과 두려움의 감정을 자아내는 사건들의 모방을 통해, 그러한 연민과 두려움을 자아내는 감정들의 카타르시스를 성취한다."라고 비극에 대한 정의를 내렸다. 원래부터 적대적인 관계에 있던 인물들이 서로 죽이는 것은 진정한 비극이 될 수 없다. 친하게 지내던 사람이 원수라는 것을 알게 되거나, 원수로 알고 있던 사람이 친척이라든가 하는 등의 반전과 이것에 대한 식별을 가능하게 하는 구성이 두려움과 연민을 자아내는 것이다. 따라서 아리스토텔레스가 생각하는 비극에서의 모방은 대상이나 사건의 옥석을 가려 지나친 부분은 삭제하고 부족한 부분은 보충하여 하나의 통일된 이야기를 구축하는 선택적이고 능동적인 모방이다. 이것이 아리스토텔레스가 말한 ㉡비극의 인식론적 원리이다.

9262-0099

01 ㉠에 전제되어 있는 '플라톤'의 입장을 다음과 같이 추론하고자 할 때, 빈칸에 들어갈 말을 쓰시오.

( )

⇩

비극은 현상들에 대해 운율과 리듬 등을 통해 채색하여 말할 뿐이다.

⇩

비극은 쓸데없이 사람들의 감정을 자극함으로써 사람들을 타락시키고 오염시킨다.

원리 적용 ▸ 입장의 핵심 내용에 대한 구체적인 내용을 이해한다.

9262-0100

02 ㉡의 내용으로 가장 적절한 것은?

① 실제로 일어난 사건들을 가감 없이 사실적으로 제시하는 것
② 카타르시스의 성취를 통해 관객의 두려움과 연민을 해소하는 것
③ 이질적인 이야기들을 모아 하나의 완결된 이야기로 만들어 내는 것
④ 여러 종류의 언어적 장식을 사용해 예술적으로 고양된 언어를 사용하는 것
⑤ 두려움과 연민의 감정을 자아내는 사건들의 모방을 통해 긴밀하게 조직된 이야기를 구축하는 것

원리 적용 ▸ 입장의 핵심 내용에 대한 구체적인 내용을 이해한다.

정답과 해설 18쪽

예제 2

유권자들은 후보자를 선택할 때 어떤 과정을 거쳐 정책을 선택하는가? 정책 투표의 과정에 대한 대표적인 이론으로는 ㉠공간 투표 이론과 ㉡방향성 투표 이론을 들 수 있다. 우선 다운스가 주장한 공간 투표 이론은 기본적으로 유권자들이 자신의 정책 선호와 가장 근접한 정책을 제시하는 후보자를 선호할 것이라고 전제한다. 이 이론은 유권자를 자신의 정책 선호와 각 후보자들의 정책 사이의 거리를 정확히 계산해 낼 수 있는 합리적 존재로 보았다. 즉 유권자는 자신의 정책 선호와 각 후보자들의 정책이 위치하는 지점 사이의 거리를 절댓값으로 비교하여 그 값이 가장 작은 쪽을 선택한다는 것이다. 예를 들어 유권자들이 국방비를 50억 원 감축하는 것을 선호한다고 할 때, 만일 두 후보자가 각각 10억 원 증액과 150억 원 감축을 주장한다면 유권자들은 10억 원 증액을 주장하는 후보자를 선택한다는 것이다.

다음으로 라비노위츠와 맥도널드가 제시한 방향성 투표 이론의 경우, 유권자는 중립점 혹은 현재의 상태를 기준으로 어떤 후보자의 정책이 자신의 입장과 같은 편에 서 있는지에 대한 방향성을 먼저 고려한다고 보았다. 일단 자신의 입장과 반대되는 입장의 후보자는 투표 대상에서 제외되며, 같은 입장에 있는 후보자가 다수일 경우 자신의 입장을 가장 선명하고 강력하게 피력하는 후보자에게 투표를 하게 된다는 것이다. 자신의 입장을 선명하고 강력하게 피력하는 후보자는 그렇지 않은 후보자보다 유권자의 관심을 끌 가능성이 높기 때문이다. 예를 들어 유권자들이 국방비를 100억 원 감축하는 것을 선호한다고 할 때, 만일 두 후보자가 각각 50억 원 증액과 300억 원 감축을 주장한다면 유권자들은 300억 원 감축을 주장하는 후보자를 선호하며, 만일 두 후보자가 각각 300억 원 감축과 400억 원 감축을 주장한다면 400억 원 감축을 주장하는 후보자를 선택한다는 것이다.

9262-0101

03 ㉠, ㉡에 대한 설명으로 가장 적절한 것은?

① ㉠은 ㉡과 달리 유권자가 자신이 선호하는 것과 방향이 다른 정책도 선택할 수 있다고 본다.
② ㉠은 ㉡과 달리 유권자가 자신의 정책 선호 방향을 가장 뚜렷하게 나타낼 수 있는 정책을 선택한다고 본다.
③ ㉡은 ㉠과 달리 유권자가 자신의 정책 선호와 가장 근접한 정책을 선택한다고 본다.
④ ㉡은 ㉠과 달리 유권자가 자신의 정책 선호와 각 후보자들 정책 사이의 거리를 계산할 수 있는 합리적 존재라고 본다.
⑤ ㉠, ㉡ 모두 유권자가 자신의 입장과 후보자의 정책 방향성이 일치하는지를 가장 우선적으로 고려해 투표한다고 본다.

원리 적용 이론 간의 차이점을 중심으로 이론의 핵심 내용을 이해한다.

실전 학습 1단계

| 2014학년도 예비시행 B형 |

다음 글을 읽고 물음에 답하시오.

독해 포커스

데카르트의 회의론을 소개하고, '철저한 회의론자'의 입장에서 데카르트의 회의론에 대해 제기할 수 있는 문제점을 제시하고 있다. 데카르트의 회의론의 주요 견해 · 주장을 정확히 이해해야 하며, 철저한 회의론자의 견해 · 주장 또한 정확하게 이해해야 한다. 이때 두 입장 간의 공통점과 차이점에 특히 주목해야 한다.

상식적으로는 자신에게 보이고 들리고 느껴지는 그대로 세계가 존재할 것이라고 생각하지만, 회의론에서는 그 보고 듣고 느끼는 세계가 모두 환상일지도 모른다는 가정을 옹호한다. 가장 널리 알려진 회의론은 근세 철학의 창시자인 데카르트에 의해 제시되었는데, 그는 의심이 전혀 불가능한 확실한 지식을 찾기 위해 체계적으로 의심하는 방법을 만들었다. 즉 의심할 수 있는 이유를 더 이상 찾을 수 없을 때까지 의심할 수 있는 것은 모두 의심해 보는 것이다.

그가 의심한 첫 번째 범주의 지식은 감각에 의해 생긴 지식이다. 휴대 전화가 없는데도 벨 소리가 들릴 때가 있는 것처럼, 감각은 우리를 종종 속이므로 감각적인 증거를 토대로 생긴 지식은 믿을 수 없다. 그렇지만 내가 지금 의자에 앉아 있다는 사실까지 의심하는 사람은 없다. 이에 대해서도 데카르트는 꿈에서 똑같은 종류의 감각을 한다는 점을 지적한다. 나는 의자에 앉아 있다고 느낄지도 모르지만 사실 나는 침대에서 깊은 잠에 빠져 있을 수 있다. 따라서 감각적인 증거를 토대로 생긴 지식은 믿을 수 없다.

감각적 지식만이 지식의 전부는 아니다. 예컨대 우리의 지식 중 수학의 지식은 감각에 의존하지 않으므로 데카르트의 의심에서 무사히 벗어날지 모른다. 내가 깨어 있을 때나 꿈속에서나 2 더하기 3은 5이기 때문이다. 그런데 데카르트는 수학의 지식마저도 의심이 가능하다고 말한다. 악마가 존재하여 사실은 2 더하기 3은 4인데 우리가 2에 3을 더할 때마다 5인 것처럼 속일 수 있기 때문이다. 그런 악마가 실제로 존재하지 않더라도 자체적으로 모순이 되지 않는다면 상상하는 데는 아무런 제약이 없다.

그러나 데카르트는 아무리 의심을 해도 의심하는 사람의 존재에 관한 의심은 가능하지 않다고 말한다. 왜냐하면 만약 그 자신이 존재하지 않는다면 어떠한 악마도 그를 속일 수 없기 때문이다. 그러므로 그가 의심하고 있다면 그는 존재함에 틀림없다. 그래서 데카르트는 다음과 같이 말한다. "나는 생각한다. 그러므로 나는 존재한다." 그 자신의 존재는 그 자신에게 절대적으로 확실한 것이다.

그런데 데카르트가 찾은 이러한 존재의 확실성의 토대는 그리 튼튼한 것 같지 않다. 그의 결론대로 생각하는 내가 존재한다고 하더라도, 생각하는 '나'가 항상 같은 '나'라는 보장이 있을까? 생각하는 '나'가 존재한다고 하면 지금 생각하는 '나'와 5분 전에 생각하던 '나'는 똑같은 사람으로 존재해야 한다. 그러나 지금 이 순간의 생각은 내가 하고 있는 것이 확실하지만 5분 전에도 '지금의 나'가 생각했다는 것이 확실하지 않으므로, 지금 생각하는 '나'와 5분 전에 생각하던 '나'가 동일하지 않을 수도 있다.

데카르트의 체계적 의심에 따르면 절대적으로 확실한 것은 오직 지금 이 순간의 나의 존재일 뿐이다. 그러나 좀 더 철저히 의심하면 영속적인 나의 존재는 보장되지 않는다. 그는 회의를 시작했지만 철저한 회의론자가 되지는 못했다.

원리 이해 관점 파악 및 적용하기

9262-0102

01 윗글에 제시된 '데카르트'의 견해와 관련해 〈보기〉의 밑줄 친 말에 대응하는 것을 찾아 쓰시오.

보기

나의 뇌가 몸에서 분리되어 양분이 공급되는 큰 통 안에 둥둥 떠 있고 컴퓨터에 연결되어 있는 상황을 상상해 보자. '통 속의 뇌'에서는 나의 경험을 모두 컴퓨터가 조작해 내고 있다. 가령 나는 의자에 앉아 있다고 생각하지만 그것은 컴퓨터가 만들어 낸 환상이다.

이 문제는!
대비되는 관점(입장)의 공통점과 차이점을 정확하게 파악할 수 있는지를 묻는 문제이다. 견해 · 주장을 나타내는 핵심 어구를 중심으로 관점(입장)을 정확하게 파악해 선택지의 적절성 여부를 판단해야 한다.

기출 문제 입장 간의 공통점 및 차이점 파악하기

9262-0103

02 윗글의 '데카르트'와 '철저한 회의론자'가 모두 동의할 수 있는 진술만을 〈보기〉에서 있는 대로 고른 것은?

보기

ㄱ. 꿈속의 지식 중에는 감각적 지식이 아닌 것도 있다.
ㄴ. 어떤 지식을 상상만으로 의심할 수 있다면 그 지식은 확실하지 않다.
ㄷ. 의심하기 위해서는 그 시점에서 의심하는 주체가 필요하다.
ㄹ. 무엇인가를 생각할 때 생각하고 있다는 사실 자체도 의심할 수 있다.
ㅁ. 영속적인 나의 존재를 의심할 수 있는 이유를 찾을 수 있다.

① ㄱ, ㄷ ② ㄴ, ㄷ ③ ㄱ, ㄴ, ㄷ
④ ㄱ, ㄹ, ㅁ ⑤ ㄴ, ㄹ, ㅁ

이 문제는!
견해 · 주장에 관한 세부 정보를 정확하게 파악할 수 있는지를 평가하기 위한 문제이다. 견해 · 주장을 나타내는 문장을 찾아 핵심 어구를 중심으로 그 내용을 이해할 수 있어야 한다.

기출 문제+ 세부 정보 파악하기

9262-0104

03 '데카르트'에 대한 설명으로 적절하지 않은 것은?

① 끊임없는 의심을 통해 의심할 수 없는 지식을 찾고자 했다.
② 감각적인 증거를 토대로 생긴 지식은 믿을 수 없다고 보았다.
③ 의심하는 사람의 존재에 대해서는 의심할 수 없다고 생각했다.
④ 수학의 지식도 거짓일 수 있기 때문에 의심의 대상이 된다고 보았다.
⑤ 절대적으로 확실한 것은 지금 이 순간의 '나'의 존재뿐이라고 생각했다.

원리 학습 점검 노트

1 1문단에서 '데카르트'의 견해 · 주장으로 '의심할 수 있는 이유를 더 이상 찾을 수 없을 때까지 의심할 수 있는 것은 모두 의심'을 주목했는가?	YES ☐
2 2, 3문단에서 '감각에 의해 생긴 지식'만이 아니라 '수학의 지식'도 의심해야 한다는 '데카르트'의 견해 · 주장을 이해했는가?	YES ☐
3 4문단에서 '의심하는 주체의 존재'에 대해서는 의심할 수 없다는 '데카르트'의 견해 · 주장을 이해했는가?	YES ☐
4 5문단에서 '생각하는 나가 항상 같은 나라는 보장이 있을까?'라는 데카르트의 견해에 대한 비판적 의문에 주목해 '지금 생각하는 나와 5분 전에 생각하던 나가 동일하지 않을 수도 있다'는 견해 · 주장을 이해했는가?	YES ☐
5 6문단에서 '철저한 회의론자'의 견해 · 주장으로 '영속적인 나의 존재는 보장되지 않는다.'라는 것을 주목해 이해했는가?	YES ☐

| 2014학년도 6월 모의평가 B형 |

다음 글을 읽고 물음에 답하시오.

독해 포커스
본질주의와 반본질주의 입장이 대비되고 있는 글이다. 따라서 두 입장 간의 차이점을 파악하는 것이 핵심이다. 본질에 대해 두 입장에서 제시한 견해 · 주장을 차이점 중심으로 정확하게 이해하는 읽기를 해야 한다.

흔히 어떤 대상이 반드시 가져야만 하고 그것을 다른 대상과 구분해 주는 속성을 본질이라고 한다. X의 본질이 무엇인지 알고 싶으면 X에 대한 필요 충분한 속성을 찾으면 된다. 다시 말해서 모든 X에 대해 그리고 오직 X에 대해서만 해당되는 것을 찾으면 된다. 예컨대 모든 까투리가 그리고 오직 까투리만이 꿩이면서 동시에 암컷이므로, '암컷인 꿩'은 까투리의 본질이라고 생각된다. 그러나 암컷인 꿩은 애초부터 까투리의 정의라고 우리가 규정한 것이므로 그것을 본질이라고 말하기에는 허망하다. 다시 말해서 본질은 따로 존재하여 우리가 발견한 것이 아니라 까투리라는 낱말을 만들면서 사후적으로 구성된 것이다.

서로 다른 개체를 동일한 종류의 것이라고 판단하고 의사소통에 성공하기 위해서는 개체들이 공유하는 무엇인가가 필요하다. 본질주의는 그것이 우리와 무관하게 개체 내에 본질로서 존재한다고 주장한다. 반면에 반(反)본질주의는 그런 본질이란 없으며, 인간이 정한 언어 약정이 본질주의에서 말하는 본질의 역할을 충분히 달성할 수 있다고 주장한다. 이른바 본질은 우리가 관습적으로 부여하는 의미를 표현한 것에 불과하다는 것이다.

'본질'이 존재론적 개념이라면 거기에 언어적으로 상관하는 것은 '정의'이다. 그런데 어떤 대상에 대해서 약정적이지 않으면서 완벽하고 정확한 정의를 내리기 어렵다는 사실은 반본질주의의 주장에 힘을 실어 준다. 사람을 예로 들어 보자. 이성적 동물은 사람에 대한 정의로 널리 알려져 있다. 그러면 이성적이지 않은 갓난아이를 사람의 본질에 반례로 제시할 수 있다. 이번에는 '사람은 사회적 동물이다.'라고 정의를 제시할 수도 있다. 그러나 사회를 이루고 산다고 해서 모두 사람인 것은 아니다. 개미나 벌도 사회를 이루고 살지만 사람은 아니다.

서양의 철학사는 본질을 찾는 과정이라고 말할 수 있다. 본질주의는 사람뿐만 아니라 자유나 지식 등의 본질을 찾는 시도를 계속해 왔지만, 대부분의 경우 아직까지 본질적인 것을 명확히 찾는 데 성공하지 못했다. 그래서 숨겨진 본질을 밝히려는 철학적 탐구는 실제로는 부질없는 일이라고 반본질주의로부터 비판을 받는다. 우리가 본질을 명확히 찾지 못하는 까닭은 우리의 무지 때문이 아니라 그런 본질이 있다는 잘못된 가정에서 출발했기 때문이라는 것이다. 사물의 본질이라는 것은 단지 인간의 가치가 투영된 것에 지나지 않는다는 것이 반본질주의의 주장이다.

원리 이해 입장 파악하기

9262-0105

01 본질의 역할에 관한 '본질주의'의 입장에 대해 쓰시오.

이 문제는!

견해 · 주장을 정확하게 이해할 수 있는지를 묻는 문제이다. 둘 이상의 견해 · 주장이 대비될 때는 대비되는 짝을 중심으로 문제 출제가 이루어진다. 이에 유의해 문제의 답을 고를 수 있어야 한다.

기출 문제 견해 · 주장 파악하기

9262-0106

02 '반본질주의'의 견해로 볼 수 있는 것은?

① 어떤 대상이라도 그 개념을 언어로 약정할 수 없다.
② 개체의 본질은 인식 여부와 상관없이 개체에 내재하고 있다.
③ 어떤 대상이든지 다른 대상과 구분되는 불변의 고유성이 있다.
④ 어떤 대상에 의미가 부여됨으로써 그 대상은 다른 대상과 구분된다.
⑤ 같은 종류에 속하는 개체들이 공유하는 속성은 객관적으로 실재한다.

이 문제는!

견해 · 주장을 구체적 사례나 상황에 적용해 판단이나 결론을 적절하게 도출할 수 있는지를 묻는 문제이다. 〈보기〉와 관련 있는 견해 · 주장을 짚어 그에 대한 설명이 선택지에 적절하게 제시되어 있는지를 판단해야 한다.

기출 문제 견해 · 주장 파악 및 적용하기

9262-0107

03 윗글을 바탕으로 〈보기〉에 대해 추론한 내용으로 적절하지 않은 것은?

> 보기
> (가) 금은 오랫동안 색깔이나 밀도처럼 쉽게 확인할 수 있는 특성으로 정의되어 왔지만 이제는 현대 화학에 입각해 정의되고 있다.
> (나) 누군가가 사자와 바위와 컴퓨터를 묶어 '사바컴'으로 정의했지만 그 정의는 널리 쓰이지 않았다.

① 본질주의자는 (가)를 숨겨져 있는 정확하고 엄격한 본질을 찾아가는 과정으로 해석하겠네.
② 본질주의자는 (나)를 근거로 들어 본질은 사후적으로 구성되는 것이 아니라고 하겠네.
③ 반본질주의자는 (가)에서처럼 널리 믿어지던 정의가 바뀌는 것을 보고 약정적이지 않은 정의는 없다고 주장하겠네.
④ 반본질주의자는 (나)에 대해 그 세 가지가 지니는 근원적 속성이 발견되지 않아서 일어나는 현상이라고 하겠네.
⑤ 본질주의자와 반본질주의자는 모두 (가)를 들어 의사소통을 위해서는 개체들을 동일한 종류의 것으로 판단할 수 있는 무엇인가가 필요하다고 생각하겠네.

원리 학습 점검 노트

1 1문단에서 '모든 X에 대해 그리고 오직 X에 대해서만 해당되는 것'과 대응하는 짝을 찾아 그 내용을 이해하고 글쓴이의 견해 · 주장을 파악했는가?	YES ☐
2 2문단에서 '본질주의'와 '반본질주의'의 대비되는 짝을 찾아 두 입장 간의 차이점을 이해했는가?	YES ☐
3 3문단에서 '반본질주의'의 주장과 관련해 '어떤 대상에 대해서 약정적이지 않으면서 완벽하고 정확한 정의를 내리기 어렵다.'는 것을 사례와 대응시켜 이해했는가?	YES ☐
4 4문단에서 본질주의에 대한 비판적 견해를 주목했으며, '사물의 본질이라는 것은 단지 인간의 가치가 투영된 것에 지나지 않는다는 것'을 '반본질주의'의 주장으로 주목했는가?	YES ☐

| 2008학년도 6월 모의평가 |

다음 글을 읽고 물음에 답하시오.

독해 포커스
'성품의 탁월함'에 대한 아리스토텔레스의 견해 · 주장을 설명하고 있는 글이다. 성품을 얻는 것에 관한 그의 견해 · 주장을 이해하고, 성품의 탁월함을 갖추는 것에 대한 그의 견해 · 주장도 이해해야 한다. 즉 성품의 탁월함에 대한 아리스토텔레스의 관점을 파악하는 것이 중요한 지문이다.

탁월함은 어떻게 습득되는가, 그것을 가르칠 수 있는가? 이 물음에 대하여 아리스토텔레스는 지성의 탁월함은 가르칠 수 있지만, ⓐ성품의 탁월함은 비이성적인 것이어서 가르칠 수 없고, 훈련을 통해서 얻을 수 있다고 대답한다.

그는 좋은 성품을 얻는 것을 기술을 습득하는 것에 비유한다. 그에 따르면, 리라(lyra)를 켬으로써 리라를 켜는 법을 배우며 말을 탐으로써 말을 타는 법을 배운다. 어떤 기술을 얻고자 할 때 처음에는 교사의 지시대로 행동한다. 그리고 반복 연습을 통하여 그 행동이 점점 더 하기 쉽게 되고 마침내 제2의 천성이 된다. 이와 마찬가지로 어린아이는 어떤 상황에서 어떻게 행동해야 진실되고 관대하며 예의를 차리게 되는지 일일이 배워야 한다. 훈련과 반복을 통하여 그런 행위들을 연마하다 보면 그것들을 점점 더 쉽게 하게 되고, 결국에는 스스로 판단할 수 있게 된다.

[A] 그는 올바른 훈련이란 강제가 아니고 그 자체가 즐거움이 되어야 한다고 지적한다. 또한 그렇게 훈련받은 사람은 일을 바르게 처리하는 것을 즐기게 되고, 일을 바르게 처리하고 싶어 하게 되며, 올바른 일을 하는 것을 어려워하지 않게 된다. 이처럼 성품의 탁월함이란 사람들이 '하는 것'만이 아니라 사람들이 '하고 싶어 하는 것'과도 관련된다. 그리고 한두 번 관대한 행동을 한 것으로 충분하지 않으며, 늘 관대한 행동을 하고 그런 행동에 감정적으로 끌리는 성향을 갖고 있어야 비로소 관대함에 관하여 성품의 탁월함을 갖고 있다고 할 수 있다.

다음과 같은 예를 통해 아리스토텔레스의 견해를 생각해 보자. 갑돌이는 성품이 곧고 자신감이 충만하다. 그가 한 모임에 참석하였는데, 거기서 다수의 사람들이 옳지 않은 행동을 한다고 생각했을 때, 그는 다수의 행동에 대하여 비판의 목소리를 낼 것이며 그렇게 하는 데에 별 어려움을 느끼지 않을 것이다. 한편, 수줍어하고 우유부단한 병식이도 한 모임에 참석하였는데, 그 역시 다수의 행동이 잘못되었다는 판단을 했다고 하자. 이런 경우에 병식이는 일어나서 다수의 행동이 잘못되었다고 말할 수 있겠지만, 그렇게 하려면 엄청난 의지를 발휘해야 할 것이고 자신과 힘든 싸움도 해야 할 것이다. 그런데도 병식이가 그렇게 행동했다면 우리는 병식이가 용기 있게 행동하였다고 칭찬할 것이다. 그러나 ㉠아리스토텔레스가 보기에 성품의 탁월함을 가진 사람은 갑돌이다.

우리가 어떠한 사람을 존경할 것인가가 아니라, 우리 아이를 어떤 사람으로 키우고 싶은가라는 질문을 받는다면 우리는 아리스토텔레스의 견해에 가까워질 것이다. 왜냐하면 우리는 우리 아이들을 갑돌이와 같은 사람으로 키우고 싶어 할 것이기 때문이다.

원리 이해 입장 파악 및 적용하기

9262-0108

01 아리스토텔레스가 ㉠과 같이 '갑돌이'를 성품의 탁월함을 가진 사람으로 여기는 까닭을 [A]의 내용을 참조해 한 문장으로 쓰시오.

이 문제는! 

특정 입장에서 상반된 입장을 적절하게 비판할 수 있는지를 묻는 문제이다. 두 입장 간의 차이점을 파악하고, 그 차이점을 토대로 상대 입장의 주장이나 논거의 문제점을 적절하게 지적한 것을 정답으로 고를 수 있어야 한다.

기출 문제 관점(입장)에 대한 비판의 적절성 평가하기

9262-0109

02 〈보기〉를 바탕으로 윗글의 아리스토텔레스의 입장을 비판한 것으로 적절한 것은?

보기

어떤 행위가 도덕적인 행위가 되기 위해서는 그것이 도덕 법칙을 지키려는 의지에서 비롯된 것이어야 한다. 도덕 법칙에 부합하는 행위라고 해도 행위자의 감정이나 욕구 또는 성향이 행위의 동기에 영향을 미쳤다면, 그것은 훌륭한 행위일 수는 있어도 도덕적인 행위는 아닌 것이다.

① 탁월한 성품에서 비롯된 행위는 행위자의 성향에 의해서 결정된 것이지, 도덕 법칙을 지키려는 의지에 의해 결정된 행위가 아니므로, 도덕적인 행위라고 볼 수 없다.
② 도덕적 행동을 하기 위해서 자신과의 싸움에서 이겨 내야 한다. 옳은 행동을 즐겨 하는 사람은 거의 없으며, 따라서 탁월한 성품을 갖춘 사람을 찾기란 어렵다.
③ 행위의 도덕성은 그 행위가 얼마나 도덕 법칙에 부합하는가를 보고 판단하는 것이 아니라, 선한 결과를 낳을 수 있는 품성이나 자질을 보고 판단하는 것이다.
④ 훈련의 결과 언제나 탁월한 성품이 얻어지는 것은 아니므로, 탁월한 성품에 도달하지 못한 경우에는 결국 본성에 기댈 수밖에 없다.
⑤ 훈련으로 얻어지는 성품에서 나오는 행동은 대개 이성적 성찰을 거치지 않으므로, 도덕적인 행동이라고 말하기 어렵다.

이 문제는!

입장을 세부적으로 이해할 수 있는지를 묻는 문제이다. 견해 · 주장이나 그것을 뒷받침하는 논거가 출제 요소가 된다는 사실에 유의해 정답을 고를 수 있어야 한다.

기출 문제+ 입장에 관한 세부 정보 파악하기

9262-0110

03 '아리스토텔레스'의 입장에서 ⓐ를 이해한 내용으로 적절하지 않은 것은?

① '지성의 탁월함'과 달리 가르칠 수 없는 것이다.
② 사람들이 '하고 싶어 하는 것'과 관련이 있는 것이다.
③ 꾸준한 훈련과 반복을 통해서 습득하게 되는 것이다.
④ 감정을 제어해 감정에 끌려 행동하는 것을 막아 주는 것이다.
⑤ 일을 바르게 처리하는 것을 즐기는 사람에게서 드러나는 것이다.

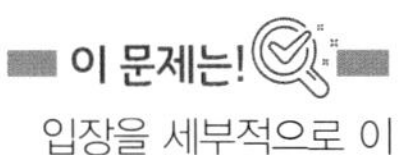

원리 학습 점검 노트

1 예측하기를 통해 '아리스토텔레스의 입장'을 주요 서술 대상으로 파악했으며, 그에 따라 아리스토텔레스의 견해 · 주장을 중심으로 글의 내용을 이해했는가?	YES ☐
2 1문단에서 '성품의 탁월함'을 중심 화제로 파악해, 그에 관한 아리스토텔레스의 견해 · 주장을 주목했는가?	YES ☐
3 3문단에서 '올바른 훈련'을 통해 '성품의 탁월함'을 갖춘 사람의 특징을 파악했는가?	YES ☐
4 4문단에서 구체적 사례를 토대로 '성품의 탁월함'에 대한 '아리스토텔레스의 입장'을 이해했는가?	YES ☐

사례나 상황에 적용하기

글을 읽을 때 대응하는 짝을 찾아 내용을 이해할 수 있어야 해요. 특히 개념이나 추상적, 관념적인 말에 대응하는 구체적인 사례나 상황을 짚어 그 내용을 이해하는 독해를 할 수 있어야 하죠. 이렇게 사례나 상황에 적용하는 사고는 지문을 독해할 때도 잘해야 하지만, 〈보기〉나 선택지를 이해할 때도 잘해야 합니다. 즉 지문과 〈보기〉, 지문과 선택지 간에 대응시키기를 잘해야 하는 것이죠.

원리 학습 1단계 개념을 사례나 상황과 대응시켜 이해하자.

개념이 제시되어 있고, **그 개념을 설명하기 위한 구체적 사례나 상황**이 제시되어 있으면, 그 내용들은 반드시 출제 요소가 된다. 이 경우 개념을 사례나 상황에 적용하는 읽기를 해야 하는데 이를 잘하기 위해서는 아래의 독해 비법 1, 2에 유의해야 한다.

수능 국어에서의 대응하는 짝

'지문 안에서의 대응', '지문과 〈보기〉의 대응', '지문과 선택지의 대응' 등의 세 가지 유형으로 나뉜다.

(1) 지문 안에서의 대응: 지문 안에서 의미나 속성이 같거나 유사한 내용 요소들 간의 짝
(2) 지문과 〈보기〉의 대응: 지문과 〈보기〉 간에 의미나 속성이 같거나 유사한 내용 요소들 간의 짝
(3) 지문과 선택지의 대응: 지문과 선택지 간에 의미나 속성이 같거나 유사한 내용 요소들 간의 짝

1 개념을 설명하는 말들 중에서 핵심적인 것을 짚어야 한다.
2 개념을 설명하는 핵심 어구와 대응하는 내용 요소를 구체적 사례나 상황을 설명하는 말들 중에서 찾아 그 내용을 이해해야 한다.

| 2008학년도 6월 모의평가 |

테니스 선수 그라프는 1992년에 우승을 통해 거액을 벌었지만, 유독 숙적인 셀레스에게는 계속해서 패하였다. 그러나 이듬해 셀레스가 사고를 당해 더 이상 경기에 참여할 수 없게 되자, 그라프는 경기 능력에 큰 변화가 없었음에도 불구하고 이후 승률이 거의 두 배 이상 상승했다. 이에 따라 우승 상금은 물론 광고 출연 등의 부수적 이익 또한 전보다 크게 증가했다. 이런 현상은 '위치적 외부성'의 개념으로 설명된다. 한 사람의 보상이 다른 사람의 행동에 영향을 받음에도, 그에 대한 대가를 받지도 지불하지도 않는 현상을 외부성이라고 한다. 특히 자신의 상대적 위치에 따른 보상이 다른 경쟁자의 상대적 성과에 부분적으로 의존하는 것을 위치적 외부성이라고 한다. 위치적 외부성이 작용할 경우에 자신의 상대적 위치를 향상시키는 모든 수단은 반드시 다른 경쟁자의 상대적 위치를 하락시킨다. 그라프의 사례는 경쟁자의 성과에 의해 자신의 위치적 보상이 크게 상승했음을 보여 주는 좋은 예이다.

개념이 제시되어 있으면, 그 개념은 출제 요소이다. 이에 따라 윗글을 읽을 때 '위치적 외부성'의 개념을 정확하게 이해해야 한다. 이를 위해서는 다음과 같이 구체적 사례와 개념 설명 간에 대응하는 짝을 짚어 그 내용을 이해해야 한다. 먼저 '외부성'의 개념부터 이해하자. '외부성'의 개념을 설명하는 핵심 어구인 '한 사람의 보상이 다른 사람의 행동에 영향을 받음에도, 그에 대한 대가를 받지도 지불하지도 않는 현상'을 짚은 다음, 그에 대응하는 요소를 사례에서 찾아 그 내용을 이해해야 한다.

기출동향 | 대표발문

✔ 지식 변환의 사례에 대한 설명으로 가장 적절한 것은?
✔ [가]를 바탕으로 〈보기〉의 상황을 이해한 내용으로 적절한 것은?
✔ 〈보기〉에 제시된 그래프의 세로축 a, b, c는 [가]의 ㉠~㉢과 하나씩 대응된다. 이를 바르게 짝지은 것은?

CHECKLIST

✔ 개념을 사례나 상황에 대응시켜 이해하기
✔ 추상적, 관념적 내용을 사례나 상황에 대응시켜 이해하기
✔ 지문과 〈보기〉, 지문과 선택지 간에 대응하는 요소 찾아 이해하기

'외부성'의 개념	사례
한 사람의 보상	그라프는 승률이 거의 두 배 이상 상승했으며, 부수적 이익 또한 전보다 크게 증가했음.
다른 사람의 행동에 영향을 받음.	숙적인 셀레스가 사고를 당해 더 이상 경기에 참여할 수 없게 됨.
그에 대한 대가를 받지도 지불하지도 않는 현상	(셀레스와 그라프는 서로 대가를 받지도 지불하지도 않음.)

사례나 상황으로 개념을 설명한 지문
지문에서 개념을 설명하고 그 개념으로 문제를 출제한 경우, 출제자들은 지문에 구체적 사례나 상황을 제시하는 경우가 많다. 그렇기 때문에 지문을 읽을 때, 사례나 상황을 들어 개념을 설명하고 있으면 그 개념을 활용해 문제의 답을 골라야 한다고 생각해야 한다.

'외부성'의 개념을 이해한 다음, '위치적 외부성'의 개념을 다음과 같이 사례와 대응시켜 이해해야 한다. 특히 '상대적 위치'에 경쟁 관계를 대응시키고 '다른 경쟁자의 상대적 성과'에 셀레스가 경기에 참여할 수 없어 성과를 내지 못한 것을 대응시켜 이해해야 한다.

'위치적 외부성'의 개념	사례
자신의 상대적 위치에 따른 보상	그라프는 경쟁 관계에 있는 셀레스가 사고를 당해 승률이 상승하고 부수적 이익도 크게 증가함.
다른 경쟁자의 상대적 성과에 부분적으로 의존	그라프의 이익 증대는 셀레스가 경기에 참여할 수 없게 된 것에 의존함.

2단계 추상적, 관념적 내용을 사례나 상황에 대응시켜 이해하자.

개념 외에 추상적이거나 관념적인 내용을 이해하는 데에도 사례나 상황에 적용하는 사고가 필요하다. **견해 · 주장, 특징** 등을 어려운 말로 제시한 경우, 그 말에 **대응하는 구체적인 정보**를 찾아 이해해야 하는 것이다.

1 견해 · 주장, 특징 등을 설명하는 말들 중에서 핵심적인 것을 짚어야 한다.
2 견해 · 주장, 특징 등을 설명하는 핵심 어구와 대응하는 내용 요소를 구체적 사례나 상황을 설명하는 말들 중에서 찾아 그 내용을 이해해야 한다.

일반적으로 영화는 구체적인 대상을 재현하는 데에는 그 어떤 예술보다 강하지만, 대사나 자막을 이용하지 않고서는 정신적인 의미를 표현하는 데 약하다. 그런데 영화의 출발이 시각 예술이라는 것을 감안하면, 언어적 요소에 의존하는 것은 영화 본연의 방식이라고 보기 어렵다. 따라서 영화가 독자적인 예술이 되기 위해서는 기본적으로 순수하게 시각적인 방식으로 추상적인 의미 표현에 이를 수 있어야 한다.

에이젠슈테인은 여기서 한자의 구성 원리에 주목한다. 한자의 육서(六書) 중 그가 주목한 것은 상형 문자와 회의 문자다. 상형 문자는 사물의 형태를 본뜬 문자다. 그러나 눈으로 볼 수 있는 것은 형태를 본떠서 재현할 수 있지만, 눈으로 볼 수 없는 것은 재현하기 어렵다. 예를 들어 '휴식'과 같이 추상적인 개념은 상형 문자로 표현할 수 없다. 이때 이를 표현할 수 있는 것이 회의 문자다. 회의 문자 '쉴 휴(休)'는 '사람 인(人)'과 '나무 목 (木)'이 결합된 문자다. 이 두 문자를 결합하면 '휴식'이라는 추상적 의미가 만들어진다. 하지만 '휴식'이란 말의 의미는 '人'에도 '木'에도 들어 있지 않다. 두 개의 문자가 결합되면서 두 문자의 단순한 총합이 아닌 새로운 차원이 열리며, 이를 통해 추상적인 의미를 표현할 수 있다는 것이 바로 에이젠슈테인이 회의 문자에서 주목한 지점이다.

에이젠슈테인의 견해 · 주장을 구체적 사례를 들어 설명하고 있다. 사례로 제시한 '쉴 휴(休)'는 '휴식'이라는 추상적 의미를 나타내는데, 이 의미는 시각적으로 글자를 구성하고 있는 '人'에도 '木'에도 들어 있지 않다. 윗글을 읽을 때는 '휴식'이라는 의미를 갖고 있지 않은 '人'과 '木'으로 '휴식'이라는 추상적 의미를 나타낸 것처럼 에이젠슈테인이 영화의 장면들로 추상적 의미를 나타내는 것을 중시했음을 이해해야 한다. 즉 '순수하게 시각적인 방식으로'와 '人', '木'을, '추상적인 의미'를 '휴식'과 대응시켜 에이젠슈테인의 견해 · 주장을 이해해야 한다.

3단계 지문과 〈보기〉, 지문과 선택지 간에 대응하는 요소를 정확하게 짚자.

구체적 사례나 상황은 지문에도 제시되지만, 〈보기〉나 선택지에도 제시된다. 그렇기 때문에 **지문과 〈보기〉, 지문과 선택지 간에 대응하는 요소**를 정확하게 짚는 것이 필요하다.

1. 〈보기〉의 핵심 내용과 관련 있는 지문의 내용을 짚어 핵심 어구를 대응시키며 읽어야 한다.
2. 지문의 내용에 대응하는 요소를 모두 갖춘 선택지를 적절한 것으로 선택해야 한다.
3. 〈보기〉나 선택지에 시각 자료가 제시되어 있는 경우 시각 자료의 요소와 지문의 핵심 내용을 대응시켜야 한다.

지문과 시각 자료 간의 대응

수능 국어에서는 〈보기〉나 선택지에 시각 자료를 제시하는 경우가 많다. 이들 시각 자료는 모두 지문의 내용과 대응하는 요소를 갖고 있기 마련이다. 그렇기 때문에 시각 자료에 관한 문제를 해결할 때는 시각 자료의 요소를 파악하고, 그에 대응하는 내용 요소를 지문에서 짚어 이해해야 한다.

우리는 생활에서 각종 유해 가스에 노출될 수 있다. 인간은 후각이나 호흡 기관을 통해 위험 가스의 존재를 인지할 수는 있으나, 그 종류를 감각으로 판별하기는 어려우며, 미세한 농도의 감지는 더욱 불가능하다. 따라서 가스의 종류나 농도 등을 감지할 수 있는 고성능 가스 센서를 사용하는 것이 위험 가스로 인한 사고를 미연에 방지할 수 있는 길이다.

가스 센서란 특정 가스를 감지하여 그것을 적당한 전기 신호로 변환하는 장치의 총칭이다. 각종 가스 센서 가운데 산화물 반도체 물질을 이용한 저항형 센서는 감지 속도가 빠르고 안정성이 높으며 휴대용 장치에 적용할 수 있도록 소형화가 용이하기 때문에 널리 사용되고 있다. 센서 장치에서 ㉠안정성이 높다는 것은 시간이 지남에 따라 반복 측정하여도 동일 조건하에서는 센서의 출력이 거의 일정하다는 뜻이다.

01 ㉠에 해당하는 예로 가장 적절한 것은?

③ 모형 항공기가 처음에는 맞바람에 요동쳤으나 곧 안정되어 활강하였다.
④ 자세를 여러 가지로 바꾸어 가며 공을 던졌으나 50m 이상 날아가지 않았다.
⑤ 매일 아침 운동장을 열 바퀴 걸은 직후 맥박을 재어 보니 항상 분당 128~130회였다.

㉠의 개념이 바로 이어 제시되어 있다. 이를 다음과 같이 선택지의 내용과 대응시켜 보았을 때 ⑤는 지문의 핵심 내용과 대응하는 요소를 모두 갖추고 있다. 이와 같이 지문의 내용과 대응하는 요소를 모두 갖춘 것을 적절한 것으로 선택해야 한다. ③, ④는 대응하는 요소를 모두 갖추고 있지 않다.

㉠의 개념		⑤
시간이 지남에 따라 반복 측정	………………	매일 아침 운동장을 열 바퀴 걸은 직후 맥박을 재어 보니
동일 조건하에서는 센서의 출력이 거의 일정하다.	………………	항상 분당 128~130회였다.

원리 학습 정리 노트

[1]□□을 사례나 상황과 대응시켜 그 내용을 이해하기	개념은 구체적 사례나 상황을 들어 설명하는 경우가 많다. 따라서 개념을 사례나 상황에 적용하는 독해를 하도록 하자.
[2]□□□, [3]□□□ 내용을 사례나 상황에 대응시켜 이해하기	개념 외에 견해·주장, 특징 등에 관한 정보도 사례나 상황을 통해 구체적으로 이해하도록 하자.
[4]□□과 〈보기〉, [5]□□과 선택지 간에 대응하는 짝 찾기	문제를 논리적으로 해결하기 위해서 지문과 〈보기〉, 지문과 선택지 간의 대응하는 요소를 짚어 그 내용을 이해하자.

답 1 개념 2 추상적 3 관념적 4 지문 5 지문

적용 학습 1단계

바르트의 기호학
바르트는 영화, 광고, 신문 기사, 사진 등 사회 문화의 전반적인 현상을 기호학으로 다루었다. 바르트는 소쉬르 언어학의 기본 개념 중 먼저 랑그와 파롤의 개념을 언어 이외의 의상이나 음식, 자동차, 가구 등의 체계에 적용시켜 비언어적 기호의 의미 작용을 설명했다. 예를 들어 의상 체계의 경우, 랑그는 치마, 바지, 윗도리와 같은 상하 콤비네이션의 대립을 말해 주는 것이라면, 파롤은 옷 입는 형식이라든가 색감, 치마 길이, 바지폭 등과 같이 의상에 대한 개인적인 취향을 말한다.

예제 1

사진 또한 ㉠특정 사회 안에서 의미를 가지는 기호들의 집합이라고 볼 수 있다. 그 안에는 당시 사람들의 복식이나 의례 방식이 있으며, 감정을 표현하는 양식도 담겨 있다. 또한 사진의 배경이 되는 집과 거리의 배열 구조도 있고, 크게 보면 산과 강의 자연 질서도 있다. 이처럼 사진 속에는 시 · 공간에 대한 의미뿐만 아니라, 특정 사회나 문화 속에서 살아가는 사람들의 다양한 삶의 모습이 기호의 형태로 담겨 있다. 작가는 이러한 기호들을 재료로 삼아 구도를 잡고 포커스를 맞춰, 자신이 전달하고자 하는 메시지를 구현한다. 그리고 사람들은 작가의 의도에 따라 사진 속 기호들을 조합하여 작품이 주는 일반적인 의미를 경험한다. 바르트는 이처럼 사진을 통해 읽어 낼 수 있는 문화적 기호 체계, 즉 여러 사람에게 공유되는 의미를 '스투디움'이라고 불렀다. 그리고 이러한 '스투디움'과 구별하여 사진에서 다른 사람의 경험으로 치환될 수 없는 의미를 읽어 낼 때, 그것을 '풍크툼'이라 명명했다.

풍크툼은 원래 화살처럼 뾰족한 도구에 찔릴 때 생기는 상처 혹은 명쾌하게 설명할 수 없는 돌발적인 아픔을 뜻하는 말이다. 바르트는 이 말을 우리가 사진을 통해 느끼는 우연적이며 논리적으로 분석할 수 없는 느낌을 가리키는 말로 사용했다. 바르트가 사진에서 풍크툼에 대해 생각하게 된 것은 어머니의 죽음으로 인해 생긴 우울증 때문이었다. 바르트는 어머니의 유품을 정리하면서 어머니의 다섯 살 때 사진을 발견하고, 사진 속 어머니의 모습을 통해 생전의 어머니의 모습을 느끼게 된다. 여기서 바르트가 ㉡어머니의 어릴 적 사진을 보고 느낀 감정은 오직 그만의 것일 뿐, 다른 사람과 공유할 수 없는 것이다. 이처럼 다른 사람의 경험으로 치환될 수 없고 오직 '나'에게만 존재하는 것이 풍크툼이다.

9262-0111

01 ㉠에 해당하는 구체적인 내용 요소로 적절하지 않은 것은?

① 당시 사람들의 복식이나 의례 방식
② 감정을 표현하는 양식
③ 집과 거리의 배열 구조
④ 산과 강의 자연 질서
⑤ 작가가 전달하고자 하는 메시지

원리 적용 ▸ 추상적인 내용에 대응하는 구체적 사례를 찾아 그 내용을 이해한다.

9262-0112

02 ㉡으로 이해를 돕고자 한 '풍크툼'의 개념을 찾아 쓰시오.

원리 적용 ▸ 개념을 설명하는 핵심 어구와 대응하는 내용 요소를 찾아 그 내용을 이해한다.

정답과 해설 21쪽

예제 2

사람이 중력을 느낀다고 하는 것은 지구가 잡아당기는 힘을 느끼는 것이 아니라 중력과 균형을 이루는 힘, 즉 '중력에 대항하는 힘'을 느끼는 것으로, 만일 이 힘이 없다면 중력이 여전히 존재하고 있더라도 이른바 중력을 느끼지 못하는 상황이 된다. 무중력 상태란 바로 '중력이 없는 상태'가 아닌, '중력에 대항하는 힘'이 없어 중력이 마치 사라진 것같이 느껴지는 상태를 의미한다. 역설적으로 무중력 상태는 중력에 대항하는 힘이 없어 중력만이 작용하는 상태를 가리키는 셈이다.

포물선 모양의 궤적을 형성하면서 도약했다가 떨어지는 상황에서 무중력 상태를 경험할 수 있다. 충분히 넓은 트램펄린 위에서, 지면에서 수직 방향이 아닌 일정 각도로 도약하는 경우를 생각해 보자. 뛰어오르는 순간부터 가장 높은 위치에 도달하는 순간까지는 중력 때문에 속도가 점점 줄어든다. 그러다 가장 높은 위치에 도달하는 순간부터는 아래로 떨어지는 속도가 점점 커진다. 모든 과정이 중력이 아래로 당기기 때문에 일어나는 움직임이다. 그런데 이 과정에서 사람이 위로 올라갈 때는 도약을 위한 힘이, 아래로 내려갈 때는 공기 저항이 각각 중력에 대항하는 힘으로 작용하게 되고 속도가 변화하는 정도도 크지만, 가장 높은 위치에 도달하기 전후의 짧은 시간 동안, 즉 사람이 수평 방향에 가깝게 움직이는 동안에는 중력에 대항하는 힘을 거의 느끼지 못하게 되며 속도의 변화 폭도 작다. 따라서 포물선 모양의 궤적을 형성하면서 뛰어오르는 사람은 가장 높은 위치를 전후하여 수평 방향에 가깝게 움직일 때 무중력 상태를 경험한다.

9262-0113

03 윗글에 대한 설명으로 가장 적절한 것은?

① 개념을 설명한 후 구체적 상황을 들어 설명하고 있다.
② 현상의 특징을 설명한 후 관련 있는 현상과 비교하고 있다.
③ 특정 이론을 바탕으로 사례들 간의 차이점을 도출하고 있다.
④ 통념을 제시한 후 그것의 문제점을 논리적으로 비판하고 있다.
⑤ 특정 견해를 설명한 후 그 관점에서 현상의 특징을 분석하고 있다.

원리 적용 글의 핵심 정보와 논지 전개 방식을 파악한다.

9262-0114

04 윗글을 바탕으로 〈보기〉의 빈칸 Ⓐ에 들어갈 말을 쓰시오.

보기

국제 우주 정거장(ISS)은 별도의 추진력 없이 지구의 궤도를 돌고 있으며 그 안은 무중력 상태이다. 초속 7.7km의 속도로 약 400km 상공의 궤도를 도는 ISS의 고도는 중력 때문에 1초에 약 4.3m씩 낮아진다. 이때 ISS 밑의 지구 표면도 ISS가 떨어진 거리와 거의 비슷하게 구부러진다. 이에 따라 ISS는 고도가 계속 낮아지더라도 ISS와 지구 표면 간의 거리는 거의 변하지 않는다. 이러한 이유로 ISS에 탑승한 우주인들은 무중력 상태를 경험하게 된다. 이는 ISS가 (　　　　Ⓐ　　　　) 때문이다.

원리 적용 지문과 〈보기〉에 제시된 사례 간의 대응하는 요소를 근거로 추론한다.

적용 학습 2단계

인플레이션이 사회에 미치는 영향

인플레이션이 발생하면 부동산이나 주식 등의 실물 자산을 소유한 사람은 자산의 명목 가치가 상승하여 이익을 보지만, 현금 혹은 예금의 형태로 돈을 가진 사람은 손해를 보게 된다. 단기적으로는 돈의 가치가 떨어지니 봉급생활자에게는 손해, 장사를 하는 자영업자에게는 이익이 된다. 다만 장기적으로는 인플레이션만큼 임금이 인상된다면 별 차이는 없을 것이다.

예제 1

정부의 경제 정책은 물가를 안정시키고 일자리를 늘려 실업률을 낮추는 것에 집중하는 것이 당연하다고 할 수 있다. 하지만 이것을 동시에 이루는 것은 쉽지 않다. 이 주장은 필립스 곡선에 근거를 두고 있다. 필립스 곡선은 필립스라는 경제학자가 영국의 통계 자료를 이용하여 실업률과 물가 상승률 사이에 역(逆)의 관계가 존재한다는 사실을 발견하여 만든 곡선이다. 이 곡선에 따르면, 총수요가 늘어나 기업이 생산과 고용을 늘리게 되면 실업률이 낮아지지만, 돈이 많이 풀려 물가가 상승하는 인플레이션이 발생하게 된다. 반대로 물가를 잡기 위해서 총수요를 억제하게 되면 물가 지수는 떨어뜨릴 수 있지만, 기업의 투자와 고용이 줄어 실업률이 높아지는 것을 감수해야 한다.

필립스 곡선에 따르면, 정부가 물가나 실업률을 잡기 위해서 무리한 경제 정책을 시행했을 때, 문제가 발생할 수 있다. 예를 들어 정부가 실업률을 낮추기 위해 경기 부양책을 썼을 경우, 예상치 못한 인플레이션은 돈의 가치를 하락시키기 때문에 국민 경제에 피해가 발생할 수 있다. 예상되는 피해 중 하나는 채권자와 채무자 사이에 발생하는 부의 재분배에서 나타난다. 일반적으로 가계의 저축으로 기업이 투자를 하게 되므로 가계와 기업은 채권 · 채무 관계로 볼 수 있다. 그런데 인플레이션이 발생하면 돈의 가치가 하락하므로 채무자에게 유리하게 된다. 가계의 부(富)가 기업으로 이전되는 결과가 나타나는 것이다. 기업과 근로자의 관계도 노동을 제공하고 기업이 돈을 제공해야 하는 채권 · 채무 관계가 성립하는데, 여기서도 기업이 이익을 보게 된다.

9262-0115

01 윗글을 바탕으로 〈보기〉를 이해한 내용으로 적절한 것은 ○, 적절하지 않은 것은 × 표시를 하시오.

보기

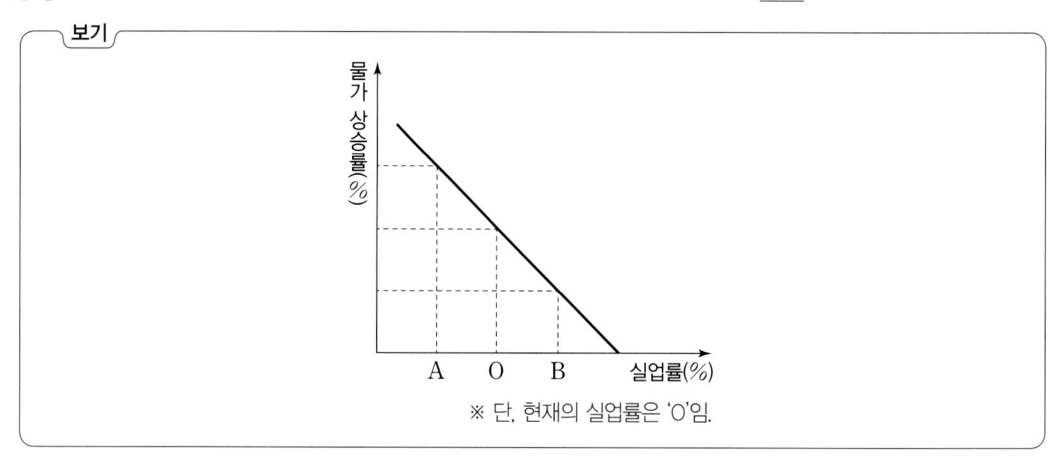

※ 단, 현재의 실업률은 'O'임.

(1) 정부의 경기 부양책으로 O가 A로 이동하면 가계의 부(富)가 기업으로 이전될 수 있겠군. (　　)

(2) 정부의 총수요 억제 정책으로 O가 B로 이동하면 물가 상승으로 기업의 이익이 더 커지겠군. (　　)

원리 적용 지문과 〈보기〉의 시각 자료 간의 대응하는 요소를 근거로 추론한다.

프랜드 조항
공정하고, 합리적이고, 비차별적이라는 뜻의 'Fair, Reasonable & Non-Discriminatory'의 약자이다. 특허가 없는 업체가 표준 특허로 제품을 만들고 이후 특허 사용료를 내는 권리를 의미하며, 특허권자의 무리한 요구로 타 업체의 제품 생산을 방해하는 것을 막기 위한 제도이다.

예제 2

기술, 디자인, 저작물 등의 지적 산물을 최초로 개발하여 공개한 자에게는 이를 배타적으로 사용하여 수익을 얻거나 처분할 수 있는 권리가 보장되고 있는데, 이를 지식 재산권이라 한다. 그런데 지식 재산권은 그것을 보유한 자에게 일종의 독점권을 인정해 주는 것이어서 사회 전체의 후생 증대라는 측면에서 볼 때는 지적 산물을 개발자만 향유토록 하기보다는 여러 사람이 활용하도록 하는 것이 더 바람직해 보인다. 그래서 지식 재산 보호 정책을 지지하는 입장과 독점 금지 정책을 지지하는 입장은 상충적인 관계에 서게 된다.

독점 금지 정책을 지지하는 사람들은 지식 재산권을 보유한 자의 권리 남용을 걱정한다. 권리자는 해당 특허 기술로 제조한 제품의 판매 가격을 제한한다거나 자기가 전수해 준 기술을 통해 새로 개발된 기술을 자신의 소유로 하도록 계약을 체결할 수 있다. 그리고 권리자가 지식 재산에 해당하는 기술이나 저작물을 소극적으로 자신만을 위해서 사용할 수도 있다. 이는 사회 전체의 후생 감소로 이어질 수 있다. 특정 질병의 치료에 효과가 큰 신약 물질을 개인 용도로만 사용하는 경우가 그에 해당한다.

이런 점 때문에 지식 재산의 보호를 위한 정책이나 법에서도 지식 재산권의 행사를 제한하는 제도를 두고 있다. 그리고 독점 금지 정책은 지식 재산권의 소극적 불행사 및 적극적 남용 행위에 대하여 개입하려는 입장을 보이는데, 프랜드 조항이 대표적이다. 이 조항은 특정 특허가 표준 특허로 채택되면 특허권자는 누구에게나 공정하고, 합리적이고, 비차별적인 방식으로 이를 사용할 수 있도록 협의해야 한다는 것인데, 특허권자의 무리한 요구로 타 업체의 제품 생산을 방해하는 것을 막기 위한 제도이다. 하지만 특허권자에게 사용료를 지불해야 한다는 점에서는 지식 재산을 보호하려는 입장이라고 볼 수도 있다.

9262-0116

02 윗글의 내용을 참고하여 〈보기〉에 대해 이해할 때, ㉮에 들어갈 말을 쓰시오.

보기

B사는 A사가 자신들의 통신 기술 특허를 무단으로 사용했다면서 소송을 걸었다. 이 사안과 관련하여 법원은 B사의 통신 기술 특허는 표준 특허이기 때문에 이를 B사가 배타적으로 이용할 수 없다는 판결을 내려 A사의 손을 들어 주었다. 법원은 이어 B사에게 A사와 특허권 사용료를 협상하라고 지시했다.

법원의 판결은 (㉮)에 근거한 것으로, 이는 지식 재산을 보호하려는 입장과 독점을 금지하려는 입장을 절충적으로 수용한 것으로 볼 수 있다.

원리 적용 지문과 〈보기〉에 제시된 사례 간의 대응하는 요소를 근거로 추론한다.

예제 1

현대는 소비 사회이다. 현대인의 소비 심리를 이해하는 데 도움을 주는 용어로 '디드로 효과'라는 개념이 있다. ㉠'디드로 효과'는 프랑스의 계몽주의 철학자인 드니 디드로의 이름을 따서 붙여진 것으로, 소비재가 어떤 공통성이나 통일성에 의해 연결되어 있음을 시사하는 개념이다. 디드로는 「나의 옛 실내복과 헤어진 것에 대한 유감」이라는 제목의 에세이에서, 친구로부터 선물로 받은 실내복에 관한 이야기를 풀어 놓는다. 그는 '다 해지고 시시하지만 편안했던 옛 실내복'을 버리고, 친구로부터 받은 새 실내복을 입었다. 그러나 그게 끝이 아니었다. 그는 한두 주 후 실내복에 어울리게끔 ⓐ새 책상을 구입했고, 이어 ⓑ서재의 벽에 걸 새 장식도 구입했으며, 결국엔 모든걸 다 바꾸고 말았다. 달라진 것은 그것뿐만이 아니었다. 전에는 서재가 초라했지만 사람들이 붐볐고, 그래서 혼잡했지만 잠시 행복함을 느끼기도 했다. 하지만 실내복을 바꾼 이후의 변화를 통해서 우아하고 질서 정연하고 아름답게 서재가 꾸며졌지만, 결국 자신은 우울해졌다는 것이 이 에세이의 요지이다.

이 에세이에서 언급된 '실내복-책상-벽의 장식' 등과 같이 서로 어울리면서 연계성이 강하다고 느끼는 사물들을 경제학에서는 제품 보완물이라고 하는데, 결국 디드로 효과는 제품 보완물을 통해 개인 삶이 문화적 일관성을 유지하도록 고취시키는 힘으로 정의할 수 있다.

9262-0117

01 ㉠을 고려한 판매 전략에 따른 제품 광고의 예를 〈보기〉에서 골라 바르게 짝지은 것은?

보기

ㄱ. □□사의 모자를 쓰고 계시네요. 그 멋진 모자에는 저희 회사의 재킷이 잘 어울립니다.
ㄴ. 기존의 ○○ 청바지와 달라진, 새로운 디자인의 ○○ 청바지, 청바지의 멋을 선도합니다.
ㄷ. 멋진 옷을 입은 당신, 곁에 있는 부인에게 그에 어울리는 옷을 선물해야 하지 않겠습니까?
ㄹ. 어떤 체형에도 잘 어울리게 디자인된 △△ 숙녀복. 어울리는 옷이 없어 고민하는 분들께 추천합니다.

① ㄱ, ㄴ ② ㄱ, ㄷ ③ ㄱ, ㄹ ④ ㄴ, ㄷ ⑤ ㄴ, ㄹ

원리 적용 ▸ 개념과 사례를 대응시켜 그 내용을 이해한 후, 지문의 개념과 〈보기〉의 사례를 대응시킨다.

9262-0118

02 ⓐ, ⓑ를 공통적으로 가리킬 수 있는 용어를 윗글에서 찾아 쓰시오.

원리 적용 ▸ 개념과 사례를 대응시켜 그 내용을 이해한다.

정답과 해설 21쪽

마그리트의 상사의 놀이
마그리트에게 나뭇잎 그림은 나뭇잎이라는 실물을 가리키지 않는다. 중요한 것은 그 나뭇잎 형상을 가지고 할 수 있는 다양한 시각적 놀이이다. 이 상사의 놀이는 무한한 조형적 잠재성을 지니고 있다. 유사에 입각한 재현은 우리의 상투적 시각을 강화하여 나뭇잎 그림에서 나뭇잎을 보게 할 뿐이다. 그러나 상사에 입각한 재현은 우리의 눈을 상투성에서 해방시켜 일상 사물들 속에서 우리가 미처 보지 못했던 것을 비로소 보게 한다.

예제 2

현실에 실재하는 인물이나 자연 등을 빌려서 그 내용을 그리는 재현 회화는 일반적으로 '유사의 원리'를 따른다. 그림은 되도록 실물을 닮아야 하고, 그 닮음으로써 그림이 그 대상의 기호가 되어야 한다는 것이다. 하지만 현대의 많은 화가들은 '유사의 원리'를 부정하기도 한다.

왜 '㉠유사의 원리'를 부정할까? 그것은 '㉡상사'의 놀이를 즐기기 위해서이다. '유사'와 '상사'는 둘 다 '비슷하다'는 뜻을 지닌 낱말이나, 한편으로는 명확히 구별되는 두 개의 개념이다. 유사의 관계는 아버지와 아들의 관계처럼 원본과 복제 사이에 위계질서가 있다. 반면 상사의 관계에는 형제 관계처럼 형과 아우 중 누가 원본이고 누가 복제인지를 알 수 없듯이 원본과 복제 사이에 위계질서가 없다. 유사의 원리는 복제가 원본을 닮아야 한다는 '동일성'에 집착하지만, 상사의 놀이는 그 집착에서 벗어나 복제들 사이의 '차이'를 전개한다. 예를 들어, 앤디 워홀과 마그리트의 작품 속 형상은 유사를 지향하지 않는다. 오히려 '유사'로서 실물을 지시하는 대신에, 그 원본과 반드시 닮게 그려야 한다는 수직적 의무에서 풀려나 원본에 구애됨이 없이 맘껏 '상사'의 수평적 놀이를 향유한다. 동일한 모티프가 그들의 여러 작품 속에서 종종 반복되는 것은 이 때문이다.

[A] 유사의 원리에 입각한 재현은 우리의 상투적 시각을 강화하여 마릴린 먼로 그림은 마릴린 먼로만 보게 하고, 나뭇잎 그림은 나뭇잎만 보게 할 뿐이다. 유사의 진리는 이렇게 동어 반복이다. 반면 상사에 입각한 전사(轉寫)는 우리의 눈을 이 상투성에서 해방시켜, 일상 사물들 속에서 우리가 미처 보지 못했던 것을 비로소 보게 한다. 이것이 바로 상사의 놀이가 추구한 진리이다.

9262-0119

03 ㉠, ㉡에 대해 이해한 내용으로 적절하지 않은 것은?

① ㉠을 중시하는 작가들은 그림의 대상과 그림 간의 동일성을 중시하겠군.
② ㉠의 원리를 따른 그림은 원본과 복제 사이에 위계질서가 형성되어 있겠군.
③ 현대의 작가들이 ㉠의 원리를 부정하는 까닭은 그림이 기호로서의 역할을 하지 못하기 때문이겠군.
④ ㉡의 원리에 따른 그림은 그림의 대상이 된 원본과 다른 점을 지니고 있겠군.
⑤ 작가가 ㉡에 입각해서 그림을 그린다면 여러 작품에서 동일한 모티프를 반복할 수 있겠군.

원리 적용 개념을 사례에 대응시켜 개념 간의 차이점을 이해한다.

9262-0120

04 [A]의 관점에서 〈보기〉의 작품에 대한 감상평을 쓰시오.

보기

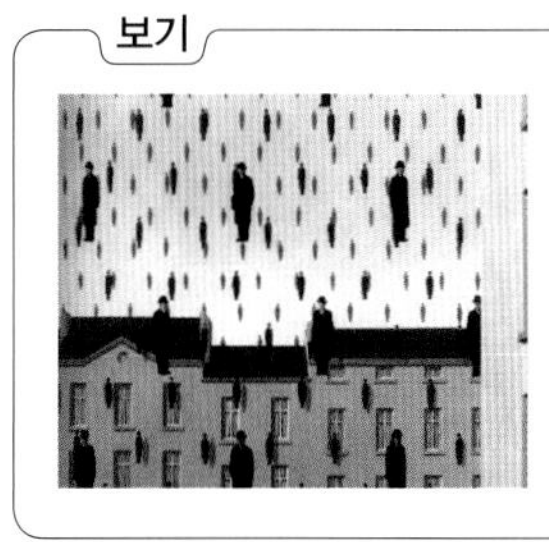

왼쪽의 작품은 마그리트의 「골콩드」이다. 이 그림은 똑같은 중절모를 쓰고 레인코트를 입은 개성 없는 인물을 일정한 간격을 두고 배치해 하늘에서 쏟아져 내리는 '인간비'의 모습을 연출하고 있다.

원리 적용 지문의 내용을 〈보기〉의 사례에 대응시켜 내용을 이해한다.

| 2015학년도 6월 모의평가 B형 |

다음 글을 읽고 물음에 답하시오.

독해 포커스
'정합적이다'라는 말의 의미를 이해하는 여러 입장과 관련해, '모순 없음', '함축', '설명적 연관' 등의 개념을 구체적 사례를 들어 설명하고 있다. 개념을 나타내는 핵심 어구를 사례와 대응시켜 그 내용을 이해해야 하는 지문이다.

어떤 명제가 참이라는 것은 무슨 뜻인가? 이 질문에 대한 답변 중 하나가 정합설이다. 정합설에 따르면, 어떤 명제가 참인 것은 그 명제가 다른 명제와 정합적이기 때문이다. 그러면 '정합적이다'는 무슨 의미인가? 정합적이라는 것은 명제들 간의 특별한 관계인데, 이 특별한 관계가 무엇인지에 대해 전통적으로는 '모순 없음'과 '함축', 그리고 최근에는 '설명적 연관' 등으로 정의해 왔다.

먼저 '정합적이다'를 모순 없음으로 정의하는 경우, 추가되는 명제가 이미 참이라고 인정한 명제와 모순이 없으면 정합적이고, 모순이 있으면 정합적이지 않다. 여기서 모순이란 "은주는 민수의 누나이다."와 "은주는 민수의 누나가 아니다."처럼 ㉮동시에 참이 될 수도 없고 또 동시에 거짓이 될 수도 없는 명제들 간의 관계를 말한다. '정합적이다'를 모순 없음으로 정의하는 입장에 따르면, "은주는 민수의 누나이다."가 참일 때 추가되는 명제 "은주는 학생이다."는 앞의 명제와 모순이 되지 않기 때문에 정합적이고, 정합적이기 때문에 참이다. 그런데 '정합적이다'를 모순 없음으로 이해하면, 앞의 예에서처럼 전혀 관계가 없는 명제들도 모순이 발생하지 않는다는 이유 하나만으로 모두 정합적이고 참이 될 수 있다는 문제가 생긴다.

이 문제를 해결하기 위해서 '정합적이다'를 함축으로 정의하기도 한다. 함축은 "은주는 민수의 누나이다."가 참일 때 "은주는 여자이다."는 반드시 참이 되는 것과 같은 관계를 이른다. 명제 A가 명제 B를 함축한다는 것은 'A가 참일 때 B가 반드시 참'이라는 의미이다. '정합적이다'를 함축으로 이해하면, 명제 "은주는 민수의 누나이다."가 참일 때 이와 무관한 명제 "은주는 학생이다."는 모순이 없다고 해도 정합적이지 않다. 왜냐하면 "은주는 학생이다."는 "은주는 민수의 누나이다."에 의해 함축되지 않기 때문이다.

그런데 ㉠'정합적이다'를 함축으로 정의할 경우에는 참이 될 수 있는 명제가 과도하게 제한된다. 그래서 '정합적이다'를 설명적 연관으로 정의하기도 한다. 명제 "민수는 운동 신경이 좋다."는 "민수는 농구를 잘한다."는 명제를 함축하지는 않지만, 민수가 농구를 잘하는 이유를 그럴듯하게 설명해 준다. 그 역의 관계도 마찬가지이다. 두 경우 각각 설명의 대상이 되는 명제와 설명해 주는 명제 사이에는 서로 설명적 연관이 있다고 말한다. 설명적 연관이 있는 두 명제는 서로 정합적이기 때문에 그중 하나가 참이면 추가되는 다른 하나도 참이다. 설명적 연관으로 '정합적이다'를 정의하게 되면 함축 관계를 이루는 명제들까지도 포괄할 수 있는 장점이 있다. 함축 관계를 이루는 명제들은 필연적으로 설명적 연관이 있기 때문이다. '정합적이다'를 설명적 연관으로 정의하면, 함축으로 이해하는 것보다는 많은 수의 명제를 참으로 추가할 수 있다.

그러나 설명적 연관이 정확하게 어떤 의미인지, 그리고 그 연관의 긴밀도가 어떻게 측정될 수 있는지는 아직 완전히 해결되지 않은 문제이다. 이 문제와 관련된 최근 연구는 확률 이론을 활용하여 정합설을 발전시키고 있다.

원리 이해 사례를 통해 개념 파악하기

9262-0121

01 윗글의 내용과 일치하면 ○, 그렇지 않으면 × 표시를 하시오.

(1) '정합적이다'를 모순 없음으로 이해했을 때 참이 아닌 명제는 함축으로 이해했을 때에도 참이 아니다. (　　)

(2) 함축 관계에 있는 명제들은 설명적 연관이 있는 명제들일 수는 있지만 모순 없는 명제들일 수는 없다. (　　)

(3) '정합적이다'를 설명적 연관으로 이해한다고 해도 연관의 긴밀도 문제 때문에 정합설은 아직 한계가 있다. (　　)

원리 이해 이유 추론하기

9262-0122

02 ㉠의 이유를 한 문장으로 쓰시오.

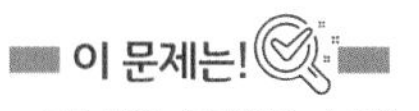

개념을 구체적 사례에 적용하는 문제이다. 이와 같은 문제는 개념을 나타내는 핵심 어구에 대응하는 요소를 모두 갖춘 사례가 적절한 것이 된다. 이에 유의해 개념에 해당하는 사례를 정확하게 찾을 수 있어야 한다.

기출 문제 구체적 사례에 적용하기

9262-0123

03 ㉮의 사례로 적절한 것은?

① 민수는 은주보다 키가 크다. - 민수는 은주보다 키가 크지 않다.
② 민수는 농구를 좋아한다. - 민수는 농구보다 축구를 좋아한다.
③ 그것은 민수에게 이익이다. - 그것은 민수에게 손해이다.
④ 오늘은 화요일이 아니다. - 오늘은 수요일이 아니다.
⑤ 민수의 말이 옳다. - 은주의 말이 틀리다.

정답과 해설 22쪽

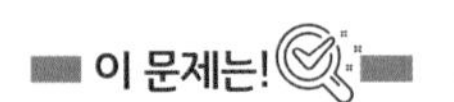

이 문제는!

입장과 개념을 구체적 사례에 적용해 판단이나 결론을 적절하게 이끌어 낼 수 있는지를 묻는 문제이다. 〈보기〉의 사례에 대한 설명을 지문에 제시된 여러 입장이나 개념과 관련지어 적절하게 설명한 것과 그렇지 않은 것으로 구별할 수 있어야 한다.

기출 문제 구체적 사례에 적용하기

9262-0124

04 〈보기〉의 명제를 참이라고 할 때, 윗글을 바탕으로 추론한 내용으로 적절하지 않은 것은?

보기

우리 동네 전체가 정전되었다.

① '정합적이다'를 모순 없음으로 이해하면, "우리 동네에는 솔숲이 있다."를 참인 명제로 추가할 수 있다.
② '정합적이다'를 함축으로 이해하면, "우리 집이 정전되었다."를 참인 명제로 추가할 수 있다.
③ '정합적이다'를 설명적 연관으로 이해하면, "예비 전력의 부족으로 전력 공급이 중단됐다."를 참인 명제로 추가할 수 있다.
④ '정합적이다'를 함축으로 이해하면, "우리 동네에는 솔숲이 있다."를 참인 명제로 추가할 수 없다.
⑤ '정합적이다'를 설명적 연관으로 이해하면, "우리 집이 정전되었다."를 참인 명제로 추가할 수 없다.

원리 학습 점검 노트

1 1문단에서 '참인 명제'에 관한 '정합설'의 입장을 파악해 이해하고, '정합적이다'라는 것의 개념과 관련해 세 가지 입장이 있다는 것을 이해했는가?	YES ☐
2 2문단에서 '모순 없음'의 개념을 사례와 대응시켜 이해하고, '정합적이다'를 '모순 없음'으로 볼 때의 한계를 주목했는가?	YES ☐
3 3문단에서 '함축'의 개념을 사례와 대응시켜 이해했는가?	YES ☐
4 4문단에서 '정합적이다'를 '함축'으로 정의하는 입장의 문제점을 주목하고, 사례와 대응시켜 '설명적 연관'의 개념을 이해했는가?	YES ☐

| 2016학년도 대학수학능력시험 B형 |

다음 글을 읽고 물음에 답하시오.

> **독해 포커스**
> 지식에 대한 논의에 기초하여 지식 경영론을 소개하고 지식 경영의 성패를 좌우하는 요건을 검토하고 있는 글이다. '암묵지', '명시지'의 개념을 사례를 통해 이해하는 것이 중요하며, '지식 변환'의 네 가지 유형의 개념을 차이점을 중심으로 이해해야 한다. 그리고 이렇게 이해한 개념을 선택지에 제시된 사례에 적용해 선택지의 적절성 여부도 잘 판단해야 한다.

현대 사회에서 지식의 중요성이 커지면서 기업에서도 지식 경영을 강조하는 목소리가 높다. 지식 경영은 기업 경쟁력의 원천이 조직적인 학습과 혁신 능력, 즉 기업의 지적 역량에 있다고 보아 지식의 활용과 창조를 강조하는 경영 전략이다.

지식 경영론 중에는 마이클 폴라니의 '암묵지' 개념을 활용하는 경우가 많다. 폴라니는 명확하게 표현되지 않고 주체에게 체화된 암묵지 개념을 통해 모든 지식이 지적 활동의 주체인 인간과 분리될 수 없다는 것을 강조했다. 그에 따르면 우리의 일상적 지각뿐만 아니라 고도의 과학적 지식도 지적 활동의 주체가 몸담고 있는 구체적인 현실로부터 유리된 것이 아니다. 어떤 지각 활동이나 관찰, 추론 활동에도 우리의 몸이나 관찰 도구, 지적 수단이 항상 수반되고 그에 의해 이러한 활동이 암묵적으로 영향을 받기 때문이다. 요컨대 모든 지식에는 암묵적 요소들과 이들을 하나로 통합하는 '인간적 행위'가 전제되어 있다는 것이다. "우리는 우리가 말할 수 있는 것보다 훨씬 더 많이 알고 있다."라는 폴라니의 말은 모든 지식이 암묵지에 기초하고 있음을 강조한다.

노나카 이쿠지로는 지식에 대한 폴라니의 탐구를 실용적으로 응용하여 지식 경영론을 펼쳤다. 그는 폴라니의 '암묵지'를 신체 감각, 상상 속 이미지, 지적 관심 등과 같이 객관적으로 표현하기 어려운 주관적 지식으로 파악했다. 또한 '명시지'를 문서나 데이터베이스 등에 담긴 지식과 같이 객관적이고 논리적으로 형식화된 지식으로 파악하고, 이것이 암묵지에 비해 상대적으로 지식의 공유 가능성이 높다고 보았다.

암묵지와 명시지의 분류에 기초하여, 노나카는 개인, 집단, 조직 수준에서 이루어지는 [지식 변환] 과정을 네 가지로 유형화하였다. 암묵지가 전달되어 타자의 암묵지로 변환되는 것은 대면 접촉을 통한 모방과 개인의 숙련 노력에 의해 이루어지는 것으로서 '공동화'라 한다. 암묵지에서 명시지로의 변환은 암묵적 요소 중 일부가 형식화되어 객관화되는 것으로서 '표출화'라 한다. 또 명시지들을 결합하여 새로운 명시지를 형성하는 것은 '연결화'라 하고, 명시지가 숙련 노력에 의해 암묵지로 전환되는 것은 '내면화'라 한다. 노나카는 이러한 변환 과정이 원활하게 일어나 기업의 지적 역량이 강화되도록 기업의 조직 구조도 혁신되어야 한다고 주장하였다.

ⓐ이러한 주장대로 지식 경영이 실현되기 위해서는 지식 공유 과정에 대한 구성원들의 참여가 전제되어야 한다. 하지만 인간에게 체화된 무형의 지식을 공유하는 것은 쉬운 일이 아니다. 단순한 정보와 유용한 지식을 구분하기도 쉽지 않고, 이를 계량화하여 평가하는 것도 어렵다. 따라서 지식 경영의 성패는 지식의 성격에 대한 정확한 이해에 기초하여 구성원들이 지식 공유와 확산 과정에 자발적으로 참여하도록 하는 방안을 마련하는 것에 달려 있다고 할 수 있다.

원리 이해 ▶ 구체적인 정보를 통해 개념 파악하기

9262-0125

01 '암묵지'와 '명시지'의 개념을 다음과 같이 정리할 때, ㉮, ㉯에 들어갈 말을 쓰시오.

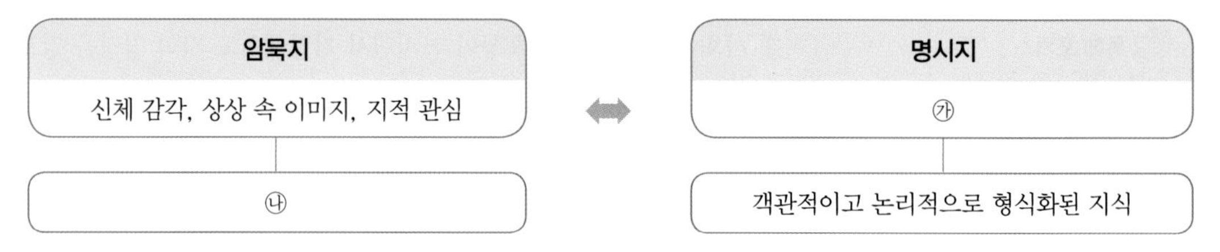

기출 문제 ▶ 지문과 선택지의 사례 대응시키기

9262-0126

02 지식 변환의 사례에 대한 설명으로 가장 적절한 것은?

① A사의 직원이 자사 오토바이 동호회 회원들과 계속 접촉하여 소비자들의 느낌을 포착해 낸 것은 '연결화'의 사례이다.

② B사가 자동차 부품 관련 특허 기술들을 부문별로 재분류하고 이를 결합하여 신기술을 개발한 것은 '표출화'의 사례이다.

③ C사의 직원이 경쟁 기업의 터치스크린 매뉴얼들을 보고 제품을 실제로 반복 사용하여 감각적 지식을 획득한 것은 '내면화'의 사례이다.

④ D사가 교재로 항공기 조종 교육을 실시하고 직원들이 반복적인 시뮬레이션 학습을 통해 조종술에 능숙하게 된 것은 '연결화'의 사례이다.

⑤ E사의 직원이 성공적인 제품 디자인들에 동물 형상이 반영되었음을 감지하고 장수하늘소의 몸체가 연상되는 청소기 디자인을 완성한 것은 '공동화'의 사례이다.

이 문제는!

지문에 여러 개념이 제시되어 있을 때, 개념 간의 차이점에 주목해 각 개념을 정확히 이해한 후, 그 개념을 사례와 정확하게 대응시켜 이해할 수 있는지를 묻는 문제이다. 개념과 사례 간의 대응하는 짝을 정확하게 짚어 선택지의 적절성 여부를 판단해야 한다.

이 문제는!
지문에 제시된 관점(입장)을 파악해 그 관점(입장)에서 〈보기〉에 제시된 문제를 해결하는 데에 적합한 방안을 도출할 수 있는지를 묻는 문제이다. 〈보기〉에 제시된 문제점과 관련 있는 관점(입장)을 파악하고, 그 관점(입장)에서 제시할 수 있는 방안의 적절성 여부를 판단한다.

기출 문제 지문의 정보를 〈보기〉의 사례에 적용하기

9262-0127

03 윗글을 바탕으로 〈보기〉에 나타난 F사의 문제를 해결하기 위해 제시할 만한 방안으로 적절하지 않은 것은?

보기

F사는 회사에 도움이 되는 지식의 산출을 독려하고 이를 체계적인 지식 데이터베이스에 축적하였다. 보고서와 제안서 등의 가시적인 지식의 산출에 대해서는 보상했지만, 경험적 지식이나 창의적 아이디어 같은 무형의 지식에 대한 평가 및 보상 제도는 갖추지 않았다. 그 결과, 유용성이 낮은 제안서가 양산되었고, 가시적인 지식을 산출하지 못하는 직원들의 회사에 대한 애착과 헌신은 감소했으며, 경험 많은 직원들이 퇴직할 때마다 해당 부서의 업무 공백이 발생했다.

① 창의적 아이디어가 문서 형태로 표현되기 어려울 수 있음을 감안하여 다양한 의견 제안 방식을 마련할 필요가 있다.
② 직원들이 회사에서 사용할 논리적이고 형식화된 지식을 제안하도록 권장하고 이를 데이터베이스에 축적할 필요가 있다.
③ 숙련된 직원들의 노하우를 공유할 수 있도록 면대면 훈련 프로그램을 도입하여 집단적 업무 역량을 키울 필요가 있다.
④ 직원들의 체화된 무형의 지식이 보상받을 수 있도록 평가 제도를 개선하여 회사에 대한 직원들의 헌신성을 높일 필요가 있다.
⑤ 직원들 각자가 지닌 업무 경험과 기능을 존중하고 유·무형의 노력과 능력을 평가하기 위한 조직 문화와 동기 부여 시스템을 발전시킬 필요가 있다.

기출 문제+ 주장의 근거 추론하기

9262-0128

04 ⓐ와 같이 말한 이유로 가장 적절한 것은?

① 구성원들이 공유한 암묵지의 양을 계량화하기 어렵기 때문이다.
② 구성원들 간의 명시지 공유가 암묵지 공유보다 수월하기 때문이다.
③ 구성원들에게 유용한 암묵지를 찾는 것이 어려운 일이기 때문이다.
④ 구성원들이 함께 암묵지를 체화하는 데에 오랜 시간이 걸리기 때문이다.
⑤ 구성원들의 참여가 있어야 암묵지의 공유가 이루어질 수 있기 때문이다.

원리 학습 점검 노트

1 2, 3문단에서 사례와의 대응을 통해 '암묵지'의 개념을 이해하고, '암묵지'와 '명시지'의 차이점을 파악했는가?	YES ☐
2 4문단에서 '공동화', '표출화', '연결화', '내면화' 등의 차이점을 중심으로 개념을 이해하고, 이를 02번 문제의 선택지에 제시된 사례와 대응시켜 02번 문제의 정답을 골랐는가?	YES ☐
3 5문단에서 '지식 경영'의 요건에 대해 이해했는가?	YES ☐
4 지문의 정보와 03번 문제 〈보기〉의 사례 간에 대응하는 짝을 짚어 선택지들의 적절성 여부를 판단했는가?	YES ☐

| 2013학년도 대학수학능력시험 |

다음 글을 읽고 물음에 답하시오.

독해 포커스
'이상 기체 상태 방정식'이 '반데르발스 상태 방정식'으로 보정된 것에 대해 설명하고 있다. '이상 기체'와 '실제 기체'의 차이점을 이해하는 것이 중요한 지문인데, 구체적 상황을 제시해 '실제 기체'의 특징에 대한 이해를 돕고 있다. 두 기체 간의 차이점을 토대로 이해한 '실제 기체'의 특징을 구체적 상황에 적용하여 '반데르발스 상태 방정식'이 어떻게 만들어진 것인지를 이해하는 것이 중요한 지문이다.

기체의 온도를 일정하게 하고 부피를 줄이면 압력은 높아진다. 한편 압력을 일정하게 유지할 때 온도를 높이면 부피는 증가한다. 이와 같이 기체의 상태에 영향을 미치는 압력(P), 온도(T), 부피(V)의 상관관계를 1몰*의 기체에 대해 표현하면 $P=\frac{RT}{V}$(R: 기체 상수)가 되는데, 이를 이상 기체 상태 방정식이라 한다. 여기서 ㉠이상 기체란 분자 자체의 부피와 분자 간 상호 작용이 없다고 가정한 기체이다. 이 식은 기체에서 세 변수 사이에 발생하는 상관관계를 간명하게 설명할 수 있다.

하지만 ㉡실제 기체에 이상 기체 상태 방정식을 적용하면 잘 맞지 않는다. 실제 기체에는 분자 자체의 부피와 분자 간의 상호 작용이 존재하기 때문이다. 분자 간의 상호 작용은 인력과 반발력에 의해 발생하는데, 일반적인 기체 상태에서 분자 간 상호 작용은 대부분 분자 간 인력에 의해 일어난다. 온도를 높이면 기체 분자의 운동 에너지가 증가하여 인력의 영향은 줄어든다. 또한 인력은 분자 사이의 거리가 멀어지면 감소하는데, 어느 정도 이상 멀어지면 그 힘은 무시할 수 있을 정도로 약해진다. 하지만 분자들이 거의 맞닿을 정도가 되면 반발력이 급격하게 증가하여 반발력이 인력을 압도하게 된다. 이러한 반발력 때문에 실제 기체의 부피는 압력을 아무리 높이더라도 이상 기체에서 기대했던 것만큼 줄지 않는다.

이제 부피가 V인 용기 안에 들어 있는 1몰의 실제 기체를 생각해 보자. 이때 분자의 자체 부피를 b라 하면 기체 분자가 운동할 수 있는 자유 이동 부피는 이상 기체에 비해 b만큼 줄어든 V−b가 된다. 한편 실제 기체는 분자 사이의 인력에 의한 상호 작용으로 분자들이 서로 끌어당기므로 이상 기체보다 압력이 낮아진다. 이때 줄어드는 압력은 기체 부피의 제곱에 반비례하는데, 이것을 비례 상수 a가 포함된 $\frac{a}{V^2}$로 나타낼 수 있다. 왜냐하면 기체의 부피가 줄면 분자 간 거리도 줄어 인력이 커지기 때문이다. 즉 실제 기체의 압력은 이상 기체에 비해 $\frac{a}{V^2}$만큼 줄게 된다.

이와 같이 실제 기체의 분자 자체 부피와 분자 사이의 인력에 의한 압력 변화를 고려하여 이상 기체 상태 방정식을 보정하면 $P=\frac{RT}{V-b}-\frac{a}{V^2}$가 된다. 이를 반데르발스 상태 방정식이라 하는데, 여기서 매개 변수 a와 b는 기체의 종류마다 다른 값을 가진다. 이 방정식은 실제 기체의 압력, 온도, 부피의 상관관계를 이상 기체 상태 방정식보다 잘 표현할 수 있게 해 주었으며, 반데르발스가 1910년 노벨상을 수상하는 계기가 되었다. 이처럼 자연 현상을 정확하게 표현하기 위해 단순한 모형을 정교한 모형으로 수정해 나가는 것은 과학 연구에서 매우 중요한 절차 중의 하나이다.

*1몰: 기체 분자 6.02×10^{23}개.

원리 이해 대상 간의 차이점 파악하기

9262-0129

01 ㉠, ㉡에 대한 설명으로 적절하지 않은 것은?

① ㉠은 온도가 일정할 때 부피를 줄이면 압력이 높아진다.
② ㉠은 분자 자체의 부피와 분자 간 상호 작용이 없는 가상의 기체이다.
③ ㉡에서 분자 간의 인력은 기체 압력에 영향을 준다.
④ ㉡에서 분자 간 상호 작용 양상은 분자 간의 거리에 영향을 받는다.
⑤ ㉠에서 기체 분자가 운동할 수 있는 자유 이동 부피는 ㉡에서보다 작다.

이 문제는!
지문에 제시된 원리 · 방법, 과정에 관한 정보를 그래프에 대응시켜 선택지의 적절성 여부를 판단할 수 있는지를 묻는 문제이다. 그래프의 내용 요소와 대응하는 지문의 내용 요소를 파악해, 그 내용을 토대로 선택지의 적절성 여부를 판단할 수 있어야 한다.

기출 문제 지문의 정보를 〈보기〉의 시각 자료에 대응시키기

9262-0130

02 윗글을 바탕으로 〈보기〉에 대해 탐구할 때, 적절한 것은?

보기

종류가 다른 실제 기체 A, B와 이상 기체 C 각 1몰에 대해, 같은 온도에서의 부피와 압력 사이의 관계를 그래프로 나타내었다.

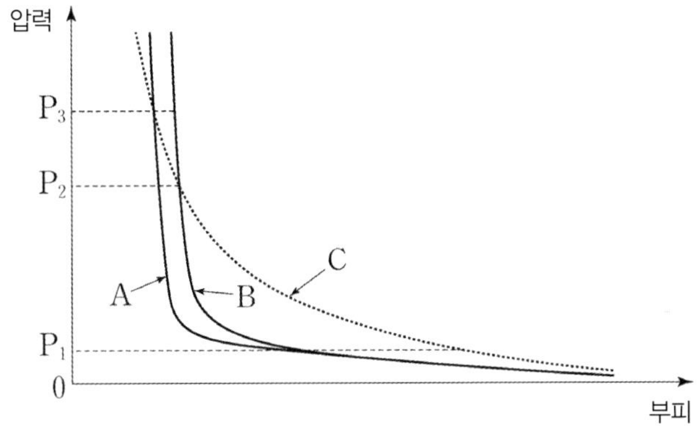

압력
P_3
P_2
P_1
0
A
B
C
부피

① 압력이 P_1에서 0에 가까워질수록 A와 B 모두 분자 간 상호 작용이 증가되고 있음을 알 수 있군.
② 압력이 P_1과 P_2 사이일 때, A가 B에 비해 반발력보다 인력의 영향을 더 크게 받는다고 볼 수 있군.
③ 압력이 P_2와 P_3 사이일 때, A와 B 모두 반발력보다 인력의 영향을 더 크게 받는다고 볼 수 있군.
④ 압력이 P_3보다 높을 때, A가 B에 비해 인력보다 반발력의 영향을 더 크게 받는다고 볼 수 있군.
⑤ 압력을 P_3 이상에서 계속 높이면 A, B, C 모두 부피가 0이 되겠군.

원리 학습 점검 노트

1 1, 2문단에서 대비되는 짝을 짚어 '이상 기체'와 '실제 기체'의 차이점을 파악했는가?	YES ☐
2 2문단에서 '실제 기체'의 특징을 이해한 후, 이를 토대로 3문단에서 구체적인 상황을 통해 '실제 기체'와 '이상 기체'의 차이점을 이해했는가?	YES ☐
3 지문에서 이해한 '이상 기체'와 '실제 기체'의 차이점에 관한 정보를 02번 문제의 그래프에 대응시켜 선택지들의 적절성 여부를 판단했는가?	YES ☐

원리 다지기

2부

독해 원리로 여는

독서

01 원리로 인문 독해
02 원리로 예술 독해
03 원리로 사회 독해
04 원리로 과학 독해
05 원리로 기술 독해

01 원리로 인문 독해

1 인문 분야 _ 글의 특성

- 주로 역사, 철학, 윤리학, 심리학, 언어학 분야에 관한 글이 출제되고 있으며, 간혹 문학과 관련된 글도 출제되고 있다.
- 인문 분야의 글은 인간의 다양한 사유나 가치관, 경험, 이론 등을 대상으로 하여 그 의미나 가치를 밝히는 경우가 많다. 이 과정에서 글쓴이, 철학가, 사상가 등의 관점(입장)이 드러나는 글들이 많다.
- 형이상학적이고 철학적인 성격의 서술 대상을 낯선 용어를 사용해 설명하거나 철학가, 사상가 등의 견해 · 주장을 제시하는 경우가 많다.
- 추상적이거나 관념적인 말들을 사용해 논지를 전개하는 경우, 구체적 사례를 들어 그에 대한 이해를 돕는 경우가 많다.
- 통시적 관점에서 이론이나 개념의 변화 과정을 설명하는 글이 가끔씩 출제되고 있다.
- 개념이나 견해 · 주장을 대비의 방식을 사용해 설명하는 글이 자주 출제되고 있다.

2 인문 분야 _ 글을 읽는 방법

- 특정 관점이 제시되어 있는 경우, 그 관점이 무엇인지 명료하게 파악하고, 관점을 뒷받침하는 근거와 논리를 함께 이해해야 한다. 인문 제재에서 글에 제시되어 있는 관점(입장)은 반드시 출제 요소가 된다는 사실에 유념해 독해를 해야 한다.
- 낯선 용어의 개념이나 견해 · 주장을 제시한 핵심 어구를 짚고, 글의 맥락 속에서 핵심 어구들과 대응하는 짝을 찾아 그 내용을 이해해야 한다. 이때 논리적으로 깊이 있는 사고를 통해 꼼꼼하게 개념과 견해 · 주장을 이해해야 한다.
- 추상적이거나 관념적인 말들에 대응하는 내용 요소를 구체적 사례에서 찾아 추상적이거나 관념적인 말들의 의미를 정확하게 이해해야 한다. 구체적 사례를 들어 그 의미를 이해할 수 있게 설명하는 추상어나 관념어들은 반드시 출제 요소가 된다는 사실에 유의해야 한다.
- 시기에 따라 이론이나 개념이 어떻게 변화되어 왔는지를 설명하는 글은 변화의 단계를 나누고 각 단계의 특징적인 내용을 파악해야 한다. 특히 단계 간의 차이점을 보여 주는 말들에 주목해야 한다.
- 여러 개념이나 견해 · 주장을 대비하고 있는 경우, 그것들 간의 공통점이나 차이점이 반드시 출제 요소가 된다. 특히 차이점이 중요하므로, 차이점을 나타내는 어구들에 주목해 그 내용을 정확하게 이해해야 한다.

정답과 해설 25쪽

| 2018학년도 대학수학능력시험 |

Note

다음 글을 읽고 물음에 답하시오.

(가) 자연에서 발생하는 모든 일은 목적 지향적인가? 자기 몸통보다 더 큰 나뭇가지나 잎사귀를 허둥대며 운반하는 개미들은 분명히 목적을 가진 듯이 보인다. 그런데 가을에 지는 낙엽이나 한밤 중에 쏟아지는 우박도 목적을 가질까? 아리스토텔레스는 모든 자연물이 목적을 추구하는 본성을 타고나며, 외적 원인이 아니라 내재적 본성에 따른 운동을 한다는 목적론을 제시한다. 그는 자연물이 단순히 목적을 갖는 데 그치는 것이 아니라 목적을 실현할 능력도 타고나며, 그 목적은 방해받지 않는 한 반드시 실현될 것이고, 그 본성적 목적의 실현은 운동 주체에 항상 바람직한 결과를 가져온다고 믿는다. 아리스토텔레스는 이러한 자신의 견해를 "자연은 헛된 일을 하지 않는다!"라는 말로 요약한다.

(나) 근대에 접어들어 모든 사물이 생명력을 갖지 않는 일종의 기계라는 견해가 강조되면서, 아리스토텔레스의 목적론은 비과학적이라는 이유로 많은 비판에 직면한다. 갈릴레이는 목적론적 설명이 과학적 설명으로 사용될 수 없다고 주장하며, 베이컨은 목적에 대한 탐구가 과학에 무익하다고 평가하고, 스피노자는 목적론이 자연에 대한 이해를 왜곡한다고 비판한다. 이들의 비판은 목적론이 인간 이외의 자연물도 이성을 갖는 것으로 의인화한다는 것이다. 그러나 이런 비판과는 달리 아리스토텔레스는 자연물을 생물과 무생물로, 생물을 식물 · 동물 · 인간으로 나누고, 인간만이 이성을 지닌다고 생각했다.

(다) 일부 현대 학자들은, 근대 사상가들이 당시 과학에 기초한 기계론적 모형이 더 설득력을 갖는다는 일종의 교조적 믿음에 의존했을 뿐, 아리스토텔레스의 목적론을 거부할 충분한 근거를 제시하지 못했다고 비판한다. 이런 맥락에서 볼로틴은 근대 과학이 자연에 목적이 없음을 보이지도 못했고 그렇게 하려는 시도조차 하지 않았다고 지적한다. 또한 우드필드는 목적론적 설명이 과학적 설명은 아니지만, 목적론의 옳고 그름을 확인할 수 없기 때문에 목적론이 거짓이라 할 수도 없다고 지적한다.

(라) 17세기의 과학은 실험을 통해 과학적 설명의 참 · 거짓을 확인할 것을 요구했고, 그런 경향은 생명체를 비롯한 세상의 모든 것이 물질로만 구성된다는 물질론으로 이어졌으며, 물질론 가운데 일부는 모든 생물학적 과정이 물리 · 화학 법칙으로 설명된다는 환원론으로 이어졌다. 이런 환원론은 살아 있는 생명체가 죽은 물질과 다르지 않음을 함축한다. 하지만 아리스토텔레스는 자연물의 물질적 구성 요소를 알면 그것의 본성을 모두 설명할 수 있다는 엠페도클레스의 견해를 반박했다. 이 반박은 자연물이 단순히 물질로만 이루어진 것이 아니며, 또한 그것의 본성이 단순히 물리 · 화학적으로 환원되지도 않는다는 주장을 내포한다.

(마) 첨단 과학의 발전에도 불구하고 생명체의 존재 원리와 이유를 정확히 규명하는 과제는 아직 진행 중이다. 자연물의 구성 요소에 대한 아리스토텔레스의 탐구는 자연물이 존재하고 운동하는 원리와 이유를 밝히려는 것이었고, 그의 목적론은 지금까지 이어지는 그러한 탐구의 출발점이라 할 수 있다.

원리로 읽기

관련 문제 Link

1 이 글의 중심 화제는?

아리스토텔레스의 (❶)

01 핵심 정보 찾기

2 문단별 중심 내용 찾기

가: 모든 자연물은 (❷)을 추구하는 본성을 지니고 있다는 아리스토텔레스의 견해
나: 아리스토텔레스의 목적론에 대한 (❸) 사상가들의 비판
다: 근대 사상가들의 견해에 대한 일부 현대 학자들의 비판
라: 17세기 과학의 물질론, 환원론과 다른 입장을 지닌 아리스토텔레스의 목적론
마: 자연물에 대한 탐구와 관련한 아리스토텔레스의 목적론이 지닌 의의

3 아리스토텔레스의 목적론에 대한 논의

02 관점(입장)을 따지며 내용 이해하기

아리스토텔레스의 목적론	← 비판	근대 사상가들	← 비판	일부 현대 학자들
		기계론적 모형에 대한 믿음을 바탕으로 목적론은 (❹)이라고 생각함.		목적론을 거부할 충분한 (❺)가 없으며, 옳고 그름을 확인할 수 없음.

9262-0131

01 윗글에 나타난 아리스토텔레스의 견해에 대한 이해로 가장 적절한 것은?

① 개미의 본성적 운동은 이성에 의한 것으로 설명된다.
② 자연물의 목적 실현은 때로는 그 자연물에 해가 된다.
③ 본성적 운동의 주체는 본성을 실현할 능력을 갖고 있다.
④ 낙엽의 운동은 본성적 목적 개념으로는 설명되지 않는다.
⑤ 자연물의 본성적 운동은 외적 원인에 의해 야기되기도 한다.

9262-0132

02 윗글에 나타난 목적론에 대한 논의를 적절하게 진술한 것은?

① 갈릴레이와 볼로틴은 목적론이 근대 과학에 기초한 기계론적 모형이라고 비판한다.
② 갈릴레이와 우드필드는 목적론적 설명이 과학적 설명이 아니라는 데 동의한다.
③ 베이컨과 우드필드는 목적론적 설명이 교조적 신념에 의존했다고 비판한다.
④ 스피노자와 볼로틴은 목적론이 자연에 대한 이해를 확장한다고 주장한다.
⑤ 스피노자와 우드필드는 목적론이 사물을 의인화하기 때문에 거짓이라고 주장한다.

9262-0133

03 윗글을 바탕으로 〈보기〉를 이해한 내용으로 가장 적절한 것은?

보기

생물학자 마이어는 생명체의 특징을 보여 주는 이론으로 창발론을 제시한다. 그는 생명체가 분자, 세포, 조직에서 개체, 개체군에 이르기까지 단계적으로 점점 더 복잡한 체계를 구성하며, 세포 이상의 단계에서 각 체계의 고유 활동은 미리 정해진 목적을 수행한다고 생각한다. 창발론은 복잡성의 수준이 한 단계씩 오를 때마다 구성 요소에 관한 지식만으로는 예측할 수 없는 특성들이 나타난다는 이론이다. 마이어는 여전히 생명체가 물질만으로 구성된다고 보지만, 물리 · 화학적 법칙으로 모두 설명되지는 않는다고 본다.

① 마이어는 아리스토텔레스처럼, 엠페도클레스의 물질론적 견해가 적절하다고 보겠군.
② 마이어는 아리스토텔레스처럼, 자연물이 물질만으로 구성된다는 물질론에 동의하겠군.
③ 마이어는 아리스토텔레스처럼, 생명체의 특성들은 구성 요소들에 관한 지식만으로 예측할 수 없다고 보겠군.
④ 마이어는 아리스토텔레스와 달리, 모든 자연물이 목적 지향적으로 운동한다고 보겠군.
⑤ 마이어는 아리스토텔레스와 달리, 모든 자연물의 본성에 대한 물리 · 화학적 환원을 인정하겠군.

문제 풀이 비법 노트

아리스토텔레스의 목적론을 비판한 근대 사상가들의 견해를 확인한다.

↓

근대 사상가들을 비판한 일부 현대 학자들의 견해를 확인한다.

↓

근대 사상가들과 일부 현대 학자들의 견해를 비교해 본다.

02

이 문항은 중심 화제와 관련한 다양한 관점을 비교하는 문항이다. 아리스토텔레스의 목적론에 대한 비판적 견해를 드러낸 근대 사상가들의 생각과, 이러한 근대 사상가들의 생각을 비판한 일부 현대 학자들의 견해를 확인하고 이들의 공통점과 차이점을 바탕으로 선택지 진술이 합당한 것인지 따져 보아야 한다.

원리로 다시 읽기

㉮ 자연에서 발생하는 모든 일은 목적 지향적인가? 자기 몸통보다 더 큰 나뭇가지나 잎사귀를 허둥대며 운반하는 개미들은 분명히 목적을 가진 듯이 보인다. 그런데 가을에 지는 낙엽이나 한밤 중에 쏟아지는 우박도 목적을 가질까? 아리스토텔레스는 모든 자연물이 목적을 추구하는 본성을 타고나며, 외적 원인이 아니라 내재적 본성에 따른 운동을 한다는 목적론을 제시한다. 그는 자연물이 단순히 목적을 갖는 데 그치는 것이 아니라 목적을 실현할 능력도 타고나며, 그 목적은 방해받지 않는 한 반드시 실현될 것이고, 그 본성적 목적의 실현은 운동 주체에 항상 바람직한 결과를 가져온다고 믿는다. 아리스토텔레스는 이러한 자신의 견해를 "자연은 헛된 일을 하지 않는다!"라는 말로 요약한다.

㉯ 근대에 접어들어 모든 사물이 생명력을 갖지 않는 일종의 기계라는 견해가 강조되면서, 아리스토텔레스의 목적론은 비과학적이라는 이유로 많은 비판에 직면한다. 갈릴레이는 목적론적 설명이 과학적 설명으로 사용될 수 없다고 주장하며, 베이컨은 목적에 대한 탐구가 과학에 무익하다고 평가하고, 스피노자는 목적론이 자연에 대한 이해를 왜곡한다고 비판한다. 이들의 비판은 목적론이 인간 이외의 자연물도 이성을 갖는 것으로 의인화한다는 것이다. 그러나 이런 비판과는 달리 아리스토텔레스는 자연물을 생물과 무생물로, 생물을 식물 · 동물 · 인간으로 나누고, 인간만이 이성을 지닌다고 생각했다.

㉰ 일부 현대 학자들은, 근대 사상가들이 당시 과학에 기초한 기계론적 모형이 더 설득력을 갖는다는 일종의 교조적 믿음에 의존했을 뿐, 아리스토텔레스의 목적론을 거부할 충분한 근거를 제시하지 못했다고 비판한다. 이런 맥락에서 볼로틴은 근대 과학이 자연에 목적이 없음을 보이지도 못했고 그렇게 하려는 시도조차 하지 않았다고 지적한다. 또한 우드필드는 목적론적 설명이 과학적 설명은 아니지만, 목적론의 옳고 그름을 확인할 수 없기 때문에 목적론이 거짓이라 할 수도 없다고 지적한다.

㉱ 17세기의 과학은 실험을 통해 과학적 설명의 참 · 거짓을 확인할 것을 요구했고, 그런 경향은 생명체를 비롯한 세상의 모든 것이 물질로만 구성된다는 물질론으로 이어졌으며, 물질론 가운데 일부는 모든 생물학적 과정이 물리 · 화학 법칙으로 설명된다는 환원론으로 이어졌다. 이런 환원론은 살아 있는 생명체가 죽은 물질과 다르지 않음을 함축한다. 하지만 아리스토텔레스는 자연물의 물질적 구성 요소를 알면 그것의 본성을 모두 설명할 수 있다는 엠페도클레스의 견해를 반박했다. 이 반박은 자연물이 단순히 물질로만 이루어진 것이 아니며, 또한 그것의 본성이 단순히 물리 · 화학적으로 환원되지도 않는다는 주장을 내포한다.

㉲ 첨단 과학의 발전에도 불구하고 생명체의 존재 원리와 이유를 정확히 규명하는 과제는 아직 진행 중이다. 자연물의 구성 요소에 대한 아리스토텔레스의 탐구는 자연물이 존재하고 운동하는 원리와 이유를 밝히려는 것이었고, 그의 목적론은 지금까지 이어지는 그러한 탐구의 출발점이라 할 수 있다.

1 이 글의 중심 화제는?

아리스토텔레스의 (❶ 목적론)

2 문단별 중심 내용 찾기

㉮: 모든 자연물은 (❷ 목적)을 추구하는 본성을 지니고 있다는 아리스토텔레스의 견해

㉯: 아리스토텔레스의 목적론에 대한 (❸ 근대) 사상가들의 비판

㉰: 근대 사상가들의 견해에 대한 일부 현대 학자들의 비판

㉱: 17세기 과학의 물질론, 환원론과 다른 입장을 지닌 아리스토텔레스의 목적론

㉲: 자연물에 대한 탐구와 관련한 아리스토텔레스의 목적론이 지닌 의의

3 아리스토텔레스의 목적론에 대한 논의

아리스토텔레스의 목적론

↑ 비판

근대 사상가들

기계론적 모형에 대한 믿음을 바탕으로 목적론은 (❹ 비과학적)이라고 생각함.

↑ 비판

일부 현대 학자들

목적론을 거부할 충분한 (❺ 근거)가 없으며, 옳고 그름을 확인할 수 없음.

정답과 해설 26쪽

| 2015학년도 9월 모의평가 B형 |

Note

다음 글을 읽고 물음에 답하시오.

가 전국 시대(戰國時代)*의 사상계*가 양주(楊朱)와 묵적(墨翟)의 사상에 경도되어 유학의 영향력이 약화되고 있다고 판단한 맹자(孟子)는 유학의 수호자를 자임하면서 공자(孔子)의 사상을 계승하는 한편, 다른 학파의 사상적 도전에 맞서 유학 사상의 이론화 작업을 전개하였다. 그는 공자의 춘추 시대(春秋時代)에 비해 사회 혼란이 가중되는 시대적 환경 속에서 사회 안정을 위해 특히 '의(義)'의 중요성을 강조하였다.

나 맹자가 강조한 '의'는 공자가 제시한 '의'에 대한 견해를 강화한 것이었다. 공자는 사회 혼란을 치유하는 방법을 '인(仁)'의 실천에서 찾고, '인'의 실현에 필요한 객관 규범으로서 '의'를 제시하였다. 공자가 '인'을 강조한 이유는 자연스러운 도덕 감정인 '인'을 사회 전체로 확산했을 때 비로소 사회가 안정될 것이라고 보았기 때문이다. 이때 공자는 '의'를 '인'의 실천에 필요한 합리적 기준으로서 '정당함'을 의미한다고 보았다.

다 맹자는 공자와 마찬가지로 혈연관계에서 자연스럽게 드러나는 도덕 감정인 '인'의 확산이 필요함을 강조하면서도, '의'의 의미를 확장하여 '의'를 '인'과 대등한 지위로 격상하였다. 그는 부모에게 효도하는 것은 '인'이고, 형을 공경하는 것은 '의'라고 하여 '의'를 가족 성원 간에도 지켜야 할 규범이라고 규정하였다. 그리고 나의 형을 공경하는 것에서 시작하여 남의 어른을 공경하는 것으로 나아가는 유비적 확장을 통해 '의'를 사회 일반의 행위 규범으로 정립하였다. 나아가 그는 '의'를 개인의 완성 및 개인과 사회의 조화를 위해 필수적인 행위 규범으로 설정하였고, 사회 구성원으로서 개인은 '의'를 실천하여 사회 질서 수립과 안정에 기여해야 한다고 주장하였다.

라 또한 맹자는 '의'가 이익의 추구와 구분되어야 한다고 주장하였다. 이러한 입장에서 그는 사적인 욕망으로부터 비롯된 이익의 추구는 개인적으로는 '의'의 실천을 가로막고, 사회적으로는 혼란을 야기한다고 보았다. 특히 작은 이익이건 천하의 큰 이익이건 '의'에 앞서 이익을 내세우면 천하는 필연적으로 상하 질서의 문란이 초래될 것이라고 역설하였다. 그래서 그는 사회 안정을 위해 사적인 욕망과 결부된 이익의 추구는 '의'에서 배제되어야 한다고 주장하였다.

마 맹자는 '의'의 실현을 위해 인간에게 도덕적 행위를 할 수 있는 근거와 능력이 있음을 밝히는 데에도 관심을 기울였다. 그는 인간이라면 누구나 도덕 행위를 할 수 있는 선한 마음이 선천적으로 내면에 갖춰져 있다는 일종의 ㉠도덕 내재주의를 주장하였다. 그는, 인간은 자기의 행동이 옳지 못함을 부끄러워하고 남이 착하지 못함을 미워하는 마음을 본래 가지고 있는데, 이러한 마음이 의롭지 못한 행위를 하지 않도록 막아 주는 동기로 작용한다고 보았다. 아울러 그는 어떤 것이 옳고 그른 것인지 판단할 수 있는 능력도 모든 인간의 마음에 갖춰져 있다고 하여 '의'를 실천할 수 있는 도덕적 역량이 내재화되어 있음을 제시하였다.

바 맹자는 '의'의 실천을 위한 근거와 능력이 인간에게 갖추어져 있음을 제시한 바탕 위에서, 이 도덕적 마음을 현실에서 실천하는 노력이 필요하다고 역설하였다. 그는 본래 갖추고 있는 선한 마음의 확충과 더불어 욕망의 절제가 필요하다고 보았으며, 특히 생활에서 마주하는 사소한 일에서도 '의'를 실천해야 함을 강조하였다. 나아가 그는 목숨과 '의'를 함께 얻을 수 없다면 "목숨을 버리고 의를 취한다."라고 주장하여 '의'를 목숨을 버리더라도 실천해야 할 가치로 부각하였다.

어휘풀이

*전국 시대 중국 역사에서, 춘추 시대 다음의 기원전 403년부터 진나라가 중국을 통일한 기원전 221년까지 약 200년간의 과도기. 여러 제후국이 패권을 다투었던 동란기로 '전국 칠웅'이라는 일곱 개의 제후국이 세력을 다투었으며, 제자백가와 같이 학문의 중흥기를 이루었고, 토지의 사유제와 함께 농사 기술의 발달 따위로 화폐가 유통되기도 하였다.

*사상계 사상이나 사상 활동에 관련된 단체나 개인의 활동 분야. 학술이나 종교 따위에 관계된 세계를 이른다.

원리로 읽기

관련 문제 Link

1 이 글의 중심 화제는?

맹자의 '(❶)' 사상

2 문단별 중심 내용 찾기

02 핵심 정보 찾기

가: 전국 시대 유학의 수호자로서 '의'를 강조한 맹자
나: 공자의 '의'를 강화한 맹자의 '의' 사상
다: (❷) 의미가 더욱 강화되고 확장된 맹자의 '의' 사상
라: '의'에 대한 맹자의 핵심 견해 1 – 사적인 (❸)의 추구와 구분되는 개념
마: '의'에 대한 맹자의 핵심 견해 2 – '의'를 실천하는 능력이 (❹)에게 내재되어 있음.
바: '의'의 실천을 강조한 맹자

3 서술 방식 파악하기

01 글의 구조와 내용 전개 방식 파악하기

이 글은 맹자의 '의' 사상에 대한 (❺)를 전달하는 글로, 맹자의 '의' 사상과 관련한 다양한 정보를 (❻)하고 있다. 특히 맹자의 '의'를 설명하기 위해 '의'에 대한 공자의 견해를 먼저 제시하고, 공통점과 확장된 의미를 밝혀 맹자의 '의' 사상을 효과적으로 설명하였다. 그리고 '의'와 관련한 맹자의 핵심적인 견해들을 제시하며 맹자의 '의' 사상에 대한 핵심적인 정보들을 전달하고 있다.

9262-0134

01 윗글에 대한 설명으로 가장 적절한 것은?

① 맹자의 '의' 사상에 대한 사회적 통념을 비판하고 있다.
② 맹자의 '의' 사상이 가지는 한계에 대해 분석하고 있다.
③ 맹자의 '의' 사상에 대한 상반된 관점들을 비교하고 있다.
④ 맹자의 '의' 사상이 가지는 현대적 의의를 재조명하고 있다.
⑤ 맹자의 '의' 사상의 형성 배경과 내용에 대해 설명하고 있다.

춘추 전국 시대
서방의 유목민인 견융이 호경을 공략한 이듬해에 주가 수도를 동쪽의 낙양으로 옮기고 난 뒤부터 진(晉)이 한·위·조로 분열할 때(기원전 403년)까지를 춘추 시대라고 하며, 그 뒤 진(秦)이 중국을 통일하기까지를 전국 시대라고 한다. 주 왕실이 명목상의 권위를 유지하고 있던 춘추 시대에는 오패(五覇)가 나타났으며, 다음의 전국 시대에는 칠웅(七雄)이라 불리는 강국들이 힘을 겨루었다. 이 사이에 주의 봉건 제도가 해체되었으며, 새로운 질서 형성의 길을 찾아 사상계가 활발한 움직임을 보였다.

9262-0135

02 윗글의 '맹자'에 대한 이해로 적절하지 않은 것은?

① 일상생활에서 '의'를 실천하는 것이 중요하다고 보았다.
② '의'의 실천은 목숨을 바칠 만큼 가치가 있다고 보았다.
③ 가정 내에서 '인'과 더불어 '의'도 실천해야 한다고 보았다.
④ '의'의 의미 확장보다는 '인'의 확산이 더 필요하다고 보았다.
⑤ 사회 규범으로서 '의'는 '인'과 대등한 지위를 지닌다고 보았다.

9262-0136

03 ㉠에 해당하는 것으로 가장 적절한 것은?

① 세상의 올바른 이치가 모두 나의 마음속에 갖추어져 있으니, 수양을 통해 이것을 깨달으면 이보다 큰 즐거움은 없다.

② 바른 도리를 행하려면 분별이 있어야 하니, 분별에는 직분이 중요하고, 직분에는 사회에서 통용되는 예의가 중요하다.

③ 인간이 지켜야 할 도덕은 지혜와 덕이 매우 뛰어난 성인들이 만든 것이지 인간의 성품으로부터 생겨난 것이 아니다.

④ 군자에게 용기만 있고 의로움이 없으면 어지러움을 일으키게 되고, 소인에게 용기만 있고 의로움이 없으면 남의 것을 훔치게 된다.

⑤ 저 사람이 어른이기 때문에 내가 그를 어른으로 대우하는 것이지, 나에게 어른으로 대우하고자 하는 마음이 원래부터 있어서 그런 것이 아니다.

9262-0137

04 윗글의 '맹자'와 〈보기〉의 '묵적'을 이해한 내용으로 적절하지 않은 것은?

보기

'묵적'은 인간이 이기적인 존재이기 때문에 자기 자신과 자기 집단만의 이익을 추구하여 개인 간의 갈등과 사회의 혼란이 생긴다고 보았다. 그는 '의'를 개인과 사회 전체의 이익을 충족하는 것으로 보아, '의'를 통해 이러한 개인과 사회의 혼란을 해결할 수 있다고 하였다. 모든 사람을 차별 없이 똑같이 서로 사랑하면 '의'가 실현되어 사회의 혼란이 해소될 것이라고 본 것이다. 아울러 그는 이러한 '의'의 실현이 만물을 주재하는 하늘의 뜻이라고 하여 '의'를 실천해야 할 당위성을 강조하였다.

① '맹자'와 '묵적'은 모두 '의'라는 개념을 사용하지만, 그 의미를 다르게 보았다.

② '맹자'는 '의'와 이익이 밀접하게 관련된다고 보았고, '묵적'은 '의'와 이익을 명확히 구분되는 것으로 보았다.

③ '맹자'는 이익의 추구를 사회 혼란의 원인이라고 보았고, '묵적'은 이익의 충족을 통해 사회 혼란을 해결할 수 있다고 보았다.

④ '맹자'는 인간의 잘못에 대한 수치심을 '의'를 실천하게 하는 동기로 보았고, '묵적'은 '의'의 실천을 하늘의 뜻에 따르는 것으로 보았다.

⑤ '맹자'는 '의'의 실천이 개인과 사회의 조화를 위해 필요하다고 보았고, '묵적'은 '의'의 실천이 개인과 사회의 이익을 충족하는 데 필요하다고 보았다.

묵적

변화와 혼란으로 요약되는 춘추 시대의 근본적인 사회적 위기를 해결하기 위해 민중의 입장을 대변하던 사상가이다. 흔히 묵적의 사상은 공자(孔子)의 사상에 대한 반발로 이해된다. 공자가 사회적 혼란을 주나라의 '예의' 제도를 따름으로써 극복하려고 하였던 반면, 묵적은 모든 구성원들 상호 간의 사랑인 겸상애(兼相愛)와, 아울러 상호 간의 물질적 이익 증대를 뜻하는 교상리(交相利)를 통해서 사회적 혼란을 바로잡을 수 있다고 보았다.

문제풀이 비법노트

맹자의 '의' 사상이 중심 화제임을 파악한다.
↓
맹자의 '의' 사상에 대한 세부 정보를 이해한다.
↓
글의 내용과 선택지의 내용을 비교하며 선택지의 적절성을 판별한다.

02

글의 중심 화제나 주요 서술 대상은 구체적인 정보를 확인하거나 일치 관계를 따지는 문항으로 자주 출제된다. 따라서 이 글에서는 맹자의 '의' 사상이 중심 화제임을 파악하고, 이와 관련하여 공자의 '의' 사상과는 어떤 차이가 있으며, '의'에 대한 맹자의 핵심적인 견해는 무엇인지 세부 정보를 정확히 파악하며 읽어야 한다.

원리로 다시 읽기

가 전국 시대(戰國時代)의 사상계가 양주(楊朱)와 묵적(墨翟)의 사상에 경도되어 유학의 영향력이 약화되고 있다고 판단한 맹자(孟子)는 유학의 수호자를 자임하면서 공자(孔子)의 사상을 계승하는 한편, 다른 학파의 사상적 도전에 맞서 유학 사상의 이론화 작업을 전개하였다. 그는 공자의 춘추 시대(春秋時代)에 비해 사회 혼란이 가중되는 시대적 환경 속에서 사회 안정을 위해 특히 '의(義)'의 중요성을 강조하였다.

나 ❶**맹자가 강조한 '의'는 공자가 제시한 '의'에 대한 견해를 강화한 것이었다.** 공자는 사회 혼란을 치유하는 방법을 '인(仁)'의 실천에서 찾고, '인'의 실현에 필요한 객관 규범으로서 '의'를 제시하였다. 공자가 '인'을 강조한 이유는 자연스러운 도덕 감정인 '인'을 사회 전체로 확산했을 때 비로소 사회가 안정될 것이라고 보았기 때문이다. 이때 공자는 '의'를 '인'의 실천에 필요한 합리적 기준으로서 '정당함'을 의미한다고 보았다.

다 맹자는 공자와 마찬가지로 혈연관계에서 자연스럽게 드러나는 도덕 감정인 '인'의 확산이 필요함을 강조하면서도, '의'의 의미를 확장하여 '의'를 '인'과 대등한 지위로 격상하였다. 그는 부모에게 효도하는 것은 '인'이고, 형을 공경하는 것은 '의'라고 하여 '의'를 가족 성원 간에도 지켜야 할 규범이라고 규정하였다. 그리고 나의 형을 공경하는 것에서 시작하여 남의 어른을 공경하는 것으로 나아가는 유비적 확장을 통해 '의'를 사회 일반의 행위 규범으로 정립하였다. 나아가 ❷**그는 '의'를 개인의 완성 및 개인과 사회의 조화를 위해 필수적인 행위 규범으로 설정하였고, 사회 구성원으로서 개인은 '의'를 실천하여 사회 질서 수립과 안정에 기여해야 한다고 주장하였다.**

라 또한 ❸**맹자는 '의'가 이익의 추구와 구분되어야 한다고 주장하였다.** 이러한 입장에서 그는 사적인 욕망으로부터 비롯된 이익의 추구는 개인적으로는 '의'의 실천을 가로막고, 사회적으로는 혼란을 야기한다고 보았다. 특히 작은 이익이건 천하의 큰 이익이건 '의'에 앞서 이익을 내세우면 천하는 필연적으로 상하 질서의 문란이 초래될 것이라고 역설하였다. 그래서 그는 사회 안정을 위해 사적인 욕망과 결부된 이익의 추구는 '의'에서 배제되어야 한다고 주장하였다.

마 ❹**맹자는 '의'의 실현을 위해 인간에게 도덕적 행위를 할 수 있는 근거와 능력이 있음을 밝히는 데에도 관심을 기울였다.** 그는 인간이라면 누구나 도덕 행위를 할 수 있는 선한 마음이 선천적으로 내면에 갖춰져 있다는 일종의 도덕 내재주의를 주장하였다. 그는, 인간은 자기의 행동이 옳지 못함을 부끄러워하고 남이 착하지 못함을 미워하는 마음을 본래 가지고 있는데, 이러한 마음이 의롭지 못한 행위를 하지 않도록 막아 주는 동기로 작용한다고 보았다. 아울러 그는 어떤 것이 옳고 그른 것인지 판단할 수 있는 능력도 모든 인간의 마음에 갖춰져 있다고 하여 '의'를 실천할 수 있는 도덕적 역량이 내재화되어 있음을 제시하였다.

바 ❺**맹자는 '의'의 실천을 위한 근거와 능력이 인간에게 갖추어져 있음을 제시한 바탕 위에서, 이 도덕적 마음을 현실에서 실천하는 노력이 필요하다고 역설하였다.** 그는 본래 갖추고 있는 선한 마음의 확충과 더불어 욕망의 절제가 필요하다고 보았으며, 특히 생활에서 마주하는 사소한 일에서도 '의'를 실천해야 함을 강조하였다. 나아가 그는 목숨과 '의'를 함께 얻을 수 없다면 "목숨을 버리고 의를 취한다."라고 주장하여 '의'를 목숨을 버리더라도 실천해야 할 가치로 부각하였다.

1 이 글의 중심 화제는?

맹자의 (❶ '의') 사상

2 문단별 중심 내용 찾기

가: 전국 시대 유학의 수호자로서 '의'를 강조한 맹자

나: 공자의 '의'를 강화한 맹자의 '의' 사상

다: (❷ 사회적) 의미가 더욱 강화되고 확장된 맹자의 '의' 사상

라: '의'에 대한 맹자의 핵심 견해 1 – 사적인 (❸ 이익)의 추구와 구분되는 개념

마: '의'에 대한 맹자의 핵심 견해 2 – '의'를 실천하는 능력이 (❹ 인간)에게 내재되어 있음.

바: '의'의 실천을 강조한 맹자

3 서술 방식 파악하기

이 글은 맹자의 '의' 사상에 대한 (❺ 정보)를 전달하는 글로, 맹자의 '의' 사상과 관련한 다양한 정보를 (❻ 상술)하고 있다. 특히 맹자의 '의'를 설명하기 위해 '의'에 대한 공자의 견해를 먼저 제시하고, 공통점과 확장된 의미를 밝혀 맹자의 '의' 사상을 효과적으로 설명하였다. 그리고 '의'와 관련한 맹자의 핵심적인 견해들을 제시하며 맹자의 '의' 사상에 대한 핵심적인 정보들을 전달하고 있다.

❶은 이 글의 중심 화제로 글쓴이가 설명하고자 하는 핵심 대상이라고 할 수 있다. 그리고 ❷, ❸, ❹, ❺는 중심 화제인 ❶과 관련한 핵심 정보에 해당한다. 이처럼 한 편의 글에는 중심 화제와 관련한 다양한 정보들이 제시되므로 그 내용을 정확히 파악하며 글을 읽어야 한다.

| 2014학년도 대학수학능력시험 B형 |

다음 글을 읽고 물음에 답하시오.

Note

(가) 정신적 사건과 물질적 사건은 구분된다고 생각하는 것이 우리의 상식이다. 이러한 상식에 따르면 인간의 정신적 사건과 육체적 사건도 구분되는 것으로 보게 된다. 하지만 정신적 사건과 육체적 사건이 서로 긴밀히 연결되어 있다고 보는 것 또한 우리의 상식이다. 위가 텅 비어 있으면 정신적인 고통을 느끼는 현상, 두려움을 느끼면 가슴이 더 빨리 뛰는 현상 등이 그런 예이다. 문제는 정신적 사건과 육체적 사건의 이질성과 관련성이라는 두 가지 상식을 조화시키기가 쉽지 않다는 것이다. 정신적 사건과 육체적 사건이 서로 다른 종류의 것이라고 주장하는 이론, 곧 심신 이원론*은 그 두 종류의 사건이 관련되어 있음을 설명하기 위해 다양한 방법을 시도한다.

(나) 먼저 정신적 사건과 육체적 사건이 서로에게 인과적으로 영향을 주고받는다는 상호 작용론이 있다. 이는 위가 텅 비었다는 육체적 사건이 원인이 되어 고통을 느낀다는 정신적 사건이 결과로 일어나고, 두려움이라는 정신적 사건이 원인이 되어 가슴이 더 빨리 뛰는 육체적 사건이 결과로 일어난다고 설명한다. 그러나 서양 근세 철학의 관점에서 보면 공간을 차지하고 있지 않은 정신이 어떻게 공간을 차지하고 있는 육체에 영향을 미칠 수 있느냐 하는 문제가 생긴다.

(다) 이에 비해 평행론은 정신적 사건과 육체적 사건 사이에는 어떤 인과 관계도 성립하지 않으며, 정신적 사건은 정신적 사건대로, 육체적 사건은 육체적 사건대로 인과 관계가 성립한다고 주장하는 이원론이다. 이 이론에 따르면 정신적 사건과 육체적 사건이 상호 작용하는 것처럼 보이는 것은 어떤 정신적 사건이 일어날 때 거기에 해당하는 육체적 사건도 평행하게 항상 일어나기 때문이다. 물질로 이루어진 세계의 모든 사건은 다른 물질적 사건이 원인이 되어 일어난다는 생각, 즉 물질적 사건의 원인을 설명하기 위해서 물질세계 밖으로 나갈 필요가 없다는 생각은 근대 과학의 기본 전제이다. 평행론은 이 전제와 충돌하지 않는다는 장점이 있다. 그러나 서로 다른 종류의 사건들이 동시에 일어난다는 사실은 이해하기 힘들다.

(라) 부수 현상*론은 모든 정신적 사건은 육체적 사건에 의해서 일어나지만 그 역은 성립하지 않는다고 주장하여 두 가지 상식 사이의 조화를 설명하려는 이원론이다. 이에 따르면 ㉠육체적 사건은 ㉡정신적 사건을 일으키고 또 다른 육체적 사건의 원인도 된다. 하지만 정신적 사건은 육체적 사건에 동반되는 부수 현상일 뿐, 정신적 사건이든 육체적 사건이든 어떠한 사건에도 아무런 영향을 미치지 못한다. 그러나 정신적 사건이 아무 일도 못하면서 따라 나올 뿐이라는 주장은, 아무 일도 하지 못한다면 도대체 정신적 사건이 왜 존재해야 하는가 하는 의문을 불러일으킨다.

(마) 정신적 사건과 육체적 사건을 구분하면서 그 둘이 관련 있음을 설명하려는 이론들은 모두 각자의 문제점에 봉착한다. 그래서 정신적 사건과 육체적 사건은 별개의 사건이 아니라 두 사건이 문자 그대로 동일한 사건이라는 동일론, 곧 심신 일원론이 제기된다. 과학의 발달로 그동안 정신적 사건이라고 알려졌던 것이 사실은 육체적 사건에 불과하다는 것이 밝혀짐에 따라, 인과 관계는 오로지 물질적 사건들 사이에서만 존재한다고 보게 된 것이다.

어휘 풀이

* 심신 이원론 정신과 신체는 서로 대립되는 것으로서 궁극적으로 그 어느 것으로도 다른 쪽을 설명하거나 환언할 수 없다고 주장하는 학설.
* 부수 현상 주된 것이나 기본적인 것에 붙어서 따르는 현상.

원리로 읽기

관련 문제 Link

1 이 글의 중심 화제는?

정신적 사건과 물질적 사건의 관계를 설명하는 (❶)

2 문단별 중심 내용 찾기

01 핵심 정보 찾기

가: 정신적 사건과 물질적 사건의 관계를 설명하는 심신 이원론
나: 상호 작용론(심신 이원론 ①)의 개념과 한계 – 정신적, 육체적 사건이 (❷) 영향 관계에 있음.
다: 평행론(심신 이원론 ②)의 개념과 한계 – 정신적, 육체적 사건의 인과 관계를 부정함.
라: 부수 현상론(심신 이원론 ③)의 개념과 한계 – (❸)을 육체적 사건의 부수 현상으로 봄.
마: 동일론(심신 일원론)의 대두

3 서술 방식 파악하기

이 글은 정신적 사건과 육체적 사건의 관계에 대한 이론을 설명하고 있는 글이다. 이 글에서는 두 가지 사건의 관계를 설명하는 대표적인 이론을 그 특성에 따라 심신 이원론과 심신 일원론으로 분류하고, 심신 이원론을 중심으로 글의 내용을 전개하고 있다. 특히 심신 이원론의 대표적인 이론들을 다시 정신적 사건과 육체적 사건의 관계에 따라 세 가지로 (❹)하고 각각의 이론의 개념과 (❺)를 밝히는 공통적인 내용 구성 방식을 취하고 있다.

9262-0138

01 윗글을 통해 알 수 있는 내용으로 적절하지 않은 것은?

① '심신 이원론'에서는 정신적 사건과 육체적 사건이 구분된다는 상식을 포기하지 않는다.
② '상호 작용론'에서는 정신적 사건이 육체적 사건의 원인이 되기도 하고 결과가 되기도 한다고 생각한다.
③ '평행론'에서는 정신적 사건이 육체적 사건의 원인이 되지 않으면서도 함께 일어날 수 있다고 주장한다.
④ '부수 현상론'에서는 육체적 사건이 정신적 사건을 일으킬 수 있다고 본다.
⑤ '동일론'은 정신적 사건과 육체적 사건에 대한 두 가지 상식이 모두 성립함을 보여 준다.

상호 작용론
데카르트(Descartes)는 물질과 마음은 상호 독립된 실체라고 하여 물심(物心) 이원론을 주장하였지만, 인간에 대해서는 신체와 마음의 상호 작용을 인정하였다. 이후 데카르트를 추종하는 학자들은 병행론을 주장하였으며 근대에는 본질이 다른 두 대상 간의 상호 작용을 인정하는 정교한 상호 작용설이 나타나기도 하였다.

9262-0139

02 '평행론'과 '동일론'에서 모두 동의할 수 있는 진술로 적절한 것은?

① 정신적 사건들 사이에는 인과 관계가 존재하지 않는다.
② 육체적 사건과 정신적 사건은 서로 대응되며 별개의 세계에 존재한다.
③ 물질적 사건의 원인을 설명하기 위해서 물질세계 밖으로 나갈 필요가 없다.
④ 공간을 차지하고 있지 않은 정신이 공간을 차지하고 있는 육체에 영향을 미칠 수 있다.
⑤ 정신적 사건이든 육체적 사건이든 어떠한 사건에도 영향을 미치지 못하는 정신적 사건이 존재한다.

9262-0140

03 〈보기〉는 '부수 현상론'을 설명하기 위한 비유이다. ㉠과 ㉡에 대응하는 것을 ⓐ~ⓒ에서 골라 바르게 짝지은 것은?

보기

ⓐ지구, 달, 태양의 상대적인 위치에 의해 ⓑ조수 간만이 나타나기도 하고 보름달, 초승달과 같이 ⓒ달의 모양이 달리 보이기도 한다. 이때 조수 간만은 다시 개펄의 형성 등과 같은 또 다른 일의 원인이 된다. 반면에 달의 모양은 세 천체의 상대적인 위치로 인해서 생겨난 결과일 뿐, 어떠한 인과적 역할도 하지 않는다.

	㉠'육체적 사건'	㉡'정신적 사건'
①	ⓐ	ⓑ
②	ⓐ	ⓒ
③	ⓑ	ⓐ
④	ⓒ	ⓐ
⑤	ⓒ	ⓑ

문제 풀이 비법 노트

㉱의 '부수 현상론'에서 언급하고 있는 '육체적 사건'과 '정신적 사건'의 관계를 이해한다.

↓

〈보기〉의 ⓐ, ⓑ, ⓒ가 각각 어떤 관계인지 이해한다.

↓

〈보기〉의 ⓐ, ⓑ, ⓒ를 ㉱의 '육체적 사건'과 '정신적 사건'에 대응시킨다.

03

지문에 제시된 핵심 개념이나 중심 서술 대상을 다른 상황이나 사례에 적용하는 문항이다. 이 문항을 해결하려면 먼저 ㉱에 제시된 '부수 현상론'에서는 '육체적 사건'은 '정신적 사건'을 일으키고 또 다른 '육체적 사건'의 원인이 됨을 이해하여야 한다. 그리고 〈보기〉의 ⓐ, ⓑ, ⓒ가 각각 '육체적 사건'이나 '정신적 사건' 중 어떤 것에 대응되는지 생각해 보고 논리적으로 대응시켜 보아야 한다.

원리로 다시 읽기

가 정신적 사건과 물질적 사건은 구분된다고 생각하는 것이 우리의 상식이다. 이러한 상식에 따르면 인간의 정신적 사건과 육체적 사건도 구분되는 것으로 보게 된다. 하지만 정신적 사건과 육체적 사건이 서로 긴밀히 연결되어 있다고 보는 것 또한 우리의 상식이다. 위가 텅 비어 있으면 정신적인 고통을 느끼는 현상, 두려움을 느끼면 가슴이 더 빨리 뛰는 현상 등이 그런 예이다. 문제는 정신적 사건과 육체적 사건의 이질성과 관련성이라는 두 가지 상식을 조화시키기가 쉽지 않다는 것이다. 정신적 사건과 육체적 사건이 서로 다른 종류의 것이라고 주장하는 이론, 곧 ❶심신 이원론은 그 두 종류의 사건이 관련되어 있음을 설명하기 위해 다양한 방법을 시도한다.

나 먼저 정신적 사건과 육체적 사건이 서로에게 인과적으로 영향을 주고받는다는 ❸상호 작용론이 있다. 이는 위가 텅 비었다는 육체적 사건이 원인이 되어 고통을 느낀다는 정신적 사건이 결과로 일어나고, 두려움이라는 정신적 사건이 원인이 되어 가슴이 더 빨리 뛰는 육체적 사건이 결과로 일어난다고 설명한다. 그러나 서양 근세 철학의 관점에서 보면 공간을 차지하고 있지 않은 정신이 어떻게 공간을 차지하고 있는 육체에 영향을 미칠 수 있느냐 하는 문제가 생긴다.

다 이에 비해 ❹평행론은 정신적 사건과 육체적 사건 사이에는 어떤 인과 관계도 성립하지 않으며, 정신적 사건은 정신적 사건대로, 육체적 사건은 육체적 사건대로 인과 관계가 성립한다고 주장하는 이원론이다. 이 이론에 따르면 정신적 사건과 육체적 사건이 상호 작용하는 것처럼 보이는 것은 어떤 정신적 사건이 일어날 때 거기에 해당하는 육체적 사건도 평행하게 항상 일어나기 때문이다. 물질로 이루어진 세계의 모든 사건은 다른 물질적 사건이 원인이 되어 일어난다는 생각, 즉 물질적 사건의 원인을 설명하기 위해서 물질세계 밖으로 나갈 필요가 없다는 생각은 근대 과학의 기본 전제이다. 평행론은 이 전제와 충돌하지 않는다는 장점이 있다. 그러나 서로 다른 종류의 사건들이 동시에 일어난다는 사실은 이해하기 힘들다.

라 ❺부수 현상론은 모든 정신적 사건은 육체적 사건에 의해서 일어나지만 그 역은 성립하지 않는다고 주장하여 두 가지 상식 사이의 조화를 설명하려는 이원론이다. 이에 따르면 육체적 사건은 정신적 사건을 일으키고 또 다른 육체적 사건의 원인도 된다. 하지만 정신적 사건은 육체적 사건에 동반되는 부수 현상일 뿐, 정신적 사건이든 육체적 사건이든 어떠한 사건에도 아무런 영향을 미치지 못한다. 그러나 정신적 사건이 아무 일도 못하면서 따라 나올 뿐이라는 주장은, 아무 일도 하지 못한다면 도대체 정신적 사건이 왜 존재해야 하는가 하는 의문을 불러일으킨다.

마 정신적 사건과 육체적 사건을 구분하면서 그 둘이 관련 있음을 설명하려는 이론들은 모두 각자의 문제점에 봉착한다. 그래서 정신적 사건과 육체적 사건은 별개의 사건이 아니라 두 사건이 문자 그대로 동일한 사건이라는 ❷동일론, 곧 심신 일원론이 제기된다. 과학의 발달로 그동안 정신적 사건이라고 알려졌던 것이 사실은 육체적 사건에 불과하다는 것이 밝혀짐에 따라, 인과 관계는 오로지 물질적 사건들 사이에서만 존재한다고 보게 된 것이다.

1 이 글의 중심 화제는?

정신적 사건과 물질적 사건의 관계를 설명하는 (❶ 이론)

2 문단별 중심 내용 찾기

가: 정신적 사건과 물질적 사건의 관계를 설명하는 심신 이원론

나: 상호 작용론(심신 이원론 ①)의 개념과 한계 – 정신적, 육체적 사건이 (❷ 인과적) 영향 관계에 있음.

다: 평행론(심신 이원론 ②)의 개념과 한계 – 정신적, 육체적 사건의 인과 관계를 부정함.

라: 부수 현상론(심신 이원론 ③)의 개념과 한계 – (❸ 정신적 사건)을 육체적 사건의 부수 현상으로 봄.

마: 동일론(심신 일원론)의 대두

3 서술 방식 파악하기

이 글은 정신적 사건과 육체적 사건의 관계에 대한 이론을 설명하고 있는 글이다. 이 글에서는 두 가지 사건의 관계를 설명하는 대표적인 이론을 그 특성에 따라 심신 이원론과 심신 일원론으로 분류하고, 심신 이원론을 중심으로 글의 내용을 전개하고 있다. 특히 심신 이원론의 대표적인 이론들을 다시 정신적 사건과 육체적 사건의 관계에 따라 세 가지로 (❹ 분류)하고 각각의 이론의 개념과 (❺ 한계)를 밝히는 공통적인 내용 구성 방식을 취하고 있다.

❶과 ❷는 정신적 사건과 육체적 사건의 관계를 설명하는 상위 이론이고, ❸, ❹, ❺는 ❶의 구체적인 하위 이론이라고 볼 수 있다. 글의 내용을 정확히 이해하려면 글에 제시된 정보가 갖는 위상을 파악하고 이를 바탕으로 글의 내용 구조와 구성 방식 등을 확인하며 읽어야 한다.

Note

다음 글을 읽고 물음에 답하시오.

우리는 '하늘 위의 새'를 보고 새라는 것을 어떻게 알 수 있을까? 물론 이에 대해 배워서 아는 것이라고 쉽게 답할 수 있을 것이다. 우리는 대부분의 지식을 '배워서' 알게 된다. 그러나 배워서 아는 지식은 '왜?'라는 근원을 ⓐ간과(看過)할 여지가 많다. 그렇다면 어떻게 알아야 할까? 이에 대해 이이, 이황, 조식과 더불어 조선의 4대 유학자 중 한 사람인 서경덕(徐敬德)은 스스로 앎에 이를 수 있어야 한다고 보았다. 서경덕은 책이나 스승을 통하지 않고 스스로 이치를 궁구하는 '자득(自得)'을 학문의 방법으로 삼았다.

서경덕은 '자득'의 과정에서 어떤 사물이나 사건을 두고서 끝없이 의문을 품으며 사색하는 '관물(觀物)'을 중시했다. 그가 종달새가 나는 것을 보고, '종달새가 왜 날까?', '종달새는 어떻게 날까?', '종달새가 날지 않고 헤엄을 친다면?', '이런 의문을 어떻게 해결할 수 있을까?' 등과 같은 의문을 토대로 ⓑ궁리(窮理)해 새가 나는 이치에 대해 깨우쳤다는 일화는 매우 유명하다. 그는 천지만물을 연구의 대상으로 삼아 날마다 관물하기에 힘썼으며, 한 가지 사물을 궁구*하고 깨우친 다음 다시 한 가지 사물을 궁구해 나가는 방식으로 천지만물에 내재되어 있는 원리와 법칙을 깨우쳐 나갔다. 이러한 과정을 통해 결국 그는 우주의 근원과 자연의 질서를 ⓒ관통(貫通)하는 이기론(理氣論)을 만들었다.

서경덕은 인간이 자연의 일부이기 때문에 궁극적으로 자연계의 물리 법칙에서 벗어날 수 없다고 보고 자연 세계를 중심으로 인간 세계를 설명하였다. 그의 이기론에서 인간 고유의 주체성과 맞닿아 있는 '이(理)'보다 '기(氣)'가 강조된 것은 이 때문이다. 그는 "기 바깥에 이가 없다."라며 기일원론(氣一元論)의 입장에서 만물의 운동과 변화를 설명하였다. 그는 세계의 근원을 '태허(太虛)'라고 했는데, 태허를 '하나의 기[一氣]'로 보았으며 시간과 공간 안에 있는 이 세계를 넘어서는, 즉 시간과 공간의 제약을 벗어나 있는 것으로 ⓓ간주(看做)했다.

그렇다면 시 · 공간의 한계를 넘어서 있으며 물질이라고 하기도 어려운 태허가 어떻게 이 세계의 근원이 될 수 있을까? 서경덕은 태허의 기가 아직 발하지 않아 형체를 갖추지 않은 상태를 '선천(先天)'이라 하고, 이미 발하여 만물로 형상화된 상태를 '후천(後天)'이라 했다. 그에 따르면 인간을 포함한 모든 사물의 생멸*과 변화는 선천에서 후천으로, 후천에서 선천으로 옮겨 가는 기(氣)의 운동으로 이루어진다. 선천의 기는 본래 하나이지만, 그것이 모이고 흩어짐에 따라 사물이 생성되기도 하고 소멸되기도 하는 등 천지만물의 변화가 나타난다. 선천의 기는 형체를 갖추지 않아 감각할 수 없지만, 후천의 기는 형체를 갖추어 감각할 수 있다. 그러나 기가 새롭게 생겨나거나 없어지는 것은 아니며, 또한 기는 소멸되지도 않는다.

서경덕은 기가 그 자체에 '변화한다, 운동한다'라는 속성을 갖고 있다고 보았다. 기가 스스로 작용해 만물로 형상화된다고 본 것이다. 이러한 관점에서 보면, 어떠한 것도 기보다 앞서 존재할 수 없으며, 이(理)는 단지 기의 작용으로 형상을 갖춘 후천의 질서를 표현하고 있을 뿐이다. 이(理)는 기의 운동을 법칙화한 것으로 기와 서로 ⓔ분별(分別)되는 것이 아닌 것이다. 이와 같이 서경덕은 이 세계는 태허라는 근원에서 시작되어 기의 작용으로 형성되고 전개된다고 설명했다. 이러한 서경덕의 고유한 이기론은 조선 중기 이후에 전개되는 인간과 자연에 대한 논의의 중요한 토대가 되었다.

어휘풀이

*궁구 속속들이 깊이 연구함.
*생멸 우주 만물의 생겨남과 없어짐.

9262-0141

01 윗글에 대한 설명으로 가장 적절한 것은?

① 통념의 문제점을 지적하고 새로운 이론을 주장하고 있다.
② 여러 이론을 활용하여 주장의 타당성을 뒷받침하고 있다.
③ 통시적인 관점에서 이론이 형성된 역사적 배경을 설명하고 있다.
④ 특정 인물의 학문 탐구 방법과 이론의 핵심 내용을 소개하고 있다.
⑤ 특정 이론에 관한 대조되는 관점을 소개하고 그중 한 입장을 취하고 있다.

9262-0142

02 윗글을 통해 볼 때, '서경덕'이 〈보기〉의 현상에 대해 할 수 있는 말을 추리한 것으로 가장 적절한 것은?

보기

양초의 심지에 불을 붙이면, 양초는 점차 녹으며 액체가 된다. 그리고 이렇게 녹은 액체는 뜨거운 열에 의해 기화되고, 이에 따라 양초는 점점 줄어들며 없어지게 된다.

① 양초의 심지가 불에 타 사라지는 것은 '선천(先天)'에서 '후천(後天)'으로의 기(氣)의 이동을 보여 주는 것입니다.
② 양초 심지가 계속해서 연소할 수 있는 것은 '선천(先天)'의 기(氣)가 본래부터 여러 종류이기 때문에 가능한 일입니다.
③ 양초의 심지에 불을 붙이면 기존에 존재하지 않던 기(氣)가 새롭게 만들어지는데, 이는 양초의 새로운 에너지원이 생성된 것입니다.
④ 양초가 녹지 않고 본래의 상태를 유지한다면, 그것은 '태허(太虛)'의 기(氣)가 시 · 공간의 제약에서 벗어나 있음을 보여 주는 것입니다.
⑤ 고체였던 양초가 녹아서 액체가 되고 다시 기체가 되어 그 형체가 사라지는 것은 기(氣)의 소멸이 아니라 운동 양상을 보여 주는 것입니다.

9262-0143

03 윗글과 <보기>를 토대로 '서경덕'과 '이황'의 입장을 비교했을 때, 적절하지 않은 것은?

보기

이황은 '성현(聖賢)을 따르는 것이 배움의 가장 온당한 방법'이라고 말하며 고전 연구를 열심히 하였고 고전에서 세워 놓은 전례를 따르고자 하였다. 그는 고전을 이해하는 데에 그치지 않고 그것의 부족한 점을 보완하고자 하였다. 그것은 주로 인간 마음의 본질에 대한 문제였다. 이황이 인간의 본성에 주목한 것은 그가 자연보다 인간을 중심으로 사고했음을 보여 준다. 이러한 학문적 탐구를 토대로 그는 기(氣) 이전에 이(理)가 존재하며 이(理)는 본성으로 귀한 것이고 기(氣)는 천박한 것이라고 하였다.

① 이황은 이(理)가 기(氣)보다 앞선다고 본 반면에, 서경덕은 어떤 것도 기(氣)보다 앞서 존재하는 것은 있을 수 없다고 보았다.
② 이황은 성현(聖賢)의 가르침을 중시한 반면에, 서경덕은 성현의 가르침보다 스스로 이치를 궁구해 앎에 이르는 것을 중시했다.
③ 이황은 기(氣)와 이(理)를 구별해 이를 기보다 귀한 것으로 여겼던 반면에, 서경덕은 이와 기가 분별되지 않는 것이라고 여겼다.
④ 이황은 이(理)가 기(氣) 바깥에서 기를 주재한다고 본 반면에, 서경덕은 이(理)가 기(氣) 내부에서 기를 주재하는 역할을 한다고 보았다.
⑤ 이황은 자연보다 인간을 중심으로 사고한 반면에, 서경덕은 인간을 자연에 종속된 존재로 보고 자연 세계를 중심으로 인간에 대해 사고했다.

9262-0144

04 ⓐ~ⓔ의 사전적 의미로 적절하지 않은 것은?

① ⓐ: 큰 관심 없이 대강 보아 넘김.
② ⓑ: 마음속으로 이리저리 따져 깊이 생각함.
③ ⓒ: 어떤 일에 공통되는 바가 있음.
④ ⓓ: 상태, 모양, 성질 따위가 그렇다고 여김.
⑤ ⓔ: 사물을 종류에 따라 구별하여 가름.

출제 포인트

<보기>가 사물의 변화를 보여 주는 구체적 사례임을 파악한다.

↓

사물의 변화에 대한 서경덕의 관점(입장)으로 지문에서 주목했던 내용을 확인한다.

↓

서경덕은 '기'는 소멸하지 않고 운동한다고 보았으므로 이러한 관점에서 서술된 ⑤번 선택지를 정답으로 고른다.

02 이 문항은 지문의 입장을 <보기>의 구체적 상황에 적용해 추론할 수 있는지를 묻고 있다.

> 4 (……) 선천의 기는 본래 하나이지만, 그것이 모이고 흩어짐에 따라 사물이 생성되기도 하고 소멸되기도 하는 등 천지만물의 변화가 나타난다.
> 5 서경덕은 기가 그 자체에 '변화한다, 운동한다'라는 속성을 갖고 있다고 보았다.

이 글은 서경덕의 학문 방법과 이기론에 대해 설명하고 있다. 이와 같이 특정 사상가나 학자의 철학, 이론 등을 설명하는 글은 그 사람의 견해 · 주장이 핵심 출제 요소가 된다. 그렇기 때문에 이 글에서도 '기'에 대한 서경덕의 관점(입장)이 핵심 출제 요소가 된 것이다.

원리로 다시 읽기

우리는 '하늘 위의 새'를 보고 새라는 것을 어떻게 알 수 있을까? 물론 이에 대해 배워서 아는 것이라고 쉽게 답할 수 있을 것이다. 우리는 대부분의 지식을 '배워서' 알게 된다. 그러나 배워서 아는 지식은 '왜?'라는 근원을 간과(看過)할 여지가 많다. 그렇다면 어떻게 알아야 할까? 이에 대해 이이, 이황, 조식과 더불어 조선의 4대 유학자 중 한 사람인 서경덕(徐敬德)은 스스로 앎에 이를 수 있어야 한다고 보았다. 서경덕은 책이나 스승을 통하지 않고 스스로 이치를 궁구하는 '자득(自得)'을 학문의 방법으로 삼았다.

▶ 배워서 아는 지식의 한계와 '자득(自得)'을 통한 앎의 방법

❶서경덕은 '자득'의 과정에서 어떤 사물이나 사건을 두고서 끝없이 의문을 품으며 사색하는 '관물(觀物)'을 중시했다. 그가 종달새가 나는 것을 보고, '종달새가 왜 날까?', '종달새는 어떻게 날까?', '종달새가 날지 않고 헤엄을 친다면?', '이런 의문을 어떻게 해결할 수 있을까?' 등과 같은 의문을 토대로 궁리(窮理)해 새가 나는 이치에 대해 깨우쳤다는 일화는 매우 유명하다. 그는 천지만물을 연구의 대상으로 삼아 날마다 관물하기에 힘썼으며, ❷한 가지 사물을 궁구하고 깨우친 다음 다시 한 가지 사물을 궁구해 나가는 방식으로 천지만물에 내재되어 있는 원리와 법칙을 깨우쳐 나갔다. 이러한 과정을 통해 결국 그는 우주의 근원과 자연의 질서를 관통(貫通)하는 이기론(理氣論)을 만들었다.

▶ 관물(觀物)을 통한 원리와 법칙의 깨우침

❸서경덕은 인간이 자연의 일부이기 때문에 궁극적으로 자연계의 물리 법칙에서 벗어날 수 없다고 보고 자연 세계를 중심으로 인간 세계를 설명하였다. 그의 이기론에서 인간 고유의 주체성과 맞닿아 있는 '이(理)'보다 '기(氣)'가 강조된 것은 이 때문이다. ❹그는 "기 바깥에 이가 없다."라며 기일원론(氣一元論)의 입장에서 만물의 운동과 변화를 설명하였다. 그는 세계의 근원을 ❺'태허(太虛)'라고 했는데, 태허를 '하나의 기[一氣]'로 보았으며 시간과 공간 안에 있는 이 세계를 넘어서는, 즉 시간과 공간의 제약을 벗어나 있는 것으로 간주(看做)했다.

▶ 서경덕의 기일원론(氣一元論)적 입장과 태허(太虛)의 개념

그렇다면 시·공간의 한계를 넘어서 있으며 물질이라고 하기도 어려운 태허가 어떻게 이 세계의 근원이 될 수 있을까? ❻서경덕은 태허의 기가 아직 발하지 않아 형체를 갖추지 않은 상태를 '선천(先天)'이라 하고, 이미 발하여 만물로 형상화된 상태를 '후천(後天)'이라 했다. 그에 따르면 인간을 포함한 모든 사물의 생멸과 변화는 선천에서 후천으로, 후천에서 선천으로 옮겨 가는 기(氣)의 운동으로 이루어진다. 선천의 기는 본래 하나이지만, 그것이 모이고 흩어짐에 따라 사물이 생성되기도 하고 소멸되기도 하는 등 천지만물의 변화가 나타난다. 선천의 기는 형체를 갖추지 않아 감각할 수 없지만, 후천의 기는 형체를 갖추어 감각할 수 있다. 그러나 ❼기가 새롭게 생겨나거나 없어지는 것은 아니며, 또한 기는 소멸되지도 않는다.

▶ 선천(先天)과 후천(後天)의 개념 및 사물의 생멸과 변화의 원리

❽서경덕은 기가 그 자체에 '변화한다, 운동한다'라는 속성을 갖고 있다고 보았다. 기가 스스로 작용해 만물로 형상화된다고 본 것이다. 이러한 관점에서 보면, 어떠한 것도 기보다 앞서 존재할 수 없으며, 이(理)는 단지 기의 작용으로 형상을 갖춘 후천의 질서를 표현하고 있을 뿐이다. 이(理)는 기의 운동을 법칙화한 것으로 기와 서로 분별(分別)되는 것이 아닌 것이다. 이와 같이 서경덕은 이 세계는 태허라는 근원에서 시작되어 기의 작용으로 형성되고 전개된다고 설명했다. 이러한 서경덕의 고유한 이기론은 조선 중기 이후에 전개되는 인간과 자연에 대한 논의의 중요한 토대가 되었다.

▶ 기(氣)와 이(理)의 관계에 대한 서경덕의 입장과 그의 이기론의 의의

❶, ❷ 이 글에서는 서경덕의 학문 방법에 대해 설명하고 있다. 이에 따라 학문 방법에 대한 서경덕의 입장이 핵심 정보가 된다. ❶을 통해 그가 학문의 방법으로 끝없이 의문을 품으며 사색하는 '(❶)'을 중시했음을 알 수 있다. 그리고 ❷를 통해 한 가지 사물을 궁구하고 깨우친 다음 다시 또 다른 사물을 궁구하는 방식으로 학문을 했음을 알 수 있다.

❸~❺ 서경덕의 이기론의 기본 입장을 제시하고 있다. ❸을 통해 그가 (❷)를 중심으로 인간 세계를 설명하는 입장을 취했음을 알 수 있으며, 이러한 까닭에 그가 ❹와 같이 (❸) 중심으로 만물의 운동과 변화를 설명하는 입장을 취했다는 것을 이해할 수 있다. 그리고 ❺를 통해 그가 자신의 이기론과 관련해 제시한 '태허'의 개념을 이해할 수 있다. 이와 같이 사상이나 이론에서 제시한 개념도 핵심 정보로 주목해야 한다.

❻~❽ '기'에 대한 서경덕의 입장을 보여 주고 있다. ❻에서는 '(❹)'과 '(❺)'을 대비하고 있다. 이와 같이 대비되는 짝에 관한 내용은 핵심 정보가 된다. ❼, ❽을 통해서는 서경덕이 '기'가 새롭게 생성되거나 소멸되지 않으며 변화, 운동하는 것이라고 생각했음을 알 수 있다.

답

❶ 관물 ❷ 자연 세계 ❸ 기 ❹ 선천 ❺ 후천

Note

다음 글을 읽고 물음에 답하시오.

'가치의 본성'은 '가치란 무엇인가'에 대한 것이다. 가치는 상황 변화에 따라 많아지기도 하고 적어지기도 하는 양적 특성을 지닌 것으로 볼 수도 있지만, 대상 자체에 속해 있는 것으로 상황 변화와 상관없이 항구성*이라는 질적 특성을 지닌 것으로 볼 수도 있다. 오랫동안 철학의 관심이 되어 온 것은 이러한 질적 특성과 관련 있는 질적 가치이다. '가치라고 하는 것이 자신의 효용적 한계를 넘어 그것 자체로서 실재하는가?'의 여부에 대한 논의가 오랫동안 이루어져 온 것이다.

존재론적 의미에서 가치의 실재를 주장하는 입장을 '가치 실재론'이라고 부르는데, 여기에는 '가치는 자연적 성질이다.'라고 보는 입장과 '가치는 형이상학적 성질이다.'라고 보는 두 입장이 있다. 전자의 주장은 가장 소박한 형태의 가치 실재론으로서 마치 붉은 꽃에 붉음이라는 자연적 성질이 속해 있듯이 아름다운 꽃에는 아름다움이라는 자연적 성질이 들어 있다고 보는 견해이다. 그런데 '가치가 자연적이다.'라는 말은 결국 가치를 감각적으로 경험할 수 있다는 의미이다. 아름다움이나 선함이라는 가치의 경우 감각적 확인은 불가능하다. 이것이 바로 이 주장이 갖는 가장 큰 결함이다.

가치를 '자연적 성질'이라고 봤을 때 생길 수 있는 모순을 피하면서 가치가 실재한다고 주장할 수 있는 방법은 가치를 일종의 초자연적인 형이상학적 성질로 보는 것이다. 이는 곧 가치가 오감*의 영역을 떠나 있다는 의미이며, '보이지 않지만 있어.'라고 말함으로써, 처음부터 검증의 가능성을 배제하고 있다. 이와 같은 가치 실재론은 고대의 플라톤이나 현대의 무어 등이 주장했다. 무어는 자신의 가치 실재론을 보강하기 위해 ㉠<u>'가장 아름다운 세계와 가장 추한 세계를 상정했을 때 — 이 두 세계를 관찰할 어떤 인간도 없다 할지라도 — 전자의 존재가 후자의 존재보다 더 나으리라는 것을 부인하지는 못할 것이다.'</u>라고 했다.

가치의 실재를 부정하는 '가치 비실재론'에서는 사물 자체에 가치가 실재하는 것이 아니라, 가치라는 것은 사물을 대하는 주체의 심리적 태도에 의해서 생긴다고 본다. 그런데 여기서 주체는 인간일 수도 있고, 신일 수도 있다. 주체를 인간으로 보면, 각 개인의 주관적 시각에 따라 소위 '개별 가치'라고 하는 가치 유형만이 도출*된다. 반면에 주체를 신으로 보면, 신이 느끼는 것은 인간에게 보편적으로 적용될 수 있는 것이므로 개별 가치가 아닌 '일반 가치'가 도출된다. 이때 일반 가치와 상반되는 개인의 개별 가치는 전적으로 무시된다. 신은 자신이 소망한 것을 바꾸지 않을 것이고 자신의 영원성에 따라 가치 역시 항구성을 지니게 된다.

현대에는 가치 비실재론으로 '가치 관계론'이 제시되었다. 이 이론에서는 가치 형성의 근원을 인간 개개인의 심리 작용으로 보는 대전제하에 개별 가치와 일반 가치 모두를 도출해 낼 수 있다고 보았다. 이 입장을 대표하는 페리는 가치를 관심에 의해 야기*되는 것으로 보고, 가치를 어떤 사물이 관심을 끌었다는 사실로 말미암아 그 사물이 갖게 되는 특수한 성질이라고 보았다. 페리에 따르면, 가치는 실재하는 사물뿐 아니라 가상의 사물에 대해서도 어떤 주체의 좋고 싫음과 같은 지향적 태도에 의해 맺어지는 관계이다. 이 관계로부터 각 개인의 개별 가치는 물론 한 사회에서의 일반 가치 역시 도출될 수 있다. 왜냐하면 어떤 대상에 대한 각각의 개별 가치는 그것과 관련해 얽혀 있는 각 개인 간의 관계성에 따라 결국 일반화될 것이기 때문이다.

어휘풀이

*항구성 변하지 않고 오래가는 성질.
*오감 시각 · 청각 · 후각 · 미각 · 촉각의 다섯 감각.
*도출 어떤 생각이나 결론 · 반응 따위를 이끌어 냄.
*야기 일이나 사건 등을 끌어 일으킴.

9262-0145

01 윗글을 읽고 이해한 내용으로 적절하지 않은 것은?

① 가치 비실재론에서는 대상을 대하는 주체의 심리적 태도에 의해서 대상의 가치가 생긴다고 본다.
② 가치가 효용성과 상관없이 그것 자체로 존재하는가 하는 문제는 오랫동안 철학적 논의의 대상이 되어 왔다.
③ 가치가 실재한다고 주장하는 입장에서는 대상에 내재되어 있는 가치가 상황에 따라 달라지지 않는다고 본다.
④ 가치 비실재론에서 신에 의해 형성되었다고 여겨지는 가치는 그와 상충되는 개인의 개별적 가치를 포괄한다.
⑤ 가치 관계론에서는 어떤 사물이 관심을 끌었을 때 그로 인해 그 사물이 갖게 되는 특수한 성질을 가치라고 본다.

9262-0146

02 〈보기〉를 참고해 ㉠에 대해 비판한 내용으로 가장 적절한 것은?

보기

논점 선취의 오류는 도달하고자 하는 논점을 가정에서 이미 선취했음에도 불구하고, 마치 가정에는 전혀 없는 내용이 결론에서 새롭게 도출된 듯이 보이게 만드는 오류이다.

① 실재하지 않는 세계를 '가장 아름다운 세계와 가장 추한 세계'로 가정한 데서 논리적 오류를 범했다고 볼 수 있어.
② '전자의 존재가 후자의 존재보다 더 낫다.'라는 결론이 이미 가정에 전제되어 있기 때문에 논리적 오류를 범했다고 볼 수 있어.
③ '가장 아름다운 세계와 가장 추한 세계'를 인간이 관찰할 수 없음에도 불구하고 관찰할 수 있다고 전제한 데서 논리적 오류를 범했다고 볼 수 있어.
④ '가장 아름다운 세계와 가장 추한 세계'의 관찰이 불가능하다는 결론을 새롭게 도출된 듯이 제시하고 있다는 점에서 논리적 오류를 범했다고 볼 수 있어.
⑤ 제시된 가정만으로는 전혀 예상할 수 없는 '전자의 존재가 후자의 존재보다 낫다.'라는 결론을 제시하고 있다는 점에서 논리적 오류를 범했다고 볼 수 있어.

9262-0147

03 윗글과 〈보기〉의 ㄱ~ㄹ을 관련지어 이해한 내용으로 적절한 것은?

보기

ㄱ. 영수의 외양을 자세히 들여다보는 감각적 행위로부터 '영수는 착하다.'라는 결론은 나오지 않는다.

ㄴ. '황금 보기를 돌같이 한다.'라는 것을 신념으로 삼고 생활하는 사람들이 있다. 이들은 황금에 마음을 두지 않고 황금을 돌과 다를 바 없는 것으로 여기며 살아간다.

ㄷ. 뛰어난 예술품과 그것을 똑같이 모방한 모조품을 함께 봤을 때 둘 사이에 감각의 차이는 없을 것이다. 그러나 어느 것이 진품인지 알았을 때, 진품과 모조품의 가치 차이가 있다고 생각할 것이다.

ㄹ. 프로타고라스의 '인간은 만물의 척도'라는 말은 가치의 척도는 각 개인에 따라 다르게 나타날 수밖에 없다는 의미를 갖고 있는 말이다.

① ㄱ에서 '영수는 착하다.'가 감각적으로 검증이 불가능하다는 것은 대상에 가치가 자연적 성질로 실재한다는 가치 실재론을 뒷받침한다.

② ㄴ의 황금 보기를 돌같이 여기는 태도는 가치가 관심에 의해 야기될 수 있음을 보여 주는 것으로 가치 관계론에 따르면 일반 가치의 도출이 가능할 수 있는 것이다.

③ ㄷ에서처럼 진품과 모조품의 가치 차이를 생각하는 것은 가치가 형이상학적 성질로 대상에 내재되어 있음을 보여 주는 것이다.

④ ㄱ의 '영수'를 들여다보는 행위와 ㄷ의 예술품을 보는 행위는 모두 가상의 대상에도 가치가 실재한다는 인식에서 비롯된 것이다.

⑤ ㄴ의 '황금 보기를 돌같이 한다.'라는 말과, ㄹ의 '인간은 만물의 척도'라는 말은 '가치는 자연적 성질이다.'라는 입장을 뒷받침한다.

출제 포인트

〈보기〉의 ㄴ이 '황금'을 지향하지 않는 사람들의 태도를 제시하고 있음을 파악한다.

↓

〈보기〉의 ㄴ이 '지향하는 태도', 즉 '관심'과 관련이 있기 때문에 '가치 관계론'을 적용할 수 있음을 이해한다.

↓

ㄴ과 '가치 관계론'의 입장을 관련지어 서술한 ②번 선택지의 내용이 적절하다는 것을 판단한다.

03 이 문항은 지문에 제시된, '가치'에 대한 입장을 구체적 사례와 관련지어 추론할 수 있는지를 묻고 있다.

5 (……) '가치 관계론'이 제시되었다. 이 이론에서는 가치 형성의 근원을 인간 개개인의 심리 작용으로 보는 대전제하에 개별 가치와 일반 가치 모두를 도출해 낼 수 있다고 보았다. 이 입장을 대표하는 페리는 가치를 관심에 의해 야기되는 것으로 보고, (……) 가치는 실재하는 사물뿐 아니라 가상의 사물에 대해서도 어떤 주체의 좋고 싫음과 같은 지향적 태도에 의해 맺어지는 관계이다. 이 관계로부터 각 개인의 개별 가치는 물론 한 사회에서의 일반 가치 역시 도출될 수 있다.

이 글에서는 '가치 실재론'과 '가치 비실재론'에 대해 설명하고 있다. 이와 같이 여러 입장이 제시되어 있으면, 그 입장이 핵심 출제 요소가 된다. 이 문제에서는 '가치 비실재론' 중의 하나인 '가치 관계론'의 입장을 출제 요소로 삼고 있다.

원리로 다시 읽기

'가치의 본성'은 '가치란 무엇인가'에 대한 것이다. 가치는 상황 변화에 따라 많아지기도 하고 적어지기도 하는 양적 특성을 지닌 것으로 볼 수도 있지만, 대상 자체에 속해 있는 것으로 상황 변화와 상관없이 항구성이라는 질적 특성을 지닌 것으로 볼 수도 있다. 오랫동안 철학의 관심이 되어 온 것은 이러한 질적 특성과 관련 있는 질적 가치이다. '가치라고 하는 것이 자신의 효용적 한계를 넘어 그것 자체로서 실재하는가?'의 여부에 대한 논의가 오랫동안 이루어져 온 것이다.

▶ 오랫동안 철학의 관심 대상이 되어 온 가치의 질적 특성

존재론적 의미에서 가치의 실재를 주장하는 입장을 '가치 실재론'이라고 부르는데, 여기에는 '가치는 자연적 성질이다.'라고 보는 입장과 '가치는 형이상학적 성질이다.'라고 보는 두 입장이 있다. ❶전자의 주장은 가장 소박한 형태의 가치 실재론으로서 마치 붉은 꽃에 붉음이라는 자연적 성질이 속해 있듯이 아름다운 꽃에는 아름다움이라는 자연적 성질이 들어 있다고 보는 견해이다. 그런데 '가치가 자연적이다.'라는 말은 결국 가치를 감각적으로 경험할 수 있다는 의미이다. ❷아름다움이나 선함이라는 가치의 경우 감각적 확인은 불가능하다. 이것이 바로 이 주장이 갖는 가장 큰 결함이다.

▶ 가치를 자연적 성질로 보는 입장과 그 입장의 한계

가치를 '자연적 성질'이라고 봤을 때 생길 수 있는 모순을 피하면서 가치가 실재한다고 주장할 수 있는 방법은 가치를 일종의 초자연적인 형이상학적 성질로 보는 것이다. ❸이는 곧 가치가 오감의 영역을 떠나 있다는 의미이며, '보이지 않지만 있어.'라고 말함으로써, 처음부터 검증의 가능성을 배제하고 있다. 이와 같은 가치 실재론은 고대의 플라톤이나 현대의 무어 등이 주장했다. 무어는 자신의 가치 실재론을 보강하기 위해 '가장 아름다운 세계와 가장 추한 세계를 상정했을 때 — 이 두 세계를 관찰할 어떤 인간도 없다 할지라도 — 전자의 존재가 후자의 존재보다 더 나으리라는 것을 부인하지는 못할 것이다.'라고 했다.

▶ 가치를 초자연적인 형이상학적 성질로 보는 입장

가치의 실재를 부정하는 ❹'가치 비실재론'에서는 사물 자체에 가치가 실재하는 것이 아니라, 가치라는 것은 사물을 대하는 주체의 심리적 태도에 의해서 생긴다고 본다. 그런데 여기서 주체는 인간일 수도 있고, 신일 수도 있다. 주체를 인간으로 보면, 각 개인의 주관적 시각에 따라 소위 '개별 가치'라고 하는 가치 유형만이 도출된다. 반면에 주체를 신으로 보면, 신이 느끼는 것은 인간에게 보편적으로 적용될 수 있는 것이므로 개별 가치가 아닌 '일반 가치'가 도출된다. 이때 일반 가치와 상반되는 개인의 개별 가치는 전적으로 무시된다. 신은 자신이 소망한 것을 바꾸지 않을 것이고 자신의 영원성에 따라 가치 역시 항구성을 지니게 된다.

▶ 가치 비실재론의 입장과 주체의 차이에 따른 세부 입장의 차이

현대에는 가치 비실재론으로 '가치 관계론'이 제시되었다. ❺이 이론에서는 가치 형성의 근원을 인간 개개인의 심리 작용으로 보는 대전제하에 개별 가치와 일반 가치 모두를 도출해 낼 수 있다고 보았다. 이 입장을 대표하는 ❻페리는 가치를 관심에 의해 야기되는 것으로 보고, 가치를 어떤 사물이 관심을 끌었다는 사실로 말미암아 그 사물이 갖게 되는 특수한 성질이라고 보았다. 페리에 따르면, 가치는 실재하는 사물뿐 아니라 가상의 사물에 대해서도 어떤 주체의 좋고 싫음과 같은 지향적 태도에 의해 맺어지는 관계이다. ❼이 관계로부터 각 개인의 개별 가치는 물론 한 사회에서의 일반 가치 역시 도출될 수 있다. 왜냐하면 어떤 대상에 대한 각각의 개별 가치는 그것과 관련해 얽혀 있는 각 개인 간의 관계성에 따라 결국 일반화될 것이기 때문이다.

▶ 가치 관계론을 대표하는 페리의 입장

❶, ❷ 이 글에서는 '가치 실재론'과 '가치 비실재론'에 대해 설명하고 있는데, '가치 실재론'으로 두 입장을 제시하고 있다. ❶은 두 입장 중에 가치를 자연적 성질로 보는 입장의 핵심 견해를 제시한 것이다. 그리고 ❷는 가치를 자연적 성질로 보는 입장의 (❶)에 해당한다. 이와 같이 입장을 나타내는 견해와 함께 그 한계가 제시되어 있으면 그에 관한 정보도 주목해야 한다.

❸ 가치를 형이상학적 성질로 보는 입장을 소개하고 있다. 이 입장에서는 가치를 형이상학적인 것으로 보아 검증 가능성을 배제하고 있다. 이는 가치를 자연적 성질로 보는 입장과 (❷)되는 것이다.

❹ '가치 비실재론'의 핵심 입장을 소개하고 있다. 이 입장에서는 가치가 사물을 대하는 주체의 심리적 태도에서 연유한다고 본다. 이러한 핵심 입장은 중요한 출제 요소가 된다.

❺~❼ '가치 비실재론'에 해당하는 '(❸)'의 입장을 설명하고 있다. 가치 관계론에서는 가치가 관심에 의해 야기되는데, 개인의 개별 가치는 물론 일반 가치도 도출될 수 있다고 보았다. 견해·주장에 관한 정보를 토대로 이와 같은 입장을 파악해야 한다.

답

❶ 한계 ❷ 대비 ❸ 가치 관계론

Note

다음 글을 읽고 물음에 답하시오.

도덕적 선 · 악이나 옳고 그름을 구분하는 능력으로 '도덕감'이라는 용어를 처음 사용한 샤프츠버리는 도덕감 윤리 이론의 창시자라 일컬어진다. 샤프츠버리는 도덕 인식을 감각 지각에 비유하여 설명했다. 마치 우리가 눈으로 대상의 형태, 운동, 색채 등을 지각해 그 아름다움과 추함을 판별*하듯이, 마음속 도덕감이 인간 행위의 옳고 그름을 분별한다는 것이다. 우리가 어떤 예술품의 아름다움과 추함을 감각을 통해 직관적으로 인식하는 것과 유사한 방식으로 도덕적 판단을 한다고 본 것이다.

샤프츠버리의 윤리 이론에서 중요하게 다뤄지고 있는 개념은 개인과 우주의 조화이다. 그는 세계를 하나의 거대한 유기체로 인식했다. 그에 따르면, 자연은 위계적인 질서를 바탕으로 부분들이 조화를 이루고 있는 체계이다. 그래서 그는 '유기체적 자연'이라는 개념을 윤리 이론에 도입해 자연 과학의 기계론적 세계관을 극복하고자 했다. 전체는 부분들의 유기적인 통합체이며, 전체 안의 부분들은 상위의 목적에 기여함으로써 완전한 통합을 이룬다. 모든 부분들이 조화로운 우주의 실현을 위한 수단이 되는 것이다.

샤프츠버리가 말한 개인과 우주의 조화에는 전체의 복지를 위한 개인의 복종이 함축*되어 있다. 인간은 자연 체계의 한 부분일 뿐만 아니라 그것에 의해 규정된다. 그리고 개인과 우주의 조화에는 하나의 유기체인 개인을 위한 개인 내면 욕구들의 복종도 함축되어 있다. 왜냐하면 인간도 그 자신이 스스로 하나의 체계를 이루고 있는데, 그 체계를 외부 세계와 같은 질서가 지배하고 있기 때문이다. 이러한 견해에 따르면 사회에는 두 종류의 조화가 존재하게 된다. 하나는 개인적인 것으로 욕구들이나 감정들 간의 균형 속에 존재하는 것이고, 다른 하나는 사회적인 것으로 개인들의 사회에 대한 온전한 헌신 속에 존재하는 것이다.

샤프츠버리는 이와 같은 조화에 기여하는 것을 도덕적으로 선한 것이라고 보았다. 이러한 관점에서는 우리가 자기 자신의 이익이나 행복을 추구하는 것을 그 자체로 나쁘다거나 선하다고 단정 지어서는 안 된다. 우리가 지닌 욕구가 상위 체계의 목적과 부합*하는지를 판단해야 하는 것이다. 이와 관련해 샤프츠버리는 본성과 일치하는 것도 선한 것이라고 했다. 그는 본성과 일치하는 것은 상위 체계의 목적과 일치하는 것으로 전체의 복지에 적합하다고 보았다. 이는 인간의 본성 안에 이타적 성향이 있으며, 인간의 본성이 전체 사회의 보전을 지향한다는 견해를 바탕으로 하고 있다. 샤프츠버리에게 비도덕적인 생각과 행위는 자신의 욕구나 감정을 전체의 목적과 조화시키지 못하는 데서 오는 것이다.

그런데 어떤 것이 전체의 목적에 부합하는 것인지를 우리는 어떻게 알 수 있을까? 도대체 어떻게 우리는 균형과 조화를 인식할 수 있는 것일까? 샤프츠버리에 따르면 그것은 도덕감에 의해 가능하다. 그는 ㉠모든 인간이 '선하고 아름다운 것에 관한 선천적인 관념'을 갖고 감각에 근거해 선하고 아름다운 것을 판별하듯이 도덕적으로 선한 것과 옳은 것을 판별하는 도덕감을 갖고 있기 때문에 도덕감은 보편적으로 작용한다고 보았다. 그리고 그는 도덕감이 인간의 행위와 감정들 같은 도덕적 대상들을 지각할 때 필연적으로 작용하는 것이라고 생각했다.

어휘 풀이

*판별 시비 · 선악을 판단해서 구별함.
*함축 속에 지니어 드러나지 아니함. 또는 말이나 글에 풍부한 내용이나 깊은 뜻이 들어 있음.
*부합 사물이나 현상이 서로 꼭 들어맞음.

9262-0148

01 윗글을 읽고 답할 수 있는 질문이 아닌 것은?

① 샤프츠버리는 우리가 살아가고 있는 세계를 어떻게 인식했는가?
② 샤프츠버리는 인간의 본성에 어떤 성향이 내재되어 있다고 생각했는가?
③ 샤프츠버리는 도덕적 판단이 '도덕감'에 의해 어떻게 이루어진다고 보았는가?
④ 샤프츠버리가 극복하고자 한 '기계론적 세계관'의 핵심적인 입장은 무엇인가?
⑤ 샤프츠버리가 도덕적으로 선한 것과 악한 것을 분별하는 기준으로 제시한 것은 무엇인가?

9262-0149

02 윗글의 '샤프츠버리'의 입장에서 〈보기〉에 대해 이해한 내용으로 적절하지 않은 것은?

보기

• A는 병역 의무 때문에 군 입대를 앞두고 있다. A는 평소 병역 의무를 다하는 것이 국가를 위한 일이라고 생각해 왔다. 그런데 공교롭게도 A가 입대해야 하는 시점에 이웃 나라와 전쟁을 앞둔 일촉즉발의 상황이 되었다. 이 때문에 A는 군대에 가면 자신의 생명이 위험할 수도 있다는 생각에 군 입대 문제를 놓고 갈등하고 있다.
• B는 마을 뒷산이 리조트로 개발되면 토지 보상을 받아 경제적으로 큰 이익을 얻는다. 언론에서는 리조트 개발로 관광 산업이 활성화되어 마을 주민의 소득이 증대될 것이라는 연구 결과를 보도하였다. B는 이 보도를 보고 자신을 비롯해 주민 개개인이 리조트 개발 과정에서 마을의 발전을 위해 각자가 맡은 역할을 다하면 마을 전체의 이익이 늘어 자신뿐만 아니라 주민 개개인에게도 그 혜택이 돌아갈 것이라고 생각하고 있다.

① A가 평소 국가를 위해 병역 의무를 다해야 한다고 생각한 것을 국가 전체의 복지를 위한 것이라고 보면 도덕적으로 선한 것이라고 할 수 있어.
② A가 군 입대를 놓고 갈등하는 것을 사회를 위한 헌신을 망설이는 것으로 보면 도덕적으로 바람직하지 않은 상태에 있는 것이라고 할 수 있어.
③ B가 궁극적으로 자신의 이익을 추구하고 있다는 측면에서 보면 리조트 개발에 대한 그의 주장은 도덕적으로 비판받아야 하는 것이라고 할 수 있어.
④ 리조트가 개발되면 마을 전체의 이익이 증대된다는 언론의 보도는 B가 리조트 개발에 대한 자신의 욕구를 마을 전체의 이익과 조화시키는 데에 도움을 주었다고 할 수 있어.
⑤ 주민 개개인이 각자 맡은 역할을 다해야 마을 전체의 이익이 증대된다는 B의 생각은 부분들이 상위 체계의 목적에 기여함으로써 조화를 이룬다는 생각과 통하는 것이라고 할 수 있어.

9262-0150

03 ㉠을 비판하기 위한 근거로 가장 적절한 것은?

① 도덕감은 인간의 행위와 감정을 지각할 때 작용하는 것이다.
② 인간은 대상을 아름답다고 판별하는 객관적 기준을 지니고 있다.
③ 감각은 사람마다 다를 수 있기 때문에 도덕감도 사람마다 다를 수 있다.
④ 도덕적으로 선한 것과 옳은 것을 판별하는 능력은 선천적으로 부여받은 것이다.
⑤ 대상의 특성이 전체의 목적과 부합하는지를 판단하기 위해서는 도덕감을 고려해야 한다.

㉠에서 도덕감이 보편적으로 작용한다고 주장하고 있음을 파악한다.

↓

㉠의 주장이나 논거의 문제점을 지적한 것으로 적절한 선택지를 정답으로 고른다.

03 이 문항은 지문에 제시된 입장을 비판하는 데에 적합한 근거를 찾는 문제이다.

> **5** (……) 그는 ㉠모든 인간이 '선하고 아름다운 것에 관한 선천적인 관념'을 갖고 감각에 근거해 선하고 아름다운 것을 판별하듯이 도덕적으로 선한 것과 옳은 것을 판별하는 도덕감을 갖고 있기 때문에 도덕감은 보편적으로 작용한다고 보았다.

이 글에서는 샤프츠버리의 주장이 핵심 정보가 되고 있다. 이에 따라 그 내용을 이해해 구체적 사례나 상황에 적용하는 문제가 출제되었는데, 이 문제에서는 그 주장을 적절하게 비판할 수 있는지를 묻고 있다. 이와 같이 지문에 제시된 주장은 비판적 사고를 평가하는 유형의 출제 요소도 된다. 비판적 사고를 요구하는 문항은 상대 주장이나 논거의 문제점을 지적한 것이 정답의 요소가 된다.

원리로 다시 읽기

도덕적 선·악이나 옳고 그름을 구분하는 능력으로 '도덕감'이라는 용어를 처음 사용한 샤프츠버리는 도덕감 윤리 이론의 창시자라 일컬어진다. 샤프츠버리는 도덕 인식을 감각 지각에 비유하여 설명했다. ❶마치 우리가 눈으로 대상의 형태, 운동, 색채 등을 지각해 그 아름다움과 추함을 판별하듯이, 마음속 도덕감이 인간 행위의 옳고 그름을 분별한다는 것이다. 우리가 어떤 예술품의 아름다움과 추함을 감각을 통해 직관적으로 인식하는 것과 유사한 방식으로 도덕적 판단을 한다고 본 것이다.

▶ 도덕 인식을 감각 지각과 유사하다고 본 샤프츠버리의 입장

샤프츠버리의 윤리 이론에서 중요하게 다뤄지고 있는 개념은 개인과 우주의 조화이다. 그는 세계를 하나의 거대한 유기체로 인식했다. 그에 따르면, 자연은 위계적인 질서를 바탕으로 부분들이 조화를 이루고 있는 체계이다.(샤프츠버리의 자연관) 그래서 그는 '유기체적 자연'이라는 개념을 윤리 이론에 도입해 자연 과학의 기계론적 세계관을 극복하고자 했다. ❷전체는 부분들의 유기적인 통합체이며, 전체 안의 부분들은 상위의 목적에 기여함으로써 완전한 통합을 이룬다. 모든 부분들이 조화로운 우주의 실현을 위한 수단이 되는 것이다.

▶ 유기체적 자연관에 근거한 샤프츠버리의 윤리 이론

샤프츠버리가 말한 ❸개인과 우주의 조화에는 전체의 복지를 위한 개인의 복종이 함축되어 있다. 인간은 자연 체계의 한 부분일 뿐만 아니라 그것에 의해 규정된다.(인간과 자연의 관계에 대한 샤프츠버리의 입장) 그리고 개인과 우주의 조화에는 하나의 유기체인 개인을 위한 개인 내면 욕구들의 복종도 함축되어 있다. 왜냐하면 인간도 그 자신이 스스로 하나의 체계를 이루고 있는데, 그 체계를 외부 세계와 같은 질서가 지배하고 있기 때문이다. 이러한 견해에 따르면 사회에는 두 종류의 조화가 존재하게 된다. 하나는 개인적인 것으로 욕구들이나 감정들 간의 균형 속에 존재하는 것이고, 다른 하나는 사회적인 것으로 개인들의 사회에 대한 온전한 헌신 속에 존재하는 것이다.

▶ 전체를 위한 부분의 복종을 통한 조화를 중시한 샤프츠버리의 입장

❹샤프츠버리는 이와 같은 조화에 기여하는 것을 도덕적으로 선한 것이라고 보았다. 이러한 관점에서는 우리가 자기 자신의 이익이나 행복을 추구하는 것을 그 자체로 나쁘다거나 선하다고 단정지어서는 안 된다. 우리가 지닌 욕구가 상위 체계의 목적과 부합하는지를 판단해야 하는 것이다. 이와 관련해 샤프츠버리는 본성과 일치하는 것도 선한 것이라고 했다.(인간의 본성에 대한 샤프츠버리의 입장) 그는 본성과 일치하는 것은 상위 체계의 목적과 일치하는 것으로 전체의 복지에 적합하다고 보았다. 이는 인간의 본성 안에 이타적 성향이 있으며, 인간의 본성이 전체 사회의 보전을 지향한다는 견해를 바탕으로 하고 있다. ❺샤프츠버리에게 비도덕적인 생각과 행위는 자신의 욕구나 감정을 전체의 목적과 조화시키지 못하는 데서 오는 것이다.

▶ 도덕적으로 선한 것과 악한 것에 대한 샤프츠버리의 판단 기준

그런데 어떤 것이 전체의 목적에 부합하는 것인지를 우리는 어떻게 알 수 있을까? 도대체 어떻게 우리는 균형과 조화를 인식할 수 있는 것일까? 샤프츠버리에 따르면 그것은 도덕감에 의해 가능하다. 그는 모든 인간이 '선하고 아름다운 것에 관한 선천적인 관념'을 갖고 감각에 근거해 선하고 아름다운 것을 판별하듯이 도덕적으로 선한 것과 옳은 것을 판별하는 도덕감을 갖고 있기 때문에 도덕감은 보편적으로 작용한다고 보았다.(도덕감의 작용에 대한 샤프츠버리의 입장) 그리고 그는 도덕감이 인간의 행위와 감정들 같은 도덕적 대상들을 지각할 때 필연적으로 작용하는 것이라고 생각했다.

▶ 도덕감의 기능에 대한 샤프츠버리의 입장

❶ (❶)을 도덕적으로 판단하는 것에 대한 샤프츠버리의 입장이 제시되어 있다. 글의 서두에 제시된 입장은 핵심 정보로 중요한 출제 요소가 된다.

❷~❺ 샤프츠버리의 입장을 설명하고 있다. 이와 같이 특정 학자나 사상가의 (❷)를 제시하는 문장에 주목해 독해할 수 있어야 한다. 이와 같이 견해를 제시하는 핵심 정보에 주목함으로써 샤프츠버리가 유기적인 조화를 중시했으며, 전체를 이루는 부분들이 전체의 복지에 기여할 때 조화가 이루어진다고 생각했음을 알 수 있다. 아울러 샤프츠버리가 (❸)에 기여하는 것을 도덕적으로 선한 것, 그렇지 않은 것을 악한 것으로 여겼음도 알 수 있다.

답

❶ 인간 행위의 옳고 그름 ❷ 견해 ❸ 조화

Note

다음 글을 읽고 물음에 답하시오.

일반적으로 '종족'은 조상이 같고, 같은 계통의 언어 · 문화 등을 가지고 있는 사회 집단을 의미한다. 종족은 사회 · 문화적 요소들을 중요한 특질로 삼고 있다는 점에서, 신체적 특징에 근거한 분류 범주인 인종과 구별된다. 한 종족으로 이루어진 종족 집단은 공통된 특질을 갖고 있다. 이와 같이 종족 집단을 구성하는 특질을 '종족성'이라고 한다. 종족성은 역사적으로 축적*되어 온 종족의 여러 문화적 특질을 바탕으로 하고 있지만 고정 불변의 것이 아니다. 그것은 끊임없이 변화하고 있는 유동적인 것이다.

인류학에서는 종족성을 연구하는 데 특정 종족 집단이 공유하고 있는 '문화적 특질' 자체보다는 다른 집단과 자신들을 구별하기 위해 만들어 내는 집단들 간의 경계에 주목해야 한다고 강조한다. 문화 간 접촉 상황에서 종족 집단은 자신들과 타자와의 경계를 유지하고 만들어 내기 위해 상황에 따라 문화의 특질을 선택한다는 것이다. 이는 종족 간 경계를 만들어 내는 문화적 특징이나 행위들이 고정된 것이 아니라 상황과 맥락에 따라 상대적으로 변하는 것임을 나타낸다.

인류학자들은 종족성을 현실의 정치 · 경제적인 이해관계 속에서 파악했다. 그 결과 종족의 이익을 위하는 입장에서 기존의 종족성을 약화시키고 새로운 특질을 종족성으로 받아들이는 경향이 확인되었다. 그리고 상황에 따라 현실의 이해관계를 따져 종족 정체성의 선택이 이루어지는 경향도 확인되었다. 미국에는 백인 계통의 남미 출신 이민자들이 많다. 이들은 미국 사회에서 유럽계 미국인과 히스패닉이라는 두 개의 종족 정체성 중에서 주어진 상황에 따라 현실의 이해관계를 따져 자신에게 보다 유리한 것 하나를 선택하곤 한다. 이와 관련해 아브너 코헨은 본질적으로 종족성이 정치적인 것이라는 주장을 하였다. 종족성이 현실의 이해관계와 맞물려 규정되거나 만들어질 수 있다면, 종족성은 상황적 정체성이라고 할 수 있다.

[A] 인류학자들은 변화된 종족성을 정당화하기 위해 과거의 역사, 문화 등을 새롭게 규정하는 경우가 있다는 것을 확인했다. 모리셔스의 이슬람교 신자들은 18세기와 19세기에 걸쳐 인도에서 이주해 온 상인과 노동자들의 후손들이었다. 이들은 1972년 인구 조사에서는 자신들의 종족 언어가 인도어라고 밝혔는데, 10년 후의 인구 조사에서는 종족 언어를 아랍어라고 주장했다. 이들은 같은 인도 출신의 힌두교 신자들과 지속적으로 경쟁하며, 높아진 아랍의 위상에 자극받아 아랍의 종족성을 자신들의 정체성으로 주장한 것이다. 그리고 이들은 이슬람 신자라는 것만으로는 자신들의 종족성을 뒷받침하지 못하자, 과거로부터 이어져 온 자신들의 전통 문화를 새롭게 규정했다. 그에 따라 여자들은 아랍의 전통을 따라 베일을 썼으며, 남자들은 하얀 겉옷을 입고 수염을 기르기 시작했다.

국가의 경계를 넘어 이루어지는 현대 세계의 세계화는 자본과 사람들의 이동을 촉진*하고 있다. 이러한 변화에 따라 문화 간 혼성이 중요한 현상으로 대두*되고 있으며, 문화를 소비하는 사람들은 더이상 자신들의 고유한 문화만을 고집하지 않는다. 세계화는 주도적인 문화로 문화의 동질화도 촉진하겠지만, 동시에 그에 맞서 지역 문화를 중심으로 한 지역화의 흐름도 강화할 것이다. 이러한 상황에서 종족 집단과 종족성은 재구성되거나 새로운 의미를 갖게 되며, 나아가 혼성 문화의 출현처럼 과거와는 전혀 다른 차원의 종족 집단이나 종족성을 출현시킬 수도 있을 것이다.

어휘 풀이

*축적 지식, 경험, 자금 따위를 모아서 쌓음.
*촉진 다그쳐 빨리 나아가게 함.
*대두 머리를 쳐든다는 뜻으로, 어떤 세력이나 현상이 새롭게 나타남을 이르는 말.

9262-0151

01 윗글의 표제와 부제로 가장 적절한 것은?

① 종족성에 대한 연구 동향
– 통시적 관점에서 살펴본 종족성의 변화를 중심으로
② 종족성의 개념과 변화 양상
– 종족성에 관한 인류학의 연구 결과를 중심으로
③ 종족성에 반영되어 있는 문화적 특질
– 종족 집단들의 문화적 차이에 대한 이론을 중심으로
④ 종족성의 변화에 영향을 미친 주요 요인
– 종족 집단이 사용하는 언어에 관한 연구 결과를 중심으로
⑤ 종족성과 세계화의 관계
– 세계화가 종족성에 미친 영향에 관한 학자들의 주장을 중심으로

9262-0152

02 윗글을 바탕으로 〈보기〉에 대해 이해한 내용으로 적절하지 않은 것은?

보기

나이지리아의 이바단(Ibadan)은 요루바 족이 거주민의 대다수를 차지하는 도시이다. 이 도시에는 요루바 족 외에도 하우사 족과 이보 족이 서로 다른 종족성을 구현하며 살고 있다. 하우사 족 사람들은 콜라(kola) 열매를 구매해 나이지리아 북부 지역에 살고 있는 같은 종족 집단에게 공급하는 장거리 무역에 종사하고 있고, 이보 족 사람들은 다양한 소매업에 종사하고 있다. 하우사 족 사람들은 같은 종족의 사람들과의 신용 거래를 통해 무역을 한다. 이들은 종족의 문화적 특질을 공유함으로써 구성원 간에 강한 유대 관계를 유지하고 있으며 종족성 강화를 위해 이슬람교를 이용하고 있다. 이에 반해 이보 족 사람들은 요루바 족 사회와 밀접한 유대를 맺고 살면서 소매업을 하기 때문에 요루바족 문화를 수용하는 경향을 보여 주고 있다.

① 하우사 족이 종족성 강화를 위해 이슬람교를 이용하고 있는 것은 자신들과 타 종족 집단과의 경계를 뚜렷하게 하기 위한 것이라고 할 수 있어.
② 이보 족 사람들이 요루바 족 문화를 수용하는 경향을 보이는 것은 자신들의 이익을 위해 새로운 문화적 특질을 종족성으로 받아들이는 것이라고 할 수 있어.
③ 하우사 족이 종족의 문화적 특질을 통해 구성원 간에 강한 유대감을 유지하는 것은 종족 집단 내에서 공유하고 있는 문화적 특질이 있기 때문이라고 할 수 있어.
④ 이바단에서 하우사 족이 이보 족과 서로 다른 종족성을 구현하며 함께 사는 것은 여러 종족 정체성 중에서 자신에게 유리한 종족성을 선택해 왔기 때문이라고 할 수 있어.
⑤ 이보 족 사람들이 요루바 족 사람들과 밀접한 유대를 맺고 살아가는 것은 종족 간 경계를 만들어 내는 문화적 특징이나 행위들이 변할 수 있음을 나타내는 것이라고 할 수 있어.

9262-0153

03 [A]를 근거로 〈보기〉에 제시된 통념을 비판한 말로 가장 적절한 것은?

보기

일반적으로 사람들은 문화적 전통이 오래전부터 전해 내려오는 것이라고 생각한다. 현재 남아 있는 전통이 그 지역이나 민족의 고유하고도 본질적인 문화적 특성이라고 믿는 경향이 있는 것이다.

① 전통은 전해져 내려온 문화 외에 역사도 고려해 이해해야 하는 것이다.
② 전통은 오래전부터 전해 내려오는 것이 아니라 새롭게 형성될 수 있는 것이다.
③ 전통은 특정 지역에 국한되지 않고 광범위한 지역에 걸쳐 전해질 수 있는 것이다.
④ 전통 간의 경쟁은 전통의 고유한 특징을 약화시키지 않고 강화시킬 수 있는 것이다.
⑤ 전통의 본질적 속성은 외부 요인만이 아니라 내부 요인에 의해서도 달라질 수 있는 것이다.

출제 포인트

〈보기〉와 지문 간의 대응하는 짝에 유의하며 〈보기〉의 내용을 파악한다.

↓

〈보기〉의 '하우사 족'과 '이보 족'의 종족성이 대비되고 있음을 이해하고, 그 내용이 이해관계에 따라 종족성이 변화될 수 있다는 지문의 내용과 대응하는 것임을 파악한다.

↓

④에서 '하우사 족'과 '이보 족'이 서로 다른 종족성을 구현하며 사는 것에 대해 유리한 종족성을 선택한다고 서술한 것이 적절하지 않은 것임을 판단한다.

02 이 문항은 지문에서 설명한 '현상의 양상'에 관한 정보를 〈보기〉의 구체적 사례에 적용해 추론할 수 있는지를 묻고 있다.

❸ 인류학자들은 종족성을 현실의 정치 · 경제적인 이해관계 속에서 파악했다. (……) 그리고 상황에 따라 현실의 이해관계를 따져 종족 정체성의 선택이 이루어지는 경향도 확인되었다. 미국에는 백인 계통의 남미 출신 이민자들이 많다. 이들은 미국 사회에서 유럽계 미국인과 히스패닉이라는 두 개의 종족 정체성 중에서 주어진 상황에 따라 현실의 이해관계를 따져 자신에게 보다 유리한 것 하나를 선택하곤 한다.

이 글에서는 종족성의 유동적 속성에 대해 인류학의 연구 결과를 토대로 설명하고 있다. 종족성이 변화하는 것을 현상으로 보면, 이 글은 그 현상의 양상에 대해 설명하고 있다고 볼 수 있다. 이와 같이 현상의 양상에 대해 설명하면, 그 양상을 정확하게 이해하고 있으며, 나아가 그 정보를 구체적 사례에까지 적용할 수 있는지를 묻는 문제가 출제된다.

원리로 다시 읽기

일반적으로 '종족'은 조상이 같고, 같은 계통의 언어 · 문화 등을 가지고 있는 사회 집단을 의미한다. 종족은 사회 · 문화적 요소들을 중요한 특질로 삼고 있다는 점에서, 신체적 특징에 근거한 분류 범주인 인종과 구별된다. 한 종족으로 이루어진 종족 집단은 공통된 특질을 갖고 있다. 이와 같이 종족 집단을 구성하는 특질을 '종족성'이라고 한다. 종족성은 역사적으로 축적되어 온 종족의 여러 문화적 특질을 바탕으로 하고 있지만 고정 불변의 것이 아니다. 그것은 끊임없이 변화하고 있는 유동적인 것이다. ▶ 종족과 종족성의 개념 및 종족성의 유동적 특성

인류학에서는 종족성을 연구하는 데 특정 종족 집단이 공유하고 있는 '문화적 특질' 자체보다는 다른 집단과 자신들을 구별하기 위해 만들어 내는 집단들 간의 경계에 주목해야 한다고 강조한다. ❶문화 간 접촉 상황에서 종족 집단은 자신들과 타자와의 경계를 유지하고 만들어 내기 위해 상황에 따라 문화의 특질을 선택한다는 것이다. 이는 ❷종족 간 경계를 만들어 내는 문화적 특징이나 행위들이 고정된 것이 아니라 상황과 맥락에 따라 상대적으로 변하는 것임을 나타낸다. ▶ 종족 간 경계를 만들어 내는 문화적 특징이나 행위의 유동성

인류학자들은 종족성을 현실의 정치 · 경제적인 이해관계 속에서 파악했다. 그 결과 ❸종족의 이익을 위하는 입장에서 기존의 종족성을 약화시키고 새로운 특질을 종족성으로 받아들이는 경향이 확인되었다. 그리고 상황에 따라 현실의 이해관계를 따져 종족 정체성의 선택이 이루어지는 경향도 확인되었다. 미국에는 백인 계통의 남미 출신 이민자들이 많다. 이들은 미국 사회에서 유럽계 미국인과 히스패닉이라는 두 개의 종족 정체성 중에서 주어진 상황에 따라 현실의 이해관계를 따져 자신에게 보다 유리한 것 하나를 선택하곤 한다. 이와 관련해 아브너 코헨은 본질적으로 종족성이 정치적인 것이라는 주장을 하였다. 종족성이 현실의 이해관계와 맞물려 규정되거나 만들어질 수 있다면, 종족성은 상황적 정체성이라고 할 수 있다.
▶ 정치 · 경제적인 이해관계에 따라 변하는 종족성

❹인류학자들은 변화된 종족성을 정당화하기 위해 과거의 역사, 문화 등을 새롭게 규정하는 경우가 있다는 것을 확인했다. 모리셔스의 이슬람교 신자들은 18세기와 19세기에 걸쳐 인도에서 이주해 온 상인과 노동자들의 후손들이었다. 이들은 1972년 인구 조사에서는 자신들의 종족 언어가 인도어라고 밝혔는데, 10년 후의 인구 조사에서는 종족 언어를 아랍어라고 주장했다. 이들은 같은 인도 출신의 힌두교 신자들과 지속적으로 경쟁하며, 높아진 아랍의 위상에 자극받아 아랍의 종족성을 자신들의 정체성으로 주장한 것이다. 그리고 이들은 이슬람 신자라는 것만으로는 자신들의 종족성을 뒷받침하지 못하자, 과거로부터 이어져 온 자신들의 전통 문화를 새롭게 규정했다. 그에 따라 여자들은 아랍의 전통을 따라 베일을 썼으며, 남자들은 하얀 겉옷을 입고 수염을 기르기 시작했다.
▶ 변화된 종족성의 정당화를 위해 역사나 문화 등을 새롭게 규정하는 경우

국가의 경계를 넘어 이루어지는 현대 세계의 세계화는 자본과 사람들의 이동을 촉진하고 있다. 이러한 변화에 따라 문화 간 혼성이 중요한 현상으로 대두되고 있으며, 문화를 소비하는 사람들은 더 이상 자신들의 고유한 문화만을 고집하지 않는다. 세계화는 주도적인 문화로 문화의 동질화도 촉진하겠지만, 동시에 그에 맞서 지역 문화를 중심으로 한 지역화의 흐름도 강화할 것이다. 이러한 상황에서 종족 집단과 종족성은 재구성되거나 새로운 의미를 갖게 되며, 나아가 혼성 문화의 출현처럼 과거와는 전혀 다른 차원의 종족 집단이나 종족성을 출현시킬 수도 있을 것이다. ▶ 세계화가 종족 집단과 종족성에 미치는 영향에 대한 전망

❶ (❶)에서 종족성을 연구할 때 중시한 것이 무엇인지를 부연한 문장으로, 관점을 나타내고 있다. 특정 학문 분야나 이론에서 중시한 것은 관점을 보여 주기 때문에 핵심 정보가 된다. ❶을 통해 인류학에서 종족 집단 간의 경계에 주목해 문화의 특질 선택이 이루어지는 것을 이해했음을 알 수 있다.

❷~❹ 종족성과 관련해 현상의 특징을 제시한 것이다. ❷에서 종족 간 경계를 만들어 내는 문화적 특징이나 행위들이 고정된 것이 아니라는 것은 (❷)이 유동적으로 변하는 것임을 나타낸다. 그리고 ❸, ❹도 종족성이 어떤 양상으로 변하는지 그 특징을 제시한 것이다. 이와 같이 특징을 제시하고 있는 정보들은 출제 요소로 활용되기 때문에 독해할 때 반드시 주목해야 한다.

답
❶ 인류학 ❷ 종족성

실전 인문 독해 5

다음 글을 읽고 물음에 답하시오.

Note

철학자 칸트는 어떤 행위가 올바른가 아니면 그른가를 그 결과로 판단할 수 없다고 주장했다. 우선 칸트는 세상 모든 것을 '결과에 따라 좋다고 여겨지는 것'과, 또 '결과와 무관하게 무조건 좋다고 여겨지는 것'으로 분류하고, 무조건 좋다고 여겨지는 것은 '그 자체 선', 즉 '본래 선'으로 여겼다. 이 분류에 따르면, 행복은 결코 무조건 선한 것이 아니다. 왜냐하면 행복에 대한 개인의 인식은 성향, 지능, 출생 환경 등 개인이 처한 상황에 따라 다를 수 있기 때문이다. 이 밖에도 감정, 절제, 평온한 사유, 냉정함 등은 어떤 때에는 좋은 것이 되기도 하고 또 어떤 때에는 나쁜 것이 되기도 하는 그런 것들이다. 이와 같이 조건에 따라 선하게 여겨지는 것과 달리 무조건 선하다고 여겨지는 것은 오로지 선의지뿐이라고 칸트는 주장하였다.

칸트는 이러한 선의지를 '의무를 이행하려는 단순한 바람이 아니라, 의무를 이행하고자 내 모든 능력을 동원하려는 것'이라고 다시 정의 내렸다. 그에 의하면, 선의지에 따른 행위란 의무를 이행해야 한다는 '의무 의식으로부터 나온 행위'이며, 도덕 가치를 지닌 행위란 단순히 본인이 하고 싶어서 한 행위가 아니라 해야 한다는 의무감에서 나오는 행위이다. 칸트는 하고 싶어서 한 행위는 '경향성에 따른 행위'라고 규정하고, 이러한 행위를 선의지에 따른 행위와 대비시켰다. 칸트는 자기 보존을 위한 행위나 어머니가 자식에게 젖을 먹이는 본능 활동도 하고 싶어서 한 행위라면 결코 도덕 가치를 지니지 않으며, 해야 한다는 의무감으로 말미암은 행위는 설령 나쁜 결과를 가져오더라도 도덕 가치를 지닌 행위로 평가받을 만하다고 보았다. 그의 관점에 따르면, 해야 한다는 의무 의식 말고는 도덕 가치를 지니는 것은 없다는 것이다.

또한 칸트는 인간이 동물과 다르게 '이성 존재'라는 점을 강조하였는데, 여기서 이성 존재란 이성 명령에 따를 수 있는 존재이다. 이성 명령은 단순히 경향이나 생활 환경 등과 같은 주변 여건에 좌우되는 '가언 명령(假言命令)*'이어서는 안 되며, 어떤 조건도 붙지 않은 '이러이러하게 행동하라'는 형식의 '정언 명령(定言命令)*'이어야 한다. 칸트는 '네 의지 준칙*이 준칙이면서 동시에 보편 입법 원칙에 맞도록 행위하라'를 정언 명령으로 채택하였는데, 자기뿐만 아니라 다른 모든 사람들이 해야 한다고 생각하는 그런 행위를 하라는 것이다. 이는 다른 사람을 자기와 똑같은 의지와 욕망을 가진 존재로 생각하여 대응해야 한다는 것을 나타내며, 자기가 존중받아야 한다면 다른 모든 사람들도 자기처럼 존중받아야 한다는 점을 인식하는 것을 나타낸다. '다른 사람들을 그들 자신으로 대하라. 결코 목적을 위한 수단으로만 대하지 말라.'는 정언 명령의 또 다른 표현이기도 하다.

칸트에 따르면 인간은 도덕 법칙을 지켜 내는 특별한 존재이다. 그래서 칸트가 주장하는 '의무주의'는 '법칙주의'로 불리기도 한다. 그가 생각하는 인간이란 정언 명령을 따르는 존엄한 이성 존재이므로, 누구라도 다른 사람에게 금지된 행동이 자기에게만은 허용된다고 생각하지 말아야 하며, 또 자기 이익이 다른 사람들의 이익보다 중요하다고도 생각하지 말아야 한다.

어휘 풀이

*가언 명령(假言命令) 조건이나 상황에 따라 다르게 적용되는 도덕 명령.
*정언 명령(定言命令) 어떤 특정한 조건에 좌우되지 않는 무조건적인 명령.
*준칙 개인이 스스로의 행위 지침으로서 스스로에게 설정하는 규칙.

정답과 해설 32쪽

9262-0154

01 윗글에 대한 설명으로 가장 적절한 것은?

① 이론들 간의 관계를 중심으로 여러 이론의 특징을 밝히고 있다.
② 특정 학자의 이론이 변모해 온 과정을 통시적으로 고찰하고 있다.
③ 특정 인물의 입장을 소개하면서 그와 관련된 개념을 설명하고 있다.
④ 특정 학자의 입장이 지닌 타당성을 구체적 사례를 통해 입증하고 있다.
⑤ 통념의 문제점을 지적하고 통념에 반하는 새로운 이론을 소개하고 있다.

9262-0155

02 윗글의 내용과 일치하지 않는 것은?

① 인간은 도덕 법칙을 지키는 존재이다.
② 상황에 따라 달라지는 이성 명령에 따른 인간의 행위는 도덕적 행위이다.
③ 정언 명령은 누구나 조건이나 여건을 따지지 않고 수행해야 하는 명령이다.
④ 선의지에 따른 행위란 의무를 이행해야 한다는 의식으로부터 비롯된 것이다.
⑤ 타인은 자신과 같은 의지와 욕망을 가진 존재이므로 자신의 욕망을 달성하기 위한 수단으로 타인을 이용해서는 안 된다.

9262-0156

03 〈보기〉는 윗글에 대한 '쇼펜하우어'의 생각이다. 이를 바탕으로 '쇼펜하우어'의 입장에서 '칸트'를 비판한 내용으로 가장 적절한 것은?

보기

칸트의 의무주의는 경향성과 의무감이 각각 구별되며 언제나 그 둘이 서로 다른 길로 인간을 끌고 간다는 생각을 전제한다. 그러나 '하고 싶어 하는 행위'가 의무적으로 '해야 하는 행위'와 일치하는 경우도 많다. 이러한 행위는 의무감에서 비롯된 행동이 아니라 경향성에서 비롯된 것이라고 생각할 수도 있다.

① 사람들이 선의로 한 행위는 분명히 칭찬받을 만한데, 칸트는 이것이 도덕 가치를 인정받을 수 없다고 주장하고 있다.
② 어머니가 자식에게 젖을 먹이는 활동은 의무감에 의한 활동인데, 칸트는 이 활동을 하고 싶어서 한 행위로 잘못 판단하였다.
③ 해야 한다는 의무감으로 말미암은 행위라 할지라도 나쁜 결과를 가져오게 되면 이를 도덕 가치를 지닌 행위로 보는 것은 불합리하다.
④ 경향성과 의무감을 명확하게 구별해 내는 것은 불가능한데, 칸트는 의무감과 경향성을 서로 나누고 있어 잘못된 인식을 초래할 수 있다.
⑤ 자기 보존을 위한 행위는 의무 의식에 의한 것이 아니라 본능에 의해서 이루어지는 것이므로 이에 대해서도 의무 의식을 요구하는 칸트의 행위는 적절하지 않다.

출제 포인트

칸트가 '경향성'과 '의무감'을 구분하고 '의무감'을 강조했다는 점을 파악한다.

↓

〈보기〉의 진술에서 '경향성'과 '의무감'이 일치하는 경우 이러한 행위는 '경향성'에서 비롯될 수 있음을 들어 칸트를 비판하고 있음을 파악한다.

↓

④번 선택지에서 '경향성'과 '의무감'의 구분을 지적한 점을 확인하고 정답으로 선택한다.

03 이 문항은 이 글의 '칸트'와 다른 관점을 지닌 '쇼펜하우어'의 입장을 제시함으로써 글을 비판적으로 이해할 수 있는지 묻고 있다.

> **2** (……) 선의지에 따른 행위란 의무를 이행해야 한다는 '의무 의식으로부터 나온 행위'이며, 도덕 가치를 지닌 행위란 단순히 본인이 하고 싶어서 한 행위가 아니라 해야 한다는 의무감에서 나오는 행위이다.

위와 같은 내용을 근거로 칸트가 '경향성과 의무감을 구분하여 의무감에서 나오는 행위만이 도덕 가치를 지닌다.'고 보았음을 파악하고 이에 대한 비판적 관점을 이해하는 것이 출제 요소가 되었다.

원리로 다시 읽기

철학자 칸트는 어떤 행위가 올바른가 아니면 그른가를 그 결과로 판단할 수 없다고 주장했다. 우선 칸트는 세상 모든 것을 '결과에 따라 좋다고 여겨지는 것'과, 또 '결과와 무관하게 무조건 좋다고 여겨지는 것'으로 분류하고, 무조건 좋다고 여겨지는 것은 '그 자체 선', 즉 '본래 선'으로 여겼다. 이 분류에 따르면, 행복은 결코 무조건 선한 것이 아니다. 왜냐하면 행복에 대한 개인의 인식은 성향, 지능, 출생 환경 등 개인이 처한 상황에 따라 다를 수 있기 때문이다. 이 밖에도 감정, 절제, 평온한 사유, 냉정함 등은 어떤 때에는 좋은 것이 되기도 하고 또 어떤 때에는 나쁜 것이 되기도 하는 그런 것들이다. 이와 같이 조건에 따라 선하게 여겨지는 것(결과에 따라 좋다고 여겨지는 것)과 달리 ❶**무조건 선하다고 여겨지는 것은 오로지 선의지뿐이라고 칸트는 주장하였다.**

▶ 칸트의 '선의지'의 개념

❶ 칸트의 주장이 제시되어 있다. 결과와 무관하게 무조건 좋다고 여겨지는 것이 '그 자체 선', '본래 선' 혹은 (❶)라고 표현되고 있음을 이해해야 한다.

칸트는 이러한 선의지를 '의무를 이행하려는 단순한 바람이 아니라, 의무를 이행하고자 내 모든 능력을 동원하려는 것'이라고 다시 정의 내렸다. 그에 의하면, 선의지에 따른 행위란 의무를 이행해야 한다는 ❷**'의무 의식으로부터 나온 행위'**이며, 도덕 가치를 지닌 행위란 단순히 본인이 하고 싶어서 한 행위가 아니라 해야 한다는 의무감에서 나오는 행위이다. 칸트는 하고 싶어서 한 행위는 ❸**'경향성에 따른 행위'**라고 규정하고, 이러한 행위를 선의지에 따른 행위와 대비시켰다. 칸트는 자기 보존을 위한 행위나 어머니가 자식에게 젖을 먹이는 본능 활동도 하고 싶어서 한 행위라면 결코 도덕 가치를 지니지 않으며, 해야 한다는 의무감으로 말미암은 행위는 설령 나쁜 결과를 가져오더라도 도덕 가치를 지닌 행위로 평가받을 만하다고 보았다. 그의 관점에 따르면, 해야 한다는 의무 의식 말고는 도덕 가치를 지니는 것은 없다는 것이다.

▶ '의무 의식'에 따른 행위와 '경향성'에 따른 행위

❷, ❸의 두 행위는 대비적 개념으로 제시되고 있다. 칸트가 두 행위를 대비시키면서 ❸은 도덕 가치를 지니지 않으며, 설령 나쁜 결과를 가져오더라도 ❷가 도덕 가치를 지닌 행위로 평가받을 만하다고 보았다는 점을 이해해야 한다.

또한 칸트는 인간이 동물과 다르게 '이성 존재'라는 점을 강조하였는데, 여기서 이성 존재란 이성 명령에 따를 수 있는 존재이다. 이성 명령은 단순히 경향이나 생활 환경 등과 같은 주변 여건에 좌우되는 '가언 명령(假言命令)'이어서는 안 되며, 어떤 조건도 붙지 않은 '이러이러하게 행동하라'는 형식의 '정언 명령(定言命令)'이어야 한다. 칸트는 ❹**'네 의지 준칙이 준칙이면서 동시에 보편 입법 원칙에 맞도록 행위하라'**를 정언 명령으로 채택하였는데, 자기뿐만 아니라 다른 모든 사람들이 해야 한다고 생각하는 그런 행위를 하라는 것이다. 이는 다른 사람을 자기와 똑같은 의지와 욕망을 가진 존재로 생각하여 대응해야 한다는 것을 나타내며, 자기가 존중받아야 한다면 다른 모든 사람들도 자기처럼 존중받아야 한다는 점을 인식하는 것을 나타낸다. ❺**'다른 사람들을 그들 자신으로 대하라. 결코 목적을 위한 수단으로만 대하지 말라.'**는 정언 명령의 또 다른 표현이기도 하다.

▶ 보편성을 강조한 칸트의 정언 명령

❹가 어떤 조건에 좌우되지 않는 무조건적인 명령인 (❷)임을 이해할 수 있어야 한다. 칸트는 보편 입법 원칙에 맞도록 행위하는 것을 강조하였는데, 이는 자기뿐만 아니라 다른 모든 사람들도 해야 한다고 생각하는 행위를 하는 것을 의미한다.

❺와 같은 표현을 통해 보편성을 강조한 칸트의 정언 명령은 자신과 다른 사람을 동일하게 여길 것을 강조하였으며, 여기에 다른 사람에 대한 존중의 태도가 담겨 있다는 점을 이해해야 한다.

칸트에 따르면 인간은 도덕 법칙을 지켜 내는 특별한 존재이다. 그래서 칸트가 주장하는 '의무주의'(의무 의식으로부터 나온 행위를 강조함.)는 '법칙주의'로 불리기도 한다. 그가 생각하는 인간이란 정언 명령을 따르는 존엄한 이성 존재이므로, 누구라도 다른 사람에게 금지된 행동이 자기에게만은 허용된다고 생각하지 말아야 하며, 또 자기 이익이 다른 사람들의 이익보다 중요하다고도 생각하지 말아야 한다.

▶ 인간을 도덕 법칙을 지키는 존재로 본 칸트

답

❶ 선의지 ❷ 정언 명령

Note

다음 글을 읽고 물음에 답하시오.

중국에서 기원한 중화(中華) 개념은 중국을 선진 문명으로 설정하고 주변을 열등한 타자로 만들어 배척하는 논리가 기본 축이었지만, 타자의 변화와 추월 가능성을 제기하면서 주체의 변화를 촉구하는 논리가 또 다른 한 축이었다. 오랑캐로 인식되었던 금나라의 무력에 ㉠압도되는 경험을 했던 주자는 중화를 보편 가치로 격상*시켰고 이는 일종의 전형이 되어 우리나라에 영향을 미쳤다.

고려 후반 이래 우리나라에서 문명의 ㉡주류적 상징 역시 중화였다. 고려 후반 이래 성장한 사대부들은 중화를 유교 문명의 이상적 모습으로 간주하고 새로운 국가 건설의 모델로 삼았다. 새 국가 조선은 명나라를 중화로, 조선을 소중화로 간주하면서 중화를 국제 질서를 나타내는 중심 사상으로 삼으며 유교 문명국끼리의 국제적 연대 의식을 쌓아 나갔다. 16세기에 사림이 등장하면서 중화는 국가, 국제 질서의 차원을 넘어 일상으로 침투하기 시작하였는데, 명나라의 제도와 풍속을 중화의 유풍*으로 파악하면서 일상생활에서 이를 과감히 수용하는 것이 요구되었다.

소중화를 자처했던 조선이 중화 자체에 자신을 이전보다 더 강하게 ㉢투영하기 시작한 것은 17세기 명·청 교체를 경험하면서였다. 홀로 남아 유교의 명맥을 이어가고 있는 조선에 중화를 실현하여 중화를 계승하자는 이른바 '조선중화주의'가 등장한 것이다. 조선중화주의의 등장은 16세기 이래 진행되어 왔던 중화의 수용이라는 지향을 넘어서 중화의 내면화와 중화와의 동일시라는 새 지평을 열었다. '내면화'는 중화의 핵심인 의리와 예의를 보전*해야 한다는 책임 의식으로 나타났다. '동일시'는 난세라는 위기 상황에 태어나 춘추대의(春秋大義)*를 밝혔던 공자와 화이분별(華夷分別)*에 엄격했던 주자의 실천을 계승해야 한다는 의식으로서, 홀로 남은 유교 국가라는 위기 상황의 유사성에서 기인했다. 이러한 중화 가치의 내면화와 중화 사상가와의 동일시는 양난 이후 새로운 사회 질서 수립이라는 현실적 목표와도 잘 ㉣부합하여 강력한 사회 재건 이데올로기가 되었다.

18세기 이후 조선에서 중화는 좀 더 복잡한 의미를 지니게 되었다. 조선은 유교적 문명화를 비교적 성공적으로 달성했다고 자부했지만, 중원을 안정적으로 경영하는 청의 발전 모습을 지켜보면서 중화와 오랑캐에 대한 근본적인 의문을 가졌기 때문이었다. 조선이 이룩한 유교 문명의 성과에 대해 조선의 성리학자인 한원진은 조선의 위치와 규모는 중국보다 작지만 갖출 것은 다 갖추었고 정치·풍속·문화·유학이 명나라와 같다고 보았으며, 또 오랑캐인 청나라가 천하를 좌우한 지 오래된 시점에서 조선만이 홀로 문명을 보존하고 있다고 보았다. 영조대 남인 관료 오광운 역시 중국은 오랑캐의 세상이 되었으므로 문화의 정수는 조선으로 건너와 태평성대의 세상이 열렸다 하며 문화에 대한 자부심을 ㉤피력했다. 그런데 청을 비롯한 일본, 베트남 등이 자신들만의 문화를 안정시키고 발전시키면서 중화의 '자기화' 시대를 열고 있었다는 점은 이러한 인식과는 다른 현실의 모습을 보여 주었다. 이렇게 변화된 현실을 직시하고 인정하자는 주장은 크게 두 갈래였는데, 하나는 중화 계승의 자부심 속에 은폐된 위선에 대한 비판적인 관점을 바탕으로, 진정으로 춘추대의를 계승하려 한다면 치욕을 무릅쓰고라도 청의 발전상을 인정하고 그들을 배우자는 주장이었다. 다른 하나는 처음에 오랑캐로 여겨졌던 조선이 중화가 될 수 있었듯이, 중화는 그 보편성 때문에 누구에게나 열려 있는 가치라는 주장이었다. 이 관점에서 보면 이상이나 보편이라는 개념 자체가 자기를 중심으로 설정된 상대적인 것이므로 중심-주변이라는 인식 그 자체가 인위적이며 부자연스러운 것이 된다.

이처럼 중화라는 개념은 우리나라에 많은 영향을 끼치면서 시대에 따라 달리 받아들여지게 되었다. 이러한 인식의 변화 과정을 통해 중국과 우리나라의 관계 변화뿐만 아니라 동아시아 국제 질서 변화의 흐름까지도 확인해 볼 수 있다.

어휘 풀이

- 격상(格上) 자격이나 등급, 지위 따위의 격이 높아짐. 또는 그것을 높임.
- 유풍(遺風) 예로부터 전하여 오는 풍속.
- 보전(保全) 온전하게 보호하여 유지함.
- 춘추대의(春秋大義) 대의명분을 밝혀 세우는 큰 의리.
- 화이분별(華夷分別) 중국 민족과 그 주변의 오랑캐를 구분함.

9262-0157

01 윗글의 제목으로 가장 적절한 것은?

① 중화에 대한 인식의 변화 양상
② 중화 개념에 대한 상반된 인식
③ 중화의 개념과 이에 대한 추종과 배척
④ 동아시아 국가들의 중화의 '자기화' 태도
⑤ 조선중화주의의 사회 재건 이데올로기로서의 성격

9262-0158

02 윗글의 내용과 일치하지 않는 것은?

① 중화는 중국을 중심에 두고 다른 나라를 주변으로 보는 인식을 나타내는 개념이다.
② 17세기에 의리와 예의를 보전해야 한다는 의식은 중화를 내면화하고자 하는 태도를 나타낸다.
③ 청나라와 일본, 베트남 등이 그들 나름의 문화를 갖춘 것은 중화에 대한 맹목적 추종을 나타낸다.
④ 고려-조선 교체기에 조선은 중화를 새로운 국가 건설의 모델로 삼고 명나라와의 연대 의식을 쌓아 나갔다.
⑤ 청의 발전상을 인정하고 배우자는 주장은 조선이 중화를 보존하고 있다는 자부심 속에 은폐된 위선에 대한 비판적인 관점을 바탕으로 한다.

9262-0159

03 윗글을 바탕으로 〈보기〉를 이해한 반응으로 적절하지 않은 것은?

보기

17세기 학자였던 송시열은 고려가 쇠퇴한 이유를 내부의 태만함과 방자함으로 들면서 일반적으로 중화의 대척점으로 언급되는 '이적과 금수(오랑캐와 짐승)'를 들어 고려를 비판하였는데, 특히 원 간섭기에 중화를 버리고 이적과 결탁한 점에 대해 비판의 날을 세웠다. 그러면서 중화를 수립해야 한다는 주장을 내세웠는데, 아래는 이러한 주장이 드러난 송시열의 「여사제강 서(麗史提綱 序)」의 일부분이다.

"고려 470년간 잘 다스려진 시기는 적었고 어지러운 때가 많았는데 중엽 이후가 특히 심했다. 그 까닭은 거칠고 게으르고 방자하여 수신제가의 도리를 잃었기 때문인데 끝내 이적과 금수가 되고 말았다. 오랑캐와 결탁하여 얻은 친밀함을 어찌 믿을 수 있는가. (……) 우리 조선의 풍속과 교화는 오로지 주자의 학문을 숭상하여 고려의 풍속을 개변*했으니, 만일 주자께서 보셨다면 그 칭송이 어떠했겠는가?"

*개변(改變) 상태나 제도를 고쳐 더 좋게 바꿈.

① 원에 대한 고려의 태도를 부정적으로 평가하고 있는 점은 중화가 누구에게나 열려 있는 가치라는 관점을 보여 주고 있어.

② 고려가 이적과 결탁했다고 비판한 데는 주자의 실천을 계승하여 중화와의 동일시를 지향했던 입장이 전제되어 있다고 볼 수 있어.

③ 명나라의 제도와 풍속을 중화의 유풍으로 파악하고 수용하여 고려의 풍속을 개변한 점에 대해 자랑스러워하는 태도가 드러나 있다고 볼 수 있어.

④ 조선의 모습을 주자가 보았다면 칭송했을 것이라는 언급에서 조선에서 중화를 실현하여 계승하고자 하는 '조선중화주의'의 일면이 드러나 있다고 볼 수 있어.

⑤ 무너진 사회 질서를 중화를 통해 회복하고자 하는 목표 의식을 토대로, 양난 이후 쇠락한 조선의 상황에서 고려의 쇠퇴를 언급하며 경각심을 불러일으키고 있다고 볼 수 있어.

9262-0160

04 ㉠~㉤의 사전적 뜻풀이로 바르지 않은 것은?

① ㉠: 보다 뛰어난 힘이나 재주로 남을 눌러 꼼짝 못 하게 함.
② ㉡: 사상이나 학술 따위의 주된 경향이나 갈래.
③ ㉢: 어떤 일을 다른 일에 반영하여 나타냄.
④ ㉣: 사물이나 현상이 서로 꼭 들어맞음.
⑤ ㉤: 어떤 부분을 특별히 강하게 주장하거나 두드러지게 함.

출제 포인트

중화에 대한 17세기의 인식은 중화의 내면화와 동일시를 추구했던 '조선중화주의'였음을 이해한다.

↓

〈보기〉의 주장이 '조선중화주의'에 해당하는 17세기의 인식임을 파악한다.

↓

①번 선택지에서 '중화가 누구에게나 열려 있는 가치라는 관점'이 중화에 대한 18세기의 인식이라는 점을 알고, 적절하지 않은 반응임을 판단한다.

03 이 문항은 이 글에 언급된 중화에 대한 인식의 변화 과정 가운데 17세기의 인식을 구체적 사례에 적용하여 이해할 수 있는지 묻고 있다.

> **4** (……) 다른 하나는 처음에 오랑캐로 여겨졌던 조선이 중화가 될 수 있었듯이, 중화는 그 보편성 때문에 누구에게나 열려 있는 가치라는 주장이었다.

위와 같은 내용이 중화에 대한 18세기의 인식에서 설명되고 있으므로, 〈보기〉에서 언급하고 있는 17세기 송시열의 입장과의 차이점을 파악하는 것이 출제 요소가 되었다.

원리로 다시 읽기

중국에서 기원한 중화(中華) 개념은 중국을 선진 문명으로 설정하고 주변을 열등한 타자로 만들어 배척하는 논리가 기본 축이었지만, 타자의 변화와 추월 가능성을 제기하면서 주체의 변화를 촉구하는 논리가 또 다른 한 축이었다. 오랑캐로 인식되었던 금나라의 무력에 압도되는 경험을 했던 주자는 중화를 보편 가치로 격상시켰고 이는 일종의 전형이 되어 우리나라에 영향을 미쳤다.

▶ 중화(中華) 개념의 두 가지 측면

고려 후반 이래 우리나라에서 문명의 주류적 상징 역시 중화였다. ❶**고려 후반 이래 성장한 사대부들은 중화를 유교 문명의 이상적 모습으로 간주하고 새로운 국가 건설의 모델로 삼았다.** 새 국가 조선은 명나라를 중화로, 조선을 소중화로 간주하면서 중화를 국제 질서를 나타내는 중심 사상으로 삼으며 유교 문명국끼리의 국제적 연대 의식을 쌓아 나갔다. 16세기에 사림이 등장하면서 중화는 국가, 국제 질서의 차원을 넘어 일상으로 침투하기 시작하였는데, 명나라의 제도와 풍속을 중화의 유풍으로 파악하면서 일상생활에서 이를 과감히 수용하는 것이 요구되었다.

▶ 조선 초기(16세기)의 중화에 대한 인식

❷**소중화를 자처했던 조선이 중화 자체에 자신을 이전보다 더 강하게 투영하기 시작한 것**은 17세기 명 · 청 교체를 경험하면서였다. 홀로 남아 유교의 명맥을 이어가고 있는 조선에 중화를 실현하여 중화를 계승하자는 이른바 '조선중화주의'가 등장한 것이다. 조선중화주의의 등장은 16세기 이래 진행되어 왔던 중화의 수용이라는 지향을 넘어서 중화의 내면화와 중화와의 동일시라는 새 지평을 열었다. '내면화'는 중화의 핵심인 의리와 예의를 보전해야 한다는 책임 의식으로 나타났다. '동일시'는 난세라는 위기 상황에 태어나 춘추대의(春秋大義)를 밝혔던 공자와 화이분별(華夷分別)에 엄격했던 주자의 실천을 계승해야 한다는 의식으로서, 홀로 남은 유교 국가라는 위기 상황의 유사성에서 기인했다. 이러한 중화 가치의 내면화와 중화 사상가와의 동일시는 양난 이후 새로운 사회 질서 수립이라는 현실적 목표와도 잘 부합하여 강력한 사회 재건 이데올로기가 되었다.

▶ 17세기의 조선중화주의

18세기 이후 조선에서 중화는 좀 더 복잡한 의미를 지니게 되었다. 조선은 유교적 문명화를 비교적 성공적으로 달성했다고 자부했지만, 중원을 안정적으로 경영하는 청의 발전 모습을 지켜보면서 중화와 오랑캐에 대한 근본적인 의문을 가졌기 때문이었다. 조선이 이룩한 유교 문명의 성과에 대해 조선의 성리학자인 한원진은 ❸**조선의 위치와 규모는 중국보다 작지만 갖출 것은 다 갖추었고 정치 · 풍속 · 문화 · 유학이 명나라와 같다**고 보았으며, 또 오랑캐인 청나라가 천하를 좌우한 지 오래된 시점에서 조선만이 홀로 문명을 보존하고 있다고 보았다. 영조대 남인 관료 오광운 역시 중국은 오랑캐의 세상이 되었으므로 ❹**문화의 정수는 조선으로 건너와 태평성대의 세상이 열렸다** 하며 문화에 대한 자부심을 피력했다. 그런데 청을 비롯한 일본, 베트남 등이 자신들만의 문화를 안정시키고 발전시키면서 중화의 '자기화' 시대를 열고 있었다는 점은 이러한 인식과는 다른 현실의 모습을 보여 주었다. 이렇게 변화된 현실을 직시하고 인정하자는 주장은 크게 두 갈래였는데, 하나는 중화 계승의 자부심 속에 은폐된 위선에 대한 비판적인 관점을 바탕으로, 진정으로 춘추대의를 계승하려 한다면 ❺**치욕을 무릅쓰고라도 청의 발전상을 인정하고 그들을 배우자는 주장**이었다. 다른 하나는 처음에 오랑캐로 여겨졌던 조선이 중화가 될 수 있었듯이, ❻**중화는 그 보편성 때문에 누구에게나 열려 있는 가치라는 주장**이었다. 이 관점에서 보면 이상이나 보편이라는 개념 자체가 자기를 중심으로 설정된 상대적인 것이므로 중심-주변이라는 인식 그 자체가 인위적이며 부

통시적 흐름에 따라 글이 전개되고 있으므로 ❶ → ❷ → ❸~❻의 순서로 글이 전개되고 있음을 이해해야 한다. '고려 후반 이래', '16세기', '17세기', '18세기 이후' 등의 표지에 주목하여 이를 어렵지 않게 파악할 수 있다.

❶에서 중화를 국제 질서의 사상으로 삼았던 인식은 16세기에 들어서면서 일상의 범위까지 확장되며, ❷의 단계에 이르러 조선에 중화를 실현하여 중화를 계승하고자 하는 (❶)로 이어지고 있음을 이해해야 한다.

❸, ❹ 18세기에 이르러 조선은 여전히 중화의 계승에 대한 자부심을 나타내었으며, ❸, ❹는 각각 '한원진'과 '오광운'의 견해를 드러내며 이를 소개하고 있다.

❺, ❻ 18세기에 ❸, ❹의 견해와 달리 변화된 현실을 (❷)하고 (❸)하자는 주장이 등장하였는데, ❺와 ❻은 크게 두 가지 관점에서 이러한 주장을 나타내고 있다. ❺는 청의 발전상을 인정하고 배우자는 주장이며, ❻은 중화 개념의 확장에 대해 인정하자는 주장임을 이해해야 한다.

답

❶ 조선중화주의 ❷ 직시 ❸ 인정

자연스러운 것이 된다.

▶ 18세기 중화의 계승에 대한 자부심과 변화에 대한 인식

이처럼 중화라는 개념은 우리나라에 많은 영향을 끼치면서 시대에 따라 달리 받아들여지게 되었다. 이러한 인식의 변화 과정을 통해 중국과 우리나라의 관계 변화뿐만 아니라 동아시아 국제 질서 변화의 흐름까지도 확인해 볼 수 있다.

▶ 역사적 흐름을 보여 주는 중화에 대한 인식의 변화 과정

4문단에서 ❸, ❹와 ❺, ❻은 서로 다른 인식을 나타내면서 중화 개념에 대한 인식의 양상이 복잡해졌음을 보여 준다. 따라서 이들을 구분하여 이해함으로써 각각의 입장을 파악해야 한다.

Note

다음 글을 읽고 물음에 답하시오.

아우구스티누스의 견해로 대표되는 중세 시대 전통적인 언어관에서는 언어란 현실 세계를 묘사하기 위한 기호이며 언어의 의미는 곧 언어가 구체적으로 지시하는 대상이라고 보아 왔다. 가령 '사과'라는 언어 기호는 우리가 현실에서 사과라고 부르는 물체를 지칭하는 기호이다. 이는 오늘날 대부분의 사람들이 언어에 대해 생각하고 있는 바이기도 하다. 그런데 사과가 원래부터 존재하는 대상이고 그것을 묘사하거나 지칭하기 위해 '사과'라는 언어 기호가 있는 것일까?

소쉬르는 우리의 언어가 미리 주어진 세계를 묘사하는 그림이 아니라고 말한다. 오히려 언어는 세계와는 독립적으로 만들어졌으며 이러한 언어적 세계가 우리의 현실 세계를 만든다는 것이다. 말하자면 어떻게 언어를 만드는가에 따라서 인간은 다른 세계를 창조하는 것이다. 이러한 견해는 소리와 의미의 관계가 필연적이지 않다는 언어의 자의성으로 이어진다. 소쉬르는 언어가 '근본적으로 자의적인 체계'라는 사실을 강조했다. 어떤 언어 체계가 만들어지는가에 따라 무지개가 다섯 개의 색으로 이루어진 것으로 인식될 수도 있고 일곱 개의 색으로 이루어진 것으로 인식될 수도 있는 것이다.

소쉬르는 언어의 자의성이 '변별적 차이'에 의해서 뒷받침된다고 생각했다. 변별적 차이란 어떤 것을 다른 것과 구분할 수 있게 만드는 자질을 의미한다. 소쉬르는 의미를 지닌 기호로서 언어를 기능하게 하는 가장 근본적인 원칙을 이 단순한 변별적 차이에서 발견했다. 소쉬르는 '기표'와 '기의'라는 두 가지 차원으로 변별적 차이에 접근한다. 언어를 포함하여 의미를 지니는 모든 기호는 기표와 기의의 결합으로 이루어진다. 기표는 기호의 표현 방식으로, 우리가 내뱉는 음성 이미지, 수화를 하는 손동작, 야구 감독의 독특한 몸짓 등이 이에 해당된다. 기의란 이러한 기표가 뜻하는 바, 즉 기표를 통해서 우리의 머릿속에 떠오르는 개념을 의미한다.

기표는 변별적 차이를 지니고 있다. '살'이라는 기표는 그것이 우리의 몸을 이루는 살과 어떤 관련이 있기 때문에 '살'로 만들어진 것이 아니라 단지 '술', '말', '갈' 등과 음운적으로 구분하기 위해 만들어진 것이다. 이것은 기표의 변별적 차이가 그것이 지칭하는 대상과 아무런 상관이 없다는 것을 나타내며, 나아가 어떤 특정한 기표가 그것과 결합된 기의와 어떤 필연적인 관계가 없음을 보여 준다. 그리고 기의도 기표가 제시하는 개념일 뿐 현실의 지시 대상이 아니다. 나무라는 기표가 지닌 기의는 현실 속에 실재하는 나무를 지시하는 것이 아니라 '줄기와 가지에 목질 부분이 발달한 다년생 식물'이라는 개념일 뿐이다. 어떤 부족의 언어에서는 풀과 나무를 구분하는 기표가 없기 때문에 나무가 풀이기도 하고 풀이 나무이기도 하다.

소쉬르가 자의성과 함께 주목한 것은 '랑그'이다. 랑그란 구체적인 발화 행위인 '파롤'의 기반이 되는 언어적 체계를 의미한다. 소쉬르는 지금까지의 언어학이 파롤에만 치중하였을 뿐 더 근본적인 랑그의 중요성을 간과했다고 주장한다. 소쉬르에 따르면 구체적인 언어의 발화 활동은 랑그에 의해서 제약되어 있다. 흔히 사람들은 말을 할 때 자신이 말하는 주체라고 생각한다. 그러나 소쉬르에 따르면, ㉠발화의 진정한 주체는 발화자가 아닌 랑그이다. 주체란 랑그 체계에 의해서 만들어진 허구적 기표일 뿐이다. 이것은 기표의 기의가 랑그를 바탕으로 형성되는 관계에 의해 규정되는 것이며 고정되어 있는 것이 아님을 나타낸다.

9262-0161

01 윗글을 통해 '소쉬르'에 대해 이해한 내용으로 적절하지 않은 것은?

① 언어가 언어 기호와 의미의 자의적 관계로 이루어진 체계라고 보았다.
② 의미를 지닌 모든 기호는 기표와 기의의 결합으로 이루어진다고 여겼다.
③ 현실 세계를 있는 그대로 나타내는 기호로서의 언어의 기능을 중시했다.
④ 사용 언어의 차이에 따라 세계를 바라보는 관점이 달라질 수 있다고 보았다.
⑤ 랑그의 중요성을 간과한 기존 언어학의 연구 경향에 대해 비판적 입장을 나타냈다.

9262-0162

02 윗글의 '소쉬르'의 관점에서 〈보기〉에 대해 설명한 내용으로 적절하지 않은 것은?

보기

영어에서 강은 'river'이며, 이것은 강이 바다와 합류하는지 혹은 다른 강과 합류하는지 상관이 없다. 그러나 프랑스어에서는 바다와 합류하는 강은 'fleuve'이며, 다른 강과 합류하는 강은 'rivière'이다. 이에 따라 프랑스어 사용자들은 영어 사용자와 달리 강의 유형을 구분해 인식한다.

① 영어의 'river'와 프랑스어의 'fleuve', 'rivière' 등은 기표의 '변별적 차이'가 그것이 지칭하는 대상과 상관이 없음을 보여 준다고 할 수 있다.
② 영어의 'river'와 프랑스어의 'fleuve', 'rivière' 등이 나타내는 기의가 현실 세계에 존재하는 특정한 강을 지시하는 것이 가능하다고 할 수 있다.
③ 영어의 'river'와 프랑스어의 'fleuve', 'rivière' 등으로 이루어지는 파롤이 나타내는 의미는 랑그를 바탕으로 형성되는 관계에 의해 규정된다고 할 수 있다.
④ 영어와 프랑스어의 '강'에 대한 언어 기호가 다른 것은 언어가 미리부터 존재하는 세계를 묘사하거나 지칭하기 위해 만들어진 것이 아님을 시사한다고 할 수 있다.
⑤ 영어 사용자와 달리 프랑스어 사용자가 강의 종류를 'fleuve', 'rivière'로 구분해 인식하는 것은 언어적 세계가 현실 세계의 형성에 영향을 미침을 나타낸다고 할 수 있다.

9262-0163

03 ㉠의 견해를 뒷받침하는 근거로 가장 적절한 것은?

① 발화자는 말을 하면서 스스로가 주체라는 인식을 하기 때문이다.
② 주체는 랑그가 아니라 파롤의 내용에 따라 결정되는 것이기 때문이다.
③ 주체는 랑그에 의해 만들어진 허구적인 것으로 유동적인 것이기 때문이다.
④ 발화자의 어떤 말이라도 발화자가 사용하는 랑그에 의해서 제약을 받기 때문이다.
⑤ 발화자가 주체로서의 역할을 했는지를 판단하는 기준을 랑그가 제공하기 때문이다.

출제 포인트

지문 독해 과정에서 출제 요소인 '소쉬르'의 견해 · 주장을 나타내는 핵심 어구를 주목한다.

↓

〈보기〉의 사례에 대한 선택지의 서술과 관련 있는 '소쉬르'의 견해 · 주장을 파악한다.

↓

'소쉬르'의 견해 · 주장을 바탕으로 〈보기〉의 사례에 대한 선택지의 분석이 적절한 것인지를 판별한다.

02 견해 · 주장은 여러 유형의 출제 요소가 된다. 이 문항처럼 견해 · 주장을 구체적 사례에 적용하여 판단이나 결론을 추론할 수 있는지를 묻는 유형도 자주 출제되고 있다.

> **4** (……) 그리고 기의도 기표가 제시하는 개념일 뿐 현실의 지시 대상이 아니다. 나무라는 기표가 지닌 기의는 현실 속에 실재하는 나무를 지시하는 것이 아니라 '줄기와 가지에 목질 부분이 발달한 다년생 식물'이라는 개념일 뿐이다. (……)

견해 · 주장과 함께 개념에 관한 정보가 제시되는 경우가 많다. 이때 개념은 견해 · 주장을 이루는 중요한 요소에 해당한다. 그렇기 때문에 개념을 이해하지 못하면 견해 · 주장을 온전하게 이해할 수 없다. 개념에 대한 이해를 바탕으로 견해 · 주장을 이해하는 것이 매우 중요하다.

원리로 다시 읽기

아우구스티누스의 견해로 대표되는 중세 시대 전통적인 언어관에서는 언어란 현실 세계를 묘사하기 위한 기호이며 언어의 의미는 곧 언어가 구체적으로 지시하는 대상이라고 보아 왔다. 가령 '사과'라는 언어 기호는 우리가 현실에서 사과라고 부르는 물체를 지칭하는 기호이다. 이는 오늘날 대부분의 사람들이 언어에 대해 생각하고 있는 바이기도 하다. 그런데 사과가 원래부터 존재하는 대상이고 그것을 묘사하거나 지칭하기 위해 '사과'라는 언어 기호가 있는 것일까?

전통적인 언어관의 주요 입장

물음을 통해 글의 화제를 제시함.

▶ 전통적인 언어관의 입장

❶소쉬르는 우리의 언어가 미리 주어진 세계를 묘사하는 그림이 아니라고 말한다. 오히려 언어는 세계와는 독립적으로 만들어졌으며 이러한 언어적 세계가 우리의 현실 세계를 만든다는 것이다. 말하자면 어떻게 언어를 만드는가에 따라서 인간은 다른 세계를 창조하는 것이다. 이러한 견해는 소리와 의미의 관계가 필연적이지 않다는 언어의 자의성으로 이어진다. 소쉬르는 언어가 '근본적으로 자의적인 체계'라는 사실을 강조했다. 어떤 언어 체계가 만들어지는가에 따라 무지개가 다섯 개의 색으로 이루어진 것으로 인식될 수도 있고 일곱 개의 색으로 이루어진 것으로 인식될 수도 있는 것이다.

사례를 통해 언어의 자의성에 대해 설명하고 있음.

▶ 언어에 대한 소쉬르의 입장

소쉬르는 언어의 자의성이 '변별적 차이'에 의해서 뒷받침된다고 생각했다. 변별적 차이란 어떤 것을 다른 것과 구분할 수 있게 만드는 자질을 의미한다. 소쉬르는 의미를 지닌 기호로서 언어를 기능하게 하는 가장 근본적인 원칙을 이 단순한 변별적 차이에서 발견했다. 소쉬르는 '기표'와 '기의'라는 두 가지 차원으로 변별적 차이에 접근한다. 언어를 포함하여 의미를 지니는 모든 기호는 기표와 기의의 결합으로 이루어진다. ❷기표는 기호의 표현 방식으로, 우리가 내뱉는 음성 이미지, 수화를 하는 손동작, 야구 감독의 독특한 몸짓 등이 이에 해당된다. 기의란 이러한 기표가 뜻하는 바, 즉 기표를 통해서 우리의 머릿속에 떠오르는 개념을 의미한다.

변별적 차이의 개념 / 기표의 개념 / 기의의 개념

▶ 변별적 차이, 기표, 기의 등의 개념

기표는 변별적 차이를 지니고 있다. ❸'살'이라는 기표는 그것이 우리의 몸을 이루는 살과 어떤 관련이 있기 때문에 '살'로 만들어진 것이 아니라 단지 '술', '말', '갈' 등과 음운적으로 구분하기 위해 만들어진 것이다. 이것은 기표의 변별적 차이가 그것이 지칭하는 대상과 아무런 상관이 없다는 것을 나타내며, 나아가 어떤 특정한 기표가 그것과 결합된 기의와 어떤 필연적인 관계가 없음을 보여 준다. 그리고 기의도 기표가 제시하는 개념일 뿐 현실의 지시 대상이 아니다. ❹나무라는 기표가 지닌 기의는 현실 속에 실재하는 나무를 지시하는 것이 아니라 '줄기와 가지에 목질 부분이 발달한 다년생 식물'이라는 개념일 뿐이다. 어떤 부족의 언어에서는 풀과 나무를 구분하는 기표가 없기 때문에 나무가 풀이기도 하고 풀이 나무이기도 하다.

▶ 지시 대상과 필연적 관계를 맺고 있지 않은 기표, 기의

소쉬르가 자의성과 함께 주목한 것은 '랑그'이다. 랑그란 구체적인 발화 행위인 '파롤'의 기반이 되는 언어적 체계를 의미한다. ❺소쉬르는 지금까지의 언어학이 파롤에만 치중하였을 뿐 더 근본적인 랑그의 중요성을 간과했다고 주장한다. 소쉬르에 따르면 구체적인 언어의 발화 활동은 랑그에 의해서 제약되어 있다. 흔히 사람들은 말을 할 때 자신이 말하는 주체라고 생각한다. 그러나 소쉬르에 따르면, 발화의 진정한 주체는 발화자가 아닌 랑그이다. 주체란 랑그 체계에 의해서 만들어진 허구적 기표일 뿐이다. 이것은 기표의 기의가 랑그를 바탕으로 형성되는 관계에 의해 규정되는 것이며 고정되어 있는 것이 아님을 나타낸다.

'랑그'의 개념

▶ 랑그를 중시하는 소쉬르의 입장

❶ 언어에 대한 소쉬르의 견해가 제시되어 있다. 소쉬르는 언어에 대해 (❶)과 다른 주장을 하고 있다. 이와 같이 대비되는 입장이 제시되어 있는 경우 차이점을 나타내는 어구들을 짚으며 그 내용을 중심으로 독해를 해야 한다.

❷ '기표'와 '기의'의 개념을 사례를 들어 설명하고 있다. 이와 같이 개념을 사례를 통해 설명하는 경우, 그 개념은 반드시 출제 요소가 된다. 이에 유의하여 정보를 정확하게 이해하는 독해를 하도록 한다.

❸, ❹ 사례를 들어 기표와 기의가 지시 대상과 어떤 (❷) 관계도 맺지 않고 있음을 설명하고 있다. 이와 같이 사례를 병렬적으로 제시하고 있는 경우, 이에 유의하여 대등하게 제시되어 있는 정보들을 짚어 그 내용을 정확하게 독해해야 한다.

❺ 기존의 (❸)에 대한 소쉬르의 비판적 입장이 제시되어 있다. 어떤 입장을 비판하는 입장이 제시되어 있으면, 무엇을 문제 삼고 있는지에 주목해야 한다. 이때 근거가 제시되어 있으면 그 내용도 함께 주목하도록 한다.

답

❶ 전통적인 언어관 ❷ 필연적 ❸ 언어학

Note

다음 글을 읽고 물음에 답하시오.

『맹자』의 「공손추」 편을 보면 '아(我) 사십(四十) 부동심(不動心)'이라는 표현이 있는데, 이는 '나는 나이 마흔이 되면서 마음이 흔들리지 않았다.'로 해석할 수 있다. 이 말은 공자가 마흔에 불혹(不惑)의 경지, 즉 '의혹하는 마음이 없는' 상태에 이르렀다고 한 것과 같은 의미이다. 이것은 모든 것을 다 안다는 뜻이 아니다. 자신이 아는 것과 모르는 것을 정확하게 구분할 수 있어서 이것을 할까 저것을 할까, 정답이 이것인가 저것인가 헷갈리면서 우왕좌왕하지 않는 수준이 되었다는 의미이다. 공자의 불혹처럼 맹자의 부동심도 앞으로 살 길이 이 길인가 저 길인가 망설이지 않고 확실하고 당당하게, 양심에 거리낌 없이 살겠다는 뜻이다. 공자가 진지한 학자적 태도를 취했다면, 맹자는 강인한 실천가의 면모를 보였다.

맹자의 부동심을 좀 더 확장하면 '호연지기(浩然之氣)'라고 할 수 있다. 맹자는 이를 그 기운이 몹시 크고 굳센 것으로, 그것을 올바르게 길러서 막힘이 없다면 천지에 충만하게 될 것이라고 설명하였다. '호(浩)'란 '크다, 넓다'는 뜻이고 '연(然)'이란 '그러하다'라기보다는 '따른다'는 뜻으로, 호연지기는 '큰 것을 따르는 기운'을 말하며, 이러한 기운을 가지고 있는 사람을 맹자는 대장부(大丈夫)라고 하였다.

대장부는 공자가 말하는 군자의 개념에 호연지기가 합쳐진 개념이다. 맹자가 생각하는 가장 바람직한 대장부의 모습은 바로 하늘, 즉 천명(天命)을 전제로 하고 있는 것이다. 하늘 아래서 천하의 넓은 집에 살며 또 천하에서 자기 자리를 분명하게 찾는 대장부의 모습은 천(天)에 근거한 자신의 기준을 분명히 가지는 것을 의미한다. 천에 근거한 자신의 기준이 시대 상황과 맞는다면 자신의 의지를 백성들과 함께 이루어 나가야 하지만, 만약 천에 근거한 자신의 기준이 시대 상황과 맞지 않는다 하더라도 대장부는 하늘의 뜻을 행해야 한다.

대장부는 맹자가 생각하는 가장 바람직한 인간의 모습이지만, 사람들이 이와 같이 되기란 쉽지 않다. 하지만 끊임없이 이를 추구하는 것은 반드시 필요한데, 이에 대해 맹자는 「이루」 편에서 '순천자 존 역천자 망(順天子 存 逆天子 亡)'이라는 답을 제시하였다. 이는 '하늘의 뜻에 따르는 사람은 생존하고 하늘의 뜻에 거스르는 사람은 망한다.'라는 뜻으로, 하늘의 뜻을 거스르고 자신만을 위해 욕심을 부리면 항상 그 끝이 좋지 않다는 점을 나타낸다. 그래서 맹자는 순천자가 될 것을 강조하고 있는데, 이를 위해서는 인간이 본래부터 갖고 태어난 착한 마음을 잘 유지해야 한다. 하지만 이것이 쉬운 일은 아니다. 따라서 ⓐ끊임없는 공부와 자기 수양을 통해 하늘의 뜻이 무엇인지, 자신이 왜 이 땅에 태어났는지, 자신의 삶의 목적이 무엇인지 항상 생각해야 한다.

9262-0164

01 윗글의 서술 방식에 대한 설명으로 적절한 것을 〈보기〉에서 모두 찾아 바르게 묶은 것은?

보기

ㄱ. 대비의 방식을 사용하여 글의 논지를 부각하고 있다.
ㄴ. 글자의 뜻을 하나씩 풀이하여 개념의 의미를 밝히고 있다.
ㄷ. 앞의 논의를 종합하여 새로운 주장의 근거로 사용하고 있다.
ㄹ. 인용된 구절을 쉽게 재해석하여 독자의 이해를 돕고 있다.

① ㄱ, ㄴ　② ㄴ, ㄹ　③ ㄱ, ㄴ, ㄷ
④ ㄱ, ㄴ, ㄹ　⑤ ㄴ, ㄷ, ㄹ

9262-0165

02 윗글의 내용을 이해한 반응으로 적절하지 않은 것은?

① '부동심'은 삶의 방향을 설정하고 살아감에 있어 우왕좌왕하지 않고 당당하게 임하는 것을 나타내는군.
② '호연지기'는 그 자체가 크고 굳센 기운을 나타냄과 동시에, 큰 것을 따르는 기운을 나타내는군.
③ '대장부'는 '군자'와 '호연지기'의 의미가 합쳐진 개념으로, 호연지기를 지니고 있는 사람을 의미하는군.
④ '대장부'는 하늘에 근거한 자신의 기준을 시대 상황에 맞출 수 있는 존재이군.
⑤ '순천자'가 되기 위해서는 끊임없는 공부와 자기 수양의 태도를 갖추어야 하겠군.

9262-0166

03 윗글을 바탕으로 〈보기〉의 밑줄 친 말에 전제되어 있는 입장을 추리한 내용으로 가장 적절한 것은?

보기

맹자와 같은 시대에 살았던 사상가 고자(告子)는 "인간의 본성은 소용돌이치는 물과 같아 물길을 동쪽으로 내면 동쪽으로 흐르고, 서쪽으로 내면 서쪽으로 흘러간다."라고 말하였는데, 이에 대하여 맹자는 "그럼에도 불구하고 높은 데서 낮은 데로 흐르는 것이 물의 본성"이라고 반박하였다.

① 인간과 물의 본성은 동일하다.
② 인간의 본성을 이끄는 존재가 필요하다.
③ 인간의 악한 본성을 개선할 수 있어야 한다.
④ 인간의 본성은 선택에 따라 달라질 수 있다.
⑤ 선함을 지향하는 인간의 본성은 변하지 않는다.

9262-0167

04 〈보기〉를 바탕으로 생각해 볼 때, 합성어의 구성 방식이 ⓐ와 일치하는 것은?

보기

합성어는 직접 구성 성분이 어근과 어근으로 구성되어 있는 단어이다. 합성 동사나 합성 형용사는 내부의 구성 방식에 따라 '주어+서술어'로 분석되는 것, '목적어+서술어'로 분석되는 것, '부사어+서술어'로 분석되는 것 등으로 나눌 수 있다.

① 멍들다
② 본받다
③ 애쓰다
④ 화내다
⑤ 남다르다

출제 포인트

맹자가 인간의 선천적 본성을 선한 것으로 보고 있다는 내용을 확인한다.

↓

〈보기〉에서 고자는 인간의 본성이 선택에 따라 달라질 수 있다고 보고 있음을 파악한다.

↓

인간의 본성에 대한 맹자의 관점이 바탕이 된 ⑤번 선택지를 적절한 추론으로 판단한다.

03 이 문항은 인간의 선천적 본성에 대한 맹자와 고자의 관점을 비교하여 전제된 내용을 추론할 수 있는지를 묻고 있다.

4 (……) 그래서 맹자는 순천자가 될 것을 강조하고 있는데, 이를 위해서는 인간이 본래부터 갖고 태어난 착한 마음을 잘 유지해야 한다.

위와 같은 내용을 근거로 볼 때 맹자는 인간의 본성을 선한 것으로 보고 있는데, 〈보기〉에서 제시하고 있는 고자의 관점과 비교하여 이를 이해할 수 있는지가 출제 요소가 되고 있다.

원리로 다시 읽기

『맹자』의 「공손추」 편을 보면 '아(我) 사십(四十) 부동심(不動心)'이라는 표현이 있는데, 이는 ❶'나는 나이 마흔이 되면서 마음이 흔들리지 않았다.'로 해석할 수 있다. 이 말은 공자가 마흔에 불혹(不惑)의 경지, 즉 ❷'의혹하는 마음이 없는' 상태에 이르렀다고 한 것과 같은 의미이다. 이것은 모든 것을 다 안다는 뜻이 아니다. 자신이 아는 것과 모르는 것을 정확하게 구분할 수 있어서 이것을 할까 저것을 할까, 정답이 이것인가 저것인가 헷갈리면서 우왕좌왕하지 않는 수준이 되었다는 의미이다. 공자의 불혹처럼 맹자의 부동심도 앞으로 살 길이 이 길인가 저 길인가 망설이지 않고 확실하고 당당하게, 양심에 거리낌 없이 살겠다는 뜻이다. 공자가 진지한 학자적 태도를 취했다면, 맹자는 강인한 실천가의 면모를 보였다.

공자와 맹자의 태도에 대한 비교적 인식

▶ 맹자의 '부동심(不動心)'의 개념

맹자의 부동심을 좀 더 확장하면 ❸'호연지기(浩然之氣)'라고 할 수 있다. 맹자는 이를 그 기운이 몹시 크고 굳센 것으로, 그것을 올바르게 길러서 막힘이 없다면 천지에 충만하게 될 것이라고 설명하였다. ❹'호(浩)'란 '크다, 넓다'는 뜻이고 '연(然)'이란 '그러하다'라기보다는 '따른다'는 뜻으로, 호연지기는 '큰 것을 따르는 기운'을 말하며, 이러한 기운을 가지고 있는 사람을 맹자는 대장부(大丈夫)라고 하였다.

▶ 큰 것을 따르는 기운인 '호연지기'

대장부는 공자가 말하는 군자의 개념에 호연지기가 합쳐진 개념이다. 맹자가 생각하는 가장 바람직한 대장부의 모습은 바로 하늘, 즉 천명(天命)을 전제로 하고 있는 것이다. 하늘 아래서 천하의 넓은 집에 살며 또 천하에서 자기 자리를 분명하게 찾는 대장부의 모습은 천(天)에 근거한 자신의 기준을 분명히 가지는 것을 의미한다. 천에 근거한 자신의 기준이 시대 상황과 맞는다면 자신의 의지를 백성들과 함께 이루어 나가야 하지만, 만약 천에 근거한 자신의 기준이 시대 상황과 맞지 않는다 하더라도 대장부는 하늘의 뜻을 행해야 한다.

▶ 하늘의 뜻을 행하는 인간인 '대장부'

대장부는 맹자가 생각하는 가장 바람직한 인간의 모습이지만, 사람들이 이와 같이 되기란 쉽지 않다. 하지만 끊임없이 이를 추구하는 것은 반드시 필요한데, 이에 대해 맹자는 「이루」 편에서 ❺'순천자 존 역천자 망(順天子 存 逆天子 亡)'이라는 답을 제시하였다. 이는 ❻'하늘의 뜻에 따르는 사람은 생존하고 하늘의 뜻에 거스르는 사람은 망한다.'라는 뜻으로, 하늘의 뜻을 거스르고 자신만을 위해 욕심을 부리면 항상 그 끝이 좋지 않다는 점을 나타낸다. 그래서 맹자는 순천자가 될 것을 강조하고 있는데, ❼이를 위해서는 인간이 본래부터 갖고 태어난 착한 마음을 잘 유지해야 한다. 하지만 이것이 쉬운 일은 아니다. 따라서 끊임없는 공부와 자기 수양을 통해 하늘의 뜻이 무엇인지, 자신이 왜 이 땅에 태어났는지, 자신의 삶의 목적이 무엇인지 항상 생각해야 한다.

순천자가 되기 위한 방법

▶ 공부와 자기 수양을 통한 '순천자'의 길

❶, ❷는 (❶)이라는 나이에 대한 맹자와 공자의 생각을 나타내고 있다. 유학 사상의 대표자라고 할 수 있는 두 사람이 지녔던 인간에 대한 인식을 비교하면서 이해할 수 있어야 한다.

❹는 ❸에 쓰인 글자의 뜻을 하나씩 풀이하면서 개념의 의미를 밝히고 있는 문장이다. 동양 철학 사상을 이해함에 있어서 이렇게 글자 하나하나의 뜻을 되새겨 가며 의미를 파악하는 것이 도움이 될 때가 많다. ❻ 역시 ❺의 뜻을 풀이하면서 개념의 의미를 밝히고 있다.

❼을 통해 인간의 본성에 대한 맹자의 관점을 파악할 수 있다. 맹자는 인간이 태어날 때부터 선한 마음을 지니고 있다고 보는 (❷)을 주장한 학자이다.

답

❶ 마흔 ❷ 성선설(性善說)

02 원리로 예술 독해

예술 분야 _ 글의 특성

- 주로 미술이나 음악에 관한 글이 출제되고 있으며, 예술론을 설명하는 글도 출제되고 있다.
- 예술의 하위 갈래, 작품, 작가, 사조 등의 특징을 설명하는 글이 자주 출제되고 있다.
- 특정 철학자, 사상가 등의 예술에 대한 견해 · 주장을 설명하는 글이 출제되고 있다.
- 통시적 관점에서 예술 사조나 작품 경향이 어떻게 변화되어 왔는지를 설명하는 글이 출제되고 있다.
- 대상의 특징이나 예술에 대한 견해 · 주장을 제시할 때, 대비의 방법을 사용해 논지를 전개하는 경우가 많다.

2 예술 분야 _ 글을 읽는 방법

- 미술이나 음악에 관한 글이나 예술론에 관한 글 중에서 최근에 출제 요소가 되지 않은 제재를 중요하게 여겨야 한다.
- 예술의 하위 갈래, 작품, 작가, 사조 등의 특징을 설명하는 글은 중심 서술 대상을 파악하고 그 대상의 특징으로 어떤 정보들이 제시되어 있는지에 주목해야 한다. 낯선 용어를 사용해 특징을 제시하는 경우, 그 용어의 개념을 정확하게 이해하는 데에도 유의해야 한다. 특징, 개념 등을 나타내는 핵심 어구에 주목해 그 내용을 정확하게 이해해야 한다.
- 예술론을 설명하는 글은 특정 철학자, 사상가 등의 견해 · 주장이 핵심 정보가 된다. 철학자, 사상가 등이 제시한 용어가 소개되는 경우가 있는데, 그 경우 개념도 출제 요소로 활용된다. 예술론을 설명하는 글은 사례를 제시하는 경우가 많다. 견해 · 주장을 나타내는 추상적 · 관념적 어구나 낯선 용어의 개념을 나타내는 핵심 어구와 사례의 내용을 대응시켜 그 내용을 정확하게 이해하도록 한다.
- 통시적 관점에서 논지가 전개되는 예술 지문은 시기를 단계에 따라 구분하고 각 시기별로 특징적인 내용을 파악해야 한다. 즉 단계 간의 차이를 보여 주는 내용을 핵심 정보로 찾아 이해해야 한다.
- 특징이나 견해 · 주장에 관한 정보가 대비의 방식을 통해 제시되는 경우, 서술 대상 간의 공통점이나 차이점에 주목해야 한다. 특히 대상 간의 차이점을 보여 주는 내용 요소들을 핵심 정보로 주목해야 한다. 이들 내용 요소들은 반드시 출제 요소가 된다.

정답과 해설 36쪽

| 2016학년도 3월 고3 전국연합학력평가 |

다음 글을 읽고 물음에 답하시오.

Note

(가) 현대 예술 철학의 대표적인 이론가이자 비평가인 단토는 예술의 종말을 선언하였다. 그는 자신이 예술의 종말을 주장할 수 있었던 계기를 1964년 맨해튼의 스테이블 화랑에서 열린 앤디 워홀의 「브릴로 상자」의 전시회에서 찾고 있다. 그는 워홀의 작품 「브릴로 상자」가 일상의 사물, 즉 슈퍼마켓에서 판매하고 있는 브릴로 상자와 지각적 측면에서 차이가 없음에 주목하여 예술의 본질을 찾는 데 몰두하기 시작하였다.

(나) 워홀의 「브릴로 상자」를 통해, 그는 동일하거나 유사한 두 대상이 있을 때, 하나는 일상의 사물이고 다른 하나는 예술 작품인 이유를 탐색하였다. 그 결과 어떤 대상이 예술 작품이 되기 위해서는 그것이 '무엇에 관함(aboutness)'과 '구현(embody)'이라는 두 가지 요소를 필수적으로 갖추고 있어야 한다는 결론에 이르렀다. 여기서 '무엇에 관함'은 내용 또는 의미, 즉 예술가가 의도한 주제를 가지고 있어야 함을 가리키며, '구현'은 그것을 적절한 매체나 효과적인 방식을 통해 나타내는 것을 말한다. 따라서 그에 따르면 예술 작품은 해석되어야 할 주제를 가질 수 있어야 한다.

(다) 이후 단토는 예술의 역사에 대한 성찰을 통해 워홀의 「브릴로 상자」가 1964년보다 훨씬 이른 시기에 등장했다면 예술 작품으로서의 지위를 부여받지 못했을 것이라고 주장하면서, '예술계(artworld)'라는 개념을 도입하였다. 그가 말하는 '예술계'란 어떤 대상을 예술 작품으로 식별하기 위해 선행적으로 필요한 것으로, 당대 예술 상황을 주도하는 지식과 이론 그리고 태도 등을 포괄하는 체계를 가리킨다. 1964년의 「브릴로 상자」가 예술 작품으로서의 지위를 갖는 것은, 일상의 사물과 유사하게 보이는 대상도 예술 작품으로 인정할 수 있다는 새로운 믿음 체계가 있었기에 가능했다는 것이다.

(라) 단토는 예술의 역사를 일종의 '내러티브(이야기)'의 역사로 파악해야 한다고 주장하였다. 역사가 그러하듯이 예술사도 무수한 예술적 사건들 중에서 중요하다고 여기는 사건들을 선택하고 그 연관성을 질서화하는 내러티브를 가진다는 것이다. 르네상스 시대부터 인상주의에 이르기까지 지속된 이른바 '바자리의 내러티브'는 대표적인 예이다. 모방론을 중심 이론으로 삼았던 바자리는 생생한 시각적 경험을 가져다주는 정확한 재현이 예술의 목적이자 추동 원리라고 보았는데, 이러한 바자리의 내러티브는 사진과 영화의 등장, 비서구 사회의 문화적 도전 등의 충격으로 뿌리째 흔들리기 시작하였다. 이러한 상황에서 당대의 예술가들은 예술은 무엇인가, 예술은 무엇을 해야 하는가에 대한 질문을 던지게 되고, 그에 따라 예술은 모방에서 벗어나 철학적 내러티브로 변하게 되었다. 이러한 상황에서 예술사를 예술이 자신의 본질을 찾아 진보해 온 발전의 역사로 보는 단토는, 워홀의 「브릴로 상자」에서 예술의 종말을 발견하게 되었던 것이다.

(마) 「브릴로 상자」로 촉발된 단토의 예술 종말론은 더 이상 예술이 존재할 수 없게 되었다는 주장이 아니라, 예술이 철학적 단계에 이름에 따라 그 이전의 내러티브가 종결되었음을 의미하는 것이라 할 수 있다. 그런 점에서 그의 예술 종말론은 비극적 선언이 아닌 낙관적 전망으로 해석할 수 있다. 단토는 예술 종말론을 통해 예술이 추구해야 할 특정한 방향이 없는 시기, 예술이 성취해야 하는 과업에 대해 고민할 필요가 없는 시기, 즉 예술 해방기의 도래를 천명한 것이기 때문이다.

원리로 읽기

관련 문제 Link

1 이 글의 중심 화제는?

(❶)의 예술론

2 문단별 중심 내용 찾기

01 핵심 정보 찾기

㉮: 예술의 (❷)을 선언한 단토
㉯: 단토가 생각하는 예술 작품의 두 가지 필수 요소(무엇에 관함, 구현)
㉰: 예술 작품으로서의 지위를 부여하는 '(❸)'의 개념
㉱: 예술의 역사를 '(❹)'의 역사라고 주장한 단토
㉲: 단토의 예술 종말론이 지닌 의미

3 단토의 예술론에 대한 내용 정리

02 정보 간의 관계에 유의해 내용 이해하기

예술 작품의 구성 요소	'예술계'의 개념	예술의 역사	예술 종말론
1) 무엇에 관함 2) 구현	예술 작품으로서의 (❺)를 부여하는 것	'내러티브(이야기)'의 역사	예술이 추구해야 할 특정한 방향과 성취해야 할 (❻)이 없음.

9262-0168

01 윗글에서 다루고 있는 내용이 아닌 것은?

① 단토가 파악한 내러티브로서의 예술사
② 단토가 예술 종말론을 주장하게 된 계기
③ 단토의 예술 종말론이 지닌 긍정적 함의
④ 단토가 제안한 예술계의 지위 회복 방법
⑤ 단토가 제시한 예술 작품이 갖추어야 할 필수 조건

9262-0169

02 윗글의 내용으로 보아 '단토'의 견해에 부합하기 어려운 진술은?

① 오늘날의 예술이 무엇인가 알기 위해서는 감각으로 경험하는 것을 넘어 철학적으로 사고하는 접근이 필요하다.
② 예술 작품의 본질을 정의하려던 과거의 시도가 결국 실패한 것은 그것을 근본적으로 정의할 수 없기 때문이다.
③ 실제 사물과 달리, 예술 작품은 그것을 예술로 존재하게 하는 지식과 이론 등에 의해 예술 작품으로 인정받는다.
④ 예술의 종말 이후에도 시각적 재현을 위주로 하는 그림은 그려지겠지만, 그것이 재현의 내러티브를 발전시키지는 않는다.
⑤ 특정한 사고는 특정한 발전 단계에 이르러서야 생각될 수 있으므로 한 시기에 예술 작품일 수 있는 것이 다른 시기에는 예술 작품으로 간주되지 않을 수도 있다.

9262-0170

03 윗글을 바탕으로 <보기>를 이해한 내용으로 적절하지 않은 것은?

보기

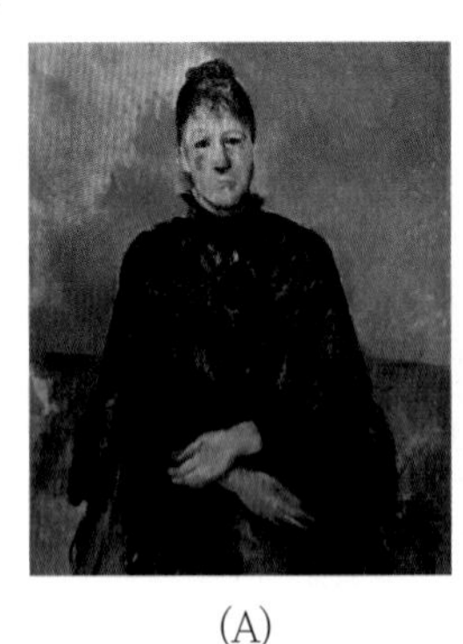
(A)

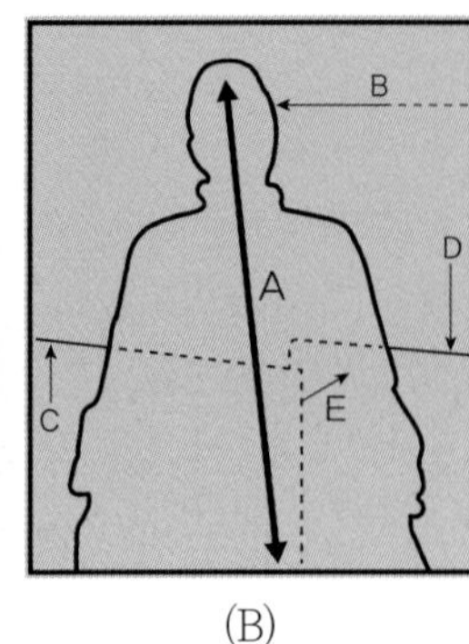

(B)

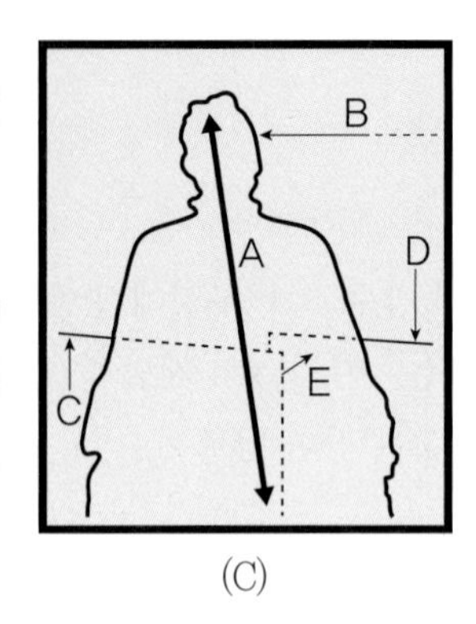

(C)

(A)는 인상주의 화가인 폴 세잔의 「세잔 부인의 초상」이다. (B)는 미술 평론가인 로랭이 자신의 책에서 (A)의 양감을 설명하기 위해 사용한 다이어그램이다. (C)는 로랭의 책이 출간된 이후에 릭턴스타인이 그린 「세잔 부인의 초상」이다. 단토는 (B)는 (A)의 양감을 잘 보여 주고 있지만 미술 작품은 아니고, (C)는 세잔이 바라보는 세계를 위트 있게 표현한 미술 작품이라고 말했다.

① (A)는 대상의 외관을 재현한 것으로, '바자리의 내러티브'에 의해 미술 작품으로서의 지위를 가진다.
② (B)는 예술에 대한 철학적 의문을 드러내지 못하고 있다는 점에서 (A)와 다르다.
③ (C)를 미술 작품이라 한 것은 예술이 철학적 단계에 이르러 그 이전의 내러티브가 종결되었음을 보여 준다.
④ (A)와 (C)가 미술 작품이라는 것을 판단하기 위해서는 당대 예술 상황을 주도하는 믿음 체계에 대한 지식이 선행적으로 필요하다.
⑤ (B)와 (C)는 지각적으로 유사해 보이지만, (B)는 해석되어야 할 주제를 가지고 있지 않아서 미술 작품이라고 할 수 없다.

문제 풀이 비법 노트

출제 요소인 '단토'의 견해가 글의 중심 화제임을 파악한다.

↓

글 전반에서 '단토'의 견해와 관련하여 주요 정보를 선별해 표시해 둔다.

↓

'단토'의 견해와 관련하여 지문에서 선별해 이해한 정보와 선택지를 비교하여 정답을 고른다.

02

이 문항은 중심 화제와 관련한 핵심 내용을 찾아 이해하였는지 평가하는 문제이다. 특히 이 글의 중심 화제인 '단토의 예술론'은 특정 문단이나 부분에 국한된 것이 아니라 글 전반에 드러나 있다. 그러므로 중심 화제인 단토의 예술론과 관련한 핵심 정보를 포착해 기억해 두거나, 그러한 정보를 표시해 두고, 이를 선택지에 제시된 내용과 꼼꼼히 대조해 보아야 한다.

원리로 다시 읽기

가 현대 예술 철학의 대표적인 이론가이자 비평가인 단토는 예술의 종말을 선언하였다. 그는 자신이 예술의 종말을 주장할 수 있었던 계기를 1964년 맨해튼의 스테이블 화랑에서 열린 앤디 워홀의 「브릴로 상자」의 전시회에서 찾고 있다. 그는 워홀의 작품 「브릴로 상자」가 일상의 사물, 즉 슈퍼마켓에서 판매하고 있는 브릴로 상자와 지각적 측면에서 차이가 없음에 주목하여 예술의 본질을 찾는 데 몰두하기 시작하였다.

나 워홀의 「브릴로 상자」를 통해, 그는 동일하거나 유사한 두 대상이 있을 때, 하나는 일상의 사물이고 다른 하나는 예술 작품인 이유를 탐색하였다. 그 결과 어떤 대상이 예술 작품이 되기 위해서는 그것이 '무엇에 관함(aboutness)'과 '구현(embody)'이라는 두 가지 요소를 필수적으로 갖추고 있어야 한다는 결론에 이르렀다. 여기서 '무엇에 관함'은 내용 또는 의미, 즉 예술가가 의도한 주제를 가지고 있어야 함을 가리키며, '구현'은 그것을 적절한 매체나 효과적인 방식을 통해 나타내는 것을 말한다. 따라서 그에 따르면 예술 작품은 해석되어야 할 주제를 가질 수 있어야 한다.

다 이후 단토는 예술의 역사에 대한 성찰을 통해 워홀의 「브릴로 상자」가 1964년보다 훨씬 이른 시기에 등장했다면 예술 작품으로서의 지위를 부여받지 못했을 것이라고 주장하면서, '예술계(artworld)'라는 개념을 도입하였다. 그가 말하는 '예술계'란 어떤 대상을 예술 작품으로 식별하기 위해 선행적으로 필요한 것으로, 당대 예술 상황을 주도하는 지식과 이론 그리고 태도 등을 포괄하는 체계를 가리킨다. 1964년의 「브릴로 상자」가 예술 작품으로서의 지위를 갖는 것은, 일상의 사물과 유사하게 보이는 대상도 예술 작품으로 인정할 수 있다는 새로운 믿음 체계가 있었기에 가능했다는 것이다.

라 단토는 예술의 역사를 일종의 '내러티브(이야기)'의 역사로 파악해야 한다고 주장하였다. 역사가 그러하듯이 예술사도 무수한 예술적 사건들 중에서 중요하다고 여기는 사건들을 선택하고 그 연관성을 질서화하는 내러티브를 가진다는 것이다. 르네상스 시대부터 인상주의에 이르기까지 지속된 이른바 '바자리의 내러티브'는 대표적인 예이다. 모방론을 중심 이론으로 삼았던 바자리는 생생한 시각적 경험을 가져다주는 정확한 재현이 예술의 목적이자 추동 원리라고 보았는데, 이러한 바자리의 내러티브는 사진과 영화의 등장, 비서구 사회의 문화적 도전 등의 충격으로 뿌리째 흔들리기 시작하였다. 이러한 상황에서 당대의 예술가들은 예술은 무엇인가, 예술은 무엇을 해야 하는가에 대한 질문을 던지게 되고, 그에 따라 예술은 모방에서 벗어나 철학적 내러티브로 변하게 되었다. 이러한 상황에서 예술사를 예술이 자신의 본질을 찾아 진보해 온 발전의 역사로 보는 단토는, 워홀의 「브릴로 상자」에서 예술의 종말을 발견하게 되었던 것이다.

마 「브릴로 상자」로 촉발된 단토의 예술 종말론은 더 이상 예술이 존재할 수 없게 되었다는 주장이 아니라, 예술이 철학적 단계에 이름에 따라 그 이전의 내러티브가 종결되었음을 의미하는 것이라 할 수 있다. 그런 점에서 그의 예술 종말론은 비극적 선언이 아닌 낙관적 전망으로 해석할 수 있다. 단토는 예술 종말론을 통해 예술이 추구해야 할 특정한 방향이 없는 시기, 예술이 성취해야 하는 과업에 대해 고민할 필요가 없는 시기, 즉 예술 해방기의 도래를 천명한 것이기 때문이다.

1 이 글의 중심 화제는?

(❶ 단토)의 예술론

2 문단별 중심 내용 찾기

가: 예술의 (❷ 종말)을 선언한 단토

나: 단토가 생각하는 예술 작품의 두 가지 필수 요소(무엇에 관함, 구현)

다: 예술 작품으로서의 지위를 부여하는 '(❸ 예술계)'의 개념

라: 예술의 역사를 '(❹ 내러티브(이야기))'의 역사라고 주장한 단토

마: 단토의 예술 종말론이 지닌 의미

3 단토의 예술론에 대한 내용 정리

예술 작품의 구성 요소

1) 무엇에 관함
2) 구현

'예술계'의 개념

예술 작품으로서의 (❺ 지위)를 부여하는 것

예술의 역사

'내러티브(이야기)'의 역사

예술 종말론

예술이 추구해야 할 특정한 방향과 성취해야 할 (❻ 과업)이 없음.

정답과 해설 37쪽

| 2018학년도 9월 모의평가 |

Note

다음 글을 읽고 물음에 답하시오.

(가) 미술관에서 오랫동안 움직이지 않고 서 있는 관광객 차림의 부부를 본다면 사람들은 다시 한 번 바라볼 것이다. 그리고 그것이 미술 작품이라는 것을 알면 놀랄 것이다. 이처럼 현실에 존재하는 것을 실재라고 믿을 수 있도록 재현하는 유파를 하이퍼리얼리즘이라고 한다.

(나) 관광객처럼 우리 주변에서 흔히 볼 수 있는 것을 대상으로 고르면 ㉠현실성이 높다고 하고, 그 대상을 시각적 재현에 기대어 실재와 똑같이 표현하면 ㉡사실성이 높다고 한다. 대상의 현실성과 표현의 사실성을 모두 추구한 하이퍼리얼리즘은 같은 리얼리즘 경향에 드는 팝 아트와 비교하면 그 특성이 잘 드러난다. 이들은 1960년대 미국에서 발달하여 현재까지 유행하고 있는 유파로, 당시 자본주의 사회의 일상의 모습을 대상으로 삼은 점에서는 공통적이다. 팝 아트는 대상을 함축적으로 변형했지만 하이퍼리얼리즘은 대상을 정확하게 재현하려고 하였다. 그래서 팝 아트는 주로 대상의 현실성을 추구하지만, 하이퍼리얼리즘은 대상의 현실성뿐만 아니라 트롱프뢰유*의 흐름을 이어 표현의 사실성도 추구한다. 팝 아트는 대상의 정확한 재현보다는 대중과 쉽게 소통할 수 있는 인쇄 매체를 주로 활용한 반면에, 하이퍼리얼리즘은 새로운 재료나 기계적인 방식을 적극 사용하여 대상을 정확히 재현하는 방법을 추구하였다.

(다) 자본주의 일상을 사실적으로 표현한 하이퍼리얼리즘의 대표적인 작가에는 핸슨이 있다. 그의 작품 ㉢「쇼핑 카트를 밀고 가는 여자」(1969)는 물질적 풍요함 속에 매몰되어 살아가는 당시 현대인을 비판적 시각에서 표현한 작품으로 해석할 수 있다. 이 작품의 대상은 상품이 가득한 쇼핑 카트와 여자이다. 그녀는 욕망의 주체이며 물질에 대한 탐욕을 상징하고 있고, 상품이 가득한 쇼핑 카트는 욕망의 객체이며 물질을 상징하고 있다. 그래서 여자가 상품이 넘칠 듯이 가득한 쇼핑 카트를 밀고 있는 구도는 물질적 풍요 속에서의 과잉 소비 성향을 보여 준다.

(라) 이 작품의 기법을 보면, 생활 공간에 전시해도 자연스럽도록 작품을 전시 받침대 없이 제작하였다. 사람을 보고 찰흙으로 형태를 만드는 방법 대신 사람에게 직접 석고를 덧발라 형태를 뜨는 실물 주형 기법을 사용하여 사람의 형태와 크기를 똑같이 재현하였다. 또한 기존 입체 작품의 재료인 청동의 금속재 대신에 합성수지, 폴리에스터, 유리 섬유 등을 사용하고 에어브러시로 채색하여 사람 피부의 질감과 색채를 똑같이 재현하였다. 여기에 오브제*인 가발, 목걸이, 의상 등을 덧붙이고 쇼핑 카트, 식료품 등을 그대로 사용하여 사실성을 높였다.

(마) 리얼리즘 미술의 가장 큰 목적은 현실을 포착하고 그것을 효과적으로 전달하는 것이다. 작가가 포착한 현실을 전달하는 표현 방법은 다양하다. 하이퍼리얼리즘과 팝 아트 등의 리얼리즘 작가들은 대상들을 그대로 재현하거나 함축적으로 변형하는 등 자신만의 방법으로 현실을 전달하여 감상자와 소통하고 있다.

어휘풀이

* 트롱프뢰유(trompe-l'oeil) '속임수 그림'이란 말로 감상자가 실물처럼 착각할 정도로 정밀하게 재현하는 것.
* 오브제(objet) 일상용품이나 물건을 본래의 용도로 쓰지 않고 예술 작품에 사용하는 기법 또는 그 물체.

원리로 읽기

관련 문제 Link

1 이 글의 중심 화제는?

(❶)의 개념과 특성

2 문단별 중심 내용 찾기

02 핵심 정보 찾기

가: 하이퍼리얼리즘의 개념
나: 하이퍼리얼리즘과 (❷)의 비교
다: 하이퍼리얼리즘의 대표 작가 핸슨의 「쇼핑 카트를 밀고 가는 여자」
라: 「쇼핑 카트를 밀고 가는 여자」에 사용된 기법
마: (❸) 미술의 목적과 표현 방법

3 하이퍼리얼리즘과 팝 아트의 비교

01 정보 간의 관계에 유의해 내용 이해하기

	팝 아트	하이퍼리얼리즘
공통점	1960년대 미국에서 발달해 현재까지 유행, 자본주의 사회의 일상의 모습을 대상으로 삼음.	
표현 방법	대상을 (❹)으로 변형	대상을 정확하게 재현
추구하는 것	대상의 현실성	대상의 현실성, 표현의 (❺)
활용 매체	인쇄 매체	새로운 재료, 기계적인 방식

9262-0171

01 ㉠과 ㉡을 중심으로 윗글을 이해한 내용으로 적절한 것은?

① 팝 아트와 하이퍼리얼리즘은 모두 당시 자본주의의 일상을 대상으로 삼아 ㉠을 높였다.
② 팝 아트는 대상을 함축적으로 변형했다는 점에서 하이퍼리얼리즘과 달리 ㉡이 높다고 할 수 있다.
③ 하이퍼리얼리즘이 팝 아트와 달리 트롱프뢰유의 전통을 이은 것은 ㉠을 추구하기 위해서이다.
④ 팝 아트와 하이퍼리얼리즘이 주로 인쇄 매체를 활용한 것은 ㉡을 추구하기 위한 것이다.
⑤ 팝 아트와 하이퍼리얼리즘은 모두 ㉠과 ㉡을 동시에 추구한다는 점에서 리얼리즘 유파에 해당한다.

9262-0172

02 ㉢에 대한 설명으로 적절하지 않은 것은?

① 재현한 인체에 실제 사물인 오브제를 덧붙이고 받침대 없이 전시하여 실재처럼 보이게 하였다.
② 찰흙으로 원형을 만들지 않고 사람에게 석고를 덧발라 외형을 뜨는 기법을 사용하여 형태를 정확히 재현하였다.
③ 현실을 효과적으로 전달하기 위해 욕망의 주체는 실물과 똑같은 크기로, 욕망의 객체는 실재 그대로 제시하였다.
④ 인체의 피부 질감을 재현할 수 있었던 것은 합성수지, 폴리에스터, 유리 섬유 따위의 신재료를 사용했기 때문이다.
⑤ 당시 자본주의 사회에서의 합리적인 소비 성향을 반영하기 위해 주변에서 흔히 볼 수 있는 소비자와 상품을 제시하였다.

9262-0173

03 윗글의 '핸슨'의 작품과 〈보기〉의 작품을 바탕으로 할 때, 작가들이 자신의 입장에서 상대를 비평하는 말로 가장 적절한 것은?

보기

쿠넬리스, 「무제」

코수스, 「하나, 그리고 세 개의 의자」

쿠넬리스는 주변에서 흔히 볼 수 있는 살아 있는 말 12마리를 화랑 벽에 매어 놓고, 감상자가 화랑이라는 환경 안에 놓인 실제 말들의 존재와 말들의 온기와 냄새, 그리고 소리를 체험해서 다양하게 작품의 의미를 만들도록 하였다.

코수스는 '의자의 사진', '실제 의자', '의자의 언어적인 개념' 세 가지 모두를 한 공간에 배치하여, 대상을 나타내는 여러 가지 방식이 존재할 수 있음을 보여 주었다.

① 핸슨이 쿠넬리스에게: 미술은 시각적인 체험뿐만 아니라 청각, 후각 등 다양한 체험이 감상의 기준이 되어야 한다.
② 핸슨이 코수스에게: 미술에서 대상은 일상적이고 평범한 것이 아니라 역사적으로나 정치적으로 가치 있어야 한다.
③ 쿠넬리스가 핸슨에게: 미술에서 재현의 가장 효과적인 방법은 실물 주형의 기법보다 대상을 그대로 제시하는 것이어야 한다.
④ 쿠넬리스가 코수스에게: 미술에서 작품의 의미는 감상자가 실제 대상을 대면해서 만들어지는 것이 아니라 작가에 의해서 만들어지는 것이어야 한다.
⑤ 코수스가 쿠넬리스에게: 미술에서 대상을 재현할 때는 대상의 이미지보다 그 대상 자체만을 제시해야 한다.

문제 풀이 비법 노트

비교, 대조의 대상을 확인한다.

↓

공통점과 차이점을 확인하되, 차이점은 차이를 보이는 항목을 중심으로 대립되는 정보를 짝지어 본다.

↓

확인된 공통점과 차이점을 선택지의 내용에 대응시켜 적절성을 판단한다.

01

이 문항은 상반된 특성을 가진 두 가지 소재의 특성을 비교, 대조함으로써 글의 내용을 이해하는 능력을 평가하는 문제이다. 이러한 문제를 해결하기 위해서는 먼저 비교, 대조의 대상이 어떤 공통점을 가지고 있는지 확인하고, 차이점과 관련해서는 어떤 항목을 중심으로 상반된 성격을 드러내는지 정보를 대립적으로 짝지어 보며 글을 읽어야 한다. 그리고 이러한 차이는 역화살표나 연결선 등을 통해 표시해 두고 선택지의 내용과 꼼꼼하게 대응시켜 보아야 한다.

원리로 다시 읽기

가 미술관에서 오랫동안 움직이지 않고 서 있는 관광객 차림의 부부를 본다면 사람들은 다시 한 번 바라볼 것이다. 그리고 그것이 미술 작품이라는 것을 알면 놀랄 것이다. 이처럼 현실에 존재하는 것을 실재라고 믿을 수 있도록 재현하는 유파를 하이퍼리얼리즘이라고 한다.
하이퍼리얼리즘의 개념 / 중심 화제

나 관광객처럼 우리 주변에서 흔히 볼 수 있는 것을 대상으로 고르면 현실성이 높다고 하고, 그 대상을 시각적 재현에 기대어 실재와 똑같이 표현하면 사실성이 높다고 한다. 대상의 현실성과 표현의 사실성을 모두 추구한 하이퍼리얼리즘은 같은 리얼리즘 경향에 드는 팝 아트와 비교하면 그 특성이 잘 드러난다. 이들은 1960년대 미국에서 발달하여 현재까지 유행하고 있는 유파로, 당시 자본주의 사회의 일상의 모습을 대상으로 삼은 점에서는 공통적이다. 팝 아트는 대상을 함축적으로 변형했지만 하이퍼리얼리즘은 대상을 정확하게 재현하려고 하였다. 그래서 팝 아트는 주로 대상의 현실성을 추구하지만, 하이퍼리얼리즘은 대상의 현실성뿐만 아니라 트롱프뢰유의 흐름을 이어 표현의 사실성도 추구한다. 팝 아트는 대상의 정확한 재현보다는 대중과 쉽게 소통할 수 있는 인쇄 매체를 주로 활용한 반면에, 하이퍼리얼리즘은 새로운 재료나 기계적인 방식을 적극 사용하여 대상을 정확히 재현하는 방법을 추구하였다.
하이퍼리얼리즘의 속성 / 공통점 / 차이점 1 / 차이점 2 / 차이점 3 / 비교 · 대조에 의한 내용 전개

다 자본주의 일상을 사실적으로 표현한 하이퍼리얼리즘의 대표적인 작가에는 핸슨이 있다. 그의 작품 「쇼핑 카트를 밀고 가는 여자」(1969)는 물질적 풍요함 속에 매몰되어 살아가는 당시 현대인을 비판적 시각에서 표현한 작품으로 해석할 수 있다. 이 작품의 대상은 상품이 가득한 쇼핑 카트와 여자이다. 그녀는 욕망의 주체이며 물질에 대한 탐욕을 상징하고 있고, 상품이 가득한 쇼핑 카트는 욕망의 객체이며 물질을 상징하고 있다. 그래서 여자가 상품이 넘칠 듯이 가득한 쇼핑 카트를 밀고 있는 구도는 물질적 풍요 속에서의 과잉 소비 성향을 보여 준다.
현실성 높은 소재 / 작품에 내포된 의미

라 이 작품의 기법을 보면, 생활 공간에 전시해도 자연스럽도록 작품을 전시 받침대 없이 제작하였다. 사람을 보고 찰흙으로 형태를 만드는 방법 대신 사람에게 직접 석고를 덧발라 형태를 뜨는 실물 주형 기법을 사용하여 사람의 형태와 크기를 똑같이 재현하였다. 또한 기존 입체 작품의 재료인 청동의 금속재 대신에 합성수지, 폴리에스터, 유리 섬유 등을 사용하고 에어브러시로 채색하여 사람 피부의 질감과 색채를 똑같이 재현하였다. 여기에 오브제인 가발, 목걸이, 의상 등을 덧붙이고 쇼핑 카트, 식료품 등을 그대로 사용하여 사실성을 높였다.
표현의 사실성을 높임. / 하이퍼리얼리즘의 속성을 갖춤.

마 리얼리즘 미술의 가장 큰 목적은 현실을 포착하고 그것을 효과적으로 전달하는 것이다. 작가가 포착한 현실을 전달하는 표현 방법은 다양하다. 하이퍼리얼리즘과 팝 아트 등의 리얼리즘 작가들은 대상들을 그대로 재현하거나 함축적으로 변형하는 등 자신만의 방법으로 현실을 전달하여 감상자와 소통하고 있다.

1 이 글의 중심 화제는?

(❶ 하이퍼리얼리즘)의 개념과 특성

2 문단별 중심 내용 찾기

- 가: 하이퍼리얼리즘의 개념
- 나: 하이퍼리얼리즘과 (❷ 팝 아트)의 비교
- 다: 하이퍼리얼리즘의 대표 작가 핸슨의 「쇼핑 카트를 밀고 가는 여자」
- 라: 「쇼핑 카트를 밀고 가는 여자」에 사용된 기법
- 마: (❸ 리얼리즘) 미술의 목적과 표현 방법

3 하이퍼리얼리즘과 팝 아트의 비교

	팝 아트	하이퍼리얼리즘
공통점	1960년대 미국에서 발달해 현재까지 유행, 자본주의 사회의 일상의 모습을 대상으로 삼음.	
표현 방법	대상을 (❹ 함축적)으로 변형	대상을 정확하게 재현
추구하는 것	대상의 현실성	대상의 현실성, 표현의 (❺ 사실성)
활용 매체	인쇄 매체	새로운 재료, 기계적인 방식

정답과 해설 38쪽

| 2012학년도 6월 모의평가 |

Note

다음 글을 읽고 물음에 답하시오.

음악에서 연주라는 개념이 본격적으로 의미를 갖게 된 것은 18세기부터이다. 당시 유행하였던 영향미학*에 따라 음악은 '내용'을 가지고 있어야 한다고 생각되었다. 여기서 내용은 누구나 느낄 수 있는 객관적인 감정을 의미했는데, ㉠이 시기의 연주는 그 감정을 청중에게 정확하게 전달하는 것으로 이해되었다. 따라서 작곡자들은 악곡 속에 그 감정들을 담아내었고, 연주자들은 자신의 생각이나 주관을 드러내기보다는 작품이 갖고 있는 감정을 청중에게 정확하게 전달하는 역할을 했다. 즉 연주란 연주자가 소리를 통해 악보를 객관적으로 표현하는 작업을 의미했으며, 당시에 청중들은 연주를 통하여 작곡자가 제시한 감정을 감상하였던 것이다.

그러나 이러한 연주의 개념은 19세기에 들어 영향미학이 작품미학으로 전환되면서 바뀌게 된다. 작품 그 자체가 지니는 의미와 가치에 관심을 갖는 작품미학의 영향에 따라 작곡자들은 음악이 내용을 ⓐ지시하거나 표상하도록* 할 필요가 없게 되었고, 오로지 음악 그 자체로서 고유한 가치를 갖는 절대 음악을 탄생시켰다. 작곡자들은 어떤 내용이나 감정을 표현하는 대신 동기, 악구, 악절, 주제의 발전과 반복 등을 조화롭게 구성하여 작곡함으로써 형식에 의한 음악의 아름다움을 ⓑ추구하게 된 것이다. 이렇게 음악에서 지시하는 내용이나 감정이 없어지자 연주자는 작품을 구성하는 형식에 의한 아름다움의 의미들을 재구성하여 표현하려 했고, 이에 따라 연주는 해석으로 이해되었다. 실례로, 당시 베토벤 교향곡의 관현악 편성을 변형시켜 연주했던 바그너나 말러 등의 연주는 청중들에게 연주자가 해석한 작품을 ⓒ감상하게 한 것이었다.

이러한 경향은 20세기에 들어 더욱 두드러지고 구체화된다. 음악을 ⓓ향유하는 사람들이 늘어나고, 음악에 ⓔ종사하는 사람들이 증가하면서 음악의 전문화 현상이 나타났다. 작곡자와 연주자가 뚜렷하게 분리되었고, 연주자 가운데에서도 장르나 시대 또는 작곡자에 따른 전문 영역이 세밀하게 구분되었다. 한 작품에 대해서도 수십 개의 음반이 쏟아져 나오는 상황에서 연주자들은 자신만의 독특한 해석을 통해 다른 연주자와 구별되는 독자성을 강조해야 했다. 이에 따라 연주자는 작품을 보다 더 다양하면서도 주관적으로 해석하게 되었다. 이제 연주에서는 작품 자체의 충실한 해석에 의해 음악적 의미를 재구성했던 19세기와는 달리, 연주자의 주관적 감정에 의한 해석이 중요한 의미를 갖게 되었다. 그래서 하나의 작품이 연주될 때, 작곡자의 작품은 연주자에 의해 재창조되며, 이때 청중에게 감상은 ㉡이중의 의미를 갖게 된 것이다.

어휘풀이

*영향미학 음악에서 연주자가 음악의 언어를 통하여 얼마나 청중의 정서를 움직였는가에 주목한 미학.
*표상하다 추상적이거나 드러나지 아니한 것을 구체적인 형상으로 드러내어 나타내다.

원리로 읽기

관련 문제 Link

1 이 글의 중심 화제는?

(❶) 개념의 역사적 변천

2 글의 순차적 흐름 정리

02 글의 구조와 전개 방식 파악하기

시기	연주의 의미
18세기	(❷)의 객관적인 표현
19세기	(❸)의 해석
20세기	연주자의 (❹)에 의한 해석

3 서술 방식 파악하기

01 글의 구조와 전개 방식 파악하기

이 글은 개념의 변천을 (❺) 개관하고 있는 글이다. 시대의 흐름에 주목하여 글을 이해하는 것이 필요하다.

9262-0174

01 윗글의 내용 전개 방식으로 가장 적절한 것은?

① 기존의 주장들을 논리적으로 비판하고 있다.
② 중심 개념의 변천을 역사적으로 개관하고 있다.
③ 서로 대비되는 견해를 절충하여 결론을 도출하고 있다.
④ 다양한 사례를 동원하여 대상의 효용성을 예찬하고 있다.
⑤ 통념의 문제점을 지적하고 새로운 주장을 내세우고 있다.

9262-0175

02 윗글의 맥락을 고려할 때, ㉠에서 강조된 것은?

① 연주자의 생각과 주관
② 작곡자와 연주자의 분리
③ 작품의 의미에 대한 재구성
④ 형식을 강조한 음악의 아름다움
⑤ 작곡자가 의도한 객관적 감정의 전달

9262-0176

03 베토벤의 피아노 소나타 〈월광〉에 대한 감상 중 ⓛ과 가장 가까운 것은?

① 음악에서 베토벤이 무엇을 전달하려고 한 것인지 충분히 느낄 수 있었어.
② 〈월광〉 소나타를 반복해서 들으니 이 곡이 왜 아름다운지 알 수 있었어.
③ 작품의 주제 선율을 분명히 파악할 수 있어서 악곡의 흐름을 잘 이해할 수 있었어.
④ 제목 '월광'처럼 음악을 듣는 동안 달빛 어린 잔잔한 세상의 분위기를 느낄 수 있었어.
⑤ 빠르기와 셈여림이 본래 악곡과 달라 베토벤의 음악에서 연주자의 개성을 느낄 수 있었어.

9262-0177

04 ⓐ~ⓔ의 사전적 뜻풀이로 바르지 않은 것은?

① ⓐ: 가리켜 보임.
② ⓑ: 목적을 이룰 때까지 뒤쫓아 구함.
③ ⓒ: 주로 예술 작품을 이해하여 즐기고 평가함.
④ ⓓ: 혼자 독차지하여 가짐.
⑤ ⓔ: 어떤 일을 일삼아서 함.

문제풀이 비법노트

통시적 관점으로 글이 전개되고 있음을 확인한다.

↓

시간의 흐름을 나타내는 표지 18세기, 19세기, 20세기에 주목하여 내용을 구분한다.

↓

각 시기의 특징을 드러내는 표현에 주목하여 흐름을 파악하면서 내용을 이해한다.

02

예술사에 대해 통시적 관점으로 접근하는 지문의 경우, 미술사나 음악사에 대한 기본적인 개념을 정리해 두면, 배경지식을 활용하여 쉽게 문제를 풀어낼 수 있다. 배경지식이 부족한 경우에도 시간의 흐름을 나타내는 표지에 주목하여 내용을 구분하면 전체적인 흐름을 파악하기가 수월해진다.
연주 개념의 역사적 변천에 대해 다루고 있는 이 글의 경우, '18세기', '19세기', '20세기'라는 명확한 표지를 통해 내용이 구분되고 있으므로 이들에 주목하여 각 시기의 특징을 파악하며 통시적 관점으로 내용을 이해할 수 있도록 한다.

원리로 다시 읽기

음악에서 연주라는 개념이 본격적으로 의미를 갖게 된 것은 18세기부터이다. 당시 유행하였던 영향미학에 따라 음악은 '내용'을 가지고 있어야 한다고 생각되었다. 여기서 내용은 누구나 느낄 수 있는 객관적인 감정을 의미했는데, 이 시기의 연주는 그 감정을 청중에게 정확하게 전달하는 것으로 이해되었다. 따라서 작곡자들은 악곡 속에 그 감정들을 담아내었고, 연주자들은 자신의 생각이나 주관을 드러내기보다는 작품이 갖고 있는 감정을 청중에게 정확하게 전달하는 역할을 했다. 즉 연주란 연주자가 소리를 통해 악보를 객관적으로 표현하는 작업을 의미했으며, 당시에 청중들은 연주를 통하여 작곡자가 제시한 감정을 감상하였던 것이다.

시간을 나타내는 표지

18세기 연주의 개념

▶ 18세기 연주의 개념 – 악보를 객관적으로 표현

그러나 이러한 연주의 개념은 19세기에 들어 영향미학이 작품미학으로 전환되면서 바뀌게 된다. 작품 그 자체가 지니는 의미와 가치에 관심을 갖는 작품미학의 영향에 따라 작곡자들은 음악이 내용을 지시하거나 표상하도록 할 필요가 없게 되었고, 오로지 음악 그 자체로서 고유한 가치를 갖는 절대음악을 탄생시켰다. 작곡자들은 어떤 내용이나 감정을 표현하는 대신 동기, 악구, 악절, 주제의 발전과 반복 등을 조화롭게 구성하여 작곡함으로써 형식에 의한 음악의 아름다움을 추구하게 된 것이다. 이렇게 음악에서 지시하는 내용이나 감정이 없어지자 연주자는 작품을 구성하는 형식에 의한 아름다움의 의미들을 재구성하여 표현하려 했고, 이에 따라 연주는 해석으로 이해되었다. 실례로, 당시 베토벤 교향곡의 관현악 편성을 변형시켜 연주했던 바그너나 말러 등의 연주는 청중들에게 연주자가 해석한 작품을 감상하게 한 것이었다.

시간을 나타내는 표지

19세기 연주의 개념

▶ 19세기 연주의 개념 – 작품 자체의 형식에 의한 아름다움 추구

이러한 경향은 20세기에 들어 더욱 두드러지고 구체화된다. 음악을 향유하는 사람들이 늘어나고, 음악에 종사하는 사람들이 증가하면서 음악의 전문화 현상이 나타났다. 작곡자와 연주자가 뚜렷하게 분리되었고, 연주자 가운데에서도 장르나 시대 또는 작곡자에 따른 전문 영역이 세밀하게 구분되었다. 한 작품에 대해서도 수십 개의 음반이 쏟아져 나오는 상황에서 연주자들은 자신만의 독특한 해석을 통해 다른 연주자와 구별되는 독자성을 강조해야 했다. 이에 따라 연주자는 작품을 보다 더 다양하면서도 주관적으로 해석하게 되었다. 이제 연주에서는 작품 자체의 충실한 해석에 의해 음악적 의미를 재구성했던 19세기와는 달리, 연주자의 주관적 감정에 의한 해석이 중요한 의미를 갖게 되었다. 그래서 하나의 작품이 연주될 때, 작곡자의 작품은 연주자에 의해 재창조되며, 이때 청중에게 감상은 이중의 의미를 갖게 된 것이다.

시간을 나타내는 표지

20세기 연주의 개념

▶ 20세기 연주의 개념 – 연주자의 주관적 감정에 의한 해석

1 이 글의 중심 화제는?

(❶ 연주) 개념의 역사적 변화

2 글의 순차적 흐름 정리

시기	연주의 의미
18세기	(❷ 악보)의 객관적인 표현
19세기	(❸ 연주자)의 해석
20세기	연주자의 (❹ 주관적 감정)에 의한 해석

3 서술 방식 파악하기

이 글은 개념의 변천을 (❺ 역사적으로) 개관하고 있는 글이다. 시대의 흐름에 주목하여 글을 이해하는 것이 필요하다.

시간을 나타내는 표지에 주목하여 통시적 흐름에 따라 내용이 전개되고 있음을 이해해야 한다.

Note

다음 글을 읽고 물음에 답하시오.

㉮ 리얼리즘은 다양한 예술론 중에서 예술과 실재의 관계를 중시하며 예술이 그 안에 실재와 관련된 가치 있는 내용을 담고 있다고 보는 예술론의 대표적인 예라고 할 수 있다. 리얼리즘은 본이 되는 이상적 요소를 배제한다는 점에서 고전주의와 대치되고, 환상이나 문학적 상상의 요소가 배제된다는 점에서 낭만주의와도 대립한다. 리얼리즘을 중시하는 미학자들은 예술 작품을 통하여 삶의 진실을 찾고자 하며, 작품은 인간 삶의 온갖 현상과 그 과정의 본질을 깊이 있게 보여 준다는 믿음을 갖고 있다. 이를 대표하는 것이 바로 헝가리 출신인 루카치의 리얼리즘 예술론이다.

㉯ 루카치의 견해에 따르면, 리얼리즘은 역사상 존재했던 어떤 양식을 충실하게 모방하지도, 또는 현실을 한낱 사진처럼 복사하지도 않는다. 그는 모든 진정한 예술은 리얼리즘적 본성을 가지고 있다고 보고, 리얼리즘이 다른 여러 양식들 가운데 하나가 아니라 형상화에 기초한 '모든 예술 일반의 기본 특징'이자 '온갖 가치 있는 창작의 예술적 기초'라고 생각한다. 이와 같은 관점에서 보면, 역사상 각 시대의 특징을 반영하는 리얼리즘 양식의 표현 방식은 무한히 다양할 수 있다.

㉰ 루카치는 리얼리즘을 구성하는 다섯 가지 원리를 제시했다. 부분을 전체와의 관련하에서 파악하는 '총체성', 개별적인 것이 보편적인 의미를 획득할 수 있다는 '특수성', 미적 체험의 감동을 통해 인간성을 고양*시켜 주는 '카타르시스', 인간이 자신만의 개인적인 것에서 벗어나 모든 인간의 관심사를 파악하거나 작품에 반영하는 '유적인 것', 자율적으로 해석되어 매우 다양한 의미를 나타낼 수 있다는 '상징' 등이 바로 그 다섯 가지 원리이다. 이러한 원리들을 통하여 루카치는 현상과 본질, 주관과 객관, 부분과 전체, 개별성과 보편성, 개별적 인간과 인류 전체와의 관계를 구체적으로 해명*하였으며 작품의 수용 효과와 보편적 의미를 명확히 하였다.

㉱ 루카치의 리얼리즘 예술론의 핵심은 예술이 인간적, 현세적이어야 한다는 것이다. 그는 인간이 초월적인 것이나 내세적인 것에 의미를 두지 않고, 현세적 세계 속에서 의미를 찾으며 살아가는 태도를 중요하게 보았다. 이는 인간이 다른 인간과의 사회적 관계 속에서 자신의 개별성을 극복하면서 존재 의의를 찾는다는 것을 의미한다. 예술은 바로 이러한 태도를 통해 인간성을 높이 북돋워 준다. ㉠<u>루카치는 이러한 예술이 특히 리얼리즘을 통해 개화한다고 주장했다.</u> 그의 견해에 따르면, 예술을 수용하는 인간은 다른 사람의 삶을 간접적으로 체험하고 공감하면서 자기 자신과 타인의 삶을 포괄하는 인류의 삶과 운명에 대해 깊은 인식을 하게 된다.

㉲ 루카치는 현대 회화가 전반적으로 형식 실험과 추상적 경향으로 나아가는 것을 리얼리즘의 약화 현상이라고 비판했다. 현대의 많은 회화가 과도한 주관성으로 말미암아 객관성을 확보하지 못하고 있으며, 또 작품이 궁극적으로 지향하는 목표도 초월적인 것에 두고 있다고 본 것이다. 특히 루카치는 작가가 주관적 자의로 어떠한 상관관계도 없는 이질적인 요소들을 결합시켜 작품을 실재와 멀어지게 만드는 것을 비판적으로 보았다. 이는 루카치가 예술 작품에 인간과 관련된 현실의 본질적인 요소를 표현하는 것을 중시했음을 보여 준다.

어휘풀이

*고양 높이 쳐들어 올림.
*해명 까닭이나 내용을 풀어서 밝힘.

정답과 해설 38쪽

9262-0178

01 ㉮~㉲에 대한 설명으로 적절하지 않은 것은?

① ㉮: 리얼리즘의 입장과 성격을 토대로 글의 중심 화제를 제시하고 있다.
② ㉯: 리얼리즘에 대한 루카치의 기본적인 입장을 설명하고 있다.
③ ㉰: 루카치가 제시한 리얼리즘을 구성하는 다섯 가지 원리를 소개하고 있다.
④ ㉱: 루카치의 예술론이 회화의 발전에 미친 영향과 그 의의를 밝히고 있다.
⑤ ㉲: 현대 회화에 대한 루카치의 비판적 견해를 통해 그의 입장을 강조하고 있다.

9262-0179

02 윗글을 참고해 '루카치'의 관점에서 〈보기〉의 ㉮, ㉯를 감상한 의견으로 적절하지 않은 것은?

보기

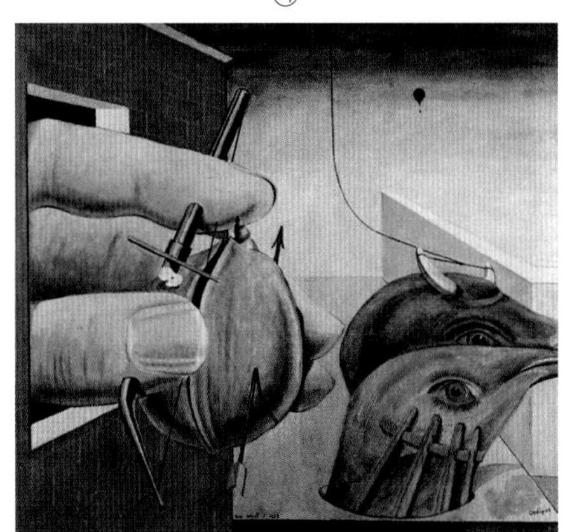

막스 에른스트의 「오이디푸스 왕」이라는 작품이다. 손, 호두, 화살, 새 등의 이질적인 대상들을 조합해 문학적 환상을 불러일으키고 있다.

㉯

얀 페르메이르의 「우유를 따르는 하녀」라는 작품이다. 이 작품은 일상에서 소박하고 진중하게 맡은 일에 열중하는 미덕을 보여 주고 있다.

① ㉮는 상관관계를 찾기 어려운 이질적인 요소들을 결합시킴으로써, 작품을 실재와 멀어지게 만들었다고 할 수 있겠어.
② ㉮는 과도한 주관성으로 객관성을 확보하지 못하고 있으며 추상적인 성격을 띠어, 리얼리즘을 약화시키는 작품이라고 할 수 있겠어.
③ ㉯는 초월적이거나 내세적인 것을 지향하지 않고 일상적인 삶의 모습을 구체적으로 담아냄으로써, 현세적 성격을 보여 주고 있다고 할 수 있겠어.
④ ㉯는 우유를 따르는 개별 행위를 보여 주기만 하는 것이 아니라 많은 사람들에게 일에 열중하는 미덕을 보여 준다는 점에서, 보편적 의미를 획득한 작품이라고 할 수 있겠어.
⑤ ㉮와 ㉯는 형식은 다르지만 초월적인 것보다 현세적인 의미를 중시했다는 점에서, 미적 체험의 감동을 통해 인간성을 고양해 주는 작품들이라고 할 수 있겠어.

9262-0180

03 '루카치'가 ㉠과 같이 생각한 근거로 가장 적절한 것은?

① 리얼리즘은 모든 예술 일반이 지닌 기본 특징이 될 수 있기 때문에
② 작품의 구성 요소들은 자율적으로 해석되어 다양한 의미를 나타낼 수 있기 때문에
③ 각 시대의 특징을 반영하는 리얼리즘 양식의 표현 방식은 무한히 다양할 수 있기 때문에
④ 리얼리즘은 예술 작품이 인간 삶의 온갖 현상과 그 과정을 보여 주는 것을 중시하기 때문에
⑤ 리얼리즘에 해당하는 예술 작품은 많은 작품들의 본이 되는 이상적 요소를 지니고 있기 때문에

출제 포인트

〈보기〉의 ㉮, ㉯의 작품의 특징을 파악한다.

↓

〈보기〉의 ㉮, ㉯의 작품의 특징과 관련 있는 루카치의 견해 · 주장을 파악한다.

↓

㉮와 같은 현대 예술 작품에 대한 루카치의 견해 · 주장을 바탕으로 루카치의 입장에 부합하지 않는 감상이 제시된 선택지를 고른다.

02 이 문항은 지문에 제시된 견해 · 주장을 예술 작품을 감상하는 데에 적용할 수 있는지를 묻고 있다.

㉲ 루카치는 현대 회화가 전반적으로 형식 실험과 추상적 경향으로 나아가는 것을 리얼리즘의 약화 현상이라고 비판했다. 현대의 많은 회화가 과도한 주관성으로 말미암아 객관성을 확보하지 못하고 있으며, 또 작품이 궁극적으로 지향하는 목표도 초월적인 것에 두고 있다고 본 것이다. 특히 루카치는 작가가 주관적 자의로 어떠한 상관관계도 없는 이질적인 요소들을 결합시켜 작품을 실재와 멀어지게 만드는 것을 비판적으로 보았다.

이 글은 루카치의 리얼리즘 예술론에 대해 설명하고 있다. 이와 같이 예술 제재에서 특정 학자, 철학자, 사상가 등의 견해 · 주장을 설명하는 경우, 그 견해 · 주장을 토대로 실제 작품을 감상할 수 있는지를 묻는 문제가 출제된다. 이에 따라 루카치의 예술 작품에 대한 입장을 보여 주는 견해 · 주장이 출제 요소가 된 것이다.

원리로 다시 읽기

가 리얼리즘은 다양한 예술론 중에서 예술과 실재의 관계를 중시하며 예술이 그 안에 실재와 관련된 가치 있는 내용을 담고 있다고 보는 예술론의 대표적인 예라고 할 수 있다. 리얼리즘은 본이 되는 이상적 요소를 배제한다는 점에서 고전주의와 대치되고, 환상이나 문학적 상상의 요소가 배제된다는 점에서 낭만주의와도 대립한다. ❶리얼리즘을 중시하는 미학자들은 예술 작품을 통하여 삶의 진실을 찾고자 하며, 작품은 인간 삶의 온갖 현상과 그 과정의 본질을 깊이 있게 보여 준다는 믿음을 갖고 있다. 이를 대표하는 것이 바로 헝가리 출신인 루카치의 리얼리즘 예술론이다.

▶ 고전주의, 낭만주의의 입장과 대비되는 리얼리즘의 입장

나 루카치의 견해에 따르면, 리얼리즘은 역사상 존재했던 어떤 양식을 충실하게 모방하지도, 또는 현실을 한낱 사진처럼 복사하지도 않는다. ❷그는 모든 진정한 예술은 리얼리즘적 본성을 가지고 있다고 보고, 리얼리즘이 다른 여러 양식들 가운데 하나가 아니라 형상화에 기초한 '모든 예술 일반의 기본 특징'이자 '온갖 가치 있는 창작의 예술적 기초'라고 생각한다. 이와 같은 관점에서 보면, 역사상 각 시대의 특징을 반영하는 리얼리즘 양식의 표현 방식은 무한히 다양할 수 있다.

▶ 리얼리즘을 모든 예술 일반의 기본 특징으로 본 루카치의 관점

다 루카치는 리얼리즘을 구성하는 다섯 가지 원리를 제시했다. ❸부분을 전체와의 관련하에서 파악하는 '총체성', 개별적인 것이 보편적인 의미를 획득할 수 있다는 '특수성', 미적 체험의 감동을 통해 인간성을 고양시켜 주는 '카타르시스', 인간이 자신만의 개인적인 것에서 벗어나 모든 인간의 관심사를 파악하거나 작품에 반영하는 '유적인 것', 자율적으로 해석되어 매우 다양한 의미를 나타낼 수 있다는 '상징' 등이 바로 그 다섯 가지 원리이다. 이러한 원리들을 통하여 루카치는 현상과 본질, 주관과 객관, 부분과 전체, 개별성과 보편성, 개별적 인간과 인류 전체와의 관계를 구체적으로 해명하였으며 작품의 수용 효과와 보편적 의미를 명확히 하였다.

▶ 루카치가 제시한 리얼리즘을 구성하는 다섯 가지 원리

라 ❹루카치의 리얼리즘 예술론의 핵심은 예술이 인간적, 현세적이어야 한다는 것이다. 그는 인간이 초월적인 것이나 내세적인 것에 의미를 두지 않고, 현세적 세계 속에서 의미를 찾으며 살아가는 태도를 중요하게 보았다. 이는 인간이 다른 인간과의 사회적 관계 속에서 자신의 개별성을 극복하면서 존재 의의를 찾는다는 것을 의미한다. 예술은 바로 이러한 태도를 통해 인간성을 높이 북돋워준다. 루카치는 이러한 예술이 특히 리얼리즘을 통해 개화한다고 주장했다. 그의 견해에 따르면, ❺예술을 수용하는 인간은 다른 사람의 삶을 간접적으로 체험하고 공감하면서 자기 자신과 타인의 삶을 포괄하는 인류의 삶과 운명에 대해 깊은 인식을 하게 된다.

▶ 인간적, 현세적 예술을 핵심으로 본 루카치의 리얼리즘 예술론

마 루카치는 현대 회화가 전반적으로 형식 실험과 추상적 경향으로 나아가는 것을 리얼리즘의 약화 현상이라고 비판했다. ❻현대의 많은 회화가 과도한 주관성으로 말미암아 객관성을 확보하지 못하고 있으며, 또 작품이 궁극적으로 지향하는 목표도 초월적인 것에 두고 있다고 본 것이다. 특히 루카치는 작가가 주관적 자의로 어떠한 상관관계도 없는 이질적인 요소들을 결합시켜 작품을 실재와 멀어지게 만드는 것을 비판적으로 보았다. 이는 루카치가 예술 작품에 인간과 관련된 현실의 본질적인 요소를 표현하는 것을 중시했음을 보여 준다.

▶ 현대 회화의 형식 실험과 추상적 경향에 대한 루카치의 비판적 입장

❶ 리얼리즘의 입장이 제시되어 있다. 리얼리즘이 예술 작품을 통해 인간 삶의 온갖 현상과 그 과정의 본질을 찾고자 했음을 이해해야 한다.

❷ 예술에 대한 루카치의 견해를 제시하고 있다. 이를 통해 루카치가 모든 예술이 (❶)을 기본적으로 갖고 있다고 생각했음을 알 수 있다. 이와 같이 견해가 제시된 부분을 짚어, 그 내용을 정확하게 이해하는 독해를 해야 한다.

❸ 루카치는 리얼리즘을 구성하는 다섯 가지 원리를 제시했다. 이론을 설명하는 글에서는 특정 학자, 철학자 등이 이론에서 사용한 용어의 개념이 제시되는 경우가 많다. 이와 같이 개념이 제시되어 있으면, 그 개념을 정확하게 이해해야 한다. 여기서는 '총체성', '특수성', '카타르시스', '유적인 것', '상징' 등의 개념을 이해해야 한다.

❹~❻ 루카치의 리얼리즘 예술론의 주요 견해가 제시되어 있다. 이와 같이 견해가 제시되어 있으면, 견해를 나타내는 핵심 어구에 주목해 그 어구들을 중심으로 내용을 이해하는 독해를 해야 한다. ❹에서는 '(❷)', '현세적', ❺에서는 '다른 사람의 삶을 간접적으로 체험하고 공감' 등과 같은 말을 통해 루카치의 견해를 이해해야 한다. 그리고 ❻에서는 '(❸)', '초월적인 것' 등의 어구를 중심으로 현대 회화에 대한 루카치의 비판적 입장을 이해해야 한다.

답

❶ 리얼리즘적 본성 ❷ 인간적 ❸ 과도한 주관성

Note

다음 글을 읽고 물음에 답하시오.

예술은 표현된 것이다. 표현되지 않은 예술은 존재하지 않는다. 조각가가 조각을 하기 위해서는 돌, 나무 등과 같은 재료가 필요하며, 사진가가 사진을 찍기 위해서는 사진기가 필요하다. 이처럼 표현이 이루어지기 위해서는 중간에 표현을 가능하게 해 주는 것이 필요하다. 이것이 예술에서의 매체이다. 예술은 매체와 서로 뗄 수 없는 관계를 맺고 있다. 그렇다면 구체적으로 예술과 매체는 어떤 관계를 맺어 왔으며, 맺고 있는 것일까?

세계적인 미디어 학자인 마셜 맥루언은 매체 변화에 민감하게 반응하는 사람들로 예술가들을 뽑았다. 그가 이렇게 예술가들을 주목한 것은 예술가들이 매체를 개발하고 적극적으로 활용하면서 표현의 한계를 극복해 왔기 때문이다. 이러한 그들의 노력은 예술의 형식 변화로도 이어졌다. 이에 대해 체계적으로 고찰*한 이론가는 베냐민이다. 베냐민은 기술 또는 매체는 이전과 다른 예술 형식을 낳았으며 예술 작품 자체를 재구성할 수 있는 기회를 주었다고 주장했다. 그는 사진과 영화에 주목했는데, 사진과 영화는 전통적인 예술 작품이 지닌 원본성, 유일무이성이 없어서 원본을 따지지 않아도 되며, 재생산을 기본 원칙으로 삼는다는 점에서 기존 예술과 다른 새로운 형식의 예술이라고 보았다.

새로운 매체의 등장은 새로운 예술 형식의 탄생에만 영향을 주는 것이 아니라 예술의 내용에도 변화를 초래한다. 사진이 등장하자 전통적으로 외부 세계와 대상을 모방하고 재현하는 회화의 위치가 흔들렸다. 이에 화가들은 사진이 표현할 수 없는 내용을 회화로 표현했다. 예컨대 인상파는 당시 흑백 사진이 표현할 수 없는 빛과 색깔, 느낌 등을 표현해 독자적인 영역을 구축*했다. 영화의 등장도 예술의 내용에 변화를 초래했다. 마셜 맥루언은 큐비즘을 예로 들었다. 이전의 회화 양식과 큐비즘이 크게 다른 점은 원근법의 해체이다. 큐비즘은 원근법적 시각 체계를 버리고 동시적 시각 체계를 선택했다. 또한 선형적 연속성 체계를 폐기하고 상관성이라는 배열 방식을 채택했다. 피카소의 「아비뇽의 처녀들」에는 여인들의 앞모습과 뒷모습이 동시에 나타나 있다. 이러한 표현 방식은 영화와 유사한 것이다.

매체의 발전은 예술 작품의 수용에도 변화를 가져왔다. 형식과 내용이 바뀐 예술 작품이 감상자에게 기존과 다른 감상 방식을 요구하고 있는 것이다. ㉠<u>디지털 매체 예술에서는 디지털 매체가 만들어 내는 이미지를 비롯해 일상에서 접하는 수많은 이미지들을 사람들이 어떻게 지각하고 그 이미지들에 어떻게 반응하는지가 중요하다.</u> 디지털 매체 예술의 이미지는 시각 효과를 극대화하기 위해 시각 이미지에 촉각, 청각 등의 다른 감각을 더해 복합 지각의 대상이 된다. 이에 따라 시각 중심의 지각 방식이 재편되고 이미지와 감상자 사이의 거리가 가까워진다. 디지털 매체 예술에서는 감상자가 작품을 수용하는 주체에 머무르지 않고 매체와 상호 작용하며 이미지를 창조하는 주체가 되는 경우가 많다.

어휘풀이

*고찰 어떤 것을 깊이 생각하고 연구함.
*구축 체제, 체계 따위의 기초를 닦아 세움.

9262-0181

01 윗글에 대한 설명으로 적절하지 않은 것은?

① 글의 화제를 물음으로 제시해 관심을 유도하고 있다.
② 예상되는 반론을 비판함으로써 주장을 강화하고 있다.
③ 구체적인 사례를 들어 내용에 대한 이해를 돕고 있다.
④ 전문가의 견해를 인용하여 내용의 타당성을 높이고 있다.
⑤ 병렬적 제시를 통해 글의 화제에 다각도로 접근하게 하고 있다.

9262-0182

02 윗글의 관점에서 〈보기〉를 이해한 내용으로 적절하지 않은 것은?

보기

영화, 라디오, 텔레비전 등의 매체가 기술 발전을 토대로 대중화되자 이들 매체에 적극적으로 반응하며 기존에 없던 새로운 내용과 경향의 작품을 창작한 예술가들이 있었다. 이들은 기존 추상 표현주의의 엄숙성에 반대하고 대중 매체와 광고 등 대중문화적 시각 이미지를 미술의 영역 속에 적극적으로 수용하고자 했다. 이러한 경향을 '팝 아트'라고 하는데, 팝 아트는 순수 예술과 대중 예술이라는 이분법적, 위계적 구조를 해체시켰다. 로이 릭턴스타인은 현대에 대중화된 만화의 형식을 빌려 작품을 창작했으며, 앤디 워홀은 대중 매체가 만들어 내는 대중 스타들을 작품의 제재로 삼았다.

① 팝 아트는 기술 또는 매체가 이전과 다른 예술 형식을 낳는다는 베냐민의 주장을 뒷받침해 줄 수 있는 것이겠군.
② 대중적인 만화 형식을 빌려 창작한 로이 릭턴스타인의 작품은 매체가 예술의 형식을 변화시키는 데에 영향을 준 예가 될 수 있겠군.
③ 앤디 워홀이 대중 매체가 만들어 내는 대중 스타들을 작품의 제재로 삼은 것은 매체가 예술의 내용에 변화를 초래한 예가 될 수 있겠군.
④ 순수 예술과 대중 예술의 경계를 해체시켰다는 점에서 팝 아트와 영화는 큐비즘이 영화와 맺고 있는 것과 유사한 관계를 맺고 있다고 볼 수 있겠군.
⑤ 영화, 라디오, 텔레비전 등의 대중화를 토대로 팝 아트를 탄생시킨 예술가들은 마셜 맥루언이 말한 매체 변화에 민감하게 반응한 예술가들에 해당하겠군.

9262-0183

03 윗글에서 ㉠의 이유를 추리했을 때, 가장 적절한 것은?

① 디지털 매체 예술의 이미지는 전통적인 시각 중심의 감상 방식을 그대로 요구하기 때문이다.
② 디지털 매체 예술은 감상자의 참여를 통해 이미지를 창조하는 형식을 띠는 경우가 많기 때문이다.
③ 디지털 매체 예술은 매체의 역할을 축소해 매체가 작품에 미치는 영향력을 최소화하기 때문이다.
④ 디지털 매체 예술에서는 일상에서 접하는 수많은 이미지들을 작품의 주요한 제재로 삼기 때문이다.
⑤ 디지털 매체 예술의 이미지와 감상자 사이의 거리가 감상 방식과 상관없이 임의대로 변화하기 때문이다.

출제 포인트

㉠에서 디지털 매체 예술에 대해 어떤 내용을 제시하고 있는지 파악한다.

↓

글의 맥락을 고려하여, ㉠과 관련 있는 디지털 매체 예술의 특징을 파악한다.

↓

디지털 매체 예술의 특징에 관한 정보를 토대로 ㉠의 이유를 적절하게 추리한 것을 정답으로 선택한다.

03 이 문항은 지문에 제시된 예술 갈래의 특징을 토대로 이유를 추리할 수 있는지를 묻고 있다.

> 4 (……) 디지털 매체 예술의 이미지는 시각 효과를 극대화하기 위해 시각 이미지에 촉각, 청각 등의 다른 감각을 더해 복합 지각의 대상이 된다. 이에 따라 시각 중심의 지각 방식이 재편되고 이미지와 감상자 사이의 거리가 가까워진다. 디지털 매체 예술에서는 감상자가 작품을 수용하는 주체에 머무르지 않고 매체와 상호 작용하며 이미지를 창조하는 주체가 되는 경우가 많다.

이 글은 매체의 발전이 예술에 미친 영향을 제시하고 있다. 이와 관련해 새로운 디지털 매체의 등장이 예술에 미친 영향을 제시하고 있는데, 디지털 매체 예술의 특징으로 감상자가 작품을 수용하는 주체에 머무르지 않고 매체와 상호 작용하며 이미지를 창조하는 주체가 되는 것을 들고 있다. 이와 같은 예술 갈래의 특징은 예술 제재에서 중요한 출제 요소로 활용된다.

원리로 다시 읽기

예술은 표현된 것이다. 표현되지 않은 예술은 존재하지 않는다. 조각가가 조각을 하기 위해서는 돌, 나무 등과 같은 재료가 필요하며, 사진가가 사진을 찍기 위해서는 사진기가 필요하다. 이처럼 표현이 이루어지기 위해서는 중간에 표현을 가능하게 해 주는 것이 필요하다. 이것이 예술에서의 매체이다. 예술은 매체와 서로 뗄 수 없는 관계를 맺고 있다. 그렇다면 구체적으로 예술과 매체는 어떤 관계를 맺어 왔으며, 맺고 있는 것일까?

글의 중심 화제

▶ 예술과 매체의 긴밀한 관계

세계적인 미디어 학자인 마셜 맥루언은 매체 변화에 민감하게 반응하는 사람들로 예술가들을 뽑았다. 그가 이렇게 예술가들을 주목한 것은 예술가들이 매체를 개발하고 적극적으로 활용하면서 표현의 한계를 극복해 왔기 때문이다. 이러한 그들의 노력은 예술의 형식 변화로도 이어졌다. 이에 대해 체계적으로 고찰한 이론가는 베냐민이다. 베냐민은 기술 또는 매체는 이전과 다른 예술 형식을 낳았으며 예술 작품 자체를 재구성할 수 있는 기회를 주었다고 주장했다. ❶그는 사진과 영화에 주목했는데, 사진과 영화는 전통적인 예술 작품이 지닌 원본성, 유일무이성이 없어서 원본을 따지지 않아도 되며, 재생산을 기본 원칙으로 삼는다는 점에서 기존 예술과 다른 새로운 형식의 예술이라고 보았다.

매체가 예술에 미친 영향에 대한 베냐민의 주장

▶ 매체를 중시한 맥루언과 베냐민의 주장

❷새로운 매체의 등장은 새로운 예술 형식의 탄생에만 영향을 주는 것이 아니라 예술의 내용에도 변화를 초래한다. 사진이 등장하자 전통적으로 외부 세계와 대상을 모방하고 재현하는 회화의 위치가 흔들렸다. 이에 화가들은 사진이 표현할 수 없는 내용을 회화로 표현했다. 예컨대 인상파는 당시 흑백 사진이 표현할 수 없는 빛과 색깔, 느낌 등을 표현해 독자적인 영역을 구축했다. 영화의 등장도 예술의 내용에 변화를 초래했다. 마셜 맥루언은 큐비즘을 예로 들었다. 이전의 회화 양식과 큐비즘이 크게 다른 점은 원근법의 해체이다. 큐비즘은 원근법적 시각 체계를 버리고 동시적 시각 체계를 선택했다. 또한 선형적 연속성 체계를 폐기하고 상관성이라는 배열 방식을 채택했다. 피카소의 「아비뇽의 처녀들」에는 여인들의 앞모습과 뒷모습이 동시에 나타나 있다. 이러한 표현 방식은 영화와 유사한 것이다.

▶ 기존 예술의 내용에 변화를 초래한 새로운 매체의 등장

❸매체의 발전은 예술 작품의 수용에도 변화를 가져왔다. 형식과 내용이 바뀐 예술 작품이 감상자에게 기존과 다른 감상 방식을 요구하고 있는 것이다. 디지털 매체 예술에서는 디지털 매체가 만들어 내는 이미지를 비롯해 일상에서 접하는 수많은 이미지들을 사람들이 어떻게 지각하고 그 이미지들에 어떻게 반응하는지가 중요하다. ❹디지털 매체 예술의 이미지는 시각 효과를 극대화하기 위해 시각 이미지에 촉각, 청각 등의 다른 감각을 더해 복합 지각의 대상이 된다. 이에 따라 시각 중심의 지각 방식이 재편되고 이미지와 감상자 사이의 거리가 가까워진다. ❺디지털 매체 예술에서는 감상자가 작품을 수용하는 주체에 머무르지 않고 매체와 상호 작용하며 이미지를 창조하는 주체가 되는 경우가 많다.

▶ 작품의 수용에 변화를 가져온 매체의 발전

❶ 사진과 영화에 대한 (❶)의 견해가 제시되어 있다. 예술 갈래의 특징에 대한 견해는 중요한 출제 요소로 활용되므로 독해할 때 반드시 주목해야 한다. 여기서는 베냐민이 사진과 영화는 원본을 따지지 않아도 되며, 재생산을 기본 원칙으로 삼는다는 점에서 기존 예술과 다른 새로운 형식의 예술이라고 보았음을 이해해야 한다.

❷, ❸ 매체가 예술에 미친 영향을 병렬적으로 제시하고 있다. 매체의 등장은 예술의 내용과 예술 작품의 수용에 변화를 가져왔다. 이에 대해 이 글에서는 구체적 예를 들어 설명하고 있다.

❹, ❺ 디지털 매체 예술의 (❷)에 관한 정보이다. 이와 같이 예술의 하위 갈래의 특징이 제시되어 있으면 출제 요소로 주목해야 한다. ❹에서는 디지털 매체 예술의 이미지가 (❸)의 대상이 된다는 것을, ❺에서는 디지털 매체 예술의 감상자가 이미지를 창조하는 주체가 된다는 것에 주목해 이해해야 한다.

답

❶ 베냐민 ❷ 특징 ❸ 복합 지각

Note

다음 글을 읽고 물음에 답하시오.

극장이나 텔레비전을 통해 쉽게 접하기 어려운 영화 중의 하나가 전위 영화이다. 전위(前衛)란 말은 주류에 앞서 있는 열을 의미한다. 그렇다면 주류 영화는 어떤 영화일까? 일반적으로 할리우드 고전 양식에 기초하여 수적으로 절대적 우위를 점하고 있는 상업적인 극영화를 '주류 영화'라고 한다. 이러한 주류 영화에 한발 앞서 영화의 표현력과 가능성을 확장하고 실험하는 영화의 한 형태가 바로 전위 영화이다. 전위 영화는 영상 자체가 하나의 새로운 언어가 될 수 있다는 신념 아래서 주류 영화와는 다른 예술적인 질서를 만들어 내려는 창조적 모색이라고 할 수 있다.

전위 영화의 대부분은 기교적으로 복잡하고 이해하기 어려운 면이 있다. 처음으로 전위 영화를 접하는 관객들은 전위 영화가 보여 주는 의도적인 낯섦 때문에 당황하고 불쾌한 감정을 느끼기도 한다. 그런데 이것은 관객의 반응을 유도하기 위한 전위 영화의 기법이다. 전위 영화는 이와 같은 일종의 충격 요법을 통해 관객들의 틀에 박힌 시선을 의도적으로 공격한다. 이와 같은 기법은 전위 영화가 주류 영화에서 금기시되어 온 주제들을 논리적인 이야기 흐름을 거부하는 방식을 통해 다루는 것과 관련이 있다.

미리 짜인 대본에 기초하여 만들어지는 전위 영화는 극히 드물다. 전위 영화의 감독들은 예정된 대본의 경직성을 거부한다. 서사 구조 역시 전위 영화에서는 찾아보기 힘든 부분이다. 서사 구조는 논리적인 인과 관계에 의해 사건을 진행시키는 구조인데, 전위 영화는 이러한 사건 전개를 거부함으로써 주류 영화의 지배적 체제를 공격한다. 전위 영화의 숏들은 연속된 행위의 논리적인 흐름이라기보다 이질적인 것들이 뭉쳐진 덩어리로 제시된다. 즉 대부분의 전위 영화들은 스토리 연결의 의무감에서 벗어나 있기 때문에 최소의 논리로 숏들을 최대한 병치시킬 수 있는 기회를 부여받는다. 이것은 비약적인 편집으로 나타나며 때로는 숨 막힐 정도로 빠르게 숏들이 지나가는 것으로 나타나기도 한다.

전위 영화는 철저하게 주관적인 입장을 취하고 있으며 표현주의적 특성이 강하다. 이에 따라 영화 속 시·공간도 사실적인 충실성을 갖기보다는 주관적이고 심리적이다. 전위 영화에서는 현실 세계를 객관적으로 기록하는 일에는 관심이 없으며, 기존의 사회 규범에 일치하지 않는다 하더라도 전위 영화의 감독들은 완전한 상상의 세계를 창조해 내는 데 집중한다. 전위 영화에서는 왜곡 렌즈와 필터들을 과다하게 사용하는 경향이 있으며 비자연적인 색조와 일상성에서 크게 벗어난 조명, 특수 효과 등을 즐겨 사용한다. 사운드에 있어서도 전위 영화는 동시 녹음으로 작품을 만드는 경우가 드물다. 미학적으로 자신들이 추구하는 세계의 비현실성을 강화하기 위해서 영상과 음향을 의도적으로 분리한 것이다.

㉠<u>전위 영화의 감독들</u>은 주류 영화를 미학적으로 이미 죽은 거짓된 영화라고 비판한다. 이와 같은 입장을 바탕으로 이루어지는 그들의 전위적인 시도는 이른바 ⓐ<u>'영화적인 것'</u>을 발견하여 추구하기 위한 것이라고 할 수 있다. 영화 예술 본연의 표현 형식과 그 본질을 발견하는 것이 전위 영화가 추구하는 목표인 것이다. 이와 같은 점에서 전위 영화가 지향하는 이상은 '순수 영화'라는 표현 속에 요약되어 있다고 할 수 있다.

9262-0184

01 윗글의 내용과 일치하지 않는 것은?

① 관객들에게 당황스럽고 불쾌한 감정을 느끼게 하는 전위 영화의 낯섦은 영화 기법으로 의도된 것이다.
② 전위 영화의 충격 요법은 전위 영화가 주류 영화에서 금기시되어 온 주제들을 다루는 것과 관련이 있다.
③ 전위 영화에서 왜곡 렌즈와 필터들을 과다하게 사용하는 경향은 전위 영화의 표현주의적 특성이 강한 것과 관련이 있다.
④ 전위 영화를 제작할 때 동시 녹음을 하지 않는 것은 미학적인 목적에서 영상과 음향을 의도적으로 분리하기 위한 것이다.
⑤ 전위 영화에서 매우 빠른 속도로 숏들이 지나가도록 편집되어 있는 것은 기교적으로 단순화된 전위 영화의 특징을 보여 주는 것이다.

9262-0185

02 윗글을 참고하여 〈보기〉에 대해 이해한 내용으로 적절하지 않은 것은?

보기

전위 영화를 대표하는 장 콕토의 〈시인의 피〉(1930)는 공장의 높은 굴뚝이 무너지는 숏으로 시작된다. 실제로 몇 초면 끝날 이 붕괴는 영화 시작 후 한 시간이 지나서야 끝나는 숏이 나온다. 이 영화의 등장인물은 '시인'인데, 그가 거울 속으로 들어가 접하는 모호하고 환상적인 장면들을 보여 준다. 이때 상관관계나 논리적 관계를 찾기 어려운 여러 이미지가 병치되며 장면들이 전개되는데 종종 장면의 갑작스러운 전환이 이루어진다. 거울로 들어간 '시인'은 꿈속을 여행하듯 여러 방을 열쇠 구멍으로 엿보며 멕시코인의 총살, 비행 교습을 받는 소녀 등의 다양한 환각적 이미지들을 경험한다. 그리고 이 영화에서는 필름의 진행을 역방향으로 바꾸어 촬영하는 방식인 '역촬영 기법'으로 '시인'의 죽음을 표현했다. 이것은 실제의 세계에서 일어날 수 없는 비현실적 움직임을 보여 줌으로써 관객에게 시각적 충격을 준다.

① 공장 굴뚝이 무너지는 것이 영화 시작 후 한 시간이 지나서야 끝나는 것은 영화 속 시간이 주관적인 성격을 띠고 있음을 보여 준다고 할 수 있다.
② '시인'이 거울 속으로 들어가 꿈속을 여행하듯 다니는 것은 영화 속에 완전한 상상의 세계가 창조되어 있는 전위 영화의 특징을 보여 준다고 할 수 있다.
③ '역촬영 기법'으로 '시인'의 죽음을 표현한 것은 주류 영화에 익숙해져 있는 관객들의 틀에 박힌 시선을 공격하는 전위 영화의 특징을 보여 준다고 할 수 있다.
④ 상관관계나 논리적 관계를 찾기 어려운 이미지들이 병치되며 장면들이 전개되는 것은 논리적인 서사 구조가 없이 영화가 전개되고 있음을 보여 준다고 할 수 있다.
⑤ 여러 환각적인 장면들이 전개되는 가운데 갑작스러운 전환이 이루어지는 것은 비현실성으로 현실의 있는 그대로의 모습을 부각하고 있음을 보여 준다고 할 수 있다.

9262-0186

03 ㉠의 입장에서 ⓐ에 대해 할 말로 적절하지 않은 것은?

① 상업적인 주류 영화에서는 발견하기 어려운 것이다.
② 영화의 표현력과 가능성을 확장시키기 위한 것이다.
③ 이상적인 전위 영화인 '순수 영화'가 갖추어야 할 것이다.
④ 영상 자체가 하나의 새로운 언어가 되는 데 필요한 것이다.
⑤ 관객들이 영화에 대한 관습적인 시각을 갖도록 만들어 주는 것이다.

출제 포인트

지문 독해 과정에서 전위 영화의 특징에 관한 정보를 파악한다.

↓

〈보기〉에 사례로 제시되어 있는 작품의 전위 영화로서의 특징을 파악한다.

↓

지문의 정보를 〈보기〉의 사례에 적용하여 추론한 내용으로 적절하지 않은 것을 정답으로 선택한다.

02 이 문항은 글의 중심 서술 대상의 특징을 이해하고, 그 특징을 구체적 사례에 적용할 수 있는지를 묻는 문제이다. 전위 영화의 특징을 이해하고, 그 특징을 〈보기〉에 제시되어 있는 〈시인의 피〉와 관련지어 〈시인의 피〉가 갖고 있는 전위 영화의 특징을 추론해야 한다.

> **4** (……) 전위 영화에서는 현실 세계를 객관적으로 기록하는 일에는 관심이 없으며, 기존의 사회 규범에 일치하지 않는다 하더라도 전위 영화의 감독들은 완전한 상상의 세계를 창조해 내는 데 집중한다. (……)

위의 내용을 통해 전위 영화에서 현실 세계를 있는 그대로 영화에 담아내는 데 관심이 없음을 알 수 있다. 이를 구체적인 작품 사례에 적용할 수 있는지가 이 문제의 출제 포인트이다.

원리로 다시 읽기

극장이나 텔레비전을 통해 쉽게 접하기 어려운 영화 중의 하나가 전위 영화이다. 전위(前衛)란 말은 주류에 앞서 있는 열을 의미한다. 그렇다면 주류 영화는 어떤 영화일까? 일반적으로 할리우드 고전 양식에 기초하여 수적으로 절대적 우위를 점하고 있는 상업적인 극영화를 '주류 영화'라고 한다.(주류 영화의 개념) 이러한 주류 영화에 한발 앞서 영화의 표현력과 가능성을 확장하고 실험하는 영화의 한 형태가 바로 전위 영화이다.(전위 영화의 개념) 전위 영화는 영상 자체가 하나의 새로운 언어가 될 수 있다는 신념 아래서 주류 영화와는 다른 예술적인 질서를 만들어 내려는 창조적 모색이라고 할 수 있다.

▶ 주류 영화와 전위 영화의 차이점

❶전위 영화의 대부분은 기교적으로 복잡하고 이해하기 어려운 면이 있다. 처음으로 전위 영화를 접하는 관객들은 전위 영화가 보여 주는 의도적인 낯섦 때문에 당황하고 불쾌한 감정을 느끼기도 한다. 그런데 이것은 관객의 반응을 유도하기 위한 전위 영화의 기법이다. 전위 영화는 이와 같은 일종의 충격 요법을 통해 관객들의 틀에 박힌 시선을 의도적으로 공격한다.(의도적인 낯섦을 기법적으로 사용하는 이유) 이와 같은 기법은 전위 영화가 주류 영화에서 금기시되어 온 주제들을 논리적인 이야기 흐름을 거부하는 방식을 통해 다루는 것과 관련이 있다.(의도적인 낯섦과 주제의 관련성)

▶ 전위 영화의 의도적인 낯섦

> ❶ 예술 제재에서는 서술 대상의 특징이 핵심 정보가 되는 경우가 많다. 이 글도 (❶)의 특징이 핵심 정보가 된다. '기교적으로 복잡하고 이해하기 어려운 면'과 같이 특징을 나타내는 어구에 주목하고 그것의 구체적인 내용을 정확히 이해하도록 한다.

미리 짜인 대본에 기초하여 만들어지는 전위 영화는 극히 드물다. 전위 영화의 감독들은 예정된 대본의 경직성을 거부한다. 서사 구조 역시 전위 영화에서는 찾아보기 힘든 부분이다. ❷서사 구조는 논리적인 인과 관계에 의해 사건을 진행시키는 구조인데, 전위 영화는 이러한 사건 전개를 거부함으로써 주류 영화의 지배적 체제를 공격한다. 전위 영화의 숏들은 연속된 행위의 논리적인 흐름이라기보다 이질적인 것들이 뭉쳐진 덩어리로 제시된다.(서사 구조의 거부로 전위 영화에서 나타나는 특징 1) 즉 대부분의 전위 영화들은 스토리 연결의 의무감에서 벗어나 있기 때문에 최소의 논리로 숏들을 최대한 병치시킬 수 있는 기회를 부여받는다. 이것은 비약적인 편집으로 나타나며 때로는 숨막힐 정도로 빠르게 숏들이 지나가는 것으로 나타나기도 한다.(서사 구조의 거부로 전위 영화에서 나타나는 특징 2)

▶ 서사 구조의 거부로 나타나는 전위 영화의 특징

> ❷ (❷)의 측면에서 전위 영화의 특징을 제시하고 있다. 대상의 특징이 병렬적으로 제시되어 있을 때, 대등한 관계를 나타내는 내용에 주목할 수 있어야 한다.

❸전위 영화는 철저하게 주관적인 입장을 취하고 있으며 표현주의적 특성이 강하다. 이에 따라 영화 속 시·공간도 사실적인 충실성을 갖기보다는 주관적이고 심리적이다.(전위 영화의 표현주의적 특성 1) 전위 영화에서는 현실 세계를 객관적으로 기록하는 일에는 관심이 없으며, 기존의 사회 규범에 일치하지 않는다 하더라도 전위 영화의 감독들은 완전한 상상의 세계를 창조해 내는 데 집중한다.(전위 영화의 표현주의적 특성 2) 전위 영화에서는 왜곡 렌즈와 필터들을 과다하게 사용하는 경향이 있으며(표현주의적 특성을 위해 사용되는 기법상의 특징 1) 비자연적인 색조와 일상성에서 크게 벗어난 조명, 특수 효과 등을 즐겨 사용한다.(표현주의적 특성을 위해 사용되는 기법상의 특징 2) 사운드에 있어서도 전위 영화는 동시 녹음으로 작품을 만드는 경우가 드물다.(표현주의적 특성을 위해 사용되는 기법상의 특징 3) 미학적으로 자신들이 추구하는 세계의 비현실성을 강화하기 위해서 영상과 음향을 의도적으로 분리한 것이다.

▶ 전위 영화의 표현주의적 특성

> ❸ 전위 영화가 (❸)이 강하다는 것을 제시하고 있다. 2, 3문단에 이어 병렬적으로 전위 영화의 특징을 설명하고 있다.

전위 영화의 감독들은 주류 영화를 미학적으로 이미 죽은 거짓된 영화라고 비판한다. 이와 같은 입장을 바탕으로 이루어지는 그들의 전위적인 시도는 이른바 '영화적인 것'을 발견하여 추구하기 위한 것이라고 할 수 있다. 영화 예술 본연의 표현 형식과 그 본질을 발견하는 것(영화적인 것의 문맥적 의미)이 전위 영화가 추구하는 목표인 것이다. 이와 같은 점에서 전위 영화가 지향하는 이상은 '순수 영화'라는 표현 속에 요약되어 있다고 할 수 있다.

▶ '영화적인 것'을 지향하는 전위 영화의 경향

답

❶ 전위 영화 ❷ 서사 구조 ❸ 표현주의적 특성

Note

다음 글을 읽고 물음에 답하시오.

오늘날 예쁘게 꾸미는 경향은 매우 보편적인 현상이다. 이른바 생활 세계의 '심미화'라고 부르는 현상이다. 그런데 현대 예술에는 우리의 일상적인 미의식에 따르면 '아름답다'라고 말하기 어려운 작품들이 많다. 심지어 예술 작품인지 의심이 갈 정도로 추한 것들도 있다. 이와 같은 작품들은 일상적 심미화의 추세를 거스르며 미의 본질을 진지하게 탐색하는 경향을 나타내고 있다. 이들은 기본적으로 문화 산업을 통해 대량 생산되는 상투적인 미를 부정한다. 그 대신에 인간의 깊은 고뇌와 희망을 보여 주는 표현 방식을 모색한다. 그 결과 현대 예술에는 상당 부분 추함의 미학이 내재한다.

추함의 미학은 19세기 낭만주의에서 엿보이는 ㉠'그로테스크와 아이러니' 미학에서 실마리를 찾을 수 있다. 당시 헤겔은 낭만주의 미학이 외적 형상, 곧 이상적인 외형미를 추구하지 않고 인간의 내적 심정을 표현한다고 평가했는데, 이 평가에는 외형의 추함을 인정하는 입장이 내포되어 있었다. 그런데 ㉡현대 예술은 한 걸음 더 나아간다. 헤겔이 볼 때, 낭만주의에서는 작품과 관객의 소통을 통해 내면적 공감이나 동일시가 이루진다고 보았다. 하지만 현대 예술은 이런 일대일 대응을 가정하지 않는다. 오히려 무한하게 열린 대응 관계를 생각한다. 세계의 실상이 혼란스럽게 존재하는 것과 마찬가지로 작품 자체의 완결된 의미를 인정하지 않으며, 그에 따라 해석 역시 다양하게 이루어진다고 여긴다. 그리하여 모순과 불협화음, 비동일성, 파편화, 분열 같은 요소를 작품 속에 적극 수용하는데, 이런 요소들은 전통 예술에서 볼 때 추함의 범주에 속하는 것들이다.

현대 예술은 전통 예술의 미적 이상과 대립한다. 전통 예술의 미적 범주를 대표하는 것으로 균제미가 있다. 균제미는 '절제'를 존중하는 미학이 반영되어 있는 것으로 이상적인 척도를 넘어서지 않고 그것을 보편적으로 적용함으로써 표현되는 조화와 균형의 아름다움이라고 할 수 있다. 균제미는 격정이나 열정을 억눌러 왔는데, 그러한 억압을 넘어서려는 경향이 나타나게 되었다. 가령 음악에서는 19세기가 끝날 무렵에 결국 균제미의 이상이 무너진다. 쇤베르크는 오랫동안 보편적인 척도로 여겨진 화음 체계를 벗어났으며, 스트라빈스키는 원시적인 정서와 리듬을 통해 이상적인 균제미를 깨뜨렸다. 이들의 음악에서는 조화로운 절제가 무너지고 '과도함'이 넘친다. 고전적 관점에서 볼 때, 예술에서 배제되어 온 추함이 표현된 것이다.

전통 예술에서 배제되어 왔으나 현대 예술에서 표현되고 있는 것으로는 '우연'도 있다. '우연'은 작가의 의식이라는 인위적인 형식으로 통제되지 않는 것으로 '자연적' 또는 '무의식적'인 것이라고 할 수 있다. 이러한 요소가 현대 예술에서는 광범위하게 등장한다. 예를 들어 잭슨 폴록은 우연한 연상 작용, 무작위적인 낙서, 물감 흩뿌리기, 들이붓기처럼 예기치 못한 행위를 작품 창작에 도입한다. 계획된 절차에 따르지 않고 생동감을 얻는 요소들을 예술 창작 내부에 끌어들이는 것이다. 이러한 창조 과정과 더불어 현대 예술에서는 해석 과정에도 수많은 가능성을 열어 둔다. 이것은 현대 예술에서 인위적인 미감을 넘어 형이상학적이고 자연 철학적인 미감을 추구함을 나타낸다.

오늘날 예술과 미는 복잡한 미감들이 공존하는 관계라고 할 수 있다. 특히 반미학적 경향은 전체를 향한 부분들의 조화로운 통합과 그것을 조절하는 통일체로서의 작가 의식이 해체되며 나타나는 미감이라고 할 수 있다. 이것은 예술과 미의 관계가 다양하게 열려 있음을 나타낸다. 예술사에서 미를 평가하는 절대적 기준이 있었던 적은 없다. 예술은 이미 확립된 미를 재생산하는 것이 아니라 끊임없이 미의 관점을 탐구하고 제시하는 과정이다.

9262-0187

01 윗글을 읽고 알 수 있는 내용으로 적절하지 않은 것은?

① 현대 예술은 생활 세계의 심미화 현상과 대립적인 특징을 나타낸다.
② 현대 예술 작품에서 인간의 고뇌는 추함의 미학을 통해 표현되곤 한다.
③ 전통 예술의 미적 범주인 균제미에는 '절제' 존중의 미학이 반영되어 있다.
④ 현대 예술의 '우연'은 작가의 의식으로 통제되는 '자연적'인 것을 의미한다.
⑤ 전통 예술에서 배제되었던 요소의 표현은 현대 예술의 반미학적 경향으로 나타났다.

9262-0188

02 윗글을 바탕으로 <보기>에 대해 이해한 내용으로 적절하지 않은 것은?

보기

고전 발레에서 가장 중요한 것은 이상적이고 조화로운 외형미를 나타내는 포즈와 태도였다. 이러한 이유 때문에 고전 양식의 발레는 '움직이는 조각'이라는 말을 들었다. 19세기에 이르러 낭만주의 예술의 한 갈래로 태동한 낭만 발레에서는 기존의 형식주의를 배격하고 감정을 표현하고 느끼려 했다. 관례적인 양식에서 벗어나 생생하게 움직이려 했으며 이를 통해 인간 내면의 아름다움을 느끼고 싶어 했다. 그래서 감성과 정서를 표현하는 몸을 강조했다. 현대 무용은 여기서 더 나아가 격렬하고 일그러진 정신을 표현한다. 이를 위해 현대 무용에서는 모순, 부조화 등의 요소를 활용하여 주관적인 내면을 자유롭게 표현하는 것을 중시한다. 이러한 현대 무용은 자기 몸짓 자체를 자연과 동일시하는 자연의 미학에 가깝다.

① 고전 발레를 '움직이는 조각'이라고 한 것은 고전 발레가 조화와 균형의 아름다움을 중시했음을 나타낸다고 할 수 있어.
② 주관적인 내면의 자유로운 표현을 위해 현대 무용에서 수용한 모순, 부조화 등의 요소는 전통 예술의 관점에서 추함에 속하는 것이라고 할 수 있어.
③ 격렬하고 일그러진 정신을 표현한 현대 무용은 이상적인 균제미를 깨뜨려 '과도함'이 넘쳤던 스트라빈스키의 음악과 상통하는 면이 있다고 할 수 있어.
④ 자기 몸짓 자체를 자연과 동일시하는 현대 무용의 경향은 작품에 대한 해석의 다양성을 단순화하는 현대 예술의 관점을 제공하는 것이라고 할 수 있어.
⑤ 기존의 형식주의를 배격하고 감정을 표현한 낭만 발레의 특징은 헤겔이 낭만 발레에 대해 이상적인 외형미를 추구하지 않는다고 평가하는 근거가 된다고 할 수 있어.

9262-0189

03 ㉠, ㉡에 대한 설명으로 가장 적절한 것은?

① ㉠은 ㉡과 달리 문화 산업을 통해 대량 생산되는 상투적인 미를 부정한다.
② ㉠은 ㉡과 달리 세계의 실상이 복잡하게 얽혀 존재하는 양상에 주목한다.
③ ㉡은 ㉠과 달리 일상적인 미의식에 반하는 작품들의 경향을 비판한다.
④ ㉡은 ㉠과 달리 작품과 관객의 소통이 한 통로를 통해 이루어진다는 관점을 거부한다.
⑤ ㉠, ㉡은 모두 작품이 하나의 완결된 의미를 형성하여 고정적으로 나타낸다고 본다.

출제 포인트

대상들 간의 공통점과 차이점을 중심으로 정보 간의 관계를 이해하며 글을 읽는다.

↓

㉠, ㉡의 공통점과 차이점에 관한 정보를 바탕으로 선택지의 적절성 여부를 판단한다.

03 대비되는 내용은 매우 자주 출제 요소로 활용된다. 이 문항에서는 낭만주의의 미학과 현대 예술의 미학에 대해 세부적으로 이해하여 공통점과 차이점을 파악할 수 있는지를 평가하고 있다.

> **2** (……) 헤겔이 볼 때, 낭만주의에서는 작품과 관객의 소통을 통해 내면적 공감이나 동일시가 이루어진다고 보았다. 하지만 현대 예술은 이런 일대일 대응을 가정하지 않는다. 오히려 무한하게 열린 대응 관계를 생각한다. (……)

낭만주의 미학과 현대 예술의 차이점과 관련하여, 작품과 관객의 소통에서 일대일 대응을 가정하는지에 대해 파악할 수 있는지를 묻고 있다. 이와 같이 대상 간의 차이점은 핵심 출제 요소로 활용된다.

원리로 다시 읽기

오늘날 예쁘게 꾸미는 경향은 매우 보편적인 현상이다. 이른바 생활 세계의 '심미화'라고 부르는 현상이다. 그런데 현대 예술에는 우리의 일상적인 미의식에 따르면 '아름답다'라고 말하기 어려운 작품들이 많다. 심지어 예술 작품인지 의심이 갈 정도로 추한 것들도 있다. 이와 같은 작품들은 일상적 심미화의 추세를 거스르며 미의 본질을 진지하게 탐색하는 경향을 나타내고 있다. 이들은 기본적으로 문화 산업을 통해 대량 생산되는 상투적인 미를 부정한다. 그 대신에 인간의 깊은 고뇌와 희망을 보여 주는 표현 방식을 모색한다. 그 결과 현대 예술에는 상당 부분 추함의 미학이 내재한다.

추함의 미학을 나타내는 예술 작품들의 경향 1 / 추함의 미학을 나타내는 예술 작품들의 경향 2

▶ 추함의 미학을 나타내는 예술 작품들의 경향

추함의 미학은 19세기 낭만주의에서 엿보이는 '그로테스크와 아이러니' 미학에서 실마리를 찾을 수 있다. ❶당시 헤겔은 낭만주의 미학이 외적 형상, 곧 이상적인 외형미를 추구하지 않고 인간의 내적 심정을 표현한다고 평가했는데, 이 평가에는 외형의 추함을 인정하는 입장이 내포되어 있었다. 그런데 현대 예술은 한 걸음 더 나아간다. 헤겔이 볼 때, 낭만주의에서는 작품과 관객의 소통을 통해 내면적 공감이나 동일시가 이루어진다고 보았다. 하지만 현대 예술은 이런 일대일 대응을 가정하지 않는다. 오히려 무한하게 열린 대응 관계를 생각한다. ❷세계의 실상이 혼란스럽게 존재하는 것과 마찬가지로 작품 자체의 완결된 의미를 인정하지 않으며, 그에 따라 해석 역시 다양하게 이루어진다고 여긴다. 그리하여 모순과 불협화음, 비동일성, 파편화, 분열 같은 요소를 작품 속에 적극 수용하는데, 이런 요소들은 전통 예술에서 볼 때 추함의 범주에 속하는 것들이다.

낭만주의의 특징에 관한 헤겔의 견해 / 낭만주의와 구별되는 현대 예술의 특징

▶ 낭만주의의 특징에 대한 헤겔의 견해와 현대 예술의 특징

현대 예술은 전통 예술의 미적 이상과 대립한다. 전통 예술의 미적 범주를 대표하는 것으로 균제미가 있다. 균제미는 '절제'를 존중하는 미학이 반영되어 있는 것으로 이상적인 척도를 넘어서지 않고 그것을 보편적으로 적용함으로써 표현되는 조화와 균형의 아름다움이라고 할 수 있다. ❸균제미는 격정이나 열정을 억눌러 왔는데, 그러한 억압을 넘어서려는 경향이 나타나게 되었다. 가령 음악에서는 19세기가 끝날 무렵에 결국 균제미의 이상이 무너진다. 쇤베르크는 오랫동안 보편적인 척도로 여겨진 화음 체계를 벗어났으며, 스트라빈스키는 원시적인 정서와 리듬을 통해 이상적인 균제미를 깨뜨렸다. 이들의 음악에서는 조화로운 절제가 무너지고 '과도함'이 넘친다. 고전적 관점에서 볼 때, 예술에서 배제되어 온 추함이 표현된 것이다.

균제미의 개념

▶ 균제미를 깨뜨리고 추함을 표현한 현대 예술의 특징

❹전통 예술에서 배제되어 왔으나 현대 예술에서 표현되고 있는 것으로는 '우연'도 있다. '우연'은 작가의 의식이라는 인위적인 형식으로 통제되지 않는 것으로 '자연적' 또는 '무의식적'인 것이라고 할 수 있다. 이러한 요소가 현대 예술에서는 광범위하게 등장한다. 예를 들어 잭슨 폴록은 우연한 연상 작용, 무작위적인 낙서, 물감 흩뿌리기, 들이붓기처럼 예기치 못한 행위를 작품 창작에 도입한다. 계획된 절차에 따르지 않고 생동감을 얻는 요소들을 예술 창작 내부에 끌어들이는 것이다. 이러한 창조 과정과 더불어 현대 예술에서는 해석 과정에도 수많은 가능성을 열어 둔다. 이것은 현대 예술에서 인위적인 미감을 넘어 형이상학적이고 자연 철학적인 미감을 추구함을 나타낸다.

우연의 개념 / 현대 예술에서 '우연'이 나타내는 의미

▶ '우연'으로 나타나는 현대 예술의 특징

오늘날 예술과 미는 복잡한 미감들이 공존하는 관계라고 할 수 있다. 특히 반미학적 경향은 전체를 향한 부분들의 조화로운 통합과 그것을 조절하는 통일체로서의 작가 의식이 해체되며 나타나는 미감이라고 할 수 있다. 이것은 예술과 미의 관계가 다양하게 열려 있음을 나타낸다. 예술사에서 미를 평가하는 절대적 기준이 있었던 적은 없다. 예술은 이미 확립된 미를 재생산하는 것이 아니라 끊임없이 미의 관점을 탐구하고 제시하는 과정이다.

▶ 현대 예술의 반미학적 경향의 양상

❶ 견해 · 주장에 관한 정보는 중요한 출제 요소로 활용된다. 견해 · 주장을 나타내는 핵심 어구에 주목하는 독해를 해야 한다. 이에 따라 이 글에서는 (❶)의 견해 · 주장과 관련하여 '낭만주의 미학', '인간의 내적 심정을 표현', '외형의 추함을 인정' 등의 말에 주목할 수 있어야 한다.

❷ (❷)의 특징에 대해 설명하고 있다. 여러 특징이 제시되어 있는데, 이와 같이 서술되어 있는 경우 특징을 나타내는 핵심 어구를 선택적으로 주목하여 그 내용을 중심으로 독해를 할 수 있어야 한다.

❸, ❹ 현대 예술의 특징이 3, 4문단에 (❸)으로 제시되어 있다. 이렇게 문단 간에 대등한 내용이 제시되어 있는 경우 핵심 어구로 주목할 수 있어야 한다.

답

❶ 헤겔 ❷ 현대 예술 ❸ 병렬적

Note

다음 글을 읽고 물음에 답하시오.

전통적으로 예술 창조를 하기 위해서는 평소와 다른 정서 상태라고 할 수 있는 '압박'이 필요하다고 보았다. '압박'이 예술 창조의 동기를 부여하는 역할을 한다고 본 것이다. 예를 들어 거리를 걷다가 기막히게 아름다운 노을을 보게 되면 노을의 아름다움에 빠져 잠시 서정적인 정서 상태가 되는데, 이렇게 외부 요인에 의해 촉발된, 평소와는 다른 정서 상태가 이내 노을의 아름다움을 사진으로 찍거나 그림을 그리거나, 아니면 선율을 만들어 내는 압박으로 작용해 예술 창조가 이루어진다. 이렇게 외부의 어떤 압박에 의해 작품을 창조하게 되는 메커니즘이 전통적인 예술의 양태였다. 이는 임(im)프레스(press), 즉 '밖에서 안으로' 들어오는 예술인데, 이러한 예술의 작품 창조 원리는 모방이다. 모델이 객관적인 외부에 먼저 존재하고 그것을 유사하게 작품화하느냐가 훌륭한 예술가의 요건이다. 물론 거기에 상상력이 가미될 수도 있고 개성과 독창성이 덧칠될 수도 있겠지만 어쨌거나 예술의 출발은 예술가의 바깥이다. 그리고 이때의 인간 정신은 외부에 대해 수동적인, 반영의 태도를 취하는 것이 된다.

이런 식의 예술 창조와 정반대되는 메커니즘의 예술이 표현주의이다. 표현주의는 예술가의 내면에 있는 무엇인가 마음을 짓누르는 압박을 밖으로 표출해 내는 예술이다. 섬세하고 예민한 영혼의 소유자라면 더욱 그러할 것이겠지만 개성에 따라서 남다른 정서를 품고 있을 수 있다. 표현하지 않고서는 못 견딜 것만 같을 정도의 주관적인 강렬한 내적 심상을 밖으로 내보내는 양태의 예술이 글자 그대로 '익스프레셔니즘', 바로 표현주의인 것이다. 안에서 밖으로 나가는 예술이라는 점에서 이런 예술은 임프레스 예술 원리와 정반대된다. 표현주의에서는 예술가 자신의 내적 심상이나 정서도 남달라야 하고 또 이를 얼마나 강렬하고 개성적으로 작품화하는가가 훌륭한 예술가의 요건이다. 이렇게 예술의 출발은 예술가의 주관적 내면이다. 그리고 이때의 인간 정신은 외부를 주관적으로 주조하는, 투사(projection)의 태도를 취하는 것이 된다. 강한 투사일수록 좋은 만큼, 표현주의 계열의 예술은 예술가의 강력한 개성이 요구되었고 이런 점 때문에 표현주의 예술 작품들은 관객들에게 쉽게 이해되기 어렵다. 가늠할 수 없는 예술가의 주관적 내면이 그려진 것이기 때문에 관객들은 난해해하는 것이다.

표현주의의 중요한 특징은 본능적인 충동이나 생명성을 나타내는 원시성의 추구이다. 표현주의 회화는 반문명을 표방하면서 극단적인 단순화와 변형, 강렬한 색채 등을 이용해 본능적인 충동이나 생명성을 표현해 내고자 하였다. 여기에는 니체의 영향이 컸는데, 전통 형이상학을 부정하고 이성이 아니라 몸을 중시함으로써 몸적 자아를 인간의 주체로 간주한 니체 철학은 결과적으로 '생(生)' 그 자체에 대한 긍정이었다. 이것은 표현주의 화가들로 하여금, 인간이란 이상적인 미와 조화 또는 이성과는 관계없이 욕구나 본능에 의해서 동기를 부여받는다는 사실을 자각하게 하였다. 그 결과 원시 지향적인 반문명의 경향을 낳았다. 또한 니체의 사상은 인간 경험에 대한 데카르트의 인식론적 구별에 있어 형태에 비해 저차원적인 것으로 폄하되었던 색채에 대한 재평가를 낳았다. 그동안 조형 요소에 있어 형태는 지적인 것과 연관되는 것으로 인정받아 왔던 반면 색채는 본능적 삶의 표현으로 여겨짐으로써 상대적으로 무시당해 왔던 것이 사실이다. 하지만 이제 색채는 생의 찬미와 함께 본능을 오히려 긍정적인 것으로 간주한 니체 철학에 힘입어 새로이 주목받게 되었다. 표현주의 회화가 강렬한 색채의 사용을 그토록 즐겨했던 이유가 여기에 있다.

정답과 해설 42쪽

9262-0190

01 윗글의 내용 전개 방식으로 가장 적절한 것은?

① 문제의식을 제시하고 해결 방안을 모색하고 있다.
② 대비의 방식을 사용해 글의 논지를 부각하고 있다.
③ 하나의 이론이 다양하게 분화되는 과정을 드러내고 있다.
④ 문답의 형식을 빌려 화제에 대한 독자의 이해를 돕고 있다.
⑤ 대상의 유용성과 한계를 지적하여 새로운 전망을 제시하고 있다.

9262-0191

02 〈보기〉의 칸트의 입장에서 '표현주의'에 대해 할 수 있는 말을 추리했을 때 가장 적절한 것은?

보기

칸트의 철학에 의하면 자연이란 인간의 정신을 벗어나 존재하는 것이 아니다. 칸트에게 있어 실체와 속성은 인간 정신에 의해 구성되는 것이다. 즉, 실체나 속성은 인간의 인식 능력인 오성(verstand)에 순수한 형식으로 먼저 선천적으로 갖추어져 있는 것이고 이것이 감성에 의해 형성된 외부 대상의 감각 자료들과 결합함으로써 비로소 구성된다. 경험주의 철학에서 외부에서 경험되는 것이 먼저 존재하고 그것을 뒤늦게 오성이 받아들인다고 본 것과 달리, 칸트는 우리가 실체라고 여기면서 경험하는 외부 대상이란 그 자체로 본래부터 오성과 독립해서 바깥에 존재하고 있는 것이 아니라, 오성이 지니고 있는 실체와 속성이라는 범주가 거기에 적용됨으로써 비로소 뒤늦게 구성된다고 보았다.

① 외부의 압박이 인간의 내부로 들어오면서 인간 정신에 의해 개인의 상상력이 더해지겠군.
② 인간의 오성이 먼저 형성된 외부의 경험을 받아들여 표현주의 예술의 출발이 이루어지겠군.
③ 객관적 대상으로서의 사실에 개인의 실체와 속성이 더해진 예술은 관객의 공감을 얻을 수 있겠군.
④ 인간의 정신을 벗어나 외부에 독립적으로 존재하는 자연이 표현주의 예술의 객관적인 모델이 되겠군.
⑤ 오성이 선천적으로 지니고 있는 실체와 속성이 감성에 의해 형성된 외부 대상의 감각 자료들과 결합됨으로써 예술로서의 표현이 이루어지겠군.

9262-0192

03 윗글을 참고로 하여 〈보기 1〉의 그림을 이해한 반응으로 적절한 것을 〈보기 2〉에서 있는 대로 고른 것은

보기 1

어머니와 누이를 병으로 잃고 몸이 쇠약했던 화가 뭉크는 삶에 대한 불안감을 그린 그림 「불안」을 통해 인간 내면의 감정을 표현하고자 하였다.

배경이 되는 강물과 하늘은 주황색과 노란색의 강렬한 색채와 구부러진 선을 통해 본능적인 충동을 드러내고 있다. 다른 방향의 길이 존재하지 않는 한 다리 위에서 퍼렇게 질려 버린 사람들은 초점을 잃은 눈으로 서로를 응시하지도 않은 채 한곳을 바라보고 걸어가고 있다.

– 에드바르 뭉크, 「불안」

보기 2

ㄱ. 사람들이 한 방향으로 걸어가는 것은 이상적인 조화를 보여 준다고 볼 수 있겠군.
ㄴ. 본능적인 충동을 드러내는 주황색과 노란색의 강렬한 색채가 원시성을 나타낸다고 볼 수 있겠군.
ㄷ. 초점을 잃은 눈으로 걸어가는 사람들의 모습으로 작가의 불안한 내면을 표현했다고 볼 수 있겠군.
ㄹ. 강물과 하늘의 선을 구부러지게 표현한 것은 외부를 주관적으로 주조하는 태도를 보여 준다고 볼 수 있겠군.

① ㄱ, ㄴ　② ㄴ, ㄷ　③ ㄴ, ㄹ
④ ㄱ, ㄴ, ㄷ　⑤ ㄴ, ㄷ, ㄹ

출제 포인트

예술가의 내적 심상을 밖으로 내보내는 양태의 예술이 표현주의임을 확인한다.

↓

〈보기〉에서 칸트 역시 인간의 오성에 선천적으로 갖추어진 속성이 외부와 결합하여 실체가 구성된다고 보았음을 확인한다.

↓

이를 기반으로 ⑤와 같이 오성과 외부 대상의 감각 자료들과의 결합을 예술로서의 표현과 연결한 진술을 적절한 반응으로 파악한다.

02 이 문항은 표현주의와 마찬가지로 인간의 내적인 속성이 선천적으로 구성되어 있다고 보는 칸트의 주장을 바탕으로 하여 표현주의의 특성을 이해하고 있는지를 묻고 있다.

> **2** (……) 표현하지 않고서는 못 견딜 것만 같을 정도의 주관적인 강렬한 내적 심상을 밖으로 내보내는 양태의 예술이 글자 그대로 '익스프레셔니즘', 바로 표현주의인 것이다.

위와 같은 내용에서 표현주의는 내적인 심상을 밖으로 표출하는 개념임을 확인할 수 있는데, 〈보기〉의 칸트의 주장에서 이와 같은 내용을 찾아 연결하는 것이 출제 요소라고 볼 수 있다.

원리로 다시 읽기

전통적으로 예술 창조를 하기 위해서는 평소와 다른 정서 상태라고 할 수 있는 '압박'이 필요하다고 보았다. '압박'이 예술 창조의 동기를 부여하는 역할을 한다고 본 것이다. 예를 들어 거리를 걷다가 기막히게 아름다운 노을을 보게 되면 노을의 아름다움에 빠져 잠시 서정적인 정서 상태가 되는데, 이렇게 외부 요인에 의해 촉발된, 평소와는 다른 정서 상태가 이내 노을의 아름다움을 사진으로 찍거나 그림을 그리거나, 아니면 선율을 만들어 내는 압박으로 작용해 예술 창조가 이루어진다. ❶이렇게 외부의 어떤 압박에 의해 작품을 창조하게 되는 메커니즘이 전통적인 예술의 양태였다. 이는 임(im)프레스(press), 즉 '밖에서 안으로' 들어오는 예술인데, 이러한 예술의 작품 창조 원리는 모방이다. 모델이 객관적인 외부에 먼저 존재하고 그것을 유사하게 작품화하느냐가 훌륭한 예술가의 요건이다. 물론 거기에 상상력이 가미될 수도 있고 개성과 독창성이 덧칠될 수도 있겠지만 어쨌거나 예술의 출발은 예술가의 바깥이다. 그리고 이때의 인간 정신은 외부에 대해 수동적인, 반영의 태도를 취하는 것이 된다.

▶ 모방을 창조 원리로 하는 전통적인 예술

이런 식의 예술 창조와 정반대되는 메커니즘의 예술이 표현주의이다. 표현주의는 예술가의 내면에 있는 무엇인가 마음을 짓누르는 압박을 밖으로 표출해 내는 예술이다. 섬세하고 예민한 영혼의 소유자라면 더욱 그러할 것이겠지만 개성에 따라서 남다른 정서를 품고 있을 수 있다. ❷표현하지 않고서는 못 견딜 것만 같을 정도의 주관적인 강렬한 내적 심상을 밖으로 내보내는 양태의 예술이 글자 그대로 '익스프레셔니즘', 바로 표현주의인 것이다. 안에서 밖으로 나가는 예술이라는 점에서 이런 예술은 임프레스 예술 원리와 정반대된다. 표현주의에서는 예술가 자신의 내적 심상이나 정서도 남달라야 하고 또 이를 얼마나 강렬하고 개성적으로 작품화하는가가 훌륭한 예술가의 요건이다. 이렇게 예술의 출발은 예술가의 주관적 내면이다. 그리고 이때의 인간 정신은 외부를 주관적으로 주조하는, 투사(projection)의 태도를 취하는 것이 된다. 강한 투사일수록 좋은 만큼, 표현주의 계열의 예술은 예술가의 강력한 개성이 요구되었고 이런 점 때문에 표현주의 예술 작품들은 관객들에게 쉽게 이해되기 어렵다. 가늠할 수 없는 예술가의 주관적 내면이 그려진 것이기 때문에 관객들은 난해해하는 것이다.

▶ 예술가의 내면을 밖으로 표출하는 표현주의

표현주의의 중요한 특징은 ❸본능적인 충동이나 생명성을 나타내는 원시성의 추구이다. 표현주의 회화는 반문명을 표방하면서 극단적인 단순화와 변형, 강렬한 색채 등을 이용해 본능적인 충동이나 생명성을 표현해 내고자 하였다. 여기에는 니체의 영향이 컸는데, 전통 형이상학을 부정하고 이성이 아니라 몸을 중시함으로써 몸적 자아를 인간의 주체로 간주한 니체 철학은 결과적으로 '생(生)' 그 자체에 대한 긍정이었다. 이것은 표현주의 화가들로 하여금, 인간이란 이상적인 미와 조화 또는 이성과는 관계없이 욕구나 본능에 의해서 동기를 부여받는다는 사실을 자각하게 하였다. 그 결과 원시 지향적인 반문명의 경향을 낳았다. 또한 니체의 사상은 인간 경험에 대한 데카르트의 인식론적 구별에 있어 형태에 비해 저차원적인 것으로 폄하되었던 ❹색채에 대한 재평가를 낳았다. 그동안 조형 요소에 있어 형태는 지적인 것과 연관되는 것으로 인정받아 왔던 반면 색채는 본능적 삶의 표현으로 여겨짐으로써 상대적으로 무시당해 왔던 것이 사실이다. 하지만 이제 색채는 생의 찬미와 함께 본능을 오히려 긍정적인 것으로 간주한 니체 철학에 힘입어 새로이 주목받게 되었다. 표현주의 회화가 강렬한 색채의 사용을 그토록 즐겨했던 이유가 여기에 있다.

▶ 표현주의 회화의 특징

❶과 ❷가 서로 반대되는 내용을 나타내는 대비되는 짝임을 이해해야 한다. ❶은 외부의 압박이 예술가 안으로 들어와 작품을 창조하는 전통적인 예술의 메커니즘을 나타내며, ❷는 예술가의 내면이 밖으로 표출되는 표현주의 예술의 메커니즘을 나타낸다. ❶의 작품 창조 원리는 (①)으로 볼 수 있으며, ❷의 작품 창조 원리는 (②)이라고 볼 수 있다.

❸, ❹ ❷에서 언급된 표현주의의 원리는 3문단에서 특징으로 연결되고 있다. ❸과 ❹가 그 특징을 나타내는 표현이라는 점을 이해해야 한다. (③) 철학의 영향을 받아 생(生) 그 자체와 욕구 혹은 본능에 주목한 표현주의 화가들은 ❸에서 나타내는 바와 같이 (④)을 추구하는 경향을 보여 주었으며, 이는 ❹ 색채에 대한 재평가로 이어져 강렬한 색채의 사용으로 나타났다.

답

① 모방 ② 표현 ③ 니체 ④ 원시성

03 원리로 사회 독해

1 사회 분야 _ 글의 특성

- 사회학, 정치, 법률, 경제 등 다양한 분야의 지문이 출제된다. 특히 최근에는 경제와 법률 관련 지문이 자주 출제되고 있으며, 난도가 높고, 융합 지문의 형태로도 자주 출제된다.
- 사회학 관련 지문은 특정 사회학 이론을 주장한 학자, 이론의 성립 배경, 다른 이론과의 비교, 가치와 의의 등이 글의 내용으로 제시된다.
- 정치에 관한 지문은 특정한 제도나 정책에 대해 설명하는 지문이 많다. 이런 지문들은 제도나 정책이 나타나게 된 배경, 구체적인 내용, 문제점과 대안 등이 글의 중심 내용으로 제시된다.
- 법률 관련 지문은 특정 법률과 관련한 용어와 개념, 구체적인 법률 조항, 적용 사례 등으로 내용이 구성된다. 특히 최근에는 법률의 구체적인 조항, 효력 범위, 제한 조건, 적용 사례 등이 매우 복잡하게 제시되어 난도를 높이는 주요한 요인이 되고 있다.
- 경제 관련 지문은 특정 경제 이론이나 원칙을 설명하면서, 관련 경제 용어를 제시하고 이론이나 원칙을 설명하는 그래프나 적용 사례 등을 제시하는 경우가 많다. 정보의 양이 매우 많고 정보 간의 관계가 복잡하게 제시되는 것이 특징이다.

2 사회 분야 _ 글을 읽는 방법

- 사회학 이론, 법률 조항이나 원칙, 경제 이론 등을 설명하는 지문이 자주 출제되므로 평소 다양한 독서와 관련 교과 학습을 통해 배경지식을 습득해 두면 독해에 큰 도움이 된다.
- 사회학 이론이 제시되는 경우, 이론이 성립된 배경과 핵심 주장, 다른 이론과의 차이점을 중심으로 내용을 정확하게 이해해야 한다.
- 정치 제도나 정책에 대해 설명하는 글은 관련 제도나 정책의 목표, 특징, 효과, 문제점 등에 주목하여 꼼꼼히 글을 읽어야 한다.
- 법률 관련 내용은 법률 용어의 개념, 목표, 적용 범위나 조건 등에 대해 정확히 이해해야 하며, 특히 이러한 법률이 실제로 어떻게 적용될 수 있는지 생각하며 글을 읽어야 한다.
- 난도가 높은 경제 지문은 먼저 경제 용어의 개념을 정확히 이해하고, 이러한 개념들이 어떤 관계를 맺고 있는지 정확히 이해해야 한다. 또 경제 이론이나 원칙이 그래프와 같은 시각 자료로 어떻게 표현될 수 있는지, 또 실제 경제 현상에 어떤 형태로 적용되는지 생각하며 글을 읽어야 한다.

정답과 해설 43쪽

| 2019학년도 9월 모의평가 |

Note

다음 글을 읽고 물음에 답하시오.

(가) 대한민국 정부가 해외에서 발행한 채권의 CDS 프리미엄은 우리가 매체에서 자주 접하는 경제 지표의 하나이다. 이 지표를 이해하기 위해서는 채권의 '신용 위험'과 '신용 파산 스와프(CDS)'의 개념을 살펴볼 필요가 있다.

(나) 채권은 정부나 기업이 자금을 조달하기 위해 발행하며 그 가격은 채권이 매매되는 채권 시장에서 결정된다. 채권의 발행자는 정해진 날에 일정한 이자와 원금을 투자자에게 지급할 것을 약속한다. 채권을 매입한 투자자는 이를 다시 매도하거나 이자를 받아 수익을 얻는다. 그런데 채권 투자에는 발행자의 지급 능력 부족 등의 사유로 이자와 원금이 지급되지 않을 가능성인 신용 위험이 수반된다. 이에 따라 각국은 채권의 신용 위험을 평가해 신용 등급으로 공시하는 신용 평가 제도를 도입하여 투자자를 보호하고 있다.

(다) 우리나라의 신용 평가 제도에서는 원화로 이자와 원금의 지급을 약속한 채권 가운데 발행자의 지급 능력이 최상급인 채권에 AAA라는 최고 신용 등급이 부여된다. 원금과 이자가 지급되지 않아 부도가 난 채권에는 D라는 최저 신용 등급이 주어진다. 그 외의 채권은 신용 위험이 커지는 순서에 따라 AA, A, BBB, BB 등 점차 낮아지는 등급 범주로 평가된다. 이들 각 등급 범주 내에서도 신용 위험의 상대적인 크고 작음에 따라 각각 '−'나 '+'를 붙이거나 하여 각 범주가 세 단계의 신용 등급으로 세분되는 경우가 있다. 채권의 신용 등급은 신용 위험의 변동에 따라 조정될 수 있다. 다른 조건이 일정한 가운데 신용 위험이 커지면 채권 시장에서 해당 채권의 가격이 떨어진다.

(라) CDS는 채권 투자자들이 신용 위험을 피하려는 목적으로 활용하는 파생 금융 상품이다. CDS 거래는 '보장 매입자'와 '보장 매도자' 사이에서 이루어진다. 여기서 '보장'이란 신용 위험으로부터의 보호를 뜻한다. 보장 매도자는, 보장 매입자가 보유한 채권에서 부도가 나면 이에 따른 손실을 보상하는 역할을 한다. CDS 거래를 통해 채권의 신용 위험은 보장 매입자로부터 보장 매도자로 이전된다. CDS 거래에서 신용 위험의 이전이 일어나는 대상 자산을 '기초 자산'이라 한다. [A]《가령 은행 ㉠갑은, 기업 ㉡을이 발행한 채권을 매입하면서 그것의 신용 위험을 피하기 위해 보험 회사 ㉢병과 CDS 계약을 체결할 수 있다. 이때 기초 자산은 을이 발행한 채권이다.》

(마) 보장 매도자는 기초 자산의 신용 위험을 부담하는 것에 대한 보상으로 보장 매입자로부터 일종의 보험료를 받는데, 이것의 요율이 CDS 프리미엄이다. CDS 프리미엄은 기초 자산의 신용 위험이나 보장 매도자의 유사시 지급 능력과 같은 여러 요인의 영향을 받는다. 다른 요인이 동일한 경우, 기초 자산의 신용 위험이 크면 CDS 프리미엄도 크다. 한편 보장 매도자의 지급 능력이 우수할수록 보장 매입자는 유사시 손실을 보다 확실히 보전받을 수 있으므로 보다 큰 CDS 프리미엄을 기꺼이 지불하는 경향이 있다. 만약 보장 매도자가 발행한 채권이 있다면, 그 신용 등급으로 보장 매도자의 지급 능력을 판단할 수 있다. 이에 따라 다른 요인이 동일한 경우, 보장 매도자가 발행한 채권의 신용 등급이 높으면 CDS 프리미엄은 크다.

원리로 읽기

관련 문제 Link

1 이 글의 중심 화제는?

채권의 (❶) 프리미엄

2 문단별 중심 내용 찾기

01 핵심 정보 찾기

가: 채권의 CDS 프리미엄
나: 채권과 신용 위험
다: 우리나라의 신용 평가 제도와 채권의 신용 등급
라: CDS의 개념과 CDS 거래
마: CDS 프리미엄의 개념과 영향 관계

3 CDS 프리미엄에 영향을 주는 요인

03 사례나 상황에 적용하기

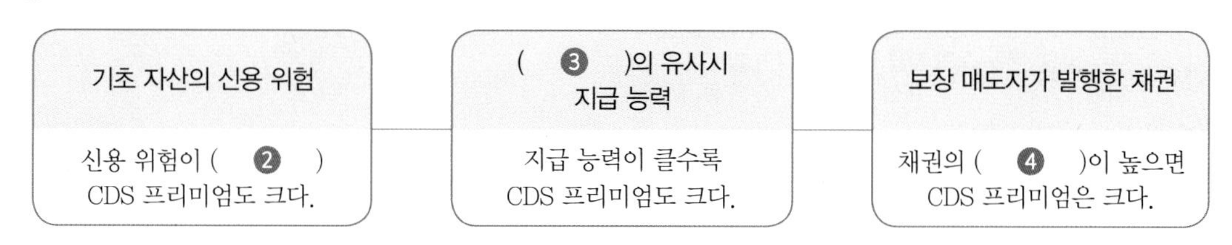

9262-0193

01 윗글의 내용과 일치하지 않는 것은?

① 정부는 자금을 조달하기 위해 채권을 발행한다.
② 채권 발행자의 지급 능력이 커지면 신용 위험은 커진다.
③ 신용 평가 제도는 채권을 매입한 투자자를 보호하는 장치이다.
④ 다른 조건이 일정할 경우, 어떤 채권의 신용 등급이 낮아지면 해당 채권의 가격은 하락한다.
⑤ 채권 발행자는 일정한 이자와 원금의 지급을 약속하지만, 채권에는 그 약속이 지켜지지 않을 위험이 수반된다.

9262-0194

02 [A]의 ㉠~㉢에 대한 이해로 가장 적절한 것은?

① ㉠은 기초 자산을 보유하지 않는다.
② ㉠은 기초 자산에 부도가 나면 손실을 보상하는 역할을 한다.
③ ㉡은 신용 위험을 기피하는 채권 투자자이다.
④ ㉢은 신용 위험을 부담하는 보장 매도자이다.
⑤ ㉢은 기초 자산에 부도가 나야만 이득을 본다.

9262-0195

03 윗글을 바탕으로 〈보기〉를 이해한 내용으로 가장 적절한 것은?

보기

X가 2015년 12월 31일에 이자와 원금의 지급이 완료되는 채권 B_X를 2011년 1월 1일에 발행했다. 발행 즉시 B_X 전량을 매입한 Y는 B_X를 기초 자산으로 하는 CDS 계약을 Z와 체결하고 보장 매입자가 되었다. 계약 체결 당시 B_X의 신용 등급은 A−, Z가 발행한 채권의 신용 등급은 AAA였다. 2011년 9월 17일, X의 재무 상황 악화로 B_X의 신용 위험에 대한 우려가 발생하였다. 2012년 12월 30일, X의 지급 능력이 2011년 8월 시점보다 개선되었다. 2013년 9월에는 Z가 발행한 채권의 신용 등급이 AA+로 변경되었다. 2013년 10월 2일, B_X의 CDS 프리미엄은 100bp*였다. (단, X, Y, Z는 모두 한국 기업이며 신용 등급은 매월 말일에 변경될 수 있다. 이 CDS 계약은 2015년 12월 31일까지 매월 1일에 갱신되며 CDS 프리미엄은 매월 1일에 변경될 수 있다. 제시된 것 외에 다른 요인에는 변화가 없다.)

*bp 1 bp는 0.01%와 같음.

① 2011년 1월에는 B_X에 대한 CDS 계약으로 X가 신용 위험을 부담하게 되었겠군.
② 2011년 11월에는 B_X의 신용 등급이 A−보다 높았겠군.
③ 2013년 1월에는 B_X의 신용 위험으로 Z가 손실을 입을 가능성이 2011년 10월보다 작아졌겠군.
④ 2013년 3월에는 B_X에 대한 CDS 프리미엄이 100bp보다 작았겠군.
⑤ 2013년 4월에는 B_X의 신용 등급이 BB−보다 낮았겠군.

문제 풀이 비법 노트

〈보기〉의 상황 요소들과 대응되는 지문의 개념이나 정보를 찾는다.

↓

지문의 개념이나 정보의 의미와 사실 관계를 확인하고 〈보기〉의 상황 요소에 대응시켜 본다.

↓

대응 결과를 바탕으로 선택지의 적절성을 판단해 본다.

03

이 문항은 글에 제시된 정보를 구체적 상황에 적용할 수 있는 능력을 평가하기 위한 문제이다. 특히 이 문항은 어려운 경제 영역의 여러 가지 개념들을 복잡한 상황에 적용해야 하는 고난도 문제이다. 이러한 문제를 해결하려면 처음 글을 읽을 때부터 중심 화제와 관련한 사실적 정보를 정확히 이해해야 하지만, 지금처럼 〈보기〉의 상황이 복잡할 경우, 〈보기〉의 상황 요소들에 대응되는 지문의 개념이나 정보를 찾아 그와 관련한 의미와 사실 관계를 확인하고, 하나하나 〈보기〉의 상황 요소들에 대응하여 선택지의 적절성을 판단하여야 한다.

원리로 다시 읽기

가 대한민국 정부가 해외에서 발행한 채권의 CDS 프리미엄은 우리가 매체에서 자주 접하는 경제 지표의 하나이다. 이 지표를 이해하기 위해서는 채권의 '신용 위험'과 '신용 파산 스와프(CDS)'의 개념을 살펴볼 필요가 있다.

나 채권은 정부나 기업이 자금을 조달하기 위해 발행하며 그 가격은 채권이 매매되는 채권 시장에서 결정된다. 채권의 발행자는 정해진 날에 일정한 이자와 원금을 투자자에게 지급할 것을 약속한다. 채권을 매입한 투자자는 이를 다시 매도하거나 이자를 받아 수익을 얻는다. 그런데 채권 투자에는 발행자의 지급 능력 부족 등의 사유로 이자와 원금이 지급되지 않을 가능성인 신용 위험이 수반된다. 이에 따라 각국은 채권의 신용 위험을 평가해 신용 등급으로 공시하는 신용 평가 제도를 도입하여 투자자를 보호하고 있다.

다 우리나라의 신용 평가 제도에서는 원화로 이자와 원금의 지급을 약속한 채권 가운데 발행자의 지급 능력이 최상급인 채권에 AAA라는 최고 신용 등급이 부여된다. 원금과 이자가 지급되지 않아 부도가 난 채권에는 D라는 최저 신용 등급이 주어진다. 그 외의 채권은 신용 위험이 커지는 순서에 따라 AA, A, BBB, BB 등 점차 낮아지는 등급 범주로 평가된다. 이들 각 등급 범주 내에서도 신용 위험의 상대적인 크고 작음에 따라 각각 '−'나 '+'를 붙이거나 하여 각 범주가 세 단계의 신용 등급으로 세분되는 경우가 있다. 채권의 신용 등급은 신용 위험의 변동에 따라 조정될 수 있다. 다른 조건이 일정한 가운데 신용 위험이 커지면 채권 시장에서 해당 채권의 가격이 떨어진다.

라 CDS는 채권 투자자들이 신용 위험을 피하려는 목적으로 활용하는 파생 금융 상품이다. CDS 거래는 '보장 매입자'와 '보장 매도자' 사이에서 이루어진다. 여기서 '보장'이란 신용 위험으로부터의 보호를 뜻한다. 보장 매도자는, 보장 매입자가 보유한 채권에서 부도가 나면 이에 따른 손실을 보상하는 역할을 한다. CDS 거래를 통해 채권의 신용 위험은 보장 매입자로부터 보장 매도자로 이전된다. CDS 거래에서 신용 위험의 이전이 일어나는 대상 자산을 '기초 자산'이라 한다. 가령 은행 갑은, 기업 을이 발행한 채권을 매입하면서 그것의 신용 위험을 피하기 위해 보험 회사 병과 CDS 계약을 체결할 수 있다. 이때 기초 자산은 을이 발행한 채권이다.

마 보장 매도자는 기초 자산의 신용 위험을 부담하는 것에 대한 보상으로 보장 매입자로부터 일종의 보험료를 받는데, 이것의 요율이 CDS 프리미엄이다. CDS 프리미엄은 기초 자산의 신용 위험이나 보장 매도자의 유사시 지급 능력과 같은 여러 요인의 영향을 받는다. 다른 요인이 동일한 경우, 기초 자산의 신용 위험이 크면 CDS 프리미엄도 크다. 한편 보장 매도자의 지급 능력이 우수할수록 보장 매입자는 유사시 손실을 보다 확실히 보전받을 수 있으므로 보다 큰 CDS 프리미엄을 기꺼이 지불하는 경향이 있다. 만약 보장 매도자가 발행한 채권이 있다면, 그 신용 등급으로 보장 매도자의 지급 능력을 판단할 수 있다. 이에 따라 다른 요인이 동일한 경우, 보장 매도자가 발행한 채권의 신용 등급이 높으면 CDS 프리미엄은 크다.

(필기: CDS 프리미엄 / 채권 발행의 목적 / 신용 위험의 개념 / 신용 위험이 있기 때문에 / (예: AA+, AA, AA−) / 정보 간의 관계: 신용 위험↑ 채권 가격↓(반비례) / CDS의 개념 / 거래 당사자 / 보장 매입자 / 기초 자산 / 보장 매도자 / 구체적 예시를 통해 독자의 이해를 도움. / CDS 프리미엄에 영향을 주는 요인1 / CDS 프리미엄에 영향을 주는 요인2 / 정보 간의 관계: 기초 자산 신용 위험↑ CDS 프리미엄↑(비례) / 보장 매도자의 유사시 지급 능력 / 정보 간의 관계: 보장 매도자가 발행한 채권의 신용 등급↑ CDS 프리미엄↑(비례))

1 이 글의 중심 화제는?

채권의 (❶ CDS) 프리미엄

2 문단별 중심 내용 찾기

- 가: 채권의 CDS 프리미엄
- 나: 채권과 신용 위험
- 다: 우리나라의 신용 평가 제도와 채권의 신용 등급
- 라: CDS의 개념과 CDS 거래
- 마: CDS 프리미엄의 개념과 영향 관계

3 CDS 프리미엄에 영향을 주는 요인

기초 자산의 신용 위험
신용 위험이 (❷ 크면)
CDS 프리미엄도 크다.

(❸ 보장 매도자)의 유사시 지급 능력
지급 능력이 클수록
CDS 프리미엄도 크다.

보장 매도자가 발행한 채권
채권의 (❹ 신용 등급)이 높으면
CDS 프리미엄은 크다.

정답과 해설 44쪽

| 2019학년도 6월 모의평가 |

Note

다음 글을 읽고 물음에 답하시오.

(가) [A] 사무실의 방충망이 낡아서 파손되었다면 세입자와 사무실을 빌려준 건물주 중 누가 고쳐야 할까? 이 경우, 민법전의 법조문에 의하면 임대인인 건물주가 수선할 의무를 진다. 그러나 사무실을 빌릴 때, 간단한 파손은 세입자가 스스로 해결한다는 내용을 계약서에 포함하는 경우도 있다. 이처럼 법률의 규정과 계약의 내용이 어긋날 때 어떤 것이 우선 적용되어야 하는가, 법적 불이익은 없는가 등의 문제가 발생한다.

(나) 사법(私法)은 개인과 개인 사이의 재산, 가족 관계 등에 적용되는 법으로서 이 법의 영역에서는 '계약 자유의 원칙'이 적용된다. 계약의 구체적인 내용 결정 등은 당사자들 스스로 정할 수 있다는 것이다. 따라서 당사자들이 사법에 속하는 법률의 규정과 어긋난 내용으로 계약을 체결한 경우에 계약 내용이 우선 적용된다. 이처럼 법률상으로 규정되어 있더라도 당사자가 자유롭게 계약 내용을 정할 수 있는 법률 규정을 '임의 법규'라고 한다. 사법은 원칙적으로 임의 법규이므로, 사법으로 규정한 내용에 대해 당사자들이 계약으로 달리 정하지 않았다면 원칙적으로 법률의 규정이 적용된다. 위에서 본 임대인의 수선 의무 조항이 이에 해당한다.

(다) 그러나 법률로 정해진 내용과 어긋나게 계약을 하면 당사자들에게 벌금이나 과태료 같은 법적 불이익이 있거나 계약의 효력이 부정되는 예외적인 경우도 있다. 우선, 체결된 계약 내용이 법률에 정해진 내용과 어긋날 때 법적 불이익이 있지만 계약의 효력 자체는 그대로 두는 경우가 있다. 이에 해당하는 법조문을 '단속 법규'라고 한다. 공인 중개사가 자신이 소유한 부동산을 고객에게 직접 파는 것을 금지하는 규정은 단속 법규에 해당한다. 따라서 ㉠이 규정을 위반하여 공인 중개사와 고객이 체결한 매매 계약의 경우 공인 중개사에게 벌금은 부과되지만 계약 자체는 유효이다. 이 경우 계약 내용에 따른 행동인 급부(給付)를 할 의무가 인정되어, 공인 중개사는 매물의 소유권을 넘겨주고 고객은 대금을 지급해야 하는 것이다.

(라) 한편 체결된 계약 내용이 법률에 정해진 내용과 어긋날 때 법적 불이익이 있을 뿐 아니라 체결된 계약의 효력 자체도 인정되지 않아 급부 의무가 부정되는 경우가 있다. 이에 해당하는 법조문을 '강행 법규'라고 한다. 이 경우 계약 당사자들은 상대에게 급부를 하라고 요구할 수는 없다. 이미 급부를 이행하여 재산적 이익을 넘겨주었다면 이 이익은 '부당 이득'에 해당하기 때문에 반환을 요구할 수 있다. 즉 '부당 이득 반환 청구권'이 인정된다. 의사와 의사 아닌 사람의 의료 기관 동업을 금지하는 법률 규정은 강행 법규이다. 따라서 ㉡의사와 의사 아닌 사람이 체결한 동업 계약은 계약의 효력이 부정된다. 다만 계약에 따라 이미 동업 자금을 건넸다면 이 돈을 반환하라고 요구하는 것은 가능하다.

(마) 그러나 강행 법규에 의해 계약의 효력이 부정되었을 때 부당 이득 반환 청구권이 인정되지 않는 경우도 있다. 급부의 내용이 위조 지폐 제작처럼 비도덕적이거나 반사회적인 행동이라면, 계약의 효력이 인정되지 않을 뿐 아니라 이미 넘겨준 이익을 돌려받을 권리도 부정되는 것이 원칙이다. 국가가 개인 간의 계약에 개입하는 것은 국가 안보, 사회 질서, 공공복리 등의 정당한 입법 목적을 달성하기 위해서이다. 이 경우 계약의 자유를 제한하려면 필요한 만큼만 최소로 제한해야 한다는 '비례 원칙'이 적용된다. 이로 인해 국가가 계약 당사자들에게 미치는 영향이 다양하게 나타나는 것이다.

원리로 읽기

관련 문제 Link

1 이 글의 중심 화제는?

사법의 (❶)에 적용되는 법률 규정

2 문단별 중심 내용 찾기

가: 법률 규정과 계약 내용이 어긋날 때 발생하는 문제
나: 사법의 개념과 '계약 자유의 원칙'
다: 단속 법규의 개념과 사례
라: 강행 법규의 개념과 사례
마: 강행 법규에 적용되는 (❷) 원칙

3 단속 법규와 강행 법규

02 정보 간의 관계에 유의해 내용 이해하기

단속 법규	강행 법규
계약이 (❸)에 정해진 내용과 어긋날 때 법적 불이익이 있지만 계약의 효력 자체는 그대로 두는 경우	계약이 법률에 정해진 내용과 어긋날 때 법적 불이익이 있을 뿐 아니라 체결된 (❹)의 효력 자체도 인정되지 않는 경우

9262-0196

01 윗글을 참고할 때, [A]에 제시된 물음에 대한 답으로 맞는 것을 〈보기〉에서 고른 것은?

보기

ㄱ. 계약서에 방충망 수선에 관한 내용이 없으면 건물주가 수선 의무를 지고, 수선 의무를 계약에 포함하지 않은 것에 대한 법적 불이익은 누구에게도 없다.
ㄴ. 계약서에 방충망 수선에 관한 내용이 없으면 세입자가 수선 의무를 지고, 건물주는 수선 의무를 계약에 포함하지 않은 것에 대해 법적 불이익을 받는다.
ㄷ. 계약서에 세입자가 방충망을 수선한다는 내용이 있으면 세입자가 수선 의무를 지고, 법률 내용과 다르게 계약한 것에 대한 법적 불이익은 누구에게도 없다.
ㄹ. 계약서에 세입자가 방충망을 수선한다는 내용이 있으면 세입자가 수선 의무를 지고, 건물주는 법률 내용과 다르게 계약한 것에 대해 법적 불이익을 받는다.

① ㄱ, ㄴ　② ㄱ, ㄷ　③ ㄱ, ㄹ
④ ㄴ, ㄷ　⑤ ㄴ, ㄹ

9262-0197

02 ㉠과 ㉡의 공통점으로 가장 적절한 것은?

① 법적 불이익을 받는 계약 당사자가 있다.
② 계약 당사자들의 급부 의무가 인정되지 않는다.
③ 계약에 따라 넘어간 재산적 이익을 반환해야 한다.
④ 법률 규정을 위반하였으므로 계약의 효력이 부정된다.
⑤ 계약 당사자가 계약의 구체적인 내용을 결정할 수 없다.

9262-0198

03 윗글을 참고할 때, 〈보기〉에 대한 반응으로 적절한 것은?

보기

농지를 빌리려는 A와 농지 주인인 B는 농지를 용도에 맞지 않게 사용하는 것에 합의하여 농지 임대차 계약을 체결하였다. 그리고 A는 B에게 농지 사용료를 지불하고 1년간 농지를 사용하였다. 농지법을 위반한 이 사안에 대해 대법원이 내린 판결은 다음과 같이 요약된다.

첫째, 법률을 위반하여 농지를 빌려준 사람에게는 벌금이 부과된다. 둘째, 이 사건의 농지 임대차 계약은 농지법을 위반한 것이므로 무효이다. 셋째, 농지를 빌려준 사람은 받은 사용료를 반환해야 한다. 넷째, 농지를 빌린 사람은 농지를 빌려 써서 얻은 이익을 농지를 빌려준 사람에게 반환해야 한다.

① A와 B가 농지 임대차 계약을 체결할 때에는 사법(私法)의 적용을 받지 않겠군.
② B에게 벌금을 부과하는 것은 A와 B가 맺은 농지 임대차 계약이 효력이 있음을 인정하지 않았기 때문이겠군.
③ B에게 벌금을 부과하는 것만으로는 이 계약의 내용을 규제하는 법률의 입법 목적을 실현하기에 부족하다는 점을 고려하여 계약을 무효로 판결한 것이겠군.
④ A가 농지를 빌려 써서 얻은 이익을 B에게 반환하라고 판결한 것은 급부의 내용이 비도덕적이거나 반사회적인 행동에 해당한다고 판단했기 때문이겠군.
⑤ B가 A에게서 받은 사용료를 반환하라고 판결한 것은 사용료가 부당 이득에 해당하지 않는다고 판단했기 때문이겠군.

문제 풀이 비법 노트

지문에 제시된 상황을 파악한다.
↓
지문의 상황과 관련된 개념인 사법, 계약 자유의 원칙, 임의 법규 등의 내용과 의미를 환기한다.
↓
지문의 상황에 적용하고 선택지의 적절성을 판단한다.

01

이 문항은 글에 제시된 정보를 구체적 상황에 적용할 수 있는 능력을 평가하기 위한 문제이다. 이 문항을 해결하기 위해서는 먼저 사법, 계약 자유의 원칙, 임의 법규 등의 핵심 개념이 지닌 의미를 정확히 이해하고 이를 주어진 상황에 적용해야 한다.

원리로 다시 읽기

가 사무실의 방충망이 낡아서 파손되었다면 세입자와 사무실을 빌려준 건물주 중 누가 고쳐야 할까? 이 경우, 민법전의 법조문에 의하면 임대인인 건물주가 수선할 의무를 진다. 그러나 사무실을 빌릴 때, 간단한 파손은 세입자가 스스로 해결한다는 내용을 계약서에 포함하는 경우도 있다. 이처럼 법률의 규정과 계약의 내용이 어긋날 때 어떤 것이 우선 적용되어야 하는가, 법적 불이익은 없는가 등의 문제가 발생한다.

나 사법(私法)은 개인과 개인 사이의 재산, 가족 관계 등에 적용되는 법으로서 이 법의 영역에서는 '계약 자유의 원칙'이 적용된다. 계약의 구체적인 내용 결정 등은 당사자들 스스로 정할 수 있다는 것이다. 따라서 당사자들이 사법에 속하는 법률의 규정과 어긋난 내용으로 계약을 체결한 경우에 계약 내용이 우선 적용된다. 이처럼 법률상으로 규정되어 있더라도 당사자가 자유롭게 계약 내용을 정할 수 있는 법률 규정을 '임의 법규'라고 한다. 사법은 원칙적으로 임의 법규이므로, 사법으로 규정한 내용에 대해 당사자들이 계약으로 달리 정하지 않았다면 원칙적으로 법률의 규정이 적용된다. 위에서 본 임대인의 수선 의무 조항이 이에 해당한다.

다 그러나 법률로 정해진 내용과 어긋나게 계약을 하면 당사자들에게 벌금이나 과태료 같은 법적 불이익이 있거나 계약의 효력이 부정되는 예외적인 경우도 있다. 우선, 체결된 계약 내용이 법률에 정해진 내용과 어긋날 때 법적 불이익이 있지만 계약의 효력 자체는 그대로 두는 경우가 있다. 이에 해당하는 법조문을 '단속 법규'라고 한다. 공인 중개사가 자신이 소유한 부동산을 고객에게 직접 파는 것을 금지하는 규정은 단속 법규에 해당한다. 따라서 이 규정을 위반하여 공인 중개사와 고객이 체결한 매매 계약의 경우 공인 중개사에게 벌금은 부과되지만 계약 자체는 유효이다. 이 경우 계약 내용에 따른 행동인 급부(給付)를 할 의무가 인정되어, 공인 중개사는 매물의 소유권을 넘겨주고 고객은 대금을 지급해야 하는 것이다.

라 한편 체결된 계약 내용이 법률에 정해진 내용과 어긋날 때 법적 불이익이 있을 뿐 아니라 체결된 계약의 효력 자체도 인정되지 않아 급부 의무가 부정되는 경우가 있다. 이에 해당하는 법조문을 '강행 법규'라고 한다. 이 경우 계약 당사자들은 상대에게 급부를 하라고 요구할 수는 없다. 이미 급부를 이행하여 재산적 이익을 넘겨주었다면 이 이익은 '부당 이득'에 해당하기 때문에 반환을 요구할 수 있다. 즉 '부당 이득 반환 청구권'이 인정된다. 의사와 의사 아닌 사람의 의료 기관 동업을 금지하는 법률 규정은 강행 법규이다. 따라서 의사와 의사 아닌 사람이 체결한 동업 계약은 계약의 효력이 부정된다. 다만 계약에 따라 이미 동업 자금을 건넸다면 이 돈을 반환하라고 요구하는 것은 가능하다.

마 그러나 강행 법규에 의해 계약의 효력이 부정되었을 때 부당 이득 반환 청구권이 인정되지 않는 경우도 있다. 급부의 내용이 위조 지폐 제작처럼 비도덕적이거나 반사회적인 행동이라면, 계약의 효력이 인정되지 않을 뿐 아니라 이미 넘겨준 이익을 돌려받을 권리도 부정되는 것이 원칙이다. 국가가 개인 간의 계약에 개입하는 것은 국가 안보, 사회 질서, 공공복리 등의 정당한 입법 목적을 달성하기 위해서이다. 이 경우 계약의 자유를 제한하려면 필요한 만큼만 최소로 제한해야 한다는 '비례 원칙'이 적용된다. 이로 인해 국가가 계약 당사자들에게 미치는 영향이 다양하게 나타나는 것이다.

1 이 글의 중심 화제는?

사법의 (❶ 계약)에 적용되는 법률 규정

2 문단별 중심 내용 찾기

가: 법률 규정과 계약 내용이 어긋날 때 발생하는 문제

나: 사법의 개념과 '계약 자유의 원칙'

다: 단속 법규의 개념과 사례

라: 강행 법규의 개념과 사례

마: 강행 법규에 적용되는 (❷ 비례) 원칙

3 단속 법규와 강행 법규

단속 법규
계약이 (❸ 법률)에 정해진 내용과 어긋날 때 법적 불이익이 있지만 계약의 효력 자체는 그대로 두는 경우

강행 법규
계약이 법률에 정해진 내용과 어긋날 때 법적 불이익이 있을 뿐 아니라 체결된 (❹ 계약)의 효력 자체도 인정되지 않는 경우

정답과 해설 45쪽

| 2018학년도 9월 모의평가 |

Note

다음 글을 읽고 물음에 답하시오.

(가) 사람들은 함께 모여 '집합 의례'를 행한다. ㉠뒤르켐은 오스트레일리아 부족들의 집합 의례를 공동체 결속의 관점에서 탐구한다. 부족 사람들은 문제 상황이 발생할 경우 생계 활동을 멈추고 자신들이 공유하는 성(聖)과 속(俗)의 분류 체계를 활용하여 이 상황이 성스러운 것인지 아니면 속된 것인지를 판별하는 집합 의례를 행한다. 이 과정에서 그들은 자신들이 공유하는 성스러움이 무엇인지 새삼 깨닫고 그것을 중심으로 약해진 기존의 도덕 공동체를 재생한다. 집합 의례가 끝나면 부족 사람들은 가슴속에 성스러움을 품고 일상의 속된 세계로 되돌아간다. 이로써 단순히 먹고사는 문제에 불과했던 생계 활동이 성스러움과 연결된 도덕적 의미를 지니게 된다.

(나) 뒤르켐은 현대 사회의 집합 의례가 기존 도덕 공동체의 재생으로 끝나지 않고 새로운 도덕 공동체를 창출할 것이라고 본다. 예를 들어, 프랑스 혁명은 자유, 평등, 우애와 같은 새로운 성스러움을 창출하고 이를 중심으로 새로운 도덕 공동체를 구성한 집합 의례다. 뒤르켐은 새로 창출된 성스러움이 자기 이해관계를 추구하며 속된 세계에서 살아가는 개인들에게 서로 결속할 수 있는 도덕적 의미를 제공할 것이라 여긴다.

(다) ㉡파슨스와 스멜서는 이러한 이론적 통찰을 기능주의 이론으로 구체화한다. 그들은 성스러움을 가치라는 말로 바꿔 표현한다. 현대 사회에서는 가치가 평상시 사회적 삶 아래에 잠재되어 있다가, 그 도덕적 의미가 뿌리부터 뒤흔들리는 위기 시기에 위로 올라와 전국적으로 일반화된다. 속된 일상에서 사람들은 가치를 추구하기보다는 자기 이해관계를 구체화한 목표와 이의 실현을 안내하는 규범에 따라 살아간다. 하지만 위기 시기에는 사람들의 관심이 자신들의 특수한 이해관계에서 보편적인 가치로 상승한다. 사람들은 가치에 기대어 위기가 주는 심리적 긴장과 압박을 해소하는 집합 의례를 행한다. 그 결과 사회의 통합이 회복된다. 파슨스와 스멜서는 이것이 마치 유기체가 환경의 압박으로 인해 흐트러진 항상성의 기능을 생리 작용을 통해 회복하는 과정과 유사하다고 본다.

(라) ㉢알렉산더는 파슨스와 스멜서의 이론을 받아들이면서도 그들이 사용한 생물학적 은유가 복잡한 현대 사회의 집합 의례를 탐구하는 데는 한계가 있다고 보고, 그 대안으로 '사회적 공연론'을 제시한다. 그는 가치를 전 사회로 일반화하는 집합 의례가 현대 사회에서는 유기체의 생리 작용처럼 자연적으로 진행되는 것이 아니라, 그 결과가 정해지지 않은 과정이라고 본다. 현대 사회는 사회적 공연의 요소들이 분화되어 있을 뿐만 아니라 각 요소가 자율성을 지니고 있다. 따라서 이 요소들을 융합하는 사회적 공연은 우발성이 극대화된 문화적 실천을 요구한다. 알렉산더가 기능주의 이론과 달리 공연의 요소들이 어떤 조건 아래에서 어떤 과정을 거쳐 융합이 이루어지는지 경험적으로 세밀하게 탐구해야 한다고 강조하는 이유가 여기에 있다.

(마) 현대 사회의 사회적 공연의 요소들로는 성과 속의 분류 체계를 다양하게 구체화한 대본, 다양한 대본을 자신만의 방식으로 실행하는 배우, 계급 · 출신 지역 · 나이 · 성별 등 내부적으로 분화된 관객, 시 · 공간적으로 다양한 동선을 짜서 공연을 무대 위에 올리는 미장센*, 시 · 공간의 한계를 넘어 공연을 광범위한 관객에게 전파하는 상징적 생산 수단, 공연을 생산하고 배포하고 해석하는 과정을 총체적으로 통제하지 못할 정도로 고도로 분화된 사회적 권력 등이 있다. 그러나 요소의 분화와 자율성이 없는 전체주의 사회에서는 국가 권력에 의한 대중 동원만 있을 뿐 사회적 공연이 일어나기 어렵다.

어휘 풀이

*미장센(mise-en-scène) 무대 위에서의 등장인물의 배치나 역할, 무대 장치, 조명 따위에 관한 총체적인 계획과 실행.

원리로 읽기

관련 문제 Link

1 이 글의 중심 화제는?

(❶)에 대한 학자들의 다양한 견해

2 문단별 중심 내용 찾기

02 정보 간의 관계에 유의해 내용 이해하기

㉮: 집합 의례에 대한 뒤르켐의 탐구

㉯: 집합 의례에 대한 뒤르켐의 견해 – 현대 사회는 집합 의례를 통해 새로운 (❷)가 창출됨.

㉰: 집합 의례에 대한 파슨스와 스멜서의 견해 – 위기의 시기에 (❸)에 기대어 심리적 긴장과 압박을 해소하는 집합 의례를 행함.

㉱: 파슨스와 스멜서의 이론이 지닌 한계에 대한 대안 – (❹)의 사회적 공연론

㉲: 현대 사회의 사회적 공연 요소

3 서술 방식 파악하기

이 글은 '집합 의례'가 공동체의 결속을 강화하는 과정 및 양상에 대한 다양한 학자들의 견해를 (❺)하고 있다.

9262-0199

01 '집합 의례'에 대해 ㉠이 할 수 있는 말로 적절하지 않은 것은?

① 부족 사회는 집합 의례를 행하여 기존의 도덕 공동체를 되살린다.
② 집합 의례를 통해 사람들은 생계 활동의 성스러운 의미를 얻는다.
③ 현대 사회에서는 집합 의례를 통해 새로운 도덕 공동체가 형성된다.
④ 공동체 성원들은 집합 의례를 거쳐 구체적인 이해관계를 중심으로 묶인다.
⑤ 집합 의례의 과정에서 공동체 성원들은 문제 상황을 성 또는 속의 문제로 규정한다.

9262-0200

02 윗글의 ㉡과 ㉢에 대한 설명으로 가장 적절한 것은?

① ㉡과 달리 ㉢은 현대 사회의 집합 의례는 그 결과가 미리 결정되어 있지 않다고 본다.
② ㉡과 달리 ㉢은 집합 의례가 가치의 일반화를 통해 도덕 공동체를 구성할 것이라 본다.
③ ㉢과 달리 ㉡은 집합 의례가 발생하는 과정을 경험적으로 탐구할 필요성이 있다고 본다.
④ ㉡과 ㉢은 모두 문화적 실천으로서의 집합 의례를 유기체의 생리 과정과 유사하다고 본다.
⑤ ㉡과 ㉢은 모두 현대 사회에서는 성과 속의 분류 체계 없이 집합 의례가 일어난다고 본다.

9262-0201

03 윗글에서 설명한 '사회적 공연론'으로 〈보기〉를 이해한 내용으로 적절하지 않은 것은?

보기

수려한 경관으로 유명한 A시에 소각장이 들어설 예정이다. A시의 시장은 정부의 보조금을 활용하여 낙후된 지역 경제를 발전시키기 위해 소각장을 유치하였다고 밝혔다. A시 시민들은 반대파와 찬성파로 갈려 집회를 이어 갔다. 반대파는 지역 경제 발전에는 찬성하지만 소각장이 환경을 오염시킨다며 철회할 것을 요구했고, 찬성파는 반대파가 지역 이기주의에 빠져 있다고 비판했다. 집회에 참여하지 않았던 사람들도 의견이 갈려 토박이와 노인은 반대 운동에, 이주민과 젊은이는 찬성 운동에 적극 참여하였다. 중앙 언론은 이 사건이 지역 내 현상이라며 아예 보도하지 않았다. 반대파는 반대 운동을 전국적으로 알리기 위해 서울에 가서 집회를 하려 했지만 경찰이 허가를 내 주지 않았다.

① 공연의 미장센이 A시에 한정되어 펼쳐지고 있군.
② 공연의 요소들이 융합되어 가치의 일반화가 일어났군.
③ 출신 지역과 나이로 분화된 관객이 배우로 직접 나서고 있군.
④ 상징적 생산 수단과 사회적 권력이 공연의 전국적 전파를 막으려 하는군.
⑤ 배우들이 지역 경제 발전에는 동의하면서도 서로 다른 대본을 가지고 공연을 수행하는군.

문제 풀이 비법 노트

대비하려는 대상과 관련한 핵심 정보를 파악한다.
↓
대비하려는 대상 간의 관계를 확인한다.
↓
앞의 내용을 바탕으로 선택지의 적절성을 판단한다.

02

이 문항은 글의 핵심적인 정보가 지닌 공통점과 차이점을 비교, 대조하여 글의 내용을 이해하는 능력을 평가하는 문제이다. 이 문항을 해결하기 위해서는 먼저 대비하려는 대상과 관련한 핵심 정보를 정확히 파악하고, 이를 바탕으로 대상 간의 관계가 어떠한지를 파악하여야 한다. 이 문제에서는 알렉산더가, 파슨스와 스멜서의 견해가 지닌 한계를 바탕으로 자신의 이론을 발전시켰다는 점에 주목하며 그 관계를 파악할 수 있어야 한다.

원리로 다시 읽기

가 사람들은 함께 모여 '집합 의례'를 행한다. 뒤르켐은 오스트레일리아 부족들의 집합 의례를 공동체 결속의 관점에서 탐구한다. 부족 사람들은 문제 상황이 발생할 경우 생계 활동을 멈추고 자신들이 공유하는 성(聖)과 속(俗)의 분류 체계를 활용하여 이 상황이 성스러운 것인지 아니면 속된 것인지를 판별하는 집합 의례를 행한다. 이 과정에서 그들은 자신들이 공유하는 성스러움이 무엇인지 새삼 깨닫고 그것을 중심으로 약해진 기존의 도덕 공동체를 재생한다. 집합 의례가 끝나면 부족 사람들은 가슴속에 성스러움을 품고 일상의 속된 세계로 되돌아간다. 이로써 단순히 먹고사는 문제에 불과했던 생계 활동이 성스러움과 연결된 도덕적 의미를 지니게 된다.

나 뒤르켐은 현대 사회의 집합 의례가 기존 도덕 공동체의 재생으로 끝나지 않고 새로운 도덕 공동체를 창출할 것이라고 본다. 예를 들어, 프랑스 혁명은 자유, 평등, 우애와 같은 새로운 성스러움을 창출하고 이를 중심으로 새로운 도덕 공동체를 구성한 집합 의례다. 뒤르켐은 새로 창출된 성스러움이 자기 이해관계를 추구하며 속된 세계에서 살아가는 개인들에게 서로 결속할 수 있는 도덕적 의미를 제공할 것이라 여긴다.

다 파슨스와 스멜서는 이러한 이론적 통찰을 기능주의 이론으로 구체화한다. 그들은 성스러움을 가치라는 말로 바꿔 표현한다. 현대 사회에서는 가치가 평상시 사회적 삶 아래에 잠재되어 있다가, 그 도덕적 의미가 뿌리부터 뒤흔들리는 위기 시기에 위로 올라와 전국적으로 일반화된다. 속된 일상에서 사람들은 가치를 추구하기보다는 자기 이해관계를 구체화한 목표와 이의 실현을 안내하는 규범에 따라 살아간다. 하지만 위기 시기에는 사람들의 관심이 자신들의 특수한 이해관계에서 보편적인 가치로 상승한다. 사람들은 가치에 기대어 위기가 주는 심리적 긴장과 압박을 해소하는 집합 의례를 행한다. 그 결과 사회의 통합이 회복된다. 파슨스와 스멜서는 이것이 마치 유기체가 환경의 압박으로 인해 흐트러진 항상성의 기능을 생리 작용을 통해 회복하는 과정과 유사하다고 본다.

라 알렉산더는 파슨스와 스멜서의 이론을 받아들이면서도 그들이 사용한 생물학적 은유가 복잡한 현대 사회의 집합 의례를 탐구하는 데는 한계가 있다고 보고, 그 대안으로 '사회적 공연론'을 제시한다. 그는 가치를 전 사회로 일반화하는 집합 의례가 현대 사회에서는 유기체의 생리 작용처럼 자연적으로 진행되는 것이 아니라, 그 결과가 정해지지 않은 과정이라고 본다. 현대 사회는 사회적 공연의 요소들이 분화되어 있을 뿐만 아니라 각 요소가 자율성을 지니고 있다. 따라서 이 요소들을 융합하는 사회적 공연은 우발성이 극대화된 문화적 실천을 요구한다. 알렉산더가 기능주의 이론과 달리 공연의 요소들이 어떤 조건 아래에서 어떤 과정을 거쳐 융합이 이루어지는지 경험적으로 세밀하게 탐구해야 한다고 강조하는 이유가 여기에 있다.

마 현대 사회의 사회적 공연의 요소들로는 성과 속의 분류 체계를 다양하게 구체화한 대본, 다양한 대본을 자신만의 방식으로 실행하는 배우, 계급 · 출신 지역 · 나이 · 성별 등 내부적으로 분화된 관객, 시 · 공간적으로 다양한 동선을 짜서 공연을 무대 위에 올리는 미장센, 시 · 공간의 한계를 넘어 공연을 광범위한 관객에게 전파하는 상징적 생산 수단, 공연을 생산하고 배포하고 해석하는 과정을 총체적으로 통제하지 못할 정도로 고도로 분화된 사회적 권력 등이 있다. 그러나 요소의 분화와 자율성이 없는 전체주의 사회에서는 국가 권력에 의한 대중 동원만 있을 뿐 사회적 공연이 일어나기 어렵다.

1 이 글의 중심 화제는?

(① 집합 의례)에 대한 학자들의 다양한 견해

2 문단별 중심 내용 찾기

가: 집합 의례에 대한 뒤르켐의 탐구
나: 집합 의례에 대한 뒤르켐의 견해 – 현대 사회는 집합 의례를 통해 새로운 (② 도덕 공동체)가 창출됨.
다: 집합 의례에 대한 파슨스와 스멜서의 견해 – 위기의 시기에 (③ 보편적 가치)에 기대어 심리적 긴장과 압박을 해소하는 집합 의례를 행함.
라: 파슨스와 스멜서의 이론이 지닌 한계에 대한 대안 – (④ 알렉산더)의 사회적 공연론
마: 현대 사회의 사회적 공연 요소

3 서술 방식 파악하기

이 글은 '집합 의례'가 공동체의 결속을 강화하는 과정 및 양상에 대한 다양한 학자들의 견해를 (⑤ 열거)하고 있다.

Note

다음 글을 읽고 물음에 답하시오.

기업이 보유한 토지 및 건설 중인 자산을 제외한 고정 자산*은 사용하거나 시간이 흐름에 따라서 경제적 가치가 점점 감소되어 간다. 자산의 취득 원가*는 장기적으로 보면 시간의 경과에 따라 비용으로 지출되면서 그 가치가 줄어드는 것이다. 이와 같은 가치의 감소는 시시각각으로 일어나기 때문에 취득 연도 또는 폐기 연도에 비용으로 계상*하는 것은 불합리하며, 그렇다고 가치의 감소가 일어남과 동시에 회계 장부에 반영하는 것도 사실상 불가능하다. 따라서 기업의 회계 연도 결산 시에 그 회계 연도 중에 일어난 감가액을 계산한 다음 취득 원가에서 차감하여 비용으로 계상하는 방법을 사용하는데 이를 감가상각이라고 한다. 감가상각은 특정 기간 동안의 손익 계산을 정확히 하기 위한 것으로, 고정 자산의 가치 감소를 예정 사용 기간 내에 적절히 배분하는 인위적인 회계 절차이다. 그리고 고정 자산의 가치 감소분을 특정 기간 동안 발생하는 비용으로 배분하여 금액으로 나타낸 것을 감가상각비라고 한다.

기업이 보유한 고정 자산의 가치가 감소하는 원인은 다음과 같이 나누어 볼 수 있다. 먼저 '물리적 감가'는 고정 자산을 사용하거나 시간이 흐름에 따라 물리적으로 자산이 소모, 마모되어 가치가 감소하는 것으로 계속적, 규칙적, 필연적으로 발생한다. 다음으로 '기능적 감가'가 있는데, 기능적 감가는 물리적으로 사용 가치가 있으나 경영 환경의 변화로 가치가 상대적으로 감소하는 것으로 '경제적 감가'라고도 한다. 기능적 감가는 고정 자산이 총 사용 연수에 도달하기 전에 공장의 이전, 시장의 변화, 제조 방법의 변화, 기술의 진보와 발명 등에 의해 본래의 목적에 맞게 적용되지 못하고 가치가 감소하는 것을 의미한다. 물리적 감가와 기능적 감가는 기업을 경영하는 과정에서 당연히 발생하고 예측 가능한 감가이므로 '정상적 감가'라고 하며, 기상 이변, 천재지변, 전쟁 등으로 인해 고정 자산의 경제적 가치가 직간접적으로 감소하는 것은 예측할 수 없는 것이므로 '우발적 감가'라고 한다. 회계상 감가상각의 대상이 되는 것은 정상적 감가이며, 우발적 감가는 특별 손실로 처리한다.

한편 기업이 사용할 수 있는 감가상각비의 계산 방법에는 여러 가지가 있는데, 기업이 어느 방법을 적용하느냐에 따라 감가상각비도 다르게 나타난다. 우리나라의 기업 회계 기준으로 인정되고 있는 감가상각비 계산 방법으로는 정액법, 정률법 등이 있는데, 먼저 정액법은 매 회계 연도마다 균등액을 감가상각하는 방법으로 '직선 상각법'이라고도 한다. 계산이 간단하고 매 회계 연도마다 공평하게 감가상각비를 부담시키므로 실무에서 많이 이용한다. 그러나 고정 자산의 사용 정도에 따라 자산의 가치 감소 정도가 달라지는 것을 무시한 계산 방법으로 볼 수 있다. 다음으로 정률법은 해당 고정 자산의 회계 장부상 가액*에 일정의 상각률*을 곱해서 감가상각비를 계산하는 방법으로, 초기에는 감가상각비가 많고 시간이 경과할수록 감가상각비가 점차적으로 줄어든다. 그러므로 정률법 역시 사용 정도에 따른 고정 자산의 가치 감소 정도를 정확하게 반영하지는 못한다. 정률법은 감가상각비와 유지비를 포함한 고정 자산에 관련된 비용이 거의 균등하게 배분되지만 상각률 산정을 위한 계산이 복잡한 결점을 갖고 있다. 따라서 실무에서는 법인세법에서 규정하고 있는 상각률을 이용하는 경우가 많다.

어휘 풀이

*고정 자산 1년 이상 생산 활동에 쓰이며 수익의 원천이 되는 재산. 토지, 공장, 기계 따위가 이에 해당한다.
*취득 원가 취득한 상품이나 자산의 실제 구입 가격. 또는 그것의 실제 제조 원가. 회계 · 부기의 기초가 된다.
*계상 계산하여 올림.
*가액 물건의 가치에 상당한 금액.
*상각률 고정 자산의 가치가 저하되는 비율.

9262-0202

01 윗글의 내용과 일치하지 않는 것은?

① 고정 자산이 소모되거나 마모되면 경제적 가치가 감소한다.
② 자산의 가치가 감소할 때마다 회계 장부에 반영하는 것은 불가능하다.
③ 감가상각은 특정 기간 동안의 손익 계산을 보다 정확히 하기 위해 실시한다.
④ 기업의 입장에서는 자산의 폐기 연도에 감가상각비를 계상하는 것이 합리적이다.
⑤ 감가상각은 고정 자산의 가치 감소분을 특정 기간 동안에 발생한 비용으로 처리한다.

9262-0203

02 윗글을 읽고, 〈보기〉에 대해 보인 반응으로 가장 적절한 것은?

보기

식음료를 전문으로 생산하는 D 기업은 5년 전, 사용 수명이 10년인 생수 제조 자동화 설비를 도입했다. 그리고 이 설비를 이용하여 생수를 생산해 지난 5년간 꾸준히 이익을 남겼다. 그런데 기상 이변으로 인한 기록적인 가뭄이 계속되면서 더 이상 생수를 생산하기가 어려워졌다. 그래서 D 기업은 현재의 생수 공장보다 더 좋은 수원지가 인접한 지역에 공장을 신설하고, 새로운 공장에는 이전의 생수 제조 자동화 설비에 비해 생산량이 2배인 새로운 자동화 설비를 설치하기로 하였다.

① D 기업이 새로운 공장을 신설하여 생수 제조 자동화 설비를 갖추게 되면 더 이상 감가상각비가 발생하지 않겠군.
② D 기업이 5년 전에 도입했던 생수 제조 자동화 설비는 기능적 문제가 발생하지 않았으므로 '물리적 감가'가 진행되지 않았다고 볼 수 있겠군.
③ D 기업은 생수 제조 공장을 신설할 계획이므로 5년 전에 도입했던 생수 제조 자동화 설비의 감가는 기업의 경영 과정에서 발생한 '정상적 감가'로 볼 수 있겠군.
④ D 기업이 5년 전에 도입했던 생수 제조 자동화 설비는 기록적 가뭄이라는 예측 불가능한 원인에 의해 감가가 이루어진 것이므로 회계상 특별 손실로 처리해야겠군.
⑤ D 기업이 새로운 공장을 신설하게 되면 5년 전에 도입했던 생수 제조 자동화 설비는 물리적 사용 가치가 모두 상실되므로 '경제적 감가'가 발생한다고 볼 수 있겠군.

9262-0204

03 〈보기〉의 [A], [B]에 대한 설명으로 적절하지 않은 것은?

보기

[단위: 원]

[A]

연수	취득 원가	감가상각비	감각상각 누계	미상각 잔액
1	3,000,000	540,000	540,000	2,460,000
2	3,000,000	540,000	1,080,000	1,920,000
3	3,000,000	540,000	1,620,000	1,380,000
4	3,000,000	540,000	2,160,000	840,000
5	3,000,000	540,000	2,700,000	300,000

[B]

연수	취득 원가	감가상각비	감각상각 누계	미상각 잔액
1	3,000,000	1,107,000	1,107,000	1,893,000
2	3,000,000	698,517	1,805,517	1,194,483
3	3,000,000	440,764	2,246,281	753,719
4	3,000,000	278,122	2,524,403	475,597
5	3,000,000	175,495	2,699,898	300,102

① [A]는 [B]와 달리 해마다 일정 금액이 감가되므로 정액법이 사용된 것으로 볼 수 있다.
② [A]는 [B]와 달리 고정 자산의 사용 정도에 따라 감가되는 정도가 정확히 반영되어 있지 않다.
③ [B]는 [A]와 달리 감가되는 금액이 달라지므로 감가상각비를 계산하는 방법이 상대적으로 더 복잡하다.
④ [B]는 [A]와 달리 감가상각비가 해가 갈수록 줄어들고 있으므로 정률법이 사용된 것으로 볼 수 있다.
⑤ [A]와 [B]는 모두 취득 원가의 가치 감소분이 5년 동안의 감가상각비로 배분되어 있다.

출제 포인트

2문단에서 '감가'의 구체적 종류를 구분한 기준과 각각의 특성을 이해한다.

↓

〈보기〉에 제시된 D 기업의 상황을 파악한다.

↓

〈보기〉의 내용과 2문단의 내용을 대응시켜 선택지의 적절성을 판단한다.

02 이 문항은 글에 제시된 내용을 구체적 상황에 적용하는 능력을 평가하기 위한 것이다.

> ❷ (……) 먼저 '물리적 감가'는 고정 자산을 (……) 발생한다. 다음으로 '기능적 감가'가 있는데, 기능적 감가는 (……) 감소하는 것으로 '경제적 감가'라고도 한다. 기능적 감가는 (……) 감소하는 것을 의미한다. 물리적 감가와 기능적 감가는 (……) '정상적 감가'라고 하며, 기상 이변, 천재지변, 전쟁 등으로 인해 (……) '우발적 감가'라고 한다.

이 글의 중심 화제는 '감가상각'이며, 2문단에서는 감가상각의 다양한 종류를 구분하여 제시하고 각각의 특성에 대해 설명하고 있다. 이처럼 중심 화제와 관련한 핵심 정보들은 사실적 이해와 관련된 문항으로 출제되거나 구체적 상황에 적용하는 문항으로 출제되기 마련이다. 따라서 중심 화제와 관련된 핵심 정보를 정확하게 이해하고 특히 그 구체적 종류가 제시된 경우에는 각각의 종류가 구분되는 기준과 함께 개별적 특성을 정확하게 파악하며 글을 읽어야 한다.

원리로 다시 읽기

기업이 보유한 토지 및 건설 중인 자산을 제외한 고정 자산은 사용하거나 시간이 흐름에 따라서 경제적 가치가 점점 감소되어 간다. 자산의 취득 원가는 장기적으로 보면 시간의 경과에 따라 비용으로 지출되면서 그 가치가 줄어드는 것이다. 이와 같은 가치의 감소는 시시각각으로 일어나기 때문에 취득 연도 또는 폐기 연도에 비용으로 계상하는 것은 불합리하며, 그렇다고 가치의 감소가 일어남과 동시에 회계 장부에 반영하는 것도 사실상 불가능하다. 따라서 ❶기업의 회계 연도 결산 시에 그 회계 연도 중에 일어난 감가액을 계산한 다음 취득 원가에서 차감하여 비용으로 계상하는 방법을 사용하는데 이를 감가상각이라고 한다. 감가상각은 특정 기간 동안의 손익 계산을 정확히 하기 위한 것으로, ❶고정 자산의 가치 감소를 예정 사용 기간 내에 적절히 배분하는 인위적인 회계 절차이다. 그리고 고정 자산의 가치 감소분을 특정 기간 동안 발생하는 비용으로 배분하여 금액으로 나타낸 것을 감가상각비라고 한다.

▶ 감가상각(비)의 개념

❷기업이 보유한 고정 자산의 가치가 감소하는 원인은 다음과 같이 나누어 볼 수 있다. 먼저 '물리적 감가'는 고정 자산을 사용하거나 시간이 흐름에 따라 물리적으로 자산이 소모, 마모되어 가치가 감소하는 것으로 계속적, 규칙적, 필연적으로 발생한다. 다음으로 '기능적 감가'가 있는데, 기능적 감가는 물리적으로 사용 가치가 있으나 경영 환경의 변화로 가치가 상대적으로 감소하는 것으로 '경제적 감가'라고도 한다. 기능적 감가는 고정 자산이 총 사용 연수에 도달하기 전에 공장의 이전, 시장의 변화, 제조 방법의 변화, 기술의 진보와 발명 등에 의해 본래의 목적에 맞게 적용되지 못하고 가치가 감소하는 것을 의미한다. ❸물리적 감가와 기능적 감가는 기업을 경영하는 과정에서 당연히 발생하고 예측 가능한 감가이므로 '정상적 감가'라고 하며, 기상 이변, 천재지변, 전쟁 등으로 인해 고정 자산의 경제적 가치가 직간접적으로 감소하는 것은 예측할 수 없는 것이므로 '우발적 감가'라고 한다. 회계상 감가상각의 대상이 되는 것은 정상적 감가이며, 우발적 감가는 특별 손실로 처리한다.

▶ 감가상각의 종류

한편 기업이 사용할 수 있는 감가상각비의 계산 방법에는 여러 가지가 있는데, 기업이 어느 방법을 적용하느냐에 따라 감가상각비도 다르게 나타난다. ❹우리나라의 기업 회계 기준으로 인정되고 있는 감가상각비 계산 방법으로는 정액법, 정률법 등이 있는데, 먼저 정액법은 매 회계 연도마다 균등액을 감가상각하는 방법으로 '직선 상각법'이라고도 한다. ❺계산이 간단하고 매 회계 연도마다 공평하게 감가상각비를 부담시키므로 실무에서 많이 이용한다. 그러나 고정 자산의 사용 정도에 따라 자산의 가치 감소 정도가 달라지는 것을 무시한 계산 방법으로 볼 수 있다. 다음으로 정률법은 ❻해당 고정 자산의 회계 장부상 가액에 일정의 상각률을 곱해서 감가상각비를 계산하는 방법으로, 초기에는 감가상각비가 많고 시간이 경과할수록 감가상각비가 점차적으로 줄어든다. 그러므로 정률법 역시 사용 정도에 따른 고정 자산의 가치 감소 정도를 정확하게 반영하지는 못한다. 정률법은 감가상각비와 유지비를 포함한 고정 자산에 관련된 비용이 거의 균등하게 배분되지만 상각률 산정을 위한 계산이 복잡한 결점을 갖고 있다. 따라서 실무에서는 법인세법에서 규정하고 있는 상각률을 이용하는 경우가 많다.

▶ 감가상각비의 계산 방법

❶ 중심 화제인 '감가상각'과 '감가상각비'의 개념을 제시하고 있는 부분이다. 기업의 회계 연도 결산 시 회계 연도 중에 일어난 감가액을 계산한 다음 (❶)에서 차감하여 비용으로 계상하는 방법이 '감가상각'이고, 고정 자산의 가치 감소분을 특정 기간 동안 발생하는 비용으로 (❷)하여 금액으로 나타낸 것을 '감가상각비'라고 한다.

❷, ❸ 중심 화제인 '감가상각'이 나타나는 원인과 종류를 구분하여 제시하고 있는 부분이다. 고정 자산의 물리적 소모와 마모로 인해 가치가 감소하는 물리적 감가와 물리적 사용 가치는 있으나 경영 환경의 변화로 가치가 상대적으로 감소하는 (❸) 감가의 개념을 정확히 이해해 두어야 한다. 아울러 물리적 감가와 기능적 감가의 상위 개념인 정상적 감가와 예측할 수 없는 원인, 즉 기상 이변, 천재지변, 전쟁 등에 의해 발생하는 (❹) 감가의 차이점을 정확하게 이해해야 한다.

❹~❻ 대표적인 감가상각비의 계산 방법을 제시하고 각각의 계산 방법에 대해 간략하게 설명하고 있는 부분이다. 회계 연도마다 균등액을 감가상각하는 정액법과 고정 자산의 회계 장부상 가액에 일정한 (❺)을 곱해 감가상각비를 계산하는 정률법의 개념을 이해하고 각각의 공통점과 차이점을 이해해야 한다.

답

❶ 취득 원가 ❷ 배분 ❸ 기능적 ❹ 우발적 ❺ 상각률

Note

다음 글을 읽고 물음에 답하시오.

리디노미네이션이란 화폐의 단위를 변경하는 것으로, 일반적으로 통용되는 모든 지폐와 동전의 액면을 1,000 대 1, 또는 100 대 1 등과 같이 동일한 비율의 낮은 단위로 변경하는 것이다. 만일 지금 화폐를 1,000 대 1로 리디노미네이션 하면 10억 원짜리 아파트가 100만 원이 된다. 이 경우 실질적인 가치가 변동하거나 자산 규모가 줄어들지는 않는다. 따라서 리디노미네이션은 돈의 여러 가지 기능 중 가치 척도 기능인 단위를 변경하는 정책이다. 또 리디노미네이션을 할 때에는 화폐의 호칭을 바꾸는 것이 일반적인데, 이를 바꾸지 않으면 생활에 혼란이 발생할 수 있기 때문이다.

그렇다면 왜 리디노미네이션이 필요한 것일까? 2008년 우리나라의 인터넷 뱅킹 거래 금액은 1경이 넘었고, 2012년에는 증시 관련 대금이 1경을 넘었다. 1경은 1조 원의 1만 배로 0이 무려 16개나 붙어야 표시할 수 있는 숫자이다. 그런데 이와 같은 화폐 단위는 선진국과 비교해 터무니없이 큰 숫자일 뿐만 아니라 세계적으로 경제 발전을 이룩한 국가에서는 찾아보기 어렵다. 선진국에서는 화폐 단위가 우리나라의 100분의 1, 1,000분의 1 수준이며 '경'은 사전에서나 찾아볼 수 있는 단위이다. 그래서 외국인 투자가들에게 화폐 단위를 활용해 우리나라의 경제 상황을 설명하면 이해도가 떨어지고, 우리나라는 '화려한 겉과 달리 통화 가치가 형편없는 나라'라는 인식이 자리 잡기도 한다. 또 우리나라를 찾은 외국인 관광객들이 물건의 가격표를 보고 놀라 지갑을 닫는 경우도 있다. ㉠<u>화폐로 표현하는 거래 단위의 숫자가 너무 커서 상거래, 계산, 회계 처리, 전산화 등 경제생활에 많은 문제점과 불편함이 발생하는 것이다.</u>

그런 맥락에서 리디노미네이션을 실시하여 이러한 문제들을 해결해야 한다는 목소리가 높아지고 있다. 리디노미네이션을 실시하면 국내외적으로 상거래가 간편해지고 회계 장부의 관리와 전산화도 용이해진다. 지하에 숨어 있는 음성 자금이 양성화되는 것을 기대할 수도 있을 뿐만 아니라 사회적인 논란이 되고 있는 고액권 발행 문제가 해소된다. 또 새로운 화폐를 제작하는 과정에서 화폐의 위 · 변조 방지 기능을 강화할 수도 있다. 그리고 대외적으로는 우리나라 화폐의 위상이 높아져 원화가 '고급 화폐'로 인식되고 외국인 투자가나 관광객들과의 경제적 의사소통이 원활해진다.

하지만 리디노미네이션은 사회적으로 엄청난 비용이 뒤따른다. 지폐부터 동전까지 모두 새로 제작해야 할 뿐만 아니라, 새 화폐에 맞춰 각종 자동화 기기, 자동판매기 등도 교체해야 한다. 또 기업의 입장에서는 각종 회계 장부와 전표, 컴퓨터 프로그램과 데이터베이스를 수정해야 하는 등 기업의 비용 부담도 크게 늘어난다. 또 화폐가 바뀌는 것에 불안감을 느낀 사람들이 부동산이나 금 등 실물을 보유하고자 하는 심리가 커지면서 투기, 인플레이션, 사재기 현상 등이 나타나 국민 경제의 혼란도 예상된다. 따라서 리디노미네이션은 국민 경제에 미치는 영향을 다각도로 분석하고 충분한 사전 검토를 통해 실시 여부와 시기를 결정하는 것이 바람직하다.

정답과 해설 47쪽

9262-0205

01 윗글을 통해 확인할 수 있는 내용이 아닌 것은?

① 리디노미네이션의 개념
② 리디노미네이션의 유래
③ 리디노미네이션의 필요성
④ 리디노미네이션의 부작용
⑤ 리디노미네이션의 기대 효과

9262-0206

02 ㉠의 구체적인 사례로 볼 수 없는 것은?

① 외국인 투자가가 우리나라에 대한 투자를 꺼려하거나 주저한다.
② 도매점, 소매점에서 상품의 가격을 컴퓨터에 입력하는 데 시간이 오래 걸린다.
③ 회계 장부 전산화를 위해 대용량 데이터베이스를 구축해야 하므로 비용이 많이 든다.
④ 실생활에서 사용하는 사소한 물건을 구입하기 위해 많은 양의 화폐를 휴대해야 한다.
⑤ 은행이 외화를 바꾸어 주는 서비스를 실시하기 위해 많은 금액의 외화를 보유해야 한다.

9262-0207

03 윗글을 읽고 〈보기〉에 대해 보인 반응으로 적절하지 않은 것은?

보기

○○국은 환율이 1달러당 200만 □□였다. 그래서 일반 서민들이 먹는 식사 한 끼에 500만 □□, 대중교통을 이용하는 데 180만 □□이 필요했다. 하지만 이 금액은 실제 원화로 6,000원, 2,000원이 안되는 금액이었다. 그래서 ○○국은 100만 □□을 1△로 화폐 단위를 낮추는 리디노미네이션을 실시하였다. 그 결과 사회적으로 많은 비용이 지출되었고 국민 경제에 혼란이 발생하였다. 하지만 국제 무역에서 새로운 △화의 대외적 위상이 크게 높아졌다.

*□□, △은 ○○국의 화폐 단위임.

① 리디노미네이션이 실시된 후 환율은 달러당 2△이 되겠군.

② ○○국이 리디노미네이션을 실시한 것은 달러에 비해 □□의 가치가 매우 낮았기 때문이군.

③ 리디노미네이션 이후 △의 대외적 위상이 높아진 것은 달러의 가치가 이전에 비해 하락했기 때문이군.

④ ○○국이 화폐의 호칭과 단위를 □□에서 △로 교체한 것은 국민 생활의 혼란을 방지하기 위해서이군.

⑤ 리디노미네이션으로 인한 사회적 비용에는 각종 자동화 기기와 자동판매기 교체 비용이 포함되어 있겠군.

출제 포인트

2문단에서 리디노미네이션이 필요한 이유를 이해한다.

↓

2문단에 제시된 설명을 바탕으로 경제생활 속에서 리디노미네이션이 필요한 경우를 떠올려 본다.

↓

2문단의 내용과 머릿속에 떠올린 내용을 바탕으로 선택지의 적절성을 판단한다.

02 이 문항은 글에 제시된 내용을 바탕으로 추론하는 능력을 평가하는 문항이다.

> **2** (……) 화폐로 표현하는 거래 단위의 숫자가 너무 커서 상거래, 계산, 회계 처리, 전산화 등 경제생활에 많은 문제점과 불편함이 발생하는 것이다.

이 글은 '리디노미네이션'을 설명하는 사회 분야 글이다. 사회 분야의 글들은 우리의 생활과 밀접한 관련을 맺고 있지만 중심 화제에 대한 이론적, 개념적 설명이 제시되다 보면 중심 화제와 관련한 구체적 사례가 충분히 제시되지 못하는 경우가 많다. 그래서 사회 분야의 글을 읽을 때에는 중심 화제와 관련된 내용을 정확하게 이해하고, 이와 관련한 구체적 사례나 관련 경험 등을 떠올리며 적극적인 독서와 사고를 해야만 한다. 그리고 글에 제시된 개념과 설명을 사회적 상황에 적극적으로 적용해 가며 읽는 것이 바람직하다.

원리로 다시 읽기

❶리디노미네이션이란 화폐의 단위를 변경하는 것으로, 일반적으로 통용되는 모든 지폐와 동전의 액면을 1,000 대 1, 또는 100 대 1 등과 같이 동일한 비율의 낮은 단위로 변경하는 것이다. 만일 지금 화폐를 1,000 대 1로 리디노미네이션 하면 10억 원짜리 아파트가 100만 원이 된다. 이 경우 실질적인 가치가 변동하거나 자산 규모가 줄어들지는 않는다. 따라서 리디노미네이션은 돈의 여러 가지 기능 중 가치 척도 기능인 단위를 변경하는 정책이다. 또 리디노미네이션을 할 때에는 화폐의 호칭을 바꾸는 것이 일반적인데, 이를 바꾸지 않으면 생활에 혼란이 발생할 수 있기 때문이다.

▶ 리디노미네이션의 개념

❷그렇다면 왜 리디노미네이션이 필요한 것일까? 2008년 우리나라의 인터넷 뱅킹 거래 금액은 1경이 넘었고, 2012년에는 증시 관련 대금이 1경을 넘었다. 1경은 1조 원의 1만 배로 0이 무려 16개나 붙어야 표시할 수 있는 숫자이다. 그런데 이와 같은 화폐 단위는 선진국과 비교해 터무니없이 큰 숫자일 뿐만 아니라 세계적으로 경제 발전을 이룩한 국가에서는 찾아보기 어렵다. 선진국에서는 화폐 단위가 우리나라의 100분의 1, 1000분의 1 수준이며 '경'은 사전에서나 찾아볼 수 있는 단위이다. 그래서 외국인 투자가들에게 화폐 단위를 활용해 우리나라의 경제 상황을 설명하면 이해도가 떨어지고, 우리나라는 '화려한 겉과 달리 통화 가치가 형편없는 나라'라는 인식이 자리 잡기도 한다. 또 우리나라를 찾은 외국인 관광객들이 물건의 가격표를 보고 놀라 지갑을 닫는 경우도 있다. 화폐로 표현하는 거래 단위의 숫자가 너무 커서 상거래, 계산, 회계 처리, 전산화 등 경제생활에 많은 문제점과 불편함이 발생하는 것이다.

▶ 리디노미네이션의 필요성

그런 맥락에서 리디노미네이션을 실시하여 이러한 문제들을 해결해야 한다는 목소리가 높아지고 있다. 리디노미네이션을 실시하면 국내외적으로 ❸상거래가 간편해지고 회계 장부의 관리와 전산화도 용이해진다. 지하에 숨어 있는 ❸음성 자금이 양성화되는 것을 기대할 수도 있을 뿐만 아니라 사회적인 논란이 되고 있는 ❸고액권 발행 문제가 해소된다. 또 새로운 화폐를 제작하는 과정에서 ❸화폐의 위·변조 방지 기능을 강화할 수도 있다. 그리고 대외적으로는 ❸우리나라 화폐의 위상이 높아져 원화가 '고급 화폐'로 인식되고 ❸외국인 투자가나 관광객들과의 경제적 의사소통이 원활해진다.

▶ 리디노미네이션의 기대 효과

❹하지만 리디노미네이션은 사회적으로 엄청난 비용이 뒤따른다. 지폐부터 동전까지 모두 새로 제작해야 할 뿐만 아니라, 새 화폐에 맞춰 각종 자동화 기기, 자동판매기 등도 교체해야 한다. 또 기업의 입장에서는 각종 회계 장부와 전표, 컴퓨터 프로그램과 데이터베이스를 수정해야 하는 등 기업의 비용 부담도 크게 늘어난다. 또 화폐가 바뀌는 것에 불안감을 느낀 사람들이 부동산이나 금 등 실물을 보유하고자 하는 심리가 커지면서 투기, 인플레이션, 사재기 현상 등이 나타나 국민 경제의 혼란도 예상된다. ❺따라서 리디노미네이션은 국민 경제에 미치는 영향을 다각도로 분석하고 충분한 사전 검토를 통해 실시 여부와 시기를 결정하는 것이 바람직하다.

▶ 리디노미네이션의 부작용과 신중한 실시의 필요성

❶ 중심 화제인 '(❶)'의 개념을 설명하고 있다. 경제 분야의 글 중에는 특정 경제 용어나 개념을 중심 화제로 삼는 경우가 많다. 중심 화제가 무엇인지 정확히 파악하고 핵심 개념과 관련된 설명을 정확히 이해하며 글을 읽어야 한다.

❶~❹를 살펴보면 이 글의 구조를 손쉽게 파악할 수 있다. ❶은 중심 화제인 '리디노미네이션'의 개념, ❷는 리디노미네이션의 (❷), ❸은 리디노미네이션의 기대 효과, ❹는 리디노미네이션의 부작용이 제시되어 있는데, 대부분의 문단에서 문단의 중심 내용을 (❸)으로 제시하고 있음을 알 수 있다.

❺ 중심 화제와 관련한 글쓴이의 관점이 제시된 부분이다. 앞서 제시된 내용을 통해 리디노미네이션의 필요성에도 불구하고 여러 가지 부작용이 나타날 수 있으므로 실시 여부와 실시 시기를 결정하기에 앞서 충분한 (❹)가 필요하다는 견해를 제시하고 있다.

답

❶ 리디노미네이션 ❷ 필요성 ❸ 두괄식 ❹ 사전 검토

Note

다음 글을 읽고 물음에 답하시오.

'근대 국가'는 자본주의와 더불어 성장해 온 근대 특유의 제도로서 인류가 경험했던 다양한 형태의 정치 체제 가운데 하나이다. 정치 체제는 공간적으로는 작은 부족 공동체에서 제국에 이르기까지, 시간적으로는 부족 및 부족 연맹, 폴리스로부터 국민 국가, 연방, 제국 등에 이르기까지 매우 다양하게 존재해 왔다. 근대 국가가 탄생하기 이전까지 정치는 제국적, 지역적, 공동체적 혹은 도시적인 것이었다. 그러나 근대 국가가 성립되면서 정치는 곧 국가에 관련된 것이라는 등식이 성립하게 되었다. 근대 국가는 모든 것을 중앙 집권화하고 위계화하였으며 스스로를 배타적이고 절대적인 정치체로 만들었다.

17세기 중반에 체결된 베스트팔렌 조약에 의해 유럽에서 주권 국가의 개념이 생겨났으며, 근대 국가는 이후 근대 정치 체제를 대표하는 전형이 되었다. 근대 국가는 특정한 영토와 그에 속한 사람들에 대한 배타적인 지배권을 가지며 대외적으로는 해당 영토 내에서 유일한 주권체로 인정받았는데, 형식적으로 모든 국가들은 평등하다고 간주되었다. 근대 국가는 절대주의 국가에서 점차 국민 국가로 변형되어 갔다. 두 국가 사이에는 고유의 영토를 가진 배타적인 조직체라는 유사성이 존재하지만 주권의 관점에서는 커다란 차이가 존재한다. 절대주의 국가의 주권이 왕에게 있었다면 국민 국가의 주권은 국민에게 있다는 점이 바로 그것이다.

주권이 군주에서 국민으로 이양되는 과정은 다양한 경로를 통해 달성되었는데, 베링턴 무어는 그것들을 민주주의, 파시즘, 공산주의적 경로로 유형화한 바 있다. 국민 주권이 형식적인 것이든 실질적인 것이든, 18세기에서 20세기 초반에 이르기까지 유럽은 국민 국가화 과정을 거치게 되었으며 그 과정은 제국주의를 통해 전 지구적으로 확대되어 갔다. 그리고 제2차 세계 대전을 거치면서 본격적인 국민 국가들의 시대가 활짝 꽃피게 되었다. 그 결과 오늘날의 국가는 그 규모와 형태의 차이에도 불구하고 모두 동등한 국민 국가로 간주되고 있다.

한편 근대 국가를 설명하는 유력한 이론으로 자유주의자, 마르크스, 베버의 이론을 들 수 있다. 자유주의자들은 만인에 대한 만인의 투쟁 상태를 극복하기 위해, 혹은 정치권력의 부재로부터 야기될 수 있는 분쟁의 해결을 위해 계약에 의한 정치적 결사체, 즉 국가가 탄생했다고 설명한다. 그리고 국가는 개인의 자유를 최대한 발휘할 수 있도록 여건을 조성해 주어야 한다는 입장을 견지함으로써 시장이나 사회에 대한 국가 개입의 여지를 남겨 두고 있다. 따라서 국가는, 시장이나 소유권을 절대적으로 보장하든 아니면 특정한 목표를 위해 자원을 배분하고 통제하든 아니면 자본주의 사회가 발생시키는 빈부 격차나 노동 시장에서 배제된 사람들을 위한 보호막을 제공하든 간에 어떤 형태로든 사회 혹은 시장에 개입하게 된다고 간주한다.

이에 반해 마르크스는 국가를 지배 계급의 도구라고 규정한다. 이때 지배 계급은 정치 · 경제적 지배 계급을 의미한다. 그는 계급이 철폐되면 국가 또한 소멸될 것이라고 예언한 바 있다. 그러나 역사적으로 자본주의 국가는 자본에 대한 끊임없는 수정을 통해 자본주의를 재생산해 왔으며, 그 과정에서 국가는 자본에 종속된 것이 아니라 오히려 자본으로부터 독립적이고 자율적인 존재라는 견해가 대두되기도 하였다. 또 사회주의가 건설된 이후에도 국가는 여전히 존재했을 뿐만 아니라 더욱 강력하고 억압적인 힘을 행사했다.

마지막으로 베버는 국가를 역사적으로 존재하는 제도의 하나로 파악했다. 그는 이념적인 측면보다 역사적으로 존재해 온 국가를 분석하고자 했으며, 국가는 그 자체로 다른 여러 수준의 제도들로부터 자율성을 지닌 제도라고 주장하였다. 그러나 베버는 국가 기구의 수단적 합리성은 상당한 정도로 인간 사회를 억압하게 될 것이라고 지적하였다.

근대의 주요한 두 이데올로기인 자유주의 사상이나 마르크스주의 사상이나 모두 국가를 악한 것으로 보았다는 점은 의심의 여지가 없다. 자유주의 사상에서 국가는 필요악이었으며 마르크스주의에서 자본주의 국가는 타도의 대상이었고 사회주의 국가는 이행기적인 필요악이었다. 하지만 베버의 관점에서 국가는 자본주의와 더불어 존재하는 근대의 독특한 제도이며 결코 없어질 수 없는 것으로 설명되고 있다.

9262-0208

01 윗글에 대한 설명으로 적절하지 않은 것은?

① '근대 국가'가 등장하게 된 과정을 시간적 순서에 따라 설명하고 있다.
② '근대 국가' 이전의 다양한 정치 체제를 열거하며 내용을 전개하고 있다.
③ '근대 국가'를 설명하는 이론을 소개한 후 각각의 이론을 설명하고 있다.
④ '근대 국가'를 설명하는 이론들을 절충하여 새로운 이론을 제시하고 있다.
⑤ '근대 국가'를 설명하는 이론들을 제시한 후 이론 간의 차이점을 설명하고 있다.

9262-0209

02 윗글의 내용과 일치하지 않는 것은?

① '근대 국가'는 자본주의와 더불어 성장해 온 제도이다.
② 17세기 베스트팔렌 조약을 통해 주권 국가의 개념이 생겨났다.
③ 절대주의 국가와 국민 국가는 모두 고유의 영토를 지닌 조직체이다.
④ 제2차 세계 대전을 거치며 국민 국가가 전 지구적으로 확산되게 되었다.
⑤ 오늘날의 국민 국가들은 국가의 규모와 형태에 따라 불평등한 지위를 갖게 되었다.

9262-0210

03 윗글을 읽고, <보기>에 대해 보인 반응으로 적절하지 않은 것은?

보기

20세기 말 자유주의와 사회주의 진영 사이의 냉전이 자유주의의 승리로 종식되면서 세계는 미국 중심의 자본주의적 세계화가 급속하게 진행되었다. 더욱이 정보 통신 기술이 발달하고 다국적 기업이 늘어나, 세계의 인적, 물적 자원의 이동과 교류가 빈번해지면서 국가 간의 경계가 느슨해지고 자본주의적 세계화가 가속화되었다. 그러나 자본주의적 세계화는 강대국과 약소국 간의 불평등을 가속화하고 국가 간의 빈익빈 부익부를 심화시키면서 전 세계적인 저항에 직면하게 되었다. 또 소위 불량 국가들의 테러 활동이 빈번해지고 세계 경제가 장기적인 경기 침체에 빠지는가 하면 전 세계적인 금융 위기가 나타나면서, 최근 들어 국가 안보의 중요성과 자국 산업 보호를 위한 보호 무역의 필요성이 대두되고 있다.

① 냉전이 종식된 후 미국 중심의 자본주의적 세계화가 진행된 것은 마르크스가 예언했던 계급 철폐와 국가의 소멸이 실현되지 못했음을 의미하는군.
② 최근 들어 그 필요성이 대두되고 있는 보호 무역은 자유주의자들이 인정했던 사회와 시장에 대한 국가의 개입이 강화되는 것으로 이해할 수 있군.
③ 세계 경제의 장기적인 경기 침체와 전 세계적인 금융 위기는 자유주의자와 베버가 인정했던 국가 기구의 개입을 강화하는 계기가 되었다고 볼 수 있군.
④ 정보 통신 기술의 발달과 다국적 기업의 증가는 국가 간의 경계를 느슨하게 함으로써 마르크스가 예언한 국가의 소멸을 가속화한 것으로 이해할 수 있군.
⑤ 불량 국가들의 테러에 맞서 국가 안보가 강조되고 있는 현실은 국가가 인간 사회를 제한하고 억압하는 힘으로 작용할 것이라는 베버의 이론과 관련지어 이해할 수 있군.

출제 포인트

서술상 특징을 알 수 있는 표지나 단서에 표시하며 글을 읽는다.

↓

서술상 특징이 드러나는 단서나 표지를 확인하고 즉시 선택지의 적절성을 판단한다.

01 이 문항은 글의 서술상 특징을 파악하는 능력을 평가하기 위한 문항이다.

❶ '근대 국가'는 자본주의와 더불어 성장해 온 근대 특유의 제도로서 (……) 정치 체제 가운데 하나이다.
❷, ❸ 17세기 중반에 체결된 베스트팔렌 조약에 의해 (……) 18세기에서 20세기 초반에 이르기까지 (……) 제2차 세계 대전을 거치면서 (……)
❹ 한편 근대 국가를 설명하는 유력한 이론으로 자유주의자, 마르크스, 베버의 이론을 들 수 있다.

서술상 특징은 지문 속에 제시된 단서나 표지를 통해 드러나는 경우가 많으므로, 글을 읽으면서 단서가 되는 부분은 표시하거나 메모를 해 두는 것이 좋다. 특히 이 글에서는 시간의 흐름을 나타내는 표지로 '17세기', '18세기에서 20세기 초반'과 같은 표현이 사용된 것을 확인할 수 있으며, 이를 통해 이 글은 '근대 국가'를 시대별로 분류하여 시간적 순서에 따라 설명하고 있다는 것을 확인할 수 있다.

(……)

❶17세기 중반에 체결된 베스트팔렌 조약에 의해 유럽에서 주권 국가의 개념이 생겨났으며, 근대 국가는 이후 근대 정치 체제를 대표하는 전형이 되었다. 근대 국가는 특정한 영토와 그에 속한 사람들에 대한 배타적인 지배권을 가지며 대외적으로는 해당 영토 내에서 유일한 주권체로 인정받았는데, 형식적으로 모든 국가들은 평등하다고 간주되었다. 근대 국가는 절대주의 국가에서 점차 국민 국가로 변형되어 갔다. ❷두 국가 사이에는 고유의 영토를 가진 배타적인 조직체라는 유사성이 존재하지만 주권의 관점에서는 커다란 차이가 존재한다. 절대주의 국가의 주권이 왕에게 있었다면 국민 국가의 주권은 국민에게 있다는 점이 바로 그것이다.

▶ 근대 국가의 형성 과정 1

주권이 군주에서 국민으로 이양되는 과정은 다양한 경로를 통해 달성되었는데, 베링턴 무어는 그것들을 민주주의, 파시즘, 공산주의적 경로로 유형화한 바 있다. 국민 주권이 형식적인 것이든 실질적인 것이든, ❶18세기에서 20세기 초반에 이르기까지 유럽은 국민 국가화 과정을 거치게 되었으며 그 과정은 제국주의를 통해 전 지구적으로 확대되어 갔다. 그리고 ❶제2차 세계 대전을 거치면서 본격적인 국민 국가들의 시대가 활짝 꽃피게 되었다. 그 결과 오늘날의 국가는 그 규모와 형태의 차이에도 불구하고 모두 동등한 국민 국가로 간주되고 있다.

▶ 근대 국가의 형성 과정 2

한편 ❷근대 국가를 설명하는 유력한 이론으로 자유주의자, 마르크스, 베버의 이론을 들 수 있다. 자유주의자들은 만인에 대한 만인의 투쟁 상태를 극복하기 위해, 혹은 정치권력의 부재로부터 야기될 수 있는 분쟁의 해결을 위해 계약에 의한 정치적 결사체, 즉 국가가 탄생했다고 설명한다. 그리고 국가는 개인의 자유를 최대한 발휘할 수 있도록 여건을 조성해 주어야 한다는 입장을 견지함으로써 시장이나 사회에 대한 국가 개입의 여지를 남겨 두고 있다. 따라서 국가는, 시장이나 소유권을 절대적으로 보장하든 아니면 특정한 목표를 위해 자원을 배분하고 통제하든 아니면 자본주의 사회가 발생시키는 빈부 격차나 노동 시장에서 배제된 사람들을 위한 보호막을 제공하든 간에 어떤 형태로든 사회 혹은 시장에 개입하게 된다고 간주한다.

▶ 근대 국가를 설명하는 유력한 이론 1(자유주의자)

❸이에 반해 마르크스는 국가를 지배 계급의 도구라고 규정한다. 이때 지배 계급은 정치 · 경제적 지배 계급을 의미한다. 그는 계급이 철폐되면 국가 또한 소멸될 것이라고 예언한 바 있다. 그러나 역사적으로 자본주의 국가는 자본에 대한 끊임없는 수정을 통해 자본주의를 재생산해 왔으며, 그 과정에서 국가는 자본에 종속된 것이 아니라 오히려 자본으로부터 독립적이고 자율적인 존재라는 견해가 대두되기도 하였다. 또 사회주의가 건설된 이후에도 국가는 여전히 존재했을 뿐만 아니라 더욱 강력하고 억압적인 힘을 행사했다.

▶ 근대 국가를 설명하는 유력한 이론 2(마르크스)

마지막으로 베버는 국가를 역사적으로 존재하는 제도의 하나로 파악했다. 그는 이념적인 측면보다 역사적으로 존재해 온 국가를 분석하고자 했으며, 국가는 그 자체로 다른 여러 수준의 제도들로부터 자율성을 지닌 제도라고 주장하였다. 그러나 베버는 국가 기구의 수단적 합리성은 상당한 정도로 인간 사회를 억압하게 될 것이라고 지적하였다.

▶ 근대 국가를 설명하는 유력한 이론 3(베버)

근대의 주요한 두 이데올로기인 자유주의 사상이나 마르크스주의 사상이나 ❹모두 국가를 악한 것으로 보았다는 점은 의심의 여지가 없다. 자유주의 사상에서 국가는 필요악이었으며 마르크스주의에서 자본주의 국가는 타도의 대상이었고 사회주의 국가는 이행기적인 필요악이었다. 하지만 베버의 관점에서 국가는 자본주의와 더불어 존재하는 근대의 독특한 제도이며 결코 없어질 수 없는 것으로 설명되고 있다.

▶ 근대 국가를 설명하는 유력한 이론 간의 관계

❶은 모두 중심 화제인 '근대 국가'가 성립하기까지의 과정을 설명하며 등장한 표현들이다. 이 표현들은 모두 구체적인 시기를 밝히고 있으며 순차적으로 제시되어 있다. 즉 순차적인 (❶)의 흐름에 따라 대상을 설명하고 있는 것이다. 17세기 중반 베스트팔렌 조약에 의해 주권 국가의 개념이 생겨났으며, 18세기에서 20세기 초반까지 절대주의 국가에서 점차 (❷)로 이행하였고, 제2차 세계 대전 이후에는 국민 국가의 시대가 꽃피게 되었다는 과정을 이해한다.

❷ 대등한 위상을 가진 대상을 설명하는 부분으로 근대 국가를 설명하는 유력한 이론인 자유주의자, 마르크스, (❸)의 이론을 제시하고 있다. ❸의 '이에 반해'에 주목하여 자유주의자와 마르크스의 견해가 어떤 차이를 보이고 있는지 이해하고, ❹의 '모두'와 같은 표지가 나올 때는 세 가지 이론이 갖는 (❹)을 파악해야 한다.

답

❶ 시간 ❷ 국민 국가 ❸ 베버 ❹ 공통점

Note

다음 글을 읽고 물음에 답하시오.

방송은 독과점의 지위를 누렸던 과거와 달리 경쟁 체제를 형성하고 있으며, 이에 따라 방송을 산업으로 보는 시각 또한 보편화되었다. 방송이 프로그램이라는 무형의 산물을 생산함과 동시에 시청자에게 서비스를 제공하고, 관련 시장에서 상호 경쟁을 통해 이윤을 ⓐ창출하는 산업이라고 보는 것이다. 실제로 방송사들은 양질의 방송 프로그램을 제작하거나 구매하여 시청자에게 서비스하기 위해 치열한 경쟁을 하고 있다.

방송사 간의 경쟁이 심화됨에 따라 방송 프로그램의 시장 규모도 매년 커지고 있다. 상품으로 거래되는 방송 프로그램의 수가 매년 증가하고 있는 것이다. 시장에서 거래되는 방송 프로그램은 여느 상품들처럼 '저장성', '소구 대상* 세분화'를 기준으로 분류될 수 있다. 예를 들어 자연 다큐멘터리는 시기에 ⓑ구애받지 않고 방영될 수 있기 때문에 일정 시기가 지나도 상품으로서의 가치를 잃어버리지 않는 것이 대부분이다. 이는 저장성이 (+)임을 나타낸다. 그리고 다수의 불특정 시청자를 대상으로 방영되기 때문에 소구 대상 세분화는 (−)에 해당한다. 하지만 아동용 애니메이션은 저장성 외에 소구 대상 세분화도 (+)이며, 시의성이 강한 보도 프로그램은 저장성과 소구 대상 세분화가 모두 (−)이다.

방송 프로그램은 '저장성'과 '소구 대상 세분화'를 기준으로 여러 유형으로 분류될 수 있기 때문에 방송 프로그램의 제작, 판매, 구매 등을 위한 투자 전략도 그에 맞게 ⓒ수립되고 있다. ㉠저장성이 (+)이고 소구 대상 세분화가 (−)인 프로그램일수록 저장성이 (−)이거나 소구 대상 세분화가 (+)인 프로그램보다 더 큰 이익을 기대할 수 있다. 그래서 방송사는 주로 저장성이 (+)이고 소구 대상 세분화가 (−)인 프로그램에 투자를 하려고 한다. 그런데 최근에는 다채널, 다매체 시대의 도래로 채널의 전문화와 차별화가 이루어지면서 저장성이 (+)이면서도 소구 대상 세분화가 (+)인 프로그램에 대한 공급과 수요도 증가하고 있는 추세이다.

채널의 전문화와 차별화로 과거와는 비교할 수 없을 정도로 많은 수의 프로그램이 제작되고 유통되고 있다. 이에 따라 방송 프로그램의 상업성이 강해지고 있다. 그러나 방송은 사회 구성원들이 문화를 전파하고 ⓓ계승하는 수단이 되며, 사회 문제에 대한 여론과 공감대를 형성하는 구심력으로 작용하기 때문에 그 사회적 영향력이 매우 크다. 그래서 방송은 공익에 기여해야 한다는 제도적 틀 속에 존재하게 된다. 방송사들이 특정 지역의 소식만을 다루는 프로그램처럼 저장성이 (−)이고 소구 대상 세분화가 (+)인 프로그램을 방송하는 것은 이와 같은 이유 때문이다.

방송은 일정 수준 이상의 시청자가 있어야 존재할 수 있는데, 프로그램을 시청자에게 제공하는 데에 드는 비용은 시청자 수에 따라 크게 달라지지 않는다. 그래서 수입을 광고에 의존하는 방송사의 경우 시청자 수가 많을수록 광고 수입이 크게 증가하기 때문에 시청률을 중시하게 된다. 그런데 시청률을 높이기 위해서는 방송에 네트워크 외부성이 작용하는 것을 고려해야 한다. 네트워크 외부성은 상품의 이용자 수가 증가할수록 다른 이용자들이 인식하는 해당 상품의 가치가 변하게 되는 것을 의미한다. 예를 들어 A 드라마의 시청자 수가 많이 ⓔ확보되면, 그에 따라 많은 사람들이 A 드라마의 재미, 가치 등을 높게 평가하고 시청함으로써 시청자 수가 늘어나게 되고 그에 따라 광고 수입도 증가하게 된다. 이는 방송 산업에서 시장의 선점 효과가 중요하다는 것을 보여 준다.

어휘풀이

*소구 대상 표적 수용자. 방송 프로그램이나 광고 메시지를 전달해야 할 대상.

9262-0211

01 윗글을 통해 알 수 있는 내용이 아닌 것은?

① 방송이 존재하려면 일정 수준 이상의 시청자가 필요하다.
② 방송 산업은 일반 산업에 비해 마케팅 비용이 적게 든다.
③ 방송은 공익에 기여해야 한다는 제도적 틀 속에 존재한다.
④ 방송은 사회 구성원들이 문화를 전파하고 계승하는 수단이 된다.
⑤ 채널의 차별화와 전문화로 방송 프로그램의 상업성이 강해지고 있다.

9262-0212

02 윗글을 바탕으로 <보기>에 대해 보인 반응으로 적절하지 않은 것은?

보기

지상파 방송은 주말에 오락 프로그램을 지나치게 많이 편성하고 있다. 오락 프로그램이 보도, 교양 프로그램보다 시청률이 높기 때문이다. 주말 편성을 보면, 오락 프로그램은 58%로 각각 11%, 31%인 보도와 교양 프로그램을 크게 앞질렀다. 오락 프로그램 위주의 편성이 더욱 문제가 되고 있는 것은 방송사마다 타 방송사의 오락 프로그램보다 먼저 인기를 끌기 위해 경쟁적으로 흥미 위주의 자극적인 내용으로 프로그램을 구성하고 있기 때문이다. 이는 시청자의 정신적 피로를 누적시키고 취향을 저속화하는 결과를 초래하고 있다.

① 방송사들이 시청률을 프로그램 편성의 중요 기준으로 삼는 데는 시청자 수를 늘려 광고 수입을 증대하기 위한 의도가 깔려 있겠군.
② 방송 편성이 자극적인 내용 위주의 오락 프로그램으로 지나치게 편중되면 방송이 사회적 여론을 형성하는 구심력으로 작용하는 데에 한계가 있겠군.
③ 보도나 교양 프로그램의 편성을 늘리기 위해서는 보도나 교양 프로그램의 저장성이 (+)인 특성을 고려해 시청률을 높이기 위한 전략부터 세워야 하겠군.
④ 프로그램의 제작 및 방송 비용은 시청자 수의 증가에 따라 크게 달라지지 않으므로 보도, 교양 프로그램보다 오락 프로그램을 통해 거둘 수 있는 이익이 더 크겠군.
⑤ 방송사마다 타 방송사보다 자사의 오락 프로그램이 먼저 인기를 끌 수 있게 하려고 하는 것은 방송에 네트워크 외부성이 작용해 시장을 선점하는 것이 중요하기 때문이겠군.

9262-0213

03 ㉠의 근거로 적절한 것만을 <보기>에서 골라 묶은 것은?

보기

ㄱ. 저장성이 좋더라도 소수의 시청자를 대상으로 한 프로그램은 여러 규제에 묶여 방송이 제한된다.
ㄴ. 저장성이 좋더라도 전문화되지 않은 프로그램은 시청자들의 다양한 욕구를 충족시켜 주지 못할 수 있다.
ㄷ. 저장성이 좋고 누구나 쉽고 재미있게 시청할 수 있는 프로그램이 그렇지 않은 프로그램보다 시청자 수가 많을 수 있다.
ㄹ. 저장성이 좋고 소구 대상이 정해지지 않은 프로그램은 언제든지 방송이 가능해 새로운 프로그램의 제작으로 인한 비용을 절감시켜 줄 수 있다.

① ㄱ, ㄴ ② ㄱ, ㄷ ③ ㄴ, ㄷ
④ ㄴ, ㄹ ⑤ ㄷ, ㄹ

9262-0214

04 ⓐ~ⓔ의 사전적 의미로 적절하지 않은 것은?

① ⓐ: 전에 없던 것을 지어내거나 만들어 냄.
② ⓑ: 거리끼거나 얽매임.
③ ⓒ: 계획 따위를 이룩하여 세움.
④ ⓓ: 문화유산, 업적 따위를 물려받아 이어 나감.
⑤ ⓔ: 체계나 견해, 조직 따위가 굳게 섬.

출제 포인트

<보기>에서 오락 프로그램과 보도, 교양 프로그램에 관한 정보를 제시하고 있음을 파악한다.

↓

오락 프로그램과 보도, 교양 프로그램의 특징에 관한 정보를 지문에서 찾아 이해한다.

↓

오락 프로그램과 보도, 교양 프로그램의 특징에 관한 정보를 토대로 서술이 적절하지 않은 선택지를 고른다.

02 이 문항은 지문에 제시된 대상의 특징에 관한 정보를 <보기>의 구체적 사례에 적용해 적절하게 추론할 수 있는지를 묻고 있다.

> ❷ (……) 자연 다큐멘터리는 시기에 ⓑ구애받지 않고 방영될 수 있기 때문에 일정 시기가 지나도 상품으로서의 가치를 잃어버리지 않는 것이 대부분이다. 이는 저장성이 (+)임을 나타낸다. 그리고 다수의 불특정 시청자를 대상으로 방영되기 때문에 소구 대상 세분화는 (−)에 해당한다. 하지만 아동용 애니메이션은 저장성 외에 소구 대상 세분화도 (+)이며, 시의성이 강한 보도 프로그램은 저장성과 소구 대상 세분화가 모두 (−)이다.

이 글은 방송 프로그램의 상품적 특성과 방송의 특성에 대해 설명하고 있다. 방송 프로그램에는 여러 가지 종류가 있다. 방송 프로그램의 종류를 '저장성'과 '소구 대상 세분화'를 기준으로 구분하여 그 특징에 대해 설명하고 있는데, 이와 같은 특징에 관한 정보들은 출제 요소로 자주 활용된다.

원리로 다시 읽기

방송은 독과점의 지위를 누렸던 과거와 달리 경쟁 체제를 형성하고 있으며, 이에 따라 방송을 산업으로 보는 시각 또한 보편화되었다. 방송이 프로그램이라는 무형의 산물을 생산함과 동시에 시청자에게 서비스를 제공하고, 관련 시장에서 상호 경쟁을 통해 이윤을 창출하는 산업이라고 보는 것이다. 실제로 방송사들은 양질의 방송 프로그램을 제작하거나 구매하여 시청자에게 서비스하기 위해 치열한 경쟁을 하고 있다. ▶ 방송을 산업으로 보는 시각과 그 등장 배경

(방송을 산업으로 보는 시각의 관점)

방송사 간의 경쟁이 심화됨에 따라 방송 프로그램의 시장 규모도 매년 커지고 있다. 상품으로 거래되는 방송 프로그램의 수가 매년 증가하고 있는 것이다. 시장에서 거래되는 방송 프로그램은 여느 상품들처럼 '저장성', '소구 대상 세분화'를 기준으로 분류될 수 있다. 예를 들어 ❶자연 다큐멘터리는 시기에 구애받지 않고 방영될 수 있기 때문에 일정 시기가 지나도 상품으로서의 가치를 잃어버리지 않는 것이 대부분이다. 이는 저장성이 (+)임을 나타낸다. 그리고 다수의 불특정 시청자를 대상으로 방영되기 때문에 소구 대상 세분화는 (−)에 해당한다. 하지만 아동용 애니메이션은 저장성 외에 소구 대상 세분화도 (+)이며, 시의성이 강한 보도 프로그램은 저장성과 소구 대상 세분화가 모두 (−)이다. ▶ 저장성과 소구 대상 세분화에 따른 방송 프로그램의 분류

(방송 프로그램을 분류하는 기준)

방송 프로그램은 '저장성'과 '소구 대상 세분화'를 기준으로 여러 유형으로 분류될 수 있기 때문에 방송 프로그램의 제작, 판매, 구매 등을 위한 투자 전략도 그에 맞게 수립되고 있다. 저장성이 (+)이고 소구 대상 세분화가 (−)인 프로그램일수록 저장성이 (−)이거나 소구 대상 세분화가 (+)인 프로그램보다 더 큰 이익을 기대할 수 있다. 그래서 방송사는 주로 저장성이 (+)이고 소구 대상 세분화가 (−)인 프로그램에 투자를 하려고 한다. 그런데 최근에는 다채널, 다매체 시대의 도래로 채널의 전문화와 차별화가 이루어지면서 저장성이 (+)이면서도 소구 대상 세분화가 (+)인 프로그램에 대한 공급과 수요도 증가하고 있는 추세이다. ▶ 방송 프로그램의 상품적 특성을 고려한 투자 전략

(최근의 방송 프로그램 제작 경향)

채널의 전문화와 차별화로 과거와는 비교할 수 없을 정도로 많은 수의 프로그램이 제작되고 유통되고 있다. 이에 따라 방송 프로그램의 상업성이 강해지고 있다. 그러나 방송은 사회 구성원들이 문화를 전파하고 계승하는 수단이 되며, 사회 문제에 대한 여론과 공감대를 형성하는 구심력으로 작용하기 때문에 그 사회적 영향력이 매우 크다. 그래서 ❷방송은 공익에 기여해야 한다는 제도적 틀 속에 존재하게 된다. 방송사들이 특정 지역의 소식만을 다루는 프로그램처럼 저장성이 (−)이고 소구 대상 세분화가 (+)인 프로그램을 방송하는 것은 이와 같은 이유 때문이다. ▶ 방송의 공익성

방송은 일정 수준 이상의 시청자가 있어야 존재할 수 있는데, 프로그램을 시청자에게 제공하는 데에 드는 비용은 시청자 수에 따라 크게 달라지지 않는다. 그래서 수입을 광고에 의존하는 방송사의 경우 시청자 수가 많을수록 광고 수입이 크게 증가하기 때문에 시청률을 중시하게 된다. 그런데 시청률을 높이기 위해서는 방송에 네트워크 외부성이 작용하는 것을 고려해야 한다. ❸네트워크 외부성은 상품의 이용자 수가 증가할수록 다른 이용자들이 인식하는 해당 상품의 가치가 변하게 되는 것을 의미한다. 예를 들어 A 드라마의 시청자 수가 많이 확보되면, 그에 따라 많은 사람들이 A 드라마의 재미, 가치 등을 높게 평가하고 시청함으로써 시청자 수가 늘어나게 되고 그에 따라 광고 수입도 증가하게 된다. 이는 방송 산업에서 시장의 선점 효과가 중요하다는 것을 보여 준다. ▶ 방송에 작용하는 네트워크 외부성

❶ '(❶)', '아동용 애니메이션', '보도 프로그램'의 특징을 '저장성'과 '소구 대상 세분화'를 기준으로 분류해 제시하고 있다. 이와 같이 둘 이상의 대상의 특징을 제시하고 있으면, 대상 간의 차이점을 보여 주는 정보를 핵심 정보로 주목해 정확하게 이해해야 한다.

❷ 방송사들이 저장성이 (−)이고 소구 대상 세분화가 (+)인 프로그램을 방송하는 (❷)를 제시하고 있다. 이와 같이 정보 간의 관계를 보여 주는 정보들은 출제 요소로 자주 활용된다.

❸ '네트워크 외부성'의 개념을 제시한 후, 사례를 들어 개념에 대한 이해를 돕고 있다. 이와 같이 사례를 들어 개념을 설명하면 그 정보들은 핵심 정보가 된다.

답

❶ 자연 다큐멘터리 ❷ 이유

Note

다음 글을 읽고 물음에 답하시오.

㉮ 사회학에서 인간과 사회를 보는 입장은 둘로 나뉠 수 있다. 하나는 인간은 사회적 규범이나 구조에 의해서 규정되는 피동적 존재라고 보는 것이며, 다른 하나는 인간에 의해서 사회 질서나 구조가 변동된다고 보는 입장이다. 사회학의 성립 초기부터 사회학의 주된 입장은 사회적 압력이 인간의 자아를 통제하고 규정한다는 것이었다. 미드에 의해 주창*된 상징적 상호 작용 이론은 이러한 입장에 반발하여 인간의 능동적 측면을 부각하기 위해 등장했다.

㉯ 상징적 상호 작용 이론에서는 인간이 다른 사람들과 접촉하고 상호 작용하는 가운데 발생하는 일상적인 현상에 초점을 맞추고, 그러한 현상을 만들어 내는 인간의 주관적인 동기와 의미를 사회 · 문화 현상의 중요한 요소로 간주한다. 인간이 사용하는 언어, 몸짓, 행동 등의 모든 기호에는 의미가 있고, 또 인간은 생활 환경을 구성하는 모든 사물에 주관적으로 의미를 부여한다고 믿는다. 이는 인간의 사회적 행위를 대상과 의미를 주고받는 과정으로 이해하는 것이다. 이렇게 보면 인간의 사회적 행위란 의미를 매개하는 상호 작용과 마찬가지이다.

㉰ 그런데 상징적 의미는 본래부터 획득되는 것이 아니라 삶의 과정 속에서 자기를 둘러싸고 있는 외부 세계와 지속적인 상호 작용을 통해 구성되는 것이다. 나아가 인간이 사회적 실재에 의미를 부여할 수 있는 능력을 갖게 된 것도 이러한 상징적 상호 작용의 지속적인 학습 결과로 이해할 수 있다. 이 관점에서 자아는 타인과의 관계 속에서 만들어지고, 그러한 과정에서 사회 관습과 그 내면화의 과정을 통해 구축되는 세계이다. 그리고 이러한 자아의 세계는 그 자신을 둘러싸고 있는 세상이나 공동체의 어울림 속으로 통합된다.

㉱ 미드는 자아의 발달이 세 단계를 거쳐 이루어진다고 보았다. 첫 번째 단계인 유희기는 제한된 수의 타자들의 역할과 입장을 생각하는 단계로 초보적인 자아 발달 단계이다. 두 번째 단계인 게임 단계는 조직된 활동을 통해 타자의 역할을 취해 보는 단계이다. 한 집단으로부터 여러 개의 자아상을 도출*해 볼 수 있고, 그 집단과 협동할 수 있는 개인의 능력을 기르게 된다. 세 번째 단계는 '일반화된 타자'의 역할을 제대로 습득하고 일반적인 '사회적 자아'의 관념이 생기는 단계이다. 이 단계에서는 사회 전체를 대표하는 일반적인 타자들이 자신에게 어떤 행위를 기대하는지를 이해하게 되는데, 이때에야 비로소 개인이 자신의 문화 속에서 사회화된다고 한다.

㉲ 미드는 자아를 사회의 문화적 가치 태도나 역할 체계를 수동적으로 받아들여 습득하는 존재에 그치지 않는다고 보았다. 미드는 객체로서의 '나(me)'와 주체로서의 '나(Ⅰ)'를 구분하였다. ㉠<u>객체로서의 '나'는 '일반화된 타자', 즉 공동체의 사회적 규범이나 가치가 내면화된 자아이다. 반면에 주체로서의 '나'는 자유롭고 자율적이며 창조적인 자아이다.</u> 이러한 주체로서의 '나'의 행동 욕망은 보다 이성적인 객체로서의 '나'와의 유기적 상호 작용 속에서 발현된다. 상징적 상호 작용 이론은 자발적인 자아의 활동을 강조하고 사회를 보는 새로운 시각을 제시했다는 점에서 높이 평가할 수 있다.

어휘 풀이

*주창 주의나 사상을 앞장서서 주장함.
*도출 판단이나 결론 따위를 이끌어 냄.

정답과 해설 50쪽

9262-0215

01 가~마에 대한 설명으로 적절하지 않은 것은?

① 가: 상징적 상호 작용 이론의 등장 배경에 대해 소개하고 있다.
② 나: 상징적 상호 작용 이론의 핵심 내용을 제시하고 있다.
③ 다: 상징적 상호 작용 이론의 특징을 여러 관점에서 밝히고 있다.
④ 라: 상징적 상호 작용 이론에서 주장하는 자아의 발달 단계를 설명하고 있다.
⑤ 마: 상징적 상호 작용 이론의 의의를 대비되는 개념을 제시한 후에 덧붙이고 있다.

9262-0216

02 윗글을 참조하여 〈보기〉에 대해 이해한 내용으로 적절하지 않은 것은?

보기

다음 그림은 상징적 상호 작용이 자아 형성에 미치는 과정과 결과를 집약적으로 보여 주고 있다. 이 그림에서 '개'는 상징적 상호 작용을 통해 자아를 형성하는 인간을 비유적으로 나타내고 있다.

① (가)에 그려져 있는 B의 모습은 A의 역할을 취해 '일반화된 타자'의 역할을 습득하기 위한 준비를 마쳤음을 보여 주고 있다고 할 수 있어.
② (나)에서 A가 가지고 온 푯말과 그것을 설치하는 그의 행동은 상징적 의미를 매개로 B와 상호 작용하는 역할을 했다고 할 수 있어.
③ (나)에서 B가 A의 행동과 푯말로부터 의미를 전달받을 수 있는 것은 자기를 둘러싸고 있는 외부 세계와의 지속적인 상호 작용을 통해 학습이 이루어졌기 때문이라고 할 수 있어.
④ (다)의 B의 모습은 푯말의 내용을 통해 드러나고 있는 A와 B의 관계가 B의 자아 형성에 영향을 미칠 수 있음을 보여 주고 있다고 할 수 있어.
⑤ B가 (가)에서 (다)로 변화한 것은 A와의 상호 작용을 통해 전달된 상징적 의미를 내면화한 결과라고 할 수 있어.

9262-0217

03 ㉠을 바탕으로 추리할 수 있는 사실로 가장 적절한 것은?

① 상징적 상호 작용이 이루어지고 있는 상황에서는 참여자의 역할이 고정되어 있다.
② 상징적 상호 작용의 상황에서 객체로서의 '나'와 주체로서의 '나'는 구분되지 않는다.
③ '일반화된 타자'의 역할을 상징적 상호 작용을 통해 습득했다고 해서 객체로서의 '나'의 특징을 모두 뚜렷하게 보여 주는 것은 아니다.
④ 상징적 상호 작용의 상황에서 공동체의 규범이나 가치를 알고 있다고 해서 참여자의 행동을 모두 정확하게 예측할 수 있는 것은 아니다.
⑤ 참여자들이 주체로서의 '나'의 모습을 많이 보여 줄수록 상징적 상호 작용을 통해 공동체의 사회적 규범이나 가치를 공유하는 것이 원활하게 이루어진다.

출제 포인트

〈보기〉의 (가)~(다)가 자아의 발달 단계와 관련 있는 것임을 파악한다.

↓

자아의 발달에 대해 미드가 제시한 세 단계를 정확하게 이해하고, 그 내용을 〈보기〉의 시각 자료에 대응시킨다.

↓

지문과 〈보기〉의 시각 자료를 대응시킨 결과를 토대로 선택지의 설명이 적절하게 이루어졌는지를 판단한다.

02 이 문항은 지문에 제시된 상징적 상호 작용의 이론 내용을 〈보기〉의 시각 자료에 대응시켜 이해할 수 있는지를 묻고 있다.

㉣ 미드는 자아의 발달이 세 단계를 거쳐 이루어진다고 보았다. 첫 번째 단계인 유희기는 제한된 수의 타자들의 역할과 입장을 생각하는 단계로 초보적인 자아 발달 단계이다. 두 번째 단계인 게임 단계는 조직된 활동을 통해 타자의 역할을 취해 보는 단계이다. 한 집단으로부터 여러 개의 자아상을 도출해 볼 수 있고, 그 집단과 협동할 수 있는 개인의 능력을 기르게 된다.

이 글은 미드의 상징적 상호 작용 이론에 대해 설명하고 있다. 미드는 자아의 발달이 세 단계를 거쳐 이루어진다고 보았다. 이와 같이 특정 학자의 견해가 제시되어 있으면 그 내용은 출제 요소로 활용된다. 여기서는 자아의 발달 단계를 단계 간의 차이점을 중심으로 정확하게 이해해야 한다.

원리로 다시 읽기

가 사회학에서 인간과 사회를 보는 입장은 둘로 나뉠 수 있다. 하나는 인간은 사회적 규범이나 구조에 의해서 규정되는 피동적 존재라고 보는 것이며, 다른 하나는 인간에 의해서 사회 질서나 구조가 변동된다고 보는 입장이다. ❶사회학의 성립 초기부터 사회학의 주된 입장은 사회적 압력이 인간의 자아를 통제하고 규정한다는 것이었다. 미드에 의해 주창된 상징적 상호 작용 이론은 이러한 입장에 반발하여 인간의 능동적 측면을 부각하기 위해 등장했다.

▶ 상징적 상호 작용 이론의 등장 배경

나 상징적 상호 작용 이론에서는 인간이 다른 사람들과 접촉하고 상호 작용하는 가운데 발생하는 일상적인 현상에 초점을 맞추고, 그러한 현상을 만들어 내는 인간의 주관적인 동기와 의미를 사회 · 문화 현상의 중요한 요소로 간주한다. ❷인간이 사용하는 언어, 몸짓, 행동 등의 모든 기호에는 의미가 있고, 또 인간은 생활 환경을 구성하는 모든 사물에 주관적으로 의미를 부여한다고 믿는다. 이는 인간의 사회적 행위를 대상과 의미를 주고받는 과정으로 이해하는 것이다. 이렇게 보면 인간의 사회적 행위란 의미를 매개하는 상호 작용과 마찬가지이다.

▶ 상징적 상호 작용 이론의 핵심적인 입장

다 그런데 상징적 의미는 본래부터 획득되는 것이 아니라 삶의 과정 속에서 자기를 둘러싸고 있는 외부 세계와 지속적인 상호 작용을 통해 구성되는 것이다. 나아가 인간이 사회적 실재에 의미를 부여할 수 있는 능력을 갖게 된 것도 이러한 상징적 상호 작용의 지속적인 학습 결과로 이해할 수 있다. ❸이 관점에서 자아는 타인과의 관계 속에서 만들어지고, 그러한 과정에서 사회 관습과 그 내면화의 과정을 통해 구축되는 세계이다. 그리고 이러한 자아의 세계는 그 자신을 둘러싸고 있는 세상이나 공동체의 어울림 속으로 통합된다.

▶ 상징적 의미의 획득과 자아 형성에 관한 상징적 상호 작용 이론의 입장

라 미드는 자아의 발달이 세 단계를 거쳐 이루어진다고 보았다. ❹첫 번째 단계인 유희기는 제한된 수의 타자들의 역할과 입장을 생각하는 단계로 초보적인 자아 발달 단계이다. 두 번째 단계인 게임 단계는 조직된 활동을 통해 타자의 역할을 취해 보는 단계이다. 한 집단으로부터 여러 개의 자아상을 도출해 볼 수 있고, 그 집단과 협동할 수 있는 개인의 능력을 기르게 된다. 세 번째 단계는 '일반화된 타자'의 역할을 제대로 습득하고 일반적인 '사회적 자아'의 관념이 생기는 단계이다. 이 단계에서는 사회 전체를 대표하는 일반적인 타자들이 자신에게 어떤 행위를 기대하는지를 이해하게 되는데, 이때에야 비로소 개인이 자신의 문화 속에서 사회화된다고 한다.

▶ 자아의 발달에 관한 미드의 이론

마 미드는 자아를 사회의 문화적 가치 태도나 역할 체계를 수동적으로 받아들여 습득하는 존재에 그치지 않는다고 보았다. 미드는 객체로서의 '나(me)'와 주체로서의 '나(I)'를 구분하였다. 객체로서의 '나'는 '일반화된 타자', 즉 공동체의 사회적 규범이나 가치가 내면화된 자아이다. 반면에 주체로서의 '나'는 자유롭고 자율적이며 창조적인 자아이다. 이러한 주체로서의 '나'의 행동 욕망은 보다 이성적인 객체로서의 '나'와의 유기적 상호 작용 속에서 발현된다. 상징적 상호 작용 이론은 자발적인 자아의 활동을 강조하고 사회를 보는 새로운 시각을 제시했다는 점에서 높이 평가할 수 있다.

▶ 자아에 관한 미드의 견해와 상징적 상호 작용 이론의 의의

❶ 사회학의 주된 입장과 상징적 상호 작용 이론의 입장이 대비되는 것임을 밝히고 있다. 기존의 사회학은 인간의 자아가 통제되고 규정된다고 본 반면, 상징적 상호 작용 이론에서는 (❶)을 부각한다. 입장이 대비되면 이와 같이 차이점을 나타내는 어구들을 중심으로 그 내용을 이해해야 한다.

❷ 상징적 상호 작용 이론에서 인간의 언어, 몸짓, 행동, 사물 등을 바라보는 관점을 제시하고 있다. 이와 같이 관점을 제시하고 있는 문장은 출제 요소로 자주 활용되므로 독해 시 주목해야 한다.

❸ (❷)에 대한 상징적 상호 작용 이론의 입장을 제시하고 있다. 이론을 설명하는 경우, 어떤 대상에 대해 입장이 제시되어 있으면 핵심 정보이다.

❹ 미드가 제시한 자아의 발달 단계를 설명하고 있다. 이와 같이 과정에 따라 제시된 내용은 단계 간의 차이점을 나타내는 어구들을 중심으로 그 내용을 정확하게 이해하는 독해를 해야 한다.

답

❶ 인간의 능동적 측면 ❷ 자아

Note

다음 글을 읽고 물음에 답하시오.

우리나라 헌법 제20조 1항에는 "모든 국민은 종교의 자유를 가진다."라고 규정되어 있다. 여기서 종교의 자유는 흔히 두 가지로 구분된다. 첫째는 내심상의 신앙의 자유이고, 둘째는 외면적 종교 행위의 자유이다. 하지만 내심상의 신앙의 자유는 혼자서 마음속에 일정한 신앙을 지니는 경우에 해당되므로, 시비를 가리거나 제한할 수 있는 대상이 아니다. 따라서 이것은 절대적 기본권이고 법적인 문제가 될 수 없다. 이에 비해 외면적 종교 행위의 자유는 자신이 믿는 바를 겉으로 드러내어 행사할 수 있는 자유로, 예배의 자유, 종교 교육의 자유, 선교의 자유 등을 들 수 있다. 따라서 이러한 유형의 자유는 외부 사회에 영향을 줄 수 있다는 점에서 상황에 따라 제한될 수 있는 상대적 기본권이며, 법적 문제를 일으키기도 한다.

따라서 종교의 자유라는 것이 외면적 종교 행위로 표현되었을 때에는 무조건 다 인정될 수 있는 것이 아니라 일정한 조건하에서 행해졌을 때에만 타당성을 지니게 된다. 그러면 어떤 경우에 종교적 행위가 자유로운 권리의 행사라고 생각될 수 있을까? 일반적으로 개인이나 종교(단체)가 헌법상의 종교의 자유를 보호받고자 할 때에는 주로 다음과 같은 적용 원칙에 부합하는가를 따져야 한다. 우선 행위의 주체가 인간의 삶 속에 존재하는 고뇌를 치유하고 삶의 궁극적인 의미를 추구하는 종교로서의 기능을 성실히 수행하고 있는지의 여부가 판별 기준이 된다. 성실성 없이 신도들을 모아 놓고 사기 행각을 벌였다면 아무리 종교적 계시에 따라 행한 것이라도 종교의 자유 행사로 인정될 수 없다. 또 종교의 세속적 초월성을 무시한 채 일반 회사와 같이 영리 사업만을 하면서, 정부에 종교 단체로 공인해 줄 것을 요청하거나 종교 단체가 받게 되는 법적 혜택을 요구하는 경우에는 그 요구가 인정되지 않는다.

또 종교 행위의 자유는 대체로 분명하고도 현재적인 위험이 있을 때는 금지되는 경향이 있다. 가령 성서에 있는 비유적 표현을 글자 그대로 믿어, 예배에 독이 있는 뱀을 풀어 놓은 경우 불법이라고 규정된 판례가 있다. 그리고 종교의 자유 행사는 국가의 이익을 위협하지 않는 경우에만 인정되기도 한다. 아무리 종교적 자유 행위일지라도 공공의 시설을 파괴하거나 국가적으로 중대한 손실을 가져올 경우, 합법적인 종교의 자유를 행사한 것이라고 인정될 수 없다. 지나치게 타인의 권리를 침해하는 경우에도 종교의 자유 행사로 볼 수 없다.

아울러 종교의 자유 행사는 이를 대체할 수 있는 다른 방법이나 수단이 없는 경우에만 인정되는 경향이 있다. 예를 들어 특정 교파는 토요일마다 예배를 보는데, 신도들이 토요일마다 정기적으로 결근을 하여 회사에서 그러한 직원들을 해고시켜 버린 사례가 있다. 신도들은 이러한 조치가 종교의 자유 행사를 침해한 것이라고 소송을 제기했으나, 법원에서는 근무 시간 이외에 예배를 보거나 토요일에 출근하지 않아도 되는 회사들이 있음에도 불구하고, 반드시 토요일에 근무해야 하는 회사에 입사하여 결근하는 것은 부당하다는 판결을 내린 바 있다. 즉 종교의 자유를 행사할 수 있는 다른 방법이나 수단이 없는 경우에만 종교의 자유를 인정할 수 있다는 것이다.

헌법상 종교의 자유를 구태여 제한하는 경우에는 두 가지 형식이 있다. 하나는 특정 종교에 대해서만 특수한 이유로 인해 특별법을 제정하여 제한하는 경우이다. 또 하나는 형법, 문화재 관리법 등 일반법에 의하여 종교의 자유를 제한하는 경우이다. 두 가지 형식 모두 위헌 시비가 있을 수는 있지만, 대체로 그 행위 자체가 올바른 종교의 자유를 행사하는 것이라고 보지 않는 경우에 적용된다. 국가의 안보, 질서 유지 및 공공복리와 관련한 문제가 발생한 경우 헌법상의 종교의 자유보다 일반법에 의한 규제가 행해지는 경우가 많다. 그러나 순수하게 종교(단체) 내적인 문제의 경우 대체로 종교의 자율권이 인정되고 있다.

다만, 꼭 제한을 해야 할 경우라면 법적 규제가 종교에 가하는 부담과 그 규제를 통하여 얻어지는 공공 이익을 비교하여 법적 규제의 여부와 그 정도가 결정되기도 한다.

9262-0218

01 윗글의 서술상 특징으로 적절하지 않은 것은?

① 대상의 종류를 구분한 후 각각의 의미를 서술하고 있다.
② 구체적 사례를 들어 대상에 대한 독자의 이해를 돕고 있다.
③ 대비의 방식을 사용하여 대상이 지닌 의미를 설명하고 있다.
④ 시간의 흐름에 따라 대상이 변화하는 과정을 제시하고 있다.
⑤ 대상에 대한 의문을 제기하고 이에 답하는 형식으로 내용을 전개하고 있다.

9262-0219

02 윗글을 통해 알 수 있는 내용이 아닌 것은?

① 내심상의 신앙의 자유는 법적 규제의 대상이 될 수 없다.
② 상황에 따라 헌법상에 규정된 종교적 자유가 제한되기도 한다.
③ 정부에 의해 공인된 종교 단체는 법적으로 혜택을 받기도 한다.
④ 종교 내적인 문제라도 법에 의해 종교의 자유를 제한할 수 있다.
⑤ 법적으로 특정 종교에 국한하여 종교적 자유를 제한하는 것은 불가능하다.

9262-0220

03 윗글을 읽고 〈보기〉에 대해 보인 반응으로 적절하지 않은 것은?

보기

미국의 한 인디언 종교는 그들의 예배 의식에서 선인장에서 추출한 약제인 ○○을 신비로운 종교적 체험의 매체로 사용해 오고 있다. ○○은 마약 성분이 있어서 한때 금지되었지만 그들은 전통적으로 ○○을 사용해 왔고, 또 그들의 제의에서 ○○을 사용해야만 성스럽고 신비로운 체험을 할 수 있다. 사회적으로 많은 논란이 있었지만 법원은, ○○을 사용하는 사람들이 이 종교의 신도로 제한될 뿐만 아니라, 교인들끼리 일부 종교 의식에서만 ○○을 사용한다는 점을 들어 이 종교의 ○○사용을 허가하였다. 그러자 다른 급진적인 종교 단체들도 대마초 등 다른 마약의 사용을 법적으로 주장하였지만 대부분 그 사용을 인정받지 못했다.

① 법원이 ○○ 사용을 허가한 것은, ○○이 인디언 종교 내부에서 종교적 목적으로만 사용된다고 보았기 때문이군.
② 법원이 ○○ 사용을 허가한 것은, 합법적인 범위에서 ○○을 대체할 수 있는 수단이 없다고 판단했기 때문이군.
③ 법원이 ○○ 사용을 허가한 것은, ○○ 사용 금지로 인해 기대되는 공공 이익이 인디언 종교 단체에 가해지는 부담에 비해 적다고 보았기 때문이군.
④ 법원이 다른 종교 단체의 마약 사용을 불허한 것은, ○○을 사용하는 인디언 종교 단체의 종교적 자유 행사의 권리를 침해한다고 판단하였기 때문이군.
⑤ 법원이 다른 종교 단체의 마약 사용을 불허한 것은, 마약 사용을 주장한 종교 단체들이 기존의 종교 활동 방법을 통해 마약 사용의 효과를 대체할 수 있다고 판단했기 때문이군.

출제 포인트

선택지에서 설명하고 있는 대상이 무엇인지 파악한다.

↓

지문에서, 선택지에 언급된 대상이나 내용에 대해 언급하고 있는 부분을 찾는다.

↓

지문에서 찾은 내용과 선택지의 내용이 동일한 의미인지 확인한다.

02 이 문항은 글의 내용을 바탕으로 숨겨져 있는 정보를 찾거나 추론하는 능력을 평가하는 문항이다.

1 (……) 내심상의 신앙의 자유는 (……) 시비를 가리거나 제한할 수 있는 대상이 아니다.
5 헌법상 종교의 자유를 구태여 제한하는 경우에는 두 가지 형식이 있다.
2 (……) 정부에 종교 단체로 공인해 줄 것을 요청하거나 종교 단체가 받게 되는 법적 혜택을 요구하는 경우 (……)
5 순수하게 종교(단체) 내적인 문제의 경우 (……) 다만, 꼭 제한을 해야 할 경우라면 (……)
5 (……) 특정 종교에 대해서만 특수한 이유로 인해 특별법을 제정하여 제한하는 경우이다.

'윗글을 통해 알 수 있는 내용이 아닌 것은?'과 같은 발문 유형의 문항은 일치, 불일치를 묻는 문항과 달리 지문에 제시된 표현을 그대로 사용하지 않는다. 즉 선택지의 내용이 지문과 동일한 의미이지만 지문과 다른 표현으로 제시된다는 것이다. 따라서 이러한 문항을 해결하기 위해서는 선택지에서 언급하고 있는 대상과 관련한 내용을 지문에서 찾고, 지문의 내용과 선택지의 내용이 의미하는 바가 같은지를 판별할 수 있어야 한다.

원리로 다시 읽기

우리나라 헌법 제20조 1항에는 “모든 국민은 종교의 자유를 가진다.”라고 규정되어 있다. ❶여기서 종교의 자유는 흔히 두 가지로 구분된다. 첫째는 내심상의 신앙의 자유이고, 둘째는 외면적 종교 행위의 자유이다. 하지만 내심상의 신앙의 자유는 혼자서 마음속에 일정한 신앙을 지니는 경우에 해당되므로, 시비를 가리거나 제한할 수 있는 대상이 아니다. 따라서 이것은 절대적 기본권이고 법적인 문제가 될 수 없다. 이에 비해 외면적 종교 행위의 자유는 자신이 믿는 바를 겉으로 드러내어 행사할 수 있는 자유로, ①예배의 자유, ②종교 교육의 자유, ③선교의 자유 등을 들 수 있다. 따라서 이러한 유형의 자유는 외부 사회에 영향을 줄 수 있다는 점에서 상황에 따라 제한될 수 있는 상대적 기본권이며, 법적 문제를 일으키기도 한다.

▶ 헌법상에 보장된 '종교의 자유'와 두 가지 의미

따라서 종교의 자유라는 것이 외면적 종교 행위로 표현되었을 때에는 무조건 다 인정될 수 있는 것이 아니라 일정한 조건하에서 행해졌을 때에만 타당성을 지니게 된다. ❷그러면 어떤 경우에 종교적 행위가 자유로운 권리의 행사라고 생각될 수 있을까? 일반적으로 개인이나 종교(단체)가 헌법상의 종교의 자유를 보호받고자 할 때에는 주로 다음과 같은 적용 원칙에 부합하는가를 따져야 한다. ❸우선 행위의 주체가 인간의 삶 속에 존재하는 고뇌를 치유하고 삶의 궁극적인 의미를 추구하는 종교로서의 기능을 성실히 수행하고 있는지의 여부가 판별 기준이 된다. 성실성 없이 신도들을 모아 놓고 사기 행각을 벌였다면 아무리 종교적 계시에 따라 행한 것이라도 종교의 자유 행사로 인정될 수 없다. 또 종교의 세속적 초월성을 무시한 채 일반 회사와 같이 영리 사업만을 하면서, 정부에 종교 단체로 공인해 줄 것을 요청하거나 종교 단체가 받게 되는 법적 혜택을 요구하는 경우에는 그 요구가 인정되지 않는다.

▶ '종교의 자유'가 인정되는 조건 1

또 ❹종교 행위의 자유는 대체로 분명하고도 현재적인 위험이 있을 때는 금지되는 경향이 있다. ❻가령 성서에 있는 비유적 표현을 글자 그대로 믿어, 예배에 독이 있는 뱀을 풀어 놓은 경우 불법이라고 규정된 판례가 있다. 그리고 종교의 자유 행사는 국가의 이익을 위협하지 않는 경우에만 인정되기도 한다. 아무리 종교적 자유 행위일지라도 공공의 시설을 파괴하거나 국가적으로 중대한 손실을 가져올 경우, 합법적인 종교의 자유를 행사한 것이라고 인정될 수 없다. 지나치게 타인의 권리를 침해하는 경우에도 종교의 자유 행사로 볼 수 없다.

▶ '종교의 자유'가 인정되는 조건 2

아울러 ❺종교의 자유 행사는 이를 대체할 수 있는 다른 방법이나 수단이 없는 경우에만 인정되는 경향이 있다. ❼예를 들어 특정 교파는 토요일마다 예배를 보는데, 신도들이 토요일마다 정기적으로 결근을 하여 회사에서 그러한 직원들을 해고시켜 버린 사례가 있다. 신도들은 이러한 조치가 종교의 자유 행사를 침해한 것이라고 소송을 제기했으나, 법원에서는 근무 시간 이외에 예배를 보거나 토요일에 출근하지 않아도 되는 회사들이 있음에도 불구하고, 반드시 토요일에 근무해야 하는 회사에 입사하여 결근하는 것은 부당하다는 판결을 내린 바 있다. 즉 종교의 자유를 행사할 수 있는 다른 방법이나 수단이 없는 경우에만 종교의 자유를 인정할 수 있다는 것이다.

▶ '종교의 자유'가 인정되는 조건 3

(……)

❶ 헌법에 규정되어 있는 '종교의 자유'가 가진 의미를 두 가지로 구분하여 제시하고 있다. 구체적으로 '내심상의 신앙의 자유'와 '외면적 종교 행위의 자유'가 어떤 차이를 가지고 있는지 주목하며 글을 읽어야 한다. 특히 '내심상의 신앙의 자유'는 절대적 기본권이며 법적인 문제가 될 수 없는 데 반해, '외면적 종교 행위의 자유'는 (❶) 기본권이며 법적 문제를 일으킬 수 있다는 점을 파악해야 한다.

❷ 질문의 형식을 통해 내용을 전개하고 있는 부분이다. 글 속에서 이와 같이 의문을 제기하게 되면 반드시 그 뒤에는 의문에 대한 답이 제시되기 마련이다. 이러한 내용 전개 방식은 서술상 특징을 묻는 문항의 선택지로 자주 제시되므로 글을 읽으며 이러한 요소를 발견하면 해당 부분에 표시를 해 두거나 관련 문제의 선택지를 바로 확인하는 것이 좋다.

❸~❺는 ❷에서 언급한 '종교적 행위가 자유로운 권리의 행사라고 인정되는 조건'에 대해 설명하고 있는 부분이다. ❸에서 종교적 (❷)이 인정되어야 한다는 점, ❹에서 분명하고 현재적인 위험이 있을 때에는 금지된다는 점, ❺에서 (❸)할 수 있는 다른 방법이나 수단이 없는 경우에만 인정된다는 점이 외면적 종교 행위의 자유를 인정할 수 있는 조건임을 정확하게 이해해야 한다.

❻, ❼은 외면적 종교 행위가 인정되는 조건을 설명하기 위해 관련 예시를 제시하고 있는 부분이다. ❻에 제시된 내용을 통해 현재적 위험을 초래하는 종교 행위의 자유는 (❹)된다는 점을, ❼에 제시된 내용을 통해 다른 방법이나 수단을 통해 대체될 수 없을 때에만 종교 행위의 자유가 인정된다는 점을 파악해야 한다.

답

❶ 상대적 ❷ 성실성 ❸ 대체 ❹ 금지

Note

다음 글을 읽고 물음에 답하시오.

부정부패는 동서고금을 막론하고 어느 사회에서나 지속적으로 존재하는 것으로, 관찰 가능한 사회 현상이라기보다는 포착하거나 진단하기 어려운 사회적 병리 현상이라고 볼 수 있다. 부정부패는 각 국가의 사회 문화적 전통과 역사에 따라 다양한 형태로 규정되어 왔다. '피레네 산 이쪽에서는 진리인 것이 저쪽에서는 오류'라는 파스칼의 말처럼 부정부패의 개념은 사회적 역사성과 실체 접근의 어려움으로 인해 개념 정의가 어렵다. 그렇지만 일반적으로 부정부패는 다음과 같은 수준과 범위로 정의되는 경향이 있다.

먼저 공직이라는 직책을 중심으로 부정부패를 정의하는 경우이다. 이 정의에 따르면 부정부패는 공직자가 직무와 관련하여 주어진 규정이나 규범으로부터 일탈하여 사익을 취하거나 취하려고 기도하는 행위, 공적 신뢰를 저해하는 행동을 의미한다. 다음으로 부정부패에 대한 시장 중심의 정의는 공직자가 자신의 직책 수행을 하나의 사업으로 간주하고, 직책을 이용해 이익을 극대화하려는 행위를 부정부패로 간주한다. 마지막으로 공익 중심의 정의는 '공익'이 곧 부패를 측정하는 척도이며, 공익 위반은 무조건 부패라는 것이 그 핵심이다. 그래서 부정부패란 공직자가 법적으로 규정되지 않은 금전이나 보상을 제공한 사람에게 부당한 혜택을 주거나 선량한 시민들에게 피해를 주어 공익에 위해를 가하는 행위를 의미한다. 또 부정부패에 대한 이러한 정의들은 단순히 공직자를 넘어 민간 기업이나 사회의 다양한 조직에도 적용될 수 있다.

[A]

그렇다면 이와 같은 부정부패가 발생하는 이유가 무엇일까? 일반적으로 부정부패가 발생하는 이유로는 법과 제도의 결함이나 부정부패를 감시하는 관리 기구의 문제가 공통으로 지적되고 있다. 현대 국가에서 부정부패가 발생할 수 있는 원인으로는 먼저 관료제의 부작용을 들 수 있다. 일반적으로 행정 관료는 막강한 권한을 갖는데, 행정이 복잡해지고 전문화될수록 관료들의 권력 독점 현상이 심화된다. 관료들에 대한 외적 통제는 주로 선출직 공무원과 정치인들에 의해 이루어지는데, 그들은 전문성과 정보 수집의 제한성으로 인해 공무원에 대한 감시와 관리에 한계가 있다. 그래서 관료는 정보 독점과 신분 보장의 특혜를 누리며 국민과 이해관계를 달리하는 집단으로 변질되게 되는 것이다.

둘째, 경제 활동과 국민 생활에 대한 국가의 규제와 인허가와 관련하여 불필요한 행정 규제나 절차로 인해 부정부패가 발생하기도 한다. 기업과 개인들이 국가의 규제를 피하기 위해 재량권을 가진 공무원에게 뇌물 공여와 같은 손쉬운 방법을 선택하게 된다는 것이다. 그리고 규제의 단계가 많고 각각의 단계마다 독점적 권한을 가진 관료들이 있는 경우 조직적인 부정부패의 구조가 만들어지는 경우가 많다.

셋째, 공무원에게 지급되는 낮은 보수 수준이 부정부패의 원인이 되기도 한다. 후진국의 경우 공무원의 보수는 최소 생계비에도 미달되는 경우가 많은데, 이런 상황에서 공무원은 부정부패의 유혹을 받기 쉽다. 또 민관의 보수 차이가 큰 경우에도 공무원이 부정부패의 유혹에 쉽게 노출되며, 이런 경우 우수 인력의 공직 유치가 어려워져 행정 능률과 서비스 질 저하로 이어진다.

마지막으로, 비효율적 행정 제도를 들 수 있다. 부정부패는 이를 다루는 법령과 제도, 즉 반부패 정책이 제대로 갖추어져 있지 않은 현실에서 자주 나타난다. 물론 많은 국가에서 부정부패 관련자를 처벌할 수 있는 법률이 마련되어 있기는 하지만, 이를 통제하기 위해 설치된 정부 기관들이 제 기능을 발휘하지 못하는 경우 이러한 법률의 실질적 효력은 사라지고 만다.

정답과 해설 52쪽

9262-0221

01 윗글을 통해 알 수 있는 내용으로 적절하지 않은 것은?

① 부정부패의 범위와 개념은 각 사회마다 다르게 규정될 수 있다.
② 부정부패는 특정 집단 내에서 조직적으로 발생하는 경우도 있다.
③ 반부패 정책이 마련되어 있는 사회에서는 부정부패가 나타나지 않는다.
④ 부정부패는 공직 사회뿐만 아니라 민간 사회에서도 나타나는 현상이다.
⑤ 공무원의 보수 수준이 낮으면 장기적으로 행정 서비스의 질도 낮아질 수 있다.

9262-0222

02 윗글을 읽고 〈보기〉에 대해 보인 반응으로 적절하지 않은 것은?

보기

○○시 소속 건축물 인허가 담당 공무원 이 모 씨는 2010년부터 2014년까지 공문서를 조작 또는 누락하는 방법으로 불법 건축물을 정상 건물로 둔갑시켜 주고 건물주로부터 1억 4,600만 원을 수수하였다. 이 씨가 묵인해 준 ○○시 일대 불법 건축물은 439곳으로, 그는 사진 편집 프로그램을 이용해 위반 건축물 사진을 적법한 건축물로 보이도록 수정하는 수법을 쓴 것으로 드러났다. 특히 이 씨는 화재 위험이 크다며 지역 소방서에서 30차례 이상 철거를 요청한 다세대 주택에 대한 신고를 무시하였으며, 실제로 이 다세대 건물에 화재가 발생하여 주택 전체가 불타고 수 명의 사망자가 발생했던 것으로 확인되었다. 그런데 이 씨는 지난 4년 동안 자신의 직무와 관련하여 어떠한 감사와 점검도 받지 않은 것으로 드러났다.

① 이 모 씨의 부정부패 행위는 행정 관료가 가진 재량권을 이용하여 불법적인 이익을 취한 것으로 볼 수 있군.
② 이 모 씨가 눈감아 준 불법 건축물에서 발생한 화재로 인해 지역 사회의 공익이 크게 훼손되었다고 볼 수 있군.
③ 이 모 씨의 부정부패 행위가 발생한 것은 건축물 인허가와 관련한 행정 제도가 갖추어져 있지 않았기 때문이라고 볼 수 있군.
④ 이 모 씨가 위반 건축물 사진을 적법한 건축물 사진으로 수정한 것은 관련 공무원으로서 자신의 전문 지식을 이용한 것으로 볼 수 있군.
⑤ 이 모 씨의 부정부패 행위가 오랜 기간 동안 지속된 것은 업무와 관련한 정보를 독점하는 공무원에 대한 감시와 관리가 소홀했기 때문이라고 볼 수 있군.

9262-0223

03 **[A]를 참조하여 '부정부패'를 개선하기 위한 방안을 추론한 내용으로 가장 적절한 것은?**

① 부정부패를 감시하는 기구를 해체하여 복잡한 행정 절차를 간소화한다.
② 부정부패를 저지른 관료 조직의 보수를 삭감하는 징계 정책을 마련한다.
③ 국민이나 기업의 경제 활동과 관련한 불필요한 인허가 제도를 정비한다.
④ 공무원의 재량권을 소수의 관료들에게 집중시키는 행정 절차를 마련한다.
⑤ 선출직 공무원의 관료화를 통해 관련 업무에 대한 전문성과 권한을 강화한다.

출제 포인트

선택지에서 언급한 대상과 관련된 내용을 지문에서 찾는다.

↓

지문에서 찾은 내용을 정확히 이해한다.

↓

지문을 통해 이해한 내용을 바탕으로 선택지의 추론 내용이 적절한지 판단한다.

03 이 문항은 글의 내용을 바탕으로 추론하는 능력을 평가하기 위한 문항이다.

> ❸ (……) 현대 국가에서 부정부패가 발생할 수 있는 원인으로는 먼저 관료제의 부작용을 들 수 있다.
> ❹ 둘째, 경제 활동과 국민 생활에 대한 국가의 규제와 인허가와 관련하여 불필요한 행정 규제나 절차로 인해 부정부패가 발생하기도 한다.
> ❺ 셋째, 공무원에게 지급되는 낮은 보수 수준이 부정부패의 원인이 되기도 한다.
> ❻ 마지막으로, 비효율적 행정 제도를 들 수 있다.

발문에서, 글에 명시적으로 언급하지 않은 '부정부패'의 개선 방안을 묻고 있지만, 실질적으로는 지문에서 제시된 부정부패의 원인을 제거하거나 보완할 수 있는 방법을 물은 것이다. 따라서 이 문항을 해결하기 위해서는 지문에 제시되어 있는 부정부패의 원인을 정확하게 이해하고 이와 관련하여 선택지의 적절성을 판단하여야 한다. 추론 능력을 평가하는 문항이 출제된다고 해도 명확한 정답이 있어야 하기 때문에 지문과 무관하거나 개방적이고 막연한 추론을 하는 문항은 출제할 수 없다. 그러므로 추론 능력을 평가하는 문항이 출제되었다면 당황하지 말고 선택지에서 언급한 대상과 관련된 내용을 지문에서 찾아 정확히 이해하고 이로부터 사고를 확장시켜 나가야 한다.

원리로 다시 읽기

❶부정부패는 동서고금을 막론하고 어느 사회에서나 지속적으로 존재하는 것으로, 관찰 가능한 사회 현상이라기보다는 포착하거나 진단하기 어려운 사회적 병리 현상이라고 볼 수 있다. 부정부패는 각 국가의 사회 문화적 전통과 역사에 따라 다양한 형태로 규정되어 왔다. '피레네 산 이쪽에서는 진리인 것이 저쪽에서는 오류'라는 파스칼의 말처럼 부정부패의 개념은 사회적 역사성과 실체 접근의 어려움으로 인해 개념 정의가 어렵다. 그렇지만 일반적으로 부정부패는 다음과 같은 수준과 범위로 정의되는 경향이 있다. ▶ 부정부패 개념 정의의 난해성

❷먼저 공직이라는 직책을 중심으로 부정부패를 정의하는 경우이다. 이 정의에 따르면 부정부패는 공직자가 직무와 관련하여 주어진 규정이나 규범으로부터 일탈하여 사익을 취하거나 취하려고 기도하는 행위, 공적 신뢰를 저해하는 행동을 의미한다. 다음으로 ❸부정부패에 대한 시장 중심의 정의는 공직자가 자신의 직책 수행을 하나의 사업으로 간주하고, 직책을 이용해 이익을 극대화하려는 행위를 부정부패로 간주한다. 마지막으로 ❹공익 중심의 정의는 '공익'이 곧 부패를 측정하는 척도이며, 공익 위반은 무조건 부패라는 것이 그 핵심이다. 그래서 부정부패란 공직자가 법적으로 규정되지 않은 금전이나 보상을 제공한 사람에게 부당한 혜택을 주거나 선량한 시민들에게 피해를 주어 공익에 위해를 가하는 행위를 의미한다. 또 부정부패에 대한 이러한 정의들은 단순히 공직자를 넘어 민간 기업이나 사회의 다양한 조직에도 적용될 수 있다. ▶ 부정부패에 대한 일반적 정의

❺그렇다면 이와 같은 부정부패가 발생하는 이유는 무엇일까? 일반적으로 ❻부정부패가 발생하는 이유로는 법과 제도의 결함이나 부정부패를 감시하는 관리 기구의 문제가 공통으로 지적되고 있다. ❼현대 국가에서 부정부패가 발생할 수 있는 원인으로는 먼저 관료제의 부작용을 들 수 있다. 일반적으로 행정 관료는 막강한 권한을 갖는데, 행정이 복잡해지고 전문화될수록 관료들의 권력 독점 현상이 심화된다. 관료들에 대한 외적 통제는 주로 선출직 공무원과 정치인들에 의해 이루어지는데, 그들은 전문성과 정보 수집의 제한성으로 인해 공무원에 대한 감시와 관리에 한계가 있다. 그래서 관료는 정보 독점과 신분 보장의 특혜를 누리며 국민과 이해관계를 달리하는 집단으로 변질되게 되는 것이다. ▶ 부정부패의 발생 이유 1(관료제)

❽둘째, 경제 활동과 국민 생활에 대한 국가의 규제와 인허가와 관련하여 불필요한 행정 규제나 절차로 인해 부정부패가 발생하기도 한다. 기업과 개인들이 국가의 규제를 피하기 위해 재량권을 가진 공무원에게 뇌물 공여와 같은 손쉬운 방법을 선택하게 된다는 것이다. 그리고 규제의 단계가 많고 각각의 단계마다 독점적 권한을 가진 관료들이 있는 경우 조직적인 부정부패의 구조가 만들어지는 경우가 많다. ▶ 부정부패의 발생 이유 2(불필요한 행정 규제와 절차)

❾셋째, 공무원에게 지급되는 낮은 보수 수준이 부정부패의 원인이 되기도 한다. 후진국의 경우 공무원의 보수는 최소 생계비에도 미달되는 경우가 많은데, 이런 상황에서 공무원은 부정부패의 유혹을 받기 쉽다. 또 민관의 보수 차이가 큰 경우에도 공무원이 부정부패의 유혹에 쉽게 노출되며, 이런 경우 우수 인력의 공직 유치가 어려워져 행정 능률과 서비스 질 저하로 이어진다. ▶ 부정부패의 발생 이유 3(공무원의 낮은 보수 수준)

❿마지막으로, 비효율적 행정 제도를 들 수 있다. 부정부패는 이를 다루는 법령과 제도, 즉 반부패 정책이 제대로 갖추어져 있지 않은 현실에서 자주 나타난다. 물론 많은 국가에서 부정부패 관련자를 처벌할 수 있는 법률이 마련되어 있기는 하지만, 이를 통제하기 위해 설치된 정부 기관들이 제 기능을 발휘하지 못하는 경우 이러한 법률의 실질적 효력은 사라지고 만다. ▶ 부정부패의 발생 이유 4(비효율적 행정 제도)

❶ '(❶)'가 중심 화제임을 드러내는 한편 부정부패의 특성을 제시하고 있다. 글의 중심 화제는 글쓴이가 설명하려는 대상인 만큼 이에 대한 이해 여부를 묻는 문제가 출제되는 경우가 많다. 따라서 글을 읽을 때에는 중심 화제가 무엇인지 판별하고 중심 화제와 관련한 다양한 정보를 정확히 이해하며 읽을 수 있어야 한다.

❷~❹는 중심 화제인 '부정부패'의 개념을 정의하는 다양한 입장이 나열된 것이다. 부정부패에 대한 일반적인 개념 정의로는 공직 중심의 정의, 시장 중심의 정의, (❷) 중심의 정의가 있음을 확인하고 각각의 차이점을 정확히 파악해야 한다.

❺와 ❻은 원인(이유) – 결과(현상)의 관계를 이루고 있다. 그리고 ❺, ❻을 통해 ❼, ❽, ❾, ❿의 내용이 부정부패의 발생 (❸)에 대해 진술한 부분임을 알 수 있다. ❼에서는 (❹)의 부작용이, ❽에서는 불필요한 행정 규제나 절차가, ❾에서는 공무원의 낮은 보수 수준이, ❿에서는 비효율적인 행정 제도가 부정부패의 발생 원인임을 이해하고 각각의 세부 내용을 정확히 파악할 수 있어야 한다.

답
❶ 부정부패 ❷ 공익 ❸ 원인 ❹ 관료제

04 원리로 과학 독해

1 과학 분야 _ 글의 특성

- 과학 분야의 글은 과학 이론 및 실제 현상을 설명하기 때문에 과학적 원리와 현상의 특징을 객관적이고 논리적으로 설명하는 경우가 많다. 이때 낯선 용어와 함께 그 개념을 제시하는 경우가 많다.
- 제재로는 물리, 지구 과학, 생물, 화학, 수학 등에 관한 지문이 골고루 출제되고 있는데, 최근에는 물리나 지구 과학에 관한 제재가 자주 출제되고 있다.
- 물리 지문은 개념, 원리 · 방법, 과정 등을 설명하는 지문이 많이 출제되고 있다. 제재로는 진동수의 개념 및 음의 특징, 지레의 원리, 종단 속도 등이 출제되었다.
- 지구 과학 지문은 물리와 마찬가지로 개념, 원리 · 방법, 과정 등을 설명하는 지문이 많이 출제되고 있다. 제재로는 달과 지구의 공전 궤도, 전향력, 서양과 동양의 우주론 등이 출제되었다.
- 생물 지문은 특징, 과정, 역할(기능) 등을 설명하는 지문이 많이 출제되고 있다. 제재로는 단백질의 분해와 합성, 미생물의 종 구분, 미토콘드리아와 진핵 세포의 공생 관계 등이 출제되었다.
- 화학 지문은 원리 · 방법, 특징, 과정, 견해 · 주장 등을 설명하는 지문이 많이 출제되고 있다. 제재로는 열역학, 분광 분석법, 반데르발스 상태 방정식 등이 출제되었다.

2 과학 분야 _ 글을 읽는 방법

- 과학 이론을 설명하는 글인지, 과학적 현상을 설명하는 글인지 파악한 후, 전자인 경우 특히 개념, 원리 · 방법, 견해 · 주장 등에 관한 정보에 주목하고, 후자인 경우 현상이 진행되는 과정, 현상이 나타나는 원리, 개념 등에 관한 정보에 주목한다.
- 과학 지문에서 개념이나 원리에 관한 정보가 제시되어 있으면 그 정보는 반드시 출제 요소가 된다. 특히 '~(이)면 ~다.', '~수록 ~다.', '~에 따라 ~다.' 등과 같이 서술되어 있거나, 비례 · 반비례 관계를 제시하고 있으면 출제 요소가 되므로 반드시 주목해 정확하게 이해해야 한다.
- 물리 제재를 다룬 지문의 경우, 글의 화제를 파악한 후, 원리 · 방법에 관한 정보를 특히 중요하게 여겨야 하며, 그 과정에서 제시된 개념이나 과정에 관한 정보도 중요하게 여겨야 한다. 과정에 따라 서술되어 있으면, 단계를 끊으며 각 단계의 특징을 이해해야 한다.
- 지구 과학 제재를 다룬 지문의 경우, 특히 원리와 과정을 중요하게 여겨야 한다. 그리고 낯선 용어와 함께 그 개념을 제시하고 있으면 개념도 주목해 정확하게 이해해야 한다.
- 생물 제재를 다룬 지문의 경우, 대상의 특징이 핵심 정보인 경우가 많다. 그리고 과정에 따라 단계적으로 정보를 제시하는 경우도 많다. 생물체를 이루는 구성 요소의 기능(역할)을 출제 요소로 삼는 경우도 있으므로 이에 유의해야 한다.
- 화학 제재를 다룬 지문의 경우, 원리 · 방법에 관한 정보가 핵심 정보가 된다. 과학자의 이론을 제시하는 경우도 많은데, 이 경우 견해 · 주장에 관한 정보를 주목해야 한다.

| 2016학년도 대학수학능력시험 B형 |

다음 글을 읽고 물음에 답하시오.

Note

어떤 물체가 물이나 공기와 같은 유체* 속에서 자유 낙하할 때 물체에는 중력, 부력, 항력이 작용한다. 중력은 물체의 질량에 중력 가속도를 곱한 값으로 물체가 낙하하는 동안 일정하다. 부력은 어떤 물체에 의해서 배제된 부피만큼의 유체의 무게에 해당하는 힘으로, 항상 중력의 반대 방향으로 작용한다. 빗방울에 작용하는 부력의 크기는 빗방울의 부피에 해당하는 공기의 무게이다. 공기의 밀도는 물의 밀도의 1,000분의 1 수준이므로, 빗방울이 공기 중에서 떨어질 때 부력이 빗방울의 낙하 운동에 영향을 주는 정도는 미미하다. 그러나 스티로폼 입자와 같이 밀도가 매우 작은 물체가 낙하할 경우에는 부력이 물체의 낙하 속도에 큰 영향을 미친다.

물체가 유체 내에 정지해 있을 때와는 달리, 유체 속에서 운동하는 경우에는 물체의 운동에 저항하는 힘인 항력이 발생하는데, 이 힘은 물체의 운동 방향과 반대로 작용한다. 항력은 유체 속에서 운동하는 물체의 속도가 커질수록 이에 상응하여 커진다. 항력은 마찰 항력과 압력 항력의 합이다. 마찰 항력은 유체의 점성* 때문에 물체의 표면에 가해지는 항력으로, 유체의 점성이 크거나 물체의 표면적이 클수록 커진다. 압력 항력은 물체가 이동할 때 물체의 전후방에 생기는 압력 차에 의해 생기는 항력으로, 물체의 운동 방향에서 바라본 물체의 단면적이 클수록 커진다.

안개비의 빗방울이나 미세 먼지와 같이 작은 물체가 낙하하는 경우에는 물체의 전후방에 생기는 압력 차가 매우 작아 마찰 항력이 전체 항력의 대부분을 차지한다. 빗방울의 크기가 커지면 전체 항력 중 압력 항력이 차지하는 비율이 점점 커진다. 반면 스카이다이버와 같이 큰 물체가 빠른 속도로 떨어질 때에는 물체의 전후방에 생기는 압력 차에 의한 압력 항력이 매우 크므로 마찰 항력이 전체 항력에 기여하는 비중은 무시할 만하다.

빗방울이 낙하할 때 처음에는 중력 때문에 빗방울의 낙하 속도가 점점 증가하지만, 이에 따라 항력도 커지게 되어 마침내 항력과 부력의 합이 중력의 크기와 같아지게 된다. 이때 물체의 가속도가 0이 되므로 빗방울의 속도는 일정해지는데, 이렇게 일정해진 속도를 종단 속도라 한다. 유체 속에서 상승하거나 지면과 수평으로 이동하는 물체의 경우에도 종단 속도가 나타나는 것은 이동 방향으로 작용하는 힘과 반대 방향으로 작용하는 힘의 평형에 의한 것이다.

어휘풀이

*유체 흐르는 물체라는 뜻으로, 액체나 기체를 의미함.
*점성 액체의 끈끈한 성질.

원리로 읽기

관련 문제 Link

1 '중력'과 '부력', '항력'의 의미는?

01 핵심 정보 찾기

- 중력: 물체의 질량에 (❶)를 곱한 값
- 부력: 어떤 물체에 의해서 배제된 부피만큼의 유체의 무게에 해당하는 힘, 중력의 (❷) 방향으로 작용
- 항력: 물체의 운동에 저항하는 힘

2 마찰 항력, 압력 항력과 전체 항력의 관계

- 물체의 크기가 작으면(예 빗방울) 전체 항력 중 (❸)이 대부분을 차지함.
- 물체의 크기가 커지면(예 스카이다이버) 전체 항력 중 (❹)이 대부분을 차지함.

3 '종단 속도'의 개념

02 사례나 상황에 적용하기

항력과 부력의 합이 중력의 크기와 같아지면 물체의 가속도가 (❺)이 되므로 빗방울의 속도가 일정해지는데, 이렇게 일정해진 속도를 '종단 속도'라 한다.

9262-0224

01 윗글을 통해 알 수 있는 내용으로 가장 적절한 것은?

① 스카이다이버가 낙하 운동할 때에는 마찰 항력이 전체 항력의 대부분을 차지하게 된다.
② 물체가 유체 속에서 운동할 때 물체 전후방에 생기는 압력 차는 그 물체의 속도를 증가시킨다.
③ 낙하하는 물체의 속도가 종단 속도에 이르게 되면 그 물체의 가속도는 중력 가속도와 같아진다.
④ 균일한 밀도의 액체 속에서 낙하하는 동전에 작용하는 부력은 항력의 크기에 상관없이 일정한 크기를 유지한다.
⑤ 균일한 밀도의 액체 속에 완전히 잠겨 있는 쇠막대에 작용하는 부력은 서 있을 때보다 누워 있을 때가 더 크다.

9262-0225

02 윗글을 바탕으로 〈보기〉에 대해 탐구한 내용으로 가장 적절한 것은?

보기

크기와 모양은 같으나 밀도가 서로 다른 구 모양의 물체 A와 B를 공기 중에 고정하였다. 이때 물체 A와 B의 밀도는 공기보다 작으며, 물체 B의 밀도는 물체 A보다 더 크다. 물체 A와 B를 놓아 주었더니 두 물체 모두 속도가 증가하며 상승하다가, 각각 어느 정도 시간이 지난 후 각각 다른 일정한 속도를 유지한 채 계속 상승하였다. (단, 두 물체는 공기나 다른 기체 중에서 크기와 밀도가 유지되도록 제작되었고, 물체 운동에 영향을 줄 수 있는 기체의 흐름과 같은 외적 요인들이 모두 제거되었다고 가정함.)

① A와 B가 고정되어 있을 때에는 A에 작용하는 항력이 B에 작용하는 항력보다 더 작겠군.
② A와 B가 각각 일정한 속도를 유지할 때 A에 작용하고 있는 항력은 B에 작용하고 있는 항력보다 더 작겠군.
③ A에 작용하는 부력과 중력의 크기 차이는 A의 속도가 증가하고 있을 때보다 A가 고정되어 있을 때 더 크겠군.
④ A와 B 모두 일정한 속도에 도달하기 전에 속도가 증가하는 것으로 보아 A와 B에 작용하는 항력이 점점 감소하기 때문에 일정한 속도에 도달하는 것이겠군.
⑤ 공기보다 밀도가 더 큰 기체 내에서 B가 상승하여 일정한 속도를 유지할 때 B에 작용하는 항력은 공기 중에서 상승하여 일정한 속도를 유지할 때 작용하는 항력보다 더 크겠군.

문제풀이 비법노트

중력, 부력, 항력이 이 글의 기본 개념임을 확인한다.

↓

이와 관련된 정보에 주목한다.

↓

액체 속에서 동전에 작용하는 부력은 동전 부피만큼의 액체 무게에 해당하는 힘이라는 정보를 토대로 적절한 답을 선택한다.

01

물리 지문은 개념, 원리 · 방법, 과정에 관한 정보가 핵심 정보인 경우가 많다. 따라서 글의 화제를 파악한 후, 원리 · 방법에 관한 정보를 특히 주목해야 하며, 그 과정에서 제시된 개념이나 과정에 관한 정보도 중요하게 여겨야 한다. 이 문항은 이 글의 기본 개념인 중력, 부력, 항력의 개념을 이해하였는지를 평가하는 문항이므로, 이와 관련된 정보에 주목하여 문제를 해결할 수 있어야 한다.

원리로 다시 읽기

어떤 물체가 물이나 공기와 같은 유체 속에서 자유 낙하할 때 물체에는 중력, 부력, 항력이 작용한다. 중력은 물체의 질량에 중력 가속도를 곱한 값으로 물체가 낙하하는 동안 일정하다. 부력은 어떤 물체에 의해서 배제된 부피만큼의 유체의 무게에 해당하는 힘으로, 항상 중력의 반대 방향으로 작용한다. 빗방울에 작용하는 부력의 크기는 빗방울의 부피에 해당하는 공기의 무게이다. 공기의 밀도는 물의 밀도의 1,000분의 1 수준이므로, 빗방울이 공기 중에서 떨어질 때 부력이 빗방울의 낙하 운동에 영향을 주는 정도는 미미하다. 그러나 스티로폼 입자와 같이 밀도가 매우 작은 물체가 낙하할 경우에는 부력이 물체의 낙하 속도에 큰 영향을 미친다.

(중력의 개념 / 부력의 개념)

▶ 물체에 작용하는 중력과 부력

물체가 유체 내에 정지해 있을 때와는 달리, 유체 속에서 운동하는 경우에는 물체의 운동에 저항하는 힘인 항력이 발생하는데, 이 힘은 물체의 운동 방향과 반대로 작용한다. 항력은 유체 속에서 운동하는 물체의 속도가 커질수록 이에 상응하여 커진다. 항력은 마찰 항력과 압력 항력의 합이다. ❶마찰 항력은 유체의 점성 때문에 물체의 표면에 가해지는 항력으로, 유체의 점성이 크거나 물체의 표면적이 클수록 커진다. ❷압력 항력은 물체가 이동할 때 물체의 전후방에 생기는 압력 차에 의해 생기는 항력으로, 물체의 운동 방향에서 바라본 물체의 단면적이 클수록 커진다.

(항력의 개념 / 항력의 방향 / ❶과 ❷는 대응되는 짝으로, 둘을 합치면 항력의 값이 나옴.)

▶ 물체의 운동에 저항하는 항력

❸안개비의 빗방울이나 미세 먼지와 같이 작은 물체가 낙하하는 경우에는 물체의 전후방에 생기는 압력 차가 매우 작아 마찰 항력이 전체 항력의 대부분을 차지한다. 빗방울의 크기가 커지면 전체 항력 중 압력 항력이 차지하는 비율이 점점 커진다. 반면 ❹스카이다이버와 같이 큰 물체가 빠른 속도로 떨어질 때에는 물체의 전후방에 생기는 압력 차에 의한 압력 항력이 매우 크므로 마찰 항력이 전체 항력에 기여하는 비중은 무시할 만하다.

(❸과 ❹는 대비되는 짝으로, 각각의 상황을 그려 보며 두 개념에 대해 명확하게 이해해야 함.)

▶ 마찰 항력과 압력 항력의 관계

빗방울이 낙하할 때 처음에는 중력 때문에 빗방울의 낙하 속도가 점점 증가하지만, 이에 따라 항력도 커지게 되어 마침내 항력과 부력의 합이 중력의 크기와 같아지게 된다. 이때 물체의 가속도가 0이 되므로 빗방울의 속도는 일정해지는데, 이렇게 일정해진 속도를 종단 속도라 한다. 유체 속에서 상승하거나 지면과 수평으로 이동하는 물체의 경우에도 종단 속도가 나타나는 것은 이동 방향으로 작용하는 힘과 반대 방향으로 작용하는 힘의 평형에 의한 것이다.

(종단 속도의 개념)

▶ 빗방울의 종단 속도

1 '중력'과 '부력', '항력'의 의미는?

- 중력: 물체의 질량에 (❶ 중력 가속도)를 곱한 값
- 부력: 어떤 물체에 의해서 배제된 부피만큼의 유체의 무게에 해당하는 힘, 중력의 (❷ 반대) 방향으로 작용
- 항력: 물체의 운동에 저항하는 힘

2 마찰 항력, 압력 항력과 전체 항력의 관계

- 물체의 크기가 작으면(예 빗방울) 전체 항력 중 (❸ 마찰 항력)이 대부분을 차지함.
- 물체의 크기가 커지면(예 스카이다이버) 전체 항력 중 (❹ 압력 항력)이 대부분을 차지함.

3 '종단 속도'의 개념

항력과 부력의 합이 중력의 크기와 같아지면 물체의 가속도가 (❺ 0)이 되므로 빗방울의 속도가 일정해지는데, 이렇게 일정해진 속도를 '종단 속도'라 한다.

정답과 해설 54쪽

| 2014학년도 대학수학능력시험 B형 |

다음 글을 읽고 물음에 답하시오.

우주에서 지구의 북극을 내려다보면 지구는 시계 반대 방향으로 빠르게 자전하고 있지만 우리는 그 사실을 잘 인지하지 못한다. 지구의 자전 때문에 일어나는 현상 중 하나는 지구상에서 운동하는 물체의 운동 방향이 편향되는* 것이다. 이러한 현상의 원인이 되는 가상적인 힘을 전향력이라 한다.

전향력은 지구가 자전하기 때문에 나타난다. 구 모양인 지구의 둘레는 적도가 가장 길고 위도가 높아질수록 짧아진다. 지구의 자전 주기는 위도와 상관없이 동일하므로 자전하는 속력은 적도에서 가장 빠르고, 고위도로 갈수록 속력이 느려져서 남극과 북극에서는 0이 된다.

적도상의 특정 지점에서 동일한 경도상에 있는 북위 30도 지점을 목표로 어떤 물체를 발사한다고 하자. 이때 물체에 영향을 주는 마찰력이나 다른 힘은 없다고 가정한다. 적도상의 발사 지점은 약 1,600km/h의 속력으로 자전하고 있다. 북쪽으로 발사된 물체는 발사 속력 외에 약 1,600km/h로 동쪽으로 진행하는 속력을 동시에 갖게 된다. 한편 북위 30도 지점은 약 1,400km/h의 속력으로 자전하고 있다. 목표 지점은 발사 지점보다 약 200km/h가 더 느리게 동쪽으로 움직이고 있는 것이다. 따라서 발사된 물체는 겨냥했던 목표 지점보다 더 동쪽에 있는 지점에 도달하게 된다. 이때 지구 표면의 발사 지점에서 보면, 발사된 물체의 이동 경로는 처음에 목표로 했던 북쪽 방향의 오른쪽으로 휘어져 나타나게 된다.

이번에는 북위 30도에서 자전 속력이 약 800km/h인 북위 60도의 동일 경도상에 있는 지점을 목표로 설정하고 같은 실험을 실행한다고 하자. 두 지점의 자전하는 속력의 차이는 약 600km/h이므로 이 물체는 적도에서 북위 30도를 향해 발사했을 때보다 더 오른쪽으로 떨어지게 된다. 이렇게 운동 방향이 좌우로 편향되는 정도는 저위도에서 고위도로 갈수록 더 커진다. 결국 위도에 따른 자전 속력의 차이가 고위도로 갈수록 더 커지기 때문에 좌우로 편향되는 정도는 북극과 남극에서 최대가 되고, 적도에서는 0이 된다. 이러한 편향 현상은 북쪽뿐 아니라 다른 방향으로 운동하는 모든 물체에 마찬가지로 나타난다.

전향력의 크기는 위도뿐만 아니라 물체의 이동하는 속력과도 관련이 있다. 지표*를 기준으로 한 이동 속력이 빠를수록 전향력이 커지며, 지표상에 정지해 있는 물체에는 전향력이 나타나지 않는다. 한편, 전향력은 운동하는 물체의 진행 방향이 북반구에서는 오른쪽으로, 남반구에서는 왼쪽으로 편향되게 한다.

Note

어휘 풀이

*편향되다 한쪽으로 치우치게 되다.
*지표 지구의 표면.

원리로 읽기

관련 문제 Link

1 '전향력'의 개념은?

지구상에서 운동하는 물체의 운동 방향이 편향되는 현상의 원인이 되는 (❶) 힘

2 전향력의 작용을 확인하는 가상의 실험

02 핵심 정보 찾기

적도 → 북위 30도로 발사	북위 30도 → 북위 60도로 발사
• 적도 지점의 자전 속도: 1,600km/h • 북위 30도 지점의 자전 속도: 1,400km/h	• 북위 30도 지점의 자전 속도: 1,400km/h • 북위 60도 지점의 자전 속도: 800km/h
발사 지점과 목표 지점의 자전 속도 차이: (❷)	발사 지점과 목표 지점의 자전 속도 차이: (❸)
따라서 운동 방향이 우로 편향되는 정도는 저위도에서 고위도로 갈수록 (❹).	

3 물체의 이동 속력, 위치와 전향력의 관계

01 사례나 상황에 적용하기

- 지표를 기준으로 한 이동 속력이 (❺)수록 전향력이 커진다.
- 전향력의 방향은 북반구에서는 운동 방향의 (❻), 남반구에서는 운동 방향의 (❼) 이다.

9262-0226

01 윗글을 통해 알 수 있는 내용으로 적절하지 않은 것은?

① 북위 30도 지점과 북위 60도 지점의 자전 주기는 동일하다.
② 운동장에 정지해 있는 축구공에는 위도에 상관없이 전향력이 나타나지 않는다.
③ 남위 50도 지점은 남위 40도 지점보다 자전 방향으로 움직이는 속력이 더 빠르다.
④ 남위 30도에서 정남쪽의 목표 지점으로 발사한 물체는 목표 지점보다 동쪽에 떨어진다.
⑤ 우리나라의 야구장에서 타자가 쳐서 날아가는 공의 이동 방향은 전향력에 의해 영향을 받는다.

9262-0227

02 윗글을 바탕으로 〈보기〉를 이해한 내용으로 적절하지 않은 것은?

보기

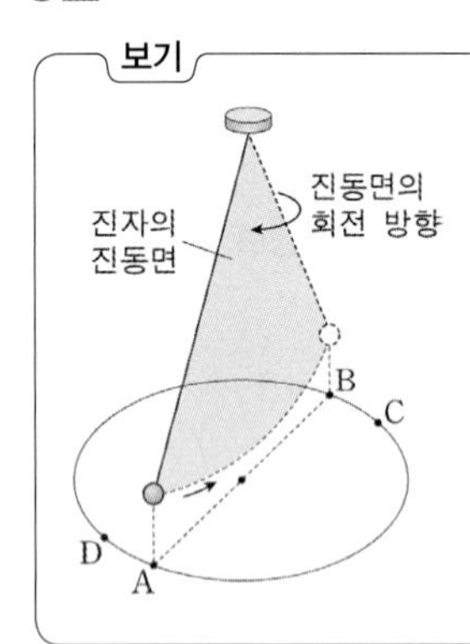

전향력은 1851년 프랑스의 과학자 푸코가 파리의 판테온 사원에서 실시한 진자 실험을 통해서도 확인할 수 있다. 푸코는 길이가 67m인 줄의 한쪽 끝을 천장에 고정하고 다른 쪽 끝에 28kg의 추를 매달아 진동시켰는데, 시간이 지남에 따라 진자의 진동면이 시계 방향으로 회전한다는 사실을 발견하였다. 이는 추가 A에서 B로 이동할 때, 전향력에 의해 C쪽으로 미세하게 휘어져 이동하고, 되돌아올 때는 D쪽으로 미세하게 휘어져 이동한다는 사실과 관련이 있다.

① 남반구에서 이 실험을 할 경우 진자의 진동면은 시계 반대 방향으로 회전하겠군.
② 파리보다 고위도에서 동일한 실험을 할 경우 진자의 진동면은 더 느리게 회전하겠군.
③ 북극과 남극에서 이 진자 실험을 할 경우 진자의 진동면의 회전 주기는 동일하겠군.
④ 적도상에서 동서 방향으로 진자를 진동시킬 경우 진자의 진동면은 회전하지 않겠군.
⑤ 남위 60도에서 이 진자 실험을 할 경우 움직이는 추는 이동 방향의 왼쪽으로 편향되겠군.

문제 풀이 비법 노트

전향력이 핵심 개념임을 이해한다.

위도에 따른 자전 속력의 차이가 전향력이 차이를 보이는 원리임을 파악한다.

자전하는 속력은 적도에서 가장 빠르고 고위도로 갈수록 속력이 느려진다는 정보를 토대로 적절한 답을 선택한다.

01

지구 과학 제재로는 달과 지구의 공전 궤도, 전향력 등이 출제되었는데, 특히 천문에 관한 내용이 많았다. 물리와 마찬가지로 개념, 원리 · 방법, 과정 등이 핵심 정보인 경우가 많다. 따라서 특히 원리와 과정을 중요하게 여겨야 한다. 이 글은 전향력이라는 개념을 소개하고 위도에 따라 전향력이 차이를 보이는 원리와 과정이 소개되어 있으므로, 이 지점에 주목하여 이 문항을 해결할 수 있도록 한다.

원리로 다시 읽기

우주에서 지구의 북극을 내려다보면 지구는 시계 반대 방향으로 빠르게 자전하고 있지만 우리는 그 사실을 잘 인지하지 못한다. 지구의 자전 때문에 일어나는 현상 중 하나는 지구상에서 운동하는 물체의 운동 방향이 편향되는 것이다. 이러한 현상의 원인이 되는 가상적인 힘을 전향력이라 한다.

▶ 전향력의 개념

중심 화제

전향력은 지구가 자전하기 때문에 나타난다. 구 모양인 지구의 둘레는 적도가 가장 길고 위도가 높아질수록 짧아진다. 지구의 자전 주기는 위도와 상관없이 동일하므로 자전하는 속력은 적도에서 가장 빠르고, 고위도로 갈수록 속력이 느려져서 남극과 북극에서는 0이 된다.

지구의 자전의 특징

▶ 전향력이 나타나는 원인

적도상의 특정 지점에서 동일한 경도상에 있는 북위 30도 지점을 목표로 어떤 물체를 발사한다고 하자. 이때 물체에 영향을 주는 마찰력이나 다른 힘은 없다고 가정한다. ❶적도상의 발사 지점은 약 1,600km/h의 속력으로 자전하고 있다. 북쪽으로 발사된 물체는 발사 속력 외에 약 1,600km/h로 동쪽으로 진행하는 속력을 동시에 갖게 된다. 한편 ❷북위 30도 지점은 약 1,400km/h의 속력으로 자전하고 있다. 목표 지점은 발사 지점보다 약 200km/h가 더 느리게 동쪽으로 움직이고 있는 것이다. 따라서 발사된 물체는 겨냥했던 목표 지점보다 더 동쪽에 있는 지점에 도달하게 된다. 이때 지구 표면의 발사 지점에서 보면, 발사된 물체의 이동 경로는 처음에 목표로 했던 북쪽 방향의 오른쪽으로 휘어져 나타나게 된다.

비교

▶ 전향력이 작용하는 사례

이번에는 ❸북위 30도에서 자전 속력이 약 800km/h인 ❹북위 60도의 동일 경도상에 있는 지점을 목표로 설정하고 같은 실험을 실행한다고 하자. 두 지점의 자전하는 속력의 차이는 약 600km/h이므로 이 물체는 적도에서 북위 30도를 향해 발사했을 때보다 더 오른쪽으로 떨어지게 된다. 이렇게 운동 방향이 좌우로 편향되는 정도는 저위도에서 고위도로 갈수록 더 커진다. 결국 위도에 따른 자전 속력의 차이가 고위도로 갈수록 더 커지기 때문에 좌우로 편향되는 정도는 북극과 남극에서 최대가 되고, 적도에서는 0이 된다. 이러한 편향 현상은 북쪽뿐 아니라 다른 방향으로 운동하는 모든 물체에 마찬가지로 나타난다.

비교

3문단에서는 ❶, ❷가, 4문단에서는 ❸, ❹가 각각 대응되면서 전향력의 개념을 이해할 수 있는 사례로 제시되고 있음.

▶ 전향력이 작용하는 사례와 특징

전향력의 크기는 위도뿐만 아니라 물체의 이동하는 속력과도 관련이 있다. 지표를 기준으로 한 이동 속력이 빠를수록 전향력이 커지며, 지표상에 정지해 있는 물체에는 전향력이 나타나지 않는다. 한편, 전향력은 운동하는 물체의 진행 방향이 북반구에서는 오른쪽으로, 남반구에서는 왼쪽으로 편향되게 한다.

▶ 물체의 이동 속력과 전향력의 관계

1 '전향력'의 개념은?

지구상에서 운동하는 물체의 운동 방향이 편향되는 현상의 원인이 되는 (❶ 가상적인) 힘

2 전향력의 작용을 확인하는 가상의 실험

적도 → 북위 30도로 발사	북위 30도 → 북위 60도로 발사
• 적도 지점의 자전 속도: 1,600km/h • 북위 30도 지점의 자전 속도: 1,400km/h	• 북위 30도 지점의 자전 속도: 1,400km/h • 북위 60도 지점의 자전 속도: 800km/h
발사 지점과 목표 지점의 자전 속도 차이: (❷ 200km/h)	발사 지점과 목표 지점의 자전 속도 차이: (❸ 600km/h)
따라서 운동 방향이 우로 편향되는 정도는 저위도에서 고위도로 갈수록 (❹ 커진다).	

3 물체의 이동 속력, 위치와 전향력의 관계

- 지표를 기준으로 한 이동 속력이 (❺ 빠를)수록 전향력이 커진다.
- 전향력의 방향은 북반구에서는 운동 방향의 (❻ 오른쪽), 남반구에서는 운동 방향의 (❼ 왼쪽)이다.

정답과 해설 54쪽

| 2015학년도 대학수학능력시험 A형 |

다음 글을 읽고 물음에 답하시오.

우리 몸은 단백질의 합성과 분해를 끊임없이 반복한다. 단백질 합성은 아미노산을 연결하여 긴 사슬을 만드는 과정인데, 20여 가지의 아미노산이 체내 단백질 합성에 이용된다. 단백질 합성에서 아미노산들은 DNA 염기 서열에 담긴 정보에 따라 정해진 순서대로 결합된다. 단백질 분해는 아미노산 간의 결합을 끊어 개별 아미노산으로 분리하는 과정이다. 체내 단백질 분해를 통해 오래되거나 손상된 단백질이 축적되는 것을 막고, 우리 몸에 부족한 에너지 및 포도당을 보충할 수 있다.

단백질 분해 과정의 하나인, 프로테아솜이라는 효소 복합체에 의한 단백질 분해는 세포 내에서 이루어진다. 프로테아솜은 유비퀴틴이라는 물질이 일정량 이상 결합되어 있는 단백질을 아미노산으로 분해한다. 단백질 분해를 통해 생성된 아미노산의 약 75%는 다른 단백질을 합성하는 데 이용되며, 나머지 아미노산은 분해된다. 아미노산이 분해될 때는 아미노기가 아미노산으로부터 분리되어 암모니아로 바뀐 다음, 요소(尿素)로 합성되어 체외로 배출된다. 그리고 아미노기가 떨어지고 남은 부분은 에너지나 포도당이 부족할 때는 이들을 생성하는 데 이용되고, 그렇지 않으면 지방산으로 합성되거나 체외로 배출된다.

단백질이 지속적으로 분해됨에도 불구하고 체내 단백질의 총량이 유지되거나 증가할 수 있는 것은 세포 내에서 단백질 합성이 끊임없이 일어나기 때문이다. 단백질 합성에 필요한 아미노산은 세포 내에서 합성되거나, 음식으로 섭취한 단백질로부터 얻거나, 체내 단백질을 분해하는 과정에서 생성된다. 단백질 합성에 필요한 아미노산 중 체내에서 합성할 수 없어 필요량을 스스로 충족할 수 없는 것을 필수 아미노산이라고 한다. 어떤 단백질 합성에 필요한 각 필수 아미노산의 비율은 정해져 있다. 체내 단백질 분해를 통해 생성되는 필수 아미노산도 다시 단백질 합성에 이용되기도 하지만, 부족한 양이 외부로부터 공급되지 않으면 전체의 체내 단백질 합성량이 줄어들게 된다. 그러므로 필수 아미노산은 반드시 음식물을 통해 섭취되어야 한다. 다만 성인과 달리 성장기 어린이의 경우, 체내에서 합성할 수는 있으나 그 양이 너무 적어서 음식물로 보충해야 하는 아미노산도 필수 아미노산에 포함된다.

각 식품마다 포함된 필수 아미노산의 양은 다르며, 필수 아미노산이 균형을 이룰수록 공급된 필수 아미노산의 총량 중 단백질 합성에 이용되는 양의 비율, 즉 필수 아미노산의 이용 효율이 ㉠<u>높다</u>. 일반적으로 육류, 계란 등 동물성 단백질은 필수 아미노산을 균형 있게 함유하고 있어 필수 아미노산의 이용 효율이 높은 반면, 쌀이나 콩류 등에 포함된 식물성 단백질은 제한 아미노산을 가지며 필수 아미노산의 이용 효율이 상대적으로 낮다.

제한 아미노산은 단백질 합성에 필요한 각각의 필수 아미노산의 양에 비해 공급된 어떤 식품에 포함된 해당 필수 아미노산의 양의 비율이 가장 낮은 필수 아미노산을 말한다. 가령, 가상의 P 단백질 1몰*을 합성하기 위해서는 필수 아미노산 A와 B가 각각 2몰과 1몰이 필요하다고 하자. P를 2몰 합성하려고 할 때, A와 B가 각각 2몰씩 공급되었다면 A는 필요량에 비해 2몰이 부족하게 되어 P는 결국 1몰만 합성된다. 이때 A가 부족하여 합성할 수 있는 단백질의 양이 제한되기 때문에 A가 제한 아미노산이 된다.

어휘 풀이

*몰 물질의 양을 나타내는 단위.

Note

원리로 읽기

관련 문제 Link

1 단백질의 분해 과정

01 핵심 정보 찾기

- 프로테아솜은 (❶)이라는 물질이 일정량 이상 결합되어 있는 단백질을 (❷)으로 분해
- 단백질 분해를 통해 생성된 아미노산의 약 (❸)는 다른 단백질을 합성하는 데 이용되며, 나머지는 분해

2 '필수 아미노산'과 '제한 아미노산'의 개념은?

- 필수 아미노산: 단백질의 기본 구성 단위로 체내에서 (❹) 아미노산
- 제한 아미노산: 식품 단백질의 필수 아미노산 중 (❺) 아미노산

3 사례를 통해 이해하기

03 사례나 상황에 적용하기

1) 가상의 P 단백질 1몰을 합성하기 위해서는 필수 아미노산 A, B가 각각 2몰과 1몰이 필요하다.
   : 2A + 1B → 1P
2) P를 2몰 합성하려고 할 때 A와 B가 각각 2몰씩 공급되었다면, A는 필요량에 비해 2몰이 부족하다.: 2A + 2B → 1P만 가능(2A 부족)
3) A가 부족하여 합성 가능한 단백질 양이 제한되므로 A가 (❻)이 된다.

9262-0228

01 윗글의 내용과 일치하지 않는 것은?

① 체내 단백질의 분해를 통해 오래되거나 손상된 단백질의 축적을 막는다.
② 유비퀴틴이 결합된 단백질을 아미노산으로 분해하는 것은 프로테아솜이다.
③ 아미노산에서 분리되어 요소로 합성되는 것은 아미노산에서 아미노기를 제외한 부분이다.
④ 세포 내에서 합성되는 단백질의 아미노산 결합 순서는 DNA 염기 서열에 담긴 정보에 따른다.
⑤ 성장기의 어린이에게 필요한 필수 아미노산 중에는 체내에서 합성할 수 있는 것도 포함되어 있다.

9262-0229

02 윗글을 읽고 이해한 내용으로 적절하지 않은 것은?

① 필수 아미노산을 제외한 다른 아미노산도 제한 아미노산이 될 수 있겠군.
② 체내 단백질을 분해하여 얻어진 필수 아미노산의 일부는 단백질 합성에 다시 이용되겠군.
③ 체내 단백질 합성에 필요한 필수 아미노산은 음식물의 섭취나 체내 단백질 분해로부터 공급되겠군.
④ 제한 아미노산이 없는 식품은 단백질 합성에 필요한 필수 아미노산이 균형 있게 골고루 함유되어 있겠군.
⑤ 체내 단백질 합성과 분해의 반복 과정에서, 외부로부터 필수 아미노산의 공급이 줄어들면 체내 단백질 총량은 감소하겠군.

9262-0230

03 윗글을 바탕으로 할 때, 〈보기〉의 실험에 대한 이해로 적절하지 않은 것은?

보기

가상의 단백질 Q를 1몰 합성하는 데 필수 아미노산 A, B, C가 각각 2몰, 3몰, 1몰이 필요하다고 가정하자. 단백질 Q를 2몰 합성하려고 할 때 (가), (나), (다)에서와 같이 A, B, C의 공급량을 달리하고, 다른 조건은 모두 동일한 상황에서 최대한 단백질을 합성하는 실험을 하였다.

(가): A 4몰, B 6몰, C 2몰
(나): A 6몰, B 3몰, C 3몰
(다): A 4몰, B 3몰, C 3몰

(단, 단백질과 아미노산의 분해는 없다고 가정한다.)

① (가)에서는 단백질 합성을 제한하는 필수 아미노산이 없겠군.
② (가)에서는 (다)에 비해 단백질 합성에 이용된 필수 아미노산의 총량이 많겠군.
③ (나)에서는 (다)에 비해 합성된 단백질의 양이 많겠군.
④ (나)와 (다) 모두에서는 단백질 합성을 제한하는 필수 아미노산이 B가 되겠군.
⑤ (나)에서는 (다)에 비해 단백질 합성에 이용되지 않고 남은 필수 아미노산의 총량이 많겠군.

9262-0231

04 ㉠의 문맥적 의미와 가장 가까운 것은?

① 가을이 되면 그 어느 때보다 하늘이 높다.
② 우리나라는 원자재의 수입 의존도가 높다.
③ 이번에 새로 지은 건물은 높이가 매우 높다.
④ 잘못을 시정하라는 주민들의 목소리가 높다.
⑤ 친구는 이 분야의 전문가로서 이름이 높다.

문제 풀이 비법 노트

제한 아미노산의 개념을 이해한다.
↓
(가)~(다)의 조건에서 단백질의 합성이 어떻게 이루어질지 예측한다.
↓
(나)와 (다)가 동일한 양의 단백질을 합성하게 될 것임을 추측한다.

03

이 글은 우리 몸을 이루는 기본적인 성분인 단백질의 합성과 분해, 그리고 필수 아미노산과 제한 아미노산의 개념에 대해 다루고 있는 글이다. 각각의 개념이 지닌 특징을 파악하고 이것이 기능하는 과정을 살피면서 지문을 이해해야 한다.

이 문항은 제한 아미노산의 개념과 관련된 사례를 다른 사례에 적용해 보는 문항이다. 5문단에 제시된 사례를 바탕으로 새로운 조건을 대입해 보면 쉽게 문제를 해결할 수 있다.

원리로 다시 읽기

우리 몸은 단백질의 합성과 분해를 끊임없이 반복한다. 단백질 합성은 아미노산을 연결하여 긴 사슬을 만드는 과정인데, 20여 가지의 아미노산이 체내 단백질 합성에 이용된다. 단백질 합성에서 아미노산들은 DNA 염기 서열에 담긴 정보에 따라 정해진 순서대로 결합된다. 단백질 분해는 아미노산 간의 결합을 끊어 개별 아미노산으로 분리하는 과정이다. 체내 단백질 분해를 통해 오래되거나 손상된 단백질이 축적되는 것을 막고, 우리 몸에 부족한 에너지 및 포도당을 보충할 수 있다.

DNA의 구성 성분인 염기들을 순서대로 나열해 놓은 것

▶ 체내에서 일어나는 단백질의 합성과 분해

단백질 분해 과정의 하나인, 프로테아솜이라는 효소 복합체에 의한 단백질 분해는 세포 내에서 이루어진다. 프로테아솜은 유비퀴틴이라는 물질이 일정량 이상 결합되어 있는 단백질을 아미노산으로 분해한다. 단백질 분해를 통해 생성된 아미노산의 약 75%는 다른 단백질을 합성하는 데 이용되며, 나머지 아미노산은 분해된다. 아미노산이 분해될 때는 아미노기가 아미노산으로부터 분리되어 암모니아로 바뀐 다음, 요소(尿素)로 합성되어 체외로 배출된다. 그리고 아미노기가 떨어지고 남은 부분은 에너지나 포도당이 부족할 때는 이들을 생성하는 데 이용되고, 그렇지 않으면 지방산으로 합성되거나 체외로 배출된다. ▶ 단백질의 분해 과정

단백질이 지속적으로 분해됨에도 불구하고 체내 단백질의 총량이 유지되거나 증가할 수 있는 것은 세포 내에서 단백질 합성이 끊임없이 일어나기 때문이다. 단백질 합성에 필요한 아미노산은 세포 내에서 합성되거나, 음식으로 섭취한 단백질로부터 얻거나, 체내 단백질을 분해하는 과정에서 생성된다. 단백질 합성에 필요한 아미노산 중 체내에서 합성할 수 없어 필요량을 스스로 충족할 수 없는 것을 필수 아미노산이라고 한다. 어떤 단백질 합성에 필요한 각 필수 아미노산의 비율은 정해져 있다. 체내 단백질 분해를 통해 생성되는 필수 아미노산도 다시 단백질 합성에 이용되기도 하지만, 부족한 양이 외부로부터 공급되지 않으면 전체의 체내 단백질 합성량이 줄어들게 된다. 그러므로 필수 아미노산은 반드시 음식물을 통해 섭취되어야 한다. 다만 성인과 달리 성장기 어린이의 경우, 체내에서 합성할 수는 있으나 그 양이 너무 적어서 음식물로 보충해야 하는 아미노산도 필수 아미노산에 포함된다.

필수 아미노산의 개념

▶ 필수 아미노산의 개념과 의의

각 식품마다 포함된 필수 아미노산의 양은 다르며, 필수 아미노산이 균형을 이룰수록 공급된 필수 아미노산의 총량 중 단백질 합성에 이용되는 양의 비율, 즉 필수 아미노산의 이용 효율이 높다. ❶일반적으로 육류, 계란 등 동물성 단백질은 필수 아미노산을 균형 있게 함유하고 있어 필수 아미노산의 이용 효율이 높은 반면, ❷쌀이나 콩류 등에 포함된 식물성 단백질은 제한 아미노산을 가지며 필수 아미노산의 이용 효율이 상대적으로 낮다.

❶과 ❷는 대비되는 짝으로 상반된 진술이 나타남.

▶ 식품에 따른 필수 아미노산의 이용 효율

제한 아미노산은 단백질 합성에 필요한 각각의 필수 아미노산의 양에 비해 공급된 어떤 식품에 포함된 해당 필수 아미노산의 양의 비율이 가장 낮은 필수 아미노산을 말한다. 가령, 가상의 P 단백질 1몰을 합성하기 위해서는 필수 아미노산 A와 B가 각각 2몰과 1몰이 필요하다고 하자. P를 2몰 합성하려고 할 때, A와 B가 각각 2몰씩 공급되었다면 A는 필요량에 비해 2몰이 부족하게 되어 P는 결국 1몰만 합성된다. 이때 A가 부족하여 합성할 수 있는 단백질의 양이 제한되기 때문에 A가 제한 아미노산이 된다. ▶ 제한 아미노산의 개념과 예시

제한 아미노산의 개념

예시를 나타냄

1 단백질의 분해 과정

- 프로테아솜은 (❶ 유비퀴틴)이라는 물질이 일정량 이상 결합되어 있는 단백질을 (❷ 아미노산)으로 분해
- 단백질 분해를 통해 생성된 아미노산의 약 (❸ 75%)는 다른 단백질을 합성하는 데 이용되며, 나머지는 분해

2 '필수 아미노산'과 '제한 아미노산'의 개념은?

- 필수 아미노산: 단백질의 기본 구성 단위로 체내에서 (❹ 합성할 수 없는) 아미노산
- 제한 아미노산: 식품 단백질의 필수 아미노산 중 (❺ 결핍되는 / 부족한) 아미노산

3 사례를 통해 이해하기

1) 가상의 P 단백질 1몰을 합성하기 위해서는 필수 아미노산 A, B가 각각 2몰과 1몰이 필요하다.
 : 2A+1B → 1P
2) P를 2몰 합성하려고 할 때 A와 B가 각각 2몰씩 공급되었다면, A는 필요량에 비해 2몰이 부족하다.
 : 2A+2B → 1P만 가능(2A 부족)
3) A가 부족하여 합성 가능한 단백질 양이 제한되므로 A가 (❻ 제한 아미노산)이 된다.

과정 서술에서 사용되는 낯선 용어들에 유의하면서 내용을 파악한다.

Note

다음 글을 읽고 물음에 답하시오.

동물들을 보면 제 나름의 방법을 사용해 입으로 먹이를 먹는다. 물고기는 물과 함께 먹이를 빨아들이며, 개미핥기는 긴 혀에 개미를 묻혀 먹고, 하이에나는 강력한 턱으로 뼈까지 잘게 씹어 먹을 수 있으며, 뱀은 자기 몸통보다 굵은 먹이도 통째로 삼킨다. 동물의 입은 어떻게 이처럼 다양하게 변했을까? 이를 알기 위해서는 턱, 이빨 등이 진화한 과정에 주목해야 한다.

최초의 입은 어떤 모습이었을까? 초기 척추동물의 입은 지금 우리가 흔히 볼 수 있는 모습과 달랐다. 턱과 이빨이 생기기 전, 입이란 것이 몸에 뚫려 있는 구멍 수준이었던 시절 초기 척추동물은 물을 빨아들인 뒤 그 안에 있는 먹이를 걸러서 먹는 방법으로 생활했다. 이를 '여과 섭식*'이라고 한다. 섬모, 강모, 아가미 등을 이용해 먹이를 거르는 게 일반적이다. 턱이 생기기 전까지 어류는 여과 섭식에 의존했다. 여과 섭식으로 먹을 수 있는 먹이는 작고 느린 생물이었을 것이다. 더 잘 먹기 위해서는 더욱 강한 힘으로 물을 빨아들여야 했다. 고생대에 살았던 어류인 갑주어에 이르면 먹는 기능이 이전보다 발달했음을 알 수 있다. 갑주어는 커다란 근육성 인두를 사용해 먹이가 들어 있는 물을 더욱 세게 빨아들일 수 있었다.

시간이 흐르자 입에는 혁신적인 변화가 생겨났다. 입을 위아래로 벌렸다 다물 수 있는 턱을 지닌 유악어류가 등장한 것이다. 턱은 먹이를 물 수 있게 해 주었다. 입안에 들어왔다가도 재빠르게 도망가던 먹이를 붙잡을 수 있게 된 것이다. 이들이 지닌 턱은 여과 섭식과 단순 흡입만으로는 먹을 수 없었던 새로운 먹이를 안겨 주었다. 턱에는 이빨도 나타났는데, 턱이 생기기 시작하면서 동시에 어류의 입 주위에 있던 치판의 작은 돌기에서 이빨이 등장했다. 납작하고 서로 엇갈려 있는 이빨은 이전에 먹을 수 없었던 단단한 먹이도 먹을 수 있게 해 주었다. 이빨을 이용해 먹이를 포획*하는 새로운 방법이 생태계에 등장한 것이다.

물속의 유악어류 중 일부는 땅 위로 진출해 육상 동물의 조상이 되었다. 이후 양서류, 파충류, 수궁류*, 포유류로 이루어지는 진화 과정에서 입은 더욱 향상된 기능을 지니게 되었다. 양서류에서 파충류까지는 먹이 전체를 삼키거나 먹이를 크게 잘라 삼키는 방식으로 섭취*한다. 반면 수궁류에 이르면 크고 작은 어금니가 왕관 모양의 뾰족한 표면을 가지고 있어 이를 이용해 먹이를 잘게 부수거나 자를 수 있었다. 포유류로 진화하면서는 먹는 동안 입안에 들어 있는 음식물이 호흡을 방해하는 것도 극복되었다. 대부분의 양서류와 파충류는 콧구멍에서 코 안쪽까지 이르는 부분인 비도개구가 입의 앞쪽에 있어 입안에 먹이가 가득 차 있는 동안에는 호흡을 일시적으로 중단한다. 그런데 포유류는 산소 공급이 중단되면 금방 질식하기 때문에 비도개구의 위치가 호흡이 중단되지 않도록 바뀌었다.

포유류로 진화하기 전에 나타난 또 하나의 커다란 변이는 ㉠이빨의 교체 현상이다. 성장하면서 섭취하는 먹이의 크기가 커지는 것에 보조를 맞추기 위해 작은 이빨이 커다란 이빨로 교체되어 큰 이빨이 많아지는 것이다. 파충류는 자라면서 작은 이빨이 교대로 좀 더 큰 이빨로 바뀐다. 파충류는 윗니와 아랫니가 교차하는 방식으로 이빨이 계속 바뀌는데, 이렇게 바뀌면 윗니와 아랫니가 정확히 맞물리지 않게 된다. 반면에 포유류는 위아래가 쌍으로 교체되어 윗니와 아랫니가 맞물린다. 이는 먹이를 더 잘게 씹어 소화가 잘 될 수 있도록 도와준다.

어휘풀이

*섭식 음식을 섭취함.
*포획 짐승이나 물고기를 잡음.
*수궁류 파충류로서 현생 포유동물의 조상격 되는 동물.
*섭취 좋은 요소나 양분 따위를 몸속에 빨아들임.

9262-0232

01 윗글에서 알 수 있는 내용으로 적절하지 않은 것은?

① 유악어류 중 일부가 육상으로 진출해 포유류의 조상이 되었다.
② 동물들의 입이 다양한 것은 턱, 이빨 등의 진화 과정과 관련이 있다.
③ 초기 척추동물들이 먹을 수 있는 먹이는 주로 작고 느린 생물들이었다.
④ 고생대의 갑주어는 초기 척추동물들에 비해 먹이를 먹는 기능이 발달했다.
⑤ 파충류는 양서류와 달리 먹이를 크게 잘라 삼키는 방식으로 섭취해 왔다.

9262-0233

02 윗글을 참고해 〈보기〉의 ⓐ~ⓔ의 '입의 진화'에 대해 설명한 내용으로 적절하지 않은 것은?

보기

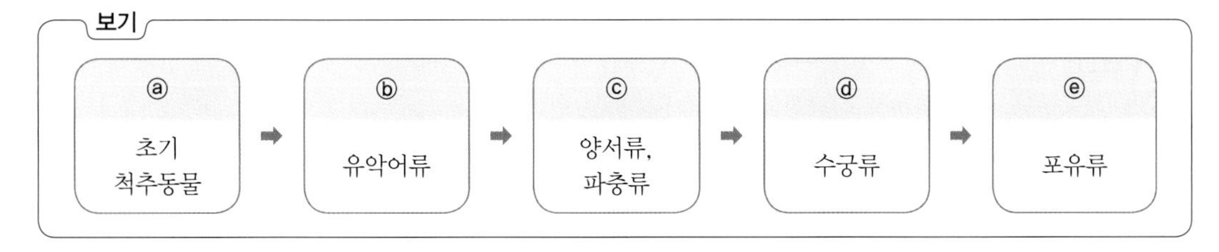

① ⓐ의 동물들은 일반적으로 섬모, 강모, 아가미 등을 이용한 여과 섭식의 방법에 의존해 먹이를 섭취했다.
② ⓑ의 동물들은 턱을 가짐으로써 ⓐ의 동물들이 섭취할 수 없었던 종류의 먹이들을 섭취할 수 있었다.
③ ⓒ의 동물들에 이르러 입 주위에 있던 치판의 작은 돌기에서 이빨이 나타나기 시작했다.
④ ⓓ의 동물들은 크고 작은 어금니가 왕관 모양의 뾰족한 표면을 가지고 있어 먹이를 잘게 부수거나 잘라 먹을 수 있었다.
⑤ ⓔ의 동물들은 ⓒ의 동물들에 비해 비도개구의 위치가 입의 앞쪽에서 멀어진 특징을 갖고 있다.

9262-0234

03 윗글을 읽고 ㉠에 대해 보인 반응으로 적절한 것은?

① 몸이 성장하는 것과 상관없이 일어나는 현상이라 할 수 있군.
② 먹이를 효율적으로 섭취하기 위해 나타난 것이라고 할 수 있군.
③ 머리와 입이 커지는 것을 촉진하는 기능을 수행한다고 할 수 있군.
④ 파충류와 포유류에서 나타나는 양상이 거의 동일하다고 할 수 있군.
⑤ 이빨 모양이 일률적으로 같아지도록 만드는 역할을 한다고 할 수 있군.

출제 포인트

③번 선택지가 〈보기〉의 ⓒ 단계에 관한 것임을 확인하고 그 내용을 파악한다.

↓

③번 선택지의 '치판의 작은 돌기에서 이빨이 나타나기 시작했다.'는 내용은 ⓒ 단계의 전 단계인 ⓑ 단계에서 일어난 것임을 확인한다.

↓

③번 선택지가 적절하지 않다는 것을 판단한다.

02 이 문항은 과정의 여러 단계를 도식화하여 〈보기〉로 제시한 후, 각 단계에 대해 정확하게 이해할 수 있는지를 묻고 있다.

> **3** 시간이 흐르자 입에는 혁신적인 변화가 생겨났다. 입을 위아래로 벌렸다 다물 수 있는 턱을 지닌 유악어류가 등장한 것이다. (……) 턱에는 이빨도 나타났는데, 턱이 생기기 시작하면서 동시에 어류의 입 주위에 있던 치판의 작은 돌기에서 이빨이 등장했다.

이 글은 동물들의 입의 진화 과정에 대해 설명하고 있다. 그 과정과 관련해 3문단에서는 '유악어류'가 등장한 단계에 대해 설명하고 있다. 이처럼 과정에 따라 서술된 글은 단계 간의 차이점을 핵심 출제 요소로 삼는다. 이에 따라 3문단에 제시된, '어류의 입 주위에 있던 치판의 작은 돌기에서 이빨이 등장했다.'는 정보가 출제 요소가 되었다.

원리로 다시 읽기

동물들을 보면 제 나름의 방법을 사용해 입으로 먹이를 먹는다. 물고기는 물과 함께 먹이를 빨아들이며, 개미핥기는 긴 혀에 개미를 묻혀 먹고, 하이에나는 강력한 턱으로 뼈까지 잘게 씹어 먹을 수 있으며, 뱀은 자기 몸통보다 굵은 먹이도 통째로 삼킨다. 동물의 입은 어떻게 이처럼 다양하게 변했을까? 이를 알기 위해서는 ❶턱, 이빨 등이 진화한 과정에 주목해야 한다.

글의 중심 화제를 물음의 형식을 빌려 제시함.

▶ 턱, 이빨 등의 진화 과정에 주목해야 하는 이유

최초의 입은 어떤 모습이었을까? ❷초기 척추동물의 입은 지금 우리가 흔히 볼 수 있는 모습과 달랐다. 턱과 이빨이 생기기 전, 입이란 것이 몸에 뚫려 있는 구멍 수준이었던 시절 초기 척추동물은 물을 빨아들인 뒤 그 안에 있는 먹이를 걸러서 먹는 방법으로 생활했다. 이를 '여과 섭식'이라고 한다. 섬모, 강모, 아가미 등을 이용해 먹이를 거르는 게 일반적이다. 턱이 생기기 전까지 어류는 여과 섭식에 의존했다. 여과 섭식으로 먹을 수 있는 먹이는 작고 느린 생물이었을 것이다. 더 잘 먹기 위해서는 더욱 강한 힘으로 물을 빨아들여야 했다. 고생대에 살았던 어류인 갑주어에 이르면 먹는 기능이 이전보다 발달했음을 알 수 있다. 갑주어는 커다란 근육성 인두를 사용해 먹이가 들어 있는 물을 더욱 세게 빨아들일 수 있었다.

과정의 첫 번째 단계

▶ 초기 척추동물의 여과 섭식 방식

시간이 흐르자 입에는 혁신적인 변화가 생겨났다. 입을 위아래로 벌렸다 다물 수 있는 턱을 지닌 ❸유악어류가 등장한 것이다. 턱은 먹이를 물 수 있게 해 주었다. 입안에 들어왔다가도 재빠르게 도망가던 먹이를 붙잡을 수 있게 된 것이다. 이들이 지닌 턱은 여과 섭식과 단순 흡입만으로는 먹을 수 없었던 새로운 먹이를 안겨 주었다. 턱에는 이빨도 나타났는데, 턱이 생기기 시작하면서 동시에 어류의 입 주위에 있던 치판의 작은 돌기에서 이빨이 등장했다. 납작하고 서로 엇갈려 있는 이빨은 이전에 먹을 수 없었던 단단한 먹이도 먹을 수 있게 해 주었다. 이빨을 이용해 먹이를 포획하는 새로운 방법이 생태계에 등장한 것이다.

과정의 두 번째 단계

▶ 턱과 이빨을 이용한 먹이 섭취 방법의 등장

물속의 유악어류 중 일부는 땅 위로 진출해 육상 동물의 조상이 되었다. 이후 양서류, 파충류, 수궁류, 포유류로 이루어지는 진화 과정에서 입은 더욱 향상된 기능을 지니게 되었다. ❹양서류에서 파충류까지는 먹이 전체를 삼키거나 먹이를 크게 잘라 삼키는 방식으로 섭취한다. 반면 ❺수궁류에 이르면 크고 작은 어금니가 왕관 모양의 뾰족한 표면을 가지고 있어 이를 이용해 먹이를 잘게 부수거나 자를 수 있었다. ❻포유류로 진화하면서는 먹는 동안 입안에 들어 있는 음식물이 호흡을 방해하는 것도 극복되었다. 대부분의 양서류와 파충류는 콧구멍에서 코 안쪽까지 이르는 부분인 비도개구가 입의 앞쪽에 있어 입안에 먹이가 가득 차 있는 동안에는 호흡을 일시적으로 중단한다. 그런데 포유류는 산소 공급이 중단되면 금방 질식하기 때문에 비도개구의 위치가 호흡이 중단되지 않도록 바뀌었다.

과정의 세 번째 단계 / 과정의 네 번째 단계 / 과정의 다섯 번째 단계

▶ 양서류 · 파충류에서 수궁류와 포유류로의 입의 진화

포유류로 진화하기 전에 나타난 또 하나의 커다란 변이는 이빨의 교체 현상이다. 성장하면서 섭취하는 먹이의 크기가 커지는 것에 보조를 맞추기 위해 작은 이빨이 커다란 이빨로 교체되어 큰 이빨이 많아지는 것이다. 파충류는 자라면서 작은 이빨이 교대로 좀 더 큰 이빨로 바뀐다. 파충류는 윗니와 아랫니가 교차하는 방식으로 이빨이 계속 바뀌는데, 이렇게 바뀌면 윗니와 아랫니가 정확히 맞물리지 않게 된다. 반면에 포유류는 위아래가 쌍으로 교체되어 윗니와 아랫니가 맞물린다. 이는 먹이를 더 잘게 씹어 소화가 잘 될 수 있도록 도와준다.

▶ 파충류와 포유류의 이빨 교체 방식의 차이

❶ '동물의 입은 어떻게 이처럼 다양하게 변했을까?'라는 문장을 통해 제시된 글의 중심 화제와 관련해 구체적으로 무엇에 초점을 맞추어 설명할 것인지를 알려 주고 있다. 이를 통해 2문단에서부터 '턱, 이빨 등의 진화 과정'에 초점을 맞추어 '(❶)'에 대해 설명할 것임을 알 수 있다. 이와 같이 과정에 따라 서술된 글은 단계를 파악하고, 단계 간의 (❷)을 나타내는 말들을 핵심 정보로 주목하는 독해를 할 수 있어야 한다.

❷~❻ 입의 진화 과정을 '초기 척추동물 → 유악어류 → 양서류 · 파충류 → 수궁류 → 포유류'의 과정에 따라 단계적으로 설명하고 있다. 이에 따라 각 단계 간의 차이점을 나타내는 '여과 섭식', '턱의 이용', '이빨의 이용', '먹이 전체를 삼키거나 먹이를 크게 잘라 삼킴.', '먹이를 잘게 부수거나 자름.', '음식물이 호흡을 방해하는 것이 극복됨.', '작은 이빨이 커다란 이빨로 교체됨.' 등을 핵심 정보로 주목해야 한다.

답

❶ 입의 진화 ❷ 차이점

Note

다음 글을 읽고 물음에 답하시오.

비가 내린 후 하늘에서 무지개를 본 적이 있을 것이다. 이렇게 우리가 흔히 접하는 무지개를 수무지개 또는 1차 무지개라고 한다. 그런데 하늘에 두 개의 무지개가 함께 떠 있는 경우도 있다. 이때 1차 무지개 외의 다른 것을 암무지개 또는 2차 무지개라고 한다.

수무지개는 빛의 굴절*과 반사에 의해 생성된다. 오른쪽 그림처럼 햇빛이 물방울 속으로 들어가면서 굴절이 될 때 굴절 방향이 색깔에 따라 달라, 빛이 분리되는 분산 현상이 발생한다. 색깔별로 퍼진 채로 물방울 안에서 진행하던 빛은 물방울과 공기의 경계면에서 반사된다. 이때 빛이 물방울과 공기의 경계면에 닿을 때의 각도와 반사되어 나오는 각도는 같다. 반사된 빛은 다시 물방울 속에서 진행하다가 공기와의 경계면과 만나면 일부는 반사하고 일부는 굴절되어 물방울 밖으로 나와 그 모습을 드러낸다. 이것이 우리가 보는 무지개의 빛이다.

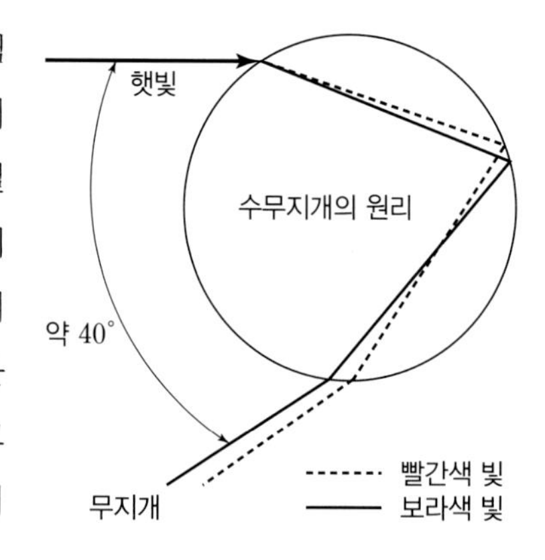

빛이 구형의 물방울로 들어가 반사되어 나올 때, 들어간 빛과 나오는 빛이 이루는 각도는 빨간색 빛은 약 42.4°, 보라색 빛은 약 40.7°이다. 이렇게 구부러지는 각을 '무지개각'이라고 부른다. 그런데 보라색이 빨간색보다 무지개각이 작아 빛이 물방울에서 꺾여 나올 때 보라색이 빨간색보다 더 많이 꺾여 위쪽에 있는데, 왜 우리가 보는 무지개는 빨주노초파남보 순으로 빨간색이 위쪽에 있는 것일까? 무지개각에 따라 빨간색이 보일 때 보라색은 햇빛과 사람의 눈이 약 40.7°를 이루는 위치에서 보인다. 그래서 빨간색이 보일 때, 빨간색 위쪽으로 나타난 보라색은 시야*에 들어오지 않는다. 반면에 아래쪽에 있는 물방울에서 빨간색의 위쪽에 나타난 보라색은 관찰자의 시야에 들어오게 된다. 이러한 이유로 무지개를 보면 보라색이 빨간색 아래에 위치하는 것이다.

그런데 암무지개는 어떻게 생기는 것일까? 암무지개도 수무지개와 같은 원리로 빛이 굴절되고 반사되어 생성되는데, 오른쪽 그림에서 볼 수 있는 것처럼 수무지개와 달리 빛이 물방울 속에서 두 번 반사된다. 그런데 암무지개는 수무지개에 비해 빛이 어두워 우리 눈에 보이는 경우가 드물다. 그 이유는 무엇일까? 그 이유는 크게 두 가지다. 첫째는 빛이 두 번 반사되면서 그 과정에서 빛의 양이 감소하기 때문이다. 물방울 안에서 빛이 반사될 때, 입사*된 빛의 일부만이 반사되는 부분 반사가 일어나기 때문에 반사되는 횟수가 많을수록 감소하는 빛의 양이 커진다. 둘째는 암무지개의 색깔에 따른 무지개각의 차이가 수무지개보다 훨씬 크기 때문이다. 이에 따라 빛이 넓게 분산되어 눈에 선명하게 들어오지 않는다.

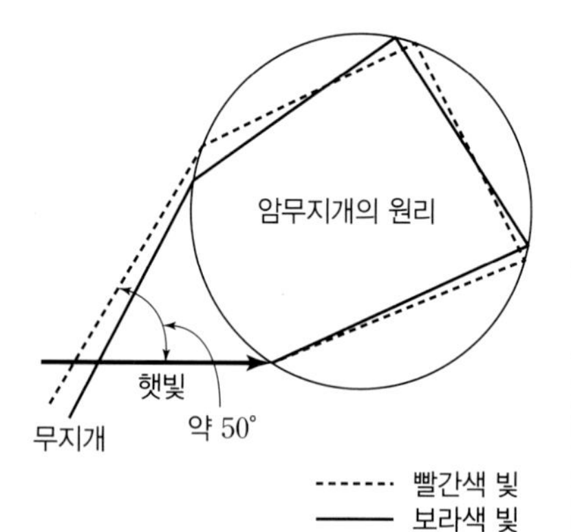

무지개가 만들어질 때 대부분 수무지개와 암무지개가 함께 만들어지지만 암무지개가 관찰되지 않는 경우가 많다. ㉠<u>암무지개는 물방울의 크기가 클 때 우리 눈에 보인다.</u> 그리고 암무지개의 무지개각은 빨간색은 약 50.4°이고, 보라색은 약 53.5°이다. 수무지개에서는 빨간색 무지개각이 더 컸었는데, 암무지개에서는 보라색 무지개각이 더 크므로 암무지개와 수무지개의 색깔 순서가 반대가 된다. '빨주노초파남보'가 아니라 '보남파초노주빨' 순서로 보이는 것이다.

어휘풀이

•굴절 빛이나 소리가 한 매체에서 다른 매체로 들어갈 때 경계면에서 그 진행 방향이 꺾이는 현상.
•시야 시력이 미치는 범위.
•입사 하나의 매질(媒質) 속을 지나가는 소리나 빛의 파동이 다른 매질의 경계면에 이르는 일.

9262-0235

01 윗글의 내용 전개 방식으로 적절하지 않은 것은?

① 과정에 따라 '수무지개'가 생성되는 원리를 제시한다.
② 묻고 답하는 형식을 통해 '수무지개'의 색 순서에 대해 설명한다.
③ '무지개'의 생성에 영향을 주는 요인을 유형별로 분류해 제시한다.
④ '수무지개'와의 차이점에 주목해 '암무지개'의 생성에 대해 설명한다.
⑤ '수무지개'와 '암무지개'의 개념을 제시하며 글의 중심 서술 대상을 밝힌다.

9262-0236

02 윗글을 참조해 〈보기〉의 ⓐ, ⓑ에 대해 설명한 내용으로 적절하지 않은 것은?

보기

① ⓐ는 ⓑ에 비해 색깔에 따른 무지개각의 차이가 크다.
② ⓐ는 ⓑ와 달리 보라색의 무지개각이 빨간색보다 더 크다.
③ ⓐ와 ⓑ는 모두 빛이 굴절되어 분산되는 과정을 포함하고 있다.
④ ⓐ는 형성 과정에서 ⓑ에 비해 물방울 안에서 빛이 반사되는 횟수가 많다.
⑤ ⓐ는 ⓑ와 달리, 빛이 물방울과 공기의 경계면에 닿을 때의 각도와 반사되어 나오는 각도가 다르다.

9262-0237

03 ㉠의 이유를 추리했을 때, 적절한 것은?

① 물방울의 크기가 커야 모을 수 있는 빛의 양이 많기 때문이다.
② 물방울의 크기에 따라 굴절되는 빛의 종류가 달라지기 때문이다.
③ 물방울의 크기에 따라 무지개각이 변화하는 정도가 다르기 때문이다.
④ 물방울의 크기가 커야 물방울 내에서의 빛의 반사가 잘 일어나기 때문이다.
⑤ 물방울의 크기에 따라 수무지개가 암무지개에 미치는 영향이 작아지기 때문이다.

출제 포인트

⑤번 선택지가 무지개의 생성 원리에 관한 내용으로 서술되어 있음을 확인한다.

↓

⑤번 선택지의 내용과 관련해, 2문단에서 빛이 물방울과 공기의 경계면에 닿을 때의 각도와 반사되어 나오는 각도가 같다는 사실을 확인하고, 4문단에서 '암무지개'와 '수무지개'의 생성과 관련해 빛이 굴절되고 반사되는 원리가 같다는 사실을 확인한다.

↓

⑤번 선택지에서 ⓐ, ⓑ의 차이점으로 제시된 것이 적절하지 않다는 것을 판단한다.

02 이 문항은 지문의 중심 서술 대상을 〈보기〉에 시각 자료로 제시하여 그에 대해 이해할 수 있는지를 묻고 있다.

> ❷ (……) 색깔별로 퍼진 채로 물방울 안에서 진행하던 빛은 물방울과 공기의 경계면에서 반사된다. 이때 빛이 물방울과 공기의 경계면에 닿을 때의 각도와 반사되어 나오는 각도는 같다.
> ❹ (……) 암무지개도 수무지개와 같은 원리로 빛이 굴절되고 반사되어 생성되는데, 오른쪽 그림에서 볼 수 있는 것처럼 수무지개와 달리 빛이 물방울 속에서 두 번 반사된다.

이 글은 '수무지개'와 '암무지개'가 생성되는 원리를 과정에 따라 설명하고 있으며, 두 대상을 대비하고 있다. 이와 같이 논지가 전개된 글은 과정에 따라 설명된 원리 및 각 대상의 특징과 관련해 두 대상 간의 공통점 및 차이점이 핵심 출제 요소가 된다. 따라서 각 대상이 어떻게 생성되며, 어떤 특징을 지니고 있는지를 이해하고, 이를 바탕으로 두 대상 간의 공통점 및 차이점을 정확하게 이해하는 독해를 해야 한다.

원리로 다시 읽기

비가 내린 후 하늘에서 무지개를 본 적이 있을 것이다. 이렇게 우리가 흔히 접하는 무지개를 수무지개 또는 1차 무지개라고 한다. 그런데 하늘에 두 개의 무지개가 함께 떠 있는 경우도 있다. 이때 1차 무지개 외의 다른 것을 암무지개 또는 2차 무지개라고 한다.

▶ 수무지개와 암무지개의 개념

수무지개는 빛의 굴절과 반사에 의해 생성된다. (무지개의 생성 원인) 오른쪽 그림처럼 ❶햇빛이 물방울 속으로 들어가면서 굴절이 될 때 굴절 방향이 색깔에 따라 달라, 빛이 분리되는 분산 현상이 발생한다. ❷색깔별로 퍼진 채로 물방울 안에서 진행하던 빛은 물방울과 공기의 경계면에서 반사된다. 이때 빛이 물방울과 공기의 경계면에 닿을 때의 각도와 반사되어 나오는 각도는 같다. ❸반사된 빛은 다시 물방울 속에서 진행하다가 공기와의 경계면과 만나면 일부는 반사하고 일부는 굴절되어 물방울 밖으로 나와 그 모습을 드러낸다. 이것이 우리가 보는 무지개의 빛이다.

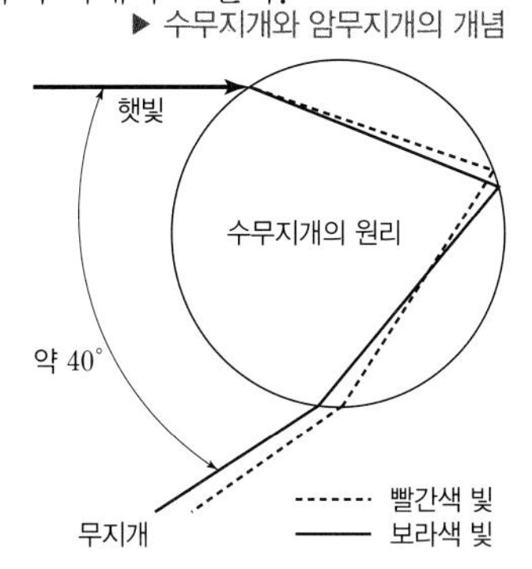

▶ 무지개가 생성되는 원리와 과정

빛이 구형의 물방울로 들어가 반사되어 나올 때, 들어간 빛과 나오는 빛이 이루는 각도는 (물방울 안에서 색깔별로 빛이 분산된 채 반사되어 나옴.) 빨간색 빛은 약 42.4°, 보라색 빛은 약 40.7°이다. 이렇게 구부러지는 각을 '무지개각'이라고 부른다. 그런데 보라색이 빨간색보다 무지개각이 작아 빛이 물방울에서 꺾여 나올 때 보라색이 빨간색보다 더 많이 꺾여 위쪽에 있는데, 왜 우리가 보는 무지개는 빨주노초파남보 순으로 빨간색이 위쪽에 있는 것일까? 무지개각에 따라 빨간색이 보일 때 보라색은 햇빛과 사람의 눈이 약 40.7°를 이루는 위치에서 보인다. 그래서 ❹빨간색이 보일 때, 빨간색 위쪽으로 나타난 보라색은 시야에 들어오지 않는다. 반면에 아래쪽에 있는 물방울에서 빨간색의 위쪽에 나타난 보라색은 관찰자의 시야에 들어오게 된다. 이러한 이유로 무지개를 보면 보라색이 빨간색 아래에 위치하는 것이다.

▶ 무지개에서 빨간색이 보라색보다 위에 보이는 이유

그런데 암무지개는 어떻게 생기는 것일까? 암무지개도 수무지개와 같은 원리로 빛이 굴절되고 반사되어 생성되는데, (암무지개와 수무지개의 기본적인 생성 원리는 동일함.) 오른쪽 그림에서 볼 수 있는 것처럼 수무지개와 달리 ❺빛이 물방울 속에서 두 번 반사된다. 그런데 암무지개는 수무지개에 비해 빛이 어두워 우리 눈에 보이는 경우가 드물다. 그 이유는 무엇일까? 그 이유는 크게 두 가지다. 첫째는 빛이 두 번 반사되면서 그 과정에서 빛의 양이 감소하기 때문이다. 물방울 안에서 빛이 반사될 때, 입사된 빛의 일부만이 반사되는 부분 반사가 일어나기 때문에 반사되는 횟수가 많을수록 감소하는 빛의 양이 커진다. 둘째는 ❻암무지개의 색깔에 따른 무지개각의 차이가 수무지개보다 훨씬 크기 때문이다. 이에 따라 빛이 넓게 분산되어 눈에 선명하게 들어오지 않는다.

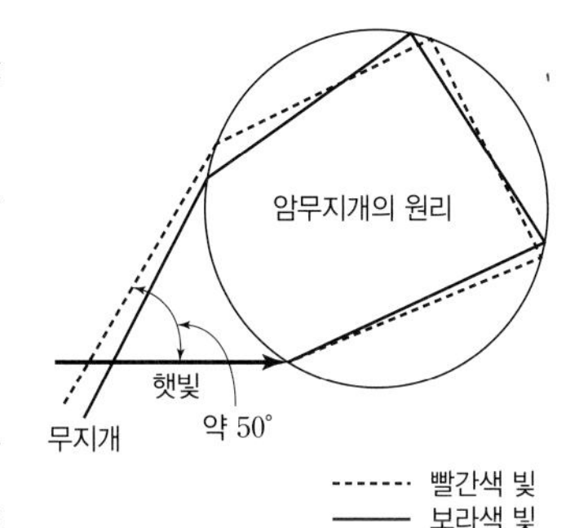

▶ 암무지개의 특징과 암무지개의 빛깔이 어두운 이유

무지개가 만들어질 때 대부분 수무지개와 암무지개가 함께 만들어지지만 암무지개가 관찰되지 않는 경우가 많다. 암무지개는 물방울의 크기가 클 때 우리 눈에 보인다. 그리고 암무지개의 무지개각은 빨간색은 약 50.4°이고, 보라색은 약 53.5°이다. 수무지개에서는 빨간색 무지개각이 더 컸었는데, ❼암무지개에서는 보라색 무지개각이 더 크므로 암무지개와 수무지개의 색깔 순서가 반대가 된다. '빨주노초파남보'가 아니라 '보남파초노주빨' 순서로 보이는 것이다.

▶ 암무지개가 눈에 보이는 조건과 암무지개의 색깔 순서

❶~❸ 무지개의 생성 원리를 과정에 따라 설명하고 있다. 이와 같이 과정에 따라 서술되어 있으면 단계를 나누고 각 단계 간의 차이점을 나타내는 말들을 핵심 정보로 주목해야 한다. 그리고 생성 원리를 설명할 때, 인과 관계를 토대로 정보가 제시되는 경우가 많으므로 그 관계에 주목해야 한다. 즉 무지개가 여러 빛이 퍼진 색으로 보이는 원인으로 (❶)을 파악해야 하는 것이다.

❹ 3문단에서는 무지개에서 빨간색이 보라색보다 위에 보이는 이유에 대해 설명하고 있다. ❹는 그 이유에 해당한다. 과학 제재에서는 이와 같이 이유에 해당하는 정보를 핵심 정보로 주목해야 한다.

❺~❼ 서술 대상이 둘 이상이면, 두 대상 간의 차이점이 핵심 출제 요소가 된다. ❺~❼은 (❷)와 (❸)의 차이점을 제시하고 있다.

답

❶ 색깔에 따라 빛이 굴절되는 분산 현상
❷ 암무지개 ❸ 수무지개

Note

다음 글을 읽고 물음에 답하시오.

물질의 세 가지 상태인 고체, 액체, 기체 상태로 존재하는 것이 모두 가능한 물질인 물은 수많은 물 분자가 모여서 이루어진 것이다. 물 분자 한 개는 수소 원자 2개, 산소 원자 1개로 이루어져 있다. 물 분자를 이루는 산소와 수소는 '공유 결합'이라는 방식으로 결합되어 있다. '공유 결합'이란 원자들이 결합하는 방식의 하나로, 원자들이 가지고 있는 전자들을 서로 공유하며 결합하는 것을 말한다. 그런데 물 분자를 이루는 산소는 수소보다 크며 강한 인력을 갖고 있다. 이에 따라 산소가 수소보다 전자들을 더 많이 공유하게 되고, 그 결과 물 분자의 산소 원자들은 부분적으로 음전하를 띠고, 수소 원자는 부분적으로 양전하를 띤다.

물 분자처럼 한 개의 분자 안에 부분적으로 양전하, 음전하를 갖고 있으면 극성을 띤다고 한다. 이는 막대자석이 한쪽은 N극, 다른 한쪽은 S극을 띠는 것과 비슷하다. 물 분자들은 이렇듯 극성을 띠기 때문에 이웃하고 있는 분자들끼리 서로 잘 끌어당긴다. 물 분자 주위에 다른 물 분자들이 있으면, 한 개의 물 분자에 포함된 산소 원자는 분자 자체 내의 수소 원자를 끌어당기기도 하지만, 이웃해 있는 다른 물 분자의 수소 원자까지도 끌어당겨 결합하는데 이를 '수소 결합'이라고 한다. 물 분자는 수소 결합에 의해 여러 개가 뭉치고, 이렇게 뭉친 물 분자들이 물을 구성한다.

수소 결합으로 물은 독특한 성질을 가진다. 일반적으로 액체는 고체가 되면 부피가 줄어들고 밀도가 높아진다. 그러나 물은 액체에서 고체로 변할 때, 즉 얼음이 될 때 물 분자들이 수소 결합을 유지하면서 육각형의 고리를 만들어 빈 공간이 생겨 부피가 늘어나고 밀도가 낮아진다. 얼음이 물에 뜨는 것은 이 때문이다. 수소 결합으로 인한 물의 또 다른 특성으로는 표면 장력이 다른 액체에 비해서 유난히 큰 것을 들 수 있다. 물의 표면 장력이 큰 것은 수소 결합으로 분자 간의 인력이 크기 때문이다. 물의 표면 장력은 물보다 밀도가 큰 물체들도 물에 떠 있을 수 있게 해 준다. 컵에 물을 가득 채우고 조심스럽게 동전을 물 위에 놓으면 동전이 가라앉지 않고 떠 있는 것을 볼 수 있다.

수소 결합은 물의 열용량, 비열, 증발열에도 영향을 준다. 열용량은 물질의 온도를 1℃ 올리는 데에 필요한 열이다. 동일한 양의 두 물질에 동일한 열을 가하면 열용량이 큰 물질의 온도 변화는 작지만, 열용량이 작은 물질의 온도 변화는 크다. 물은 수소 결합으로 많은 양의 열을 지닐 수 있어 열용량이 다른 물질에 비해 매우 큰데, 이는 물질 1그램의 온도를 1℃ 올리는 데 필요한 열에너지인 비열이 큰 것과 관련이 있다. 물은 비열이 커서 온도를 1℃를 올리기 위해서는 그만큼 많은 에너지가 필요하다. 그리고 물은 수소 결합으로 인해 다른 물질보다 증발열도 크다. 일반적으로 액체의 끓는점은 분자량이 비슷하면 거의 같다. 하지만 물은 액체에서 기체로 상태가 변화하는 온도인 끓는점이 100℃로 상당히 높다. 이는 물의 증발열이 큼을 보여 준다.

물이 수소 결합을 하지 않아 현재와 상반된 특성을 갖고 있다면 어떤 일이 벌어질까? 그것은 매우 불행한 결과를 초래할 것이다. 지구상에 많은 생명체들이 사라질 것이기 때문이다. ㉠<u>체중의 70%가 물인 인간이 한여름의 뜨거운 햇볕이나 한겨울의 매서운 한파에도 체온이 쉽게 변하지 않을 수 있는 것은 모두 물이 갖고 있는 특성 때문이다.</u>

9262-0238

01 윗글에 대한 설명으로 적절하지 않은 것은?

① 대상의 특성과 관련 있는 용어의 개념을 제시하고 있다.
② 인과의 방식을 사용하여 대상이 지닌 특성을 밝히고 있다.
③ 구체적인 예를 들어 대상의 특성에 대한 이해를 돕고 있다.
④ 대상의 특성이 변모하는 과정을 시간적 순서에 따라 설명하고 있다.
⑤ 묻고 답하는 형식을 활용해 대상이 지닌 특성의 중요성을 강조하고 있다.

9262-0239

02 윗글을 참조하여 〈보기〉에 대해 설명한 내용으로 적절하지 않은 것은?

보기

추운 겨울날 연못에 가면 연못의 수면이 꽁꽁 얼어 이전보다 연못의 물이 불어난 것 같은 느낌을 받을 때가 있다. 날이 따뜻해지면 연못 수면의 얼음이 녹는데, 순식간에 녹지 않고 서서히 녹아 수면에 얼음이 둥둥 떠다니기도 한다. 이는 얼음이 녹는 데 상당한 양의 열이 필요하기 때문이다. 이와 같은 사실은 얼음이 녹을 때 주변 공기의 열을 빼앗아 주변이 시원해지는 것을 통해서도 알 수 있다. 그리고 여름에 연못에 가면 소금쟁이가 물에 가라앉지 않고 수면 위를 자유롭게 걸어 다니며 노니는 것을 볼 수 있다. 이렇게 소금쟁이가 물에 가라앉지 않고 수면 위를 걸어 다닐 수 있는 것도 물의 특성과 관련이 있다.

① 얼음이 연못의 수면 위에 둥둥 떠다닐 수 있는 것은 얼음의 밀도가 물보다 낮기 때문이다.
② 수면이 꽁꽁 언 연못을 보고 물이 불어난 느낌을 갖게 되는 것은 물이 얼면 부피가 커지기 때문이다.
③ 소금쟁이가 연못의 수면 위를 자유롭게 걸어 다닐 수 있는 것은 물이 표면 장력이 큰 액체이기 때문이다.
④ 얼음이 녹는 데에 상당한 양의 열이 필요한 것은 수소 결합이 끊어지는 데에 에너지가 필요하기 때문이다.
⑤ 얼음이 녹을 때 주변 공기의 열을 빼앗아 가는 것은 얼음이 만들어지는 과정에서 결정 구조 내에 빈 공간이 많이 생겼기 때문이다.

9262-0240

03 〈보기〉의 빈칸에 들어갈 내용으로 가장 적절한 것은?

보기

기름의 분자는 한 분자 안에 부분적으로 양전하와 음전하를 띠고 있지 않다. 그래서 물과 달리 전기장을 걸어 주어도 기름은 별로 반응하지 않는다. 여기서 물과 기름이 섞이지 않는 이유를 찾을 수 있다. 그 이유는 [   ]

① 기름 분자와 달리 물 분자에는 수소 원자가 2개 들어 있기 때문이다.
② 기름 분자는 극성을 띠지 않아 극성을 띤 물 분자와 결합하지 않기 때문이다.
③ 기름 분자와 달리 물 분자들이 육각형의 고리를 만들어 결합해 있기 때문이다.
④ 동일한 양의 물과 기름에 동일한 열을 가하면 물의 열용량이 기름보다 작기 때문이다.
⑤ 물과 기름은 모두 보통의 온도와 기압에서 고체, 액체, 기체의 세 상태로 존재하는 것이 가능하기 때문이다.

9262-0241

04 ㉠에 대해 보인 반응으로 적절한 것은?

① 물의 비열이 크기 때문에 체내에 수분이 쉽게 흡수될 수 있어 체온의 변화가 작은 것이겠군.
② 물의 비열이 크기 때문에 체내의 물의 온도가 쉽게 변화하지 않아 체온을 유지할 수 있는 것이겠군.
③ 물의 비열이 크기 때문에 체내의 물이 쉽게 사라지지 않아 물이 체중의 70%까지 차지할 수 있는 것이겠군.
④ 물의 열용량이 커서 다른 물질에 비해 물의 온도 변화가 쉽게 일어나므로 체온 유지에 주의가 필요하겠군.
⑤ 물의 열용량이 커서 체온을 높이는 데에 많은 에너지가 필요하므로 영양 상태를 유지하는 것이 중요하겠군.

출제 포인트

〈보기〉에 물과 기름이 섞이지 않는 현상에 관한 내용이 제시되어 있음을 파악한다.

↓

물과 기름의 대비되는 특성을 지문과 〈보기〉를 통해 파악한다.

↓

물은 극성을 띠고 있어 다른 분자들과 잘 결합하는 반면, 기름 분자는 그렇지 않다는 사실을 토대로 정답을 고른다.

03 이 문항은 지문에 제시된 대상의 특성을 토대로 〈보기〉에 제시된 구체적인 현상의 이유를 추리할 수 있는지를 묻고 있다.

> **2** 물 분자처럼 한 개의 분자 안에 부분적으로 양전하, 음전하를 갖고 있으면 극성을 띤다고 한다. 이는 막대자석이 한쪽은 N극, 다른 한쪽은 S극을 띠는 것과 비슷하다. 물 분자들은 이렇듯 극성을 띠기 때문에 이웃하고 있는 분자들끼리 서로 잘 끌어당긴다.

이 글은 물의 여러 가지 특성을 설명하고 있다. 이와 같이 대상이 지닌 특성을 제시하면, 그 특성은 중요한 출제 요소가 된다. 특히 〈보기〉에 대비되는 특성을 지닌 대상이 제시되어 있으면, 반드시 출제 요소로 활용된다.

원리로 다시 읽기

물질의 세 가지 상태인 고체, 액체, 기체 상태로 존재하는 것이 모두 가능한 물질인 물은 수많은 물 분자가 모여서 이루어진 것이다. 물 분자 한 개는 수소 원자 2개, 산소 원자 1개로 이루어져 있다. 물 분자를 이루는 산소와 수소는 '공유 결합'이라는 방식으로 결합되어 있다. '공유 결합'이란 원자들이 결합하는 방식의 하나로, 원자들이 가지고 있는 전자들을 서로 공유하며 결합하는 것을 말한다. 그런데 ❶**물 분자를 이루는 산소는 수소보다 크며 강한 인력을 갖고 있다. 이에 따라 산소가 수소보다 전자들을 더 많이 공유하게 되고, 그 결과 물 분자의 산소 원자들은 부분적으로 음전하를 띠고, 수소 원자는 부분적으로 양전하를 띤다.**

▶ 공유 결합으로 나타난 물 분자의 특성

물 분자처럼 한 개의 분자 안에 부분적으로 양전하, 음전하를 갖고 있으면 극성을 띤다고 한다. 이는 막대자석이 한쪽은 N극, 다른 한쪽은 S극을 띠는 것과 비슷하다. 물 분자들은 이렇듯 극성을 띠기 때문에 이웃하고 있는 분자들끼리 서로 잘 끌어당긴다. 물 분자 주위에 다른 물 분자들이 있으면, 한 개의 물 분자에 포함된 산소 원자는 분자 자체 내의 수소 원자를 끌어당기기도 하지만, 이웃해 있는 다른 물 분자의 수소 원자까지도 끌어당겨 결합하는데 이를 수소 결합이라고 한다. 물 분자는 수소 결합에 의해 여러 개가 뭉치고, 이렇게 뭉친 물 분자들이 물을 구성한다.

▶ 극성으로 인해 이루어지는 수소 결합

수소 결합으로 물은 독특한 성질을 가진다. 일반적으로 액체는 고체가 되면 부피가 줄어들고 밀도가 높아진다. 그러나 ❷**물은 액체에서 고체로 변할 때, 즉 얼음이 될 때 물 분자들이 수소 결합을 유지하면서 육각형의 고리를 만들어 빈 공간이 생겨 부피가 늘어나고 밀도가 낮아진다.** 얼음이 물에 뜨는 것은 이 때문이다. 수소 결합으로 인한 물의 또 다른 특성으로는 표면 장력이 다른 액체에 비해서 유난히 큰 것을 들 수 있다. ❸**물의 표면 장력이 큰 것은 수소 결합으로 분자 간의 인력이 크기 때문이다.** 물의 표면 장력은 물보다 밀도가 큰 물체들도 물에 떠 있을 수 있게 해 준다. 컵에 물을 가득 채우고 조심스럽게 동전을 물 위에 놓으면 동전이 가라앉지 않고 떠 있는 것을 볼 수 있다.

▶ 수소 결합으로 나타나는 물의 여러 가지 특성

수소 결합은 물의 열용량, 비열, 증발열에도 영향을 준다. 열용량은 물질의 온도를 1℃ 올리는 데에 필요한 열이다. ❹**동일한 양의 두 물질에 동일한 열을 가하면 열용량이 큰 물질의 온도 변화는 작지만, 열용량이 작은 물질의 온도 변화는 크다.** 물은 수소 결합으로 많은 양의 열을 지닐 수 있어 열용량이 다른 물질에 비해 매우 큰데, 이는 물질 1그램의 온도를 1℃ 올리는 데 필요한 열에너지인 비열이 큰 것과 관련이 있다. ❺**물은 비열이 커서 온도를 1℃를 올리기 위해서는 그만큼 많은 에너지가 필요하다.** 그리고 물은 수소 결합으로 인해 다른 물질보다 증발열도 크다. 일반적으로 액체의 끓는점은 분자량이 비슷하면 거의 같다. 하지만 물은 액체에서 기체로 상태가 변화하는 온도인 끓는점이 100℃로 상당히 높다. 이는 물의 증발열이 큼을 보여 준다.

▶ 수소 결합이 물의 열용량, 비열, 증발열에 미치는 영향

물이 수소 결합을 하지 않아 현재와 상반된 특성을 갖고 있다면 어떤 일이 벌어질까? 그것은 매우 불행한 결과를 초래할 것이다. 지구상에 많은 생명체들이 사라질 것이기 때문이다. 체중의 70%가 물인 인간이 한여름의 뜨거운 햇볕이나 한겨울의 매서운 한파에도 체온이 쉽게 변하지 않을 수 있는 것은 모두 물이 갖고 있는 특성 때문이다.

▶ 생명체의 생명 유지에 결정적 영향을 미치는 물의 특성

❶ 인과에 의해 서술된 부분이다. 과학 지문에서는 이와 같이 인과로 설명이 이루어지는 경우가 많다. 그런 경우 원인과 결과에 해당하는 정보를 정확하게 파악해 이해해야 한다. (❶)은 원인에 해당하며, 산소가 수소보다 전자들을 더 많이 공유해 산소는 부분적으로 음전하를, 수소는 부분적으로 양전하를 띠는 것은 결과에 해당한다.

❷, ❹ 원리에 해당하는 정보를 제시한 부분이다. 과학 지문에서는 원리에 해당하는 정보를 특히 주목해야 한다. ❷를 통해서는 '물이 액체에서 고체로 바뀌면 (❷)가 커지고 (❸)가 낮아진다.'라는 원리를, ❹를 통해서는 '열용량이 크면 물질의 온도 변화는 작다.', '열용량이 작으면 물질의 온도 변화는 크다.'와 같은 원리를 이해할 수 있다.

❸, ❺ 현상이 나타나는 이유를 제시한 부분이다. 과학 지문에서는 현상의 이유나 원인을 제시한 정보를 주목해야 한다. ❸에서는 물의 표면 장력이 큰 이유를, ❺에서는 물의 온도 1℃를 올리기 위해 많은 에너지가 필요한 이유를 알 수 있다.

답

❶ 산소가 수소보다 크며 강한 인력을 갖고 있는 것 ❷ 부피 ❸ 밀도

Note

다음 글을 읽고 물음에 답하시오.

가 19세기 말 어느 날, 네덜란드의 식물 유전학자 휘호 드프리스는 달맞이꽃을 재배하다가 전에 없던 매우 큰 달맞이꽃을 발견했다. 이 왕달맞이꽃의 씨를 받아 재배하여 다음 대에도 큰 꽃이 피는 것을 확인한 그는 자신이 발견한 변종에 '돌연변이'라는 단어를 붙이게 된다. 이후 여러 학자들의 연구를 통해 유전자의 변화를 나타내는 돌연변이의 속성이 밝혀지게 되었다. 돌연변이는 유전적 이상으로 염색체 일부가 잘려 나가거나 유전자의 자리가 서로 바뀌는 등 유전 물질의 복제 과정에서 우연히 발생하거나, 방사선이나 화학 물질 등의 외부 요인에 의해서 발생하게 된다.

나 돌연변이는 DNA 수준의 작은 변화로 인해 유발된다. 세균과 같은 원핵생물*을 제외한 모든 생물의 세포에는 핵이 있고, 핵 속에는 일정한 수의 염색체가 있으며, 염색체 안에는 부모로부터 물려받은 유전 정보를 가진 DNA가 있다. 인간의 경우 A, T, G, C라는 네 가지 염기를 가지고 있어 이 염기가 어떤 순서로 배열되어 있느냐에 따라 세포의 성질이 달라지고 이에 따라 뇌, 심장, 피부 등의 신체 조직이 생기게 되는데, 이 염기 배열에서 하나만 달라져도 돌연변이가 생길 수 있다. 인간이 침팬지와 차이를 보이는 것도 이와 같은 작은 변화에 의한 것이다. 원래 침팬지와 인간의 세포 표면에는 아세틸 유라민산과 글리콜릴 유라민산이라는 두 유전자가 있었는데 200만 년 전, 인간의 유전자에 돌연변이가 일어나서 글리콜릴 유라민산이 사라지게 되었다. 이렇듯 다른 영장류와 달리 유전자 하나를 잃은 세포에 의해 인간은 피부 조직, 언어 구사 능력, 직립 보행 능력 등의 측면에서 침팬지와 같은 영장류와 수백 가지가 넘는 차이점을 갖게 되었다.

다 우월한 특징을 지닌 돌연변이는 후손에게 대물림되는데, 이것은 인류가 외형적 차이를 보이는 것에 대한 설명이 된다. 영국의 프로스트 교수의 연구에 의하면 15만 년 전 북부 유럽에 '금발' 돌연변이가 처음으로 나타났는데, 현재는 이 지역 사람들 중 80퍼센트 이상이 금발 머리를 가지고 있다. 이렇게 금발이 유럽 전역으로 퍼져 나갈 수 있었던 이유는 금발 돌연변이가 이성에게 매력적으로 ㉠보였기 때문이다. 이처럼 돌연변이를 통해 얻은 유전적 특징이 우월성을 나타내게 되면, 이는 자손대대로 대물림되면서 그 특성을 지닌 사람들이 점점 많아지게 한다. 다양한 머리카락 색과 눈동자 색, 그리고 서로 다른 피부색까지 현재 인류가 지닌 외형적 차이는 과거 언젠가 유전적 변이, 즉 돌연변이가 있었다는 증거로 볼 수 있다.

라 이렇게 인류의 변화에 큰 영향을 준 유전자 돌연변이는 질병의 원인이 되기도, 질병을 차단하는 열쇠가 되기도 한다. 전염병의 원인 중 하나인 바이러스는 살아 있는 세포에 기생해 살아가면서 증식을 하는데 이 과정에서 돌연변이가 발생하여 환경이나 숙주*의 면역 체계를 피해 가면서 계속해서 살아남는다. 바이러스 돌연변이에 의한 질병 중 치료법을 찾기 힘든 것들이 있는데 후천성 면역 결핍증인 에이즈(AIDS)가 그 대표적인 예이다. 이 바이러스에 감염되면 우리 몸에 있는 면역 세포들이 파괴되어 면역력이 떨어지고 각종 종양과 감염성 질환에 걸려 사망에 이른다. 한편 이 지구상에는 에이즈에 걸리지 않는 사람들이 있는데 그 이유 역시 백혈구에 생긴 돌연변이 덕분이다. 원래 인간의 백혈구에는 CCR5가 있어서 이것이 수용체*와 결합되어 에이즈가 생긴다. 그런데 이 CCR5에 돌연변이가 생겨 CCR5델타32가 되면 수용체와 결합이 되지 않아 에이즈에 걸리지 않게 된다.

마 돌연변이를 유발하는 외부 요인으로는 X선, 자외선, 방사선, 담배, 마약과 같은 각종 화학 약품, 영양 결핍, 스트레스 등이 알려져 있다. 특히 담배는 DNA에 돌연변이를 유발하는 물질인데 폐암의 경우 매일 1갑의 담배를 피우는 것으로 1년에 150개의 돌연변이가 폐에 축적된다는 사실이 최근 연구를 통해 밝혀진 바 있다. 또한 흡연자에게 발병한 암이 비흡연자에게 발병한 암에 비해 유전자 변이의 수가 많다는 사실 또한 밝혀지기도 했다.

어휘 풀이

- 원핵생물 세포 내의 핵의 요소가 되는 물질이 있으나 핵막(核膜)이 없어 핵의 구조가 없는 생물.
- 숙주 기생 생물에게 영양을 공급하는 생물.
- 수용체 세포 내에 존재하며 외부 인자와 반응하여 세포 기능에 변화를 일으키는 물질.

9262-0242

01 가~마의 중심 화제로 적절하지 않은 것은?

① 가: 돌연변이의 발견 계기와 발생 원인
② 나: DNA의 변화로 인해 유발되는 돌연변이
③ 다: 우월성을 띤 돌연변이 유전의 사례
④ 라: 돌연변이가 질병을 유발하는 과정
⑤ 마: 돌연변이를 유발하는 외부 요인

9262-0243

02 윗글을 바탕으로 <보기>를 이해한 반응으로 적절하지 않은 것은?

보기

매년 전 세계에서 1억 5,000만 명의 환자가 발생하고 그중 아프리카 어린이 100만 명의 생명을 앗아 가는 무서운 열병이 있는데, 바로 말라리아다. 그런데 아프리카 원주민 중에는 선천적으로 말라리아에 걸리지 않는 사람이 있다. 바로 낫 모양의 적혈구를 가진 사람인데, 낫 모양의 적혈구를 가진 사람은 빈혈을 잘 일으켜서 허약한 편이지만 말라리아에 걸리지 않아 이 지역에서 최고의 배우자로 꼽혀 결혼에 성공하는 확률이 가장 높다. 원래 정상적인 적혈구는 가운데가 움푹 팬 원반 모양을 지니고 있는데, 이 원반 모양이 산소와 결합하는 표면적을 넓혀 준다. 이에 비해 유전자 돌연변이에 의해 생긴 낫 모양의 적혈구는 산소 운반을 원활하게 하지 못하고 혈의 흐름까지 막아서 빈혈을 잘 일으키지만, 말라리아 병원균이 들어왔을 때 감염 물질을 표면으로 내보내지 못해서 모세 혈관에 염증이 생기지 않게 하여 말라리아에 걸리지 않게 한다.

① 낫 모양의 적혈구를 가진 사람은 훗날 다른 피부색을 가지게 될 가능성이 있다고 볼 수 있겠군.
② 적혈구의 모양을 결정짓는 유전자 수준의 변화가 인간의 특성에 영향을 준다는 점을 알 수 있군.
③ 낫 모양의 적혈구가 빈혈을 잘 일으킨다는 점을 통해 돌연변이가 질병의 원인이 될 수 있다는 점을 알 수 있군.
④ 말라리아에 걸리지 않는 특성을 지닌 사람이 결혼할 확률이 높아짐에 따라 낫 모양의 적혈구를 가진 사람이 점점 많아질 수 있겠군.
⑤ 낫 모양의 적혈구가 말라리아 병원균이 들어왔을 때 모세 혈관에 염증이 생기지 않게 한다는 점을 통해 돌연변이가 질병 차단의 열쇠가 될 수 있음을 알 수 있군.

정답과 해설 58쪽

9262-0244

03 ㉠의 문맥적 의미와 가장 가까운 것은?

① 친구에게 눈물을 보였다.
② 해결의 실마리가 보이다.
③ 그녀가 매우 가련하게 보였다.
④ 벽에 걸려 있는 시계가 보였다.
⑤ 학생들에게 태권도 시범을 보이다.

출제 포인트

지문에서 언급된 돌연변이의 몇 가지 특징에 대해 이해한다.

↓

적혈구의 모양이라는 작은 변화로 인해 빈혈을 일으키기도, 말라리아에 걸리지 않게 되기도 한다는 사례가 위의 특징에 해당하는 것임을 파악한다.

↓

적혈구의 모양 변화가 지문에서 언급된 피부색의 변화와 서로 다른 사례임을 파악하고 ①번 선택지를 정답으로 선별한다.

02 이 문항은 지문에서 설명하고 있는 돌연변이의 특징을 '낫 모양의 적혈구'라는 구체적인 사례에 적용하여 이해할 수 있는지를 묻고 있다.

> 나~라 돌연변이는 DNA 수준의 작은 변화로 인해 유발된다. (……) 우월한 특징을 지닌 돌연변이는 후손에게 대물림되는데, (……) 돌연변이는 질병의 원인이 되기도, 질병을 차단하는 열쇠가 되기도 한다.

위와 같은 내용에서 돌연변이가 유전자 수준의 작은 변화에서 비롯된다는 점, 우월한 특징을 지닌 돌연변이가 유전된다는 점, 돌연변이는 질병의 원인이 되기도, 질병을 차단하는 열쇠가 되기도 한다는 점 등의 특징을 알 수 있는데, 이를 구체적 사례에 적용하여 문제를 풀어낼 수 있다.

원리로 다시 읽기

가 19세기 말 어느 날, 네덜란드의 식물 유전학자 휘호 드프리스는 달맞이꽃을 재배하다가 전에 없던 매우 큰 달맞이꽃을 발견했다. 이 왕달맞이꽃의 씨를 받아 재배하여 다음 대에도 큰 꽃이 피는 것을 확인한 그는 자신이 발견한 변종에 '돌연변이'라는 단어를 붙이게 된다. 이후 여러 학자들의 연구를 통해 유전자의 변화를 나타내는 돌연변이의 속성이 밝혀지게 되었다. 돌연변이는 **❶유전적 이상으로 염색체 일부가 잘려 나가거나 유전자의 자리가 서로 바뀌는 등 유전 물질의 복제 과정에서 우연히 발생하거나, 방사선이나 화학 물질 등의 외부 요인에 의해서 발생하게 된다.**

(휘호 드프리스: 최초로 '돌연변이'라는 명칭을 사용한 사람)

▶ 돌연변이 명칭의 근원과 돌연변이 발생 원인

나 ❷돌연변이는 DNA 수준의 작은 변화로 인해 유발된다. 세균과 같은 원핵생물을 제외한 모든 생물의 세포에는 핵이 있고, 핵 속에는 일정한 수의 염색체가 있으며, 염색체 안에는 부모로부터 물려받은 유전 정보를 가진 DNA가 있다. 인간의 경우 A, T, G, C라는 네 가지 염기를 가지고 있어 이 염기가 어떤 순서로 배열되어 있느냐에 따라 세포의 성질이 달라지고 이에 따라 뇌, 심장, 피부 등의 신체 조직이 생기게 되는데, 이 염기 배열에서 하나만 달라져도 돌연변이가 생길 수 있다. 인간이 침팬지와 차이를 보이는 것도 이와 같은 작은 변화에 의한 것이라는 점을 알 수 있다. 원래 침팬지와 인간의 세포 표면에는 아세틸 유라민산과 글리콜릴 유라민산이라는 두 유전자가 있었는데 200만 년 전, 인간의 유전자에 돌연변이가 일어나서 글리콜릴 유라민산이 사라지게 되었다. 이렇듯 다른 영장류와 달리 **❸유전자 하나를 잃은 세포에 의해 인간은 피부 조직, 언어 구사 능력, 직립 보행 능력 등의 측면에서 침팬지와 같은 영장류와 수백 가지가 넘는 차이점**을 갖게 되었다.

(작은 변화로 인해 유발되는 돌연변이의 사례)

▶ 작은 변화로 인해 유발되는 돌연변이

다 또한 우월한 특징을 지닌 돌연변이는 후손에게 대물림되는데, 이것은 인류가 외형적 차이를 보이는 것에 대한 설명이 된다. 영국의 프로스트 교수의 연구에 의하면 **❹15만 년 전 북부 유럽에 '금발' 돌연변이가 처음으로 나타났는데, 현재는 이 지역 사람들 중 80퍼센트 이상이 금발 머리를 가지고 있다.** 이렇게 금발이 유럽 전역으로 퍼져 나갈 수 있었던 이유는 금발 돌연변이가 이성에게 매력적으로 보였기 때문이다. 이처럼 돌연변이를 통해 얻은 유전적 특징이 우월성을 나타내게 되면, 이는 자손대대로 대물림되면서 그 특성을 지닌 사람들이 점점 많아지게 한다. 다양한 머리카락 색과 눈동자 색, 그리고 서로 다른 피부색까지 현재 인류가 지닌 외형적 차이는 과거 언젠가 유전적 변이, 즉 돌연변이가 있었다는 증거로 볼 수 있다.

▶ 우월한 돌연변이의 유전

라 이렇게 인류의 변화에 큰 영향을 준 유전자 돌연변이는 질병의 원인이 되기도, 질병을 차단하는 열쇠가 되기도 한다. 전염병의 원인 중 하나인 **❺바이러스는 살아 있는 세포에 기생해 살아가면서 증식을 하는데 이 과정에서 돌연변이가 발생하여 환경이나 숙주의 면역 체계를 피해 가면서 계속해서 살아남는다.** 바이러스 돌연변이에 의한 질병 중 치료법을 찾기 힘든 것들이 있는데 후천성 면역 결핍증인 에이즈(AIDS)가 그 대표적인 예이다. 이 바이러스에 감염되면 우리 몸에 있는 면역 세포들이 파괴되어 면역력이 떨어지고 각종 종양과 감염성 질환에 걸려 사망에 이른다. 한편 **❻이 지구상에는 에이즈에 걸리지 않는 사람들이 있는데 그 이유 역시 백혈구에 생긴 돌연변이 덕분이다.** 원래 인간의 백혈구에는 CCR5가 있어서 이것이 수용체와 결합되어 에이즈가 생긴다. 그런데 이 CCR5에 돌연변이가 생겨 CCR5델타32가 되면 수용체와 결합이 되지 않아 에이즈에 걸리지 않게 된다.

▶ 질병의 원인 혹은 차단의 열쇠가 되는 돌연변이

마 돌연변이를 유발하는 외부 요인으로는 X선, 자외선, 방사선, 담배, 마약과 같은 각종 화학 약품, 영양 결핍, 스트레스 등이 알려져 있다. (……)

(돌연변이를 유발하는 외부 요인의 구체적 제시)

▶ 돌연변이를 유발하는 외부 요인

❶ 돌연변이의 (❶)을 밝히고 있다. 과학 지문에서는 어떠한 현상을 제시하는 경우, 그 원인에서부터 접근하는 경우가 많으므로 발생 원인에 주목해야 한다.

❷, ❸ ❷에서 나타내고 있는 (❷) 수준의 작은 변화가 나타나는 사례로 인간과 침팬지의 차이점을 들고 있음에 주목한다. ❷에서 언급하고 있는 작은 변화를 사례에 적용해 보았을 때 ❸과 같은 큰 변화로 이어진다는 점을 이해할 수 있어야 한다.

❹는 (❸) 돌연변이가 후손에게 대물림된다는 것을 보여 주는 사례임을 이해해야 한다. 이성에게 매력적으로 보인다는 우월성을 나타내는 금발 돌연변이는 후대에 대물림되면서 그 특성을 지닌 사람들이 점점 많아지게 된다.

❺, ❻ ❺와 ❻이 내용상 대비되는 짝임을 이해해야 한다. ❺에서는 질병의 (❹)이 되는 돌연변이를 다루고 있으며, ❻에서는 이와 반대로 질병을 (❺)하는 열쇠가 되는 돌연변이에 대해 언급함으로써 질병과 연관된 돌연변이의 상반된 면모를 다루고 있다.

답

❶ 발생 원인 ❷ DNA ❸ 우월한 ❹ 원인 ❺ 차단

Note

다음 글을 읽고 물음에 답하시오.

하늘의 빛은 태양으로부터 온 것으로, 산란에 의해 진로가 여러 번 꺾여 우리 눈으로 들어오게 된다. 이때 산란이란 빛이 아주 작은 입자에 의해 흡수되었다가 같은 파장의 빛을 곧바로 다시 방출하는 과정을 말하며, 산란된 빛은 빛이 들어온 방향과는 무관하게 임의의 방향을 향하게 된다. 지구에 대기가 없다면 태양 빛의 산란도 일어나지 않으며, 하늘 자체는 빛이 없으므로 검은색으로 보이게 된다. 실제로 대기가 없는 달[月]의 하늘은 빛의 산란이 나타나지 않아 검은색으로 보인다.

그러나 지구는 지표면으로부터 수십 km 두께의 대기층을 가지고 있고, 이 대기층은 주로 질소 분자와 산소 분자들로 구성되어 있다. 이외에도 대기에는 연기 분자나 화산재 등의 입자들도 있는데, 이들은 아주 작은 입자들이지만 질소나 산소 분자에 비하면 상당히 크다. 이처럼 지구 대기에 있는 입자들에 의해 태양 빛의 산란이 일어나기 때문에 하늘이 검은색이 아닌 다른 색으로 보이게 된다. 빛을 산란시키는 입자의 크기가 빛의 파장보다 작은 경우 '레일리 산란'이 나타나는데, 레일리 산란은 주로 빛의 파장과 밀접한 연관이 있으며, 일반적으로 짧은 파장의 빛이 긴 파장에 비해 더욱 효과적으로 산란된다.

태양 빛은 백색광으로 이를 스펙트럼으로 분석해 보면 우리가 흔히 무지갯빛이라고 부르는 7가지 색상의 가시광선이 나타난다. 그리고 이러한 가시광선은 빨간색 쪽으로 갈수록 파장이 길고, 보라색 쪽으로 갈수록 파장이 짧다. 대기 중에 있는 기체 분자들은 전하를 띤 입자들로 구성되어 있으므로 이러한 분자가 있는 곳에 태양 빛과 같은 전자기 파동이 지나가면 분자를 이루고 있는 전하들이, 지나가는 전자기파의 주파수와 같은 주파수로 진동하게 되어 산란이 일어난다. 그러나 기체 분자의 크기는 수 나노미터 정도이고 가시광선의 파장은 수백 나노미터 정도이기 때문에 분자의 진동이 활발히 일어나지 않지만, 그중에서도 짧은 파장의 빛이 가장 잘 산란된다.

결국 하늘이 파랗게 보이는 것은 태양 빛의 가시광선 중 파란색 빛이 다른 파장의 빛에 비해 더욱 효과적으로 산란되기 때문이다. 실제로 파장이 가장 짧은 빛은 보라색이지만 태양 빛을 스펙트럼으로 분석해 보면 보라색보다 파란색 빛이 훨씬 강하기 때문에 결국 파란색 빛의 산란이 가장 활발하게 이루어진다. 그리고 이렇게 산란된 빛은 우리 눈으로 들어오기 위해서 여러 번의 산란을 거치게 된다.

그러면 해가 막 뜰 때나 석양은 왜 붉은색을 띠는 것일까? 해 질 무렵 관측자인 우리 눈으로 들어오는 태양 빛은 대기 중을 통과하는 거리가 대낮에 태양 빛이 대기 중을 통과하는 거리보다 길다. 낮에는 태양의 고도가 높지만 저녁 무렵에는 태양의 고도가 낮기 때문이다. 태양 빛의 스펙트럼 중 파장이 짧아 산란이 잘 일어나는 파란색 빛은 우리 눈에 도달하기 전에 산란되어 사라져 버리지만, 파장이 긴 빨간색의 빛은 길어진 대기상의 진로에 남아 우리 눈에 도달하게 된다. 이때 진로에 남은 빨간색 빛이 산란을 일으키기 때문에 해가 뜨거나 질 무렵의 하늘은 빨갛게 보이는 것이다.

빛의 산란은 구름 속에 있는 물방울 입자에 의해서도 일어날 수 있다. 하지만 물방울의 크기는 대개 가시광선의 파장보다도 큰 것이 보통이다. 이 경우 산란이 일어나는 정도는 레일리 산란과 달리 빛의 파장에 영향을 받지 않는다. 구름의 색이 흰색이거나 검은 회색으로 보이는 이유는 가시광선 영역에 있는 ㉠<u>모든 파장의 빛이 동등한 정도로 산란</u>되기 때문이며 다만 그 밝기에 따라 흰색 또는 검은색에 가까운 회색빛을 띠게 되는 것이다.

9262-0245

01 윗글을 통해 답할 수 있는 질문으로 볼 수 없는 것은?

① 태양 빛이 백색광인 이유는 무엇인가?
② 하늘이 파랗게 보이는 이유는 무엇인가?
③ '레일리 산란'은 어떤 경우에 나타나는가?
④ 산란된 빛은 어떤 방향으로 퍼져 나가는가?
⑤ 석양이 붉은색으로 보이는 이유는 무엇인가?

9262-0246

02 윗글을 읽고 〈보기〉에 대해 보인 반응으로 적절하지 않은 것은?

보기

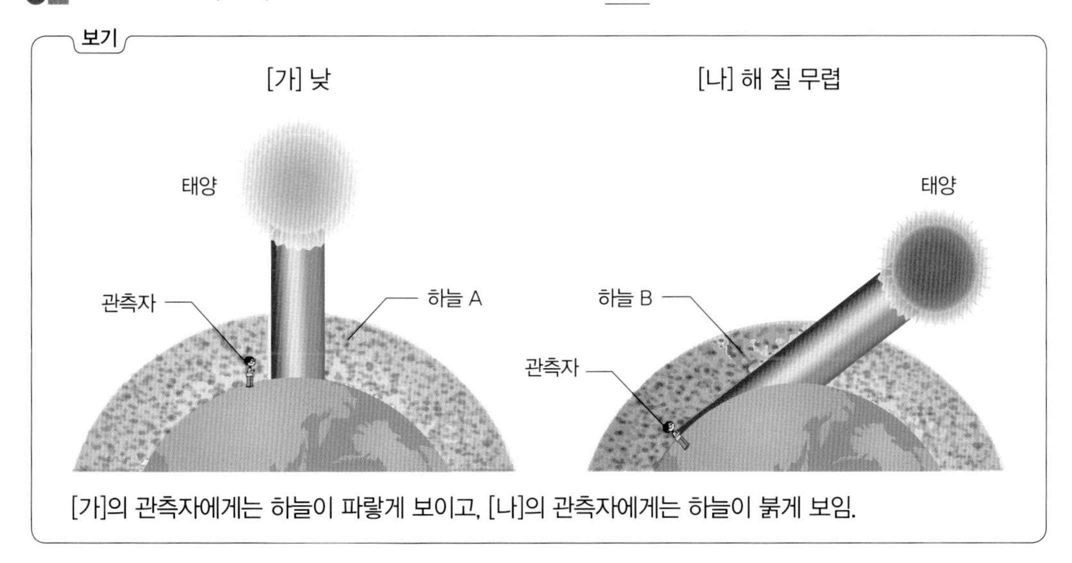

[가]의 관측자에게는 하늘이 파랗게 보이고, [나]의 관측자에게는 하늘이 붉게 보임.

① [가]의 관측자에게 하늘 A가 파랗게 보이는 까닭은 가시광선 중 파장이 짧은 빛들의 산란이 많이 이루어지기 때문이겠군.
② [나]에서는 짧은 파장의 빛이 산란되기는 하지만 산란된 빛이 관측자에게 도달하지는 못하겠군.
③ [가]의 하늘 A에서 산란되는 빛의 파장은 기체 분자의 크기보다 작지만 [나]의 하늘 B에서 산란되는 빛의 파장은 기체 분자의 크기보다 크겠군.
④ [나]는 [가]에 비해 태양 빛이 관측자에게 도달하기 위해 대기를 통과하는 거리가 더 길겠군.
⑤ [가]와 [나]에 대기가 존재하지 않는다면 하늘 A와 하늘 B는 모두 검은색으로 보이겠군.

9262-0247

03 ㉠의 이유를 추론한 것으로 가장 적절한 것은?

① 물방울 입자는 전자기 파동이 지나가도 진동을 하지 않기 때문에
② 물방울 입자는 태양 빛을 구성하는 모든 파장의 빛을 흡수하기 때문에
③ 빛의 산란을 일으키는 물방울 입자의 크기가 빛의 파장보다 크기 때문에
④ 구름을 통과하며 태양 빛을 구성하는 빛의 파장이 모두 동일해지기 때문에
⑤ 태양 빛을 구성하는 모든 파장의 빛이 대기를 통과하는 거리가 같기 때문에

출제 포인트

㉠의 전후 맥락을 살펴 산란을 일으키는 입자의 크기와 빛의 파장과의 관계를 확인한다.

↓

지문에서 산란을 일으키는 입자의 크기와 빛의 파장의 크기를 다룬 부분들을 확인한다.

↓

㉠의 이유를 추론한다.

03 이 문항은 글에 제시된 정보를 바탕으로 특정 현상의 구체적 이유를 추론하는 문항이다.

> **2** (……) 빛을 산란시키는 입자의 크기가 빛의 파장보다 작은 경우 '레일리 산란'이 나타나는데, 레일리 산란은 주로 빛의 파장과 밀접한 연관이 있으며, (……)
> **6** (……) 물방울의 크기는 대개 가시광선의 파장보다도 큰 것이 보통이다. 이 경우 산란이 일어나는 정도는 레일리 산란과 달리 빛의 파장에 영향을 받지 않는다. 구름의 색이 흰색이거나 검은 회색으로 보이는 이유는 가시광선 영역에 있는 ㉠모든 파장의 빛이 동등한 정도로 산란되기 때문이며 (……)

이 글의 2문단과 6문단의 내용을 읽고 산란을 일으키는 입자의 크기와 빛의 파장의 크기에 따라 빛이 산란되는 양상이 다르게 나타난다는 것을 간파해야 한다. 그리고 이러한 정보를 바탕으로 ㉠의 이유를 추론해야 한다.

원리로 다시 읽기

하늘의 빛은 태양으로부터 온 것으로, 산란에 의해 진로가 여러 번 꺾여 우리 눈으로 들어오게 된다. 이때 산란이란 빛이 아주 작은 입자에 의해 흡수되었다가 같은 파장의 빛을 곧바로 다시 방출하는 과정을 말하며, 산란된 빛은 빛이 들어온 방향과는 무관하게 임의의 방향을 향하게 된다. 지구에 대기가 없다면 태양 빛의 산란도 일어나지 않으며, 하늘 자체는 빛이 없으므로 검은색으로 보이게 된다. 실제로 대기가 없는 달[月]의 하늘은 빛의 산란이 나타나지 않아 검은색으로 보인다.

▶ 산란의 개념

그러나 지구는 지표면으로부터 ❶수십 km 두께의 대기층을 가지고 있고, 이 대기층은 주로 질소 분자와 산소 분자들로 구성되어 있다. 이외에도 대기에는 연기 분자나 화산재 등의 입자들도 있는데, 이들은 아주 작은 입자들이지만 질소나 산소 분자에 비하면 상당히 크다. 이처럼 지구 대기에 있는 입자들에 의해 ❷태양 빛의 산란이 일어나기 때문에 ❸하늘이 검은색이 아닌 다른 색으로 보이게 된다. 빛을 산란시키는 입자의 크기가 빛의 파장보다 작은 경우 '레일리 산란'이 나타나는데, 레일리 산란은 주로 빛의 파장과 밀접한 연관이 있으며, 일반적으로 짧은 파장의 빛이 긴 파장에 비해 더욱 효과적으로 산란된다.

▶ 지구의 대기층으로 인해 나타나는 레일리 산란

❶은 ❷의 원인이고, ❷는 ❶의 (❶)이자, ❸의 원인이 된다. 이처럼 과학 지문에서는 과학적 인과 관계가 연쇄되어 나타나는 경우가 많다. 이러한 인과 관계는 선후 관계를 명확히 파악하여 각각의 원인과 결과를 정확하게 파악해 두어야 한다.

태양 빛은 백색광으로 이를 스펙트럼으로 분석해 보면 우리가 흔히 무지갯빛이라고 부르는 7가지 색상의 가시광선이 나타난다. 그리고 이러한 가시광선은 빨간색 쪽으로 갈수록 파장이 길고, 보라색 쪽으로 갈수록 파장이 짧다. ❹대기 중에 있는 기체 분자들은 전하를 띤 입자들로 구성되어 있으므로 이러한 분자가 있는 곳에 태양 빛과 같은 전자기 파동이 지나가면 분자를 이루고 있는 전하들이, 지나가는 전자기파의 주파수와 같은 주파수로 진동하게 되어 산란이 일어난다. 그러나 기체 분자의 크기는 수 나노미터 정도이고 가시광선의 파장은 수백 나노미터 정도이기 때문에 분자의 진동이 활발히 일어나지 않지만, 그중에서도 짧은 파장의 빛이 가장 잘 산란된다.

▶ 태양 빛의 산란이 나타나는 이유

❹는 빛의 (❷)이 나타나는 이유를 과학적 원리를 통해 설명하고 있는 부분이다. 과학이나 기술 지문에서는 중심 화제와 관련한 과학적 원리와 과학 현상이 나타나는 이유를 설명하는 부분이 제시되기 마련인데, 이러한 부분을 잘 이해해 두어야만 중심 화제에 대해 정확히 이해할 수 있다.

결국 ❺하늘이 파랗게 보이는 것은 태양 빛의 가시광선 중 ❻파란색 빛이 다른 파장의 빛에 비해 더욱 효과적으로 산란되기 때문이다. 실제로 파장이 가장 짧은 빛은 보라색이지만 태양 빛을 스펙트럼으로 분석해 보면 보라색보다 파란색 빛이 훨씬 강하기 때문에 결국 파란색 빛의 산란이 가장 활발하게 이루어진다. 그리고 이렇게 산란된 빛은 우리 눈으로 들어오기 위해서 여러 번의 산란을 거치게 된다.

▶ 하늘이 파랗게 보이는 이유

❺와 ❻, ❼과 ❽은 각각 원인과 결과이며, 이 글에서 중심적으로 설명하고자 하는 내용이다. 이처럼 글에서 중심적으로 설명하는 내용은 핵심 문항의 출제 요소가 된다. 과학적 원리를 바탕으로 각각의 원인과 결과를 명확히 이해해 두어야만, 핵심 문항을 손쉽게 해결할 수 있다.

그러면 해가 막 뜰 때나 석양은 왜 붉은색을 띠는 것일까? 해 질 무렵 관측자인 우리 눈으로 들어오는 태양 빛은 대기 중을 통과하는 거리가 대낮에 태양 빛이 대기 중을 통과하는 거리보다 길다. 낮에는 태양의 고도가 높지만 저녁 무렵에는 태양의 고도가 낮기 때문이다. 태양 빛의 스펙트럼 중 파장이 짧아 산란이 잘 일어나는 파란색 빛은 우리 눈에 도달하기 전에 산란되어 사라져 버리지만, ❼파장이 긴 빨간색의 빛은 길어진 대기상의 진로에 남아 우리 눈에 도달하게 된다. 이때 진로에 남은 빨간색 빛이 산란을 일으키기 때문에 ❽해가 뜨거나 질 무렵의 하늘은 빨갛게 보이는 것이다.

▶ 석양이 붉은색으로 보이는 이유

빛의 산란은 구름 속에 있는 물방울 입자에 의해서도 일어날 수 있다. 하지만 물방울의 크기는 대개 가시광선의 파장보다도 큰 것이 보통이다. 이 경우 산란이 일어나는 정도는 레일리 산란과 달리 빛의 파장에 영향을 받지 않는다. 구름의 색이 흰색이거나 검은 회색으로 보이는 이유는 가시광선 영역에 있는 모든 파장의 빛이 동등한 정도로 산란되기 때문이며 다만 그 밝기에 따라 흰색 또는 검은색에 가까운 회색빛을 띠게 되는 것이다.

▶ 물방울 입자에 의한 빛의 산란

답

❶ 결과 ❷ 산란

Note

다음 글을 읽고 물음에 답하시오.

소화란 간단히 말해 음식을 물리적, 화학적으로 분해하여 세포막에 흡수되게 하는 것이다. 물리적 소화란 이로 음식을 씹거나 부수고 위와 장에서 연동 운동을 하여 잘게 자르는 것을 말하며, 화학적 소화란 각 기관에서 서로 다른 여러 소화 효소를 분비하여 고분자 물질을 저분자 물질로 분해하여 물에 녹게 하는 것이다. 음식이 잘게 부수어져 물에 녹을 수 있는 정도가 되어야 세포막을 통해 세포 안으로 흡수될 수 있기 때문이다. 소화는 한 기관에서만 일어나는 것이 아니라 여러 기관에서 다양하게 일어나는데 이를 통틀어 '소화계'라고 한다. 소화계에 속하는 기관으로는 입, 식도, 위, 소장, 대장 등이 있는데 그중 소화의 중추적인 역할을 담당하는 기관은 '위(胃)'이다.

위는 음식물이 들어가 있지 않을 경우에는 쪼그라들어 주름이 많지만 일반적으로 음식물이 들어오면 부피가 커져 1.5L가 넘는 음식물을 저장할 수 있다. 위는 단순히 음식물을 저장하는 것이 아니라 소화와 관련한 다양한 기능을 한다. 먼저 위는 입과 식도를 거쳐 굵직하게 잘리고 으깨진 음식물을 15~20초 간격으로 위의 상부에서 하부로 이동시키는데, 이를 '연동 운동'이라고 한다. 위가 연동 운동을 하는 과정에서 음식물과 위액이 뒤섞이게 되며, 위는 음식물의 입자가 1mm 이하가 되어 ㉠묽은 죽의 형태가 될 때까지 음식물을 으깬다. 그리고 음식물과 위액이 뒤섞여 죽처럼 된 것은 십이지장으로 내려가고, 굵고 딱딱한 것은 다시 위의 위쪽으로 올라가 연동 운동을 통해 잘게 분해된다.

일반적으로 탄수화물로 된 음식물은 1~2시간, 단백질로 된 음식물은 2~3시간, 지방으로 된 음식물은 3~4시간 정도 위에 머물게 된다. 잘게 으깨져 위액과 뒤섞인 음식물은 십이지장으로 한 번에 내려가는 것이 아니라 위의 하단부에 있는 '유문'이 열렸다 닫히면서 천천히 내려가게 된다. 유문은, 소화관을 꽉 조이는 단단한 근육인 괄약근의 일종으로 위와 십이지장을 연결하는 위의 하단부에 위치하여 위에서 내려온 것들이 중성이나 약산성이 되면 열리는데 이를 '유문 반사'라고 한다. 또 위의 상단부에는 위액과 뒤섞인 음식물이 식도로 역류하지 않도록 하는 괄약근이 있는데 이를 '분문'이라고 한다. 한편 위액은 하루에 2~3L 가량 분비되며, 강산성인 염산과 소화 효소로 이루어져 있어 음식에 묻어 들어온 세균이나 곰팡이를 살균하는 기능을 한다.

위로 들어온 음식물 중 단백질은 위액에 섞여 있는 펩신이라는 효소에 의해 분해되는데, 이런 과정을 '가수 분해', 즉 '소화'라고 한다. 그런데 위에서 단백질을 분해하는 펩신이 분비되지만 정작 단백질인 위벽은 소화되지 않는다. 위 표면에 있는 점막 세포가 위액을 중화시키는 알칼리성 물질인 중탄산이온(HCO_3^-)이나 뮤신이라는 점액을 분비해 위벽을 보호하기 때문이다. 사실 뮤신도 펩신에 의해 분해되지만 위 점막 세포가 뮤신을 계속 만들어 내기 때문에 위벽이 상하지 않는 것이다. 그러나 과식, 스트레스 등으로 이런 기능이 저하되면 펩신이 위벽을 소화해 위벽이 헐게 되어 질병이 발생한다. 또 건강할 때에는 뮤신이 위벽을 잘 보호하지만 '헬리코박터 파일로리'라는 세균이 위 내부로 침투하면 독성 물질을 분비해 뮤신 막이 망가지고 위 점막 세포가 염산이나 펩신의 공격을 받아 위염이나 위궤양이 발생하게 되는 것이다.

정답과 해설 60쪽

9262-0248

01 윗글의 내용과 일치하지 않는 것은?

① 위액은 강산성의 염산과 소화 효소로 이루어져 있다.
② 위는 음식물을 물리적, 화학적으로 소화하는 기능을 한다.
③ 뮤신은 위에 들어온 음식에 묻어 들어온 세균을 살균한다.
④ 헬리코박터 파일로리는 위 내부에서 독성 물질을 분비한다.
⑤ 과식과 스트레스는 위벽에 질병이 발생하는 원인이 될 수 있다.

9262-0249

02 윗글을 읽고 〈보기〉에 대해 이해한 내용으로 적절하지 않은 것은?

보기

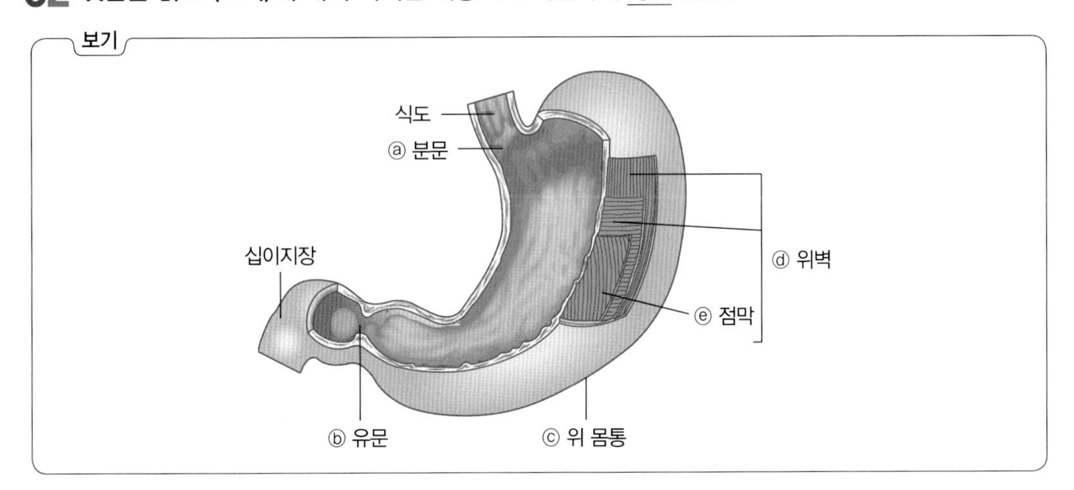

① ⓐ, ⓑ는 모두 괄약근으로 위 안의 음식물이 다른 기관으로 이동하는 것을 방지하거나 조절한다.
② ⓒ에서는 연동 운동을 통해 ⓐ를 통해 들어온 음식물들을 잘게 으깨는 기능을 한다.
③ ⓒ에서 강산성의 죽 형태가 된 음식물은 ⓑ를 열리게 하여 십이지장으로 이동한다.
④ ⓒ 안에 있는 위액에 뒤섞여 있는 펩신은 ⓓ를 소화하여 질병을 일으키기도 한다.
⑤ ⓔ에서 분비된 알칼리성 물질과 뮤신은 ⓓ를 보호하는 기능을 한다.

9262-0250

03 ㉠의 이유로 가장 적절한 것은?

① 위액의 강한 염산과 소화 효소로부터 위벽을 보호하기 위해서
② 위에 있던 음식물이 식도를 통해 역류하지 않도록 하기 위해서
③ 소화된 음식물이 십이지장으로 내려가지 않도록 하기 위해서
④ 위로 들어온 음식물의 부피를 줄여 더 많은 음식물을 저장하기 위해서
⑤ 음식물 성분이 세포막을 통해 세포 안으로 잘 흡수되도록 하기 위해서

출제 포인트

〈보기〉에 제시된 그림 중 ⓐ~ⓔ로 제시된 부분을 확인한다.

↓

ⓐ~ⓔ에 표시된 부분의 작용을 설명하고 있는 문단의 정보를 확인한다.

↓

선택지의 서술과 지문의 정보를 꼼꼼히 대조해 정답을 찾는다.

02 이 문항은 과학 지문에서 자주 등장하는 문제 유형으로, 중심 화제의 작용이 나타나는 과정을 정확하게 이해하였는지 평가하기 위한 문항이다. 〈보기〉에 제시된 각각의 부분이 어떤 작용을 하며, 다른 기관에 어떤 영향을 미치는지를 면밀히 살펴 선택지의 서술 내용과 꼼꼼히 대조해야 한다.

> 3 (……) 유문은, 소화관을 꽉 조이는 단단한 근육인 괄약근의 일종으로 위와 십이지장을 연결하는 위의 하단부에 위치하여 위에서 내려온 것들이 중성이나 약산성이 되면 열리는데 이를 '유문 반사'라고 한다. (……)

이 글의 3문단에는 위에서 내려온 것들이 중성이나 약산성이 될 때, 유문이 열리는 유문 반사가 일어난다는 내용이 제시되어 있다. 중심 화제인 위의 작용이 나타나는 과정을 체계적으로 이해하고 관련 문항이 출제될 경우 지문의 내용과 선택지의 내용을 면밀히 대조해야 한다.

원리로 다시 읽기

소화란 간단히 말해 음식을 물리적, 화학적으로 분해하여 세포막에 흡수되게 하는 것이다. 물리적 소화란 이로 음식을 씹거나 부수고 위와 장에서 연동 운동을 하여 잘게 자르는 것을 말하며, 화학적 소화란 각 기관에서 서로 다른 여러 소화 효소를 분비하여 고분자 물질을 저분자 물질로 분해하여 물에 녹게 하는 것이다. 음식이 잘게 부수어져 물에 녹을 수 있는 정도가 되어야 세포막을 통해 세포 안으로 흡수될 수 있기 때문이다. 소화는 한 기관에서만 일어나는 것이 아니라 여러 기관에서 다양하게 일어나는데 이를 통틀어 소화계라고 한다. 소화계에 속하는 기관으로는 입, 식도, 위, 소장, 대장 등이 있는데 그중 소화의 중추적인 역할을 담당하는 기관은 위(胃)이다.

▶ 소화와 소화계의 개념과 종류

위는 음식물이 들어가 있지 않을 경우에는 쪼그라들어 주름이 많지만 일반적으로 음식물이 들어오면 부피가 커져 1.5L가 넘는 음식물을 저장할 수 있다. 위는 단순히 음식물을 저장하는 것이 아니라 소화와 관련한 다양한 기능을 한다. ❶ 먼저 위는 입과 식도를 거쳐 굵직하게 잘리고 으깨진 음식물을 15~20초 간격으로 위의 상부에서 하부로 이동시키는데, 이를 '연동 운동'이라고 한다. 위가 연동 운동을 하는 과정에서 음식물과 위액이 뒤섞이게 되며, ❷ 위는 음식물의 입자가 1mm 이하가 되어 묽은 죽의 형태가 될 때까지 음식물을 으깬다. 그리고 ❸ 음식물과 위액이 뒤섞여 죽처럼 된 것은 십이지장으로 내려가고, 굵고 딱딱한 것은 다시 위의 위쪽으로 올라가 연동 운동을 통해 잘게 분해된다.

▶ 위의 연동 운동

일반적으로 탄수화물로 된 음식물은 1~2시간, 단백질로 된 음식물은 2~3시간, 지방으로 된 음식물은 3~4시간 정도 위에 머물게 된다. ❹ 잘게 으깨져 위액과 뒤섞인 음식물은 십이지장으로 한 번에 내려가는 것이 아니라 위의 하단부에 있는 유문이 열렸다 닫히면서 천천히 내려가게 된다. 유문은, 소화관을 꽉 조이는 단단한 근육인 괄약근의 일종으로 위와 십이지장을 연결하는 위의 하단부에 위치하여 위에서 내려온 것들이 중성이나 약산성이 되면 열리는데 이를 '유문 반사'라고 한다. 또 위의 상단부에는 위액과 뒤섞인 음식물이 식도로 역류하지 않도록 하는 괄약근이 있는데 이를 분문이라고 한다. 한편 위액은 하루에 2~3L 가량 분비되며, 강산성인 염산과 소화 효소로 이루어져 있어 음식에 묻어 들어온 세균이나 곰팡이를 살균하는 기능을 한다.

▶ 위의 작용과 위에서 음식물이 소화되는 과정

위로 들어온 음식물 중 단백질은 위액에 섞여 있는 펩신이라는 효소에 의해 분해되는데, 이런 과정을 '가수 분해', 즉 '소화'라고 한다. 그런데 위에서 단백질을 분해하는 펩신이 분비되지만 정작 단백질인 위벽은 소화되지 않는다. 위 표면에 있는 점막 세포가 위액을 중화시키는 알칼리성 물질인 중탄산이온(HCO_3^-)이나 뮤신이라는 점액을 분비해 위벽을 보호하기 때문이다. 사실 뮤신도 펩신에 의해 분해되지만 위 점막 세포가 뮤신을 계속 만들어 내기 때문에 위벽이 상하지 않는 것이다. 그러나 ❺ 과식, 스트레스 등으로 이런 기능이 저하되면 펩신이 위벽을 소화해 위벽이 헐게 되어 질병이 발생한다. 또 건강할 때에는 뮤신이 위벽을 잘 보호하지만 ❻ '헬리코박터 파일로리'라는 세균이 위 내부로 침투하면 독성 물질을 분비해 뮤신 막이 망가지고 위 점막 세포가 염산이나 펩신의 공격을 받아 위염이나 위궤양이 발생하게 되는 것이다.

▶ 위에 질병이 발생하는 이유와 소화 효소

❶, ❷, ❸, ❹는 이 글의 중심 화제인 '위'가 하는 중심적인 활동을 그 (❶) 에 따라 설명하고 있는 부분이다. 과학 영역의 지문들은 이처럼 중심 화제의 작용 과정이나 원리 등을 바탕으로 핵심 문항을 설계한다. 그러므로 이러한 내용들은 꼼꼼히 읽고 그 과정을 화살표나 연결선 등을 통해 시각화해 두면 문항 해결에 큰 도움이 된다.

❺, ❻은 중심 화제인 '위'에서 (❷) 이 나타나는 이유에 대해 설명하고 있는 부분이다. 과학 지문에서는 원인과 결과에 의한 내용 전개가 자주 나타나며, 주요한 문항 출제의 요소가 된다. 이 글에서도 (❸)이라는 소화 효소의 기능과 그것이 위벽을 소화하여 헐게 만드는 이유와 과정을 인과의 방식으로 설명하고 있다. 과학 지문에서 등장하는 인과 관계에 대한 정확한 이해는 곧 글의 중심 내용을 이해하는 가장 중요한 요소이며, 문항 해결의 실마리가 된다.

답

❶ 과정 ❷ 질병 ❸ 펩신

Note

다음 글을 읽고 물음에 답하시오.

어떤 물질에 빛을 비추면 그 물질은 빛을 투과시키거나 반사하거나 흡수한다. 어떤 물질이 지니는 빛깔은 그 물질이 반사하는 빛의 빛깔로서, 가령 파란 연필은 파란빛을, 빨간 구두는 빨간빛을 반사하는 것이라고 볼 수 있다. 그러나 교회의 스테인드글라스의 빛깔은 반사광이 아니고 투과된 빛깔이다. 같은 원리로 식물의 잎에 태양광을 비추면 잎은 청색광과 적색광을 흡수하고 녹색광은 반사 또는 투과시킨다. 이때 반사된 녹색광이 우리 눈에 들어오기 때문에 식물이 녹색으로 보이는 것이다. 그리고 강한 햇볕을 잎으로 가리고 그 뒷면에서 보았을 때 희미하게 보이는 녹색은 잎을 투과한 빛으로 볼 수 있다.

그렇다면 광합성에는 어떤 빛깔의 빛이 이용될까? 그것은 녹색을 띠는 식물의 잎이 반사나 투과를 시키지 않고 흡수하는 빛, 즉 청색광과 적색광이다. 그래서 식물의 잎이 만약 적색이라면 적색광을 반사, 투과시키게 되므로 이 식물은 청색이나 녹색 빛을 이용하여 광합성을 해야 한다. 그런데 광합성의 능률은 녹색 계열에 비해 적색 계열의 빛이 높으므로 식물의 잎이 붉으면 광합성의 생산 능력이 떨어져 녹색 식물에 비해 생장이 더디고 번식도 부진해진다. 그래서 육상 식물은 적색보다는 녹색을 띠는 것이 광합성에 유리하다.

하지만 식물이 빛을 흡수하는 것을 확인했더라도 그 빛이 광합성에 반드시 이용된다는 것은 별도의 확인이 필요하다. 즉 식물이 어떤 파장의 빛을 얼마나 흡수하는지를 자세히 조사해도 광합성과의 관계를 밝힐 수는 없다. 그래서 식물이 흡수된 빛을 활용하여 광합성을 하고 있는지의 여부를 확인할 필요가 있다. 일반적으로 식물이 광합성을 하면 탄소 화합물이 발생하고, 이산화 탄소가 흡수되며 산소가 방출된다. 그런데 이 중에서 광합성을 확인할 수 있는 가장 손쉬운 방법은 산소의 배출 여부를 알아보는 것이다.

그래서 엥겔만은, 식물의 광합성에 의해 배출되는 산소를 실험을 통해 확인하고자 하였다. 박테리아 중에는 산소를 좋아하는 호기성 박테리아와 산소를 싫어하는 혐기성 박테리아가 있는데, 호기성 박테리아는 산소가 있는 곳으로 모여든다. 그래서 엥겔만은 늪지에서 생장하는 식물을 호기성 박테리아가 있는 물 안에 넣고 이것에 햇빛을 비춘 후 현미경으로 관찰했다. 그랬더니 박테리아가 식물 주위에 잔뜩 모여드는 것을 확인했다. 이러한 결과는 곧 식물의 세포가 빛을 흡수하고 광합성을 거쳐 산소를 방출했기 때문이다. 이어서 그는 가시광선을 분광하여 각각의 분광된 빛깔의 빛을 식물에 비추었는데 호기성 박테리아 대부분이 청색광과 적색광을 비춘 곳으로 모여들었다. 박테리아가 모여드는 양은 엽록소가 빛을 흡수하는 스펙트럼 곡선과 그 모습이 비슷한데, 이것은 엽록소가 흡수한 빛이 광합성에 유용하다는 것을 의미한다.

이러한 사실은 그 후 여러 학자들에 의해 확인되었다. 특히 바르부르크는 녹조인 클로렐라에 청색광과 적색광을 비추었을 때 이산화 탄소가 가장 많이 흡수된다는 사실을 밝혀냈으며 이로써 식물의 잎에 있는 엽록소와 광합성의 관계를 확인하였다. 어떤 파장의 빛이 어느 정도 광합성에 유용한지를 그래프로 표시한 것을 광합성의 작용 스펙트럼 곡선이라고 부르는데, 바르부르크가 조사한 광합성의 작용 스펙트럼 곡선과 엽록소의 흡수 스펙트럼 곡선을 비교해 보면 두 곡선이 매우 유사한 형태를 보이는 것을 알 수 있다. 그런데 녹색광이 흡수되는 영역을 나타내는 곡선의 중앙부에서는 광합성의 작용 스펙트럼 곡선이 엽록소의 흡수 스펙트럼 곡선보다 높은 수치를 나타내는데, 이는 [㉠]

녹색광은 녹색인 엽록소에는 잘 흡수되지 않으나, 엽록소가 여러 겹으로 겹쳐 있고 또 엽록소를 함유하고 있는 엽록체와 세포가 많이 집결되어 있는 곳에서는 녹색광도 다소 흡수가 이루어진다. 그리고 이렇게 흡수된 녹색광으로도 광합성이 이루어지기 때문에 광합성 작용 스펙트럼 곡선의 중앙부가 더 높게 나타나는 것이다. 원칙적으로 식물은 어떤 색깔의 빛으로도 광합성을 할 수 있다. 다만 빛을 흡수하는 엽록소 자체가 녹색인 까닭에 대부분의 녹색광을 반사 또는 투과시키고, 그래서 식물은 주로 청색광과 적색광으로 광합성을 하는 것이다.

9262-0251

01 윗글의 내용을 통해 알 수 있는 내용이 아닌 것은?

① 광합성에 사용되는 빛의 색깔
② 빛의 세기에 따른 광합성의 효율
③ 식물이 광합성을 할 때 나타나는 현상
④ 빛의 속성과 사물이 나타내는 색깔의 관계
⑤ 식물의 잎의 색깔과 광합성 효율 간의 관계

9262-0252

02 윗글을 참고하여, 〈보기〉에 대해 설명한 내용으로 적절하지 않은 것은?

보기

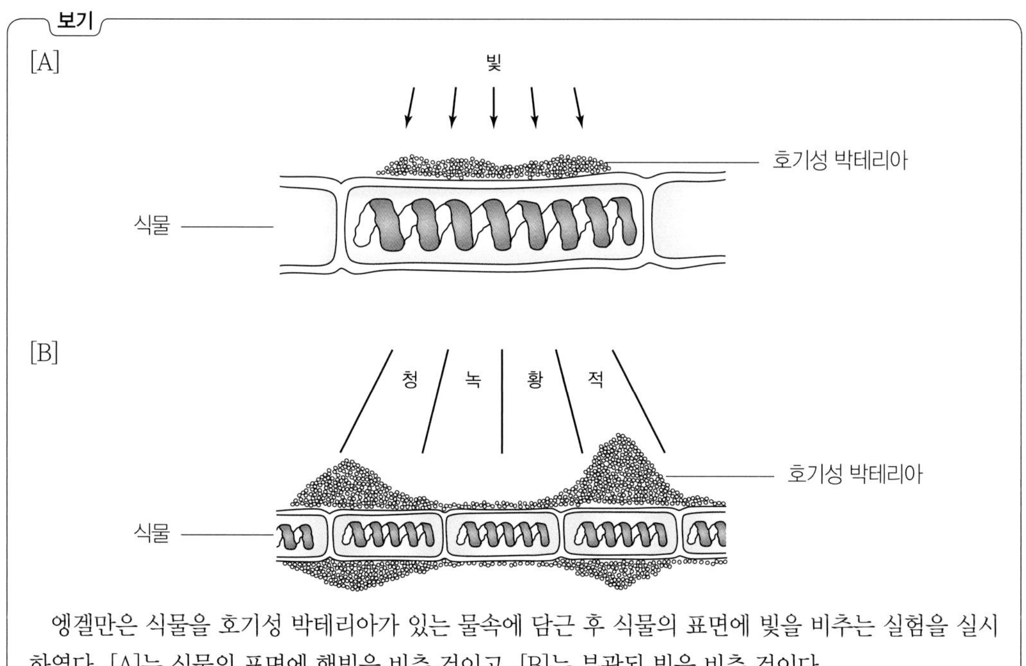

엥겔만은 식물을 호기성 박테리아가 있는 물속에 담근 후 식물의 표면에 빛을 비추는 실험을 실시하였다. [A]는 식물의 표면에 햇빛을 비춘 것이고, [B]는 분광된 빛을 비춘 것이다.

① [A]에서 호기성 박테리아가 식물의 표면에 고르게 모여 있는 것은 비추어진 빛이 모든 색의 가시광선을 두루 포함하고 있기 때문이다.
② [A]에서 호기성 박테리아가 식물의 표면에 모여든 것은 식물의 표면을 통해 반사된 빛의 양이 엽록소에 흡수된 빛의 양에 비해 많기 때문이다.
③ [B]에서 청색광과 적색광이 비추어진 부분에 호기성 박테리아가 상대적으로 많이 모여 있는 것은 해당 부분에서 더 많은 산소가 배출되었기 때문이다.
④ [B]에서 녹색광이 비추어진 부분에 호기성 박테리아가 많이 모여들지 않은 것은 식물의 엽록소에서 녹색광을 대부분 반사 또는 투과시켰기 때문이다.
⑤ [A], [B]의 표면에 모두 호기성 박테리아가 모여 있는 것은 빛이 광합성에 이용되었기 때문이다.

9262-0253

03 윗글의 ㉠에 들어갈 말로 가장 적절한 것은?

① 광합성에는 녹색광 이외의 다른 빛이 작용한다는 것을 의미한다.
② 식물이 녹색광으로도 어느 정도 광합성이 가능하다는 것을 의미한다.
③ 식물이 광합성을 할 때 주로 사용하는 빛이 녹색광이 아님을 의미한다.
④ 엽록소로 인해 반사된 녹색광이 광합성에 쓰이지 않는다는 것을 의미한다.
⑤ 식물의 엽록소가 흡수하는 가시광선이 광합성에 사용된다는 것을 의미한다.

출제 포인트

②번 선택지가 [A]에서 호기성 박테리아가 모여드는 현상과, 1, 2문단에 제시된 식물의 빛 흡수와 반사와 관련된 내용임을 확인한다.

↓

4문단에서 호기성 박테리아가 모여든 것은 햇빛을 흡수하여 광합성을 한 것임을 이해하고, 2문단에서 식물은 흡수한 빛을 광합성에 이용한다는 사실을 확인한다.

↓

[A]에서 광합성 이후 배출된 산소는 식물의 잎에서 반사된 빛과는 무관하다는 사실을 확인한다.

02 이 문항은 과학, 기술 지문에 자주 제시되는 실험 과정이나 특정 현상이 나타나는 과정과 그 의미를 정확하게 이해하였는지 평가하기 위한 문항이다. 특히 글 속에 제시된 내용을 〈보기〉의 도식에 대응시켜 각각의 과정과 그 의미를 묻고 있다.

> **4** (……) 엥겔만은 늪지에서 생장하는 식물을 호기성 박테리아가 있는 물 안에 넣고 이것에 햇빛을 비춘 후 현미경으로 관찰했다. (……) 이러한 결과는 곧 식물의 세포가 빛을 흡수하고 광합성을 거쳐 산소를 방출했기 때문이다. 이어서 그는 가시광선을 분광하여 각각의 분광된 빛깔의 빛을 식물에 비추었는데 호기성 박테리아 대부분이 청색광과 적색광을 비춘 곳으로 모여들었다. (……) 이것은 엽록소가 흡수한 빛이 광합성에 유용하다는 것을 의미한다.

이 글의 4문단에는 광합성을 통해 식물에서 배출된 산소를 확인하는 엥겔만의 실험 과정과 결과, 그 의미가 서술되어 있다. 이처럼 과학, 기술 지문에서 실험 과정이나 특정 현상이 나타나게 되는 과정은 반드시 출제 요소가 된다. 각각의 과정이 어떤 순서로 진행되고 그 결과와 의미가 무엇인지를 정확히 파악하며 글을 읽어야 한다. 또 이러한 내용들을 독해한 후에는 관련 문항을 바로 해결하는 것이 바람직하다.

원리로 다시 읽기

(……)

❶**그렇다면 광합성에는 어떤 빛깔의 빛이 이용될까?** 그것은 녹색을 띠는 식물의 잎이 반사나 투과를 시키지 않고 흡수하는 빛, 즉 청색광과 적색광이다. 그래서 식물의 잎이 만약 적색이라면 적색광을 반사, 투과시키게 되므로 이 식물은 청색이나 녹색 빛을 이용하여 광합성을 해야 한다. 그런데 광합성의 능률은 녹색 계열에 비해 적색 계열의 빛이 높으므로 식물의 잎이 붉으면 광합성의 생산 능력이 떨어져 녹색 식물에 비해 생장이 더디고 번식도 부진해진다. 그래서 육상 식물은 적색보다는 녹색을 띠는 것이 광합성에 유리하다.

▶ 광합성에 이용되는 빛의 빛깔

하지만 식물이 빛을 흡수하는 것을 확인했더라도 그 빛이 광합성에 반드시 이용된다는 것은 별도의 확인이 필요하다. 즉 식물이 어떤 파장의 빛을 얼마나 흡수하는지를 자세히 조사해도 광합성과의 관계를 밝힐 수는 없다. 그래서 식물이 흡수된 빛을 활용하여 광합성을 하고 있는지의 여부를 확인할 필요가 있다. 일반적으로 식물이 광합성을 하면 탄소 화합물이 발생하고, 이산화 탄소가 흡수되며 산소가 방출된다. 그런데 이 중에서 광합성을 확인할 수 있는 가장 손쉬운 방법은 산소의 배출 여부를 알아보는 것이다.

▶ 식물이 흡수한 빛이 광합성에 활용되는지 확인하는 방법

그래서 ❷**엥겔만은, 식물의 광합성에 의해 식물에서 배출되는 산소를 실험을 통해 확인하고자 하였다.** 박테리아 중에는 산소를 좋아하는 호기성 박테리아와 산소를 싫어하는 혐기성 박테리아가 있는데, 호기성 박테리아는 산소가 있는 곳으로 모여든다. 그래서 엥겔만은 늪지에서 생장하는 식물을 호기성 박테리아가 있는 물 안에 넣고 이것에 햇빛을 비춘 후 현미경으로 관찰했다. 그랬더니 박테리아가 식물 주위에 잔뜩 모여드는 것을 확인했다. 이러한 결과는 곧 식물의 세포가 빛을 흡수하고 광합성을 거쳐 산소를 방출했기 때문이다. 이어서 그는 가시광선을 분광하여 각각의 분광된 빛깔의 빛을 식물에 비추었는데 호기성 박테리아 대부분이 청색광과 적색광을 비춘 곳으로 모여들었다. 박테리아가 모여드는 양은 엽록소가 빛을 흡수하는 스펙트럼 곡선과 그 모습이 비슷한데, 이것은 엽록소가 흡수한 빛이 광합성에 유용하다는 것을 의미한다.

▶ 호기성 박테리아를 활용한 엥겔만의 광합성 실험

이러한 사실은 그 후 여러 학자들에 의해 확인되었다. 특히 바르부르크는 녹조인 클로렐라에 청색광과 적색광을 비추었을 때 이산화 탄소가 가장 많이 흡수된다는 사실을 밝혀냈으며 이로써 식물의 잎에 있는 엽록소와 광합성의 관계를 확인하였다. 어떤 파장의 빛이 어느 정도 광합성에 유용한지를 그래프로 표시한 것을 광합성의 작용 스펙트럼 곡선이라고 부르는데, 바르부르크가 조사한 광합성의 작용 스펙트럼 곡선과 엽록소의 흡수 스펙트럼 곡선을 비교해 보면 두 곡선이 매우 유사한 형태를 보이는 것을 알 수 있다. 그런데 녹색광이 흡수되는 영역을 나타내는 곡선의 중앙부에서는 광합성의 작용 스펙트럼 곡선이 엽록소의 흡수 스펙트럼 곡선보다 높은 수치를 나타내는데, ❸이는 [㉠]

▶ 엽록소와 광합성의 관계를 확인한 바르부르크

녹색광은 녹색인 엽록소에는 잘 흡수되지 않으나, 엽록소가 여러 겹으로 겹쳐 있고 또 엽록소를 함유하고 있는 엽록체와 세포가 많이 집결되어 있는 곳에서는 녹색광도 다소 흡수가 이루어진다. 그리고 이렇게 흡수된 녹색광으로도 광합성이 이루어지기 때문에 광합성 작용 스펙트럼 곡선의 중앙부가 더 높게 나타나는 것이다. 원칙적으로 식물은 어떤 색깔의 빛으로도 광합성을 할 수 있다. ❶**다만 빛을 흡수하는 엽록소 자체가 녹색인 까닭에 대부분의 녹색광을 반사 또는 투과시키고,** 그래서 식물은 주로 청색광과 적색광으로 광합성을 하는 것이다.

▶ 광합성에 사용되는 빛의 종류(청색광, 적색광, 녹색광)

❶ 과학, 기술 분야의 글에는 (❶) – 결과(현상)의 관계를 서술하는 내용들이 많다. 따라서 글의 내용에 제시된 과학적, 기술적 내용의 논리적, 인과적 관계를 정확하게 이해해 두어야 한다. 특히 이 글의 1, 2문단에서는 광합성에 어떤 빛이 이용되는지와 관련하여 식물의 빛 (❷)와 반사의 원리를 이해해야 한다.

❷ 과학, 기술 분야의 글에는 실험 과정이나 특정 현상이 나타나게 되는 과정이 글의 내용으로 구성되는 경우가 많다. ❷에서는 식물이 흡수한 빛이 광합성에 사용되는지의 여부를 확인하는 엥겔만의 실험이 제시되어 있다. 식물에 흡수된 빛이 광합성에 이용된 후 식물의 표면에서 발생하는 산소에 (❸) 박테리아가 모여드는 현상을 관찰한 엥겔만의 실험 과정과 그 결과의 의미를 이해해야 한다. 아울러 분광된 빛을 비추자 청색광과 (❹) 부분에 호기성 박테리아가 집중적으로 모여드는 결과와 그 의미를 이해해야 한다.

❸ 글의 특정 부분을 추론하는 문항이다. 이러한 문항을 해결하기 위해서는 특정 부분의 전후 맥락과 의미 흐름을 면밀히 검토하고 특정 부분에 들어갈 내용을 추론해야 한다. 이 문항의 경우, [㉠]의 앞부분에서 광합성 작용 스펙트럼 곡선과 엽록소의 흡수 스펙트럼 곡선의 차이를 언급하고 있음을 파악해야 한다. 그리고 다음 문단에서 일부 흡수된 (❺)이 광합성에 사용되며 따라서 광합성 작용 스펙트럼 곡선의 중앙부가 더 높게 나타난다는 사실을 확인하고 [㉠]의 내용을 추론해야 한다.

답

❶ 원인(이유) ❷ 흡수 ❸ 호기성 ❹ 적색광 ❺ 녹색광

Note

다음 글을 읽고 물음에 답하시오.

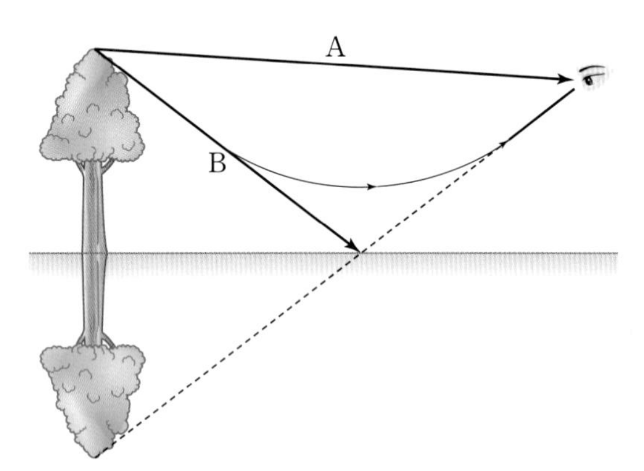

사막이나 뜨거운 여름날 도로 위에 물이 고여 있거나 나무가 서 있는 것처럼 보이는 신기루를 볼 때가 있다. 이러한 신기루 현상은 빛의 굴절로 인해 나타나는 현상 중의 하나이다. 굴절이란 매질*이 달라질 때의 빛의 진행 방법이다. 공기도 일종의 매질이므로 빛이 공기를 통과할 때에도 굴절 현상이 일어난다.

그림은 신기루 현상이 나타나지 않을 때의 일반적인 상황과 빛의 진행을 나타내고 있다. 평상시에는 B광선이 지표면을 향해 직진하게 되므로 사람은 A광선을 통해서만 나무를 보게 된다. 그러나 ⓐ사막이나 무더운 여름날 지면 위의 공기와 같이 지표면으로부터 높이에 따라 온도가 크게 변하게 되면, 공기의 밀도 차이에 의해 공기의 굴절률이 달라진다. 즉 지표면에 가까운 공기일수록, 뜨겁게 달구어진 지표면의 영향을 더 많이 받게 되어 공기 분자들의 운동이 더욱 활발해지고 이로 인해 공기 밀도가 낮아져 굴절률이 작아진다. 즉 그림의 B광선은 굴절률이 일정한 매질을 통과하는 것이 아니라, 굴절률이 연속적으로 작아지는 매질을 통과하게 된다. 굴절률이 균일한 경우 빛은 직진을 하게 되지만, 굴절률이 아래로 내려갈수록 작아지는 경우에는 빛이 곡선으로 휘어져 원래 진행하던 방향과는 다른 방향으로 진행하게 된다. 따라서 신기루가 발생할 때에는 지표면을 향하던 B광선이, 곡선 형태로 휘어져 사람 눈에 들어오게 되고 결국 사람은 도립상*의 신기루를 보게 되는 것이다.

한편 우리가 일반적으로 보게 되는 신기루는 지표면 부근에 나타나지만, ⓑ북극해와 같은 추운 곳에서는 공중에 떠 있는 신기루를 볼 수 있다. 북극해같이 추운 곳에서는 지표면에 접한 공기가 몹시 차갑기 때문에 높이가 높아짐에 따라 공기가 따뜻해진다. 즉 지표면으로부터 높아짐에 따라 공기의 밀도가 낮아지고 따라서 공기의 굴절률이 연속적으로 작아지게 된다. 따라서 공중을 향하던 광선은 지표면 방향으로 휘어지게 되어, 사람은 공중에 떠 있는 신기루를 보게 되는 것이다.

[A] 또 우리가 일상생활에서 자주 보게 되는 신기루가 있는데 그것은 바로 태양이다. 해가 지고 난 후 즉 태양이 지평선 아래로 내려간 후에도 몇 분 동안은 태양을 볼 수 있다. 이때 보이는 태양은 신기루이지만 ㉠그것이 태양이 아니라 신기루인 것을 알아차리는 경우는 드물다. 지구 중력에 의해 지구에 속박되어 있는 대기는 지구 중력이 약해짐에 따라 상층부로 올라갈수록 그 밀도가 희박해진다. 즉 대기의 하층부로 내려갈수록 밀도가 높아져 굴절률이 연속적으로 커지게 된다. 그래서 태양이 지평선 아래로 내려간 다음에도 태양에서 나오는 광선은 연속적으로 굴절되어 우리 눈에 도달하게 되고, 우리는 아직 태양이 지평선 위에 있는 것처럼 보게 되는 것이다.

어휘풀이

*매질 어떤 파동 또는 물리적 작용을 한 곳에서 다른 곳으로 옮겨 주는 매개물.
*도립상 볼록 렌즈 초점의 밖에 있는 물체의 상처럼 상하좌우가 반대로 된 상.

9262-0254

01 윗글의 표제와 부제로 가장 적절한 것은?

① 신기루를 판별하는 방법
　– 매질의 속성과 굴절률을 중심으로
② 신기루 현상의 원리
　– 공기의 온도와 빛의 세기를 중심으로
③ 신기루가 발생하는 원리
　– 공기의 밀도와 빛의 굴절률을 중심으로
④ 신기루의 다양한 형상
　– 지면과 공중에 나타나는 신기루를 중심으로
⑤ 신비한 신기루의 세계
　– 사막과 북극에서 나타나는 태양의 신기루를 중심으로

9262-0255

02 ⓐ, ⓑ에 대한 설명으로 적절하지 않은 것은?

① ⓐ에서는 지표면 부근에, ⓑ에서는 공중에 신기루가 나타난다.
② ⓐ에서는 ⓑ와 달리 지표면에 가까운 공기일수록 공기 밀도가 낮다.
③ ⓑ에서는 ⓐ와 달리 지표면으로부터 높은 곳에 있는 공기일수록 빛의 굴절률이 작아진다.
④ ⓐ와 ⓑ에서 나타나는 신기루는 모두 빛이 통과하는 매질의 밀도 차로 인해 발생한 것이다.
⑤ ⓐ와 ⓑ에서 나타나는 신기루는 모두 빛이 공기의 온도가 높은 쪽으로 휘어져 발생한 것이다.

9262-0256

03 [A]를 읽고 <보기>에 대해 설명한 내용으로 적절하지 않은 것은?

보기

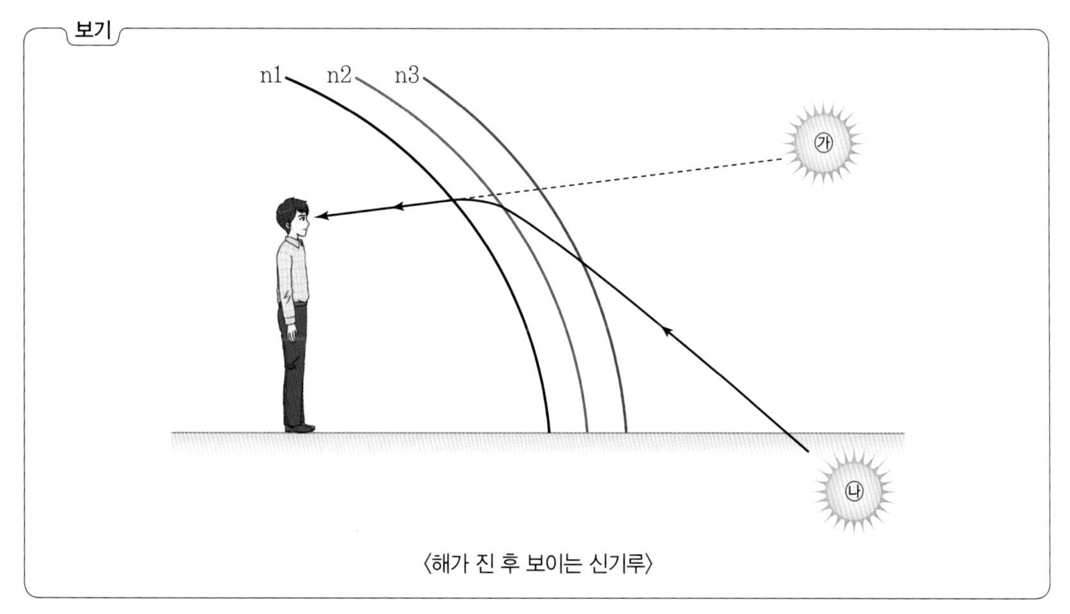

<해가 진 후 보이는 신기루>

① ㉮는 태양이 공중에 떠 있는 것과 같이 보이는 신기루이다.
② ㉯에서 나온 빛은 n1과 n3 사이의 중력 차가 클수록 굴절률이 작아진다.
③ n1에서 n3로 갈수록 ㉯에서 나온 빛이 굴절되는 정도는 작아진다.
④ n1과 n3에 있는 대기의 밀도 차가 클수록 ㉮의 고도는 더 높아진다.
⑤ n1~n3에 지구의 중력이 작용하지 않는다면 사람은 ㉮를 볼 수 없다.

9262-0257

04 ㉠의 이유로 가장 적절한 것은?

① 태양이 지는 위치가 매일 달라지기 때문에
② 태양은 지구의 대기 밖에 존재하는 대상이기 때문에
③ 태양이 지구 중력에 미치는 영향이 매우 작기 때문에
④ 태양은 공중에 떠 있는 물체로 인식되어 왔기 때문에
⑤ 태양에서 나오는 빛의 세기가 강해 육안으로는 확인할 수 없기 때문에

출제 포인트

2, 3문단의 내용을 통해 신기루가 발생하는 원리와 과정을 이해한다.

↓

공기의 온도, 밀도, 굴절률과 관련하여 사막과 북극의 차이를 파악한다.

↓

사막과 북극의 차이에 주목하며 선택지 내용을 확인한다.

02 이 문항은 중심 화제와 관련하여 두 대상 간의 차이점을 정확하게 파악할 수 있는지 묻고 있다.

> **2** (……) 사막이나 무더운 여름날 지면 위의 공기와 같이 지표면으로부터 높이에 따라 온도가 크게 변하게 되면, 공기의 밀도 차이에 의해 공기의 굴절률이 달라진다. (……) 신기루가 발생할 때에는 지표면을 향하던 B광선이, 곡선 형태로 휘어져 사람 눈에 들어오게 되고 결국 사람은 도립상의 신기루를 보게 되는 것이다.
> **3** (……) 북극해와 같이 추운 곳에서는 공중에 떠 있는 신기루를 볼 수 있다. 북극해같이 추운 곳에서는 지표면에 접한 공기가 몹시 차갑기 때문에 높이가 높아짐에 따라 공기가 따뜻해진다. (……) 공중을 향하던 광선은 지표면 방향으로 휘어지게 되어, 사람은 공중에 떠 있는 신기루를 보게 되는 것이다.

이 글의 중심 화제는 '신기루'이며 신기루가 발생하는 원리를 설명하고 있다. 이 글에 따르면 '신기루'는 공기의 밀도 차와 이로 인해 발생하는 빛의 굴절률 차이로 인해 나타나는 현상이다. 따라서 이러한 현상이 나타나는 사막과 북극 지역은 동일한 원리가 적용된다 하더라도 그 양상이 다를 수밖에 없다. 이처럼 상반된 속성을 가진 대상이 있다면 이를 비교하는 문항이 출제되기 마련이므로 대상의 차이점에 유의하며 글을 읽어야 한다.

원리로 다시 읽기

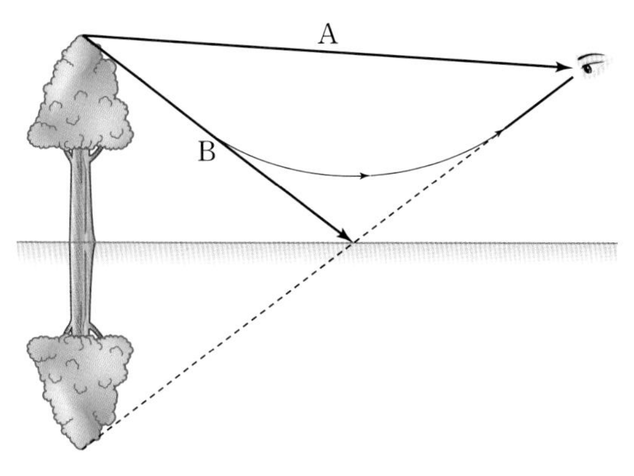

❶ 사막이나 뜨거운 여름날 도로 위에 물이 고여있거나 나무가 서 있는 것처럼 보이는 신기루를 볼 때가 있다. 이러한 신기루 현상은 빛의 굴절로 인해 나타나는 현상 중의 하나이다. 굴절이란 매질이 달라질 때의 빛의 진행 방법이다. 공기도 일종의 매질이므로 빛이 공기를 통과할 때에도 굴절 현상이 일어난다.

▶ 빛의 굴절로 인해 나타나는 신기루 현상

그림은 신기루 현상이 나타나지 않을 때의 일반적인 상황과 빛의 진행을 나타내고 있다. 평상시에는 B광선이 지표면을 향해 직진하게 되므로 사람은 A광선을 통해서만 나무를 보게 된다. 그러나 ❷ 사막이나 무더운 여름날 지면 위의 공기와 같이 지표면으로부터 높이에 따라 온도가 크게 변하게 되면, 공기의 밀도 차이에 의해 공기의 굴절률이 달라진다. 즉 지표면에 가까운 공기일수록, 뜨겁게 달구어진 지표면의 영향을 더 많이 받게 되어 공기 분자들의 운동이 더욱 활발해지고 이로 인해 공기 밀도가 낮아져 굴절률이 작아진다. 즉 그림의 B광선은 굴절률이 일정한 매질을 통과하는 것이 아니라, 굴절률이 연속적으로 작아지는 매질을 통과하게 된다. 굴절률이 균일한 경우 빛은 직진을 하게 되지만, 굴절률이 아래로 내려갈수록 작아지는 경우에는 빛이 곡선으로 휘어져 원래 진행하던 방향과는 다른 방향으로 진행하게 된다. 따라서 신기루가 발생할 때에는 지표면을 향하던 B광선이, 곡선 형태로 휘어져 사람 눈에 들어오게 되고 결국 사람은 ❸ 도립상의 신기루를 보게 되는 것이다.

▶ 사막이나 무더운 여름날 신기루가 나타나는 과정

한편 우리가 일반적으로 보게 되는 신기루는 지표면 부근에 나타나지만, ❷ 북극해와 같은 추운 곳에서는 공중에 떠 있는 신기루를 볼 수 있다. 북극해같이 추운 곳에서는 지표면에 접한 공기가 몹시 차갑기 때문에 높이가 높아짐에 따라 공기가 따뜻해진다. 즉 지표면으로부터 높아짐에 따라 공기의 밀도가 낮아지고 따라서 공기의 굴절률이 연속적으로 작아지게 된다. 따라서 공중을 향하던 광선은 지표면 방향으로 휘어지게 되어, ❸ 사람은 공중에 떠 있는 신기루를 보게 되는 것이다.

▶ 북극해와 같은 추운 곳에서 신기루가 나타나는 과정

또 우리가 일상생활에서 자주 보게 되는 신기루가 있는데 그것은 바로 태양이다. 해가 지고 난 후 즉 태양이 지평선 아래로 내려간 후에도 몇 분 동안은 태양을 볼 수 있다. 이때 보이는 태양은 신기루이지만 그것이 태양이 아니라 신기루인 것을 알아차리는 경우는 드물다. 지구 중력에 의해 지구에 속박되어 있는 대기는 지구 중력이 약해짐에 따라 상층부로 올라갈수록 그 밀도가 희박해진다. 즉 대기의 하층부로 내려갈수록 밀도가 높아져 굴절률이 연속적으로 커지게 된다. 그래서 태양이 지평선 아래로 내려간 다음에도 태양에서 나오는 광선은 연속적으로 굴절되어 우리 눈에 도달하게 되고, 우리는 아직 태양이 지평선 위에 있는 것처럼 보게 되는 것이다.

▶ 해질녘에 나타나는 태양의 신기루

❶ 이 글의 중심 화제는 '신기루'로, 이 글에서는 '신기루' 현상이 나타나게 되는 원리를 설명하고 있다. 1문단의 내용을 통해 '신기루' 현상이 '빛의 (❶)'에 의해 나타나는 현상임을 정확하게 이해하고 ❷의 상황 속에서 신기루가 나타나는 과정을 정확히 파악하며 읽어야 한다.

❷ 글 속에서 대등한 위상을 가지고 있거나 상반된 내용을 가지고 있는 대상이 제시되면, 그 공통점과 차이점을 묻는 문항이 출제되기 마련이다. 그러므로 이 글을 읽을 때에는 사막 지역과 북극 지역의 (❷) 특성과 이로 인한 빛의 굴절 양상의 차이를 이해하고 신기루가 각각 어떠한 과정에 의해 형성되는지 이해해야 한다. 특히 사막에서는 지표면의 뜨거운 공기로 인해 지표 부근에서 공기의 밀도가 낮아지고 빛의 굴절률도 작아지는 데 반해, 북극 지역에서는 지표면이 차갑기 때문에 높이가 높을수록 공기의 (❸)가 낮아지고 빛의 굴절률도 작아진다는 점을 이해해야 한다.

❸ 과학, 기술 분야의 글에는 원인(이유) – 결과(현상)의 관계를 가진 내용이 제시되는 경우가 많다. ❸과 같이 신기루가 나타나는 것은 (❹)에 해당하므로, 공기의 밀도, 빛의 굴절률 등을 이용하여 이와 같은 결과가 나타나는 과정과 원리를 정확히 이해하며 글을 읽어야 한다.

답

❶ 굴절 ❷ 기후적 ❸ 밀도 ❹ 결과(현상)

05 원리로 기술 독해

기술 분야 _ 글의 특성

- 기술 분야의 글은 인간의 삶을 편리하게 하는 다양한 장치의 작동 원리 및 특징을 설명하는 글이 많다.
- 기술 분야의 글은 낯선 용어와 함께 그 개념을 제시하는 경우가 많으며 작동 원리를 과정에 따라 설명하는 경우가 많다.
- 제재로는 반도체, 컴퓨터, 통신, 전자, 음향, 건축, 디지털 등에 관한 내용이 골고루 출제되고 있다. 최근에는 특히 컴퓨터에 관한 지문이 많이 출제되었다.
- 장치의 작동 원리를 설명하는 글은 과정에 따라 원리 · 방법, 구성 요소의 역할(기능), 특징 등을 설명하는 경우가 많다.
- 기술 분야의 글은 과학 분야의 글과 마찬가지로 시각 자료를 활용하는 경우가 많다. 이 경우 시각 자료가 중요한 출제 요소로 활용된다.

2 기술 분야 _ 글을 읽는 방법

- 장치의 작동 원리를 과정에 따라 설명하고 있으면 단계를 파악하면서 각 단계에서 이루어지는 일을 이해해야 한다. 그리고 원리는 과학과 마찬가지로 '~(이)면 ~다.', '~수록 ~다.', '~에 따라 ~다.'와 같은 형식으로 제시되므로 이와 같이 서술되어 있는 내용을 중요하게 여겨야 한다.
- 평상시에 사용하지 않는 낯선 용어와 함께 개념이 제시되어 있으면, 그 개념이 출제 요소가 되므로 개념을 정확하게 이해해야 한다. 그리고 구성 요소를 일컫는 명칭에 표시를 하고, 구성 요소의 기능(역할)을 나타내는 핵심 어구에 주목해 그 내용을 이해하는 독해를 해야 한다.
- 반도체, 컴퓨터 등과 같이 첨단 기술에 관해 설명하는 글인 경우, 낯선 용어와 함께 원리 · 방법이 제시된다. 이들 정보가 반드시 출제 요소가 되므로 주목해 이해하는 독해를 해야 한다.
- 장치의 작동 원리 · 방법을 과정에 따라 설명하면서, 구성 요소의 역할(기능)이나 특징을 제시해 출제 요소로 삼는 경우가 많으므로 과정의 각 단계에서 설명하고 있는 구성 요소의 역할(기능)이나 특징에 관한 정보를 중시해야 한다.
- 시각 자료가 제시된 경우, 시각 자료의 내용 요소를 지문의 내용과 대응시켜 그 내용을 정확하게 이해해야 한다.

정답과 해설 63쪽

| 2018학년도 대학수학능력시험 |

Note

다음 글을 읽고 물음에 답하시오.

(가) 디지털 통신 시스템은 송신기, 채널, 수신기로 구성되며, 전송할 데이터를 빠르고 정확하게 전달하기 위해 부호화 과정을 거쳐 전송한다. 영상, 문자 등인 데이터는 기호 집합에 있는 기호들의 조합이다. 예를 들어 기호 집합 {a, b, c, d, e, f}에서 기호들을 조합한 add, cab, beef 등이 데이터이다. 정보량은 어떤 기호가 발생했다는 것을 알았을 때 얻는 정보의 크기이다. 어떤 기호 집합에서 특정 기호의 발생 확률이 높으면 그 기호의 정보량은 적고, 발생 확률이 낮으면 그 기호의 정보량은 많다. 기호 집합의 평균 정보량*을 기호 집합의 엔트로피라고 하는데 모든 기호들이 동일한 발생 확률을 가질 때 그 기호 집합의 엔트로피는 최댓값을 갖는다.

(나) 송신기에서는 소스 부호화, 채널 부호화, 선 부호화를 거쳐 기호를 부호로 변환한다. 소스 부호화는 데이터를 압축하기 위해 기호를 0과 1로 이루어진 부호로 변환하는 과정이다. 어떤 기호가 110과 같은 부호로 변환되었을 때 0 또는 1을 비트라고 하며 이 부호의 비트 수는 3이다. 이때 기호 집합의 엔트로피는 기호 집합에 있는 기호를 부호로 표현하는 데 필요한 평균 비트 수의 최솟값이다. 전송된 부호를 수신기에서 원래의 기호로 복원하려면 부호들의 평균 비트 수가 기호 집합의 엔트로피보다 크거나 같아야 한다. 기호 집합을 엔트로피에 최대한 가까운 평균 비트 수를 갖는 부호들로 변환하는 것을 엔트로피 부호화라 한다. 그중 하나인 '허프만 부호화'에서는 발생 확률이 높은 기호에는 비트 수가 적은 부호를, 발생 확률이 낮은 기호에는 비트 수가 많은 부호를 할당한다.

(다) 채널 부호화는 오류를 검출하고 정정하기 위하여 부호에 잉여 정보를 추가하는 과정이다. 송신기에서 부호를 전송하면 채널의 잡음으로 인해 오류가 발생하는데 이 문제를 해결하기 위해 잉여 정보를 덧붙여 전송한다. 채널 부호화 중 하나인 '삼중 반복 부호화'는 0과 1을 각각 000과 111로 부호화한다. 이때 수신기에서는 수신한 부호에 0이 과반수인 경우에는 0으로 판단하고, 1이 과반수인 경우에는 1로 판단한다. 즉 수신기에서 수신된 부호가 000, 001, 010, 100 중 하나라면 0으로 판단하고, 그 이외에는 1로 판단한다. 이렇게 하면 000을 전송했을 때 하나의 비트에서 오류가 생겨 001을 수신해도 0으로 판단하므로 오류는 정정된다. 채널 부호화를 하기 전 부호의 비트 수를, 채널 부호화를 한 후 부호의 비트 수로 나눈 것을 부호율이라 한다. 삼중 반복 부호화의 부호율은 약 0.33이다.

(라) 채널 부호화를 거친 부호들을 채널을 통해 전송하려면 부호들을 전기 신호로 변환해야 한다. 0 또는 1에 해당하는 전기 신호의 전압을 결정하는 과정이 선 부호화이다. 전압의 결정 방법은 선 부호화 방식에 따라 다르다. 선 부호화 중 하나인 '차동 부호화'는 부호의 비트가 0이면 전압을 유지하고 1이면 전압을 변화시킨다. 차동 부호화를 시작할 때는 기준 신호가 필요하다. 예를 들어 차동 부호화 직전의 기준 신호가 양(+)의 전압이라면 부호 0110은 '양, 음, 양, 양'의 전압을 갖는 전기 신호로 변환된다. 수신기에서는 송신기와 동일한 기준 신호를 사용하여, 전압의 변화가 있으면 1로 판단하고 변화가 없으면 0으로 판단한다.

어휘 풀이

***평균 정보량** 각 기호의 발생 확률과 정보량을 서로 곱하여 모두 더한 것.

원리로 읽기

관련 문제 Link

1 이 글의 중심 화제는?

디지털 통신 시스템의 구성 요소와 (❶)의 부호화 과정

2 문단별 중심 내용 찾기

01 핵심 정보 찾기

가: 디지털 통신 시스템의 구성 요소와 데이터의 정보량
나: 송신기의 부호화 과정 1 – 소스 부호화
다: 송신기의 부호화 과정 2 – (❷) 부호화
라: 송신기의 부호화 과정 3 – 선 부호화

3 서술 방식 파악하기

이 글은 디지털 통신 시스템과 송신기의 부호화 과정을 (❸)하여 소개하고 있다. 그리고 송신기의 부호화 과정에 대해서 설명할 때에는 (❹)를 들어 독자의 이해를 돕고 있다.

9262-0258

01 윗글에서 알 수 있는 내용으로 적절한 것은?

① 영상 데이터는 채널 부호화 과정에서 압축된다.
② 수신기에는 부호를 기호로 복원하는 기능이 있다.
③ 잉여 정보는 데이터를 압축하기 위해 추가한 정보이다.
④ 영상을 전송할 때는 잡음으로 인한 오류가 발생하지 않는다.
⑤ 소스 부호화는 전송할 기호에 정보를 추가하여 오류에 대비하는 과정이다.

9262-0259

02 윗글을 바탕으로, 2가지 기호로 이루어진 기호 집합에 대해 이해한 내용으로 적절하지 않은 것은?

① 기호들의 발생 확률이 모두 1/2인 경우, 각 기호의 정보량은 동일하다.
② 기호들의 발생 확률이 각각 1/4, 3/4인 경우의 평균 정보량이 최댓값이다.
③ 기호들의 발생 확률이 각각 1/4, 3/4인 경우, 기호의 정보량이 더 많은 것은 발생 확률이 1/4인 기호이다.
④ 기호들의 발생 확률이 모두 1/2인 경우, 기호를 부호화하는 데 필요한 평균 비트 수의 최솟값이 최대가 된다.
⑤ 기호들의 발생 확률이 각각 1/4, 3/4인 기호 집합의 엔트로피는 발생 확률이 각각 3/4, 1/4인 기호 집합의 엔트로피와 같다.

9262-0260

03 윗글의 '부호화'에 대한 내용으로 적절한 것은?

① 선 부호화에서는 수신기에서 부호를 전기 신호로 변환한다.
② 허프만 부호화에서는 정보량이 많은 기호에 상대적으로 비트 수가 적은 부호를 할당한다.
③ 채널 부호화를 거친 부호들은 채널로 전송하기 전에 잉여 정보를 제거한 후 선 부호화한다.
④ 채널 부호화 과정에서 부호에 일정 수준 이상의 잉여 정보를 추가하면 부호율은 1보다 커진다.
⑤ 삼중 반복 부호화를 이용하여 0을 부호화한 경우, 수신된 부호에서 두 개의 비트에 오류가 있으면 오류는 정정되지 않는다.

9262-0261

04 윗글을 바탕으로 〈보기〉를 이해한 내용으로 적절한 것은?

보기

날씨 데이터를 전송하려고 한다. 날씨는 '맑음', '흐림', '비', '눈'으로만 분류하며, 각 날씨의 발생 확률은 모두 같다. 엔트로피 부호화를 통해 '맑음', '흐림', '비', '눈'을 각각 00, 01, 10, 11의 부호로 바꾼다.

① 기호 집합 {맑음, 흐림, 비, 눈}의 엔트로피는 2보다 크겠군.
② 엔트로피 부호화를 통해 4일 동안의 날씨 데이터 '흐림비맑음흐림'은 '01001001'로 바뀌겠군.
③ 삼중 반복 부호화를 이용하여 전송한 특정 날씨의 부호를 '110001'과 '101100'으로 각각 수신하였다면 서로 다른 날씨로 판단하겠군.
④ 날씨 '비'를 삼중 반복 부호화와 차동 부호화를 이용하여 부호화하는 경우, 기준 신호가 양(+)의 전압이면 '음, 양, 음, 음, 음, 음'의 전압을 갖는 전기 신호로 변환되겠군.
⑤ 삼중 반복 부호화와 차동 부호화를 이용하여 특정 날씨의 부호를 전송할 경우, 수신기에서 '음, 음, 음, 양, 양, 양'을 수신했다면 기준 신호가 양(+)의 전압일 때 '흐림'으로 판단하겠군.

문제풀이 비법노트

기술 지문에 제시된 핵심 개념, 원리 등에 대한 정보를 꼼꼼히 독해하고 이해한다.

↓

앞서 이해한 내용을 주어진 상황에 대응시켜 적용한다.

↓

적용한 내용을 바탕으로 선택지의 적절성을 판단한다.

04

이 문항은 글의 핵심적인 정보를 구체적인 상황에 적용하는 능력을 평가하는 문제이다. 이 문항을 해결하려면 먼저 기호 집합의 '엔트로피', 송신기의 부호화 방식인 소스, 채널, 선 부호화에 대한 이해가 우선되어야 하고, 이를 주어진 상황에 적용해야 한다. 기술 영역의 지문은 반드시 기술적 원리나 개념이 등장한 후에 이를 적용하거나 확인하는 문제가 등장하는 만큼 글을 읽으며 핵심적인 정보에 대한 분명한 이해가 선행될 수 있도록 꼼꼼한 독해의 자세가 필요하다.

원리로 다시 읽기

가 디지털 통신 시스템은 송신기, 채널, 수신기로 구성되며, 전송할 데이터를 빠르고 정확하게 전달하기 위해 부호화 과정을 거쳐 전송한다. 영상, 문자 등인 데이터는 기호 집합에 있는 기호들의 조합이다. 예를 들어 기호 집합 {a, b, c, d, e, f}에서 기호들을 조합한 add, cab, beef 등이 데이터이다. 정보량은 어떤 기호가 발생했다는 것을 알았을 때 얻는 정보의 크기이다. 어떤 기호 집합에서 특정 기호의 발생 확률이 높으면 그 기호의 정보량은 적고, 발생 확률이 낮으면 그 기호의 정보량은 많다. 기호 집합의 평균 정보량을 기호 집합의 엔트로피라고 하는데 모든 기호들이 동일한 발생 확률을 가질 때 그 기호 집합의 엔트로피는 최댓값을 갖는다.

나 송신기에서는 소스 부호화, 채널 부호화, 선 부호화를 거쳐 기호를 부호로 변환한다. 소스 부호화는 데이터를 압축하기 위해 기호를 0과 1로 이루어진 부호로 변환하는 과정이다. 어떤 기호가 110과 같은 부호로 변환되었을 때 0 또는 1을 비트라고 하며 이 부호의 비트 수는 3이다. 이때 기호 집합의 엔트로피는 기호 집합에 있는 기호를 부호로 표현하는 데 필요한 평균 비트 수의 최솟값이다. 전송된 부호를 수신기에서 원래의 기호로 복원하려면 부호들의 평균 비트 수가 기호 집합의 엔트로피보다 크거나 같아야 한다. 기호 집합을 엔트로피에 최대한 가까운 평균 비트 수를 갖는 부호들로 변환하는 것을 엔트로피 부호화라 한다. 그중 하나인 '허프만 부호화'에서는 발생 확률이 높은 기호에는 비트 수가 적은 부호를, 발생 확률이 낮은 기호에는 비트 수가 많은 부호를 할당한다.

다 채널 부호화는 오류를 검출하고 정정하기 위하여 부호에 잉여 정보를 추가하는 과정이다. 송신기에서 부호를 전송하면 채널의 잡음으로 인해 오류가 발생하는데 이 문제를 해결하기 위해 잉여 정보를 덧붙여 전송한다. 채널 부호화 중 하나인 '삼중 반복 부호화'는 0과 1을 각각 000과 111로 부호화한다. 이때 수신기에서는 수신한 부호에 0이 과반수인 경우에는 0으로 판단하고, 1이 과반수인 경우에는 1로 판단한다. 즉 수신기에서 수신된 부호가 000, 001, 010, 100 중 하나라면 0으로 판단하고, 그 이외에는 1로 판단한다. 이렇게 하면 000을 전송했을 때 하나의 비트에서 오류가 생겨 001을 수신해도 0으로 판단하므로 오류는 정정된다. 채널 부호화를 하기 전 부호의 비트 수를, 채널 부호화를 한 후 부호의 비트 수로 나눈 것을 부호율이라 한다. 삼중 반복 부호화의 부호율은 약 0.33이다.

라 채널 부호화를 거친 부호들을 채널을 통해 전송하려면 부호들을 전기 신호로 변환해야 한다. 0 또는 1에 해당하는 전기 신호의 전압을 결정하는 과정이 선 부호화이다. 전압의 결정 방법은 선 부호화 방식에 따라 다르다. 선 부호화 중 하나인 '차동 부호화'는 부호의 비트가 0이면 전압을 유지하고 1이면 전압을 변화시킨다. 차동 부호화를 시작할 때는 기준 신호가 필요하다. 예를 들어 차동 부호화 직전의 기준 신호가 양(+)의 전압이라면 부호 0110은 '양, 음, 양, 양'의 전압을 갖는 전기 신호로 변환된다. 수신기에서는 송신기와 동일한 기준 신호를 사용하여, 전압의 변화가 있으면 1로 판단하고 변화가 없으면 0으로 판단한다.

1 이 글의 중심 화제는?

디지털 통신 시스템의 구성 요소와 (❶ 송신기)의 부호화 과정

2 문단별 중심 내용 찾기

가: 디지털 통신 시스템의 구성 요소와 데이터의 정보량

나: 송신기의 부호화 과정 1 – 소스 부호화

다: 송신기의 부호화 과정 2 – (❷ 채널) 부호화

라: 송신기의 부호화 과정 3 – 선 부호화

3 서술 방식 파악하기

이 글은 디지털 통신 시스템과 송신기의 부호화 과정을 (❸ 분석)하여 소개하고 있다. 그리고 송신기의 부호화 과정에 대해서 설명할 때에는 (❹ 예시)를 들어 독자의 이해를 돕고 있다.

정답과 해설 64쪽

| 2019학년도 9월 모의평가 |

다음 글을 읽고 물음에 답하시오.

Note

가 ㉠주사 터널링 현미경(STM)에서는 끝이 첨예한 금속 탐침과 도체 또는 반도체 시료 표면 간에 적당한 전압을 걸어 주고 둘 간의 거리를 좁히게 된다. 탐침과 시료의 거리가 매우 가까우면 양자 역학적 터널링 효과에 의해 둘이 접촉하지 않아도 전류가 흐른다. 이때 탐침과 시료 표면 간의 거리가 원자 단위 크기에서 변하더라도 전류의 크기는 민감하게 달라진다. 이 점을 이용하면 시료 표면의 높낮이를 원자 단위에서 측정할 수 있다. 하지만 전류가 흐를 수 없는 시료의 표면 상태는 STM을 이용하여 관찰할 수 없다. 이렇게 민감한 STM도 진공 기술의 뒷받침이 있었기에 널리 사용될 수 있었다.

나 STM은 대체로 진공 통 안에 설치되어 사용되는데 그 이유는 무엇일까? 기체 분자는 끊임없이 떠돌아다니다가 주변과 충돌한다. 이때 일부 기체 분자들은 관찰하려는 시료의 표면에 붙어 표면과 반응하거나 표면을 덮어 시료 표면의 관찰을 방해한다. 따라서 용이한 관찰을 위해 STM을 활용한 실험에서는 관찰하려고 하는 시료와 기체 분자의 접촉을 최대한 차단할 필요가 있어 진공이 요구되는 것이다. 진공이란 기체 압력이 대기압보다 낮은 상태를 통칭하며 기체 압력이 낮을수록 진공도가 높다고 한다. 진공 통 내부의 온도가 일정하고 한 종류의 기체 분자만 존재할 경우, 기체 분자의 종류와 상관없이 통 내부의 기체 압력은 단위 부피당 떠돌아다니는 기체 분자의 수에 비례한다. 따라서 기체 분자들을 진공 통에서 뽑아내거나 진공 통 내부에서 움직이지 못하게 고정하면 진공 통 내부의 기체 압력을 낮출 수 있다.

다 STM을 활용하는 실험에서 어느 정도의 진공도가 요구되는지를 이해하기 위해서는 '단분자층 형성 시간'의 개념을 이해할 필요가 있다. 진공 통 내부에서 떠돌아다니던 기체 분자들이 관찰하려는 시료의 표면에 달라붙어 한 층의 막을 형성하기까지 걸리는 시간을 단분자층 형성 시간이라 한다. 이 시간은 시료의 표면과 충돌한 기체 분자들이 표면에 달라붙을 확률이 클수록, 단위 면적당 기체 분자의 충돌 빈도가 높을수록 짧다. 또한 기체 운동론에 따르면 고정된 온도에서 기체 분자의 질량이 크거나 기체의 압력이 낮을수록 단분자층 형성 시간은 길다. 가령 질소의 경우 20℃, 760토르* 대기압에서 단분자층 형성 시간은 3×10^{-9}초이지만, 같은 온도에서 압력이 10^{-9}토르로 낮아지면 대략 2,500초로 증가한다. 이런 이유로 STM에서는 시료의 관찰 가능 시간을 확보하기 위해 통상 10^{-9}토르 이하의 초고진공이 요구된다.

라 초고진공을 얻기 위해서는 ㉡스퍼터 이온 펌프가 널리 쓰인다. 스퍼터 이온 펌프는 진공 통 내부의 기체 분자가 펌프 내부로 유입되도록 진공 통과 연결하여 사용한다. 스퍼터 이온 펌프는 영구 자석, 금속 재질의 속이 뚫린 원통 모양 양극, 타이타늄으로 만든 판 형태의 음극으로 구성되어 있다. 자석 때문에 생기는 자기장이 원통 모양 양극의 축 방향으로 걸려 있고, 양극과 음극 간에는 2~7kV의 고전압이 걸려 있다. 양극과 음극 간에 걸린 고전압의 영향으로 음극에서 방출된 전자는 자기장의 영향을 받아 복잡한 형태의 궤적을 그리며 양극으로 이동한다. 이 과정에서 음극에서 방출된 전자는 주변의 기체 분자와 충돌하여 기체 분자를 그것의 구성 요소인 양이온과 전자로 분리시킨다. 여기서 자기장은 전자가 양극까지 이동하는 거리를 자기장이 없을 때보다 증가시켜 주어 전자와 기체 분자와의 충돌 빈도를 높여 준다. 이 과정에서 생성된 양이온은 전기력에 의해 음극으로 당겨져 음극에 박히게 되어 이동 불가능한 상태가 된다. 이 과정이 1차 펌프 작용이다. 또한 양이온이 음극에 충돌하면 타이타늄이 떨어져 나와 충돌 지점 주변에 들러붙는다. 이렇게 들러붙은 타이타늄은 높은 화학 반응성 때문에 여러 기체 분자와 쉽게 반응하여, 떠돌아다니던 기체 분자를 흡착한다. 이는 떠돌아다니는 기체 분자의 수를 줄이는 효과가 있으므로 이를 2차 펌프 작용이라 부른다. 이렇듯 1, 2차 펌프 작용을 통해 스퍼터 이온 펌프는 초고진공 상태를 만들 수 있다.

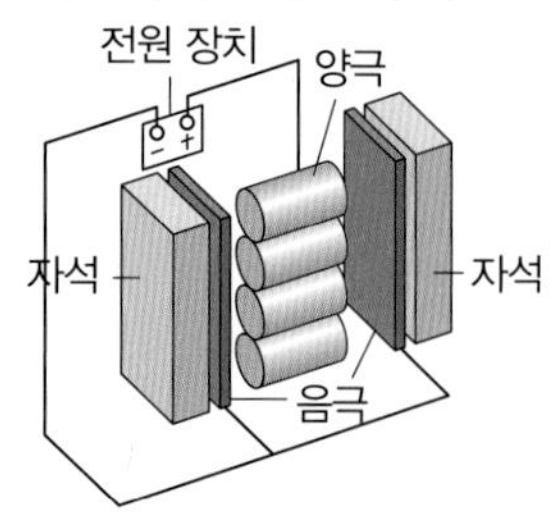

스퍼터 이온 펌프

어휘 풀이

* 토르(torr) 기체 압력의 단위.

원리로 읽기

관련 문제 Link

1 이 글의 중심 화제는?

주사 터널링 현미경 사용을 위한 (❶) 기술

2 문단별 중심 내용 찾기

01 핵심 정보 찾기

㉮: 주사 터널링 현미경의 원리와 진공 기술
㉯: 주사 터널링 현미경을 진공 통 안에 설치하여 사용하는 이유
㉰: 주사 터널링 현미경 실험에서 요구되는 (❷)의 수준
㉱: 초고진공을 얻기 위해 사용하는 스퍼터 이온 펌프의 작동 원리

3 서술 방식 파악하기

이 글은 주사 터널링 현미경의 사용을 위해 필요한 진공 기술에 대해 설명하고 있다. 특히 이 글에서는 독자의 이해를 돕기 위해 주사 터널링 현미경과 관련한 과학적, 기술적 (❸)을 중간중간 소개하고 있다.

9262-0262

01 ㉠에 대한 이해로 가장 적절한 것은?

① 시료 표면의 높낮이를 원자 단위까지 측정할 수 없다.
② 시료의 전기 전도 여부에 관계없이 시료를 관찰할 수 있다.
③ 시료의 관찰 가능 시간을 늘리려면 진공 통 안의 기체 압력을 낮추어야 한다.
④ 시료 표면의 관찰을 위해서는 시료 표면에 기체의 단분자층 형성이 필요하다.
⑤ 양자 역학적 터널링 효과를 이용하여 탐침을 시료 표면에 접촉시킨 후 흐르는 전류를 측정한다.

9262-0263

02 ㉡의 '음극'에 대한 설명으로 적절하지 않은 것은?

① 고전압과 전자의 상호 작용으로 자기장을 만든다.
② 떠돌아다니던 기체 분자를 흡착하는 물질을 내놓는다.
③ 기체 분자에서 분리된 양이온을 전기력으로 끌어당긴다.
④ 전자와 기체 분자의 충돌로 만들어진 양이온을 고정시킨다.
⑤ 기체 분자를 양이온과 전자로 분리시키는 전자를 방출한다.

9262-0264

03 윗글을 바탕으로 할 때, <보기>에 대한 설명으로 옳지 않은 것은?

보기

STM을 사용하여 규소의 표면을 관찰하는 실험을 하려고 한다. 동일한 사양의 STM이 설치된, 동일한 부피의 진공 통 A~E가 있고, 각 진공 통 내부에 있는 기체 분자의 정보는 다음 표와 같다. 진공 통 A 안의 기체 압력은 10^{-9}토르이며, 모든 진공 통의 내부 온도는 20℃이다. (단, 기체 분자가 규소 표면과 충돌하여 달라붙을 확률은 기체의 종류와 관계없이 일정하며, 제시되지 않은 모든 조건은 각 진공 통에서 동일하다. N은 일정한 자연수이다.)

진공 통	기체	분자의 질량(amu*)	단위 부피당 기체 분자 수(개/cm^3)
A	질소	28	$4N$
B	질소	28	$2N$
C	질소	28	$7N$
D	산소	32	N
E	이산화 탄소	44	N

*amu 원자 질량 단위.

① A 내부에서의 단분자층 형성 시간은 대략 2,500초이겠군.
② B 내부의 기체 압력은 10^{-9}토르보다 낮겠군.
③ C 내부의 진공도는 B 내부의 진공도보다 낮겠군.
④ D 내부에서의 단분자층 형성 시간은 A의 경우보다 길겠군.
⑤ E 내부의 시료 표면에 대한 단위 면적당 기체 분자의 충돌 빈도는 D의 경우보다 높겠군.

문제풀이 비법노트

글을 읽으며 이 글에서 설명하고 있는 핵심 기술 장치를 파악한다.

↓

핵심 기술 장치의 작동 원리를 단계 또는 과정별로 이해한다.

↓

이해한 내용을 선택지의 내용과 꼼꼼하게 대조한다.

02

이 문항은 기술 영역의 글에서 자주 제시되는 핵심 기술 장치의 작동 원리를 정확히 이해하고 있는지 평가하기 위한 문제이다. 기술 지문에는 반드시 중심 화제와 관련한 복잡한 기술적 작동 원리가 제시되며, 이는 문제 출제의 핵심 요소에 해당한다. 그러므로 핵심 기술 장치의 작동 원리가 작동하는 과정을 단계별로 꼼꼼히 이해하고, 이를 선택지의 내용과 치밀하게 대조해 가며 정답을 찾아야 한다.

원리로 다시 읽기

가 주사 터널링 현미경(STM)에서는 끝이 첨예한 금속 탐침과 도체 또는 반도체 시료 표면 간에 적당한 전압을 걸어 주고 둘 간의 거리를 좁히게 된다. 탐침과 시료의 거리가 매우 가까우면 양자 역학적 터널링 효과에 의해 둘이 접촉하지 않아도 전류가 흐른다. 이때 탐침과 시료 표면 간의 거리가 원자 단위 크기에서 변하더라도 전류의 크기는 민감하게 달라진다. 이 점을 이용하면 시료 표면의 높낮이를 원자 단위에서 측정할 수 있다. 하지만 전류가 흐를 수 없는 시료의 표면 상태는 STM을 이용하여 관찰할 수 없다. 이렇게 민감한 STM도 진공 기술의 뒷받침이 있었기에 널리 사용될 수 있었다.

나 STM은 대체로 진공 통 안에 설치되어 사용되는데 그 이유는 무엇일까? 기체 분자는 끊임없이 떠돌아다니다가 주변과 충돌한다. 이때 일부 기체 분자들은 관찰하려는 시료의 표면에 붙어 표면과 반응하거나 표면을 덮어 시료 표면의 관찰을 방해한다. 따라서 용이한 관찰을 위해 STM을 활용한 실험에서는 관찰하려고 하는 시료와 기체 분자의 접촉을 최대한 차단할 필요가 있어 진공이 요구되는 것이다. 진공이란 기체 압력이 대기압보다 낮은 상태를 통칭하며 기체 압력이 낮을수록 진공도가 높다고 한다. 진공 통 내부의 온도가 일정하고 한 종류의 기체 분자만 존재할 경우, 기체 분자의 종류와 상관없이 통 내부의 기체 압력은 단위 부피당 떠돌아다니는 기체 분자의 수에 비례한다. 따라서 기체 분자들을 진공 통에서 뽑아내거나 진공 통 내부에서 움직이지 못하게 고정하면 진공 통 내부의 기체 압력을 낮출 수 있다.

다 STM을 활용하는 실험에서 어느 정도의 진공도가 요구되는지를 이해하기 위해서는 '단분자층 형성 시간'의 개념을 이해할 필요가 있다. 진공 통 내부에서 떠돌아다니던 기체 분자들이 관찰하려는 시료의 표면에 달라붙어 한 층의 막을 형성하기까지 걸리는 시간을 단분자층 형성 시간이라 한다. 이 시간은 시료의 표면과 충돌한 기체 분자들이 표면에 달라붙을 확률이 클수록, 단위 면적당 기체 분자의 충돌 빈도가 높을수록 짧다. 또한 기체 운동론에 따르면 고정된 온도에서 기체 분자의 질량이 크거나 기체의 압력이 낮을수록 단분자층 형성 시간은 길다. 가령 질소의 경우 20℃, 760토르 대기압에서 단분자층 형성 시간은 3×10^{-9}초이지만, 같은 온도에서 압력이 10^{-9}토르로 낮아지면 대략 2,500초로 증가한다. 이런 이유로 STM에서는 시료의 관찰 가능 시간을 확보하기 위해 통상 10^{-9}토르 이하의 초고진공이 요구된다.

라 초고진공을 얻기 위해서는 스퍼터 이온 펌프가 널리 쓰인다. 스퍼터 이온 펌프는 진공 통 내부의 기체 분자가 펌프 내부로 유입되도록 진공 통과 연결하여 사용한다. 스퍼터 이온 펌프는 영구 자석, 금속 재질의 속이 뚫린 원통 모양 양극, 타이타늄으로 만든 판 형태의 음극으로 구성되어 있다. 자석 때문에 생기는 자기장이 원통 모양 양극의 축 방향으로 걸려 있고, 양극과 음극 간에는 2~7kV의 고전압이 걸려 있다. 양극과 음극 간에 걸린 고전압의 영향으로 음극에서 방출된 전자는 자기장의 영향을 받아 복잡한 형태의 궤적을 그리며 양극으로 이동한다. 이 과정에서 음극에서 방출된 전자는 주변의 기체 분자와 충돌하여 기체 분자를 그것의 구성 요소인 양이온과 전자로 분리시킨다. 여기서 자기장은 전자가 양극까지 이동하는 거리를 자기장이 없을 때보다 증가시켜 주어 전자와 기체 분자와의 충돌 빈도를 높여 준다. 이 과정에서 생성된 양이온은 전기력에 의해 음극으로 당겨져 음극에 박히게 되어 이동 불가능한 상태가 된다. 이 과정이 1차 펌프 작용이다. 또한 양이온이 음극에 충돌하면 타이타늄이 떨어져 나와 충돌 지점 주변에 들러붙는다. 이렇게 들러붙은 타이타늄은 높은 화학 반응성 때문에 여러 기체 분자와 쉽게 반응하여, 떠돌아다니던 기체 분자를 흡착한다. 이는 떠돌아다니는 기체 분자의 수를 줄이는 효과가 있으므로 이를 2차 펌프 작용이라 부른다. 이렇듯 1, 2차 펌프 작용을 통해 스퍼터 이온 펌프는 초고진공 상태를 만들 수 있다.

스퍼터 이온 펌프의 1, 2차 펌프에 의한 초고진공 상태 조성 과정

1 이 글의 중심 화제는?

주사 터널링 현미경 사용을 위한 (❶ 진공) 기술

2 문단별 중심 내용 찾기

가: 주사 터널링 현미경의 원리와 진공 기술

나: 주사 터널링 현미경을 진공 통 안에 설치하여 사용하는 이유

다: 주사 터널링 현미경 실험에서 요구되는 (❷ 진공도)의 수준

라: 초고진공을 얻기 위해 사용하는 스퍼터 이온 펌프의 작동 원리

3 서술 방식 파악하기

이 글은 주사 터널링 현미경의 사용을 위해 필요한 진공 기술에 대해 설명하고 있다. 특히 이 글에서는 독자의 이해를 돕기 위해 주사 터널링 현미경과 관련한 과학적, 기술적 (❷ 개념)을 중간중간 소개하고 있다.

| 2018학년도 10월 고3 전국연합학력평가 |

다음 글을 읽고 물음에 답하시오.

Note

(가) 디젤 엔진은 가솔린 엔진에 비해 일반적으로 이산화 탄소의 배출량이 적고 열효율이 높으며 내구성이 좋다. 하지만 디젤 엔진은 미세 먼지로 알려져 있는 입자상 물질과, 일산화 질소나 이산화 질소와 같은 질소 산화물을 많이 발생시킨다. 이런 물질들은 기관지염이나 폐렴 등 각종 호흡기 질환, 광화학 스모그나 산성비의 주요 원인이 된다. 이에 따라 디젤 엔진이 배출하는 오염 물질을 저감하기 위한 기술이 계속 개발되고 있다.

(나) 입자상 물질을 처리하는 대표적인 기술로는 DPF 방식이 있다. 이 방식은 배기가스에서 발생하는 입자상 물질을 필터로 포집하고, 필터에 쌓인 물질들을 일정 시점에 연소시켜 제거함으로써 필터의 기능을 회복한다. 포집된 입자상 물질을 연소시키기 위해서는 포집 필터까지 연료가 흘러 들어갈 수 있게 엔진 실린더에 연료를 공급해야 한다. 연료가 공급이 되면 배기가스에 연료가 섞여 필터에서 연소가 이루어진다. DPF 방식은 엔진을 특별히 개선할 필요 없이 연료를 추가적으로 공급하면 되기 때문에 제작이 용이한 반면 연비가 떨어진다. 또한 질소 산화물을 저감하기 어렵기 때문에 별도의 기술이 필요하다.

(다) 질소 산화물을 저감하는 기술로는 ㉠EGR 방식이 있다. 이 방식은 배기가스를 엔진으로 재순환시킨 다음, 연료를 배기가스와 함께 연소시켜 연소 온도를 낮추는 기술이다. 배기가스를 엔진으로 재순환시켜 연소 온도를 낮추는 까닭은 연료가 낮은 온도에서 연소될 때 질소 산화물의 발생이 감소되기 때문이다. 하지만 연소 온도를 낮추면 입자상 물질이 많이 배출되므로 EGR 방식은 DPF 방식과 함께 쓰인다. EGR 방식은 엔진에 불순물이 쌓일 수 있고, 출력이 저하될 수 있는 단점이 있다.

(라) 최근에는 EGR 방식보다 질소 산화물의 저감 효율이 높은 SCR 방식이 개발되어 EGR 방식을 대체하고 있다. ㉡SCR 방식은 배기가스를 재순환시키지 않기 때문에 EGR 방식보다 엔진에서의 연소 온도가 높다. 이렇게 하면 입자상 물질이 적게 발생하는 대신 질소 산화물이 더 많이 발생하게 된다. 이때 SCR 방식은 암모니아를 이용하여 질소 산화물을 저감한다. 그런데 암모니아는 폭발의 위험이 있고 금속을 부식시킬 수도 있으며 상온에서는 특유의 자극적인 냄새를 풍겨 불쾌감을 유발한다. 그래서 사용에 제약이 있으며 취급 시 주의를 요한다. 이러한 문제점을 해결하기 위해 SCR 방식에서는 요소를 물에 녹인 요소수를 공급하는 요소수 탱크와 공기를 공급하는 압축 공기 주입기를 별도로 사용하여 SCR 장치에서 다음과 같이 화학 반응이 일어나도록 유도한다. 요소는 열분해를 통해 암모니아와 아이소사이안산으로 분해되고, 아이소사이안산은 가수 분해*되어 이산화 탄소와 암모니아를 생성한다. 일산화 질소는 이렇게 얻어진 암모니아와 함께 공기 중의 산소와 반응하여 질소와 물로 바뀐다. 그리고 이산화 질소는 일산화 질소와 함께 암모니아와 반응하여 역시 질소와 물로 바뀐다.

[A] 화학 반응이 일어나는 SCR 장치 내부는 반응 물질을 흡착시키는 백금이나 바나듐 등을 이용한 금속 촉매로 만들어져 있다. SCR 방식에서는 이러한 촉매의 표면에 배기가스가 오래 머물도록 해 주어야 저감 효율을 높일 수 있다. 즉 공간 속도를 느리게 하여 화학 반응이 일어날 수 있는 시간을 충분히 확보해야 한다. 여기서 공간 속도란 단위 시간당 공급되는 배기가스의 양을 SCR 장치의 촉매의 부피로 나눈 값이다.

(마) SCR 방식은 저감 효율이 높아 이용이 점차 확대되고 있으나 해결해야 할 문제도 안고 있다. 암모니아가 배기가스와 함께 배출되는 암모니아 슬립 현상이 발생할 수 있으며, 요소의 분해가 낮은 온도에서 일어나면 고체 형태의 아멜린이나 멜라민 등이 생성되어 배관 내부나 장치 표면에 고착될 수 있다.

어휘풀이

*가수 분해 큰 분자가 물과 반응하여 몇 개의 이온이나 분자로 분해되는 반응.

원리로 읽기

관련 문제 Link

1 이 글의 중심 화제는?

(❶)의 오염 물질 저감 기술

2 문단별 중심 내용 찾기

가: 디젤 엔진의 특성과 오염 물질 배출
나: 오염 물질 저감 기술 1: DPF 방식의 원리와 특징
다: 오염 물질 저감 기술 2: EGR 방식의 원리와 특징
라: EGR 방식을 대체하고 있는 (❷) 방식의 원리와 특징
마: SCR 방식의 문제점

01 정보 간의 관계에 유의해 내용 이해하기

3 디젤 엔진의 오염 물질 저감 기술

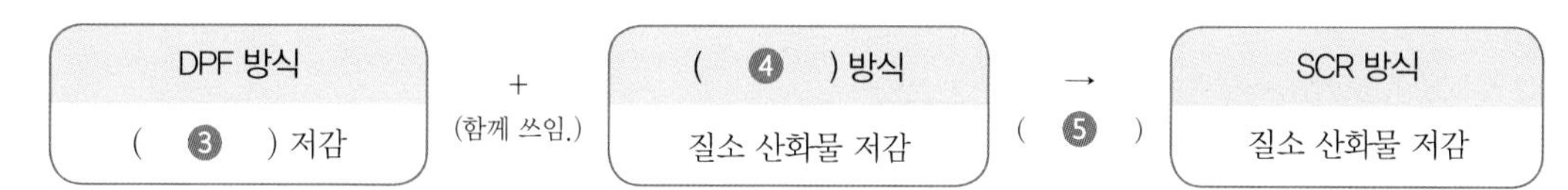

9262-0265

01 ㉠과 ㉡을 비교한 내용으로 적절한 것은?

① ㉠과 ㉡은 모두 배기가스를 엔진으로 재순환시켜 질소 산화물의 저감 효율을 높인다.
② ㉠은 ㉡과 달리 질소 산화물을 저감하는 과정에서 엔진에 불순물이 쌓일 수 있다.
③ ㉠은 ㉡과 달리 불쾌감을 유발할 수 있는 암모니아를 배출한다.
④ ㉠은 ㉡에 비해 질소 산화물의 저감 효율이 높다.
⑤ ㉠은 ㉡에 비해 높은 온도에서 연료가 연소된다.

9262-0266

02 [A]를 바탕으로 추론한 내용으로 가장 적절한 것은?

① 공간 속도가 빠르면 장치 내에서 배기가스의 체류 시간이 짧아져 저감 효율이 감소할 것이다.
② 금속 촉매의 표면에 단위 시간당 흡착되는 배기가스의 양이 많을수록 저감 효율은 감소할 것이다.
③ SCR 장치 내부에 백금이나 바나듐을 이용하는 것은 공간 속도를 빠르게 하여 저감 효율을 높이기 위한 것이다.
④ 단위 시간당 공급되는 배기가스의 양이 일정할 때 SCR 장치의 촉매의 부피가 클수록 공간 속도는 빨라질 것이다.
⑤ SCR 장치의 촉매의 부피가 일정할 때 공간 속도가 빨라졌다면 단위 시간당 공급되는 배기가스의 양이 줄어든 것이다.

9262-0267

03 윗글을 바탕으로 〈보기〉를 이해한 내용으로 적절하지 않은 것은?

보기

다음 표는 연소 온도에 따라 배기가스 온도가 높아지고, 저감 장치를 통과하는 과정에서 배기가스에 포함된 질소 산화물의 농도가 달라지는 것을 나타낸 것이다.

배기가스 온도 (℃)	㉯에서의 질소 산화물 농도 (ppm)	㉰에서의 질소 산화물 농도 (ppm)	저감률 (%)
190	151	37.7	75
362	176	0.89	99.4
388	355	0.44	99.8

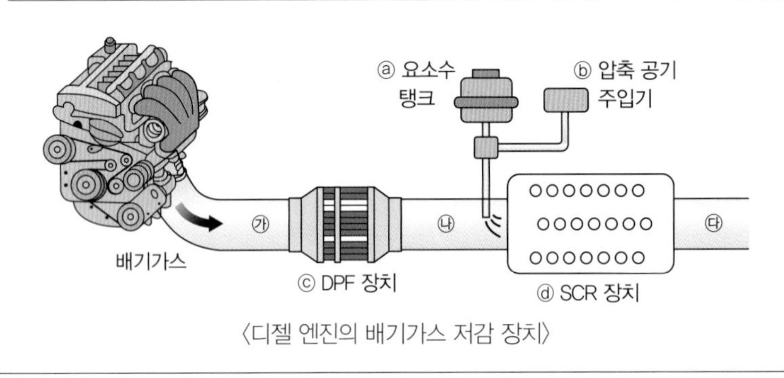

〈디젤 엔진의 배기가스 저감 장치〉

① 배기가스 온도가 190℃일 때 ㉮로 배출된 입자상 물질은 ⓒ를 거치면서 저감되겠군.
② ⓐ에서 ⓓ로 공급된 요소가 ⓓ에서 열분해와 가수 분해되면 암모니아가 생성될 수 있겠군.
③ ⓒ를 거치고 남아 있는 입자상 물질은 ⓓ를 거치게 되면서 저감되기 때문에 ㉯에 비해 ㉰의 입자상 물질이 적겠군.
④ ⓓ에서 일산화 질소가 암모니아와 반응하여 물과 질소가 만들어지기 위해서는 ⓑ를 통해 공급된 공기가 필요하겠군.
⑤ 배기가스 온도가 388℃일 때 ㉯에서의 질소 산화물 농도가 높은 것은 연료가 높은 온도에서 연소될수록 질소 산화물이 많이 생성되기 때문이겠군.

문제 풀이 비법 노트

[A]에 제시된 촉매의 부피, 공간 속도, 배기가스의 양과 효율 등이 어떤 관계인지 정확히 이해한다.

↓

선택지 내용을 확인하고 [A]에 제시된 정보 중 어떤 요소와 관련이 있는지 생각해 본다.

↓

[A]에 제시된 정보를 선택지 내용에 대응시켜 적절성을 판단한다.

02

이 문항은 글에 제시된 정보를 바탕으로 관련 내용을 추론할 수 있는 능력을 평가하는 문제이다. 이 문항을 해결하기 위해서는 글에 제시된 핵심 정보와 관련 정보 간의 관계, 설명하는 대상 사이의 비례 혹은 반비례 관계 등에 대한 정보를 정확히 이해해 두어야 한다. 그리고 선택지에 등장한 핵심 정보와 관련 정보에 대한 서술이 맞는지 꼼꼼히 따져 보아야 한다. 가령 [A]에 제시된 촉매의 부피, 공간 속도, 배기가스의 양 등이 서로 어떤 관계에 있는지 정확히 이해하고 선택지 내용의 적절성을 판단하여야 한다.

원리로 다시 읽기

디젤 엔진의 오염 물질

가 디젤 엔진은 가솔린 엔진에 비해 일반적으로 이산화 탄소의 배출량이 적고 열효율이 높으며 내구성이 좋다. 하지만 디젤 엔진은 미세 먼지로 알려져 있는 입자상 물질과, 일산화 질소나 이산화 질소와 같은 질소 산화물을 많이 발생시킨다. 이런 물질들은 기관지염이나 폐렴 등 각종 호흡기 질환, 광화학 스모그나 산성비의 주요 원인이 된다. 이에 따라 디젤 엔진이 배출하는 오염 물질을 저감하기 위한 기술이 계속 개발되고 있다.

나 입자상 물질을 처리하는 대표적인 기술로는 DPF 방식이 있다. 이 방식은 배기가스에서 발생하는 입자상 물질을 필터로 포집하고, 필터에 쌓인 물질들을 일정 시점에 연소시켜 제거함으로써 필터의 기능을 회복한다. 포집된 입자상 물질을 연소시키기 위해서는 포집 필터까지 연료가 흘러 들어갈 수 있게 엔진 실린더에 연료를 공급해야 한다. 연료가 공급이 되면 배기가스에 연료가 섞여 필터에서 연소가 이루어진다. DPF 방식은 엔진을 특별히 개선할 필요 없이 연료를 추가적으로 공급하면 되기 때문에 제작이 용이한 반면 연비가 떨어진다. 또한 질소 산화물을 저감하기 어렵기 때문에 별도의 기술이 필요하다.

(오염 물질 저감 기술 1 / 장점 / 단점)

다 질소 산화물을 저감하는 기술로는 EGR 방식이 있다. 이 방식은 배기가스를 엔진으로 재순환시킨 다음, 연료를 배기가스와 함께 연소시켜 연소 온도를 낮추는 기술이다. 배기가스를 엔진으로 재순환시켜 연소 온도를 낮추는 까닭은 연료가 낮은 온도에서 연소될 때 질소 산화물의 발생이 감소되기 때문이다. 하지만 연소 온도를 낮추면 입자상 물질이 많이 배출되므로 EGR 방식은 DPF 방식과 함께 쓰인다. EGR 방식은 엔진에 불순물이 쌓일 수 있고, 출력이 저하될 수 있는 단점이 있다.

(오염 물질 저감 기술 2 / 정보 간의 관계: 온도↓ 질소 산화물↓(비례) / 단점 1 / 단점 2)

라 최근에는 EGR 방식보다 질소 산화물의 저감 효율이 높은 SCR 방식이 개발되어 EGR 방식을 대체하고 있다. SCR 방식은 배기가스를 재순환시키지 않기 때문에 EGR 방식보다 엔진에서의 연소 온도가 높다. 이렇게 하면 입자상 물질이 적게 발생하는 대신 질소 산화물이 더 많이 발생하게 된다. 이때 SCR 방식은 암모니아를 이용하여 질소 산화물을 저감한다. 그런데 암모니아는 폭발의 위험이 있고 금속을 부식시킬 수도 있으며 상온에서는 특유의 자극적인 냄새를 풍겨 불쾌감을 유발한다. 그래서 사용에 제약이 있으며 취급 시 주의를 요한다. 이러한 문제점을 해결하기 위해 SCR 방식에서는 요소를 물에 녹인 요소수를 공급하는 요소수 탱크와 공기를 공급하는 압축 공기 주입기를 별도로 사용하여 SCR 장치에서 다음과 같이 화학 반응이 일어나도록 유도한다. 요소는 열분해를 통해 암모니아와 아이소사이안산으로 분해되고, 아이소사이안산은 가수 분해되어 이산화 탄소와 암모니아를 생성한다. 일산화 질소는 이렇게 얻어진 암모니아와 함께 공기 중의 산소와 반응하여 질소와 물로 바뀐다. 그리고 이산화 질소는 일산화 질소와 함께 암모니아와 반응하여 역시 질소와 물로 바뀐다.

(오염 물질 저감 기술 3 / 정보 간의 관계: 온도↑ 입자상 물질↓(반비례) / SCR 장치에서 화학 반응을 통해 질소 산화물을 저감하는 원리)

화학 반응이 일어나는 SCR 장치 내부는 반응 물질을 흡착시키는 백금이나 바나듐 등을 이용한 금속 촉매로 만들어져 있다. SCR 방식에서는 이러한 촉매의 표면에 배기가스가 오래 머물도록 해 주어야 저감 효율을 높일 수 있다. 즉 공간 속도를 느리게 하여 화학 반응이 일어날 수 있는 시간을 충분히 확보해야 한다. 여기서 공간 속도란 단위 시간당 공급되는 배기가스의 양을 SCR 장치의 촉매의 부피로 나눈 값이다.

(정보 간의 관계: 배기가스가 머무는 시간↑ 저감 효율↑ 공간 속도↓)

마 SCR 방식은 저감 효율이 높아 이용이 점차 확대되고 있으나 해결해야 할 문제도 안고 있다. 암모니아가 배기가스와 함께 배출되는 암모니아 슬립 현상이 발생할 수 있으며, 요소의 분해가 낮은 온도에서 일어나면 고체 형태의 아멜린이나 멜라민 등이 생성되어 배관 내부나 장치 표면에 고착될 수 있다.

(문제점 1 / 문제점 2)

1 이 글의 중심 화제는?

(❶ 디젤 엔진)의 오염 물질 저감 기술

2 문단별 중심 내용 찾기

가: 디젤 엔진의 특성과 오염 물질 배출

나: 오염 물질 저감 기술 1: DPF 방식의 원리와 특징

다: 오염 물질 저감 기술 2: EGR 방식의 원리와 특징

라: EGR 방식을 대체하고 있는 (❷ SCR) 방식의 원리와 특징

마: SCR 방식의 문제점

3 디젤 엔진의 오염 물질 저감 기술

DPF 방식
(❸ 입자상 물질) 저감

＋ (함께 쓰임.)

(❹ EGR) 방식
질소 산화물 저감

↓ (❺ 대체)

SCR 방식
질소 산화물 저감

실전 기술 독해 1

Note

다음 글을 읽고 물음에 답하시오.

음성 인식 기술은 컴퓨터와 같은 기기가 인간의 음성을 알아듣는 기능을 구현*하는 것이다. 컴퓨터가 음성을 인식하기 위해서는 사람이 발성하는 음소, 음절, 단어, 문장 등의 인식 단위 신호를 패턴으로 처리하여 '기준 패턴'을 만들고, 이것으로 '음향 모델'을 만들어 컴퓨터에 저장해 놓아야 한다. 그리고 소음과 음성을 구별하여 음성의 특징을 잡아낼 수도 있어야 한다. 음성의 특징이 파악되면, 컴퓨터는 저장되어 있는 음향 모델의 기준 패턴들 중에서 입력된 음성의 특징과 유사한 것을 가려내고, 문법적인 점검 과정을 거쳐 최종 인식 결과를 내놓는다.

음성 인식의 첫 단계는 ㉮'음성 전처리'이다. 이 단계에서는 소음과 음성을 구분하고 음성의 특징을 파악한다. 사람마다 목소리나 발음 특성이 다른 데다가 음성이 소음에 노출되어 있는 경우가 많아 음성의 특징을 잡아내는 것은 기술적으로 쉽지 않은 일이다. 그래서 음성 전처리 과정에서는 음성 신호를 아주 작은 시간 단위로 자르고 각 구간별로 소리의 주파수나 에너지가 어떻게 변하는지를 살펴 음성의 특징을 파악한다. 음성과 소음의 주파수 특성과 상대적 에너지를 분석해 음성과 소음을 구분하고 음성의 특징을 파악하는 것이다.

음성에서 특징을 뽑아내는 '음성 전처리' 과정이 끝나면 ㉯'패턴 인식'이 이루어진다. 이 단계에서는 '입력 패턴'과 '기준 패턴'의 비교가 이루어진다. 입력 패턴은 음성 전처리 과정을 통해 파악된 음성의 특징이며, 기준 패턴은 음향 모델로 컴퓨터에 저장되어 있는 것이다. 그런데 같은 사람이 같은 단어를 말하더라도 발음할 때마다 발음 시간이 다를 수 있기 때문에 두 패턴을 단순하게 비교하면 대부분 일치하지 않는다. 그래서 입력 패턴과 기준 패턴의 발음 시간을 같게 만들어 비교하는 '선형 정합 방식'을 사용하는데, 이 방식으로도 올바른 비교가 되지 않는 경우가 있다. 이런 경우에는 입력 패턴과 기준 패턴의 발음 시간을 같게 설정할 뿐만 아니라 음파에 있는 정점들의 시간까지 일치시켜 비교하는 ㉠'동적 정합 방식'을 사용한다. 입력 패턴과 기준 패턴에 있는 정점들의 시간을 최대한 일치시켜 비교함으로써 정확성을 높이는 것이다.

'선형 정합 방식'이나 '동적 정합 방식'은 음성 인식률이 ⓐ높으나, 인식 대상 어휘가 늘어나면 계산량이 방대해져 음성 인식 속도가 늦어지는 단점이 있다. 그래서 최근 많이 사용되고 있는 것이 '통계학적 방식'이다. 통계학적 방식에서는 같은 말이라도 발음 시간이 다양하게 나타나는 음성 신호를 통계적으로 처리하고, 그 통곗값들로부터 뽑아낸 정보로 수많은 음향 모델을 구성한다. 그리고 그 음향 모델들 중에서 실제 음성 신호와 가장 유사한 모델을 결괏값으로 채택한다. 이 방법은 단어뿐만 아니라 문장이나 대화를 인식하는 것까지 구현할 수 있고, 인식 성능 역시 ⓑ높아 다방면에 응용되고 있다.

'패턴 인식'이 끝나면 음성 인식 결과의 정확성을 높이기 위한 ㉰'언어 처리' 과정이 수행*된다. 이 과정에서는 음성 인식기의 문법 체계에 해당하는 '언어 모델'을 참조해 입력된 음성 정보에 대한 문법적 점검이 이루어진다. 문법적 점검은 문법에 어울리는 문장 가운데 가장 적합한 것을 찾기 위한 것이다. 문법적 점검이 끝나 음성 인식 결과가 나오면 컴퓨터는 그 결과에 맞는 명령을 수행하게 된다.

어휘 풀이

- **구현** 어떤 사실을 구체적으로 나타냄.
- **수행** 계획한 대로 해냄.

9262-0268

01 윗글의 표제와 부제로 가장 적절한 것은?

① 음성 인식 기술의 의의
   – 음성 인식 기술이 생활에 미친 영향을 중심으로
② 음성 인식 기술의 장단점
   – 입력 패턴과 기준 패턴의 차이점을 중심으로
③ 음성 인식 기술 발달의 역사
   – 음성 신호 처리 기술의 발전 과정을 중심으로
④ 음성 인식 기술에 대한 전망
   – 통계학적 방식의 응용 분야를 중심으로
⑤ 음성 인식 기술의 원리와 방식
   – 음성 인식이 이루어지는 과정을 중심으로

9262-0269

02 윗글의 ㉮~㉰에 대해 이해한 내용으로 적절하지 않은 것은?

① ㉮에서는 음성 신호를 미세한 시간 단위로 나눈 후, 구간별로 소리의 주파수와 에너지의 변화 양상을 살펴 소음과 음성을 구분한다.
② ㉮에서 파악된 음성 특징은 ㉯에서 컴퓨터에 저장되어 있는 음향 모델의 기준 패턴과 비교된다.
③ ㉯에서 인식해야 할 어휘가 많은 경우에는 '선형 정합 방식'이나 '동적 정합 방식'에 비해 '통계학적 방식'을 사용하는 것이 더 효율적이다.
④ ㉯에서는 음성 신호의 발음 시간에 관한 통계 결과들을 바탕으로 발음 시간이 동일한 음성 신호를 추출하여 ㉰에 제공한다.
⑤ ㉰에서는 음성 인식 결과의 정확성을 높이기 위해 '언어 모델'을 참조해 입력된 음성 정보에 대한 문법적 점검이 수행된다.

9262-0270

03 〈보기〉의 '입력 패턴'과 '기준 패턴'을 ㉠의 방식으로 처리한 것을 보여 주는 예로 가장 적절한 것은?

보기

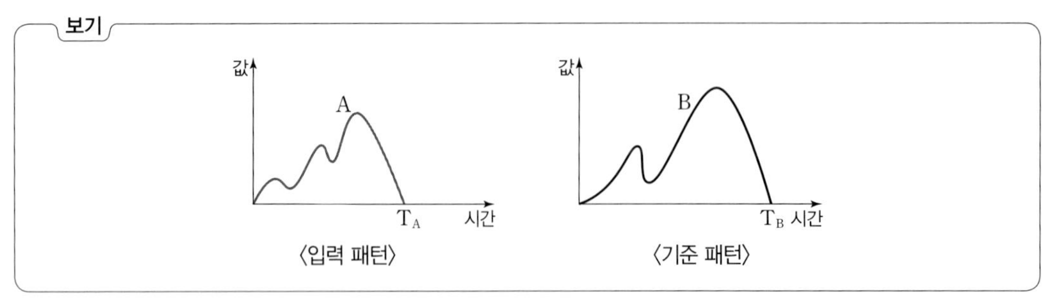

①
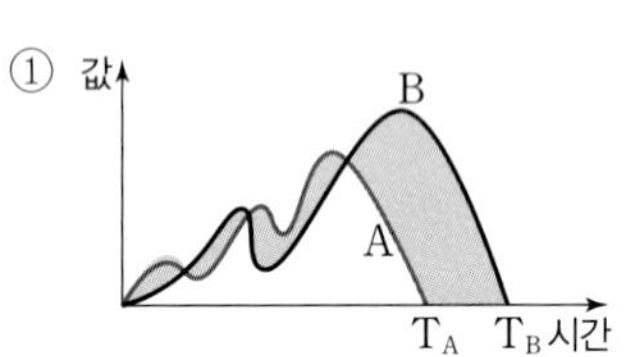

②
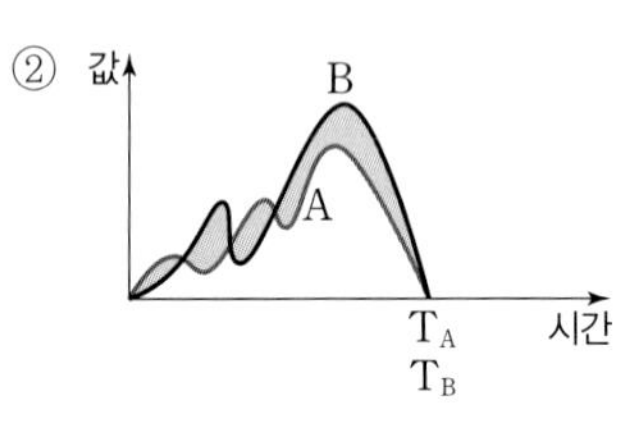

③
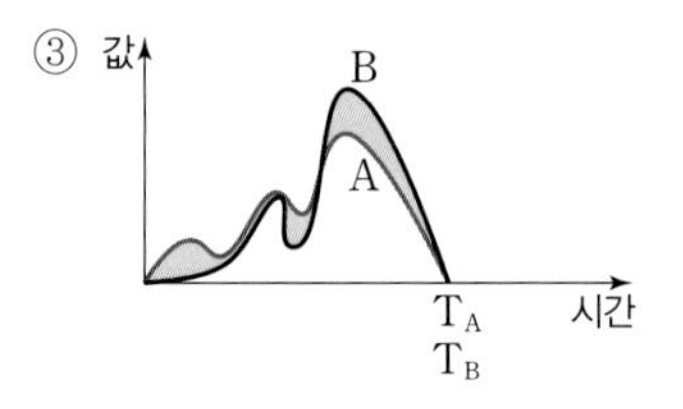

④
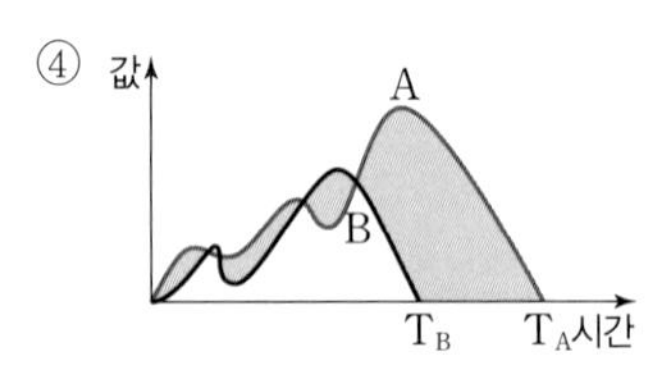

⑤
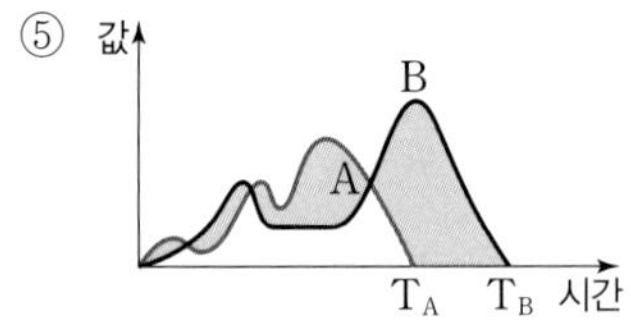

9262-0271

04 〈보기〉에서 ⓐ, ⓑ와 문맥적 의미가 가장 유사한 예를 찾아 바르게 짝지은 것은?

보기

ㄱ. 우리나라는 목재의 수입 의존도가 높다.
ㄴ. 형식적인 환경 정책에 대한 비판적인 여론이 높다.
ㄷ. 최근 우리 동네에 높은 고층 빌딩들이 많이 생겼다.
ㄹ. 품질이 높은 제품을 생산해야 경쟁에서 이길 수 있다.

	ⓐ	ⓑ
①	ㄱ	ㄴ
②	ㄱ	ㄹ
③	ㄴ	ㄷ
④	ㄴ	ㄹ
⑤	ㄷ	ㄹ

출제 포인트

㉠이 입력 패턴과 기준 패턴의 발음 시간과 음파의 정점들의 시간을 일치시키는 방법임을 파악한다.

↓

입력 패턴과 기준 패턴의 발음 시간이 일치하는 것을 선택지에서 고른다.

↓

발음 시간이 일치하는 것들 중에서 음파의 정점들의 시간을 일치시킨 것을 정답으로 고른다.

03 이 문항은 '방법'에 관한 정보를 시각 자료의 내용 요소에 대응시킬 수 있는지를 묻고 있다.

> **3** (……) 입력 패턴과 기준 패턴의 발음 시간을 같게 설정할 뿐만 아니라 음파에 있는 정점들의 시간까지 일치시켜 비교하는 ㉠'동적 정합 방식'을 사용한다. 입력 패턴과 기준 패턴에 있는 정점들의 시간을 최대한 일치시켜 비교함으로써 정확성을 높이는 것이다.

이 글은 음성을 인식하는 원리 · 방법을 과정에 따라 설명하고 있다. 이와 같이 과정과 원리 · 방법에 관한 정보가 제시되어 있으면, 시각 자료를 제시한 후, 지문의 정보를 시각 자료에 적용할 수 있는지를 묻는 문제가 출제된다.

원리로 다시 읽기

음성 인식 기술은 컴퓨터와 같은 기기가 인간의 음성을 알아듣는 기능을 구현하는 것이다. 컴퓨터가 음성을 인식하기 위해서는 사람이 발성하는 음소, 음절, 단어, 문장 등의 인식 단위 신호를 패턴으로 처리하여 '기준 패턴'을 만들고, 이것으로 '음향 모델'을 만들어 컴퓨터에 저장해 놓아야 한다. 그리고 소음과 음성을 구별하여 음성의 특징을 잡아낼 수도 있어야 한다. 음성의 특징이 파악되면, 컴퓨터는 저장되어 있는 음향 모델의 기준 패턴들 중에서 입력된 음성의 특징과 유사한 것을 가려내고, 문법적인 점검 과정을 거쳐 최종 인식 결과를 내놓는다.

▶ 음성 인식 기술로 컴퓨터가 음성 인식을 하는 핵심 과정

음성 인식의 첫 단계는 '음성 전처리'이다. **❶이 단계에서는 소음과 음성을 구분하고 음성의 특징을 파악한다.** 사람마다 목소리나 발음 특성이 다른 데다가 음성이 소음에 노출되어 있는 경우가 많아 음성의 특징을 잡아내는 것은 기술적으로 쉽지 않은 일이다. 그래서 **❷음성 전처리 과정에서는 음성 신호를 아주 작은 시간 단위로 자르고 각 구간별로 소리의 주파수나 에너지가 어떻게 변하는지를 살펴 음성의 특징을 파악한다.** 음성과 소음의 주파수 특성과 상대적 에너지를 분석해 음성과 소음을 구분하고 음성의 특징을 파악하는 것이다.

▶ 음성 전처리 과정에서 음성의 특징을 파악하는 방법

음성에서 특징을 뽑아내는 '음성 전처리' 과정이 끝나면 '패턴 인식'이 이루어진다. 이 단계에서는 **❸'입력 패턴'과 '기준 패턴'의 비교가 이루어진다.** 입력 패턴은 음성 전처리 과정을 통해 파악된 음성의 특징이며, 기준 패턴은 음향 모델로 컴퓨터에 저장되어 있는 것이다. 그런데 같은 사람이 같은 단어를 말하더라도 발음할 때마다 발음 시간이 다를 수 있기 때문에 두 패턴을 단순하게 비교하면 대부분 일치하지 않는다. 그래서 **❹입력 패턴과 기준 패턴의 발음 시간을 같게 만들어 비교하는 '선형 정합 방식'**을 사용하는데, 이 방식으로도 올바른 비교가 되지 않는 경우가 있다. 이런 경우에는 **❺입력 패턴과 기준 패턴의 발음 시간을 같게 설정할 뿐만 아니라 음파에 있는 정점들의 시간까지 일치시켜 비교하는 '동적 정합 방식'**을 사용한다. 입력 패턴과 기준 패턴에 있는 정점들의 시간을 최대한 일치시켜 비교함으로써 정확성을 높이는 것이다.

▶ 패턴 인식 과정에서 기준 패턴과 입력 패턴을 비교하는 방법

❻'선형 정합 방식'이나 '동적 정합 방식'은 음성 인식률이 높으나, 인식 대상 어휘가 늘어나면 계산량이 방대해져 음성 인식 속도가 늦어지는 단점이 있다. 그래서 최근 많이 사용되고 있는 것이 '통계학적 방식'이다. **❼통계학적 방식에서는 같은 말이라도 발음 시간이 다양하게 나타나는 음성 신호를 통계적으로 처리하고, 그 통곗값들로부터 뽑아낸 정보로 수많은 음향 모델을 구성한다. 그리고 그 음향 모델들 중에서 실제 음성 신호와 가장 유사한 모델을 결괏값으로 채택한다.** 이 방법은 단어뿐만 아니라 문장이나 대화를 인식하는 것까지 구현할 수 있고, 인식 성능 역시 높아 다방면에 응용되고 있다.

▶ 통계학적 방식을 사용해 기준 패턴과 입력 패턴을 비교하는 방법

'패턴 인식'이 끝나면 음성 인식 결과의 정확성을 높이기 위한 '언어 처리' 과정이 수행된다. **❽이 과정에서는 음성 인식기의 문법 체계에 해당하는 '언어 모델'을 참조해 입력된 음성 정보에 대한 문법적 점검이 이루어진다.** 문법적 점검은 문법에 어울리는 문장 가운데 가장 적합한 것을 찾기 위한 것이다. 문법적 점검이 끝나 음성 인식 결과가 나오면 컴퓨터는 그 결과에 맞는 명령을 수행하게 된다.

▶ 언어 처리 과정에서 이루어지는 문법적 점검

❶, ❸, ❽ 과정에 따라 서술이 되어 있는 글은 각 단계를 파악하고 단계 간의 (❶)에 주목해 각 단계에서 이루어지는 일에 대해 정확하게 이해해야 한다. ❶은 '음성 전처리', ❸은 '패턴 인식', ❽은 '언어 처리' 과정에서 이루어지는 일을 제시하고 있다.

❷, ❹, ❺, ❼ 과학 지문뿐만 아니라 기술 지문에서는 특히 원리 · 방법에 관한 정보가 중요하다. 이 글에서는 과정에 따라 각 단계에 사용되는 기술적 방법에 대해 설명하고 있다. 이와 같은 경우 방법을 설명하는 핵심 문장을 짚어 그 내용을 정확하게 이해하는 독해를 해야 한다. 그리고 이 글은 '(❷)', '(❸)', '(❹)' 등 여러 방식을 설명하고 있다. 이 경우 대비되는 짝을 중심으로 각 방식 간의 차이점에 주목해 그 내용을 정확하게 이해해야 한다.

❻ 기술 지문에서는 기술의 한계에 관한 정보가 출제 요소로 자주 활용된다. 이에 따라 '선형 정합 방식'과 '동적 정합 방식'의 한계를 제시하고 있는 내용을 주목해야 한다. 즉 인식 대상 어휘가 늘어나면 계산량이 방대해져 (❺)가 늦어진다는 단점을 주목해야 하는 것이다.

답

❶ 차이점 ❷ 선형 정합 방식 ❸ 동적 정합 방식 ❹ 통계학적 방식 ❺ 음성 인식 속도

Note

다음 글을 읽고 물음에 답하시오.

에어쇼에 전시된 전투기를 자세히 관찰해 보면 날개가 부착된 동체 부분이 잘록하게 들어가 S 라인처럼 생긴 것을 볼 수 있다. 또 날개 끝에 장착된 외부 연료 탱크의 허리가 잘록하게 들어가 있는 것을 볼 수 있다. 왜 이렇게 고속 항공기의 동체는 S 라인으로 생겼을까?

이것은 한마디로 항공기의 항력*을 줄여 동일한 엔진 출력으로 더 빠른 속도로 비행함으로써 경제적인 비행을 하기 위해서이다. 이렇게 고속 항공기 동체를 S 라인으로 제작하는 것은 '면적 법칙'을 적용하였기 때문이다. 면적 법칙은 항공기의 속도가 음속에 근접할 때 날개와 동체가 결합된 기체에서 발생하는 항력을 작게 하기 위해 항공기 진행 방향에 대하여 수직으로 자른 단면적의 분포를 연속적으로 완만하게 변화시켜야 한다는 법칙이다. 1950년 미국의 리처드 휘트콤은, 초음속 탄환이 진행할 때 진행 방향에 대해 수직인, 초음속 탄환의 단면적이 완만하게 변화한다는 사실을 발견하고 이를 천음속* 항공기에 적용했다. 휘트콤은 음속 근처에서 날개와 동체를 분리시키거나 결합하여 항력 증가에 관한 실험을 수행하고 그 결과를 발표했다. 그는 천음속 영역에서 동체의 항력 계수*는 날개를 부착하지 않은 물체가 날개를 부착한 경우보다 작다는 당연한 결과를 도출했다. 또한 그는 물체에 날개를 부착한 경우 면적 법칙을 적용한 물체와 적용하지 않은 물체의 항력 계수를 조사했으며, 그 결과 면적 법칙을 적용한 물체의 항력 계수가 훨씬 작다는 연구 결과도 발표했다.

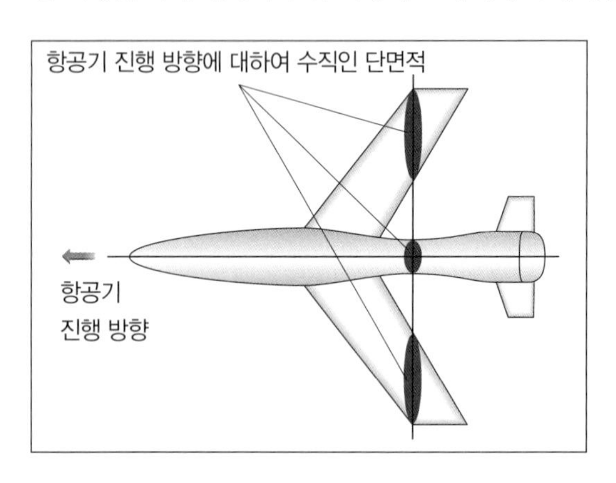

휘트콤은 항공기가 천음속 영역을 비행할 때 항력의 급격한 증가를 억제하기 위해 항공기 날개 부분에서 증가한 단면적을 보상할 수 있도록 동체의 단면적을 감소시켰다. 따라서 비행기 동체를 S 라인 또는 콜라병 모양으로 허리를 잘록하게 제작했던 것이다. 이러한 면적 법칙은 고속 항공기를 개발하는 데 큰 영향을 미쳤으며 1952년 F-102 전투기에 최초로 적용되어 이 전투기가 음속을 돌파하는 데 크게 기여했다.

한편 대부분의 여객기는 천음속 영역에서 항력이 급격히 증가하게 되는 속도인 항력 발산 마하수* 직전의 속도에서 비행하고 있으며, 이러한 비행기의 운항 속도는 면적 법칙을 적용하여 증가시킬 수 있다. 그 좋은 예가 보잉 747 여객기로, 이 여객기의 동체 앞부분 등에는 특유하게 생긴 혹이 있다. 이 부분은 조종석과 2층 비즈니스 클래스 좌석으로 활용되고 있는데, 앞부분 동체의 단면적을 증가시킴으로써 항공기의 길이에 따라 항공기 진행 방향에 대한 수직 단면적의 증가를 완만하게 하는 면적 법칙을 적용한 것이다. 그 결과 보잉 747 여객기는 천음속 영역에서 발생하는 항력의 증가가 억제되어 다른 여객기보다 조금 더 빠른 속도로 날아갈 수 있는 것이다.

어휘 풀이

*__항력__ 물체가 기체나 액체 내에서 운동할 때 받는 저항력.
*__천음속__ 물체 주위의 흐름 속에 음속 이하의 부분과 음속 이상의 부분이 공존할 때의 물체 속도.
*__항력 계수__ 기체나 액체와 같은 유체 속을 움직이는 물체가 유체에서 받는 항력의 크기를 나타내는 수치.
*__항력 발산 마하수__ 천음속 영역의 항공기 주변에서 부분적으로 충격파가 발생하여 항력이 급격하게 증가하게 되는 속도.

9262-0272

01 윗글을 통해 알 수 있는 내용으로 적절하지 않은 것은?

① 면적 법칙은 전투기뿐만 아니라 일반 여객기 설계에도 반영되었다.
② 초음속 탄환과 F-102 전투기에는 면적 법칙의 원리가 적용되었다.
③ 보잉 747 여객기의 동체 앞부분에 있는 혹은 운항 속도를 억제하는 역할을 한다.
④ 항공기 동체를 S 라인으로 설계하는 것은 항력의 급격한 증가를 억제하기 위해서이다.
⑤ 동일한 엔진 출력 상태에서 항공기에 가해지는 항력이 줄어들면 항공기의 속도가 빨라진다.

9262-0273

02 윗글에 대한 설명으로 적절하지 않은 것은?

① 항공기의 모양과 관련한 질문을 제시하고 이에 답하는 형식으로 내용을 전개하고 있다.
② 항공기에 면적 법칙이 적용되기까지의 과정을 시간적 순서에 따라 서술하고 있다.
③ 면적 법칙에 대한 독자의 이해를 돕기 위해 구체적 사례를 제시하고 있다.
④ 전문가의 말을 인용하여 면적 법칙의 과학적 타당성을 뒷받침하고 있다.
⑤ 항공기의 동체가 특정한 형태로 설계된 이유에 대해 설명하고 있다.

9262-0274

03 윗글을 참고하여 〈보기〉에 대해 설명한 내용으로 적절하지 않은 것은?

보기

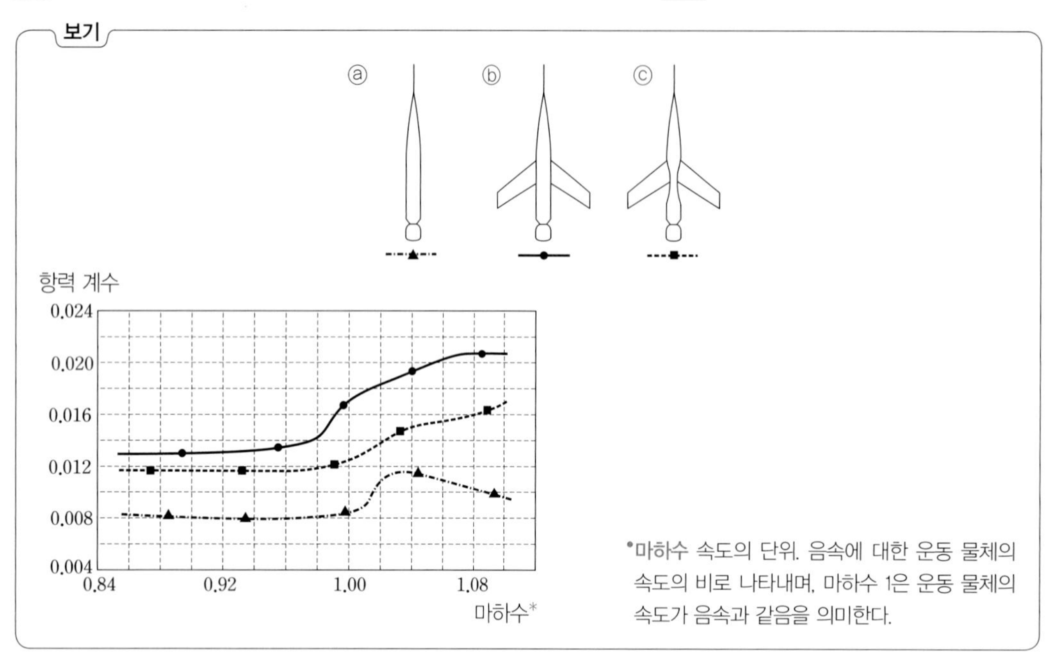

① ⓐ의 항력 계수가 ⓑ보다 작은 것은 동체에 날개가 달려 있지 않기 때문이다.
② ⓐ는 천음속 영역에서 동체 진행 방향에 대해 수직인 단면적이 ⓑ, ⓒ에 비해 작기 때문에 항력을 적게 받는다.
③ ⓑ는 ⓒ와 달리 면적 법칙을 적용하지 않았으므로 항력 발산 마하수가 ⓒ에 비해 더 크다.
④ ⓑ, ⓒ가 동일한 엔진 출력으로 천음속 영역에서 비행했다면 ⓒ의 비행 속도가 ⓑ의 비행 속도보다 빠를 것이다.
⑤ ⓒ는 ⓑ에 비해 동체의 진행 방향에 대해 수직인 단면적의 변화가 완만하게 나타난다.

출제 포인트

지문에 제시된 중심 화제인 '면적 법칙'의 핵심 원리와 중요 개념을 이해한다.

↓

〈보기〉와 선택지에 사용된 중요 개념과 핵심 원리를 확인한다.

↓

지문에 대한 이해를 바탕으로 선택지 내용의 적절성을 판별한다.

03 이 문항은 과학, 기술 지문에 자주 제시되는 핵심 원리를 구체적 사례에 적용하는 문항이다.

> **2** (……) 면적 법칙은 항공기의 속도가 음속에 근접할 때 날개와 동체가 결합된 기체에서 발생하는 항력을 작게 하기 위해 항공기 진행 방향에 대하여 수직으로 자른 단면적의 분포를 연속적으로 완만하게 변화시켜야 한다는 법칙이다.
> **4** (……) 앞부분 동체의 단면적을 증가시킴으로써 항공기의 길이에 따라 항공기 진행 방향에 대한 수직 단면적의 증가를 완만하게 하는 면적 법칙을 적용한 것이다. 그 결과 보잉 747 여객기는 천음속 영역에서 발생하는 항력의 증가가 억제되어 다른 여객기보다 조금 더 빠른 속도로 날아갈 수 있는 것이다.

이 글의 2, 3, 4문단에는 이 글의 중심 화제인 '면적 법칙'의 원리가 설명되어 있으며, 그러한 설명의 과정에서 '천음속 영역', '동체 진행 방향에 대해 수직인 단면적', '항력 발산 마하수'와 같은 중요 개념들이 활용되고 있다. 따라서 이 문항을 해결하기 위해서는 먼저 중심 화제와 관련한 핵심 원리와 중요 개념 간의 관계를 정확히 이해하고 〈보기〉와 선택지에 관련 요소를 대응시켜 적절성을 판별하여야 한다.

원리로 다시 읽기

에어쇼에 전시된 전투기를 자세히 관찰해 보면 날개가 부착된 동체 부분이 잘록하게 들어가 S 라인처럼 생긴 것을 볼 수 있다. 또 날개 끝에 장착된 외부 연료 탱크의 허리가 잘록하게 들어가 있는 것을 볼 수 있다. (질문) ❶왜 이렇게 고속 항공기의 동체는 S 라인으로 생겼을까?

▶ 고속 항공기 동체의 S 라인 설계에 대한 의문

(답) ❷이것은 한마디로 항공기의 항력을 줄여 동일한 엔진 출력으로 더 빠른 속도로 비행함으로써 경제적인 비행을 하기 위해서이다. 이렇게 고속 항공기 동체를 S 라인으로 제작하는 것은 '면적 법칙'을 적용하였기 때문이다. ❸면적 법칙은 항공기의 속도가 음속에 근접할 때 날개와 동체가 결합된 기체에서 발생하는 항력을 작게 하기 위해 항공기 진행 방향에 대하여 수직으로 자른 단면적의 분포를 연속적으로 완만하게 변화시켜야 한다는 법칙이다. 1950년 미국의 리처드 휘트콤은, 초음속 탄환이 진행할 때 진행 방향에 대해 수직인, 초음속 탄환의 단면적이 완만하게 변화한다는 사실을 발견하고 이를 ❹천음속 항공기에 적용했다. 휘트콤은 음속 근처에서 날개와 동체를 분리시키거나 결합하여 항력 증가에 관한 실험을 수행하고 그 결과를 발표했다. 그는 천음속 영역에서 동체의 ❹항력 계수는 날개를 부착하지 않은 물체가 날개를 부착한 경우보다 작다는 당연한 결과를 도출했다. 또한 그는 물체에 날개를 부착한 경우 면적 법칙을 적용한 물체와 적용하지 않은 물체의 항력 계수를 조사했으며, 그 결과 면적 법칙을 적용한 물체의 항력 계수가 훨씬 작다는 연구 결과도 발표했다.

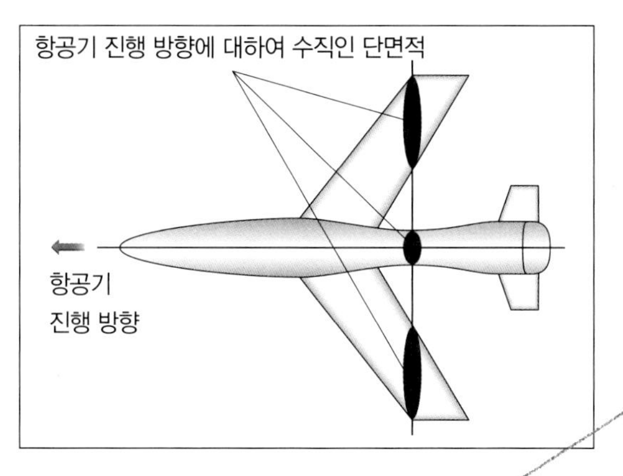

▶ 경제적 비행을 위해 적용된 면적 법칙과 면적 법칙에 대한 휘트콤의 연구

휘트콤은 항공기가 천음속 영역을 비행할 때 항력의 급격한 증가를 억제하기 위해 항공기 날개 부분에서 증가한 단면적을 보상할 수 있도록 동체의 단면적을 감소시켰다. 따라서 비행기 동체를 S 라인 또는 콜라병 모양으로 허리를 잘록하게 제작했던 것이다. 이러한 면적 법칙은 고속 항공기를 개발하는 데 큰 영향을 미쳤으며 1952년 F-102 전투기에 최초로 적용되어 이 전투기가 음속을 돌파하는 데 크게 기여했다.

▶ 면적 법칙의 적용과 S 라인 설계

한편 대부분의 여객기는 천음속 영역에서 항력이 급격히 증가하게 되는 속도인 ❹항력 발산 마하수 직전의 속도에서 비행하고 있으며, 이러한 비행기의 운항 속도는 면적 법칙을 적용하여 증가시킬 수 있다. ❺그 좋은 예가 보잉 747 여객기로, 이 여객기의 동체 앞부분 등에는 특유하게 생긴 혹이 있다. 이 부분은 조종석과 2층 비즈니스 클래스 좌석으로 활용되고 있는데, 앞부분 동체의 단면적을 증가시킴으로써 항공기의 길이에 따라 항공기 진행 방향에 대한 수직 단면적의 증가를 완만하게 하는 면적 법칙을 적용한 것이다. 그 결과 보잉 747 여객기는 천음속 영역에서 발생하는 항력의 증가가 억제되어 다른 여객기보다 조금 더 빠른 속도로 날아갈 수 있는 것이다.

▶ 보잉 747 여객기에 적용된 면적 법칙

❶은 서두에 제시된 질문으로, 이 글이 고속 항공기 동체가 S 라인으로 생긴 이유를 설명하는 글임을 짐작하게 해 준다. 그리고 ❷는 ❶에 대한 답변으로, ❷에서는 고속 항공기 동체가 S 라인으로 생긴 이유는 바로 항공기의 (❶)을 줄여 경제적인 비행을 하기 위해서라는 사실을 확인할 수 있다.

❸ 고속 항공기의 동체가 S 라인으로 생긴 것과 관련하여, 핵심 원리인 (❷) 법칙에 대해 설명하고 있는 부분이다. 면적 법칙의 핵심은 항공기 진행 방향에 대해 수직으로 자른 단면적의 분포를 (❸)하게 변화시켜야 한다는 것이다. 그리고 이러한 법칙이 적용된 예로는 ❺의 보잉 747 여객기 앞부분에 있는 혹을 들 수 있는데, 이는 항공기 진행 방향에 대해 수직으로 자른 단면적이 급격하게 줄어드는 것을 방지하기 위한 것임을 알 수 있다.

❹ '천음속', '항력 계수', '항력 발산 마하수'는 중심 화제인 '면적 법칙'을 이해하는 데 필요한 중요 개념들이다. 이러한 중요 개념들은 그 의미를 정확히 파악하고 숙지하지 않으면 중심 화제와 관련한 핵심 원리와 작동 과정 등을 이해할 수 없다. 따라서 과학, 기술 분야의 글에 제시된 중요 개념들은 그 의미를 정확히 파악하고 이해하며 글을 읽을 수 있어야 한다.

답

❶ 항력 ❷ 면적 ❸ 완만

Note

다음 글을 읽고 물음에 답하시오.

전파에 정보를 담아 보낼 수 있다는 사실이 밝혀지면서 무선 통신의 시대가 열렸다. 사람들은 다루기 쉬운 낮은 주파수의 전파부터 사용하기 시작했다. 가장 먼저 진폭을 변조*해서 정보를 싣는 AM 라디오가 주파수가 0.3~3MHz인 중파를 사용하기 시작했다. 이어서 주파수를 변조해서 정보를 싣는 FM 라디오가 주파수가 20~300MHz인 초단파를 사용하고 있다. 그리고 휴대 전화는 1~2GHz의 주파수를 사용하고 있다. 무선 통신이 빠른 속도로 발전하면서 기존에 사용하던 주파수가 포화 상태가 되었고, 그에 따라 더 높은 주파수를 이용할 수 있는 기술이 필요해졌다.

파장이 cm보다 작은 mm단위이기 때문에 '밀리미터파'로 불리는 전파가 있다. 이 전파는 파장이 1~10mm이다. 이를 주파수로 환산하면 30~300GHz로 주파수가 높다. 파장은 주파수와 반비례하기 때문에 주파수가 높을수록 파장은 짧아진다. 파장이 짧아지면 전파의 진동수가 많아지고 직진성도 강해지며 도달 거리가 짧아진다. 밀리미터파는 파장이 짧아 출력을 강하게 하기 어렵고 대기 중의 수증기와 만나면 수증기의 산소 분자에 의해 신호 세기가 많이 줄어들어 그동안 군사용 레이더 같은 특수한 경우에만 사용되었다. 출력을 높이기 위해 장비를 크게 만들어야 하고, 이에 따라 장비의 가격도 매우 비싸 상용화하기 어려웠기 때문이다. 그러나 최근에는 CMOS 반도체 공정 기술이 발달하면서 밀리미터파 부품도 CMOS로 구현될 수 있게 되어 장비의 가격이 떨어짐으로써 밀리미터파의 상용화가 가능해졌다.

밀리미터파가 광역 통신망에 활용되기 위해서는 많은 설비가 필요하다. 그러나 파장이 짧아 전자 회로와 안테나의 크기를 작게 할 수 있어 간단한 설비로 근거리 무선 통신이 가능하다. 밀리미터파는 가용 대역폭이 넓어서 수 GHz 대역폭을 필요로 하는 Gbps*의 대용량 데이터를 무선으로 고속 전송하는 것이 가능하다. 도로가 넓으면 많은 차가 지나갈 수 있는 것처럼 밀리미터파는 폭넓은 대역폭을 이용할 수 있어 더 많은 데이터를 빠르게 보낼 수 있다. 현재 무선 랜에 사용되는 주파수는 2.45GHz와 5.8GHz로 각각 10Mbps와 54Mbps의 데이터 전송 속도를 가지는 반면 60GHz의 밀리미터파는 1Gbps 이상으로 데이터를 전송할 수 있다. 700MB 용량의 영화 한 편을 내려받는 데 2~3초면 가능하다. 밀리미터파는 케이블을 사용하지 않고 하드 디스크, 셋톱 박스, HDTV, 캠코더 간에 대용량 데이터를 주고받는 것에 활용되고 있다.

주파수가 높으면 투사나 반사의 성질이 커져 더 높은 해상도의 정보를 얻을 수 있다. 해상도가 높아지면 데이터의 용량이 커지지만 대상을 선명하게 나타낼 수 있다. 그래서 특정 지역에 어떤 것들이 있는지 감지할 때 파장이 10cm인 휴대 전화 주파수보다 파장이 10mm인 밀리미터파를 이용하면 10배나 더 세밀하게 그 지역에 있는 대상들을 확인할 수 있다. 병원에서 이용하는 X선은 파장이 10nm라서 해상도가 밀리미터파보다 높지만 방사선의 일종이기 때문에 밀리미터파와 달리 인체에 해를 미칠 가능성이 있으며, 적외선은 넓은 영역을 감지할 수 없다. 이런 이유로 상대적으로 넓은 영역을 감지할 수 있는 밀리미터파의 활용도가 높다.

밀리미터파는 대기 중에서 신호의 세기가 많이 감쇠*된다. 그런데 이러한 단점이 기술 개발을 통해 여러 장치로 점차 극복되고 있다. 밀리미터파는 개인용 근거리 무선 통신뿐만 아니라 자동차 충돌 방지 레이더, 암세포를 찾아 파괴하는 의료 기기 등에도 활용되고 있는데, 앞으로 그 활용 분야가 계속 넓어질 것으로 전망되고 있다.

어휘 풀이

- **변조** 반송 전류의 주파수를 일정하게 하고 소리 따위의 신호 파동을 통하여 진폭을 바꾸는 일. 또는 반송 전류의 진폭을 일정하게 하고 신호 파동을 통하여 주파수를 바꾸는 일.
- **Gbps** 초당 얼마나 많은 양의 정보를 보낼 수 있는지를 나타내는 단위다. 1Gbps는 1초에 대략 10억 비트의 데이터를 보낼 수 있다는 뜻이다.
- **감쇠** 힘이나 세력 따위가 줄어서 약하여짐.

9262-0275

01 윗글을 읽고 알 수 있는 내용으로 적절하지 않은 것은?

① 파장이 1~10mm인 밀리미터파의 주파수는 30~300GHz이다.
② 밀리미터파는 암세포를 찾아 파괴하는 의료 기기에 활용되고 있다.
③ 전파의 진동수가 많아질수록 전파의 가용 대역폭의 넓이는 좁아진다.
④ AM 라디오와 FM 라디오는 주파수 및 전파로 정보를 보내는 방식 면에서 구별된다.
⑤ 밀리미터파가 군사용 레이더에 주로 사용되었던 것은 출력을 높이기 위한 장비가 크고 비쌌기 때문이다.

9262-0276

02 윗글을 바탕으로 〈보기〉의 ㉮에 대해 보인 반응으로 적절하지 않은 것은?

보기

도로에 안개가 발생하면 앞차와 옆 차 등 주변 차량 위치를 알기 어려워 자동차 충돌 사고 발생 위험이 커진다. 특히 고속 도로처럼 일정 속도 이상으로 달리는 상황에서 사람이 눈으로 앞차를 확인했을 때는 이미 늦다. 이러한 상황에 대비해 밀리미터파를 이용한 자동차 충돌 방지 레이더가 사용되고 있다. ㉮밀리미터파를 이용한 자동차 충돌 방지 레이더는 안개나 눈 때문에 시야가 확보되지 않더라도 100~150m 앞까지 어떤 대상이 어디에 있는지 정확하게 감지해 운전자에게 정보를 알려 줌으로써 사고를 미연에 방지할 수 있게 해 준다.

① 밀리미터파의 투사나 반사 성질이 높은 것을 이용해 만들어진 장치이겠군.
② 전자 회로와 안테나를 소형화하는 것이 기술적으로 가능해져 자동차에 적용된 장치이겠군.
③ 밀리미터파의 직진성과 대기 중 산소 분자에 의해 신호가 감쇠되는 특징을 함께 응용한 장치이겠군.
④ X선보다 해상도는 떨어지지만 인체에 유해하지 않고 적외선보다 넓은 영역을 감지할 수 있는 장치이겠군.
⑤ 대역폭이 넓어 높은 해상도의 정보를 빠르게 전송하는 것이 가능한 밀리미터파의 특징이 응용된 장치이겠군.

9262-0277

03 윗글을 참조해 <보기>의 이유를 추리했을 때 가장 적절한 것은?

보기

밀리미터파를 이용해 휴대 전화로 원활하게 통신하기 위해서는 1~2GHz의 주파수를 사용해 휴대 전화로 통신하고 있는 현재보다 전파 신호를 중계하는 기지국이 수십 배 많아져야 한다.

① 밀리미터파는 파장이 짧아 멀리 퍼지지 않기 때문이다.
② 관련 장비의 부품을 CMOS로 구현해야 하기 때문이다.
③ 기존에 사용하던 주파수가 포화 상태가 되었기 때문이다.
④ 밀리미터파의 진동수가 많아 정보를 한 번에 수신하기 어렵기 때문이다.
⑤ 밀리미터파는 신호 세기가 약해 출력을 반복해서 지속적으로 높여 주어야 하기 때문이다.

출제 포인트

<보기>의 핵심 내용을 파악한다.

↓

<보기>에 제시된, 밀리미터파의 경우 기지국이 많아야 한다는 사실과 관련 있는 지문의 정보를 파악한다.

↓

밀리미터파의 특징에 주목해 추리가 적절하게 이루어진 선택지를 정답으로 고른다.

03 이 문항은 대상의 특징을 토대로 이유를 추리할 수 있는지를 묻고 있다.

2 파장이 cm보다 작은 mm단위이기 때문에 '밀리미터파'로 불리는 전파가 있다. 이 전파는 파장이 1~10mm이다. 이를 주파수로 환산하면 30~300GHz로 주파수가 높다. 파장은 주파수와 반비례하기 때문에 주파수가 높을수록 파장은 짧아진다. 파장이 짧아지면 전파의 진동수가 많아지고 직진성도 강해지며 도달 거리가 짧아진다.

이 글은 밀리미터파의 특징을 중심으로 밀리미터파가 기술적으로 어떻게 활용될 수 있는지를 설명하고 있다. 이와 같이 대상의 특징을 설명하는 지문에서는 특징에 관한 정보가 반드시 출제 요소가 된다. 밀리미터파의 특징이 출제 요소라는 사실을 지문을 읽을 때부터 알고, 그 정보를 문제의 <보기>와 관련지어 정답을 빠르고 정확하게 고를 수 있어야 한다.

원리로 다시 읽기

전파에 정보를 담아 보낼 수 있다는 사실이 밝혀지면서 무선 통신의 시대가 열렸다. 사람들은 다루기 쉬운 낮은 주파수의 전파부터 사용하기 시작했다. 가장 먼저 진폭을 변조해서 정보를 싣는 AM 라디오가 주파수가 0.3~3MHz인 중파를 사용하기 시작했다. 이어서 주파수를 변조해서 정보를 싣는 FM 라디오가 주파수가 20~300MHz인 초단파를 사용하고 있다. *(낮은 주파수에서 높은 주파수로 이루어진 주파수 사용의 과정)* 그리고 휴대 전화는 1~2GHz의 주파수를 사용하고 있다. 무선 통신이 빠른 속도로 발전하면서 기존에 사용하던 주파수가 포화 상태가 되었고, 그에 따라 더 높은 주파수를 이용할 수 있는 기술이 필요해졌다.

▶ 높은 주파수의 활용 기술에 대한 필요성 대두

파장이 cm보다 작은 mm단위이기 때문에 '밀리미터파'*(중심 화제)*로 불리는 전파가 있다. 이 전파는 파장이 1~10mm이다. 이를 주파수로 환산하면 30~300GHz로 주파수가 높다. ❶**파장은 주파수와 반비례하기 때문에 주파수가 높을수록 파장은 짧아진다. 파장이 짧아지면 전파의 진동수가 많아지고 직진성도 강해지며 도달 거리가 짧아진다.** ❷**밀리미터파는 파장이 짧아 출력을 강하게 하기 어렵고 대기 중의 수증기와 만나면 수증기의 산소 분자에 의해 신호 세기가 많이 줄어들어 그동안 군사용 레이더 같은 특수한 경우에만 사용되었다.** 출력을 높이기 위해 장비를 크게 만들어야 하고, 이에 따라 장비의 가격도 매우 비싸 상용화하기 어려웠기 때문이다. 그러나 최근에는 CMOS 반도체 공정 기술이 발달하면서 *(밀리미터파의 상용화를 가능하게 한 요인)* 밀리미터파 부품도 CMOS로 구현될 수 있게 되어 장비의 가격이 떨어짐으로써 밀리미터파의 상용화가 가능해졌다.

▶ 밀리미터파의 개념과 특징

밀리미터파가 광역 통신망에 활용되기 위해서는 많은 설비가 필요하다. 그러나 파장이 짧아 전자 회로와 안테나의 크기를 작게 할 수 있어 간단한 설비로 근거리 무선 통신이 가능하다. *(밀리미터파의 장점)* ❸**밀리미터파는 가용 대역폭이 넓어서 수 GHz 대역폭을 필요로 하는 Gbps의 대용량 데이터를 무선으로 고속 전송하는 것이 가능하다.** 도로가 넓으면 많은 차가 지나갈 수 있는 것처럼 밀리미터파는 폭넓은 대역폭을 이용할 수 있어 더 많은 데이터를 빠르게 보낼 수 있다. 현재 무선 랜에 사용되는 주파수는 2.45GHz와 5.8GHz로 각각 10Mbps와 54Mbps의 데이터 전송 속도를 가지는 반면 60GHz의 밀리미터파는 1Gbps 이상으로 데이터를 전송할 수 있다. *(밀리미터파의 장점)* 700MB 용량의 영화 한 편을 내려받는 데 2~3초면 가능하다. 밀리미터파는 케이블을 사용하지 않고 하드 디스크, 셋톱 박스, HDTV, 캠코더 간에 대용량 데이터를 주고받는 것에 활용되고 있다.

▶ 근거리 대용량 무선 통신에 활용되는 밀리미터파의 특징

주파수가 높으면 투사나 반사의 성질이 커져 더 높은 해상도의 정보를 얻을 수 있다. 해상도가 높아지면 데이터의 용량이 커지지만 대상을 선명하게 나타낼 수 있다. 그래서 ❹**특정 지역에 어떤 것들이 있는지 감지할 때 파장이 10cm인 휴대 전화 주파수보다 파장이 10mm인 밀리미터파를 이용하면 10배나 더 세밀하게 그 지역에 있는 대상들을 확인할 수 있다.** 병원에서 이용하는 X선은 파장이 10nm라서 해상도가 밀리미터파보다 높지만 방사선의 일종이기 때문에 밀리미터파와 달리 인체에 해를 미칠 가능성이 있으며, *(X선의 장점과 단점)* 적외선은 넓은 영역을 감지할 수 없다. 이런 이유로 상대적으로 넓은 영역을 감지할 수 있는 밀리미터파의 활용도가 높다.

▶ 넓은 영역을 감지하는 데에 활용되는 밀리미터파의 특징

밀리미터파는 대기 중에서 신호의 세기가 많이 감쇠된다. 그런데 이러한 단점이 기술 개발을 통해 여러 장치로 점차 극복되고 있다. 밀리미터파는 개인용 근거리 무선 통신뿐만 아니라 자동차 충돌 방지 레이더, 암세포를 찾아 파괴하는 의료 기기 등에도 활용되고 있는데, 앞으로 그 활용 분야가 계속 넓어질 것으로 전망되고 있다.

▶ 밀리미터파의 단점 극복과 활용 분야에 대한 전망

❶ 원리에 관한 정보이다. 이와 같은 정보는 '~(이)면 ~다.'나 '~수록 ~다.'와 같은 형식으로 서술되는 경우가 많다. 원리에 관한 정보는 '주파수↑ ⇒ 파장↓', '파장↓ ⇒ (　❶　), 직진성↑, 도달 거리↓'와 같이 정리해 이해할 필요가 있다.

❷~❹ 밀리미터파의 (　❷　)을 제시하고 있다. ❷에서는 밀리미터파의 파장이 짧아 출력을 강하게 하기 어렵고 수증기의 산소 분자에 의해 신호 세기가 많이 줄어든다는 사실에 주목해야 한다. 그리고 ❸에서는 가용 대역폭이 넓어 대용량 데이터의 전송이 가능한 것을, ❹에서는 넓은 지역을 세밀하게 감지하는 것이 가능하다는 것을 주목해 이해해야 한다.

답

❶ 전파의 진동수↑ ❷ 특징

Note

다음 글을 읽고 물음에 답하시오.

자동차는 바퀴를 돌려서 이동 방향을 바꿀 수 있는데 배는 타(Rudder)를 돌려서 이동 방향을 바꾸어 선회를 할 수 있다. 배의 뒷부분의 아래에 달린 물고기 꼬리지느러미처럼 생긴 조그만 판이 바로 '타'이다. 물고기가 꼬리지느러미를 오른쪽으로 휘게 해서 오른쪽으로 돌듯이, 배도 타를 오른쪽으로 돌리면 오른쪽으로 ⓐ선회하게 된다.

타는 그냥 보면 평평한 판 같지만, 그 단면은 물방울 모양을 하고 있는 일종의 날개이다. 타의 단면은 좌우 대칭이기 때문에 타가 가운데에 있으면 힘이 발생하지 않지만, 타를 돌려 주면 마치 비행기 날개에 양력이 생기듯이 타를 왼쪽이나 오른쪽으로 미는 양력 N이 작용하게 된다. 예를 들어, 〈그림〉과 같이 배를 오른쪽으로 돌리기 위해 타를 오른쪽으로 돌리면 타를 왼쪽으로 밀어 주는 양력(N)이 작용하고, 이로 인해 물체를 회전시키는 힘인 모멘트(M)가 시계 방향으로 작용해서 배가 선회하게 된다.

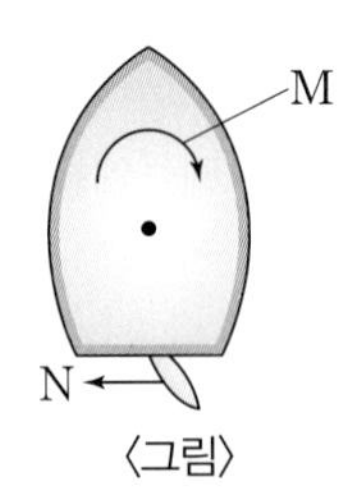

〈그림〉

타는 형태에 따라 크게 세 종류로 구분해 볼 수 있는데 각각의 형태에 따라 양력의 작용 양상이 조금씩 차이를 보이게 된다. 가장 단순한 타의 형태는 타 전체가 부분으로 나뉘지 않고 한 덩어리를 이루고 있는 일체형인 ㉠'전가동타'이다. 전가동타로 배를 선회시킬 때는 타 전체가 돌아가면서 모멘트를 ⓑ발생시킨다. ㉡'호른타'는 숫양 같은 동물의 뿔인 호른과 같이 타가 뿔 모양으로 나와 있다고 해서 호른타라고 부르는데, 다른 종류의 타와 달리 타의 일부분이 배에 고정되어 있다. 화살에 달린 깃털이 화살 뒷부분의 면적을 증가시켜 화살의 직진 성능을 좋게 해 주는 것처럼, 타가 돌아가지 않고 가운데를 유지하고 있으면 배 뒷부분 면적을 ⓒ증가시킴으로써 배의 직진 성능을 좋게 해 주는 역할을 한다. 또 ⓓ고정된 타의 앞부분이 다른 종류의 타에 비해 타에 들어오는 물의 흐름을 좀 더 고르게 해 준다. ㉢'플랩타'는 비행기 이착륙 시에 양 날개의 뒤쪽으로 나와서 더 큰 양력을 받게 해 주는 플랩이 타의 뒷부분에 설치되어 있다. 플랩타는 타를 회전시켜서 양력을 얻을 때 플랩 부분이 타 본체보다 좀 더 꺾이게 설계되어 있다. 그 결과 플랩에 작용하는 양력을 증가시켜 같은 면적을 지닌 다른 종류의 타에 비해 더 큰 힘이 발생한다.

[A] 배를 새로 건조하면 언제나 선회 시험을 수행한다. 선회 시험은 배를 직선으로 달리다가 타를 최대로 돌렸을 때 생기는 배의 경로를 ⓔ관찰하는 실험인데, 이를 통해 선회의 항적*을 크게 3단계로 구분할 수 있다. 선회의 1단계는 타를 돌리기 시작하는 순간부터 타각이 최대가 될 때까지를 이른다. 자동차는 핸들을 돌리면 바로 돌아가지만 물 위에서 움직이는 배는 그렇지가 않다. 똑바로 직진하던 배는 타를 틀어도 그대로 움직이려는 성질이 강하기 때문에 이 1단계에서는 타의 힘이 작용해도 곧바로 그 경로가 바뀌지는 않는다. 선회의 2단계는 1단계가 끝나고 배가 움직이기 시작하면서 3단계의 정상 선회에 이르기 전까지를 말한다. 2단계가 시작된 직후에는 '킥(Kick)'이라는 현상이 발생한다. 예를 들어 배를 오른쪽으로 선회시키기 위해 타를 오른쪽으로 틀면 배는 직선 경로를 벗어나면서 오른쪽으로 바로 선회하지 못하고 오히려 왼쪽으로 움직이는 현상이 발생하는데, 이러한 현상을 킥이라고 부른다. 이 현상이 생기는 이유는 배가 회전을 하면서 충분한 모멘트를 발생시키기 전에 타에 작용하는 양력에 의해 배 전체가 선회하려는 방향과 반대쪽으로 밀려가기 때문이다. 선회의 3단계는 모든 힘이 평형을 이루어서 배가 원운동을 하며 동심원의 궤적*을 그리는, 정상 선회 운동을 하는 단계이다. 배가 그리는 동심원의 크기가 작을수록 배는 쉽게 선회 운동을 하는 것이고, 원의 크기가 클수록 선회 능력이 상대적으로 떨어진다고 말할 수 있다. 대형 유조선은 배 길이의 약 세 배에 이르는 선회경*을 갖는다.

정답과 해설 69쪽

배가 방향을 돌리는 선회의 성능은 화물선 같은 일반 상선보다는 군함에서 더욱 중요시된다. 군함은 무기를 보다 효율적으로 사용할 수 있는 방향이 있어서 무기 체계가 약한 방향이 적함을 향하고 있을 때 얼마나 빨리 배를 180도 돌려서 함포로 적함을 겨냥할 수 있는가가 중요한 능력 요소였다. 배가 선회하기 시작해서 180도 방향으로 돌 때까지 옆으로 이동한 거리를 지칭하는 '전술 직경'이라는 용어도 이러한 배경에서 생겨난 것이다.

어휘 풀이

- **항적** 선박이 지나간 자취.
- **궤적** 물체의 움직임을 알 수 있는 자취.
- **선회경** 여기에서는 '동심원의 지름'을 가리킴.

9262-0278

01 윗글의 표제와 부제로 가장 적절한 것은?

① 선박의 종류와 기능
　– 일반 상선과 군함의 비교를 중심으로
② 선박 건조의 단계
　– 타의 제조법과 선회 시험을 중심으로
③ 선박의 방향 조정
　– 타의 기능과 종류, 선회의 단계를 중심으로
④ 선박에서의 타의 역할
　– 양력에 따른 모멘트의 작용을 중심으로
⑤ 선박 운행의 원리
　– 타의 종류별 작동 방식의 차이를 중심으로

9262-0279

02 〈보기〉를 참고로 하여 ㉠~㉢에 대해 이해한 내용으로 적절하지 않은 것은?

보기

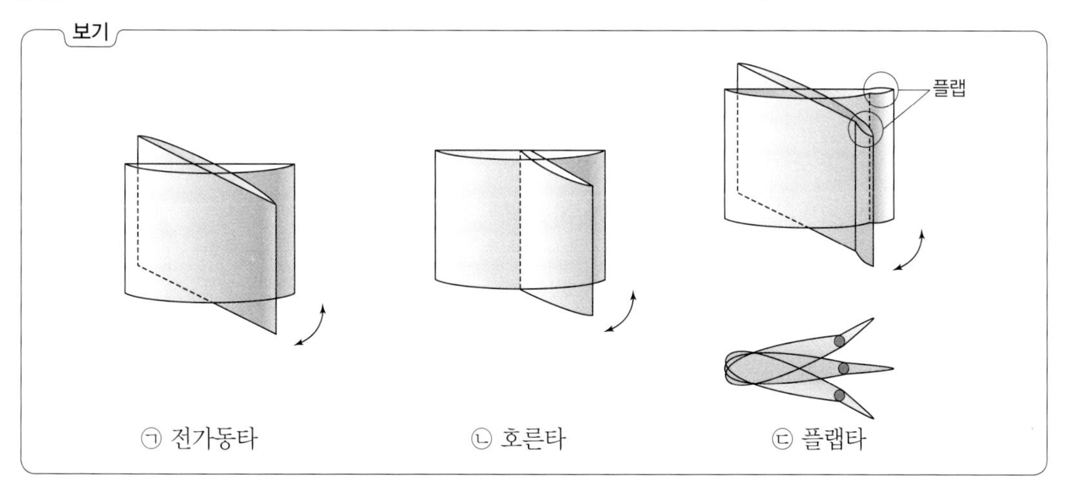

① ㉠은 ㉡, ㉢과 달리 타가 부분으로 나뉘지 않는다.
② ㉡은 ㉠에 비해 타에 물이 더 고르게 흘러들어 온다.
③ ㉡은 ㉠, ㉢과 달리 타의 일부분이 배에 고정되어 있다.
④ ㉠, ㉡을 같은 각도로 돌린다면 동일한 양력이 작용할 것이다.
⑤ ㉠~㉢이 같은 면적이라면 ㉢이 가장 큰 힘을 발생시킬 것이다.

9262-0280

03 〈보기〉는 [A]의 과정을 나타낸 그림이다. 이에 대한 반응으로 적절하지 않은 것은?

보기

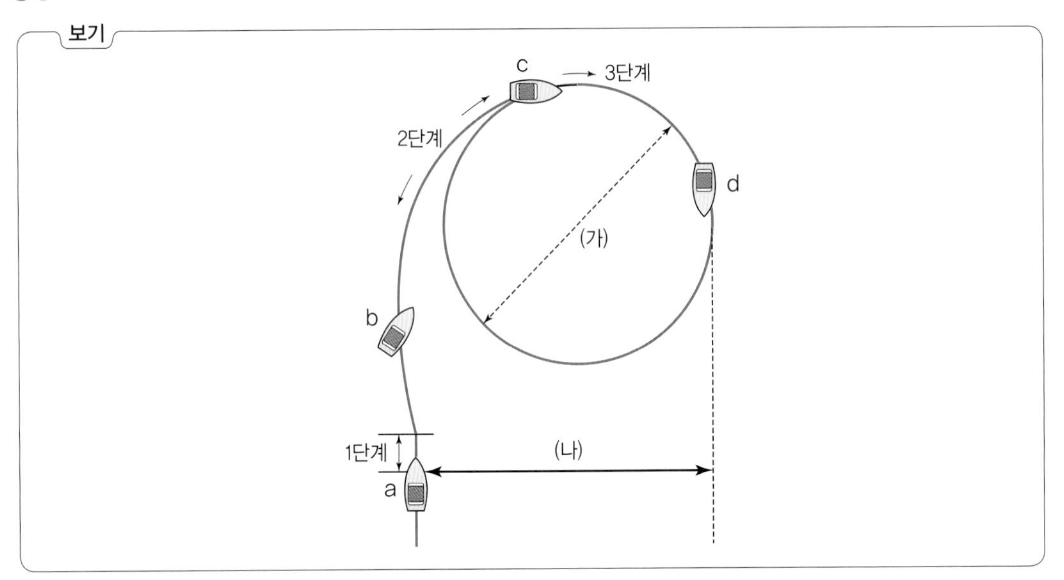

① a에서 타를 오른쪽으로 돌리기 시작했겠군.
② b에서 배가 왼쪽으로 밀리는 이유는 타에 작용하는 양력 때문이겠군.
③ c에서부터 배의 항로는 동심원을 그리기 시작하겠군.
④ 배의 선회 능력이 떨어질수록 (가)의 길이가 짧아지겠군.
⑤ (나)를 '전술 직경'이라 부르는 것은 함정의 전투에서 유래한 것이겠군.

9262-0281

04 ⓐ~ⓔ를 바꾸어 쓴 말로 적절하지 않은 것은?

① ⓐ: 돌게
② ⓑ: 살아나게 한다
③ ⓒ: 커지게 함으로써
④ ⓓ: 움직이지 않는
⑤ ⓔ: 살펴보는

출제 포인트

지문에서 '전가동타', '호른타', '플랩타'의 특징을 이해한다.

↓

그림을 바탕으로 ㉠이 일체형의 특징을 나타낸다는 점, ㉡이 일부분 고정과 물이 고르게 유입됨을 특징으로 한다는 점, ㉢이 플랩으로 인해 가장 큰 힘을 발생시킨다는 점을 이해할 수 있도록 한다.

↓

그림을 토대로 ㉠과 ㉡을 같은 각도로 돌린다고 해도 다른 모양을 형성하여 서로 다른 양력이 작용하게 될 것임을 추론하여 ④번 선택지를 적절하지 않은 것으로 판단한다.

02 이 문항은 지문에서 설명하고 있는 타의 종류에 따른 특징을 그림을 참고하여 보다 명확하게 이해할 수 있는지를 묻는 문제이다.

> ❸ (……) 가장 단순한 타의 형태는 타 전체가 부분으로 나뉘지 않고 한 덩어리를 이루고 있는 일체형인 '전가동타'이다. '호른타'는 (……) 다른 종류의 타와 달리 타의 일부분이 배에 고정되어 있다. (……) '플랩타'는 (……) 플랩이 타의 뒷부분에 설치되어 있다.

위와 같은 내용에서 '전가동타', '호른타', '플랩타'라는 각각의 종류에 따른 특징을 이해할 수 있는데, 이를 그림에 적용시키고 또 서로를 비교하며 이해하는 것이 출제 요소가 되었다.

원리로 다시 읽기

자동차는 바퀴를 돌려서 이동 방향을 바꿀 수 있는데 배는 타(Rudder)를 돌려서 이동 방향을 바꾸어 선회를 할 수 있다. **❶배의 뒷부분의 아래에 달린 물고기 꼬리지느러미처럼 생긴 조그만 판이 바로 '타'이다.** 물고기가 꼬리지느러미를 오른쪽으로 휘게 해서 오른쪽으로 돌듯이, 배도 타를 오른쪽으로 돌리면 오른쪽으로 선회하게 된다. ▶ '타'에 대한 소개

타는 그냥 보면 평평한 판 같지만, 그 단면은 물방울 모양을 하고 있는 일종의 날개이다. 타의 단면은 좌우 대칭이기 때문에 타가 가운데에 있으면 힘이 발생하지 않지만, 타를 돌려주면 마치 비행기 날개에 양력이 생기듯이 타를 왼쪽이나 오른쪽으로 미는 양력 N이 작용하게 된다. 예를 들어, **❷〈그림〉과 같이 배를 오른쪽으로 돌리기 위해 타를 오른쪽으로 돌리면 타를 왼쪽으로 밀어 주는 양력(N)이 작용하고, 이로 인해 물체를 회전시키는 힘인 모멘트(M)가 시계 방향으로 작용해서 배가 선회하게 된다.** ▶ '타'의 기능에 의한 배의 방향 전환

타는 형태에 따라 크게 세 종류로 구분해 볼 수 있는데 각각의 형태에 따라 양력의 작용 양상이 조금씩 차이를 보이게 된다. 가장 단순한 타의 형태는 **❸타 전체가 부분으로 나뉘지 않고 한 덩어리를 이루고 있는 일체형인 '전가동타'이다.** 전가동타로 배를 선회시킬 때는 타 전체가 돌아가면서 모멘트를 발생시킨다. **❹'호른타'는 숫양 같은 동물의 뿔인 호른과 같이 타가 뿔 모양으로 나와 있다고 해서 호른타라고 부르는데, 다른 종류의 타와 달리 타의 일부분이 배에 고정되어 있다.** 화살에 달린 깃털이 화살 뒷부분의 면적을 증가시켜 화살의 직진 성능을 좋게 해 주는 것처럼, 타가 돌아가지 않고 가운데를 유지하고 있으면 배 뒷부분 면적을 증가시킴으로써 배의 직진 성능을 좋게 해 주는 역할을 한다. 또 고정된 타의 앞부분이 다른 종류의 타에 비해 타에 들어오는 물의 흐름을 좀 더 고르게 해 준다. **❺'플랩타'는 비행기 이착륙 시에 양 날개의 뒤쪽으로 나와서 더 큰 양력을 받게 해 주는 플랩이 타의 뒷부분에 설치되어 있다.** 플랩타는 타를 회전시켜서 양력을 얻을 때 플랩 부분이 타 본체보다 좀 더 꺾이게 설계되어 있다. 그 결과 플랩에 작용하는 양력을 증가시켜 같은 면적을 지닌 다른 종류의 타에 비해 더 큰 힘이 발생한다. ▶ 타의 세 가지 종류 – 전가동타, 호른타, 플랩타

배를 새로 건조하면 언제나 선회 시험을 수행한다. 선회 시험은 배를 직선으로 달리다가 타를 최대로 돌렸을 때 생기는 배의 경로를 관찰하는 실험인데, 이를 통해 선회의 항적을 크게 3단계로 구분할 수 있다. **❻선회의 1단계는 타를 돌리기 시작하는 순간부터 타각이 최대가 될 때 까지를 이른다.** 자동차는 핸들을 돌리면 바로 돌아가지만 물 위에서 움직이는 배는 그렇지가 않다. 똑바로 직진하던 배는 타를 틀어도 그대로 움직이려는 성질이 강하기 때문에 이 1단계에서는 타의 힘이 작용해도 곧바로 그 경로가 바뀌지는 않는다. **❼선회의 2단계는 1단계가 끝나고 배가 움직이기 시작하면서 3단계의 정상 선회에 이르기 전까지를 말한다.** 2단계가 시작된 직후에는 '킥(Kick)'이라는 현상이 발생한다. 예를 들어 배를 오른쪽으로 선회시키기 위해 타를 오른쪽으로 틀면 배는 직선 경로를 벗어나면서 오른쪽으로 바로 선회하지 못하고 오히려 왼쪽으로 움직이는 현상이 발생하는데, 이러한 현상을 킥이라고 부른다. 이 현상이 생기는 이유는 배가 회전을 하면서 충분한 모멘트를 발생시키기 전에 타에 작용하는 양력에 의해 배 전체가 선회하려는 방향과 반대쪽으로 밀려가기 때문이다. **❽선회의 3단계는 모든 힘이 평형을 이루어서 배가 원운동을 하며 동심원의 궤적을 그리는, 정상 선회 운동을 하는 단계이다.** 배가 그리는 동심원의 크기가 작을수록 배는 쉽게 선회 운동을 하는 것이고, 원의 크기가 클수록 선회 능력이 상대적으로 떨어진다고 말할 수 있다. 대형 유조선은 배 길이의 약 세 배에 이르는 선회경을 갖는다. (……) ▶ 타에 의한 선박 선회의 3단계

❶ 타가 무엇인지를 소개하고 있다. 기술 지문에서는 새로운 대상에 대한 소개가 먼저 이루어지는 경우가 많으므로 중심 화제로 제시되는 서술 대상이 무엇인지를 명확히 파악해야 한다.

❷ 그림과 함께 타가 작용하는 원리를 이해할 수 있도록 하는 진술이다. (❶)와 (❷)의 작용에 의해 배가 선회하게 되는 원리를 이해할 수 있어야 한다.

❸~❺ 타의 모양에 따라 타를 구분하여 제시하고 있다. 타 전체가 한 몸을 이루고 있는 (❸)인 전가동타와 타의 일부분이 배에 고정된 (❹), (❺)이 설치되어 있는 플랩타로 구분되는데, 각각의 특성을 바탕으로 비교하여 이해할 수 있어야 한다.

❻~❽ 배를 건조한 뒤 시행하는 선회 시험의 3단계를 제시하고 있다. ❻ → ❼ → ❽로 진행되면서 어떤 변화가 일어나는지 과정에 주목하면서 이해하도록 한다. 이렇게 과정이 제시되는 경우에는 이에 대한 이해를 그림과 함께 대표 문제로 묻는 경우가 많다는 점을 참고한다.

답

❶ 모멘트 ❷ 양력 ❸ 일체형 ❹ 호른타
❺ 플랩

Note

다음 글을 읽고 물음에 답하시오.

1982년 영국과 아르헨티나의 포클랜드 전쟁 당시, 아르헨티나는 4척의 잠수함 중 단 1척만 전쟁에 참여할 수 있었다. 이 1척의 잠수함은 영국 군함에 대해 3발의 어뢰를 발사해 1발을 명중시켰는데 이마저도 불발이었다. 이처럼 아르헨티나의 잠수함 작전은 효과가 없었지만, 영국 함대는 이 잠수함의 위협을 막기 위해 대잠 항공모함 2척, 호위함과 구축함 12척, 잠수함 5척 등을 투입해야만 했다. 영국은 엄청난 전쟁 물자와 시간을 투입했지만 결국 잠수함을 찾는 데 실패했고, 여러 작전이 위축되고 말았다.

이처럼 잠수함은 탐지가 어려워 매우 위협적인 무기 중 하나이다. 제1차 세계 대전에서 독일 잠수함에 큰 피해를 입은 영국은 음파를 사용해 잠수함을 탐지하는 수단을 연구해 ㉠소나(SONAR)라고 불리는 음파 탐지기를 개발했다. 소나의 원리는, 소나에서 발신된 음파가 목표물에 부딪혀 돌아오는 소리를 감지해 목표물과의 거리와 방향을 측정하는 장치로, 지금까지도 잠수함을 찾는 가장 중요한 수단이 되고 있다.

소나에는 액티브 소나와 패시브 소나가 있는데, 액티브 소나는 스스로 음파를 발신해 목표물을 탐지하는 소나로, 영화에서 수중에 '피~잉, 피~잉' 하는 소리를 내는 것이 바로 이것이다. 액티브 소나는 패시브 소나에 비해 목표물과의 거리와 방향을 더욱 정확하게 측정할 수 있다는 장점이 있지만 음파 발신 위치를 상대방이 역추적해 발신자의 위치가 노출된다는 단점이 있다. 그래서 수상함과 잠수함의 액티브 소나는 상대 잠수함을 공격하기 직전이나 상대를 위협하는 제한적 용도로만 사용한다. 다음으로 패시브 소나는 음파를 발신하지 않고 상대편에서 발생하는 소음을 감지해 적의 수상함이나 잠수함을 탐지하는 소나이다. 이 소나는 액티브 소나와 달리 자신의 위치를 노출하지 않는 장점이 있지만, 이를 운용하는 수상함이나 잠수함 자체의 소음, 주변의 수중 소음 등에 영향을 받아, 목표물에 대한 정보가 액티브 소나에 비해 부정확하다. 그래서 수상함이나 잠수함이 고속으로 이동할 경우 성능이 크게 저하된다.

수중에 있는 잠수함을 탐지하기 위해서는 먼저 수상함이나 잠수함의 패시브 소나를 이용해 잠수함을 탐지하는데, 이처럼 잠수함의 위치 정보를 수집해 추적하는 것을 '접촉 유지'라고 한다. 그리고 더 정확한 위치를 알기 위해 해상 초계기나 대잠 헬기와 같은 대잠 항공기를 동원한다. 대잠 항공기는 액티브 소나 또는 패시브 소나가 탑재된 막대기 모양의 소나 부이를 잠수함이 있을 곳으로 예상되는 지역에 투하한다. 소나 부이는 설정된 수심에 도달해 수중의 음향 정보를 수집해 대잠 항공기나 수상함 등에 송신하며, 이를 통해 적의 잠수함을 탐지한다. 하지만 소나 부이에 탑재된 배터리의 용량이 제한되어 있으므로 오랜 시간 정보를 수집하는 데에는 한계가 있다. 또 대잠 헬기는 정지 비행이 가능하기 때문에 헬기에서 줄이 달린 소나를 잠수함이 있을 것으로 추정되는 수중으로 내려보내 수중의 음향 정보를 수집하는데, 이때 사용되는 소나를 디핑 소나라고 한다. 디핑 소나는 줄을 이용해 소나의 탐색 수심을 변화시킬 수 있고 음향 정보를 유선으로 전달해 소나 부이에 비해 안정적인 정보 전달이 가능하다. 하지만 이를 운용할 때에는 대잠 헬기의 연료 소모가 많고, 제공권이 확보되지 않았거나 기상 조건이 좋지 못한 경우 사용이 어렵다는 단점이 있다.

잠수함을 탐지하는 또 다른 방법으로는 잠수함이 수중에서 스노클이라고 하는 공기 흡입관이나 잠망경을 수면 위로 올렸을 때 대잠 항공기의 ㉡레이더를 통해 이를 탐지하는 방법이 있다. 대잠 항공기에서 발신된 레이더 전파가 스노클이나 잠망경에 반사되어 돌아오는 신호를 수신해 잠수함과의 거리와 방향을 탐지할 수 있지만, 파도가 높거나 기상 조건이 좋지 못하면 효과를 보기 어렵다. 또 잠수함이 탐지를 우려해 잠망경이나 스노클을 매우 짧은 시간 동안만 수면 위로 노출하므로 이를 이용한 잠수함 탐지는 매우 어렵다. 또 해상 초계기의 자기 탐지기(MAD)를 이용하기도 하는데, MAD는 금속으로 만들어진 잠수함의 수면 위에 주변과 다른 자기장 분포가 나타나는 것을 이용해 잠수함을 탐지하는 것이다. 그러나 MAD 역시 탐지 범위가 수백 미터에 불과하고 잠수함이 수면 가까이에 있지 않으면 탐지가 어렵다는 단점이 있다.

이처럼 수중의 잠수함을 탐지할 수 있는 방법은 여러 가지가 있지만, 실제 잠수함을 탐지하는 것은 결코 쉬운 일이 아니다. 무엇보다 드넓은 바다 전체를 이러한 탐지 수단으로 지속적으로 감시하는 것이 불가능할 뿐만 아니라, 최신 잠수함들은 잠수함에서 발생하는 소음을 줄이기 위한 다양한 장치와 설계를 적용하고 있기 때문이다. 그래서 잠수함 탐지는 수상함, 대잠 항공기 등의 자산을 효율적으로 투입해 다양한 탐지 수단을 동시에 운용한다.

9262-0282

01 윗글의 내용과 일치하지 않는 것은?

① 제1차 세계 대전에서 독일 잠수함은 영국에게 큰 피해를 입혔다.
② 최신 잠수함들은 자체 소음을 줄이기 위한 설계가 적용되어 있다.
③ 영국은 포클랜드 전쟁에서 아르헨티나 잠수함을 찾는 데 실패했다.
④ 제공권이 확보되지 않으면 대잠 헬기를 통한 잠수함 탐지가 어렵다.
⑤ 해상 초계기의 자기 탐지기는 수중에 있는 잠수함은 탐지하지 못한다.

9262-0283

02 윗글을 읽고, 〈보기〉에 대해 이해한 내용으로 적절하지 않은 것은?

보기

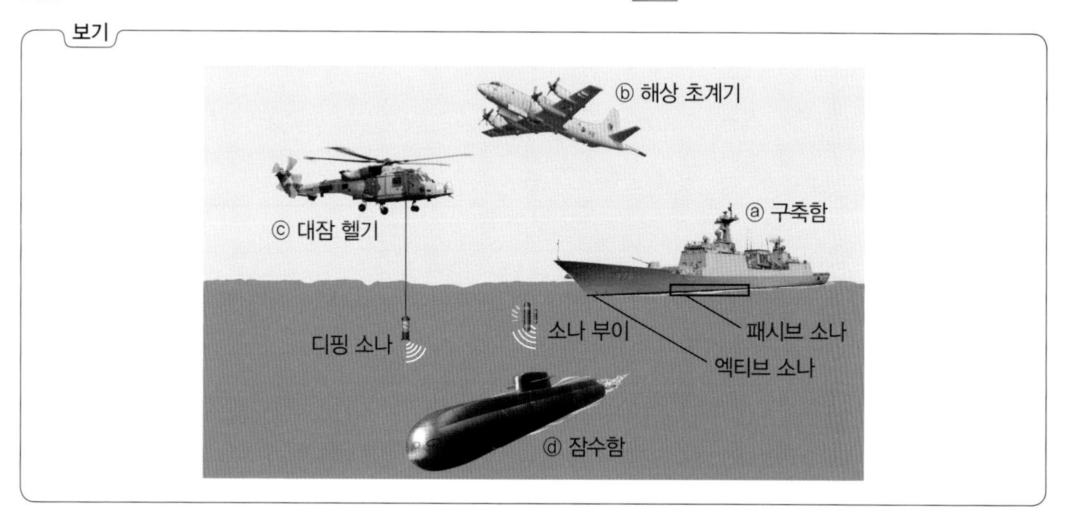

① ⓐ가 ⓓ를 탐지하기 위해 액티브 소나를 사용할 경우 자신의 위치가 드러난다.
② ⓐ가 고속으로 이동할 경우 패시브 소나를 통해 ⓓ를 탐지하는 것이 어려워진다.
③ ⓑ가 투하한 소나 부이는 여러 수심에서 발생하는 음향 정보를 수집해 ⓐ에 송신한다.
④ ⓒ는 ⓓ가 있을 것으로 추정되는 수심에 디핑 소나를 내려 음향 정보를 수집한다.
⑤ ⓓ가 수면 위로 잠망경을 올릴 경우 ⓑ의 레이더가 이를 탐지할 수 있다.

9262-0284

03 ㉠, ㉡의 공통점으로 가장 적절한 것은?

① 수중에서 발생하는 소음에 영향을 받지 않는다.
② 기상 조건이 좋지 못하면 목표물을 탐지할 수 없다.
③ 목표물을 탐지할 때 자신의 위치를 드러내지 않는다.
④ 목표물과 관련한 파동을 수신하여 목표물을 탐지한다.
⑤ 잠수함은 탐지할 수 있지만 수상함은 탐지할 수 없다.

출제 포인트

〈보기〉에 제시된 그림 중 ⓐ~ⓓ로 제시된 부분을 확인한다.

↓

ⓐ~ⓓ에 표시된 부분의 작동 과정을 설명하고 있는 정보를 확인한다.

↓

선택지의 서술과 지문의 정보를 꼼꼼히 대조해 정답을 찾는다.

02 이 문항은 글에서 설명하고 있는 핵심 기술의 작동 원리를 정확히 이해하고 있는지를 평가하기 위한 문항이다.

> **4** (……) 대잠 항공기는 액티브 소나 또는 패시브 소나가 탑재된 막대기 모양의 소나 부이를 잠수함이 있을 곳으로 예상되는 지역에 투하한다. 소나 부이는 설정된 수심에 도달해 수중의 음향 정보를 수집해 대잠 항공기나 수상함 등에 송신하며, 이를 통해 적의 잠수함을 탐지한다. (……)

이 글의 4문단에 제시된 소나 부이에 대한 설명에 따르면 소나 부이는 설정된 수심에 도달해 음향 정보를 수집하며, 디핑 소나는 수심을 변경해 가며 음향 정보를 수집한다.

원리로 다시 읽기

1982년 영국과 아르헨티나의 포클랜드 전쟁 당시, 아르헨티나는 4척의 잠수함 중 단 1척만 전쟁에 참여할 수 있었다. 이 1척의 잠수함은 영국 군함에 대해 3발의 어뢰를 발사해 1발을 명중시켰는데 이마저도 불발이었다. 이처럼 아르헨티나의 잠수함 작전은 효과가 없었지만, 영국 함대는 이 잠수함의 위협을 막기 위해 대잠 항공모함 2척, 호위함과 구축함 12척, 잠수함 5척 등을 투입해야만 했다. 영국은 엄청난 전쟁 물자와 시간을 투입했지만 결국 잠수함을 찾는 데 실패했고, 여러 작전이 위축되고 말았다. ▶ 잠수함의 위력

이처럼 잠수함은 탐지가 어려워 매우 위협적인 무기 중 하나이다. 제1차 세계 대전에서 독일 잠수함에 큰 피해를 입은 영국은 음파를 사용해 잠수함을 탐지하는 수단을 연구해 소나(SONAR)라고 불리는 음파 탐지기를 개발했다. 소나의 원리는, **❶소나에서 발신된 음파가 목표물에 부딪혀 돌아오는 소리를 감지해 목표물과의 거리와 방향을 측정하는 장치**로, 지금까지도 잠수함을 찾는 가장 중요한 수단이 되고 있다. ▶ 잠수함 탐지의 중요한 수단인 소나

소나에는 액티브 소나와 패시브 소나가 있는데, 액티브 소나는 스스로 음파를 발신해 목표물을 탐지하는 소나로, 영화에서 수중에 '피~잉, 피~잉' 하는 소리를 내는 것이 바로 이것이다. 액티브 소나는 패시브 소나에 비해 목표물과의 거리와 방향을 더욱 정확하게 측정할 수 있다는 장점이 있지만 음파 발신 위치를 상대방이 역추적해 발신자의 위치가 노출된다는 단점이 있다. 그래서 수상함과 잠수함의 액티브 소나는 상대 잠수함을 공격하기 직전이나 상대를 위협하는 제한적 용도로만 사용한다. 다음으로 패시브 소나는 음파를 발신하지 않고 상대편에서 발생하는 소음을 감지해 적의 수상함이나 잠수함을 탐지하는 소나이다. 이 소나는 액티브 소나와 달리 자신의 위치를 노출하지 않는 장점이 있지만, 이를 운용하는 수상함이나 잠수함 자체의 소음, 주변의 수중 소음 등에 영향을 받아, 목표물에 대한 정보가 액티브 소나에 비해 부정확하다. 그래서 수상함이나 잠수함이 고속으로 이동할 경우 성능이 크게 저하된다. ▶ 소나의 종류와 특성

수중에 있는 잠수함을 탐지하기 위해서는 먼저 **❷수상함이나 잠수함의 패시브 소나를 이용해 잠수함을 탐지**하는데, 이처럼 잠수함의 위치 정보를 수집해 추적하는 것을 '접촉 유지'라고 한다. 그리고 더 정확한 위치를 알기 위해 **❸해상 초계기나 대잠 헬기와 같은 대잠 항공기를 동원**한다. 대잠 항공기는 액티브 소나 또는 패시브 소나가 탑재된 막대기 모양의 소나 부이를 잠수함이 있을 곳으로 예상되는 지역에 투하한다. **❹소나 부이는 설정된 수심에 도달해 수중의 음향 정보를 수집해 대잠 항공기나 수상함 등에 송신**하며, 이를 통해 적의 잠수함을 탐지한다. 하지만 소나 부이에 탑재된 배터리의 용량이 제한되어 있으므로 오랜 시간 정보를 수집하는 데에는 한계가 있다. 또 대잠 헬기는 정지 비행이 가능하기 때문에 **❺헬기에서 줄이 달린 소나를 잠수함이 있을 것으로 추정되는 수중으로 내려보내 수중의 음향 정보를 수집하는데, 이때 사용되는 소나를 디핑 소나라고 한다.** 디핑 소나는 줄을 이용해 소나의 탐색 수심을 변화시킬 수 있고 음향 정보를 유선으로 전달해 소나 부이에 비해 안정적인 정보 전달이 가능하다. 하지만 이를 운용할 때에는 대잠 헬기의 연료 소모가 많고, 제공권이 확보되지 않았거나 기상 조건이 좋지 못한 경우 사용이 어렵다는 단점이 있다. ▶ 잠수함 탐지 방법 1(패시브 소나, 소나 부이, 디핑 소나)

잠수함을 탐지하는 또 다른 방법으로는 잠수함이 수중에서 스노클이라고 하는 공기 흡입관이나 잠망경을 수면 위로 올렸을 때 대잠 항공기의 레이더를 통해 이를 탐지하는 방법이

❶은 소나의 원리가 서술된 부분이고, ❻은 (❶)의 원리가 서술된 부분이다. 기술 지문에서는 이처럼 기술 장치가 작동하는 원리를 설명하는 경우가 많다. 그리고 이러한 부분은 문항 출제의 요소로 많이 사용되는데, 실제 3번 문항에서 이러한 원리의 공통점을 묻고 있다. 그러므로 기술 지문에 등장하는 기술적 원리를 정확하게 이해해 두고 이를 문항 해결에 적절히 활용하여야 한다.

❷, ❸은 (❷) 과정을 단계별로 설명하고 있는 부분이다. 기술 지문에서는 다양한 기술 장치가 연동되거나 복합적으로 작용하는 원리를 순차적으로 설명하는 경우가 많다. 그리고 이러한 작동의 과정을 정확히 파악했는지를 확인하는 문항이 자주 출제된다. 각각의 기술적 장치가 어떤 기능을 하며 어떤 과정을 거쳐 작동하는지를 정확히 이해해 두어야 한다. 그리고 이를 위해서는 각각의 과정이나 단계를 화살표나 연결선 등으로 표시해 두는 것이 바람직하다.

❹, ❺, ❻, ❼은 모두 잠수함 탐지 수단으로 제시된 기술적 장치들에 대한 설명으로, 각각의 장치는 저마다의 특성과 기능, 장단점 등을 가지고 있다. 이 글과 같이 다양한 기술적 장치들을 제시하고 있는 경우 사실적 이해 문항 등을 통해 각각의 장치에 대한 복잡한 정보를 확인하는 경우가 많다. 글을 읽으며 다양한 장치에 번호를 붙여 두고, 각각의 특징이나 장단점을 서술한 부분에 밑줄을 그어 두면 관련 문항 해결에 도움이 된다. 또 선택지의 내용을 확인할 때에는 지문의 내용과 선택지의 일치 여부를 꼼꼼히 대조해 보아야 한다.

답

❶ 레이더 ❷ 잠수함 탐지

있다. 대잠 항공기에서 발신된 ❻레이더 전파가 스노클이나 잠망경에 반사되어 돌아오는 신호를 수신해 잠수함과의 거리와 방향을 탐지할 수 있지만, 파도가 높거나 기상 조건이 좋지 못하면 효과를 보기 어렵다. 또 잠수함이 탐지를 우려해 잠망경이나 스노클을 매우 짧은 시간 동안만 수면 위로 노출하므로 이를 이용한 잠수함 탐지는 매우 어렵다. 또 해상 초계기의 ❼자기 탐지기(MAD)를 이용하기도 하는데, MAD는 금속으로 만들어진 잠수함의 수면 위에 주변과 다른 자기장 분포가 나타나는 것을 이용해 잠수함을 탐지하는 것이다. 그러나 MAD 역시 탐지 범위가 수백 미터에 불과하고 잠수함이 수면 가까이에 있지 않으면 탐지가 어렵다는 단점이 있다.

▶ 잠수함 탐지 방법 2(레이더, 자기 탐지기)

이처럼 수중의 잠수함을 탐지할 수 있는 방법은 여러 가지가 있지만, 실제 잠수함을 탐지하는 것은 결코 쉬운 일이 아니다. 무엇보다 드넓은 바다 전체를 이러한 탐지 수단으로 지속적으로 감시하는 것이 불가능할 뿐만 아니라, 최신 잠수함들은 잠수함에서 발생하는 소음을 줄이기 위한 다양한 장치와 설계를 적용하고 있기 때문이다. 그래서 잠수함 탐지는 수상함, 대잠 항공기 등의 자산을 효율적으로 투입해 다양한 탐지 수단을 동시에 운용한다.

▶ 잠수함 탐지의 어려움과 다양한 탐지 수단의 사용

새 교육과정(2015 개정) 및 새 교과서 반영
EBS가 만든 수능 • 내신 대비 국어 기본서

정답과 해설

영역별 필수 지문과 함께 **다양한 유형의 문항 수록**
원리를 통한 간단하고 명확한 국어 학습법

문제를 **사진** 찍으면
해설 강의 무료
Google Play | App Store

SCAN ME
교재 상세 정보 보기

독서

EBS 국어 독해의 원리

정답과 해설

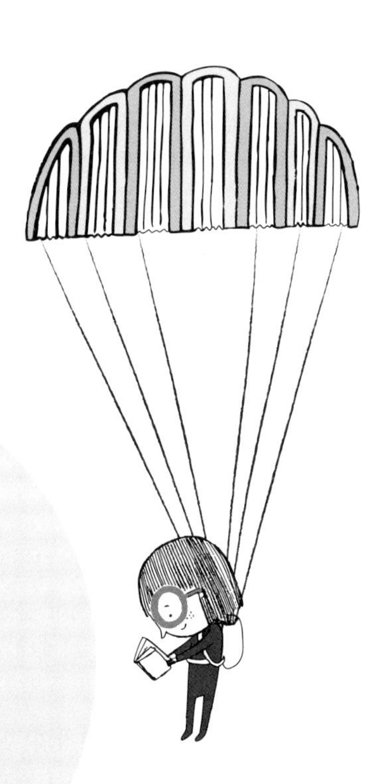

1부 독서의 6가지 독해 원리

원리 01 독해의 첫걸음 _ 핵심 정보 찾기

적용학습 1단계

본문 012~013쪽

01 '미토콘드리아', '세포 소기관이 박테리아로부터 비롯되었다고 판단하는 근거' **02** ② **03** ㉮ 순자, ㉯ 하늘은 자연과 함께 이 세상을 지배하는 섭리임. **04** R로 시작하는 단어가 더 쉽게 떠오르기 때문에 대부분의 사람들은 R로 시작하는 단어가 더 많다고 대답한다.

01 주요 서술 대상 파악하기

답 '미토콘드리아', '세포 소기관이 박테리아로부터 비롯되었다고 판단하는 근거'

정답 해설 선택지의 앞부분에 있는 지칭어, 반복되는 말, 개념어 등이 주요 서술 대상이다. 38번의 선택지들에서 '미토콘드리아'란 말이 반복되고 있다. 이를 통해 '미토콘드리아'가 주요 서술 대상임을 알 수 있다. 그리고 문두에 있는 내용도 글의 주요 서술 대상이다. 40번 문두에서 '세포 소기관이 박테리아로부터 비롯되었다고 판단할 수 있는 근거'가 주요 서술 대상임을 알 수 있다.

02 중심 화제 파악하기

답 ②

정답 해설 1문단에서 하늘에 대한 입장과 관련해 순자의 입장이 공자의 입장과 대비되는 것임을 밝히고 있다. 그런 다음, 2문단에서 순자가 하늘에 대해 어떻게 인식했는지를 설명하고 있다. 따라서 글의 중심 화제는 '하늘에 대한 순자의 관점'이다. 이처럼 글의 중심 화제는 1문단의 앞부분이나 끝부분, 또는 2문단의 앞부분에 제시되는 경우가 많다.

03 견해 · 주장의 핵심 내용 파악하기

답 ㉮ 순자, ㉯ 하늘은 자연과 함께 이 세상을 지배하는 섭리임.

정답 해설 지문에서 대비되는 짝에 해당하는 말들은 핵심 어구가 된다. 이 글에서는 정통 유학의 입장과 순자의 입장이 대비되고 있다. 순자는 하늘이 인간의 화복을 주재하지 않는다고 보았는데, 이는 정통 유학과 대비되는 것이다. 정통 유학에서는 하늘은 자연과 함께 이 세상을 지배하는 섭리라고 보았다.

04 핵심 어구 파악하기

답 R로 시작하는 단어가 더 쉽게 떠오르기 때문에 대부분의 사람들은 R로 시작하는 단어가 더 많다고 대답한다.

정답 해설 일반적인 내용과 그것을 뒷받침하는 구체적인 내용은 서로 대응하기 마련이다. 카너먼은 인간이 직감에 의해 문제를 해결하는 경향이 강하다는 견해를 제시하였다. 이러한 견해를 예를 들어 설명하고 있는데, '영어 단어 중 R로 시작하는 단어와 R이 세 번째에 있는 단어 중 어느 것이 더 많은가?'는 '문제'에 대응하며, '전자의 단어가 더 쉽게 떠오르기 때문에 대부분의 사람들은 R로 시작하는 단어가 더 많다고 대답'하는 것은 '직감에 의해 문제를 해결하는 경향이 강하다'에 대응한다.

적용학습 2단계

본문 014~015쪽

01 흡착 **02** ② **03** 1 표면 원자, 2 에너지 **04** 1 개념, 2 특징, 3 한계 **05** ④

01 주요 서술 대상 파악하기

답 흡착

정답 해설 1문단에서 흡착의 개념을 설명하고 있다. 이와 같이 글의 시작 부분에 개념이 제시되어 있으면, 대체로 그것이 글의 주요 서술 대상이 된다. 이 글에서는 주요 서술 대상인 흡착과 관련해 그것이 일어나는 원리와 종류를 설명하고 있다.

02 글의 논지 파악하기

답 ②

정답 해설 1문단에서는 흡착의 개념을 제시하고 있으며 2문단에서는 흡착이 일어나는 원리를 설명하고 있다. 그리고 3문단에서는 흡착의 두 종류인 물리 흡착과 화학 흡착의 차이점을 설명하고 있다. 즉, 흡착의 개념과 원리를 설명하고 흡착의 종류를 구분해 차이점을 밝히고 있는 것이다.

오답 이유 ① 2문단에서 흡착이 일어나는 원리를 설명하고 있는데, 이때 물질의 상태를 기준으로 흡착이 일어나는 과정을 비교하고 있지는 않다. 2문단에서는 일반적으로 흡착제로 많이 사용되는 고체 물질과 관련해 흡착이 일어나는 원리를 설명하고 있다.
③ 1문단에서 흡착제와 흡착질이 무엇인지 개념을 제시하고 있는데, 흡착제와 흡착질의 관계를 중심으로 흡착에 영향을 미치는 요인을 제시하고 있지는 않다.
④ 물질의 상태 변화에 주목해 변화 과정을 분석한다는 것은 물질의 상태 변화 과정의 단계를 상세히 설명한다는 것이다. 이 글에서는 물질의 상태 변화 과정을 단계에 따라 설명하고 있지는 않다.
⑤ 3문단에서 물리 흡착과 화학 흡착의 차이점을 대비해 제시하고 있는데, 물리 흡착과 화학 흡착의 사례를 통해 물질의 상이 변화하는 원리를 이끌어 내고 있지는 않다.

03 핵심 정보 파악하기

답 1 표면 원자, 2 에너지

정답 해설 고체의 표면에서 흡착이 일어나는 까닭은 표면에 위치한 원자가 내부 원자에 비해 비교적 높은 에너지 상태를 유지하기 때문이다. 표면 원자는 내부 원자에 비해 에너지가 높아 다른 원자나 분자와 결합하여 안정하게 바뀌려는 성질을 띤다. 이러한 안정화 과정에서 흡착이 일어나는 것이다.

04 문단의 핵심 내용 파악하기

답 1 개념, 2 특징, 3 한계

정답 해설 1문단에서는 '소비자 분쟁'이 무엇인지 그 개념을 설명한 후 소비자 분쟁을 해결하기 위한 수단으로 어떤 것이 있는지 소개하고 있다. 2문단에서는 '조정'의 개념을 제시하고, 조정의 주체에 따라 조정의 유형을 나누어 각 유형의 특징을 설명하고 있다. 3문단에서는 '집단 분쟁 조정' 방식이 어떤 경우에 활용되는지 설명하고 있다. 마지막으로 4문단에서는 조정 제도의 장점을 제시한 후, 한계를 제시하며 글을 마무리하고 있다.

05 세부 정보 파악하기

답 ④

정답 해설 4문단에서 조정 제도의 장점을 제시한 후, 한계도 언급하고 있다. 한계로 제시된 것은 '당사자 중 어느 한쪽이 조정안을 수락하지 않으면 조정이 성립되지 못한다'는 것이다. 이 내용을 통해 분쟁 당사자 중에 어느 한쪽만 조정안을 수락하면 조정이 성립되지 못한다는 것을 알 수 있다.

적용학습 3단계

본문 016~017쪽

01 원인 02 ③ 03 ① 04 회화가 사실적인 모방에서 벗어나 색채, 선, 면 등의 구성에 집중해 추상적인 경향을 띰.

01 글의 논지 파악하기

답 원인

정답 해설 1문단에서 시장이 효율적인 자원 배분에 실패한 '시장 실패'에 대해 설명하고 있다. 그리고 이를 해결하기 위한 정부의 시장 개입이 실패하는 경우가 많음을 언급하면서, 이러한 '정부 실패'가 발생하는 원인을 '공공 선택 이론'을 토대로 밝히고 있다. 현상의 원인에 대한 특정 이론의 입장을 설명하고 있는 것이다.

02 세부 정보 파악하기

답 ③

정답 해설 2문단에서 '지대 추구' 행위의 개념으로 '특정 산업계가 이익 집단을 형성하여 정치인과 관료를 포섭함으로써 정책 결정 과정을 지배하려는 행위'라는 것이 제시되어 있다. 그런데 '지대 추구' 행위의 유형과 파생되는 문제점은 구체적으로 제시되어 있지 않다.

03 글의 논지 파악하기

답 ①

정답 해설 1870년대 들어 인상주의가 탄생하면서 사진과 회화의 관계는 더욱 긴밀해졌다는 내용으로 글이 시작되고 있다. 이와 관련해 인상주의의 경향이 사진기의 속성과 관계가 있으며, 사진으로 인해 회화에서 회화 고유의 특성을 추구하는 경향이 나타났음을 설명하고 있다. 이 글에서는 사진이 회화와 동반자이자 경쟁자라는 것을, 즉 사진과 회화의 관계에 대해 설명하고 있는 것이다.

04 핵심 정보 파악하기

답 회화가 사실적인 모방에서 벗어나 색채, 선, 면 등의 구성에 집중해 추상적인 경향을 띰.

정답 해설 2문단에서 사진의 영향으로 회화가 사물을 사진처럼 재현하기보다 화면 위에 붓 터치와 색채, 형태 등의 조형과 구성에 집중함으로써 회화만의 특성을 추구하게 되었다고 하고 있다. 이러한 특성은 근대 미술이 왜 추상적으로 변화했는가를 설명할 수 있는 단서가 된다. 이와 관련해 3문단에서는 사진과 변별되는 회화만이 가지는 특성을 추구한 것이 회화가 사실적인 모방에서 벗어나 점점 색채, 선, 면 등의 구성에 집중해 추상적인 경향을 띠게 되는 결과로 나타났다고 하고 있다. 이를 통해 사진과 변별되는 회화만이 가지는 특성이 사실적인 모방에서 벗어나 색채, 선, 면 등의 구성에 집중해 회화가 추상적인 경향을 띤 것을 의미한다는 것을 알 수 있다.

실전학습 1단계

본문 018~019쪽

01 열차나 선로에 설치되어 있는 다양한 안전장치들 02 ㉮ 열차 제한 속도 정보 ㉯ 속도신호생성장치 ㉰ 궤도회로 03 ② 04 ⑤

「열차의 안전 운행을 위한 장치」

해제 폐색구간을 안전하게 관리하면서도 열차 운행의 속도를 높이는 데 도움을 주는 '자동폐색장치', '자동열차정지장치', '자동열차제어장치' 등의 안전장치들에 대해 설명하고 있는 글이다. 각 장치의 기능과 작동 원리를 병렬적으로 설명하고 있으며, 장치의 한계를 제시하고 그에 대한 보완이 장치를 통해 어떻게 이루어졌는지도 설명하여 장치들 간의 관계에 대해서도 이해할 수 있게 해 주고 있다.

주제 열차의 안전 운행을 위한 장치들의 기능과 작동 원리

01 주요 서술 대상 파악하기

답 열차나 선로에 설치되어 있는 다양한 안전장치들

정답 해설 1문단의 마지막 문장인 '폐색구간을 안전하게 관리하면서도 열차 운행의 속도를 높이는 데 도움을 주기 위해서 열차나 선로에는 다양한 안전장치들이 설치되어 있다.'를 통해 글의 중심 화제, 즉 주요 서술 대상을 알 수 있다. 이 문장에 따르면, 글에서 이어서 설명하고자 하는 것은 열차나 선로에 설치되어 있는 다양한 안전장치들이다.

02 문단의 핵심 내용 파악하기

답 ㉮ 열차 제한 속도 정보 ㉯ 속도신호생성장치 ㉰ 궤도회로

정답 해설 [A]에서는 '자동열차제어장치(ATC)'의 작동 원리와 과정을 설명하고 있다. 자동열차제어장치는 열차 제한 속도 정보를 지상장치에서 차상장치로 전송하는 기능을 하는 장치이다. 이 장치는 여러 구성 요소로 이루어져 있는데, 속도신호생성장치는 뒤따라오는 열차의 적절한 속도를 연산하여 제한 속도를 결정하는 역할을 한다. 이렇게 결정된 제한 속도가 궤도회로에 전송되고 지상의 송수신장치를 통해 뒤따라오는 열차에 계속 전달된다. 그러면 기관사는 이 제한 속도를 확인하며 운전하게 된다.

03 세부 정보 파악하기

답 ②

정답 해설 '자동폐색장치'는 궤도회로를 이용하여 열차의 위치에 따라 신호를 자동으로 제어하는 장치이다. 정지 신호를 오인하여 발생하는 충돌 사고를 예방해 주는 것은 '자동열차정지장치'이다.

04 중심 화제 파악하기

답 ⑤

정답 해설 이 글에서는 열차의 안전 운행을 위해 필요한 '자동폐색장치', '자동열차정지장치', '자동열차제어장치' 등의 작동 원리와 과정에 대해 설명하고 있다. 안전거리를 확보하면서도 운행 간격을 줄이고 운행 속도를 높이는 것이 열차 운행의 중요한 과제임을 밝히고, 이를 실현하기 위한 다양한 안전장치의 종류와 작동 원리를 설명하고 있는 것이다.

실전학습 2단계

본문 020~021쪽

01 ㉮ 개체 ㉯ 이타적 **02** b(이타적 행동으로 인해 상대방이 얻는 이득)가 충분히 커서 rb가 c(개체가 감수하는 손실)보다 큰 경우에 유전적 근연도가 작더라도 이타적 행동이 자연선택 된다.
03 ⑤ **04** ⑤

「**해밀턴의 포괄 적합도 이론**」

해제 이타적 행동이 자연선택 되어 진화하는 과정을 해밀턴의 '포괄 적합도' 이론을 중심으로 설명하고 있는 글이다. 다윈이 생물학적 '적응'에 대해 어떻게 설명했는지를 제시하고, 다윈의 이론으로는 자신은 번식을 하지 않으면서 집단을 위해 평생 헌신하는 일벌이나 일개미의 행동을 설명하기 어렵다는 한계를 제시하고, 해밀턴의 이론이 그에 대한 대안적 성격을 갖고 있음을 밝히고 있다. 해밀턴은 다윈 이론의 틀 안에서 '직접 적합도'와 '간접 적합도', '유전적 근연도' 등의 개념을 활용하여 이타적 행동에 대해 설명하고 있다. 이러한 해밀턴의 이론은 이후의 진화에 대한 연구의 길잡이 되었다.

주제 해밀턴의 '포괄 적합도 이론'의 주요 내용과 의의

01 문단의 핵심 내용 파악하기

답 ㉮ 개체 ㉯ 이타적

정답 해설 다윈은 자연선택이 개체의 번식 성공도를 높이는 방향으로 일어난다고 보았다. 그런데 이 이론으로는 자신은 번식을 하지 않으면서 다른 개체의 번식을 돕는 일벌이나 일개미의 이타적 행동을 설명하기 어려웠다. 다윈의 이론에 한계가 있는 것이다. 이러한 한계와 관련하여, 윌리엄 해밀턴은 다윈 이론의 틀 안에서 유전자 개념을 도입하여 일벌이나 일개미와 같은 이타적 행동이 자연선택 되는 과정을 규명했다. 다윈 이론의 한계를 보완하는 대안적 이론을 제시한 것이다.

02 핵심 정보 파악하기

답 b(이타적 행동으로 인해 상대방이 얻는 이득)가 충분히 커서 rb가 c(개체가 감수하는 손실)보다 큰 경우에 유전적 근연도가 작더라도 이타적 행동이 자연선택 된다.

정답 해설 해밀턴 규칙은 'rb>c'이다. 여기서 유전적 근연도 값인 r이 작음에도 이타적 행동이 자연선택 되려면 b 값이 충분히 커서 rb의 값이 c보다 커야 한다.

03 중심 화제 파악하기

답 ⑤

정답 해설 해밀턴은 '이타적 행동이 자연선택 되는 과정'에 대한 다윈의 생각을 보완하기 위해 '포괄 적합도 이론'을 마련하였다. 이 글에서는 해밀턴의 포괄 적합도 이론을 중심으로 이타적 행동이 자연선택 되는 이유를 설명하고 있다.

오답 이유 ① 해밀턴이 제시한 '포괄 적합도'는 다윈의 '적합도' 개념을 보완하고자 한 것이므로, 이 글에서는 적합도에 관한 논쟁을 찾을 수 없다.
② 해밀턴 규칙은 이득, 손실, 유전적 근연도의 세 변수를 활용하여 이타적 행위가 자연선택 되는 조건을 보여 주는 것이다. 이 글에서는 유전자, 개체, 집단의 위계성은 찾을 수 없다.
③ 유전적 근연도는 두 개체가 유전자를 공유할 확률을 가리키며, 포괄 적합도를 구하는 데 필요한 관계 계수이다.
④ 이 글에서는 마지막 문단에서 포괄 적합도 이론의 의의만 제시하고 있을 뿐, 그 한계를 찾을 수 없다.

04 핵심 정보 파악하기

답 ⑤

정답 해설 해밀턴은 일벌이나 일개미의 이타적 행동이 자연선택 되는 이유와 관련하여, 간접 적합도를 높이는 방향으로 유전자의 차원에서 다음 세대에 더 많은 유전자를 남기기 위해 이타적 행동이 일어난다고 보았다.

오답 이유 ① 해밀턴은 다윈 이론의 틀을 유지하면서 일벌이나 일개미의 이타적 행동이 자연선택 되는 이유를 규명하였다.
② 해밀턴은 유전자 개념을 진화 이론에 도입하였다.
③ 해밀턴은 자연선택에 대해 각 개체가 다음 세대에 유전자 복

제본을 많이 남기는 과정으로 이해하였다.
④ 해밀턴은 유전적 근연도 값이 클수록 개체가 유전자 복제본을 다음 세대로 많이 남긴다고 주장하였다.

실전학습 3단계 본문 022~023쪽

01 (1) × (2) ○ (3) ○ **02** 1 경계, 2 연계 **03** ③ **04** ⑤

「**난간의 건축 미학**」
해제 이 글은 우리의 전통 건축물에서 쉽게 볼 수 있는 난간(欄干)의 건축 미학적 특징과 의의에 대해 밝히고 있다. 우리의 전통 건축물은 대부분 목조 양식을 띠고 있기 때문에, 우리의 난간 역시 자연스럽게 목조로 설치되었다. 나무는 본래의 특성을 잘 살려 주변 환경과 조화를 잘 이룰 수 있는 자연 친화적인 건축 소재가 되기 때문이다. 또한 난간 궁판에는 궁창을 만들어 잇기도 했는데, 이는 장식적 목적 이외에 건물 내부 공간을 개방함으로써 자연스럽게 바깥 세계를 안으로 끌어들일 수 있는 효과가 있다.
주제 난간 건축의 미학적 특징과 의의

01 핵심 정보 파악하기
답 (1) × (2) ○ (3) ○

정답 해설 (1) 계자 난간은 궁판에 궁창을 만들어 잇기도 하고, 때로는 궁판 대신에 다양한 모양의 살창을 끼워 한껏 멋을 살리기도 했다. 모든 계자 난간의 궁판에 살창을 낸 것은 아니다.
(2) 마에서 궁창은 수복강녕(오래 살고 복을 누리며 건강하고 평안함.)을 상징하는 거북이나 구름뿐 아니라 연꽃 등 다양한 모양으로 만들어지기도 한다고 설명하고 있다.
(3) 다에서 동자를 짜서 마루와 궁판에 끼워 난간을 튼튼하게 만들면서도 장식미를 드러내고 있다고 설명하고 있다. 이를 통해 동자가 난간의 실용성과 아름다움을 동시에 고려한 것임을 알 수 있다.

02 핵심 정보 파악하기
답 1 경계, 2 연계

정답 해설 마를 보면, 난간에 궁창을 만들어 잇는 것은 건물 내부 공간을 시원스럽게 개방함으로써 자연스레 바깥 세계를 끌어들이기 위한 의도도 들어 있다고 설명하고 있다. 이는 내부와 외부의 경계인 난간이, 동시에 안과 밖을 연결하는 기능을 하고 있음을 의미하는 것이다.

03 중심 화제 파악하기
답 ③

정답 해설 이 글은 난간의 건축 재료인 목조의 자연 친화적 특징과 난간이라는 공간이 갖는 미학적 특징에 대해 서술하고 있다. 목조는 나무 본래의 특성을 잘 살리면서 다른 건축 재료와 조화를 잘 이룰 수 있는 건축 재료로, 선인들의 자연 친화적인 미의식을 확인할 수 있다. 또한 난간에 궁창을 만들어 답답한 내부 공간을 밖으로 확장하고 외부 공간을 안으로 끌어들이는 공간 미학을 발휘하고 있다.

04 문단의 핵심 내용 파악하기
답 ⑤

정답 해설 마에서는 궁창이 수복강녕을 상징하는 거북이나 구름, 연꽃 등 다양한 문양으로 만들어지기도 한다는 사실을 제시한 후, 여기에는 답답하게 느껴질 수 있는 건물 내부 공간을 개방해 자연스레 바깥 세계를 끌어들이기 위한 의도가 들어 있다는 내용을 제시하고 있다. 이는 난간의 공간 미학적 특징을 보여 주는 것이다. 그리고 마지막 문장에서는 난간의 의의를 제시하며 글을 마무리하고 있다. 즉 마는 난간의 공간 미학적 특징과 의의를 제시하고 있는 것이다.

원리 02 정보 간의 관계에 유의해 내용 이해하기

적용학습 1단계

본문 028~029쪽

01 ① **02** 1 차별적, 2 내용 **03** 1 개념, 2 제정 **04** ③

01 추상적 어구에 대응되는 구체적 설명 찾기

답 ①

정답 해설 '제3자 효과'라는 추상적 어구에 대응되는 구체적 설명들을 찾아 연결하며 글을 읽어야 한다. 2문단에서 사람들이 대중 매체의 영향력을 차별적으로 인식하며, 사람들은 수용자의 의견과 행동에 미치는 대중 매체의 영향력이 자신보다 다른 사람들에게 더 크게 나타나리라고 믿는 경향이 있다고 언급하고 있다(㉠). 3문단에서 대중 매체의 영향력에 대한 차별적 인식은 수용자의 구체적인 행동에도 영향을 미친다고 언급한 부분을 확인할 수 있다(㉡).

오답 이유 ㉢: 3문단에서 대중 매체의 영향력에 대한 차별적 인식은 건전한 내용보다는 폭력물이나 음란물인 경우에 더 크다고 언급한 부분을 확인할 수 있다.

㉣: 3문단에서 제3자 효과가 크게 나타나는 사람일수록 법적 · 제도적 조치에 찬성하는 성향을 보인다고 언급한 부분을 확인할 수 있다.

02 추상적 어구에 대응되는 구체적 사례 찾기

답 1 차별적, 2 내용

정답 해설 ⓐ와 ⓑ는 앞서 제시된 추상적 내용의 이해를 돕기 위해 제시된 구체적 예시이다. ⓐ는 앞 문장에 제시된 사람들이 대중 매체의 영향력을 차별적으로 인식한다는 추상적 내용에 대한 이해를 돕고 있으며, ⓑ는 앞 문장에 제시된 제3자 효과가 대중 매체의 전달 내용에 따라 다르게 나타난다는 추상적 내용에 대한 이해를 돕고 있다.

03 부연 설명 이해하기

답 1 개념, 2 제정

정답 해설 1문단의 첫 문장에서 '연호'의 개념을 서술하고 있음을 알 수 있다. 또 2문단에서는 '연호'의 제정이 새로운 국가 질서를 의미한다는 내용을 확인할 수 있다.

04 추상적 어구에 대응되는 구체적 설명 찾기

답 ③

정답 해설 '연호 사용 양상'과 같은 추상적 어구나 서술은 그와 대응하는 구체적인 설명이나 정보를 찾아 정확하게 이해해야 한다. 3문단에 따르면, 서경 천도 운동을 펼쳤던 묘청은 우리의 왕이 중국의 황제와 마찬가지로 독자적인 치세를 이루는 왕임을 표명하기 위해 고려의 독자적인 연호 사용을 주장하였음을 알 수 있다.

오답 이유 ① 3문단에서 우리나라는 중국의 연호를 따르는 것이 일반적이었다고 언급한 내용을 확인할 수 있다.

② 3문단에서 고려 시대 태조와 광종은 독자적인 연호를 사용한 바 있다고 언급한 부분을 찾을 수 있다.

④ 3문단에서 묘청의 난이 진압되고 고려가 원나라의 속국이 되면서 독자적인 연호를 세우는 일은 생각할 수 없는 일이 되었다고 언급하고 있다.

⑤ 3문단에서 『조선왕조실록』에서는 우선 왕의 치세 햇수를 적고 작은 글씨로 중국 황제의 연호와 햇수를 적었다는 내용을 확인할 수 있다.

적용학습 2단계

본문 030~031쪽

01 비제한적 내레이션, 제한적 내레이션 **02** 1 유명론, 2 개체, 3 로스켈리누스, 4 유개념, 5 보편자 **03** 집행자로서의 법관, 대리자로서의 법관, 수호자로서의 법관 **04** ③

01 대비 관계를 이루는 대상 찾기

답 비제한적 내레이션, 제한적 내레이션

정답 해설 대비 관계를 이루는 대상의 경우 그것을 구성하고 있는 어구의 위상이 대등하고 그 의미가 반대인 경우가 많다. 그러한 맥락에서 이 글은 영화의 내레이션에 대해 설명하고 있는데, 이를 구체적으로 설명하기 위해 영화의 내레이션을 비제한적 내레이션과 제한적 내레이션으로 구분하여 설명하고 있음을 알 수 있다. 이때 비제한적 내레이션과 제한적 내레이션은 어구를 구성하고 있는 방식이 동일할 뿐만 아니라 의미도 반대임을 알 수 있다.

02 대비 관계를 이루는 대상의 차이점 이해하기

답 1 유명론, 2 개체, 3 로스켈리누스, 4 유개념, 5 보편자

정답 해설 대비 관계에 있는 대상들은 각각 공통점과 차이점을 가지기 마련이다. 일반적으로 대비 관계를 이루고 있는 대상은 그 차이점을 중심으로 내용을 정확히 이해하는 것이 중요하다. 그런 맥락에서 이 글의 '보편 논쟁'에서는 '실재론'과 '유명론'이 대비 관계를 이루는 것을 알 수 있으며 1문단에서는 실재론에 대해, 2문단에서는 유명론에 대해 구체적인 설명을 제시하고 있음을 알 수 있다. 1문단의 내용을 살펴보면, 실재론은 '보편이 개체에 선행한다.'라는 명제로 표현됨을 확인할 수 있으며, '일반적인 유개념만이 실재하는 본체와 일치한다.'라는 핵심 주장을 펼치고 있음을 확인할 수 있다. 또 2문단에 제시된 유명론에 대한 구체적 설명을 살펴보면, 유명론의 대표 인물로는 '로스켈리누스'를 들 수 있으며, '개별적 사물이 존재할 뿐 보편이란 허황한 이름에 지나지 않는다.'라는 핵심 주장을 확인할 수 있다.

03 대비 관계를 이루는 대상 찾기

답 집행자로서의 법관, 대리자로서의 법관, 수호자로서의 법관

정답 해설 대비 관계를 이루는 대상을 찾을 때에는 상이한 의미를 가지면서 대등한 위상을 가진 추상어(구)를 찾고, 대상 간에 어떤 차이점이 있는지를 파악하며 읽어야 한다. 그런 맥락에서 이 글에서는 법관의 역할에 따라 그 유형을 설명하고 있으며, 그 개별적 유형으로 '집행자로서의 법관', '대리자로서의 법관', '수호자로서의 법관'을 제시하고 이를 구체적으로 설명하고 있음을 알 수 있다.

04 대비 관계를 이루는 대상의 차이점 이해하기 답 ③

정답 해설 4문단에 따르면, ㉢은 정치 기관이나 다수로부터 개인 혹은 소수자들의 권리를 보호하는 역할을 한다고 언급되어 있다. 그러므로 ㉡이 ㉢과 달리 시민의 권리를 보호하는 데 적극적이라는 내용은 적절하지 않다.

오답 이유 ① 2문단에 따르면 ㉠은 창의성이 가장 낮은 유형에 해당한다고 언급되어 있다. 또 3문단에는 ㉡이 ㉠에 비해 창의성은 비교적 높은 수준이라고 언급되어 있다.

② 2문단에서 ㉠은 민주주의 체제와 충돌할 여지가 거의 없다고 제시된 반면, 4문단에서 ㉢은 민주주의 체제와 갈등 관계에 놓일 수도 있다고 언급되어 있다.

④ 2문단에서 ㉠은 입법 의지에 충실하다고 언급되어 있으며, 3문단에서 ㉡은 기본적으로 입법 의지를 따른다고 언급되어 있다.

⑤ 3문단에서 ㉡은 법의 결함을 보충하는 역할을 한다고 언급되어 있으며, 4문단에서 ㉢은 입법 후 사회 상황의 변화로 인한 법률의 결함을 메울 수 있다고 언급되어 있다.

적용학습 3단계

본문 032~033쪽

01 권장 소비자 가격보다 훨씬 낮은 가격으로 물건을 샀다는 느낌을 갖게 하여 판매를 증가시키기 **02** ① **03** 원인(이유): 중립 자극도 무조건 자극과 짝지어지게 되면 / 결과(현상): 생명체에게 반사 행동을 일으키는 조건 자극이 될 수 있다. **04** ①

01 원인(이유) – 결과(현상)의 관계 파악하기

답 권장 소비자 가격보다 훨씬 낮은 가격으로 물건을 샀다는 느낌을 갖게 하여 판매를 증가시키기

정답 해설 ㉠에서 '왜'라는 표현을 확인할 수 있으므로 원인(이유)–결과(현상)의 관계에 해당하는 내용이 제시될 것임을 짐작해 볼 수 있다. 그리고 ㉠에 이어지는 문장에서 '기업들이 기준이 되는 가격을 실제 판매 가격보다 높게 매기는 이유'는 권장 소비자 가격보다 훨씬 낮은 가격으로 물건을 샀다는 느낌을 갖게 하여 판매를 증가시키기 위함임을 알 수 있다.

02 대상 간의 비례, 반비례 관계 파악하기 답 ①

정답 해설 ㉠의 사례는 외부성으로 인해 제3자에게 손해를 입히는 경우이다. 즉, 공장의 생산량이 늘어나면 늘어날수록 주민들의 피해는 심각해진다. 이 경우, 생산량을 이윤 극대화하는 양보다 줄이게 되면 공장의 이윤은 줄어든다. 하지만 이로 인한 공장의 이윤 감소보다 주민들의 피해 감소가 더 크다면, 사회 전체적으로 볼 때 공장의 생산량을 줄이는 것이 사회 전체의 효율성을 극대화하는 방법이 될 것이다.

03 원인(이유) – 결과(현상)의 관계 파악하기

답 원인(이유): 중립 자극도 무조건 자극과 짝지어지게 되면 / 결과(현상): 생명체에게 반사 행동을 일으키는 조건 자극이 될 수 있다.

정답 해설 과학이나 기술 분야의 글에서는 어떤 특정 현상(결과)의 이유(원인)를 조건이나 가정을 통해 진술하는 경우가 많다. 그래서 '~라면', '~한다면'과 같은 어휘를 활용하여 조건이나 가정을 제시하면 그것이 곧 이유(원인)가 된다. 또 이와 같은 표현 뒤에 후속하는 내용들이 곧 과학적 혹은 기술적 결과나 현상인 경우가 많다. 따라서 ㉠은 '중립 자극도 무조건 자극과 짝지어지게 되면'이라는 부분이 조건 곧 이유가 되고, 그 뒤에 후속하는 '생명체에게 반사 행동을 일으키는 조건 자극이 될 수 있다.'가 결과, 즉 현상이 됨을 알 수 있다.

04 원인(이유) – 결과(현상)의 관계 파악하기 답 ①

정답 해설 ⓐ의 앞 문장에는 '왜'라는 표현과 함께 '조건 형성 반응의 발생'이라는 결과가 제시된 것을 확인할 수 있다. 따라서 이에 대한 원인(이유)을 파악하기 위해서는 후속하는 내용을 면밀히 살펴야 한다. 3문단의 내용을 살펴보면, 조건 형성 반응이 생겨나는 이유는 곧 대뇌 피질이 특정 자극과 그것과 연관된 의미 있는 자극이 결합될 경우 그 자극 사이에 연관성을 파악하고 이를 기억하여 반응하기 때문임을 알 수 있다. 따라서 이러한 의미를 담고 있는 '대뇌 피질이 '학습'을 할 수 있기 때문'이 ⓐ에 들어갈 수 있는 적절한 말이다.

실전학습 1단계

본문 034~035쪽

01 ㉮ 가운데 ㉯ 원통형 ㉰ 쌍용 ㉱ 유곽 ㉲ 음통 **02** ④ **03** ③

「우리나라 범종의 특성과 변화 양상」

해제 이 글은 우리나라 범종의 전형이 되었던 신라 종의 조형 양식이 어떤 특징을 지니고 있으며, 후대로 전승되는 과정에서 어떠한 변화를 겪게 되었는지 설명하고 있다. 특히 이 글은 중국, 일본의 범종과 신라의 범종이 어떤 차이를 보이는지 구체적으로 설명하고, 나아가 신라의 범종이 고려와 조선을 거쳐 어떻게 변화하였

는지 설명하고 있다.
주제 우리나라 범종의 특성과 변화 양상

01 대비를 통해 내용 이해하기

답 ㉮ 가운데 ㉯ 원통형 ㉰ 쌍용 ㉱ 유곽 ㉲ 음통

정답 해설 이 글은 중심 화제인 '우리나라의 범종'과 관련한 다양한 정보를 제공하고 있다. 특히 우리나라와 일본, 중국의 범종에 대한 정보와 우리나라 범종이 신라, 고려, 조선을 거쳐 어떻게 변화하였는지에 대한 정보를 제시하고 있다. 그러므로 이와 같이 비교와 대비가 가능한 정보가 제시되는 경우 비교의 대상들이 가지고 있는 특징과 차이점에 주의하며 글을 읽어 관련 문항을 해결하여야 한다.

02 대비를 통해 내용 이해하기 답 ④

정답 해설 ⓓ는 '천인상'으로 3문단의 '당좌 사이에는 천인상이 아름답게 장식되어 있어 가로 세로의 띠만 있는 일본 종과 차이가 있다.'에서 알 수 있듯이 일본 종에는 천인상이 없다. 따라서 천인상 주변에 가로 세로의 띠가 있다는 설명은 잘못된 것이다.

오답 이유 ① ⓐ는 '용뉴'로, 2문단에서 신라 범종의 '용뉴'는 중국 종이나 일본 종의 용뉴가 쌍용 형태인 것과 달리 한 마리 용의 모습을 하고 있다고 언급하고 있다.

② ⓑ는 '음통'으로, 2문단에서 신라 범종은 중국, 일본의 종과 달리 음통이 있음을 알 수 있다.

③ ⓒ는 '유두'로, 3문단에서 일본 종은 단순한 꼭지 형상의 유두가 있고, 중국 종은 유두와 유곽 모두가 존재하지 않는다고 설명하고 있다.

⑤ ⓔ는 '하대'이다. 2문단에서 중국 종은 몸체의 하부가 팔(八)자로 벌어져 있으며, 일본 종은 수직 원통형으로 되어 있는데, 이와 달리 신라 범종은 가운데가 불룩하게 튀어나온 모습이라고 언급하고 있다.

03 원인(이유) – 결과(현상)의 관계 파악하기 답 ③

정답 해설 신라 종의 조형 양식이 조선 초기를 기점으로 큰 변화가 나타나게 된 것은 중국 종의 주조 공법을 도입하게 된 것과 관련이 있다. 이 과정에서 중국 종의 조형 양식을 따르게 되면서 신라 종의 전형적인 조형 양식에 큰 변화가 일어나게 된 것이다.

오답 이유 ① ㉠은 조선 초기에 중국 종의 주조 공법을 도입하게 된 것과 관련된 것으로, 불교 억제 정책에 의해 범종 제작이 통제된 것은 그 이후에 일어난 일이다.

② 고려 시대에 범종이 소형화된 것은 맞지만, 신라 종의 조형 양식은 미약한 변화 속에서 계승되고 있었다.

④ 5문단에 따르면, 16세기에 사찰 주도로 소형 종이 주조되면서 사라졌던 신라 종의 조형 양식이 다시 나타난다.

⑤ 5문단에 따르면, 조선 초기 대형 종의 주조는 왕실 주도로 이루어졌으며, 이때 신라의 대형 종 주조 공법을 대신하여 중국 종의 주조 공법을 도입하였다.

실전학습 2단계

본문 036~037쪽

01 ㉠ 자기장 ㉡ 수직 ㉢ 진동판 **02** ⑤ **03** ①

「다이내믹 스피커의 작동 원리」

해제 스피커는 북을 칠 때 가죽이 진동하고, 이 진동이 공기를 진동시켜 소리를 내는 것과 같이 진동판을 진동시켜서 소리를 재생한다. 다이내믹 스피커는 영구 자석에 의해 형성되는 자기장과 보이스 코일에 흐르는 전류의 상호 작용에 의해 보이스 코일에 작용하는 힘을 활용해 진동판을 진동시킨다. 보이스 코일에는 교류 전류가 흐르기 때문에 보이스 코일에 작용하는 힘의 방향은 상하로 반복하게 된다. 영구 자석에 형성되는 자기장의 방향은 일정하지만 보이스 코일에 흐르는 교류 전류의 방향은 계속 방향이 전환되어 보이스 코일에 작용하는 힘의 방향도 계속 반대 방향으로 바뀌기 때문이다. 이렇게 반대 방향으로 바뀌며 작용하는 힘이 보이스 코일에 작용하여 보이스 코일이 움직이고 이 움직임이 보빈을 통해 진동판에 전달되어 진동판이 진동하며 소리가 재생된다. 이때 진동판의 진동수가 크면 높은 음이, 진동수가 작으면 낮은 음이 재생된다. 그리고 전류가 세면 강한 소리가, 약하면 약한 소리가 나게 된다.
주제 다이내믹 스피커의 작동 원리

01 원인(이유) – 결과(현상)의 관계 파악하기

답 ㉠ 자기장 ㉡ 수직 ㉢ 진동판

정답 해설 과학이나 기술 분야의 글에서 특정 현상이 나타나거나 기술적 장치가 작동하는 데에는 이를 유발하는 원인(이유)이 존재하기 마련이며, 이러한 원인(이유)은 특정 결과(현상)에 선행한다. 그러므로 이러한 내용을 담은 글을 읽을 때에는 특정 결과(현상)가 나타나는 과정에 주목하며 선행 과정과 후행 과정의 인과 관계를 따져 보아야 한다. 글의 내용을 바탕으로 다이내믹 스피커가 작동하는 원리를 인과 관계에 따라 정리해 본다.

02 개념에 대응되는 구체적 설명 찾기 답 ⑤

정답 해설 보이스 코일에 작용하는 힘은 영구 자석에 의한 자기장과 보이스 코일에 흐르는 전류가 상호 작용하여 발생한다. 즉, 보이스 코일에 작용하는 힘은 그 상호 작용의 결과로 생성되는 것이지 그 상호 작용을 유도하지는 않는다.

오답 이유 ① 3문단 끝부분에서 폴피스는 전류가 흐르면서 보이스 코일에서 발생하는 열을 식혀 주는 역할을 한다고 말한 내용에서 전류가 보이스 코일에서 열을 발생시킨다는 것을 확인할 수 있다.
② 보빈은 보이스 코일에 고정되어 있는 부품으로 보이스 코일이 움직이면 같이 움직인다. 그러므로 보이스 코일이 움직이는 방향과 보빈이 움직이는 방향은 동일하다.
③ 영구 자석에 의한 자기장의 방향은 항상 동일하므로 보이스 코일에 흐르는 전류의 방향 전환이 계속됨에 따라 상하로 반복되는 힘이 발생하여 진동판이 진동을 한다. 그러므로 전류의 방향이 동일하면 상하 반복 운동이 발생하지 않아 진동판이 소리를 재생할 수 없다.
④ 2문단과 3문단에서 확인할 수 있듯이 보이스 코일에 전류를 흘려주면 영구 자석에 의한 자기장과 상호 작용하여 보이스 코일에 힘이 작용한다.

03 대상 간의 비례와 반비례 관계 파악하기 답 ①

정답 해설 〈보기〉를 통해 이퀄라이저는 특정 주파수 대역에 해당하는 전류를 조절하여 특정 주파수 대역의 음을 세게 하거나 약하게 하는 장치임을 알 수 있다. 그리고 5문단에서, 스피커에서 재생되는 소리의 크기는 보이스 코일에 흐르는 전류의 세기가 커질수록 커진다는 것을 알 수 있다. 그러므로 저음 대역의 소리를 크게 하려면 저음 대역에 해당하는 전류의 세기를 크게 해야 한다.
오답 이유 ② 전류는 진폭이 작아질 수 있는 대상이 아니다.
③ 보이스 코일에는 교류 전류가 사용되며 지속적으로 전류의 방향이 전환되며, 이를 바탕으로 보이스 코일이 위아래로 움직이며 진동판을 움직이도록 한다. 그러므로 전류의 방향을 전환시키는 것은 다이내믹 스피커에서 소리가 나는 원인이 될 수는 있지만 저음을 강화하는 방법이 될 수는 없다.
④ 1문단에서 진동수를 크게 하면 높은 음이 발생한다는 사실을 확인할 수 있다.
⑤ 1문단의 내용을 통해 진동수를 작게 하면 낮은 음이 재생되고, 진폭을 작게 하면 약한 음이 재생된다는 것을 알 수 있다.

실전학습 3단계

본문 038~039쪽

01 음악 소재를 개발하고 그것을 다채롭게 처리하는 창작 기법이 탁월하였기 때문에 **02** ④ **03** ①

「베토벤 교향곡의 음악사적 의의」
해제 이 글은 베토벤과 그의 교향곡에 대한 평가를 제시하고 그와 같은 평가를 받게 된 이유를 설명하고 있다. 베토벤 교향곡이 높게 평가되는 이유는, 먼저 음악 소재를 개발하고 그것을 다채롭게 처리하는 창작 기법의 탁월성이라는 내적인 원리를 들 수 있다. 그리고 외적으로는 베토벤이 활동하던 당시 빈의 청중들이 순수 기악 음악을 선호하였는데 베토벤의 교향곡은 음악의 독립적 가치를 극대화한 음악이자 독일 민족의 보편적 가치를 실현해 주는 순수 기악의 정수라는 평가를 받았다. 또 베토벤은 기존의 관습을 벗어나 자기만의 독창적인 색채를 더하여 교향곡의 새로운 지평을 연 천재라는 인식이 확산되면서 그의 교향곡은 더욱 주목받게 되었다.
주제 베토벤 교향곡이 높게 평가받는 이유

01 원인(이유) – 결과(현상)의 관계 파악하기

답 음악 소재를 개발하고 그것을 다채롭게 처리하는 창작 기법이 탁월하였기 때문에

정답 해설 ㉠의 뒤 문장은 '그 까닭은'으로 시작한다. 따라서 '그 까닭은' 이하의 내용은 앞 문장에서 제시된 내용의 원인(이유)으로 볼 수 있다. 그러므로 ㉠의 이유는 베토벤이 음악 소재를 개발하고 그것을 다채롭게 처리하는 창작 기법이 탁월했기 때문이라고 볼 수 있다.

02 원인(이유) – 결과(현상)의 관계 파악하기 답 ④

정답 해설 ㉰에서는 베토벤이 활동하던 당시 빈의 청중이 베토벤의 교향곡과 같은 순수 기악을 더욱 선호하였으며 제목이나 가사 등의 음악 외적 단서를 원치 않았음을 알 수 있다(ㄷ). ㉱에서는 베토벤이 활동하던 당시 독일의 음악 비평가들이 베토벤의 교향곡은 음악의 독립적 가치를 극대화한 음악이자 독일 민족의 보편적 가치를 실현해 주는 순수 기악의 정수로 평가하였음을 확인할 수 있다(ㄹ). 또 ㉲에서는 베토벤이 활동하던 당시 독일 지역에서 천재성 담론이 유행하였으며 이러한 담론이 베토벤의 교향곡이 높은 평가를 얻는 데 기여하였음을 확인할 수 있다(ㄱ). 하지만 이 글에서는 베토벤의 교향곡이 19세기의 중심 레퍼토리로 자리매김하게 된 이유가 독일의 사회적, 역사적 배경과 베토벤의 불우한 삶이 조응되었기 때문이라는 근거를 찾아볼 수 없다.

03 관점의 대비를 통해 내용 이해하기 답 ①

정답 해설 〈보기〉는 오페라 작곡가인 로시니에 대한 당대의 평가를 소개하고 있다. 음악의 중심이 '순수 기악이냐, 오페라냐'에 따라 음악가에 대한 청중의 평가는 다르게 나타나고 있다. 이런 평가는 지역에 따라서도 다르게 나타나는데, 이 역시 그 지역에서 어떤 음악을 중심에 놓고 있는가 하는 문제가 영향을 미친다. 특히 소설가이자 음악 비평가인 스탕달은 로시니가 유려한 가락에 능하다는 호평과 더불어 그를 최고의 작곡가로 평가하기도 하였다. 이런 〈보기〉의 내용을 지문의 내용과 관련지어 판단해 보면, ㉱에 나오는 '슐레겔'은 '모든 순수 기악이 철학적'이라고 본 사람이므로 1800년을 전후한 시기에 빈의 청중과 유사한 성향을 지니고 있다고 볼 수 있다. 당시 빈의 청중은 '순수 기악'에 열광하며 제목, 가사 등의 음악 외적 단서를 원치 않았던 사람들이었

기 때문이다. 그러므로 슐레겔은 빈의 청중이 그랬듯이 베토벤을 높이 평가했을 것이라고 짐작할 수 있다. 하지만 로시니는 주로 오페라를 작곡하였는데 이는 순수 기악이 아니므로 슐레겔은 로시니를 베토벤만큼 높게 평가하지는 않았을 것이다.

오답 이유 ② 호프만은 ㉣에 나와 있듯이 베토벤의 교향곡을 '보편적 진리를 향한 문'이라고 평가한 사람이다. 그러므로 이탈리아와 프랑스에서 유행하던 음악, 즉 오페라가 새로운 전통을 창조했다고 보지는 않았을 것이다.

③ 음악을 '앎의 방식'으로 보는 관점을 가진 사람들은 음악을 '정서의 촉발자'라고 보지 않고 '능동적 이해의 대상'으로 여겼다. ㉣에 제시되어 있듯이 이들은 순수 기악에 대해 열광하고 있던 사람들이다. 그러므로 이들이 오페라를 교향곡보다 우월한 장르로 평가했다고 보기는 어렵다.

④ 스탕달은 로시니를 극찬하는 반면 '빈의 현학적인 음악가들'이라는 표현을 통해 지문에 제시된 베토벤을 중심으로 하는 음악가들에 대한 부정적인 인식을 드러내고 있다. 그런 그가 로시니의 음악이 베토벤이 세운 '창작 방식의 전형'을 따랐다고 보는 것은 적절하지 않다.

⑤ 〈보기〉에 따르면, 당시의 오페라는 이탈리아와 프랑스를 중심으로 향유된 것이었는데, 음악을 '능동적 이해의 대상'으로 여긴 것은 빈의 청중의 경우에 해당한다.

원리 03 글의 구조와 전개 방식 파악하기

적용학습 1단계 본문 044~045쪽

01 1 본질, 2 전통적 **02** ① **03** ❸, ❹ / ❺, ❻

01 중심 화제 파악하기 답 1 본질, 2 전통적

정답 해설 1문단에서 오늘날의 심리 철학에서 정서의 본질에 대해 이전부터 계속되어 온 철학적 탐구를 이어 가고 있음을 밝힌 후, 이와 관련하여 2문단의 첫 문장에서 중심 화제를 제시하고 있다. 중심 화제는 '정서의 본질에 대한 전통적인 논의'이다.

02 내용 전개 방식 파악하기 답 ①

정답 해설 중심 화제인 '정서의 본질에 대한 전통적인 논의'에 대해 대비되는 두 이론인 '감정 이론'과 '인지주의적 이론'을 소개한 후 각 이론의 장단점을 제시하고 있다.

03 내용 문단 파악하기 답 ❸, ❹ / ❺, ❻

정답 해설 3, 4문단은 감정 이론에 관한 내용이고, 5, 6문단은 인지주의적 이론에 관한 내용이다. 따라서 ❸, ❹와 ❺, ❻의 두 부분으로 나누는 것이 적절하다.

적용학습 2단계 본문 046~047쪽

01 ⑤ **02** 1 고전주의 범죄학, 2 원인, 3 셉테드, 4 원리 **03** ③ **04** 범죄 발생(률)

01 내용 전개 방식 파악하기 답 ⑤

정답 해설 범죄 발생률을 낮추기 위한 범죄학의 논의 양상을 18세기, 19세기, 1970년대 이후 등 시대의 흐름에 따라 제시하고 있다. 이와 같이 시대의 흐름에 따라 글을 전개하는 경우 통시적 관점에서 서술되었다고 한다.

02 문단의 중심 내용 파악하기

답 1 고전주의 범죄학, 2 원인, 3 셉테드, 4 원리

정답 해설 2문단은 범죄 억제 방법에 대한 고전주의 범죄학의 입장을 제시하고 있다. 이어서 3문단에서는 실증주의 범죄학의 입장을 제시하고 있다. 실증주의 범죄학은 범죄의 원인에 대한 과학적 증명을 중시한다. 4문단에서는 환경 범죄학이 대두되었으며, 그러한 가운데 셉테드에 대한 요구가 나타났음을 설명하고 있다. 5문단에서는 셉테드의 여러 원리에 대해 설명하고 있다.

03 정보 간의 관계 파악하기 답 ③

정답 해설 ㉠은 범죄를 억제할 수 있는 법적 처벌에 관심을 가진 반면, ㉡은 범죄의 원인을 개인의 자유 의지로 통제할 수 없는 생물학적 · 심리학적 · 사회학적 요소에서 찾는 데 관심을 가진다.

04 글의 논지 파악하기 답 범죄 발생(률)

정답 해설 이 글에서는 범죄 발생을 억제하기 위해 논의되어 온 여러 이론을 제시하고 각 이론의 영향으로 등장하게 된 법, 정책, 제도 등을 설명하고 있다. 이와 같은 내용은 모두 범죄 발생을 줄여 안전한 사회를 만드는 것에 관한 것이다.

적용학습 3단계

본문 048~049쪽

01 플래시 메모리 **02** 1 읽기, 2 지우는, 3 쓰는, 4 장점 **03** 플래시 메모리의 데이터 저장 과정과 원리 **04** ①

01 중심 서술 대상 파악하기 답 플래시 메모리

정답 해설 1문단의 여러 문장에서 플래시 메모리를 반복적으로 언급하며 플래시 메모리의 구조를 설명하고 있다. 이렇게 1문단에서 반복적으로 언급되는 것은 중심 서술 대상인 경우가 많다.

02 문단의 중심 내용 파악하기

답 1 읽기, 2 지우는, 3 쓰는, 4 장점

정답 해설 2~5문단의 시작 부분을 통해 각 문단의 중심 내용을 파악해 문단 간의 관계를 짐작할 수 있다. 2문단의 시작 부분에서는 플래시 메모리에서 데이터를 읽을 때 어떻게 하는지를 설명하고 있다. 이를 통해 2문단의 내용이 데이터 읽기의 원리에 관한 것임을 짐작할 수 있다. 3문단의 시작 부분에서는 두 가지 과정을 거쳐 데이터가 저장되는데 일단 데이터를 지우는 과정이 필요하다고 하고 있다. 이를 통해 데이터 저장의 과정 중 데이터를 지우는 과정을 설명하는 내용이 이어질 것임을 알 수 있다. 4문단의 시작 부분에서는 데이터 쓰기에 관한 내용이 제시될 것임을 알 수 있다. 5문단의 첫 문장에서는 플래시 메모리가 EPROM과 EEPROM의 장점을 취하여 만든 것임을 밝히고 있는데, 이에 따라 EPROM과 EEPROM의 장점과 관련하여 플래시 메모리의 특징이 제시될 것임을 알 수 있다.

03 내용 문단 파악하기

답 플래시 메모리의 데이터 저장 과정과 원리

정답 해설 여러 문단을 하나의 내용 문단으로 묶어 문단 간의 관계를 이해할 수 있다. 3문단과 4문단은 플래시 메모리에 데이터를 저장하는 과정과 원리를 설명하고 있는 문단들이다. 3문단은 데이터를 저장하기 위한 첫 번째 과정인 데이터 지우기에 대해 설명하고 있고, 4문단은 데이터를 지운 다음 과정인 데이터 쓰기에 대해 설명하고 있다.

04 내용 전개 방식 파악하기 답 ①

정답 해설 1문단에서 플래시 메모리의 구조를 밝힌 후, 구조를 바탕으로 플래시 메모리의 데이터를 어떻게 읽으며, 어떻게 저장하는지를 설명하고 있다. 대상의 구조를 바탕으로 작동 원리를 설명하고 있는 것이다.

실전학습 1단계

본문 050~051쪽

01 GPS가 현재 위치를 파악하는 원리와 방법 **02** ② **03** ⑤

「GPS의 위치 측정」

해제 GPS가 어떻게 현재 위치를 측정할 수 있는지를 설명하고 있는 글이다. GPS는 GPS 위성과 GPS 수신기 등으로 구성되는데, 위성에서 수신기로 보내는 신호가 도달하는 시간을 이용하여 위성과 수신기 사이의 거리를 구한다. 이때 위성과 지표면의 수신기의 시간이 일치해야 하기 때문에 GPS에서는 위성의 원자시계의 시간을 지표면의 시간과 일치하도록 조정한다. 위성과 수신기 사이의 거리가 구해지면 삼변 측량법을 이용하여 수신기의 위치를 나타낼 수 있다.

주제 GPS에서 위치를 파악하는 원리와 방법

01 중심 화제 파악하기

답 GPS가 현재 위치를 파악하는 원리와 방법

정답 해설 내비게이션이나 스마트폰을 통해 현재 위치를 파악한다는 것과 그것이 GPS로 가능하다는 사실을 제시한 후, 'GPS는 어떻게 현재 위치를 파악하는 것일까?'라는 문장을 통해 글의 중심 화제를 밝히고 있다. 이를 통해 글의 중심 화제는 'GPS가 현재 위치를 파악하는 원리와 방법'임을 알 수 있다.

02 내용 전개 방식 파악하기 답 ②

정답 해설 GPS에서 수신기의 위치를 파악할 때 사용되는 원리인, 삼변 측량법과 상대성 이론의 원리를 설명하고 있는 글이다. 특히 삼변 측량법에 대해 설명할 때는 구체적 사례를 들고 있다.

오답 이유 ① GPS의 발전 과정에 대해서 언급하고 있지 않을 뿐만 아니라, 이를 시간의 순서에 따라 제시하고 있지 않으므로 적절하지 않다.

③ GPS와 다른 대상을 비교하고 있지 않을 뿐만 아니라, 이의 장단점을 설명하고 있지 않으므로 적절하지 않다.

④ GPS의 종류를 일정한 기준에 따라 분류하고 있지 않으므로 적절하지 않다.

⑤ GPS의 유용성에 대해서는 설명하고 있다고 볼 수 있으나, 앞으로의 전망에 대해 제시하고 있지 않으므로 적절하지 않다.

03 핵심 정보 파악하기 답 ⑤

정답 해설 4문단의 내용을 통해서 삼변 측량법은 기준점의 위치 및 대상과 기준점 사이의 거리를 이용하여 대상의 위치를 파악하는 방법이라는 것을 알 수 있다.

오답 이유 ① 2문단의 내용을 통해서 GPS 수신기는 GPS 위성으로부터 신호를 받아서 위성과 수신기까지의 거리를 파악하고, 이를 이용하여 자신의 위치를 파악한다는 것을 알 수 있다. GPS 위성은 신호를 보내고 GPS 수신기는 이를 받기만 하므로, GPS 수신기가 GPS 위성에 신호를 보낸다는 설명은 적절하지 않다.
② 3문단의 내용을 통해서 GPS는 위성에 탑재된 원자시계의 시간을 지표면의 시간과 일치하도록 조정한다는 것을 알 수 있다.
③ 2, 3문단의 내용을 통해서 GPS 위성은 약 20,000km 이상의 상공에서 일정한 속력으로 정해진 궤도를 돈다는 것을 알 수 있다.
④ 2문단의 내용을 통해 GPS 수신기의 위치가 변화하면 GPS 위성 신호가 수신기에 도달하는 시간이 변한다는 것을 알 수 있다. 이를 통해 수신기의 위치 변화를 알 수 있다.

실전학습 2단계

본문 052~053쪽

01 1 개념, 2 P 자아상태, 3 C 자아상태, 4 개념, 5 스트로크 **02** 병렬 **03** ③ **04** ③

「교류 분석 이론의 주요 개념과 의의」

해제 에릭 번의 '교류 분석 이론'의 주요 개념인 '자아상태'와 '스트로크'의 개념에 대해 설명하고, 교류 분석 이론의 의의를 제시하며 글을 마무리하고 있다. 자아상태가 A, P, C의 세 자아상태로 구별될 수 있음을 사례를 통해 설명하고 있으며, 스트로크가 여러 유형으로 구별될 수 있음을 설명하고 있다. 자아상태와 스트로크에 대해 병렬적으로 내용을 전개하고 있는 점도 특징적이다.

주제 자아상태와 스트로크의 개념과 유형

01 문단의 중심 내용 파악하기

답 1 개념, 2 P 자아상태, 3 C 자아상태, 4 개념, 5 스트로크

정답 해설 2문단에서는 자아상태의 개념을 제시한 후, 자아상태의 유형과 관련하여 A 자아상태의 사례를 제시하고 있다. 그리고 3문단과 4문단에서는 각각 P 자아상태와 C 자아상태의 사례를 제시하고 있으며, 5문단에서는 스트로크의 개념과 스트로크가 어떻게 구분될 수 있는지를 설명한 후, 6문단에서는 스트로크와 관련하여 사람들에게서 나타나는 일반적 경향을 설명하고 있다.

02 글의 내용 구조 파악하기 답 병렬

정답 해설 2문단에서는 A 자아상태의 사례, 3문단에서는 P 자아상태의 사례, 4문단에서는 C 자아상태의 사례를 중심 내용으로 제시하고 있다. 이와 같이 각 문단의 중심 내용을 고려할 때, 2~4문단이 병렬 관계임을 알 수 있다.

03 내용 전개 방식 파악하기 답 ③

정답 해설 1~6문단에서 교류 분석 이론을 이해하기 위한 주요 개념으로 '자아상태'와 '스트로크'를 설명하고 있으며, 7문단에서 이 개념들을 활용한 교류 분석 이론의 의의를 제시하고 있다.

04 핵심 정보 파악하기 답 ③

정답 해설 6문단에서 긍정적 스트로크가 충분하지 않다고 여기면 부정적 스트로크라도 얻으려고 하는 경향이 있음을 제시하고 있다. 따라서 긍정적 스트로크를 충분히 받지 못한 사람들이 일반적으로 부정적 스트로크를 거부한다고 이해하는 것은 적절하지 않다.

오답 이유 ① 2문단에서 자아상태란 특정 순간에 보이는 일련의 행동, 사고, 감정의 총체를 일컫는 것이므로 특정 순간마다 자아상태는 달라질 수 있다고 말하고 있다.
② 2문단에 따르면, A 자아상태는 지금 여기에서 가장 현실적인 대책을 찾는, 객관적이며 합리적인 자아상태이다.
④ 7문단에 따르면, 교류 분석 이론에서 스트로크의 개념은 인간의 욕구와 관련지어 의사소통 과정을 분석하는 데 도움을 줄 수 있다.
⑤ 5문단에서 세 가지 자아상태 중 어느 한 상태에서 누군가에게 말을 걸면 상대방도 어느 한 상태에서 반응하게 되는데, 이러한 의사소통 과정에서 서로 상대방을 인지한다는 신호를 보내는 행위가 스트로크라고 설명하고 있다.

실전학습 3단계

본문 054~055쪽

01 1 삶의 양식, 2 대비 **02** ⑤ **03** ③

「근대 도시의 삶의 양식과 영화에 대한 벤야민의 견해」

해제 근대 도시의 삶의 양식에 관한 여러 견해를 설명하고 이와 관련하여 영화에 대한 벤야민의 견해를 설명하고 있는 글이다. 먼저 생산학파와 소비학파의 견해를 미셸 푸코와 콜린 캠벨의 견해를 중심으로 대비하고 있다. 그리고 근래 들어 생산학파와 소비학파의 입장을 아우르려는 연구가 진행되고 있음을 밝힌 후, 그러한 견해의 예로 벤야민의 입장을 설명하고 있다. 벤야민은 근대 도시의 복합적 특성에 주목했는데, 그것이 영화라는 새로운 예술 형식으로 드러난다고 주장했다. 그에 따르면 영화는 근대 도시의 작동 방식과 리듬에 상응하는 매체이다.

주제 근대 도시의 삶의 양식에 대한 여러 견해와 영화에 대한 벤야민의 입장

01 논지 전개 방식 파악하기 답 1 삶의 양식, 2 대비

정답 해설 1문단에서는 근대 도시의 삶의 양식 중에 노동 양식에 주목하는 생산학파의 입장을, 2문단에서는 소비 양식에 주목하는 소비학파의 입장을 설명하고 있다. 두 입장의 차이점을 밝히는 방식으로 설명하고 있으므로 논지 전개 방식 중 대비에 해당한다.

02 내용 전개 방식 파악하기 답 ⑤

정답 해설 이 글은 근대 도시의 삶의 양식에 대한 생산학파와 소비학파의 서로 다른 견해를 소개한 후 이 두 학파의 입장을 아우르는 견해를 밝힌 벤야민의 주장을 소개하고 있다. 벤야민은 근대 도시가 복합적 특성을 가지고 있다고 보았는데, 이는 새로운 예술 형식인 영화를 통해 드러난다고 주장했다.

오답 이유 ① 근대 도시의 산물인 영화를 유형별로 분류하고 있지 않다.
② 근대 도시의 삶의 양식에 대한 견해를 제시하고 있을 뿐 근대 도시의 개념을 정의하고 있지 않다. 또한 영화의 개념 제시도 이루어지지 않고 있으며, 벤야민의 견해에 대한 의의만 확인할 수 있을 뿐 그 한계는 글을 통해 확인할 수 없다.
③ 근대 도시의 기원이나 영화의 탄생에 대해 설명하고 있는 글이 아니므로 그 공통점과 차이점을 밝힌다는 것 역시 적절하지 않다.
④ 영화의 변화 양상을 살피고 있는 글이 아니다. 또한 벤야민의 주장에 대한 비판 역시 글을 통해 확인할 수 없다.

03 핵심 정보 파악하기 답 ③

정답 해설 벤야민은 영화는 일종의 충격 체험을 통해 근대 도시인에게 새로운 감성과 감각을 불러일으키는 매체로, 예측 불가능한 이미지의 연쇄로 이루어진 영화를 체험하는 것은 이질적인 대상들이 복잡하고 불규칙하게 뒤섞인 근대 도시의 일상 체험과 유사하다고 하였다. 따라서 관객이 영화를 통해 받는 정신적 충격은 근대 도시의 일상적 체험에서 유발되는 충격과 유사하다고 할 수 있다.

오답 이유 ① 영화는 일종의 충격 체험을 통해 근대 도시인에게 새로운 감성과 감각을 불러일으키는 매체이다.
② 4문단에서는 영화의 주제에 대해서는 언급하고 있지 않다. 밑줄 친 ㉮의 '정신적 충격'은 시지각적 측면에서 다루어지고 있는 것이므로 이를 주제와 연결짓는 것은 적절하지 않다.
④ 영화는 서로 다른 시 · 공간의 연결, 카메라가 움직일 때마다 변화하는 시점, 느린 화면과 빠른 화면의 교차 등의 촬영 기법이나 편집을 통해 관객에게 정신적 충격을 일으킨다고 설명하고 있다.
⑤ 영화는 보통 사람의 육안이라는 감각적 지각의 정상적 범위를 넘어서는 체험을 관객에게 제공하고, 이로 인해 관객들은 정신적 충격을 받는다.

원리 04 숨은 정보 찾기

적용학습 1단계 본문 060~061쪽

01 1 예술 작품에서 흉내 낼 수 없는 고고한 분위기, 2 집중하는, 3 전시 가치, 4 정신 산만한 **02** 동일화 현상 **03** ⑤ **04** ①

01 대비 관계에 주목하여 내용 이해하기

답 1 예술 작품에서 흉내 낼 수 없는 고고한 분위기, 2 집중하는, 3 전시 가치, 4 정신 산만한

정답 해설 이 글은 두 개념을 대비하여 제시하고 있는 글이므로 대비되는 두 개념의 핵심 내용을 이해하는 것이 필수적이다. 첫 문단의 앞부분을 통해 아우라가 '예술 작품에서 흉내 낼 수 없는 고고한 분위기'라는 점을 알 수 있으며, 이러한 관점에서 예술의 지각 방식은 몰입과 정신 집중임을 파악할 수 있다. 2문단의 내용을 통해서는 예술 작품의 가치가 숭배 가치에서 전시 가치로 변모하였음을 알 수 있으며, 이에 대한 지각 방식은 가장 마지막 부분에 드러난 것처럼 정신 산만한 지각 방식임을 알 수 있다.

02 주요 서술 대상의 특징 파악하기 답 동일화 현상

정답 해설 ㉠은 전통적 예술 작품을 수용해 온 방식에서 작품과 완전히 일체가 되는 경험을 가리키는데, 이러한 현상을 포괄할 수 있는 표현으로 지문에서 '동일화 현상'을 찾아볼 수 있다. 이를 수식하고 있는 '완전한 정신 집중과 몰입을 통한'이라는 구절이 이를 더 명확하게 드러내 준다.

03 글쓴이의 관점 파악하기 답 ⑤

정답 해설 글쓴이의 관점이란 글에서 다루고 있는 핵심 소재를 바라보는 글쓴이의 기본적인 시각을 의미한다. 이 글에는 두 개념의 대비를 통해 글쓴이가 전달하고자 하는 내용이 제시되고 있다. 글쓴이는 기술 복제 시대로 들어서면서 예술 작품은 아우라의 붕괴가 필연적이며 이것이 지각되는 방식이 변화하고 있음을 기본적인 관점으로 하여 글을 전개하고 있다.

오답 이유 ① 예술 작품에 완전히 몰입하는 방식은 대상에 대한 비판 가능성을 차단한다.
② 아우라를 상실한 예술 작품은 숭배 가치의 대상이 아니라 전시 가치의 대상으로 변모한다.
③ 기술 복제 시대의 예술 작품은 아우라를 상실하므로 관조와 몰입이 아닌 보고 듣고 즐기기 위한 감각적 수용의 대상이 된다.
④ 완벽한 복제라 하더라도 특정한 시간과 공간에서 원작이 가지는 유일무이한 현존성은 복원될 수 없다.

04 생략된 결과 추론하기 답 ①

정답 해설 댐퍼는 현의 진동을 눌러서 소리가 울리지 않게 하는 장치로, 댐퍼 페달을 밟으면 모든 현에서 댐퍼가 일제히 떨어지면서 건반을 누르지 않은 다른 현에도 공명을 일으키게 되며, 건반에서 손을 떼도 이 같은 현상이 어느 정도 지속된다고 하였다. ㉠을 밟으면 모든 현에서 댐퍼가 떨어지는 것이 아니라 해머가 때린 현의 댐퍼만이 현에서 떨어지게 되는데, 건반에서 손을 떼도 이 같은 현상이 어느 정도 지속된다는 점은 동일하게 적용된다.

적용학습 2단계

본문 062~063쪽

01 1 언어와 사고, 2 아동의 성장, 3 사고의 언어화 **02** ④
03 ② **04** 영화의 완성도를 높이는 데

01 정보 간의 관계에 주목하여 내용 이해하기

답 1 언어와 사고, 2 아동의 성장, 3 사고의 언어화

정답 해설 '마치 인접한 두 개의 물방울이 서서히 모여 하나의 물방울이 되는 것처럼, 언어와 사고도 발생 초기에는 서로 독립적으로 발달하다가 아동이 성장함에 따라 점차 하나로 겹쳐지면서 사고가 언어화되는 것이다.'라는 문장을 통해 ⓐ~ⓒ가 무엇을 비유하여 나타낸 것인지 파악할 수 있다.

02 숨겨져 있는 전제 추론하기 답 ④

정답 해설 〈보기〉에 제시된 결론은 언어 교육은 학습 능력을 신장시키므로 교육적 의의가 있다는 것이다. 언어 교육이 학습 능력을 신장시킨다는 진술이 논리적으로 성립하기 위해서는 아동의 언어 발달이 사고력의 발달로 이어진다는 점이 전제되어야 하므로, ④의 진술이 가장 적절하다고 볼 수 있다.

03 주요 서술 대상의 특징 파악하기 답 ②

정답 해설 '컷어웨이'는 카메라가 사건의 주변부까지 관찰하게 함으로써 감독의 연출 의도를 효과적으로 전달하는 기법이다. 따라서 중심인물에 주목하도록 돕는다는 것은 이에 대한 설명으로 적절하지 않다.

오답 이유 ① 컷어웨이는 사건의 중심에서 살짝 벗어남으로써 극적인 긴장감을 잠시 해소하는 기능을 하거나 시간을 늘리는 기능을 할 수 있으므로 극적 완급이나 시간 조절을 가능하게 한다고 볼 수 있다.
③ 컷어웨이 기법을 통해 감독은 사실을 있는 그대로 보여 주기보다는 자신의 연출 의도를 담아 조절하여 나타낼 수 있게 된다.
④ 불필요한 지점에서 컷어웨이를 남용하면 영화의 완성도나 관객의 호응이 떨어질 수 있으므로 남용하지 않고 맥락에 맞게 사용하는 것이 필요하다.
⑤ 컷어웨이는 처음에 부자연스러운 장면 연결을 보완하기 위한 용도로 사용되었으나 점차 용도가 다양화되었다.

04 숨겨져 있는 전제 추론하기 답 영화의 완성도를 높이는 데

정답 해설 마지막 내용에서 편집 기법인 컷어웨이를 남용하게 되면 영화의 완성도를 떨어뜨릴 수 있다고 한 점으로 미루어 보아, 편집 기법이 적절히 활용되어 영화의 완성도를 높이는 데 기여해야 한다는 점이 전제되어 있음을 추론할 수 있다.

적용학습 3단계

본문 064~065쪽

01 ⑤ **02** 1 상속인이 피상속인의 재산에 관한 포괄적 권리 · 의무를 모두 승계하는 것, 2 빚 **03** 1 자비, 2 배고픔, 3 공포
04 ④

01 숨겨져 있는 정보 추론하기 답 ⑤

정답 해설 단순 승인으로 인해 피상속인의 권리 · 의무가 모두 승계되어 상속인이 피해를 보는 경우가 생길 수도 있는데, 그 대표적인 예가 상속인에게 빚이 승계되는 경우이다. 이때 상속인이 빚을 갚을 필요가 있다는 점에 이어서 '한정 승인'과 '상속 포기' 제도에 대한 설명이 제시되고 있다. 이를 통해 상속인의 재산권을 보호하기 위하여 마련되었다는 취지를 추론해 낼 수 있다.

02 정보 선택하기

답 1 상속인이 피상속인의 재산에 관한 포괄적 권리 · 의무를 모두 승계하는 것, 2 빚

정답 해설 01번과 연결된 문제로, 단순 승인은 상속인이 피상속인의 재산에 관한 권리와 의무를 '모두' 승계한다는 점과 이로 인해 피해를 보는 경우가 있다는 점, 여기에 빚이 포함된다는 점을 종합하여 한정 승인과 상속 포기 제도의 취지를 추론해 낼 수 있는지를 확인하고 있다.

03 주요 서술 대상의 특징 파악하기 답 1 자비, 2 배고픔, 3 공포

정답 해설 이 글에서 설명하고 있는 내용은 두 장면이 연결되었을 때 새로운 의미를 만들어 내는 몽타주에 대한 것이다. 따라서 도식화를 통해 두 장면이 연결되었을 때 나타나는 새로운 의미가 무엇인지를 적어 보도록 함으로써 핵심 개념을 이해하도록 하는 문제이다. ㉠의 앞 문장에서 이 내용을 확인할 수 있다.

04 숨겨져 있는 정보 추론하기 답 ④

정답 해설 03번 문제에서도 확인할 수 있듯이 몽타주 기법의 핵심은 두 장면을 연결해서 새로운 의미를 만들어 내는 것이다. 이를 가장 잘 나타낸 진술은 ④이다.

실전학습 1단계

본문 066~067쪽

01 1 B, 2 수평　02 ⑤　03 ③

「기업 결합」

해제 이 글은 기업 결합이란 무엇인지와 이것의 순기능과 역기능에 대해 설명하고 이를 심사하는 과정에 대해 소개하고 있는 글이다. 둘 이상의 기업이 자본과 조직 등을 합하여 경제적으로 단일한 지배 체제를 형성하는 것을 기업 결합이라고 하는데, 이는 효율성이 증대되고 경쟁력이 강화된다는 순기능이 있지만, 시장 경쟁을 제한하고 소비자의 이익을 침해한다는 역기능도 존재한다. 기업 결합을 심사할 때는 성립 여부를 확인하는 것부터 시작하며, 결합이 성립되면 결합 형태를 규명하고 시장 경쟁 제한 여부를 판단하게 된다.

주제 기업 결합의 기능과 심사 과정

01 정보 종합하여 추론하기

답 1 B, 2 수평

정답 해설 A의 가격이 올랐을 때 B의 판매량이 가장 많이 올라가고 B의 가격이 올랐을 때 A의 판매량이 가장 많이 올라가므로 A, B가 대체제이며 동일 시장 내 경쟁 관계라고 볼 수 있다. 마찬가지로 C와 D를 대체제로 볼 수 있고 동일 시장 내 경쟁 관계로 파악할 수 있으므로 두 회사의 결합은 수평 결합으로 볼 가능성이 크다.

02 글쓴이의 관점 파악하기

답 ⑤

정답 해설 정부는 기업 결합의 취지와 순기능을 보호하는 한편, 시장과 소비자에게 끼칠 폐해를 가려내어 이를 차단하기 위한 법적 조치들을 강구하고 있다. 하지만 이를 섣불리 판단하기 어려우므로 여러 단계를 통해 신중히 가려내도록 해야 한다. 이러한 글의 내용을 통해 볼 때, 이 글의 취지는 기업 결합의 순기능을 살리되 부정적 측면은 신중히 가려내야 한다는 것이다.

오답 이유 ① 기업 결합의 성립 여부는 정부에서 이를 심사하면서 확인하여 폐해를 차단하기 위한 방법을 강구하게 된다.

② 이 글에서 확인할 수 없는 내용이므로 적절하지 않다.

③ 기업 결합의 순기능을 고려해 볼 때 기업 결합을 통한 기업의 확장은 경제 발전에 도움이 된다는 점을 알 수 있다.

④ 기업 활동의 위법성 여부는 정부가 여러 단계의 심사 과정을 통해 판단한다.

03 정보 종합하여 추론하기

답 ③

정답 해설 A 기업이 취득 기업이고 B 기업이 피취득 기업이므로 B 기업에 대한 A 기업의 지배 관계가 형성되어야 결합이 성립된다. 또 4문단에 의하면 결합의 장점이나 불가피성에 관해 항변할 기회를 부여하여 그 타당성을 검토한 후에 시정 조치 부과 여부를 최종적으로 결정한다고 하였다.

실전학습 2단계

본문 068~069쪽

01 1 식물성 플랑크톤, 2 광합성　02 ②　03 ⑤

「심해저 생물의 생존 방식」

해제 이 글은 심해저 생물의 생존 방식에 대해 설명하고 있다. 생물이 생존하기 어려운 심해저의 환경에서 생물의 생존이 가능한 까닭은 심해 열수구 지역 때문인데, 심해 열수구 지역은 용출수로 인해 주변 해수에 비해 온도가 높고, 다양한 광물질과 황화 수소가 포함되어 있으며, 화학 합성 세균이 일차 생산자의 역할을 하여 생물의 생존이 가능하도록 해 준다.

주제 심해저 생물의 생존 방식

01 세부 내용 추론하기

답 1 식물성 플랑크톤, 2 광합성

정답 해설 마지막 문단을 통해 화학 합성 세균이 식물성 플랑크톤과 같은 일차 생산자 역할을 한다는 점을 알 수 있으며, 1문단을 통해 일반적으로 광합성을 하는 일차 생산자와 유기물을 섭취하여 생물이 생존한다는 사실을 알 수 있다.

02 숨겨져 있는 전제 추론하기

답 ②

정답 해설 이 글에서 심해저에 생물이 존재할 수 있었던 것은 지각 활동에 의한 열수구 지역이 있었기 때문이라고 설명하고 있다. 따라서 이를 바탕으로 ⓐ의 추론의 개연성을 높인다면, 유로파도 심해저와 마찬가지로 지각 활동을 통해 심해저와 유사한 상황이 일어나고 있다고 보아야 한다.

03 세부 내용 추론하기

답 ⑤

정답 해설 4문단에 의하면 리프티아의 몸통은 기다란 관의 안쪽에 들어 있으며, 아가미와 같은 역할을 하는 관의 바깥쪽으로 돌출된 밝고 붉은색의 깃털 구조가 이산화 탄소와 산소, 황화 수소를 교환한다.

오답 이유 ① 심해저의 열수구 지역은 뜨거운 용출수 때문에 주변의 해수에 비해 온도가 높다. 열수구 지역이 아닌 지역은 수천 미터 깊이에 위치해 있고 햇빛도 들지 않기 때문에 온도가 낮을 것이라는 점을 추론해 볼 수 있다.

② 1문단에 의하면 해양 생물의 유기물은 다른 생물의 먹이가 되거나 미생물에 의해 분해되어 심해저에 도달할 때쯤이면 거의 남는 것이 없게 된다. 따라서 심해저보다는 수면에 가까운 바다에 많이 남아 있을 것임을 알 수 있다.

③ 심해 열수구에서 화학 합성 세균은 일차 생산자의 역할을 수행하므로 이것이 먹이를 제공하는 역할을 수행한다고 볼 수 있다.

④ 심해 열수구 지역의 우점종이 리프티아라고 하였으므로 개체 수가 가장 많을 것임을 추론해 볼 수 있다.

실전학습 3단계 본문 070~071쪽

01 윤리적 가치에 관한 명제에 해당하므로 **02** ⓐ 세계, ⓑ 사태 **03** ④

「비트겐슈타인의 그림 이론」

해제 이 글은 형이상학적 문제를 주로 다루었던 기존의 철학자들과 달리 언어를 분석하고 비판하여 명료화하는 것에 초점을 두었던 비트겐슈타인의 그림 이론을 소개하고 있다. 그림 이론은 언어가 세계에 대한 그림이라는 이론으로 언어와 세계의 논리적 구조는 동일하며, 언어는 세계를 그림처럼 기술함으로써 의미를 지닌다. 이러한 관점에서 의미 있는 명제는 실재하는 대상이나 사태에 대해 언급한 명제이며, 이와 반대로 실재하지 않는 대상이나 사태가 아닌 것에 대해 언급한 명제는 의미 없는 명제라고 볼 수 있다.

주제 비트겐슈타인의 그림 이론

01 글쓴이의 관점 추론하기

답 윤리적 가치에 관한 명제에 해당하므로

정답 해설 어떤 명제가 실재하지 않는 대상이나 사태가 아닌 것에 대해 언급하면 그것은 '의미 없는 명제'가 된다. 이러한 관점에서 비트겐슈타인은 신, 영혼, 형이상학적 주체, 윤리적 가치 등과 관련된 논의를 의미 없는 명제라고 보았는데, 〈보기〉의 문장은 윤리적 가치에 관한 명제에 해당하므로 비트겐슈타인은 의미 없는 명제라고 판단했을 것이다.

02 개념 간의 관계를 바탕으로 추론하기

답 ⓐ 세계, ⓑ 사태

정답 해설 이 글에서 ㉠과 ㉡은 서로 대응하는 개념으로 '㉠ 모형'이 '㉡ 사건'을 설명하고 있다. 이에 비추어 볼 때 세계에 존재하는 것들을 가리키는 것이 언어이므로 언어와 대응하는 개념은 '세계'라고 볼 수 있다. 또 언어는 명제들로 구성되어 있고 세계는 사태들로 구성되어 있다고 하였으므로, 명제와 대응하는 개념은 '사태'라고 볼 수 있다.

03 정보 종합하여 추론하기

답 ④

정답 해설 비트겐슈타인은 경험적 세계에 대해 언급한 명제만이 의미 있는 것이며 말할 수 있는 것이라고 하였다. 〈보기〉에서 ㉮는 의미 있는 언어의 한계를 넘어선 것이므로 추상적이고 관념적인 내용을 다루고 있는 것으로 볼 수 있다.

오답 이유 ① 비트겐슈타인이 내세웠던 철학의 과제는 '언어에 대한 분석'이며 이 주제를 다룬 책이 『논리 철학 논고』이다.

② ㉮는 객관적 세계에 존재하는 대상이 아니라 '언어'를 다루고 있다. 또한 만약 객관적 세계에 존재하는 대상에 대한 언급이라면 '말할 수 있는 것'의 범주에 속하는 것이므로 적절하지 않다.

③ 논리적으로 가능한 사태는 참, 거짓을 판별할 수 있으므로 ㉮가 논리적으로 가능한 사태에 대해 기술한 것이라면 ㉮를 버릴 필요가 없다.

⑤ ㉮는 형이상학적 물음에 답하고 있는 것이 아니라 언어와 세계의 관계를 분석한 것이다.

원리 05 관점(입장)을 따지며 내용 이해하기

적용학습 1단계 본문 076~077쪽

01 희생양 메커니즘 **02** ⑤ **03** 초기에는 뉴스 제작 과정에 집중하여 언론이 어떻게 현실을 재단해 프레임을 형성하는가에 주목했으나, 최근에는 언론에 의해 의도된 프레임과 해석적 프레임 사이에 어떤 관계가 있는지를 따진다. **04** 주어진 자극에 대해 특정 개념이 활성화되기 이전에 이미 수용자에게 주어진 자극의 특성에 잘 호응하는 개념들이 있을 수 있다는 데 주목함. **05** ㉠

01 입장 파악하기 답 희생양 메커니즘

정답 해설 이 글에서는 르네 지라르가 제시한 '희생양 메커니즘'에 관해 설명하고 있다. 그는 공동체가 어떤 존재를 희생시킴으로써 공동체의 위기 상황을 극복해 가는 희생 제의의 과정을 희생양 메커니즘이라고 했다. 이와 관련해 그가 희생양 메커니즘에 대해 어떤 주장을 했는지를 제시하고 있는 글이다.

02 견해 · 주장에 관한 세부 정보 파악하기 답 ⑤

정답 해설 르네 지라르는 희생 제의가 제대로 작동하기 위해서는 공동체 집단이 그들 내부에 만연해 있던 폭력을 어떻게 사라지게 했는가를 결코 알아서는 안 된다고 했다. 그러므로 공동체 구성원이 희생 제의의 작동 과정을 모두 알아야 희생 제의가 제대로 작동할 수 있다고 말하는 것은 적절하지 않다.

03 입장의 변화 과정 파악하기

답 초기에는 뉴스 제작 과정에 집중하여 언론이 어떻게 현실을 재단해 프레임을 형성하는가에 주목했으나, 최근에는 언론에 의해 의도된 프레임과 해석적 프레임 사이에 어떤 관계가 있는지를 따진다.

정답 해설 프레임에 대한 초기 연구는 뉴스 제작 과정에 집중하여 언론이 어떻게 현실을 재단해 프레임을 형성하는가에 주목했다. 그러나 최근에는 뉴스를 언론과 수용자가 상호 작용하는 의미 생산 과정으로 보는 입장에서, 언론에 의해 의도된 프레임과 수용자의 해석 결과로 나타나는 해석적 프레임 사이에 어떤 관계가 있는지를 따지게 되었다.

04 대비되는 입장 파악하기

답 주어진 자극에 대해 특정 개념이 활성화되기 이전에 이미 수용자에게 주어진 자극의 특성에 잘 호응하는 개념들이 있을 수 있다는 데 주목함.

정답 해설 ㉠의 입장에서는 프레이밍 효과에 대해 정보 처리를 할 때 주어진 자극에 따라 특정 개념이 활성화될 확률에 주목했다. 그런데 ㉡의 입장에서는 주어진 자극에 대해 특정 개념이 활성화되기 이전에 이미 수용자에게 주어진 자극의 특성에 잘 호응하는 개념들이 있을 수 있다는 데에 주목하였다.

05 유사한 입장 이해하기 답 ㉠

정답 해설 아이엔거는 뉴스 수용자가 일화 중심적 프레임을 반복적으로 접함으로써 특정 사회 문제를 사회 구조적인 문제라기보다는 개인의 행위나 인품의 문제로 인식하게 되어 그 사회 문제에 대한 책임을 묻거나 처벌 대상을 판단하는 문제에 대해 개인의 행위나 인품을 주로 문제 삼게 된다고 보았다. 여기서 일화 중심적 프레임을 반복적으로 접한다는 것은 자극을 받았음을 나타낸다. 이 자극에 따라 특정 사회 문제를 개인의 행위나 인품의 문제로 인식하게 된다는 것은 자극에 따라 특정 개념이 활성화된다는 것이다. 따라서 아이엔거의 입장은 ㉠의 입장과 통하는 것이다.

적용학습 2단계 본문 078~079쪽

01 예술의 본질 **02** ② **03** 공간과 무관한 독립적이고 절대적인 것, 시작도 끝도 없는 영원한 것, 항상 같은 방향으로 흘러간다, 빨라지지도 느려지지도 않는 물리량(모든 우주에서 동일한 빠르기로 흐르는 실체) **04** 속도가 광속에 근접하면 시간 팽창이 일어나 시간이 그만큼 천천히 흐르는 시간 지연이 생기기 때문이다. **05** 공간

01 입장에 관한 핵심 내용 파악하기 답 예술의 본질

정답 해설 이 글에서는 '예술이란 무엇인가?'라는 물음에 대한 와이츠, 맨델바움의 입장을 제시하고 있다. '예술의 본질'에 대한 여러 입장을 제시하고 있는 것이다.

02 입장에 관한 세부 정보 파악하기 답 ②

정답 해설 맨델바움은 와이츠의 예술 정의 불가론에 대해 반박했다. 그는 예술에 공통적인 속성이 존재한다고 보았다. 그리고 지금까지 예술을 정의할 때는 전시적 성질에 초점을 맞추었지만 예술 작품들이 공통적으로 갖고 있는 속성은 작품 밖에 놓인 비전시적 성질일 것이라고 생각했다. 이는 전시적 성질이 아니라 비전시적 성질을 통해 예술의 본질을 정의할 수 있다고 보았음을 나타낸다.

오답 이유 ① '예술이란 무엇인가?'라는 물음과 관련해 20세기 이전에는 예술의 본질을 모방과 표현의 측면에서 설명하였다.

③ 와이츠는 끊임없이 변화하고 새로운 창조를 이루어내는 예술의 특성상 예술 개념은 근본적으로 열린 개념일 수밖에 없다고 보았다.

④ 와이츠는 예술이 지시하는 대상들인 회화, 조각, 문학, 음악 등에 속한 작품들을 관찰한 결과 일련의 유사성만 있을 뿐 공통

된 본질을 발견할 수 없다고 지적하였다.

⑤ 맨델바움은 예술의 본질은 존재하지 않는다는 와이츠의 입장을 반박했다. 그는 예술에 포함될 수 있는 모든 대상들에 공통적인 속성이 존재할 것이라고 보았다.

03 관점을 나타내는 핵심 어구 찾기

답 공간과 무관한 독립적이고 절대적인 것, 시작도 끝도 없는 영원한 것, 항상 같은 방향으로 흘러간다, 빨라지지도 느려지지도 않는 물리량(모든 우주에서 동일한 빠르기로 흐르는 실체)

정답 해설 이 글에서는 뉴턴과 아인슈타인의 시간관을 설명하고 있다. 뉴턴은 시간을 공간과 무관한 독립적이고 절대적인 것으로 보았으며, 시작도 끝도 없는 영원한 것으로 보았다. 그리고 항상 같은 방향으로 흘러가며, 빨라지지도 느려지지도 않는 물리량으로 보았다.

04 입장을 적용해 이유 추리하기

답 속도가 광속에 근접하면 시간 팽창이 일어나 시간이 그만큼 천천히 흐르는 시간 지연이 생기기 때문이다.

정답 해설 아인슈타인은 속도가 빨라지면 시간 팽창이 일어나 시간이 그만큼 천천히 흐르는 시간 지연이 생긴다고 보았다. 이에 비추어 보면, 광속에 가까운 초고속 우주선을 타고 여행할 때 지구에 정지해 있을 때보다 천천히 늙게 된다. 왜냐하면 속도가 광속에 근접하면 시간 팽창이 일어나 시간이 그만큼 천천히 흐르는 시간 지연이 생기기 때문이다.

05 특정 입장에 대해 비판적으로 이해하기 답 공간

정답 해설 뉴턴은 시간은 빨라지지도 느려지지도 않는, 즉 동일하게 흐르는 물리량이라고 보았다. 그러나 아인슈타인은 시간이 공간과 긴밀하게 연관되어 함께 변하는 상대적인 양이라고 보았다. 이러한 아인슈타인의 입장에서 뉴턴의 시간관을 비판하면, 시간은 모든 공간에서 동일하게 흐르는 것이 아니므로 절대적인 것이 아니라고 할 수 있다.

적용학습 3단계

본문 080~081쪽

01 예술의 모방적 활동은 보이는 현상을 모방할 뿐 본질을 모방하지 못한다. **02** ⑤ **03** ①

01 입장 추론하기

답 예술의 모방적 활동은 보이는 현상을 모방할 뿐 본질을 모방하지 못한다.

정답 해설 플라톤은 회화와 비극으로 대표되는 예술의 모방적 활동에 대해 비판적인 입장을 취했다. 그가 이렇게 비판적 입장을 취한 것은 예술의 모방적 활동이 본질을 모방하지 못하고 보이는 현상을 모방해 본질에서 떨어져 있다고 보았기 때문이다.

02 입장의 구체적인 내용 파악하기 답 ⑤

정답 해설 아리스토텔레스는 비극이 연민과 두려움의 감정을 자아내는 사건들의 모방을 통해 연민과 두려움을 자아내는 감정들의 카타르시스를 성취한다고 보았다. 그리고 비극에서의 모방은 대상이나 사건의 옥석을 가려 지나친 부분은 삭제하고 부족한 부분은 보충하여 하나의 통일된 이야기를 구축하는 선택적이고 능동적인 모방이라고 생각했다. 따라서 그에게 '비극의 인식론적 원리'는 두려움과 연민의 감정을 자아내는 사건들의 모방을 통해 긴밀하게 조직된 이야기를 구축하는 것이다.

03 입장의 차이점 파악하기 답 ①

정답 해설 '공간 투표 이론'에서는 기본적으로 유권자들이 자신의 정책 선호와 가장 근접한 정책을 제시하는 후보자를 선호할 것이라고 전제한다. 유권자는 자신의 정책 선호와 각 후보자들의 정책이 위치하는 지점 사이의 거리를 절댓값으로 비교하여 그 값이 가장 작은 쪽을 선택한다는 것이다. 이는 경우에 따라 유권자가 자신이 선호하는 것과 방향이 다른 정책도 선택할 수 있다고 보는 것이다. 절댓값을 비교한 결과, 자신이 선호하는 것과 방향이 다른 정책의 절댓값이 가장 작다면 자신이 선호하는 것과 방향이 다른 정책을 선택할 수 있다고 보는 것이다. 그러나 '방향성 투표 이론'에서는 유권자가 중립점 혹은 현재의 상태를 기준으로 어떤 후보자의 정책이 자신의 입장과 같은 편에 서 있는지에 대한 방향성을 먼저 고려한다고 본다. 이 입장에서는 유권자가 자신이 선호하는 것과 방향이 다른 정책을 선택할 것이라고 보지 않는다.

실전학습 1단계

본문 082~083쪽

01 악마 **02** ③ **03** ⑤

「데카르트의 회의론」

해제 이 글은 데카르트의 회의론과 그 한계에 대해 설명하고 있다. 데카르트는 의심이 전혀 불가능한 확실한 지식을 찾기 위해 체계적으로 의심하는 방법을 만든다. 그리하여 그는 감각적인 증거를 토대로 만들어진 지식은 믿을 수 없으며, 수학의 지식과 같이 감각에 의존하지 않는 지식도 의심의 대상이 됨을 밝힌다. 이러한 과정을 거쳐 그는 의심하는 사람의 존재만이 절대적으로 확실하다는 결론에 이른다. 그러나 철저한 회의론에 따르면 영속적인 나의 존재가 보장되지 않으므로 데카르트는 철저한 회의론자가 되지는 못한 한계를 지녔다.

주제 데카르트의 회의론과 그 한계

01 관점 파악 및 적용하기 답 악마

정답 해설 <보기>에서는 '통 속의 뇌'에서 나의 경험을 컴퓨터가 조작하는 상황을 설정하고 있다. 이는 이 글의 3문단에서 데카르트가 말했던 '악마', 즉 사실과 다르게 우리를 속이는 존재와 유사하다.

02 입장 간의 공통점 및 차이점 파악하기 답 ③

정답 해설 이 글의 2문단에서 데카르트는 꿈에서도 깨어 있을 때와 같은 종류의 감각을 한다는 점을 들어 감각적인 증거를 토대로 생긴 지식을 부정한다. 이어 3문단에서 데카르트는 감각에 의존하지 않는 수학의 지식마저 의심이 가능하다고 말한다. 그것은 깨어 있을 때나 꿈속에서나 동일한 것 같지만, '악마'가 존재하여 우리를 속일 수 있기 때문이라는 것이다. 여기서 〈보기〉 ㄱ의 단서를 찾을 수 있다. 꿈속에서의 지식 역시 감각적인 것도 있고, 그것에 의존하지 않는 것도 있기 때문이다. 이 글의 3문단에 의하면, 데카르트는 수학의 지식마저도 '악마'가 존재하여 우리를 속일 수 있기 때문에 의심이 가능하며, 그런 악마가 존재하지 않더라도 상상하여 의심하는 데는 아무런 제약이 없다고 하였다. 그러므로 〈보기〉의 ㄴ은 데카르트는 물론 철저한 회의론자도 동의할 수 있을 것이다. 데카르트에게 생각하는 나의 존재는 절대적으로 확실한 것이다. 그러나 철저한 회의론에 의하면 영속적인 나의 존재는 보장되지 않는다. 그럼에도 불구하고 의심하기 위해서는 의심하는 주체가 필요할 것이다. 이러한 주체가 없다면 의심하는 행위 자체가 불가능하기 때문이다. 따라서 〈보기〉의 ㄷ도 데카르트와 철저한 회의론자 모두가 동의할 수 있을 것이다.
한편 데카르트는 의심하는 존재는 절대적으로 확실한 것으로 본 반면에, 철저한 회의론자의 입장에서는 이 글의 5문단에서 보듯이, 지금 생각하는 나와 5분 전에 생각하던 나가 동일하지 않을 수도 있기 때문에 '영속적인 나의 존재'는 보장되지 않는다고 본다. 따라서 철저한 회의론자의 입장에서는 영속적인 나의 존재를 의심할 수 있는 이유를 찾을 수 있다(〈보기〉의 ㅁ). 이렇게 좀 더 철저하게 의심하면 〈보기〉의 ㄹ과 같이 무엇인가를 생각할 때 생각하고 있다는 사실 자체도 의심할 수 있을 것이다.

03 세부 정보 파악하기 답 ⑤

정답 해설 데카르트가 의심할 수 없다고 본 것은 의심하는 사람의 존재이다. 즉 그는 어느 누가 의심하고 있다면 그 사람은 존재하는 것이 틀림없다고 본 것이다.

오답 이유 ① 1문단을 통해 데카르트가 의심이 전혀 불가능한 확실한 지식을 찾기 위해 체계적으로 의심하는 방법을 만들었음을 알 수 있다.
② 2문단에 따르면, 데카르트는 감각에 의해 생긴 지식은 의심의 대상이 된다고 보았다.
③ 4문단을 통해 데카르트가 의심하는 사람의 존재에 대해서는 의심할 수 없다고 보았음을 알 수 있다.
④ 3문단에서 데카르트가 수학의 지식도 의심의 대상으로 삼았음을 알 수 있다.

실전학습 2단계

본문 084~085쪽

01 본질은 개체들이 공유하고 있는 것으로 서로 다른 개체를 동일한 종류의 것이라고 판단해 의사소통에 성공할 수 있도록 해 준다. **02** ④ **03** ④

「본질주의와 반본질주의」
해제 이 글은 대상의 본질에 대한 본질주의와 반본질주의의 서로 다른 입장을 소개하고 있다. 어떤 대상이 반드시 가져야 하고 그것을 다른 대상과 구분해 주는 속성을 '본질'이라고 하는데, 본질주의는 그것이 우리와 무관하게 개체 내에 존재한다고 주장한다. 반면 반본질주의는 그런 본질의 존재를 부정하며 사후적으로 구성된 언어 약정이 그 역할을 대신하고 있는 것이라고 주장한다. 서양의 철학사는 본질을 찾는 과정이라고 할 수 있는데, 반본질주의 입장에서 보면 그러한 철학적 탐구가 본질이 존재한다는 잘못된 가정에서 출발한 부질없는 일일 수도 있다는 것이다.
주제 대상의 본질에 대한 비판적인 고찰

01 입장 파악하기

답 본질은 개체들이 공유하고 있는 것으로 서로 다른 개체를 동일한 종류의 것이라고 판단해 의사소통에 성공할 수 있도록 해 준다.

정답 해설 흔히 어떤 대상이 반드시 가져야만 하고 그것을 다른 대상과 구분해 주는 속성을 본질이라고 한다. 본질주의는 서로 다른 개체를 동일한 종류의 것이라고 판단하고 의사소통에 성공하기 위해서는 개체들이 공유하는 본질이 필요한데, 그것이 우리와 무관하게 개체 내에 본질로서 존재한다고 주장한다.

02 견해 · 주장 파악하기 답 ④

정답 해설 '반본질주의'는 우리와 무관하게 개체 내에 존재하는 본질은 없으며, 다만 인간이 정한 언어 약정이 본질의 역할을 수행하는 것이라고 주장한다. 따라서 어떤 대상을 다른 대상과 구분해 주는 속성인 본질은 어떤 대상에 사후적으로 의미가 부여됨으로써 생겨나는 것이라고 할 수 있다.

오답 이유 ① '반본질주의'는 어떤 대상에 대한 인간의 언어 약정이 본질의 역할을 한다고 말한다.
② 개체의 본질이 우리와 무관하게 개체 내에 본질로서 존재한다고 주장하는 것은 '본질주의'의 입장이다.
③ 다른 대상과 구분되는 불변의 고유성인 본질이 어떤 대상에나 있다고 보는 것은 '본질주의'의 입장이다.
⑤ '반본질주의'는 같은 종류에 속한 개체들이 공유하는 속성인 본질이 객관적으로 실재하는 것이 아니라 사후적으로 구성된다고 본다.

03 견해 · 주장 파악 및 적용하기 답 ④

정답 해설 '반본질주의'는 대상의 근원적 속성인 본질이 따로 존재하여 우리가 발견하는 것이 아니라 사후적으로 구성된다고 본다. 따라서 (나)에 대해 그 세 가지가 지니는 근원적 속성이 발견되지 않아서 일어나는 현상이라고 보는 것이 '반본질주의자'의 입장이 될 수 없다.

오답 이유 ① '본질주의'는 우리와 무관하게 본질이 대상 속에 존재한다고 보는 입장이므로, '본질주의자'는 (가)를 숨겨져 있는 본질을 찾아가는 과정으로 해석할 수 있다.

② 본질이 사후적으로 구성된다고 보는 입장은 '반본질주의'이므로, '본질주의자'는 (나)를 근거로 이와 다른 주장을 할 수 있을 것이다. 본질주의자는 본질이 개체 내에 존재하는 것이므로, 사후에 정한 언어 약정인 '사바컴'은 본질과 거리가 멀어 널리 쓰이지 못한 것이라고 주장할 수 있을 것이다.

③ '반본질주의'는 사물의 본질이 인간이 정한 언어 약정으로 인간의 가치가 투영된 것이라고 본다. 따라서 '반본질주의자'는 (가)를 널리 믿어지던 정의가 바뀐 것으로 판단하면서 정의가 약정적임을 주장할 수 있다.

⑤ 2문단에서 보면, '본질주의자'와 '반본질주의자'는 모두 의사소통에 성공하기 위해서 개체들이 공유하는 무엇인가가 필요하다고 보고 있다. 다만 본질주의자들은 그것이 개체 내에 존재하는 본질이라고 주장하며, 반본질주의자들은 인간이 정한 언어 약정이 그 역할을 대신한다고 보는 것이다.

실전학습 3단계

본문 086~087쪽

01 갑돌이는 올바른 일을 하는 것을 어려워하지 않기 때문이다.
02 ① **03** ④

「성품의 탁월함에 대한 아리스토텔레스의 견해」

해제 이 글은 '성품의 탁월함'을 습득하는 방법에 대한 아리스토텔레스의 견해를 구체적 사례를 들어 가며 소개하고 있다. 아리스토텔레스에 따르면 성품의 탁월함은 비이성적인 것이어서 훈련과 반복을 통해서 얻을 수 있다는 것이 이 글의 주된 내용이다. 또한 아리스토텔레스는 사람들이 훈련과 반복을 통하여 탁월한 성품과 관련된 행위들에 감정적으로 끌리는 성향을 갖게 되어 그런 행동을 더 쉽게 하게 되며 그런 행동을 '하고 싶어' 하게 된다고 하였다.

주제 성품의 탁월함을 습득하는 방법

01 입장 파악 및 적용하기

답 갑돌이는 올바른 일을 하는 것을 어려워하지 않기 때문이다.

정답 해설 갑돌이와 병식이의 사례에서 왜 아리스토텔레스가 갑돌이를 성품의 탁월함을 가진 사람으로 여겼을지를 생각해 본다. 4문단 앞부분 '갑돌이' 관련 내용에서 갑돌이는 병식이와 달리 아무런 내적인 갈등이 없이 옳은 일을 하고 있음을 확인할 수 있다. 이를 통해 갑돌이가 올바른 일을 하는 것을 어려워하지 않는 사람임을 알 수 있다. [A]를 통해 이와 같이 올바른 일을 하는 것을 어려워하지 않는 사람을 아리스토텔레스가 성품의 탁월함을 가진 사람으로 여겼음을 알 수 있다.

02 관점(입장)에 대한 비판의 적절성 평가하기 답 ①

정답 해설 〈보기〉에서는 도덕적 행위에 있어 행위자의 감정이나 욕구 또는 성향보다는 도덕 법칙을 지키려는 행위자의 의지를 강조하고 있다. 이러한 〈보기〉의 입장을 바탕으로 이 글에 나타난 아리스토텔레스의 입장을 비판한다면, 탁월한 성품에서 비롯된 행위에는 도덕 법칙을 지키려는 의지가 없으므로 그 행위를 도덕적 행위로 볼 수 없다는 내용이 가장 적절하다.

오답 이유 ② '옳은 행동을 즐겨 하는 사람은 거의 없으며, 따라서 탁월한 성품을 갖춘 사람을 찾기란 어렵다'는 것은 아리스토텔레스의 입장에 대한 비판이긴 하지만 〈보기〉의 입장이 반영되지 않아 적절하지 않다.

③ 도적적인 행위는 도덕 법칙을 지키려는 의지에서 비롯된다는 〈보기〉의 내용과 상반되는 내용이므로 적절하지 않다.

④ 〈보기〉에서는 '본성'보다는 '의지'가 중요하다고 했으므로 '결국 본성에 기댈 수밖에 없다'는 비판은 〈보기〉의 내용과 맞지 않는다.

⑤ 〈보기〉에서 강조한 것은 '이성적 성찰'이 아니라 '도덕 법칙을 지키려는 의지'이므로 적절하지 않다.

03 입장에 관한 세부 정보 파악하기 답 ④

정답 해설 아리스토텔레스는 늘 관대한 행동을 하고 그런 행동에 감정적으로 끌리는 성향을 갖고 있어야 비로소 관대함에 관하여 성품의 탁월함을 갖고 있다고 할 수 있다고 보았다. 이러한 입장에서 보면, 성품의 탁월함을 지닌 사람은 관대한 행동에 대해 감정에 끌려 행동한다. 감정에 끌려 관대한 행동을 하는 것을 탁월한 성품이 제어하는 것이 아니다.

오답 이유 ① '지성의 탁월함'은 가르칠 수 있는 것이지만 '성품의 탁월함'은 가르칠 수 없는 것이다. 성품의 탁월함은 기술을 습득하는 것처럼 반복과 훈련을 통해 습득할 수 있는 것이다.

② 아리스토텔레스는 '성품의 탁월함'이 사람들이 '하고 싶어 하는 것'과 관련이 있다고 보았다.

③ '성품의 탁월함'은 꾸준한 훈련과 반복을 통해 습득할 수 있는 것이다.

⑤ 아리스토텔레스는 '성품의 탁월함'을 갖춘 사람은 일을 바르게 처리하는 것을 즐긴다고 하였다.

원리
06 사례나 상황에 적용하기

적용학습 1단계

본문 092~093쪽

01 ⑤ 02 다른 사람의 경험으로 치환될 수 없고 오직 '나'에게만 존재하는 것 03 ① 04 지구 표면과 일정한 간격을 유지하면서 평행한 방향으로 움직이기

01 추상적인 내용에 대응하는 짝 찾기

답 ⑤

정답 해설 이 글에서는 사진이 특정 사회 안에서 의미를 가지는 기호들의 집합이라고 하고 있다. 그리고 이 기호에 해당하는 사례로 '당시 사람들의 복식이나 의례 방식', '감정을 표현하는 양식', '집과 거리의 배열 구조', '산과 강의 자연 질서' 등을 제시하였다. '작가가 전달하고자 하는 메시지'는 이러한 기호들을 재료로 삼아 구현되는 것이다.

02 사례로 개념 이해하기

답 다른 사람의 경험으로 치환될 수 없고 오직 '나'에게만 존재하는 것

정답 해설 ㉡에서는 어머니의 어릴 적 사진을 보고 느낀 감정은 오직 그만의 것일 뿐, 다른 사람과 공유할 수 없는 것이라고 하고 있다. 이 사례는 다른 사람의 경험으로 치환될 수 없고 오직 '나'에게만 존재함을 나타내는 것이다.

03 글의 핵심 정보와 논지 전개 방식 파악하기

답 ①

정답 해설 이 글에서는 '무중력 상태'의 개념을 설명한 후, 포물선 모양의 궤적을 형성하면서 도약했다가 떨어지는 구체적 상황을 들어 개념에 대한 이해를 돕고 있다.

04 원리를 구체적 사례에 적용하기

답 지구 표면과 일정한 간격을 유지하면서 평행한 방향으로 움직이기

정답 해설 무중력 상태는 중력에 대항하는 힘이 없는 상태이다. 상승할 때 추진력이나 관성은 중력에 대항하는 힘으로 작용한다. 하강할 때는 공기 저항이 중력에 대항하는 힘으로 작용한다. 이와 같이 중력에 대항하는 힘이 있을 때는 무중력 상태를 경험하기 어렵다. 하지만 포물선 궤적에서 지면과 수평 방향으로 움직일 때는 중력에 대항하는 힘이 없기 때문에 무중력 상태를 경험할 수 있다. ISS가 무중력 상태를 유지하는 것은 지구 표면과 수평 방향으로 운동하기 때문이다. ISS의 고도가 1초에 약 4.3m 낮아질 때 지구 표면도 그와 비슷하게 구부러져 ISS가 수평으로 운동하기 때문에 무중력 상태를 경험할 수 있는 것이다.

적용학습 2단계

본문 094~095쪽

01 (1) ○ (2) × 02 프랜드 조항

01 시각 자료에 적용하기

답 (1) ○ (2) ×

정답 해설 정부의 경기 부양책으로 O가 A로 이동하면 인플레이션이 발생할 수 있다. 인플레이션이 발생하면 돈의 가치가 하락해 채무자에게 유리하게 된다. 가계의 부가 기업으로 이전되는 결과가 나타날 수 있는 것이다. 그리고 정부의 총수요 억제 정책으로 O가 B로 이동하면 물가 상승률이 낮아진다. 그렇기 때문에 물가 상승으로 기업의 이익이 더 커진다고 이해하는 것은 적절하지 않다.

02 구체적 사례에 적용하기

답 프랜드 조항

정답 해설 지식 재산의 보호를 위해 지식 재산권의 행사를 제한하는 제도를 두고 있는데, 프랜드 조항이 대표적이다. 이 조항은 특정 특허가 표준 특허로 채택되면 특허권자는 누구에게나 공정하고, 합리적이고, 비차별적인 방식으로 이를 사용할 수 있도록 협의해야 한다는 것인데, 특허권자의 무리한 요구로 타 업체의 제품 생산을 방해하는 것을 막기 위한 제도이다. 하지만 특허권자에게 사용료를 지불해야 한다는 점에서는 지식 재산을 보호하려는 입장이라고 볼 수도 있다. 〈보기〉에서는 B사의 통신 기술 특허는 표준 특허이기 때문에 이를 B사가 배타적으로 이용할 수 없다는 판결이 내려졌다는 것을 제시하고 있다. 이는 특정 특허가 표준 특허로 채택되면 특허권자는 누구에게나 공정하고, 합리적이고, 비차별적인 방식으로 이를 사용할 수 있도록 협의해야 한다는 프랜드 조항에 대응하는 것이다. 그리고 법원이 이어 B사에게 A사와 특허권 사용료를 협상하라고 지시한 것은 특허권자에게 사용료를 지불해야 한다는 지문의 내용과 대응한다.

적용학습 3단계

본문 096~097쪽

01 ② 02 제품 보완물 03 ③ 04 인간을 비의 모습으로 표현해 냄으로써 우리가 미처 보지 못했던 것을 볼 수 있게 하고 있다.

01 개념을 구체적 사례에 적용하기

답 ②

정답 해설 '디드로 효과'는 제품 보완물을 통해 개인 삶이 문화적 일관성을 유지하도록 고취시키는 힘이다. 디드로가 새 실내복을 입은 후 그에 어울리게 새 책상을 구입하고 서재의 벽에 걸 새 장식을 구입하는 것처럼 제품 보완물을 통해 문화적 일관성을 유지하도록 하는 것이다. ㄱ에서는 '□□사의 모자'에 '저희 회사의 재킷'이 잘 어울린다고 하고 있으며, ㄷ에서는 '당신'의 '멋진 옷'에 어울리는 '옷'을 '부인'에게 선물해야 한다고 하고 있다. '저희 회

사의 재킷', '부인에게 어울리는 옷'은 모두 문화적 일관성을 유지하도록 촉진하는 '제품 보완물'이라고 할 수 있다.

02 사례에 대응하는 개념 찾기

답 제품 보완물

정답 해설 '새 책상'과 '서재의 벽에 걸 새 장식'은 모두 '새 실내복'과 어울릴 수 있게 새로 구입한 것이다. 즉 개인 삶이 문화적 일관성을 유지하도록 고취시키는 제품 보완물인 것이다.

03 개념 이해하기

답 ③

정답 해설 '유사의 원리'는 그림은 되도록 실물을 닮아야 하고, 그 닮음으로써 그림이 그 대상의 기호가 되어야 한다는 것이다. 그런데 현대의 작가들이 이러한 유사의 원리를 부정하는 까닭은 유사의 원리에 입각한 재현은 우리의 상투적 시각을 강화하여 마릴린 먼로 그림은 마릴린 먼로만 보게 하고, 나뭇잎 그림은 나뭇잎만 보게 할 뿐이기 때문이다. 즉 동어 반복, 동일한 기호의 반복이 이루어지기 때문이다. 그림이 기호로서의 역할을 하지 못하기 때문이 아니다.

오답 이유 ① '유사'를 중시하는 것은 그림의 대상과 그림 간의 동일성을 중시하는 것이다.
② '유사'의 관계는 원본과 복제 사이에 위계질서가 있는 것이다.
④ '상사'의 원리에 입각한 그림은 복제들 사이에 '차이'를 전개한다. 그렇기 때문에 '상사'의 원리에 따른 그림은 그림의 대상이 된 원본과 다른 점을 지니고 있다.
⑤ '상사'의 원리에 입각한 그림들은 동일한 모티프를 반복적으로 사용하는 특징이 있다.

04 관점을 구체적 사례에 적용하기

답 인간을 비의 모습으로 표현해 냄으로써 우리가 미처 보지 못했던 것을 볼 수 있게 하고 있다.

정답 해설 [A]에서는 '상사에 입각한 전사(轉寫)는 우리의 눈을 이 상투성에서 해방시켜, 일상 사물들 속에서 우리가 미처 보지 못했던 것을 비로소 보게 한다.'라고 하고 있다. 이러한 입장에서 〈보기〉의 마그리트 그림을 보면, '똑같은 중절모를 쓰고 레인코트를 입은 개성 없는 인물을 일정한 간격을 두고 배치해' '인간비'의 모습을 연출함으로써 우리가 미처 보지 못했던 것을 볼 수 있게 하고 있다고 할 수 있다.

실전학습 1단계

본문 098~100쪽

01 (1) ○ (2) × (3) ○ **02** 함축의 조건을 충족시키는 명제들만이 정합적인 것으로 참이 될 수 있기 때문이다. **03** ① **04** ⑤

「정합성의 이해」

해제 이 글은 진리에 대한 여러 관점 중 하나인 정합설에서의 '정합적이다'의 의미에 대해 설명하고 있다. 정합적이라는 것은 명제들 간의 특별한 관계인데, 이를 '모순 없음', '함축', '설명적 연관' 등으로 정의할 수 있다. 정합적이라는 것을 모순 없음으로 규정하는 경우 이전의 명제와 모순만 되지 않으면 추가되는 명제는 모두 참이 된다. 그렇지만 관련 없는 명제도 참이 될 수 있기 때문에 이 문제를 해결하기 위해 정합적이라는 것을 '함축'으로 정의하기도 한다. 함축은 어떤 명제가 참일 때, 다른 명제도 반드시 참이 되는 관계를 말한다. 그러나 이 경우 참이 될 수 있는 명제의 수가 지나치게 제한되기 때문에 정합적이라는 것을 '설명적 연관'으로 정의하기도 한다. 설명적 연관은 두 명제 사이의 그럴듯한 연관성만 있으면 정합적이라고 인정하는 것이다. 그러나 연관성이 있다는 것을 측정하거나 판단하기 어렵다는 문제가 있는데, 최근에는 확률 이론의 도움을 받아 이를 해결하려고 하고 있다.

주제 정합설에서 '정합적이다'의 의미 – 모순 없음, 함축, 설명적 연관

01 사례를 통해 개념 파악하기

답 (1) ○ (2) × (3) ○

정답 해설 (1) 정합적이라는 것을 '모순 없음'으로 이해했을 때 참이 아닌 명제는 모순이 있는 명제를 말한다. '함축'은 'A가 참일 때 B가 반드시 참'으로 설명되므로 모순이 있는 명제는 함축으로 이해했을 때에도 거짓이 된다.
(2) 모순이 있다는 것은 동시에 참이 될 수 없고, 동시에 거짓이 될 수 없는 것이므로 'A가 참일 때 B가 반드시 참'으로 정의되는 관계인 '함축'에서는 모순이 존재할 수가 없다. 그러므로 함축 관계에 있는 명제가 '모순 없는 명제들일 수는 없다.'라는 진술은 적절하지 않다.
(3) 설명적 연관이 정확하게 어떤 의미인지, 그리고 그 연관의 긴밀도가 어떻게 측정될 수 있는지는 아직 완전히 해결되지 않은 문제이다. 따라서 '정합적이다'를 설명적 연관으로 이해한다고 해도 연관의 긴밀도 문제 때문에 정합설은 아직 한계가 있다.

02 이유 추론하기

답 함축의 조건을 충족시키는 명제들만이 정합적인 것으로 참이 될 수 있기 때문이다.

정답 해설 '정합적이다'를 함축으로 정의할 경우에는 참이 될 수 있는 명제가 과도하게 제한된다. '함축'의 조건을 충족시키는 명제들만이 정합적인 것으로 참이 될 수 있기 때문이다.

03 구체적 사례에 적용하기

답 ①

정답 해설 민수가 은주보다 키가 크다는 것이 참이라면 민수가 은주보다 키가 크지 않다는 것이 참이 될 수 없다. 만약 민수가 은주보다 키가 크다는 것이 거짓(민수가 은주보다 키가 작거나 같은 경우)이라면 민수가 은주보다 키가 크지 않다는 것이 거짓이 될 수 없다. 그러므로 이 둘은 모순 관계가 된다.

오답 이유 ② 민수가 농구와 축구를 모두 좋아하는데, 축구를 더 좋아하는 경우라면 두 명제는 동시에 참이 될 수 있다.
③ 두 명제는 동시에 참이 될 수는 없지만, 만약 이익도 손해도 아닌 경우라면 동시에 거짓이 될 수 있으므로 모순 관계가 아니다.
④ 두 명제는 동시에 거짓이 될 수는 없지만, 만약 목요일이라면 두 명제가 동시에 참이 될 수 있으므로 모순 관계가 아니다.
⑤ 두 명제는 동시에 참이 될 수 있고, 동시에 거짓이 될 수도 있으므로 모순 관계가 아니다.

04 구체적 사례에 적용하기 답 ⑤

정답 해설 4문단의 설명에 따르면 함축 관계를 이루는 명제들은 필연적으로 설명적 연관이 있기 때문에, 함축 관계를 이루는 명제들은 설명적 연관으로 이해했을 때 역시 참으로 추가할 수 있다. 그러므로 〈보기〉의 명제와 함축 관계에 있는 "우리 집이 정전되었다."라는 명제는 설명적 연관으로 이해했을 때 참인 명제로 추가할 수 있다.

오답 이유 ① "우리 동네에는 솔숲이 있다."는 명제는 〈보기〉 명제와 전혀 관련 없는 명제이지만, 〈보기〉 명제와 모순이 없기 때문에 '정합적이다'를 모순 없음으로 이해했을 때는 참이 된다.
② '우리 집'은 '우리 동네'에 포함되어 있으므로 우리 동네가 정전이 되면 우리 집도 반드시 정전이 된다. 그러므로 '정합적이다'를 함축으로 이해하면 〈보기〉의 명제가 참이라고 하였으므로, "우리 집이 정전되었다."는 명제도 참이 된다.
③ 예비 전력이 부족하여 전력 공급이 중단되었다는 것은 우리 동네 전체가 정전이 된 이유를 그럴듯하게 설명해 주는 것이기 때문에 '정합적이다'를 설명적 연관으로 이해했을 때 참이 된다.
④ 〈보기〉의 명제가 참이라고 해서 "우리 동네에는 솔숲이 있다."는 명제가 반드시 참이 되는 것은 아니다. 그러므로 '정합적이다'를 함축으로 이해했을 때는 이 명제를 참인 명제로 추가할 수 없다.

실전학습 2단계

본문 101~103쪽

01 ㉮ 문서, 데이터베이스 등에 담긴 지식, ㉯ 객관적으로 표현하기 어려운 주관적 지식 **02** ③ **03** ② **04** ⑤

「지식 경영론」

해제 이 글은 마이클 폴라니의 '암묵지' 개념을 활용한 노나카 이쿠지로의 '지식 경영론'에 대해 소개하고 있다. 폴라니는 명확하게 표현되지 않고 주체에게 체화된 암묵지 개념을 통해 모든 지식이 지적 활동의 주체인 인간과 분리될 수 없다는 것을 강조했다. 노나카는 지식에 대한 폴라니의 탐구를 실용적으로 응용해 지식 경영론을 펼쳤는데, 그는 '암묵지'를 신체 감각, 상상 속 이미지, 지적 관심 등과 같이 객관적으로 표현하기 어려운 주관적 지식, '명시지'를 문서나 데이터베이스 등에 담긴 지식과 같이 객관적이고 논리적으로 형식화된 지식으로 파악하였다. 특히 노나카는 암묵지와 명시지의 분류에 기초하여 개인, 집단, 조직 수준에서 이루어지는 지식 변환 과정을 '공동화', '표출화', '연결화', '내면화'의 네 가지로 유형화했는데, 그는 이러한 변환 과정이 원활하게 일어나 기업의 지적 역량이 강화되도록 기업의 조직 구조가 혁신되어야 한다고 주장하였다.
주제 폴라니의 '암묵지' 개념을 활용한 노나카의 '지식 경영론'

01 구체적인 정보를 통해 개념 파악하기

답 ㉮ 문서, 데이터베이스 등에 담긴 지식, ㉯ 객관적으로 표현하기 어려운 주관적 지식

정답 해설 '암묵지'는 신체 감각, 상상 속 이미지, 지적 관심 등 객관적으로 표현하기 어려운 주관적 지식을 일컫는다. 반면에 '명시지'는 문서, 데이터베이스 등에 담긴 지식으로 객관적이고 논리적으로 형식화된 지식을 일컫는다.

02 지문과 선택지의 사례 대응시키기 답 ③

정답 해설 C사의 직원이 경쟁 기업의 터치스크린 매뉴얼들을 보고 제품을 실제로 반복 사용하여 감각적 지식을 획득한 것은, 명시지가 숙련 노력에 의해 암묵지로 전환되는 '내면화'에 해당한다.

오답 이유 ① A사의 직원이 자사 오토바이 동호회 회원들과 계속 접촉하여 소비자들의 느낌을 포착해 낸 것은, 대면 접촉을 통한 모방과 개인의 숙련 노력에 의해 암묵지가 전달되어 타자의 암묵지로 변환되는 '공동화'에 해당한다.
② B사가 자동차 부품 관련 특허 기술들을 부문별로 재분류하고 이를 결합하여 신기술을 개발한 것은, 명시지들을 결합하여 새로운 명시지를 형성하는 '연결화'에 해당한다.
④ D사가 교재로 항공기 조종 교육을 실시하고 직원들이 반복적인 시뮬레이션 학습을 통해 조종술에 능숙하게 된 것은, 명시지가 숙련 노력에 의해 암묵지로 전환되는 '내면화'에 해당한다.
⑤ E사의 직원이 성공적인 제품 디자인들에 동물 형상이 반영되었음을 감지하고 장수하늘소의 몸체가 연상되는 청소기 디자인을 완성한 것은, 암묵적 요소 중 일부가 형식화되어 객관화되는 '표출화'에 해당한다.

03 지문의 정보를 〈보기〉의 사례에 적용하기 답 ②

정답 해설 F사는 보고서와 제안서 등의 가시적인 지식(명시지)의 산출에 대해서만 보상하고, 경험적 지식이나 창의적 아이디어 같은 무형의 지식(암묵지)에 대한 평가 및 보상 제도는 갖추지 못하였다. 이미 가시적인 지식의 산출에 대해서는 독려하고 보상한 바 있으므로, 직원들이 회사에서 사용할 논리적이고 형식화된 지식을 제안하도록 권장하는 것은 F사의 문제를 해결하기 위해 제

시할 만한 방안으로 보기 어렵다.

오답 이유 ① 창의적 아이디어와 같은 암묵지는 문서 형태로 표현되기 어려울 수 있다. 이를 감안하여 다양한 의견 제안 방식을 마련할 수 있을 것이다.

③ 숙련된 직원들의 노하우가 공유되지 못해 경험 많은 직원들이 퇴직할 때마다 해당 부서의 업무 공백이 발생했다고 볼 수 있다. 이를 해결하기 위해 숙련된 직원들의 노하우를 공유할 수 있도록 면대면 훈련 프로그램을 도입할 수 있을 것이다.

④ 직원들의 체화된 무형의 지식인 암묵지가 보상받을 수 있도록 평가 제도를 개선하면 회사에 대한 직원들의 헌신성을 높일 수 있을 것이다.

⑤ 그간 명시지에 대해서만 보상과 평가가 이루어졌으므로, 직원들 각자가 지닌 업무 경험과 기능인 암묵지를 존중하고 명시지와 암묵지를 모두 평가하고 보상하도록 조직 문화와 동기 부여 시스템을 개선할 수 있을 것이다.

04 주장의 근거 추론하기 답 ⑤

정답 해설 이 글에 따르면 지식 공유가 제대로 이루어지기 위해서는 명시지뿐만 아니라 암묵지에 대한 공유가 이루어져야 한다. 그런데 인간에게 체화된 무형의 지식인 암묵지를 공유하는 것은 쉬운 일이 아니다. 암묵지가 공유되기 위해서는 구성원들의 적극적인 참여가 있어야 한다. 구성원들이 적극적으로 암묵지를 전수해 주려 하고, 전수받으려 해야 하는 것이다.

실전학습 3단계

본문 104~105쪽

01 ⑤ 02 ②

「이상 기체 상태 방정식과 반데르발스 상태 방정식」

해제 이 글은 실제 기체의 상태에 영향을 미치는 압력, 온도, 부피의 상관관계를 나타내는 이상 기체 상태 방정식이 반데르발스 상태 방정식으로 보정되는 과정을 설명하고 있다. 이상 기체 상태 방정식은 분자 자체의 부피와 분자 간 상호 작용이 없는 이상 기체를 가정한 것이기 때문에 실제 기체에 적용하면 맞지 않게 된다. 이에 따라 기체의 종류별로 달라지는 매개 변수를 설정하여 실제 기체의 상태를 잘 표현할 수 있는 반데르발스 상태 방정식이 탄생하게 되었다. 이 방정식은 자연 현상을 정확하게 표현하기 위해 단순한 모형을 정교한 모형으로 수정해 나가는 과학 연구의 절차를 잘 보여 주는 하나의 사례라고 할 수 있다.

주제 이상 기체 상태 방정식이 반데르발스 상태 방정식으로 보정되는 과정

01 대상 간의 차이점 파악하기 답 ⑤

정답 해설 3문단에서 부피가 V인 용기 안에 들어 있는 실제 기체의 분자 자체의 부피를 b라 할 때, 기체 분자가 운동할 수 있는 자유 이동 부피는 이상 기체에 비해 b만큼 줄어든 V−b가 된다고 설명하고 있다. 따라서 ㉠에서 기체 분자가 운동할 수 있는 자유 이동 부피는 ㉡에서보다 크다고 할 수 있다.

오답 이유 ① 기체의 상태에 영향을 미치는 압력, 온도, 부피의 상관관계에 대해서는 1문단에 제시되어 있는데, 기체의 온도를 일정하게 하고 부피를 줄이면 압력은 높아진다.

② 이상 기체는 분자 자체의 부피와 분자 간 상호 작용이 없다고 가정한 기체이다.

③ 실제 기체는 분자 사이의 인력에 의한 상호 작용으로 분자들이 서로 끌어당기므로 이상 기체보다 압력이 낮아진다.

④ 실제 기체에서 분자 간의 상호 작용은 인력과 반발력에 의해 발생하는데, 인력은 분자 사이의 거리가 멀어지면 감소하고, 분자들이 거의 맞닿을 정도가 되면 반발력이 급격하게 증가한다.

02 지문의 정보를 〈보기〉의 시각 자료에 대응시키기 답 ②

정답 해설 3문단에서 기체의 부피가 줄면 분자 간 거리도 줄어 인력이 커진다고 언급하고 있다. 그리고 2문단에서 일반적인 기체 상태에서 분자 간의 상호 작용은 대부분 분자 간 인력에 의해 일어나고, 반발력은 기체 분자들이 거의 맞닿을 정도가 되면 급격하게 증가하여 인력을 압도하게 된다고 설명하고 있다. 〈보기〉에서 A와 B는 같은 온도에서 일정한 부피를 갖고 있는 상황이다. 그리고 압력이 P_1에서 P_2로 변하면서 A의 부피가 B의 부피보다 상대적으로 더 많이 작아지고 있음을 알 수 있다. A의 부피가 B의 부피보다 작다는 것은 A가 B보다 분자 간의 거리가 짧다는 것이고, 그것은 곧 A가 B보다 인력이 더 크다는 것을 의미한다. 인력이 그만큼 크다는 것은 A가 B에 비해 상대적으로 반발력이 작다는 것을 의미한다. 따라서 A가 B에 비해 반발력보다 인력의 영향을 더 크게 받는다고 할 수 있다.

오답 이유 ① 분자 간의 상호 작용은 대부분 분자 간 인력에 의해 일어나는데 압력이 P_1에서 0에 가까워지면 A, B 모두 부피가 증가하게 된다. 부피가 증가하게 되면 분자 사이의 거리가 멀어지면서 분자 간의 인력이 줄어들게 되므로 분자 간 상호 작용이 감소한다고 할 수 있다.

③ P_2에서 P_3 사이에서 A는 이상 기체보다 부피가 더 작고 B는 이상 기체보다 부피가 더 크다는 것을 통해 A가 B보다 반발력보다 인력의 영향을 더 받는다고 보는 것이 적절하다.

④ 압력이 P_3보다 높을 때는 이상 기체보다 A와 B 모두 그 부피가 크다는 것을 통해 A와 B 모두 인력보다 반발력의 영향을 더 크게 받는다고 할 수 있다.

⑤ 2문단에서 실제 기체의 부피는 반발력 때문에 압력을 아무리 높이더라도 이상 기체에서 기대했던 것만큼 줄지 않는다고 언급하고 있으므로 적절하지 않다.

2부 독해 원리로 여는 독서

01 원리로 인문 독해

기출 인문 독해 1

본문 110~113쪽

01 ③ 02 ② 03 ③

「아리스토텔레스의 목적론」

해제 이 글은 아리스토텔레스의 목적론을 중심으로, 과학사에서 아리스토텔레스의 목적론이 어떤 평가를 받아왔으며 그 의의가 무엇인지를 설명하고 있다. 이를 위해 우선 목적론의 내용을 설명하고 이 이론에 대한 근대 사상가들의 비판들을 소개한 후 이러한 비판들에 대해 현대의 학자들이 지적한 반박 내용을 제시하였다. 또한 아리스토텔레스의 목적론이 17세기 이후의 물질론적 · 환원론적 사고와 상반되는 성격을 지니고 있음을 확인하고, 아리스토텔레스의 자연물의 구성 요소에 대한 탐구에 대하여 자연물이 존재하고 운동하는 원리와 이유를 밝히려는 탐구의 출발점으로 볼 수 있다는 의의를 제시하고 있다.

주제 아리스토텔레스의 목적론에 담긴 핵심적 사고와 그 의의

01 세부 정보, 핵심 정보 파악 답 ③

정답 해설 1문단에서 아리스토텔레스는 모든 자연물이 목적을 추구하는 본성을 타고나고, 그러한 내재적 본성에 따라 운동을 하며, 단순히 목적을 갖는 데 그치는 것이 아니라 목적을 실현할 능력도 타고난다고 하였다.

오답 이유 ① 2문단의 마지막 부분에, 아리스토텔레스는 자연물을 생물과 무생물로, 생물을 다시 식물 · 동물 · 인간으로 나누고, 인간만이 이성을 지닌다고 생각했다는 내용이 제시되어 있다. 이에 따르면 아리스토텔레스는 개미는 이성을 지니지 못한 존재로 생각했음을 알 수 있다.

② 1문단의 마지막 부분에 따르면, 아리스토텔레스는 본성적 목적의 실현은 운동 주체에 항상 바람직한 결과를 가져온다고 믿었다. 따라서 자연물의 목적 실현이 때로는 그 자연물에 해가 된다고 이해하는 것은 적절하지 않다.

④ 아리스토텔레스는 낙엽을 비롯한 모든 자연물이 목적을 추구하는 본성을 타고나며, 내재적 본성에 따른 운동을 한다고 하였다.

⑤ 목적론에서는, 자연물은 외적 원인이 아니라 내재적 본성에 따른 운동을 한다고 본다.

02 세부 정보, 핵심 정보 파악 답 ②

정답 해설 갈릴레이는 '목적론적 설명이 과학적 설명으로 사용될 수 없다'고 주장하였고 우드필드는 '목적론적 설명이 과학적 설명은 아니지만' 그 옳고 그름을 확인할 수는 없기 때문에 거짓이라 할 수도 없다고 지적했다. 그러므로 두 사람 모두 목적론적 설명이 과학적 설명이 아니라는 점에 대해 동의하고 있다는 설명은 타당하다.

오답 이유 ① 갈릴레이는 근대 과학에 기초한 기계론적 입장에서 목적론적 설명이 과학적 설명으로 사용될 수 없다고 비판하였다.

③ 베이컨은 목적에 대한 탐구가 과학에 무익하다고 평가하며 목적론을 비판하기는 했지만 교조적 신념에 의존했다는 비판을 하지는 않았고, 우드필드는 목적론의 옳고 그름을 확인할 수 없기 때문에 목적론이 거짓이라 할 수도 없다고 지적하며 베이컨 등 근대 사상가들의 목적론 비판을 반박했다.

④ 스피노자는 목적론이 자연에 대한 이해를 확장한다고 주장한 것이 아니라 자연에 대한 이해를 왜곡한다고 비판하였다. 볼로틴은 목적론을 비판한 근대 과학의 견해에 대해 반박하기는 했지만 목적론이 자연에 대한 이해를 확장한다는 주장을 펼치지는 않았다.

⑤ 스피노자는 목적론이 자연물도 이성을 갖는 것으로 사물을 의인화한다고 비판하는 입장을 보였지만, 우드필드는 목적론의 옳고 그름을 확인할 수 없기 때문에 거짓이라 할 수도 없다고 지적했다.

03 반응의 적절성 평가 답 ③

정답 해설 아리스토텔레스는 '자연물의 물질적 구성 요소를 알면 그것의 본성을 모두 설명할 수 있다'는 엠페도클레스의 견해를 반박함으로써 자연물의 본성이 단순히 물리 · 화학적으로 환원되지 않는다는 생각을 밝혔다. 〈보기〉의 마이어 역시 '구성 요소에 관한 지식만으로는 예측할 수 없는 특성들이 나타'나며 생명체가 물질만으로 구성되기는 하지만 '물리 · 화학적 법칙으로 모두 설명되지는 않는다'고 보고 있다.

오답 이유 ① '생명체가 물질만으로 구성된다'고 본다는 점에서 마이어의 생각은 엠페도클레스의 생각과 유사하지만 '복잡성의 수준이 한 단계씩 오를 때마다 구성 요소에 대한 지식만으로는 예측할 수 없는 특성들이 나타난다'는 창발론의 입장은 엠페도클레스의 견해와 상충된다. 한편 아리스토텔레스는 자연물이 단순히 물질만으로 이루어진 것이 아니라는 입장에서 '자연물의 물질적 구성 요소를 알면 그것의 본성을 모두 설명할 수 있다'는 엠페도클레스의 물질론적 견해를 반박했다.

② 마이어는 기본적으로 생명체가 물질만으로 구성된다는 견해를 지니고 있지만, 아리스토텔레스는 엠페도클레스의 물질론적 주장과 반대의 견해를 보였다.

④ 마이어는 모든 자연물이 아니라 생명체의 특징으로 창발론을 주장한 것이며, 생명체의 경우 '세포 이상의 단계에서 각 체계의 고유 활동은 미리 정해진 목적을 수행한다'고 보았다. 아리스토텔레스는 모든 자연물이 목적을 추구하는 본성을 지니고 태어나며 이러한 내재적 본성에 따른 운동을 한다는 견해를 보이고 있

다. 그러므로 아리스토텔레스는 모든 자연물이 목적 지향적으로 운동한다고 보았음을 알 수 있다.

⑤ 아리스토텔레스는 자연물의 본성에 대한 물리 · 화학적 환원을 인정하지 않았고, 마이어 역시 생명체의 특성이 물리 · 화학적 법칙으로 모두 설명되지는 않는다고 보았다.

기출 인문 독해 2 본문 114~117쪽

01 ⑤ **02** ④ **03** ① **04** ②

「맹자의 '의' 사상」

해제 이 글은 맹자의 '의' 사상이 형성된 배경과 내용에 대해 설명하고 있는 글이다. 전국 시대에 유학의 영향력이 약화되고 있다고 판단한 맹자는 사회 안정을 위해 사적인 욕망과 결부된 이익 추구가 배제된 '의'를 추구해야 한다고 강조하였다. 맹자는 공자의 '의'를 강화하여, '의'를 개인의 완성 및 개인과 사회의 조화를 위해 필수적인 사회 일반의 행위 규범으로 설정하였다. 또 맹자는 인간에게는 '의'를 실천할 수 있는 도덕적 역량이 내재화되어 있으므로, 사회 구성원으로서의 개인은 '의'를 실천하여 사회 질서 수립과 안정에 기여해야 한다고 주장하였다.

주제 맹자의 '의' 사상의 형성 배경과 내용

☑ 체크 포인트

철학적이고 형이상학적인 개념인 맹자의 '의' 사상을 중심 화제로 설정하고 이에 대해 설명하고 있는 글이다. 맹자의 '의' 사상과 그 특징과 관련하여 상술된 내용들을 정확히 이해하고, 맹자의 '의' 사상을 관념적으로만 이해할 것이 아니라 사회의 구체적인 상황에 적용하거나 대응시키며 글을 읽어야 한다.

01 내용 전개 방식 파악 답 ⑤

정답 해설 이 글은 ㉮에서 맹자의 '의' 사상이 형성된 배경을 소개하고, ㉯~㉳에서 맹자가 제시한 '의'의 전반적인 내용에 대해 설명하고 있다.

오답 이유 ① 맹자의 '의' 사상에 대한 사회적 통념을 제시하지 않았고 그에 대해 비판하고 있지도 않다.

② 맹자의 '의' 사상이 가지는 한계에 대해서는 분석하지 않았다.

③ 맹자의 '의' 사상의 뿌리인 공자의 관점에 대한 설명은 있지만 상반된 관점에 대한 내용은 없다.

④ 맹자가 당시에 다른 학파의 사상적 도전에 맞서 유학 사상의 이론화 작업을 전개하였다는 설명은 있으나 맹자의 '의' 사상이 가지는 현대적 의의를 재조명하고 있지는 않다.

02 세부 정보, 핵심 정보 파악 답 ④

정답 해설 ㉰의 내용을 살펴보면, 맹자는 '의'의 의미를 확장하여 '의'를 '인'과 대등한 지위로 격상하였다. 또한 '의'를 가족 성원 간에도 지켜야 할 규범으로 규정하고, 유비적 확장을 통해 사회 일반의 행위 규범으로 정립하였다. 그러므로 맹자는 '의'보다 '인'의 확산이 더 필요하다고 하지 않았음을 알 수 있다.

오답 이유 ① ㉳에서 맹자는 특히 생활에서 마주하는 사소한 일에서도 '의'를 실천해야 함을 강조하였음을 알 수 있다.

② ㉳에 따르면, 맹자는 목숨과 '의'를 함께 얻을 수 없다면 '목숨을 버리고 의를 취한다.'라고 주장하여 '의'를 목숨을 버리더라도 실천해야 할 가치로 제시하였다.

③ ㉰에서 맹자는 부모에게 효도하는 것은 '인'이고, 형을 공경하는 것은 '의'라고 하여 '의'를 가족 성원 간에도 지켜야 할 규범이라고 규정하였다고 하였다.

⑤ ㉰에서 맹자는 '의'의 의미를 확장하여 '의'를 '인'과 대등한 지위로 격상하였으며, '의'를 사회 일반의 행위 규범으로 정립하였음을 알 수 있다.

03 글의 주제, 함축된 의미 추론 답 ①

정답 해설 ㉠은 인간이라면 누구나 도덕 행위를 할 수 있는 선한 마음과 옳고 그름을 판단할 수 있는 능력이 선천적으로 내면에 갖추어져 있다는 주장이다. 그러므로 세상의 올바른 이치가 모두 나의 마음속에 갖추어져 있다는 ①의 내용과 일맥상통한다.

오답 이유 ② 바른 도리를 행하려면 결국 사회에서 통용되는 예의가 있어야 한다는 것이므로 도덕의 내재성을 강조한 ㉠과는 거리가 멀다.

③ 도덕은 성인이 만든 것이고 인간 성품으로부터 생겨난 것이 아니라는 것은 도덕이 선천적으로 갖추어져 있다는 ㉠과 맞지 않다.

④ 군자나 소인이나 모두 '의'가 있어야 한다는 것을 강조하는 내용이므로 도덕의 내재성을 강조한 ㉠과는 관련성이 적다.

⑤ 원래부터 어른으로 대우하려는 마음이 있는 것이 아니라는 말은 도덕의 내재성을 강조한 ㉠과 거리가 멀다.

04 내용들 간의 의미 관계 파악 답 ②

정답 해설 〈보기〉에서 묵적은 '의'를 개인과 사회 전체의 이익을 충족하는 것으로 보고, 모든 사람을 차별 없이 똑같이 서로 사랑하면 '의'가 실현되어 개인과 사회의 혼란을 해결할 수 있다고 하였다. 한편 ㉱에 따르면 맹자는 '의'가 이익의 추구와 구분되어야 한다고 주장하며, 사적인 욕망으로부터 비롯된 이익의 추구는 개인적으로는 '의'의 실천을 가로막고, 사회적으로는 혼란을 야기한다고 보았다. 맹자는 사회 안정을 위해 사적인 욕망과 결부된 이익의 추구는 '의'에서 배제되어야 한다고 주장하였으므로, '의'와 이익을 명확히 구분되는 것으로 보았음을 알 수 있다.

오답 이유 ① 맹자가 강조한 '의'는 '인'의 실천에 필요한 합리적 기준으로서의 '정당함'이라는 공자의 사상을 강조한 것인 반면, 〈보기〉 묵적의 '의'는 개인과 사회 전체의 이익을 충족하는 것으로 본 것이므로 의미가 다름을 알 수 있다.

③ ㉱에서 맹자는 사적인 욕망으로부터 비롯된 이익의 추구는 개

인적으로는 '의'의 실천을 가로막고, 사회적으로는 혼란을 야기한다고 보았으며, 〈보기〉에서 묵적은 자기 자신과 자기 집단만의 이익을 추구하지 않고 개인과 사회 전체의 이익을 충족하는 '의'를 통해 개인과 사회의 혼란을 해결할 수 있다고 하였다.

④ ㉤에 따르면, 맹자는 인간이 자기의 행동이 옳지 못함을 부끄러워하는 마음이 의롭지 못한 행위를 하지 않도록 막아 주는 동기로 작용한다고 보았고, 〈보기〉에서 묵적은 '의'의 실현이 만물을 주재하는 하늘의 뜻이라고 하였다.

⑤ ㉣에 따르면, 맹자는 '의'를 개인과 사회의 조화를 위한 필수적인 행위 규범으로 설정하였으며, 〈보기〉에서 묵적은 '의'를 개인과 사회 전체의 이익을 충족하는 것으로 보았다.

기출 인문 독해 3 본문 118~121쪽

01 ⑤ **02** ③ **03** ②

「'심신 이원론'과 '심신 일원론'」

해제 이 글은 정신적 사건과 육체적 사건이 서로 다른 종류의 것이라고 주장하는 '심신 이원론'과 두 사건이 동일한 사건이라는 '심신 일원론'을 설명하고 있는 글이다. 심신 이원론에는 '상호 작용론', '평행론', '부수 현상론'이 있는데, 먼저 '상호 작용론'은 정신적 사건과 육체적 사건이 인과적으로 영향을 주고받는다는 입장이고, '평행론'은 정신적 사건과 육체적 사건 사이에는 어떤 인과 관계도 성립하지 않는다는 입장이다. 마지막으로 '부수 현상론'은 모든 정신적 사건은 육체적 사건에 의해서 일어나지만 그 역은 성립하지 않는다는 입장이다. 이러한 심신 이원론은 각 이론마다 한계를 지니고 있는데, 이러한 한계와 관련하여 제기된 것이 심신 일원론이다. 심신 일원론은 정신적 사건이라고 알려졌던 것이 사실은 육체적 사건에 불과하고, 인과 관계는 오로지 물질적 사건들 사이에서만 존재한다고 보는 입장이다.

주제 정신적 사건과 육체적 사건의 관계에 대한 심신 이원론과 심신 일원론의 입장

✔ 체크 포인트

정신적 사건과 육체적 사건의 관계에 대한 이론들을 설명하고 있는 글이다. 특히 이 글에서는 이러한 이론을 심신 이원론과 심신 일원론으로 대별한 후, 다시 심신 이원론의 세 가지 구체적 이론을 소개하고 있다. 따라서 이 글은 각각의 이론들이 보이는 차이점을 정확하게 파악하며 읽을 수 있어야 하며, 글에 사용된 내용 전개 방식을 이해하며 글을 읽어야 한다.

01 세부 내용 추론 답 ⑤

정답 해설 이 글에서 언급된 두 가지 상식은, '정신적 사건과 육체적 사건은 구분된다는 생각'과 '정신적 사건과 육체적 사건이 서로 긴밀히 연결되어 있다는 생각'이다. 하지만 '동일론(심신 일원론)'은 두 사건이 별개의 사건이 아니라 모두 육체적 사건이라는 입장을 견지하고 있다. 따라서 '동일론'이 정신적 사건과 육체적 사건에 대한 두 가지 상식이 모두 성립함을 보여 주는 것은 아니라는 사실을 알 수 있다.

오답 이유 ① ㉮에서 '심신 이원론'은 정신적 사건과 육체적 사건이 서로 다른 종류의 것이라고 주장하는 이론이라고 설명하고 있다. 따라서 '심신 이원론'에서는 두 사건이 구분된다는 상식을 포기하지 않는다는 설명은 적절하다.

② ㉯에서 '상호 작용론'은 정신적 사건과 육체적 사건이 서로에게 인과적으로 영향을 주고받는 관계에 있음을 설명하고 있다. 따라서 '상호 작용론'에서는 정신적 사건이 육체적 사건의 원인이 되기도 하고 결과가 되기도 한다는 설명은 적절하다.

③ ㉰에서 '평행론'은 두 사건 사이에는 어떤 인과 관계도 성립하지 않고, 정신적 사건이 일어날 때 거기에 해당하는 육체적 사건이 평행하게 항상 일어난다고 설명하고 있다. 따라서 '평행론'에서는 정신적 사건이 육체적 사건의 원인이 되지 않으면서도 함께 일어날 수 있다고 주장한다는 것은 적절한 설명이다.

④ ㉱에서 '부수 현상론'은 모든 정신적 사건은 육체적 사건에 의해서 일어난다고 설명하고 있다. 따라서 '부수 현상론'에서는 육체적 사건이 정신적 사건을 일으킬 수 있다고 본다는 설명은 적절하다.

02 내용들 간의 의미 관계 파악 답 ③

정답 해설 '평행론'은 모든 물질적 사건은 다른 물질적 사건이 원인이 되어 일어나기 때문에 물질적 사건의 원인을 설명하기 위해서 물질세계 밖으로 나갈 필요가 없다는 입장이다. '동일론'은 정신적 사건이라고 알려진 것이 사실은 육체적 사건에 불과하고, 인과 관계는 오로지 물질적 사건들 사이에서만 존재한다고 보는 입장이다. 따라서 물질적 사건에 초점을 두고 있다는 점에서 '평행론'과 '동일론'은 모두 물질적 사건의 원인을 설명하기 위해서 물질세계 밖으로 나갈 필요가 없다는 주장에 동의할 수 있다.

오답 이유 ① '평행론'은 정신적 사건은 정신적 사건대로 인과 관계가 성립한다는 입장이고, '동일론'은 정신적 사건 자체를 인정하지 않는 입장이므로 적절하지 않다.

② '평행론'은 정신적 사건과 육체적 사건 사이에 인과 관계가 성립하지 않고, 정신적 사건이 일어날 때 거기에 해당하는 육체적 사건도 평행하게 항상 일어난다는 입장이다. 그리고 '동일론'은 정신적 사건이 사실은 육체적 사건에 불과하다는 입장이다. 따라서 육체적 사건과 정신적 사건은 서로 대응되며 별개의 세계에 존재한다는 진술은 '평행론'의 입장일 뿐 '동일론'의 입장이라고 할 수는 없다.

④ '평행론'은 정신적 사건과 육체적 사건 사이에는 어떤 인과 관계도 성립하지 않는다는 입장이고, '동일론'은 정신적 사건의 존재를 부정하는 입장이므로 적절하지 않다. 정신이 육체에 영향을 미칠 수 있다는 진술은 정신적 사건과 육체적 사건이 상호 작용하기 때문에 정신적 사건이 육체적 사건의 원인이 될 수 있다고

보는 '상호 작용론'의 입장과 관련된 것이라고 할 수 있다.
⑤ '평행론'은 정신적 사건은 정신적 사건대로 인과 관계가 성립한다는 입장이고, '동일론'은 정신적 사건의 존재를 인정하지 않는 입장이므로 적절하지 않다. 정신적 사건이든 육체적 사건이든 어떠한 사건에도 영향을 미치지 못하는 정신적 사건이 존재한다는 진술은 정신적 사건이 육체적 사건에 동반되는 부수적 현상이라고 보는 '부수 현상론'과 관련된 것이라고 할 수 있다.

03 구체적 상황에 적용하기 답②

정답 해설 '부수 현상론'에 따르면 모든 정신적 사건은 육체적 사건에 의해서 일어나지만 그 역은 성립하지 않는다. 그리고 육체적 사건은 정신적 사건을 일으키고 또 다른 육체적 사건의 원인이 되지만 정신적 사건은 정신적 사건이든 육체적 사건이든 어떤 사건에도 영향을 미치지 못한다. 이를 고려할 때, 〈보기〉에서 ⓐ(지구, 달, 태양의 상대적인 위치)는 조수 간만과 달의 모양 변화라는 결과를 초래하는 원인으로서 '육체적 사건'에 해당된다고 할 수 있다.
ⓑ(조수 간만)는 ⓐ에 의해 나타난 현상이면서 개펄의 형성이라는 또 다른 육체적 사건의 원인이 된다는 점에서 '육체적 사건'에 해당한다고 할 수 있다. ⓒ(달의 모양)는 ⓐ에 의해 일어난 현상이지만 ⓒ에 의해 ⓐ의 변화를 가져오는 그 어떤 인과적 역할도 하지 못한다는 점에서, 즉 ⓐ가 ⓒ의 원인이 되지만, 역으로 ⓒ가 ⓐ의 원인이 되지 못한다는 점에서 '정신적 사건'에 해당된다고 할 수 있다.

실전 인문 독해 1

본문 122~125쪽

01 ④ **02** ⑤ **03** ④ **04** ③

「진리는 스스로 찾는 것 – 서경덕」

해제 이황, 이이, 조식과 함께 조선의 4대 성리학자로 불리는 서경덕의 학문 방법과 '이기론(理氣論)'에 대해 소개하고 있는 글이다. 서경덕은 책이나 스승을 통하지 않고 스스로 궁구함으로써 얻는 깨달음을 중시하는 '자득(自得)'의 방법을 통해 고유한 이론을 창시했다. 이 글에서는 그가 '자득(自得)'을 위해 취했던 '관물(觀物)'의 방법을 예를 들어 설명하고 있으며, 그의 '이기론'의 핵심을 이루는 주요한 개념인 '태허(太虛)', '선천(先天)', '후천(後天)' 등에 대해 설명하고 있다. 글의 결미에서는 이러한 서경덕의 이론이 조선 중기 이후에 전개되는 인간과 자연에 대한 논의의 중요한 토대가 되었다는 의의를 제시하며 글을 마무리하고 있다.
주제 서경덕의 학문 방법과 이기론(理氣論)의 주요 내용

☑ 독해 포커스
학문 방법과 이기(理氣)에 대한 서경덕의 견해 · 주장을 설명하고 있는 글이다. 이 과정에서 '관물(觀物)'의 방법과 '태허(太虛)', '선천(先天)', '후천(後天)' 등의 개념에 대해 설명하고 있으므로 이들 정보를 이해하고 견해 · 주장을 파악해 그의 입장을 이해해야 한다.

01 내용 전개 방식 파악 답④

정답 해설 글쓴이는 서경덕이 책이나 스승을 통하지 않고 스스로 이치를 궁구하는 '자득(自得)'의 방법으로 학문을 했다는 사실을 제시하고 있다. 그리고 이어서 그의 '이기론'에 대한 독자의 이해를 돕고 있다. 서경덕의 이기론에서 사용한 '태허(太虛)', '선천(先天)', '후천(後天)' 등의 개념을 설명하며 서경덕의 이기론의 핵심 내용을 소개하고 있는 것이다.

오답 이유 ① 이 글에서는 통념과 그 문제점에 대해 언급한 부분을 찾아볼 수 없다.
② 서경덕의 이론을 소개하는 데에 서술의 초점을 맞추고 있을 뿐 여러 이론이 제시되어 있지 않다.
③ 이론의 주요 내용을 소개하고 있을 뿐, 이론이 형성된 역사적 배경을 통시적으로 설명하고 있지 않다.
⑤ 서경덕의 이론을 소개하고 있을 뿐, 대조적 입장의 이론을 제시하고 그중 한 입장을 취하고 있지 않다.

02 구체적 상황에 적용하기 답⑤

정답 해설 서경덕은 '선천(先天)'의 기(氣)는 본래 하나이지만 그것이 모이고 흩어짐에 따라 천지만물의 변화가 나타난다고 보았다. 이에 따르면 고체의 양초가 액체로 녹고, 녹은 액체가 기화되면서 사라지는 것은 기(氣)가 소멸하는 것이 아니라 모여 있던 기(氣)가 흩어지는 것에 해당한다고 할 수 있다.

오답 이유 ① '선천(先天)'은 감각할 수 없는 세계이다. 반면에 '후천(後天)'은 감각할 수 있는 세계이다. 이에 따라 양초의 심지가 불에 타 사라지는 것은 '후천(後天)'에서 '선천(先天)'으로 기(氣)가 이동하는 것으로 설명해야 한다.
② 서경덕은 '선천(先天)'의 기(氣)는 본래 하나라고 보았다. 따라서 기(氣)가 본래 여러 종류라고 말하는 것은 서경덕의 입장과 부합하지 않는 것이다.
③ 서경덕은 기(氣)가 새롭게 생겨나는 것이 아니라고 했다.
④ '태허(太虛)'의 기(氣)는 세상의 근원에 해당하는 것으로 시간과 공간의 제약을 벗어나 있는 것이다. 따라서 감각할 수 있는 세계인 '후천(後天)'에 존재하는 양초를 놓고 '태허(太虛)'의 기(氣)가 시 · 공간의 제약을 벗어나 있음을 보여 주는 것이라고 말하는 것은 적절하지 않다.

03 내용의 비판적 이해 답④

정답 해설 서경덕은 '기(氣) 바깥에 이(理)가 없다.'라고 보았다. 이는 이(理)보다 기(氣)를 중시하는 관점이다. 반면에 이황은 '기(氣) 이전에 이(理)가 존재하며 이(理)는 본성으로 귀한 것이고 기(氣)는 천박한 것'이라고 보아 기(氣)보다 이(理)를 중시하는 입장을 취했다. 이러한 입장의 차이를 고려하면, 서경덕이 이(理)가 기(氣) 내부에서 기를 주재한다고 보았다고 말하는 것은 적절

하지 않다.

오답 이유 ① 서경덕은 어떤 것도 기(氣)보다 앞서 존재하는 것은 있을 수 없다고 본 반면, 이황은 이(理)가 기(氣)보다 앞선다고 보았다.

② 서경덕은 책이나 스승을 통하지 않고 스스로 이치를 궁구하는 '자득(自得)'을 학문의 방법으로 삼았다. 이는 고전에 있는 성현(聖賢)의 가르침을 중시해야 한다고 본 이황과 다른 입장이다.

③ 이황이 이(理)는 본성으로 귀한 것이며 기(氣)는 천박한 것이라고 말한 데서 그가 이(理)와 기(氣)를 구별되는 것으로 인식했음을 알 수 있다. 반면에 서경덕은 이와 기가 서로 분별되지 않는 것이라고 보았다.

⑤ 서경덕은 인간을 자연의 일부로 본 반면, 이황은 자연보다 인간을 중심에 놓고 인간의 본성을 탐구하는 데에 주력하였다.

04 어휘의 사전적 의미 파악 답 ③

정답 해설 '관통(貫通)'의 사전적 의미는 '꿰뚫어서 통함.'이다. '어떤 일에 공통되는 바가 있음.'을 의미하는 단어는 '상통(相通)'이다.

실전 인문 독해 2

본문 126~129쪽

01 ④ 02 ② 03 ②

「가치의 문제」

해제 오랫동안 철학의 관심이 되어 온 가치의 질적 특성에 대한 두 입장을 설명하고 있는 글이다. 이 글에서 설명하고 있는 두 입장은 '가치 실재론'과 '가치 비실재론'이다. '가치 실재론'은 가치의 실재를 주장하는 입장인데, 가치를 자연적 성질로 보는 입장과 가치를 형이상학적 성질로 보는 두 입장으로 다시 나뉜다. 전자의 입장에서 가치는 감각적으로 경험할 수 있는 것이다. 그런데 아름다움이나 선함은 감각적으로 확인하기 어려운 것이다. 이러한 한계 때문에 가치를 형이상학적 성질로 보는 입장이 대두했다. 이 입장에서는 처음부터 가치의 검증 가능성을 배제한다. '가치 비실재론'에서는 사물 자체에 가치가 실재하는 것이 아니라 가치라는 것이 사물을 대하는 주체의 심리적 태도에 의해 생긴다고 본다. 이러한 입장의 하나로 이 글에서는 '가치 관계론'을 제시하고 있다. 이 입장에서는 가치 형성의 근원을 인간 개개인의 심리 작용으로 보는 대전제하에서 개별 가치와 일반 가치를 모두 도출해 낼 수 있다고 본다.

주제 가치의 질적 특성에 관한 철학적 입장

☑ 독해 포커스

'가치 실재론'과 '가치 비실재론'을 설명하고 있다. 대비되는 짝을 중심으로 두 입장 간의 차이점을 정확하게 이해해야 한다. 그리고 '가치 비실재론'과 관련해 '가치 관계론'을 제시하고 있는데, 그 입장도 정확하게 이해해야 한다.

01 세부 내용 추론 답 ④

정답 해설 가치 비실재론에서는 가치가 실재하는 것이 아니라 주체의 심리적 태도에 의해서 생긴다고 본다. 이 입장에서는 주체를 인간과 신으로 나누어 말한다. 주체를 신으로 보면 신이 느끼는 것은 인간에게 보편적으로 적용될 수 있는 것이므로 개별 가치가 아닌 일반 가치가 도출되는 것이다. 이때 일반 가치와 상반되는 개별 가치는 전적으로 무시된다. 따라서 가치 비실재론에서 신에 의해 형성되었다고 여겨지는 가치에 개인의 개별적 가치가 포함된다고 보는 것은 적절한 이해가 아니다.

02 내용의 비판적 이해 답 ②

정답 해설 〈보기〉에서는 '논점 선취의 오류'에 대해 설명하고 있다. 논점 선취의 오류는 도달하고자 하는 논점을 가정에서 이미 선취했음에도 불구하고 가정에 전혀 없는 내용이 새롭게 도출된 것처럼 보이게 만드는 것이다. 이를 ㉠에 적용해 보면, ㉠의 '가장 아름다운 세계와 가장 추한 세계'를 가정한 것에 이미 '아름답다'와 '추하다'라는 말로 전자가 후자보다 더 나은 것이라는 판단이 전제되어 있다. 즉 '전자의 존재가 후자의 존재보다 더 낫다.'라는 결론이 이미 가정에 전제되어 있는 것이다.

오답 이유 ① 〈보기〉에는 실재하지 않는 것을 가장 아름다운 것과 가장 추한 것이라고 말하는 것이 논리적 오류라고 설명하는 내용이 없다.

③ ㉠에서는 '가장 아름다운 세계'와 '가장 추한 세계'를 관찰할 어떤 인간이 없다 할지라도 전자의 존재가 후자의 존재보다 나은 것을 부인하지 못할 것이라고 하고 있다. 그리고 〈보기〉에서는 관찰할 수 없는 것을 관찰할 수 있다고 말하는 오류에 대해 설명하고 있지 않다.

④ ㉠의 결론은 '가장 아름다운 세계'가 '가장 추한 세계'보다 더 나으리라는 것을 부인하지 못한다는 것이다.

⑤ 〈보기〉에서는 예상할 수 없는 것을 결론으로 이끌어 내는 오류에 대해 설명하고 있지 않다.

03 구체적 상황에 적용하기 답 ②

정답 해설 ㄴ과 같이 황금을 돌처럼 여기는 것을 신념으로 삼은 사람들은 황금에 가치를 두지 않는다. 즉 황금에 대한 물질욕을 바탕으로 그에 대한 관심을 보이지 않는 것이다. 이에 따라 ㄴ의 '사람들'은 황금의 가치가 돌과 같다고 여길 것이다. 이렇듯 황금의 가치를 생각하는 것은 특정 개인에게서만 발견되지 않고, 황금 보기를 돌같이 여기는 것을 신념으로 삼은 사람들로부터 보편적으로 발견될 수 있는 것이다. 즉 황금에 돌과 같은 가치를 부여하는 것이 일반화될 수 있는 것이다. 이는 주체의 대상에 대한 관심에 따라 대상의 가치가 형성됨을 보여 준다. 가치 관계론에서는 주체의 대상에 대한 관심에 따라 대상의 가치가 형성된다고 보며, 이러한 주체와 대상의 관계에 따라 개별 가치는 물론 일반 가치 역시 도출될 수 있다고 본다.

오답 이유 ① 가치 실재론의 입장 중의 하나는 '가치는 자연적 성질이다.'라고 보는 것인데, 이는 가치를 감각적으로 경험할 수 있는 것으로 보는 것이다. 감각적으로 검증이 불가능하다는 것은 '가치가 자연적이다.'라고 주장하는 가치 실재론을 반박할 수 있는 내용에 해당한다.

③ 감각에 의거해 진품과 모조품의 가치 차이를 인식하지 못하다가, 진품과 모조품이라는 사실을 안 다음 가치 차이를 인지하는 것은 가치란 것이 대상에 본래 내재해 있지 않다고 주장하는 것을 뒷받침한다. 이는 가치 비실재론과 관련이 깊은 것이다.

④ ㄱ의 '영수'를 들여다보는 행위와 ㄷ의 예술품을 보는 행위는 모두 감각적으로 이루어지는 것이다. 이는 가상의 대상에도 가치가 실재한다는 인식에서 비롯된 것이 아니다.

⑤ '가치는 자연적 성질이다.'라는 말은 가치의 실재성을 전제하는 진술이다. '인간은 만물의 척도'가 가치의 척도가 각 개인에 따라 다르게 나타날 수밖에 없다는 의미를 갖고 있는 말이라고 하고 있는데, 이는 가치가 객관적으로 실재하는 것이 아님을 나타낸다. 즉 개인의 주관, 주체의 심리적 태도에 따라 가치가 다르게 나타날 수 있음을 의미하는 것이라고 할 수 있다. ㄹ은 가치 비실재론과 관련이 깊은 것이다.

실전 인문 독해 3 본문 130~133쪽

01 ④ 02 ③ 03 ③

「샤프츠버리와 도덕감 윤리학」

해제 도덕적 선·악이나 옳고 그름을 구분하는 능력으로 '도덕감'이라는 용어를 처음 사용한 샤프츠버리의 윤리 이론을 설명하고 있는 글이다. 샤프츠버리는 세계를 하나의 거대한 유기체로 인식하고 부분이 상위 체계의 목적에 기여해 완전한 통합을 이루어야 조화로운 세계가 구현된다고 보았다. 그에 따르면 이는 개인과 사회, 인간 내면의 욕구, 감정에도 그대로 적용된다. 샤프츠버리는 이러한 조화에 기여하는 것을 도덕적으로 선한 것이라고 보았다. 그는 도덕감이 어떤 것이 전체의 목적에 부합하는지를 알려 주며, 도덕적 대상들을 지각할 때 필연적으로 작용한다고 주장했다.

주제 도덕적 선·악이나 옳고 그름에 관한 샤프츠버리의 입장

☑ 독해 포커스

'도덕감'이라는 개념을 제시하고 있으며, 그와 관련해 샤프츠버리의 견해·주장을 제시하고 있다. '도덕감'의 개념을 이해해야 하며, 부분과 전체의 조화가 이루어져야 한다고 본 샤프츠버리의 견해·주장을 이해해야 한다. 즉 도덕적 선·악과 옳고 그름에 대해 그가 인간이 어떻게 판단을 한다고 보았는지를 이해해야 하는 것이다.

01 세부 정보, 핵심 정보 파악 답 ④

정답 해설 2문단에서 샤프츠버리가 '유기체적 자연'이라는 개념을 윤리 이론에 도입해 자연 과학의 기계론적 세계관을 극복하고자 했다고 하고 있다. 그러나 이와 관련해 기계론적 세계관의 핵심적인 입장을 설명하고 있지는 않다.

오답 이유 ① 2문단에서 샤프츠버리는 우리가 살고 있는 세계를 하나의 거대한 유기체로 인식했음을 알 수 있다.

② 4문단에서 샤프츠버리는 인간의 본성 안에 이타적 성향이 있으며, 인간의 본성이 전체 사회의 보전을 지향한다고 생각했음을 알 수 있다.

③ 1문단에서 샤프츠버리는 도덕감에 의해 도덕적 판단이 이루어진다고 주장했음을 알 수 있다. 그는 우리가 눈으로 대상의 형태, 운동, 색채 등을 지각해 그 아름다움과 추함을 판별하듯이 도덕감이 인간 행위의 옳고 그름을 분별한다고 보았다.

⑤ 3문단과 4문단을 통해 샤프츠버리가 부분과 전체의 조화에 기여하는 것을 도덕적으로 선한 것, 그렇지 않은 것을 도덕적으로 악한 것으로 여겼음을 알 수 있다.

02 구체적 상황에 적용하기 답 ③

정답 해설 샤프츠버리는 부분과 전체의 조화에 기여하는 것을 도덕적으로 선한 것이라고 보았다. 이러한 관점에서 그는 자기 자신의 이익이나 행복을 추구하는 것을 그 자체로 나쁘다거나 선하다고 단정 지어서는 안 된다고 보았다. 자기 자신의 이익이나 행복 추구가 전체를 위한 것이라면 도덕적으로 선한 것이 될 수 있다는 것이다. 〈보기〉에서 B는 리조트 개발을 지지하고 있다. 이는 자신의 이익을 추구하는 것이라고 할 수 있다. 그런데 그는 리조트 개발로 자신의 이익뿐만 아니라 마을 전체의 이익이 늘 것이라고 생각하고 있다. 이를 고려하면 샤프츠버리의 입장에서 그의 이익 추구를 도덕적으로 나쁘다고 할 수 없다.

오답 이유 ① 국가를 위해 병역 의무를 다하는 것을 전체를 위한 헌신이라고 이해하면 그것은 도덕적으로 선한 것이라고 할 수 있다.

② 전체 사회를 위한 헌신을 망설이는 것은 샤프츠버리의 입장에서 보면 도덕적으로 선한 것이 아니다.

④ B는 리조트 개발이 이루어지면 마을 전체의 이익이 증대될 것이라는 언론의 보도에 동조해 자신을 비롯해 주민 개개인이 리조트 개발과 관련해 마을의 발전을 위해 각자가 맡은 역할을 다하면 마을 전체의 이익이 늘어 자신뿐만 아니라 주민 개개인에게도 그 혜택이 돌아갈 것이라고 생각하고 있다. 이는 B가 리조트 개발에 대한 자신의 욕구를 마을 전체의 이익과 조화시켰음을 보여 준다.

⑤ 주민 개개인이 각자 맡은 역할을 다해야 마을 전체의 이익이 증대된다는 것은 부분들이 상위 체계의 목적에 기여해야 한다는 것과 통하는 것이다.

03 내용의 비판적 이해 답 ③

정답 해설 ㉠에서는 샤프츠버리가 도덕감이 보편적으로 작용하는 것이라고 생각했다고 하고 있다. 보편적으로 작용한다는 것은 각각의 사람이 지닌 도덕감이 개별적으로 다르게 작용하는 것이 아니라는 것이다. 즉 그 작용이 모든 사람에게서 공통된 양상으로 이루어진다는 것이다. 그런데 감각은 사람마다 다를 수 있다. 감각에 의해 느끼는 정도는 주관적으로 사람마다 달라질 수 있는 것이다. 이 입장에서 보면 감각처럼 작용하는 도덕감은 사람마다 다를 수 있다고 주장할 수 있다. ㉠에 대해 '도덕감은 사람마다 다를 수 있기 때문에 보편적으로 작용하지 않는다.'라고 비판하는 것이 가능한 것이다.

오답 이유 ① 도덕감이 인간의 행위와 감정을 지각할 때 작용한다는 것은 샤프츠버리의 입장이다.
② 인간이 대상을 아름답다고 판별하는 객관적 기준을 지니고 있다는 것은 ㉠의 입장을 지지할 수 있는 것이다. 객관적인 것은 누구에게나 보편적으로 적용할 수 있는 것이다. 이러한 점에서 도덕감이 보편적으로 작용한다는 것을 뒷받침할 수 있는 것이다.
④ ㉠을 통해 샤프츠버리가 도덕감을 선천적인 것으로 생각했음을 알 수 있다.
⑤ 대상의 특성이 전체의 목적과 부합하는지를 판단하기 위해 도덕감을 고려해야 한다는 것은 도덕감을 선천적으로 갖고 있다는 것이나 도덕감은 보편적으로 작용한다는 것을 비판하는 근거가 되지 못한다.

실전 인문 독해 4 본문 134~137쪽

01 ② 02 ④ 03 ②

「우리는 누구인가 – 민족, 종족, 인종」

해제 인류학의 연구 결과를 토대로 종족성의 변화에 대해 설명하고 있는 글이다. 종족성은 타자와의 경계를 유지하고 만들어 내기 위해 상황에 따라 종족성을 구성하는 문화적 특질을 선택한다. 종족성은 고정되어 있는 것이 아니라 상황과 맥락에 따라 변화하는 것이다. 이 글에 따르면, 종족성의 변화는 과거의 역사, 문화 등을 새롭게 규정하게 만들기도 한다. 이 글에서는 종족성이 세계화의 영향으로 새로운 정체성을 지니게 될 수도 있음을 전망하며 글을 마무리하고 있다.

주제 상황과 맥락에 따라 끊임없이 변화하는 종족성의 특성

✔ 독해 포커스

인류학의 연구 결과를 토대로 종족성의 변화에 대해 설명하고 있다. 인류학에서 종족성의 변화 양상에 대해 어떻게 말하고 있는지를 파악해야 한다. 즉 종족성의 변화 양상에 대한 입장에 주목해 이해해야 하는 것이다. 구체적 사례를 제시하고 있으므로, 변화 양상에 대한 일반적 서술과 사례를 대응시켜 독해할 수 있어야 한다.

01 중심 화제 파악 답 ②

정답 해설 1문단에서 '종족성'의 개념을 제시한 후 종족성이 유동적인 것이라는 사실을 제시하였다. 그리고 이와 관련해 2, 3문단에서 인류학의 연구 결과를 토대로 종족성이 타자와의 경계를 유지하거나 만들기 위해 상황과 맥락에 따라 변할 수 있으며, 정치 · 경제적인 이해관계에 의해서도 변할 수 있다고 설명하고 있다. 4문단에서는 인류학자들의 연구 결과를 토대로 변화된 종족성에 의해 과거의 역사, 문화 등이 새롭게 규정될 수 있다는 사실을 제시하고 있으며, 5문단에서는 세계화와 관련해 종족성이 계속해서 변화될 것이라고 하고 있다. 종족성의 변화 양상에 대해 설명하고 있는 것이다.

오답 이유 ① 4문단에 통시적 관점에서 종족성의 변화를 제시한 내용이 있으나, 그 내용이 글 전체의 내용을 포괄하지는 못한다. 3문단이나 5문단의 경우 요인에 의한 종족성의 변화 양상에 대해 설명하고 있다.
③ 종족 집단들의 문화적 차이에 대한 이론을 중심으로 내용을 전개하고 있지 않다.
④ 종족 집단이 사용하는 언어에 관한 연구 결과를 중심으로 종족성의 변화에 영향을 미치는 주요 요인을 제시하고 있지 않다.
⑤ 마지막 문단에 종족성과 세계화의 관계가 제시되어 있으나, 그것이 글 전체를 포괄하지는 못한다. 세계화가 종족성에 미친 영향에 관한 학자들의 주장을 중심으로 글을 전개하고 있지도 않다.

02 구체적 상황에 적용하기 답 ④

정답 해설 미국에 사는 백인 계통의 남미 출신 이민자들은 이해관계를 따져 유럽계 미국인과 히스패닉이라는 두 개의 종족 정체성 중에서 자신에게 유리한 것을 선택한다. 그런데 〈보기〉의 하우사 족은 이해관계를 따져 여러 종족 정체성 중에서 하나를 선택해 온 것이 아니다. 하우사 족은 자신들의 종족성 강화를 위해 이슬람교를 이용함으로써 이보 족과 다른 종족성을 보다 선명하게 나타낸 것이다. 이를 여러 종족성 중에서 자신들에게 유리한 것을 선택해 온 것으로 이해하는 것은 적절하지 않다.

오답 이유 ① 하우사 족은 종족성 강화를 위해 이슬람교를 이용하고 있다. 종족성 강화는 타 종족 집단과의 경계를 뚜렷하게 하기 위한 것이다.
② 이보 족 사람들이 요루바 족 문화를 수용하는 것은 요루바 족 사회와 밀접한 유대를 맺고 살면서 소매업을 하기 때문이다. 즉 현실의 이해관계를 따져 자신들의 이익을 위해서 새로운 특질을 종족성으로 받아들인 것이다.
③ 종족의 문화적 특질을 통해 구성원 간에 강한 유대감을 유지하기 위해서는 종족이 공유하고 있는 문화적 특질이 있어야 한다.
⑤ 이보 족 사람들은 종족 간의 경계를 약화시켜 요루바 족 문화를 수용하며 그들과 밀접한 유대 관계를 맺고 살아가고 있다. 이

는 종족 간 경계를 만들어 내는 문화적 특징이나 행위들이 변할 수 있음을 나타낸다.

03 내용의 비판적 이해 답 ②

정답 해설 [A]에서는 모리셔스의 이슬람교 신자들의 사례를 들어 변화된 종족성의 정당화를 위해 과거의 역사, 문화 등을 새롭게 규정할 수 있음을 제시하고 있다. 모리셔스의 이슬람교 신자들은 자신들의 종족성을 강화하기 위해 과거로부터 이어져 온 자신들의 전통 문화를 새롭게 규정해, 여자들은 아랍의 전통을 따라 베일을 썼으며, 남자들은 하얀 겉옷을 입고 수염을 기르기 시작했다. 과거로부터 이어져 온 전통을 유지하는 것이 아니라 전통을 새롭게 형성하고 있는 것이다. 이를 근거로 삼아 전통을 오래전부터 전해 내려오는 것이라고 생각하는 〈보기〉의 통념을 비판할 수 있다.

오답 이유 ① [A]의 모리셔스의 이슬람 신자들의 사례는 과거로부터 이어져 온 자신들의 전통 문화를 새롭게 규정하는 사례이므로 역사를 고려해 전통을 이해해야 하는 것과는 관련이 없다.
③ [A]는 모리셔스라는 특정 지역에서 나타난 전통의 변화에 관한 것이다.
④ [A]는 과거로부터 이어져 온 전통 문화가 새롭게 규정될 수 있음을 보여 준다. 전통 간의 경쟁에 관한 내용을 제시하고 있지 않다.
⑤ [A]는 종족성을 강화하기 위해 전통 문화를 새롭게 규정한 사례로, 내부 요인에 의해 전통의 본질적 속성이 달라질 수 있음을 보여 주는 사례가 아니다. 또한 〈보기〉에서 외부 요인에 의해서만 전통이 변화한다고 말하고 있지 않으므로, 내부 요인에 의해서도 달라질 수 있다고 비판하는 것은 적절하지 않다.

실전 인문 독해 5 본문 138~141쪽

01 ③ 02 ② 03 ④

「칸트의 선의지와 정언 명령」

해제 이 글은 칸트의 사상과 그 핵심 개념인 '선의지'와 '정언 명령'에 대해 설명하고 있는 글이다. '선의지'란 결과 혹은 조건에 따라 좋다고 여겨지는 것이 아니라 결과와 무관하게 무조건 선하다고 여겨지는 것을 의미한다. 이러한 선의지는 경향성에 의해서가 아니라 의무감에서 동원되어야 도덕 가치를 인정받을 수 있다. 또한 칸트는 어떤 조건에도 좌우되지 않는 '이러이러하게 행동하라'는 형식의 정언 명령에 따라야 함을 강조하면서 이러한 정언 명령은 보편성을 지닌 것임을 역설하였다.

주제 칸트의 선의지와 정언 명령

☑ 독해 포커스
이 글은 핵심 개념을 중심으로 인물의 사상을 소개하고 있는 글이므로, 글의 중심 화제가 '선의지'와 '정언 명령'이라는 점을 파악하고, 이들 개념에 대한 명확한 이해가 선행되어야 한다. 그리고 이를 뒷받침하는 보조 개념인 '의무 의식'과 '경향성', 정언 명령의 '보편성'에 대하여 이해하는 것이 뒷받침된다면 지문을 완벽하게 이해할 수 있다. 대표 문제에서 다른 학자의 견해와 비교하여 이해하는 문항이 등장하므로 지문에 제시된 사상을 어떤 흐름으로 이해할 수 있는지를 점검하도록 한다.

01 내용 전개 방식 파악 답 ③

정답 해설 이 글은 칸트의 입장에 대해 소개하면서 선의지와 정언 명령이라는 핵심 개념에 대해 설명하고 있다.

오답 이유 ① 여러 이론 사이의 관계성을 밝히기보다는 한 인물의 사상을 중심으로 글이 전개되고 있다.
② 칸트에 대해 소개하고 있지만 그의 이론이 변모해 온 과정을 통시적으로 고찰하고 있는 것은 아니다.
④ 이 글에는 특정 인물이 지닌 입장의 타당성을 입증하는 내용이 드러나 있지 않다.
⑤ 통념이 지닌 문제점과 새로운 이론이 드러나 있지는 않다.

02 세부 정보, 핵심 정보 파악 답 ②

정답 해설 칸트에 의하면 이성 명령은 단순히 경향이나 생활 환경 등과 같은 주변 여건에 좌우되는 가언 명령이어서는 안 되며, 어떤 조건도 붙지 않은 정언 명령이어야 한다. 이를 바탕으로 볼 때, 칸트의 입장에서의 도덕적 행위는 상황에 따라 달라지지 않는 정언 명령에 따른 행위이다.

오답 이유 ① 4문단에 의하면 칸트는 인간을 도덕 법칙을 지켜 내는 특별한 존재로 보았다.
③ 3문단에 의하면 정언 명령은 자기뿐만 아니라 다른 모든 사람들이 해야 한다고 생각하는 행위를 하라는 명령인데, 이는 곧 누구나 조건이나 여건을 따지지 않고 수행해야 하는 명령이라고 볼 수 있다.
④ 2문단에 의하면 선의지에 따른 행위란 의무를 이행해야 한다는 '의무 의식으로부터 나온 행위'라고 하였다.
⑤ 3문단에 의하면 칸트는 다른 사람을 자기와 똑같은 의지와 욕망을 가진 존재로 생각하여 대응해야 한다고 하였고, 타인을 결코 목적을 위한 수단으로만 대하지 말라고 하였으므로 적절한 진술이라고 볼 수 있다.

03 외적 준거에 따른 비판 답 ④

정답 해설 〈보기〉의 내용은 경향성과 의무감이 일치하는 경우도 있다는 점, 그리고 의무를 이행하려는 태도 역시 경향성에 의한 것일 수 있다는 점을 언급하고 있다. 이는 경향성과 의무감의 구분이 어렵다는 인식을 드러내는 것으로 볼 수 있으며, 이를 바탕으로 경향성과 의무감을 임의로 구분하여 의무를 따라야 한다고 한 칸트의 주장에 대한 비판이 이루어질 수 있다.

오답 이유 ① 칸트가 선의로 한 행위가 도덕 가치를 인정받을 수 없다고 한 것은 아니므로 적절하지 않다.

② 2문단에서 칸트는 어머니가 자식에게 젖을 먹이는 활동도 하고 싶어서 한 행위라면 도덕 가치를 지니지 않는다고 보았다. 〈보기〉에서 쇼펜하우어는 이러한 행위가 경향성에 의한 것인지 의무감에 의한 것인지 명확하게 구분하기는 어렵다는 입장을 나타내고 있다. 따라서 쇼펜하우어의 입장에서 이러한 행위를 의무감으로 한 활동이라고 특정하고 있는 선택지의 진술은 적절하지 않다.

③ 2문단에서 칸트는 의무감으로 말미암은 행위는 나쁜 결과를 가져오더라도 도덕 가치를 지닌 행위로 평가받을 만하다고 밝히고 있다. 이에 대한 비판으로 볼 수 있는 진술이지만, 〈보기〉의 내용과는 관련성이 떨어진다.

⑤ 2문단에 의하면 칸트는 자기 보존을 위한 행위라도 의무감을 기반으로 이루어져야 도덕 가치를 지닌다고 보았다. 이에 대한 비판으로 볼 수 있는 진술이지만, 〈보기〉의 내용과는 관련성이 떨어진다.

실전 인문 독해 6

본문 142~147쪽

01 ① **02** ③ **03** ① **04** ⑤

「중화의 개념에 대한 인식의 변화 양상」

해제 이 글은 '중화'라는 개념을 조선이 어떻게 받아들였는지 인식의 변천 과정을 역사적으로 개관하고 있는 글이다. 조선 초기에는 명나라를 중화로, 조선을 소중화로 간주하면서 명나라의 제도와 풍속을 받아들였으며, 17세기에 들어서는 '조선중화주의'가 등장하며 중화의 내면화와 동일시를 추구하였다. 18세기에는 중화에서 벗어난 청나라와 일본 등의 문명이 나름의 성과를 거두는 모습을 지켜보면서 중화를 잇는다는 자부심을 나타내는 입장과 청이나 일본을 배우자는 입장으로 나뉘는 복합적인 양상을 띠게 되었다.

주제 중화의 개념에 대한 인식의 변화 양상

☑ 독해 포커스

이 글은 시간의 흐름에 따라 핵심 개념에 대한 인식의 변화를 다루고 있는 글이므로, 시간의 흐름을 나타내는 표지에 주목하여 읽는 것이 필요하다. '고려 후반 이래', '16세기', '17세기', '18세기 이후' 등의 표지에 주목하여 시대적 흐름을 이해하고 각각의 특징을 정리하며 읽는 것이 독해에 도움이 될 수 있다.

01 중심 화제 파악 답 ①

정답 해설 이 글은 조선 초기부터 18세기에 이르기까지 '중화'에 대한 조선의 인식이 변화하는 양상에 대해 설명한 글이므로, '중화에 대한 인식의 변화 양상'이 글의 제목으로 가장 적절하다.

오답 이유 ② 1문단에서 중화 개념의 두 가지 축에 대해 설명하고 있지만 이 두 가지 논리가 상반된 인식을 드러내고 있는 것은 아니다.

③ 중화의 개념에 대해서는 나타나 있지만 중화에 대한 배척을 다루고 있는 부분은 없다.

④ 동아시아 국가들의 중화의 자기화 태도에 대해 4문단에서 설명하고 있는데 이 역시도 전체 내용의 일부에 해당하므로 글 전체를 포괄하는 제목으로 보기는 어렵다.

⑤ 조선중화주의는 17세기 조선의 인식을 드러내고 있는 3문단의 중심 내용이므로 글 전체의 제목으로는 적절하지 않다.

02 세부 정보, 핵심 정보 파악 답 ③

정답 해설 4문단에 의하면 청나라와 일본, 베트남 등의 주변국들은 자신들만의 문화를 안정시키고 발전시키면서 중화의 자기화 시대를 열고 있었다. 이는 중화에 대한 맹목적 추종을 뜻하는 것이 아니라 중화를 따르기만 하는 것에서 벗어나 독자적 문화를 구축하려는 시도를 나타낸다고 보는 것이 적절하다.

오답 이유 ① 1문단에 의하면 중화는 중국을 선진 문명으로 설정하고 주변을 열등한 타자로 만들어 배척하는 논리를 기본 축으로 하는데, 이는 중국을 중심으로 두고 타국을 주변으로 보는 인식을 나타내는 것이다.

② 3문단에 의하면 17세기 조선에서 중화의 내면화는 중화의 핵심인 의리와 예의를 보전해야 한다는 책임 의식으로 나타난다.

④ 2문단에 의하면 고려 후반 이래 사대부들은 중화를 새로운 국가 건설의 모델로 삼았으며, 새 국가 조선은 중화를 국제 질서를 나타내는 중심 사상으로 삼고 유교 문명국끼리의 국제적 연대 의식을 쌓아 나갔다.

⑤ 4문단에 의하면 중화 계승의 자부심 속에 은폐된 위선에 대한 비판적인 관점을 바탕으로 청의 발전상을 인정하고 그들을 배우자는 주장이 있었다는 점을 알 수 있다.

03 반응의 적절성 평가 답 ①

정답 해설 원에 대한 고려의 태도를 부정적으로 평가하고 있는 점은 중화 의식을 계승하고 오랑캐를 배척해야 한다는 관점으로 인한 것으로 볼 수 있다. 중화의 보편성과 이를 연결하는 것은 적절하지 않은 반응이다.

오답 이유 ② 3문단에 의하면 중화와의 동일시는 화이분별에 엄격했던 주자의 실천을 계승해야 한다는 의식이라고 하였는데, 고려가 이적(오랑캐)과 결탁한 점을 비판하는 모습에서 이를 엿볼 수 있다.

③ 2문단에 의하면 조선은 명나라의 제도와 풍속을 중화의 유풍으로 파악하여 이를 과감히 수용하였는데, 〈보기〉의 내용에서 고려의 풍속을 개변한 것에 대한 자부심을 드러내고 주자가 이를 칭송했을 것이라고 표현하는 부분에서 자랑스러워하는 태도를

엿볼 수 있다.

④ 3문단에 의하면 조선중화주의는 조선이 중화를 계승했다는 생각을 나타내는데, 주자가 조선을 칭송했을 것이라는 언급은 이러한 생각을 뒷받침해 주는 것으로 볼 수 있다.

⑤ 3문단에 의하면 중화 가치의 내면화와 동일시는 양난 이후 새로운 사회 질서 수립이라는 현실적 목표와 부합하여 강력한 사회 재건 이데올로기가 되었다. 〈보기〉가 고려의 쇠퇴를 언급하고 있다는 점에서 이를 뒷받침하는 내용이라는 점을 알 수 있다.

04 어휘의 사전적 의미 파악 답 ⑤

정답 해설 '피력(披瀝)'의 사전적 의미는 '생각하는 것을 털어놓고 말함.'이다. '어떤 부분을 특별히 강하게 주장하거나 두드러지게 함.'을 뜻하는 단어는 '강조(强調)'이다.

오답 이유 ① 압도: 보다 뛰어난 힘이나 재주로 남을 눌러 꼼짝 못 하게 함.

② 주류: 사상이나 학술 따위의 주된 경향이나 갈래.

③ 투영: 어떤 일을 다른 일에 반영하여 나타냄.

④ 부합: 사물이나 현상이 서로 꼭 들어맞음.

실전 인문 독해 7

본문 148~151쪽

01 ③ 02 ② 03 ④

「언어적 세계가 우리의 현실 세계를 만든다」

해제 언어에 대한 소쉬르의 관점을 설명하고 있는 글이다. 소쉬르는 현실 세계를 묘사하기 위한 기호로 언어를 인식하는 전통적인 언어관을 부정하고 언어가 미리 주어진 세계를 묘사하는 그림이 아니라고 보았다. 소쉬르는 언어가 자의적인 체계라는 사실을 강조했는데, 이는 '변별적 차이'에 의해서 뒷받침된다. 소쉬르는 의미를 지닌 모든 기호가 기표와 기의의 결합으로 이루어진다고 보았으며, 기의가 랑그를 바탕으로 형성되는 관계에 의해 규정된다고 보았다.

주제 전통적인 언어관과 구별되는 소쉬르의 언어관

☑ 독해 포커스

소쉬르의 언어에 대한 관점을 설명하고 있는 글이다. 전통적인 언어관의 핵심 내용을 파악한 후, 소쉬르가 그것에 대해 어떤 점에서 비판적 입장을 취했는지를 파악해야 한다. 그리고 '변별적 차이', '랑그', '파롤' 등의 개념에 대한 이해를 바탕으로 소쉬르가 주장한 언어에 대한 관점을 정확하게 이해하는 독해를 해야 한다.

01 세부 정보, 핵심 정보 파악 답 ③

정답 해설 아우구스티누스의 견해로 대표되는 중세 시대의 전통적인 언어관에서는 언어란 현실 세계를 있는 그대로 묘사하기 위한 기호라고 보았다. 이에 대해 소쉬르는 언어가 미리 주어진 세계를 묘사하는 그림이 아니라고 말했다. 따라서 소쉬르가 현실 세계를 있는 그대로 묘사하는 기호로서의 언어의 기능을 중시했다고 이해하는 것은 적절하지 않다.

오답 이유 ① 2문단에서 소쉬르는 언어가 근본적으로 자의적인 체계라는 사실을 강조했음을 알 수 있다.

② 3문단을 보면, 소쉬르는 언어를 포함하여 의미를 지닌 모든 기호는 기표와 기의의 결합으로 이루어진다고 생각했음을 알 수 있다.

④ 2문단을 보면, 소쉬르는 어떻게 언어를 만드는가에 따라서 인간은 다른 세계를 창조한다고 보았음을 알 수 있다. 이것은 사용 언어의 체계에 따라 인간이 세계를 다르게 인식할 수 있음을 의미한다.

⑤ 5문단에서 소쉬르는 파롤에만 치중하고 더 근본적인 랑그의 중요성을 간과한 기존의 언어학에 대해 비판적인 입장을 취했음을 알 수 있다.

02 구체적 상황에 적용하기 답 ②

정답 해설 소쉬르는 어떤 특정한 기표가 그것과 결합된 기의와 어떤 필연적 관계가 없으며, 기의도 기표가 제시하는 개념일 뿐 현실의 지시 대상이 아니라고 보았다. 영어의 'river', 프랑스어의 'fleuve', 'rivière' 등은 모두 '강'에 관한 기의를 지니고 있는데, 소쉬르의 관점에서 이 기의는 모두 현실의 지시 대상이 아니다. 현실 세계에 존재하는 특정한 강을 지시하는 것이 가능하지 않은 것이다.

오답 이유 ① 영어의 'river', 프랑스어의 'fleuve', 'rivière' 등은 사용된 기호에 차이가 있다. 이는 기표의 '변별적 차이'를 보여 준다. 이러한 '변별적 차이'는 이들 기표가 지시하는 대상과 상관없이 나타난 것이다.

③ 영어의 'river', 프랑스어의 'fleuve', 'rivière' 등의 기표를 바탕으로 파롤이 이루어진다. 이와 같은 파롤이 나타내는 기의는 랑그를 바탕으로 형성되는 관계에 의해 규정되는 것이다.

④ 소쉬르는 언어가 미리 주어진 세계를 묘사하는 그림이 아니라고 보았다.

⑤ 소쉬르는 언어적 세계가 우리의 현실 세계를 만든다고 보았다. 이와 같은 관점에서 보면, 프랑스어 사용자가 강의 종류를 'fleuve', 'rivière'로 구분해 인식하는 것은 언어적 세계가 현실 세계의 형성에 영향을 미침을 나타내는 것이라고 이해할 수 있다.

03 전제, 결론 추론 답 ④

정답 해설 소쉬르는 발화의 진정한 주체는 발화자가 아니라 랑그라고 했다. 왜냐하면 구체적인 언어의 발화 활동은 랑그에 의해서 제약되어 있기 때문이다. 즉 발화자의 어떤 말이라도 발화자가 사용하는 언어의 체계인 랑그에 의해 제약을 받기 때문인 것이다.

실전 인문 독해 8 본문 152~155쪽

01 ④ 02 ④ 03 ⑤ 04 ①

「맹자의 부동심과 대장부」

해제 이 글은 망설임 없이 확신을 가지는 마음인 부동심과 이를 바탕으로 큰 것을 따르는 기운인 호연지기, 그리고 이러한 기운을 품고 있는 인물인 대장부라는 개념을 바탕으로 맹자의 사상에 대해 소개하고 있는 글이다.

주제 맹자의 부동심과 대장부

☑ 독해 포커스

이 글은 부동심, 호연지기, 대장부, 순천자라는 네 가지 핵심 개념을 중심으로 인물의 사상을 소개하고 있는 글이므로, 네 가지 중심 개념이 지니는 의미를 파악하고, 이들 간의 관계가 어떻게 이어지고 있는지에 주목하여 내용을 이해하면서 맹자의 핵심 사상을 파악하는 것이 필요하다.

01 내용 전개 방식 파악 답 ④

정답 해설 ㄱ. 1문단의 마지막 부분에서 공자와 맹자를 대비하여 제시하면서 맹자의 사상을 부각하여 나타내고 있다.

ㄴ. 2문단에서 '호연지기'를 이루고 있는 글자인 '호'와 '연'에 대한 글자 풀이를 통해 개념의 의미를 밝히고 있다.

ㄹ. 4문단에서 '순천자 존 역천자 망'이라는 구절을 쉽게 재해석하여 제시함으로써 독자의 이해를 돕고 있다.

오답 이유 ㄷ. 이 글에서 논의된 내용을 종합하는 부분은 찾아보기 어려우며, 따라서 이를 바탕으로 한 새로운 주장도 제기되고 있다고 보기 어렵다.

02 반응의 적절성 평가 답 ④

정답 해설 3문단에 의하면 '대장부'는 천에 근거한 자신의 기준이 시대 상황과 맞지 않는다 하더라도 하늘의 뜻을 행해야 한다고 하였으므로 자신의 기준을 시대 상황에 맞춘다는 진술은 적절하지 않다.

오답 이유 ① 1문단에 의하면 '부동심'은 흔들리지 않는 마음, 즉 앞으로 살 길이 이 길인가 저 길인가 망설이지 않고 당당하게 살겠다는 마음을 의미한다.

② 2문단에 의하면 '호연지기'는 '기운이 몹시 크고 굳센 것'이며 동시에 '큰 것(하늘)을 따르는 기운'을 의미한다.

③ 2문단의 마지막 부분에서 '호연지기'를 가지고 있는 사람을 '대장부'라고 하였음을 언급하고 있다. 또 3문단의 서두에서 공자가 말하는 '군자'에 맹자의 '호연지기'가 합쳐진 개념이라는 점을 밝히고 있다.

⑤ 4문단의 마지막 부분에서 인간은 끊임없는 공부와 자기 수양을 통해 하늘의 뜻이 무엇인지 항상 생각해야 한다는 점을 밝히고 있다.

03 글의 주제, 함축된 의미 추론 답 ⑤

정답 해설 4문단에 의하면 맹자는 순천자가 되기 위해서는 인간이 본래부터 갖고 태어난 착한 마음을 잘 유지해야 한다고 하였다. 〈보기〉에서 고자는 인간의 본성을 물에 비유하면서 물길을 내는 것에 따라 달리 흘러간다고 하였으므로 인간의 본성이 선택에 따라 달라질 수 있음을 나타내고 있는데, 이와 달리 높은 데서 낮은 데로 흐르는 물의 본성을 강조한 맹자의 진술에서 인간의 선한 본성은 변하지 않는다고 생각한 맹자의 입장을 추론해 볼 수 있다.

오답 이유 ① 물에 빗대어 인간의 본성에 대해 논의한 것이지 이 둘의 본성을 동일하게 본 것으로 보기는 어렵다.

② 이 글과 〈보기〉 모두에서 인간의 본성을 이끄는 존재의 '필요성'에 대해 언급하고 있는 부분은 없다.

③ 이 글을 바탕으로 생각해 볼 때 맹자는 인간의 본성을 악하다고 보지 않았음을 알 수 있다.

④ 인간의 본성이 선택에 따라 달라질 수 있다고 본 것은 고자의 입장이라고 볼 수 있다.

04 단어 형성의 원리, 새말 창조의 원리 답 ①

정답 해설 ⓐ '끊임없는'은 '끊임이 없다(주어+서술어)'로 분석할 수 있다. 이와 동일한 구성 방식을 보이는 것은 '멍들다'인데, 이는 '멍이 들다(주어+서술어)'로 분석할 수 있다.

오답 이유 ② 본받다: 본을 받다(목적어+서술어)

③ 애쓰다: 애를 쓰다(목적어+서술어)

④ 화내다: 화를 내다(목적어+서술어)

⑤ 남다르다: 남과 다르다(부사어+서술어)

02 원리로 예술 독해

기출 예술 독해 1 본문 158~161쪽

01 ④ 02 ② 03 ②

「단토의 예술 종말론과 그 의미」

해제 현대 예술 철학의 대표적인 이론가인 아서 단토의 예술 종말론에 대해 다루고 있는 글이다. 단토는 「브릴로 상자」를 계기로 예술의 본질을 찾는 것에 몰두했으며, 그 결과 예술 작품은 '무엇에 관함'과 '구현'이라는 요소를 필수적으로 갖추고 있어야 한다는 결론에 이르렀다. 또 그는 예술의 역사에 대한 통찰을 통해, '예술계'라는 개념을 도입하였는데, '예술계'란 당대 예술 상황을 주도하는 지식과 이론, 태도 등을 포괄하는 체계로, 어떤 대상을 예술 작품으로 식별하기 위해 선행적으로 필요한 것이라고 보았다. 이와 함께 단토는 예술의 역사를 '내러티브(이야기)'의 역사로 파악하고 예술이 철학적 단계에 이름에 따라 그 이전의 내러티브가 종결되었다고 보았다. 따라서 단토의 예술 종말론은 예술에 대한 비극적 선언이 아니라 예술 해방기의 도래를 천명한, 예술에 대한 낙관적 전망으로 해석할 수 있다고 평가할 수 있다.

주제 단토의 예술 종말론에 담긴 의미

01 세부 정보, 핵심 정보 파악 답 ④

정답 해설 이 글에는 단토가 예술계의 지위 회복 방법을 제안했다는 내용은 제시되어 있지 않다.

오답 이유 ① 4문단에서 역사가 그러하듯이 예술사도 무수한 예술적 사건들 중에서 중요하다고 여기는 사건들을 선택하고 그 연관성을 질서화하는 내러티브를 가진다고 하여 내러티브로서의 예술사에 대해 다루고 있다.

② 1문단에서 단토가 예술 종말론을 주장하게 된 계기를 1964년 맨해튼의 스테이블 화랑에서 열린 앤디 워홀의 「브릴로 상자」의 전시회에서 찾고 있다고 밝히고 있다.

③ 5문단에서 단토의 예술 종말론을 비극적 선언이 아닌 낙관적 전망으로 해석할 수 있다고 하여 예술 종말론이 지닌 긍정적 함의에 대해 설명하고 있다.

⑤ 2문단에서 "어떤 대상이 예술 작품이 되기 위해서는 그것이 '무엇에 관함(aboutness)'과 '구현(embody)'이라는 두 가지 요소를 필수적으로 갖추고 있어야 한다"고 하여 단토가 제시한 예술 작품이 갖추어야 할 필수 조건을 밝히고 있다.

02 세부 정보, 핵심 정보 파악 답 ②

정답 해설 단토는 「브릴로 상자」를 계기로 예술의 본질을 찾는 데 몰두하였고, 그 결과 예술 작품은 '무엇에 관함'과 '구현'이라는 두 가지 요소를 필수적으로 갖추고 있어야 한다는 결론에 이른다. 더불어, '예술계'를 통해 「브릴로 상자」가 예술 작품으로서의 지위를 가질 수 있다고 보았다. 따라서 단토가 예술 작품의 본질을 근본적으로 정의할 수 없다고 생각한 것은 아니다.

오답 이유 ① 예술의 종말을 주장한 단토는 오늘날의 예술은 철학적 단계에 이르렀다고 보았다. 따라서 감각으로 경험하는 것을 넘어 철학적으로 사고하는 접근이 필요하다는 것은 단토의 견해에 부합한다고 볼 수 있다.

③ 단토는 '예술계'라는 개념을 도입하여 예술 작품은 당대 예술 상황을 주도하는 지식과 이론, 태도 등을 포괄하는 체계에 의해 예술 작품으로 인정받는다고 보았다.

④ 재현의 내러티브는 르네상스 시대부터 인상주의까지 이어진 것으로, 단토는 이것이 종결되었다고 보고 예술의 종말론을 주장한 것이다. 따라서 시각적 재현을 위주로 하는 그림이 그려진다고 하여 그것이 재현의 내러티브를 발전시키는 것은 아니라고 볼 수 있다.

⑤ 예술 작품은 예술계에 의해 예술 작품으로서의 지위를 갖는 것이기 때문에, 예술계가 달라지면 예술 작품이었던 것이 예술 작품이 아닌 것으로 여겨질 수 있다고 볼 수 있다. 단토는 워홀의 「브릴로 상자」가 1964년보다 훨씬 이른 시기에 등장했다면 예술 작품으로서의 지위를 부여받지 못했을 것이라고 보았다.

03 구체적 상황에 적용하기 답 ②

정답 해설 (B)는 미술 작품으로 여겨지지 않는 것으로, 예술에 대한 철학적 의문을 드러내지 못한다. (A) 역시 '바자리의 내러티브', 즉 예술이 철학적 단계에 이르기 이전의 내러티브를 바탕으로 하고 있으므로 예술에 대한 철학적 의문을 드러내지 못한다.

오답 이유 ① (A)는 인상주의 화가인 세잔의 작품으로, 재현을 예술의 목적으로 보았던 '바자리의 내러티브'에 의해 미술 작품으로서의 지위를 가진다고 볼 수 있다.

③ (C)는 「브릴로 상자」와 같이 예술의 종말을 보여 주는 예술 작품으로, 예술이 추구해야 할 특정한 방향이 없는 시기의 작품이라는 것을 말해 준다. 다시 말해, 예술이 철학적 단계에 이르러 그 이전의 내러티브가 종결되었음을 보여 주는 것이다.

④ 단토는 어떤 대상을 예술 작품으로 식별하기 위해서는 선행적으로 '예술계', 즉 당대 예술 상황을 주도하는 믿음 체계에 대한 지식이 필요하다고 보았다.

⑤ (B)는 「세잔 부인의 초상」의 양감을 설명하기 위해 사용된 일상의 것으로서, 해석되어야 할 주제를 가지지 않으므로 미술 작품이라고 할 수 없다.

기출 예술 독해 2 본문 162~165쪽

01 ① 02 ⑤ 03 ③

「하이퍼리얼리즘의 특성과 표현 기법」

해제 이 글은 팝 아트와의 대비를 통해 하이퍼리얼리즘의 특징을 설명하고 핸슨의 작품을 예로 들어 하이퍼리얼리즘에서 어떤 기법들을 이용하여 실재에 가까운 재현을 이루어 내는지를 보여 주고 있다. 팝 아트와 하이퍼리얼리즘은 1960년대 자본주의 사회의 일상의 모습을 대상으로 삼은 점에서 공통점을 보이는데, 팝 아트가 대상의 현실성을 추구하고 인쇄 매체를 주로 활용하여 대상을 함축적으로 변형한 반면, 하이퍼리얼리즘은 대상의 현실성뿐만 아니라 표현의 사실성을 추구하고, 새로운 재료나 기계적인 방식을 적극 사용하여 대상을 정확히 재현하려고 한 점에서 차이가 있다. 하이퍼리얼리즘을 대표하는 핸슨은 작품 「쇼핑 카트를 밀고 가는 여자」에서 물질적 풍요함 속에 매몰되어 살아가는 당시 현대인을 비판적 시각으로 표현하고 있다. 이 작품은 사람의 형태와 크기 및 사람 피부의 질감과 색채를 똑같이 재현하고, 오브제를 그대로 사용하여 사실성을 높이고 있다.

주제 하이퍼리얼리즘이 지니고 있는 특성과 하이퍼리얼리즘에서 주로 사용되는 표현 기법

01 세부 정보, 핵심 정보 파악 답 ①

정답 해설 하이퍼리얼리즘의 특성이라고 할 수 있는 '현실성'과 '사실성'을 중심으로 팝 아트와 하이퍼리얼리즘의 공통점과 차이점을 파악하는 문항이다. 2문단에서 하이퍼리얼리즘과 팝 아트는 당시 자본주의 사회의 일상의 모습을 대상으로 삼고 있다고 밝히고 있다. 또한 2문단의 첫 문장에서 우리 주변에서 흔히 볼 수 있는 것을 대상으로 고르면 '현실성'이 높은 것이라고 언급하였다. 그러므로 팝 아트와 하이퍼리얼리즘은 공통적으로 당시의 자본주의의 일상을 대상으로 삼아 현실성을 높였다고 할 수 있다.

오답 이유 ② '사실성'은 대상을 정확히 재현하는 것이다. 팝 아트가 대상을 함축적으로 변형했다는 것은 대상을 실재와 같이 재현하였다는 것이 아니기 때문에 팝 아트는 사실성이 높다고 말할 수 없다. 대상의 정확한 재현을 추구하는 하이퍼리얼리즘이 사실성이 높다.
③ 각주의 설명에 따르면 트롱프뢰유는 감상자가 실물처럼 착각할 정도로 대상을 정밀하게 재현하는 것이다. 그러므로 하이퍼리얼리즘이 트롱프뢰유의 전통을 이은 것은 현실성을 추구하기 위해서가 아니라 정밀한 재현을 통해 사실성을 추구하기 위해서라고 볼 수 있다.
④ 주로 인쇄 매체를 활용한 것은 팝 아트이고, 하이퍼리얼리즘은 새로운 재료나 기계적인 방식을 적극 사용하였다. 또한 사실성을 추구했다는 내용은 하이퍼리얼리즘에만 해당하는 진술이다.
⑤ 팝 아트는 대상의 현실성을 추구하는 반면, 하이퍼리얼리즘은 대상의 현실성과 표현의 사실성을 모두 추구한다고 설명하고 있다.

02 세부 내용 추론 답 ⑤

정답 해설 하이퍼리얼리즘의 사례로 제시된 핸슨의 작품에 대한 구체적 정보를 정확하게 이해할 수 있는지를 평가하는 문항이다. 3문단에서 ㉢은 '물질적 풍요 속에서의 과잉 소비 성향'을 비판적 시각에서 표현한 작품이라고 설명하고 있다. 그러므로 ㉢이 주변에서 흔히 볼 수 있는 소비자와 상품을 제시한 것은 합리적인 소비 성향을 반영하기 위해서가 아니라 '물질적 풍요 속에서의 과잉 소비 성향'을 비판하기 위해서라고 보는 것이 적절하다.

오답 이유 ① 4문단에서 ㉢의 기법에 대해 설명하고 있다. ㉢은 전시 받침대 없이 제작되었으며 실물 주형 기법으로 사람의 크기와 형태를 똑같이 재현하고 여기에 가발, 목걸이, 의상 등의 오브제를 덧붙여 만들어진 작품이라고 설명하고 있다.
② 4문단에서 ㉢은 '찰흙으로 형태를 만드는 방법 대신 사람에게 직접 석고를 덧발라 형태를 뜨는 실물 주형 기법을 사용하여 사람의 형태와 크기를 똑같이 재현하였다.'라고 언급하고 있다.
③ 3문단에서 ㉢의 여자는 욕망의 주체이며, 상품이 가득한 쇼핑 카트는 욕망의 객체라고 설명하고 있다. 또한 4문단에서 여자는 사람의 형태와 크기를 똑같이 재현하였고, 쇼핑 카트, 식료품 등은 실제 그대로 사용하여 사실성을 높였다고 하였다.
④ 4문단에서 '합성수지, 폴리에스터, 유리 섬유 등을 사용하고 에어브러시로 채색하여 사람 피부의 질감과 색채를 똑같이 재현하였다.'라고 밝히고 있다.

03 구체적 상황에 적용하기 답 ③

정답 해설 핸슨의 작품과 〈보기〉에 제시된 쿠넬리스, 코수스의 작품을 비교하여 미술에 대한 세 사람의 서로 다른 관점을 이해할 수 있는가를 평가하는 문항이다. 쿠넬리스는 「무제」라는 작품에서 실제 살아 있는 말을 화랑 벽에 매어 놓고 감상자가 직접 체험을 통해 말에 대해 느끼고 작품의 의미를 만들도록 하였다. 쿠넬리스는 대상을 직접 제시하여 감상자로 하여금 대상을 느끼고 체험하는 것이 대상을 실제와 똑같이 만들어 내는 것보다 더 확실한 재현의 방법이라고 여긴 것이다. 그러므로 쿠넬리스가 핸슨에게 실물 주형 기법을 쓰는 것보다 실물 그 자체를 제시하는 것이 더욱 효과적인 재현의 방법이라고 평하는 것은 적절하다.

오답 이유 ① 핸슨은 자신의 작품에서 실물 주형 기법 등을 통해 사람의 형태와 크기 등을 똑같이 만들어 냈다. 시각적인 면에서 대상을 정확하게 재현하려고 한 것이다. 이에 반해, 쿠넬리스는 「무제」라는 작품에서 온기, 냄새, 소리를 통해 다양한 감각 체험이 가능하도록 실물을 그대로 제시하였다. 따라서 핸슨이 아니라 쿠넬리스가 미술 작품에서 다양한 체험이 감상의 기준이 되어야 한다고 비평할 것이라고 볼 수 있다.
② 3문단에서 핸슨은 자본주의 일상을 사실적으로 표현한 작가라고 소개하고 있다. 그리고 그의 작품 「쇼핑 카트를 밀고 가는

여자」에도 우리 주변에서 흔히 볼 수 있는 일상적 사물을 소재로 활용하고 있다.

④ 쿠넬리스는 「무제」 라는 작품에서 감상자가 실물을 체험함으로써 다양하게 작품의 의미를 만들도록 하였다. 코수스는 「하나, 그리고 세 개의 의자」라는 작품에서 작가의 생각, 의도를 담아 '의자의 사진', '실제 의자', '의자의 언어적인 개념'을 한 공간에 배치하였다. 작가에 의해서 작품의 의미가 만들어진다는 생각은 쿠넬리스가 아니라 코수스의 생각에 가깝다.

⑤ 코수스는 「하나, 그리고 세 개의 의자」 라는 작품에서 실제의 의자만이 아니라 의자 이미지(사진)와 의자의 언어적인 개념도 함께 제시하고 있다. 코수스는 대상 자체만을 제시해야 한다고 보지 않았다.

기출 예술 독해 3 본문 166~169쪽

01 ② 02 ⑤ 03 ⑤ 04 ④

「연주 개념의 역사적 변천」

해제 이 글은 연주의 의미가 시대의 흐름에 따라 어떻게 변하고 있는지 순차적으로 제시하고 있는 글이다. 18세기의 연주는 악보의 객관적인 표현에 주목하였던 반면, 19세기의 연주는 작품미학의 영향을 받아 연주자의 해석에 주목하였다. 20세기에 들어서는 19세기의 경향이 더욱 두드러지고 구체화되면서 연주자의 주관적 감정에 의한 해석이라는 연주의 개념이 등장하게 되었다.

주제 연주 개념의 역사적 변천

체크 포인트

연주 개념의 역사적 변천에 대해 다루고 있는 이 글의 경우, '18세기', '19세기', '20세기'라는 명확한 표지를 통해 내용이 구분되고 있으므로 이들에 주목하여 각 시기의 특징을 파악하며 통시적 관점으로 내용을 이해할 수 있도록 한다.

01 내용 전개 방식 파악 답 ②

정답 해설 이 글은 18세기에서 20세기에 이르기까지 연주의 의미가 어떻게 변화해 왔는지를 통시적으로 설명하고 있다.

02 세부 내용 추론 답 ⑤

정답 해설 1문단에 의하면 18세기에 작곡자들은 악곡 속에 누구나 느낄 수 있는 객관적 감정들을 담아내었고, 연주자들은 이를 청중에게 정확하게 전달하는 역할을 했다.

오답 이유 ① 연주에 있어 연주자의 생각과 주관이 중요해진 것은 20세기에 들어서이다.

② 작곡자와 연주자가 분리된 것은 20세기의 특징이다.

③ 연주자의 작품의 의미에 대한 재구성이 중요해진 것은 19~20세기로 이어져 내려오는 특징이다.

④ 작품의 형식에 의한 아름다움을 재구성할 수 있었던 시기는 19세기이다.

03 구체적 상황에 적용하기 답 ⑤

정답 해설 ㉡은 20세기 들어 연주자의 주관적 해석에 의해 작곡자의 작품이 재창조되어 본래의 악곡과 다른 새로운 의미를 나타낼 수 있게 되었기 때문에, 청중에게 감상은 작곡자의 작품에 대한 감상만이 아닌 연주자에 의해 재창조된 작품에 대한 감상이라는 '이중의 의미'를 갖게 되었다는 것이다. 이에 대한 예는 ⑤로, 연주자가 본래 악곡의 빠르기와 셈여림에 변화를 주어 연주자의 개성을 잘 드러낼 수 있도록 재창조했다고 하여, 본래 작품뿐 아니라 연주자의 개성적인 해석에 대해서도 감상하고 있다.

오답 이유 ① 작곡자가 전달하고자 했던 감정을 정확하게 전달한 것은 20세기가 아니라 18세기의 경향이다.

② 곡의 아름다움을 느끼는 것은 연주자의 주관적 해석과는 관련이 없는 감상이다.

③ 주제 선율을 분명히 파악할 수 있었다는 것은 작품이 본래 지닌 내용이 청중에게 잘 전달되었다는 의미이다.

④ 작품의 제목과 관련하여 작품을 감상한 것으로 작곡자가 담아낸 감정을 감상한 것으로 볼 수 있다.

04 어휘의 사전적 의미 파악 답 ④

정답 해설 '향유(享有)'는 '누리어 가짐.'의 의미이므로 적절하지 않다. '혼자 독차지하여 가짐.'을 의미하는 단어는 '독점(獨占)'이다.

실전 예술 독해 1 본문 170~173쪽

01 ④ 02 ⑤ 03 ④

「루카치의 리얼리즘 예술론」

해제 리얼리즘은 예술과 실재의 관계를 중시하며 예술이 그 실재와 관련된 가치 있는 내용을 담고 있다고 보는 사조이다. 리얼리즘을 중시하는 미학자들은 예술 작품을 통해 삶의 진실을 찾고자 하는데, 이 글에서는 이러한 미학자들을 대표하는 루카치의 리얼리즘 예술론을 소개하고 있다. 루카치는 모든 진정한 예술이 리얼리즘적 본성을 갖고 있다고 보았다. 그래서 그는 역사상 각 시대의 특징을 반영하는 리얼리즘 양식의 표현 방식은 무한히 다양할 수 있다고 여겼다. 이 글에서는 이러한 루카치의 예술론에 대한 이해를 돕기 위해, 그의 리얼리즘을 구성하는 다섯 가지 원리를 제시하고 있으며, 현대 회화의 형식 실험과 추상적 경향에 대한 그의 비판적 입장도 제시하고 있다.

주제 루카치의 리얼리즘 예술론의 주요 내용

독해 포커스

고전주의, 낭만주의와 대비되는 리얼리즘의 입장을 소개하는 것으로 글을 시작하고 있다. 대비되는 짝을 중심으로 리얼리즘의 입장을 이해해야 한다. 그리고 루카치의 예술론을 설명하고 있는 글이므로 그가 제시한 견해 · 주장을 정확하게 이해하는 독해를 해야 한다.

01 내용 전개 방식 파악 답 ④

정답 해설 ㉣에서는 예술이 인간적, 현세적이어야 한다는 것을 루카치의 리얼리즘 예술론의 핵심으로 제시하고 있다. 루카치는 초월적이거나 내세적인 것에 의미를 두지 않고, 현세적 세계 속에서 의미를 찾으며 살아가는 태도를 중시했다. 그렇기 때문에 루카치는 예술을 통해 인간이 다른 사람의 삶을 간접적으로 체험하고 공감하면서 자신과 타인의 삶을 포괄하는 인류의 삶과 운명에 대해 인식할 수 있어야 한다고 보았다. 하지만 ㉣에서는 루카치의 예술론이 회화의 발전에 미친 영향과 그 의의는 제시되어 있지 않다.

오답 이유 ① ㉮에서는 예술과 실재의 관계를 중시하며 예술이 그 안에 실재와 관련된 가치 있는 내용을 담고 있다고 보는 리얼리즘의 입장을 제시하고 있으며, 고전주의나 낭만주의와 대립하는 리얼리즘의 성격도 제시하고 있다. 그리고 이를 토대로 루카치의 리얼리즘 예술론이라는 글의 중심 화제를 제시하고 있다.
② ㉯에서는 리얼리즘을 '모든 예술 일반의 기본 특징'이자 '온갖 가치 있는 창작의 예술적 기초'로 본 루카치의 기본적인 입장을 설명하고 있다
③ ㉰에서는 루카치가 제시한 리얼리즘을 구성하는 다섯 가지 원리를 소개하고 있다.
⑤ ㉱에서는 현대 회화의 형식 실험과 추상적 경향에 대한 루카치의 비판적 입장을 제시하고 있다. 루카치는 현대 회화가 전반적으로 형식 실험과 추상적 경향으로 나아가는 것을 리얼리즘의 약화 현상이라고 비판했다.

02 구체적 상황에 적용하기 답 ⑤

정답 해설 ㉮의 작품은 이질적인 대상들을 조합해 문학적 환상을 불러일으키고 있는 현대 회화 작품이다. 루카치는 이러한 현대 회화에 대해 작품을 실재와 멀어지게 한다고 생각하고 비판했다. 따라서 ㉮에 대해 미적 체험의 감동을 통해 인간성을 고양해 준다고 말하는 것은 루카치의 관점에 부합하지 않는다. ㉯는 일상에서 소박하고 진중하게 맡은 일에 열중하는 미덕을 보여 주고 있기 때문에, 루카치의 관점에서 보면 미적 체험의 감동을 통해 인간성을 고양해 주는 작품이라고 말할 수 있다.

오답 이유 ① ㉮는 손, 호두, 화살, 새 등의 이질적인 대상을 조합해 문학적 환상을 불러일으키고 있다. 루카치의 관점에서 보면, ㉮와 같이 이질적인 대상들을 조합한 것은 작품을 실재와 멀어지게 한 것으로 비판의 대상이 된다.
② 루카치는 형식 실험과 추상적 경향을 보이는 현대 회화에 대해 과도한 주관성으로 말미암아 객관성을 확보하지 못하고 있다고 보았다.
③ ㉯는 일상에서 소박하고 진중하게 맡은 일에 열중하는 미덕을 보여 주고 있는 작품이다. 이는 현세적 세계 속에서 의미를 찾으며 살아가는 태도와 관련이 깊다.
④ ㉯는 많은 사람들에게 일에 열중하는 미덕을 보여 줄 수 있는 작품이다. 이 점에서 개별적인 의미에만 머무르지 않고 보편적인 의미를 획득하고 있다고 볼 수 있다.

03 세부 내용 추론 답 ④

정답 해설 루카치는 예술이 인간적, 현세적이어야 한다고 주장했다. 그는 인간이 다른 인간과의 사회적 관계 속에서 자신의 개별성을 극복하면서 존재 의의를 찾는다고 보았는데, 예술이 이러한 태도를 통해 인간성을 높이 북돋워 준다고 보았다. 루카치에 따르면, 예술을 수용하는 인간은 다른 사람의 삶을 간접적으로 체험하고 공감하면서 인류의 삶과 운명에 대해 깊은 인식을 하게 된다. 이처럼 예술을 통해 인간이 타인의 삶을 체험하고 공감하면서 인류의 삶과 운명에 대해 깊은 인식을 한다고 생각하기 위해서는 예술이 인간 삶의 온갖 형상과 그 과정을 깊이 있게 보여 준다고 여겨야 한다.

오답 이유 ① 루카치는 리얼리즘이 모든 예술 일반의 기본 특징이라고 보았다. 하지만 이는 인간성을 높이 북돋워 주는 예술이 특히 리얼리즘을 통해 개화한다는 주장을 뒷받침하는 근거로 적절하지 않다.
② 루카치는 자율적으로 해석되어 매우 다양한 의미를 나타낼 수 있다는 '상징'을 리얼리즘을 구성하는 다섯 가지 원리 중의 하나로 제시했다. 여기서 알 수 있듯이 '상징'은 해석의 다양성을 의미한다. 따라서 '상징'은 인간성을 북돋워 주는 예술이 리얼리즘을 통해 개화한다는 루카치의 견해를 뒷받침하는 근거로 적절하지 않다.
③ 각 시대의 특징을 반영하는 리얼리즘 양식의 표현 방식이 무한히 다양하다는 것은 리얼리즘이 모든 예술 일반의 기본 특징이라는 것과 관련이 깊다.
⑤ 많은 작품들의 본이 되는 이상적 요소는 고전주의에서 지향했던 것이다.

실전 예술 독해 2

본문 174~177쪽

01 ② 02 ④ 03 ②

「예술과 매체, 뫼비우스의 띠」

해제 이 글에서는 예술과 매체가 뫼비우스의 띠처럼 긴밀한 관계를 맺고 있다는 것을 설명하고 있다. 예술과 매체의 관계를 매체의 영향으로 인한 예술의 형식 변화, 내용 변화, 그리고 예술 작품의 수용 변화로 나누어 설명하고 있다. 설명에 대한 이해를 돕기 위해 구체적 사례를 들고 있으며, 마셜 맥루언, 베냐민 등 전문가의 견해도 인용해 제시하고 있다.

주제 매체의 발전이 예술에 미친 영향

☑ 독해 포커스

이 글에서는 매체를 중시한 맥루언과 베냐민의 주장을 제시한 후 기존 예술의 내용에 변화를 초래한 새로운 매체의 등장에 대해 설명하고 있다. 따라서 이 글에서는 맥루언과 베냐민의 주장을 정확하게 이해하는 것이 중요하다. 그리고 변화의 과정, 요인 등이 제시되어 있으면 그에 관한 내용도 주목해 이해하는 것이 필요하다. 이와 관련해 이 글에서는 새로운 매체의 등장이 기존 예술의 형식과 내용에 변화를 초래해 작품의 수용에도 변화가 나타났다는 점을 정확히 이해해야 한다.

01 내용 전개 방식 파악 답 ②

정답 해설 이 글에서는 마셜 맥루언과 베냐민의 견해를 제시하고 있는데, 예상되는 반론을 비판하는 내용은 찾아볼 수 없다.

오답 이유 ① 1문단에서 '그렇다면 구체적으로 예술과 매체는 어떤 관계를 맺어 왔으며, 맺고 있는 것일까?'와 같은 물음으로 글의 화제를 제시해 관심을 유도하고 있다.

③ 3문단에서 피카소의 「아비뇽의 처녀들」과 같은 구체적인 사례를 들고 있다.

④ 2문단에서 마셜 맥루언과 베냐민의 견해를 인용해 제시하고 있다.

⑤ 2문단에서 매체가 기존과 다른 예술 형식을 낳은 것에 대해 설명하고 있으며, 3문단에서는 새로운 매체의 등장이 기존 예술의 내용에 변화를 주었다는 사실을 제시하고 있다. 그리고 4문단에서는 매체가 예술 작품의 수용에 변화를 가져왔다는 사실을 제시하고 있다. 즉 2~4문단에서 매체에 의해 예술에 나타난 변화를 병렬적으로 제시하여 다각도로 예술과 매체의 관계에 접근하게 하고 있는 것이다.

02 구체적 상황에 적용하기 답 ④

정답 해설 큐비즘과 영화의 관계는 새로운 매체의 등장이 기존 예술의 내용에 변화를 주는 것을 보여 주는 것으로, 순수 예술과 대중 예술의 경계를 해체시킨 것을 보여 주는 것이 아니다. 따라서 팝 아트가 영화와 맺고 있는 관계가 영화와 큐비즘이 맺고 있는 관계와 유사하다고 이해하는 것은 적절하지 않다.

오답 이유 ① 영화, 라디오, 텔레비전 등의 매체 기술의 발전을 토대로 기존에 없던 새로운 경향으로 나타난 것이 팝 아트이다. 팝 아트는 만화의 형식을 빌려 작품을 창작하는 등 기존에 없던 형식적 특징을 보여 준다. 베냐민은 기술 또는 매체가 이전과 다른 예술 형식을 낳는다고 주장했다.

② 만화의 형식을 빌려 회화 작품을 창작하는 것은 만화라는 매체가 회화의 형식에 변화를 일으킬 수 있음을 보여 주는 사례에 해당한다.

③ 매체는 예술의 내용에 변화를 초래한다. 팝 아트에서 기존 예술과 달리 대중 매체가 만들어 내는 대중 스타들을 제재로 삼은 것은 매체에 의해 작품의 내용에 변화가 생겼음을 보여 준다.

⑤ 마셜 맥루언은 매체 변화에 민감하게 반응하는 사람들로 예술가들을 꼽았다. 영화, 라디오, 텔레비전 등의 대중 매체에 민감하게 반응한 예술가들의 예로 팝 아트를 탄생시킨 예술가들을 들 수 있다.

03 세부 내용 추론 답 ②

정답 해설 디지털 매체 예술의 감상자는 작품을 수용하는 주체에 머무르지 않고 매체와 상호 작용하며 이미지를 창조하는 주체가 되는 경우가 많다. 즉 디지털 매체 예술은 감상자의 참여를 통해 이미지를 창조하는 형식을 띠는 경우가 많기 때문에 디지털 매체가 만들어 내는 이미지를 비롯해 일상에서 접하는 수많은 이미지들을 사람들이 어떻게 지각하고 그 이미지들에 어떻게 반응하느냐가 중요한 것이다.

오답 이유 ① 디지털 매체 예술은 시각 효과를 극대화하기 위해 촉각, 청각 등의 다른 감각을 더해 복합 지각의 대상이 된다.

③ 디지털 매체 예술에서는 매체의 역할이 중요하다.

④ 디지털 매체 예술에서 일상에서 접하는 수많은 이미지들을 작품의 주요 제재로 삼더라도 감상자들의 참여를 전제로 하지 않으면 사람들이 이미지들을 어떻게 지각하고 어떻게 반응하는지가 그렇게 중요하지는 않을 것이다.

⑤ 디지털 매체 예술에서는 이미지의 창조에 감상자의 참여를 필요로 하는 경우가 많은데, 이렇게 감상자가 이미지 창조에 참여하면 이미지와 감상자 사이의 거리가 가까워진다. 감상 방식과 상관없이 임의대로 변화하는 것이 아니다.

실전 예술 독해 3

본문 178~181쪽

01 ⑤ 02 ⑤ 03 ⑤

「전위 영화」

해제 전위 영화의 특징에 대해 설명하고 있는 글이다. 전위는 주류에 앞서 있는 열을 의미한다. 전위 영화는 주류 상업 영화에 앞서 영화의 표현성과 가능성을 확장시켜 '영화적인 것'을 추구하는 경향의 영화라고 할 수 있다. 이 글에서는 전위 영화의 충격 요법, 비논리적 전개, 표현주의적 특성 등에 대해 설명하고 있으며, 이러한 설명을 통해 전위 영화가 관객들의 틀에 박힌 시선을 공격하고, 주류 영화의 지배적인 체제를 공격하는 특성을 지니고 있음을 제시하고 있다.

주제 상업적인 주류 영화의 지배 체제를 공격하는 전위 영화의 특징

☑ 독해 포커스

전위 영화의 특징에 대해 설명하고 있는 글이기 때문에 특징에 관한 정보에 주목하는 독해를 해야 한다. 이 과정에서 상업적인 극영화와 전위 영화가 어떻게 다른지를 대비되는 짝으로 파악해야

한다. 전위 영화는 충격 요법을 사용하고 예정된 대본의 경직성을 거부한다. 그리고 표현주의적 특성이 강하다. 이와 같은 전위 영화의 특징이 출제 요소가 되기 마련이므로 특징에 관한 정보들을 세부적으로 이해하도록 한다.

01 세부 정보, 핵심 정보 파악 답 ⑤

정답 해설 이질적인 장면들이 비약적인 편집으로 나타나거나 빠르게 숏들이 지나가는 것으로 나타나는 것은 전위 영화의 숏들이 이질적인 것들이 뭉쳐져 있는 것임을 보여 준다. 기교의 단순함을 보여 주는 것이 아니다. 그리고 전위 영화는 기교적으로 단순한 영화가 아니다. 2문단에서 전위 영화의 대부분이 기교적으로 복잡하다고 제시하고 있다.

오답 이유 ① 2문단에서 전위 영화가 보여 주는 의도적인 낯섦 때문에 당황하고 불쾌한 감정을 느끼기도 한다고 제시하고 있다. 이 글에서는 이러한 낯섦이 관객의 반응을 유도하기 위한 기법이라고 하고 있다.

② 2문단에서 전위 영화의 충격 요법이 전위 영화가 주류 영화에서 금기시되어 온 주제들을 다루는 것과 관련이 있다고 제시하고 있다.

③ 4문단에서 전위 영화에서는 왜곡 렌즈와 필터들을 과다하게 사용하는 경향이 있다고 하고 있다. 이 글에 따르면, 이는 전위 영화가 표현주의적 특성이 강한 것과 관련이 있다.

④ 4문단에서 전위 영화에서 동시 녹음을 하지 않는 것은 미학적으로 자신들이 추구하는 세계의 비현실성을 강화하기 위한 것이라고 제시하고 있다.

02 구체적 상황에 적용하기 답 ⑤

정답 해설 전위 영화에서는 현실 세계를 객관적으로 기록하는 일에는 관심이 없다. 그렇기 때문에 비현실성으로 현실의 있는 그대로의 모습을 부각하고 있다고 말하는 것은 전위 영화의 특징을 바르게 이해한 것이 아니다.

오답 이유 ① 전위 영화의 시 · 공간은 주관적이고 심리적이다. 실제 현실 세계에서 몇 초면 끝날 공장 굴뚝이 무너지는 것을 영화 시작 후 한 시간이 지나서야 끝나도록 설정한 것은 영화 속 시간이 주관적이고 심리적인 성격을 지니고 있음을 나타낸다.

② '시인'이 거울 속으로 들어가 꿈속을 여행하듯 다니는 것은 상상의 세계에서 가능한 것이다. 이는 상상의 세계를 창조하는 전위 영화의 특징을 보여 준다.

③ '역촬영 기법'은 관객에게 시각적 충격을 주는 것이다. 전위 영화에서 이러한 충격 요법은 관객들의 틀에 박힌 시선을 공격하기 위한 것이다.

④ 전위 영화는 상관관계나 논리적 관계를 찾기 어려운 이미지들이 병치되며 전개된다. 이는 논리적인 서사 구조를 거부함으로써 주류 영화의 지배적 체제를 공격하는 전위 영화의 특징을 보여 준다.

03 반응의 적절성 평가 답 ⑤

정답 해설 ⓐ의 '영화적인 것'은 전위 영화가 지향하는 것을 의미한다. 전위 영화에서는 관객들이 영화에 대해 갖고 있는 관습적인 시각을 무너뜨리고자 한다. 따라서 관객들이 영화에 대한 관습적인 시각을 갖도록 만들어 주는 것이라고 이해하는 것은 적절하지 않다.

오답 이유 ① 전위 영화가 추구하는 가치는 상업적인 주류 영화에 한발 앞서는 것이다. 즉 상업 영화에서 발견하기 어려운 것이다.

② 전위 영화에서는 영화의 표현력과 가능성을 확장시키는 것을 지향한다.

③ 전위 영화에서 추구하는 것은 '영화적인 것', 즉 이상적인 '순수 영화'이다.

④ 전위 영화는 영상 자체가 하나의 새로운 언어가 될 수 있다는 신념을 바탕으로 삼고 있다.

실전 예술 독해 4

본문 182~185쪽

01 ④ 02 ④ 03 ④

「현대 예술과 아름다움」

해제 생활 세계의 심미화 경향이 보편화된 오늘날 일상적인 미의식에 따르면 '아름답다'라고 말하기 어려운 현대 예술의 경향에 대해 설명하고 있는 글이다. 특히 현대 예술에 상당 부분 내재해 있는 추함의 미학에 주목하고 있다. 추함의 미학은 19세기 낭만주의의 '그로테스크와 아이러니' 미학에서 실마리를 찾을 수 있다. 이후 현대 예술에서는 전통 예술의 미적 이상과 대립하는 특징을 보인다. 균제미를 무너뜨리고 '우연'의 요소를 적극적으로 수용하여 사용하는 것이다. 이 글에서는 이러한 현대 예술의 특징을 설명한 후, 오늘날 예술과 미가 복잡한 미감들이 공존하는 관계를 보여 주고 있으며, 예술과 미의 관계가 다양하게 열려 있음을 강조하고 있다.

주제 예술과 미의 관계가 다양하게 열려 있는 현대 예술의 경향

✔ 독해 포커스

예술 지문은 특징에 관한 정보를 정확하게 이해하는 것이 중요하다. 이 글도 추함의 미학과 관련하여 현대 예술이 보이는 특징을 정확하게 이해하는 것이 중요하다. 현대 예술은 작품 자체의 완결된 의미를 인정하지 않으며 다양한 해석이 가능하다고 여긴다. 전통 예술의 미적 이상과 대립하는, 즉 균제미를 무너뜨리는 경향을 보이며, '우연'의 요소를 적극적으로 수용하여 형이상학적이고 자연 철학적인 미감을 추구한다. 이러한 현대 예술의 경향을 세부적으로 정확하게 이해하는 독해를 하도록 한다.

01 세부 정보, 핵심 정보 파악 답 ④

정답 해설 현대 예술의 '우연'은 작가의 의식이라는 인위적인 형식으로 통제되지 않는 것으로 '자연적' 또는 '무의식적'인 것이라고 할 수 있다.

오답 이유 ① 오늘날 예쁘게 꾸미는 경향은 매우 보편적인 현상이다. 그런데 현대 예술에는 우리의 일상적 미의식에 따르면 '아름답다'라는 말을 하기 어려운 작품들이 많다. 이는 현대 예술이 생활 세계의 심미화 현상과 대립적인 특징을 나타냄을 시사한다.

② 현대 예술에서는 인간의 깊은 고뇌를 보여 주는 표현 방식을 모색한다. 그 결과 현대 예술에는 상당 부분 추함의 미학이 내재한다. 인간의 고뇌가 추함의 미학을 통해 표현되곤 하는 것이다.

③ 전통 예술의 미적 범주를 대표하는 균제미는 '절제'를 존중하는 미학이 반영되어 있는 것이다.

⑤ 현대 예술에서 이상적인 균제미가 깨진 것은 예술에서 배제되어 온 추함이 표현된 것이다. '우연'도 전통 예술에서 베재되어 온 것이다. 이러한 사실은 전통 예술에서 배제되었던 요소의 표현이 현대 예술의 반미학적 경향으로 나타났음을 보여 준다.

02 구체적 상황에 적용하기 답 ④

정답 해설 현대 무용에서 자기 몸짓 자체를 자연과 동일시하는 것은 자연의 미학에 가까운 것으로 인위적인 미감을 넘어 형이상학적이고 자연 철학적인 미감을 추구한 현대 예술의 특징과 관련이 있다. 현대 예술에서는 해석의 과정에 수많은 가능성을 열어 둔다. 따라서 현대 예술의 특징으로 해석의 다양성을 단순화한다고 이해하는 것은 적절하지 않다.

오답 이유 ① 고전 발레를 '움직이는 조각'이라고 한 것은 고전 발레가 이상적이고 조화로운 외형미를 나타내는 포즈와 태도를 중시했기 때문이다. 이는 고전 발레가 전통 예술의 미적 이상인 조화와 균형의 아름다움을 추구했음을 나타낸다.

② 현대 무용은 모순, 부조화 등의 요소를 활용하여 주관적인 내면을 자유롭게 표현했다. 이러한 모순, 부조화 등은 전통 예술에서 볼 때 추함의 범주에 속하는 것들이다.

③ 현대 무용은 격렬하고 일그러진 정신을 표현한다. 이는 이상적인 균제미를 깨뜨린 것이란 점에서 조화로운 절제가 무너지고 '과도함'이 넘친 스트라빈스키의 음악과 유사한 특징을 보여 주는 것이라고 할 수 있다.

⑤ 낭만 발레는 기존의 형식주의를 배격하고 감정을 표현하고 느끼려 했다. 이러한 낭만 발레에 대해 헤겔은 이상적인 외형미를 추구하지 않는다고 평가할 것이다.

03 내용들 간의 의미 관계 파악 답 ④

정답 해설 ㉠은 낭만주의의 미학이다. 낭만주의에서는 작품과 관객의 소통을 통해 내면적 공감이나 동일시가 이루어졌다. 그런데 ㉡, 즉 현대 예술에서는 이러한 낭만주의의 일대일 대응을 가정하지 않고 무한하게 열린 대응 관계를 생각한다. 즉 ㉡은 ㉠과 달리 작품과 관객의 소통이 한 통로를 통해 이루어진다는 관점을 거부하는 것이다.

오답 이유 ① ㉡에서는 문화 산업을 통해 대량 생산되는 상투적인 미를 부정한다.

② ㉡에서는 세계의 실상이 혼란스럽게 존재하는 양상에 주목한다.

③ ㉡은 일상적 심미화의 추세에 반대하며 미의 본질을 진지하게 탐색하려 한다.

⑤ ㉡은 작품 자체의 완결된 의미를 인정하지 않는다.

실전 예술 독해 5

본문 186~189쪽

01 ② 02 ⑤ 03 ⑤

「표현주의 미학」

해제 이 글은 예술가의 내면에 있는 정서와 심상을 밖으로 표출해 내는 양태의 예술인 익스프레셔니즘, 즉 표현주의에 대해 다루고 있는 글이다. 객관적인 외부에 존재하는 대상을 작품화하는 것이 일반적이었던 전통적인 예술과 달리 표현주의는 외부를 주관적으로 주조하는 투사의 태도를 바탕으로 작가의 개성을 표현한다. 이러한 표현주의의 중요한 특징은 원시성의 추구인데 반문명의 표방, 극단적인 단순화와 변형, 강렬한 색채 등을 이용해 본능적인 충동이나 생명성을 표현해 내고자 하였다.

주제 표현주의 미학의 개념과 특징

☑ 체크 포인트

이 글은 '밖에서 안으로 들어오는' 메커니즘을 지닌 전통적인 예술 양식과 '안에서 밖으로 표출해 내는' 메커니즘을 지닌 표현주의를 대조하여 제시함으로써 표현주의의 개념을 명확하게 설명하고 있다. 따라서 어떤 점에서 두 예술 양식이 반대가 되고 있는지 그 차이점에 초점을 두고 글을 읽는 것이 필요하다. 또한 표현주의의 특징에 대해 설명하고 있는 문단이 있으므로 대표 문제와 연결하여 지문의 내용이 실제 작품에 어떻게 적용되어 있는지 확인하면서 글을 읽는다.

01 내용 전개 방식 파악 답 ②

정답 해설 '밖에서 안으로 들어오는' 메커니즘의 전통적 예술과 '안에서 밖으로 나가는' 표현주의 예술을 서로 대비하여 제시함으로써 논지를 부각하고 있다.

오답 이유 ① 표현주의 예술 미학에 대해 설명하고 있는 글로, 문제의식의 제시나 해결 방안의 모색은 나타나 있지 않다.

③ 하나의 이론의 분화 과정이라기보다는 다른 개념과 대비하여 이론의 개념을 설명하고 그 특징을 제시하고 있다.

④ 내용과 관련하여 물음을 던지고 답을 제시하는 부분은 나타나

있지 않다.
⑤ 대상의 유용성이나 한계를 지적하여 전망을 제시하는 부분은 찾아볼 수 없다.

02 반응의 적절성 평가 답 ⑤

정답 해설 〈보기〉의 칸트는 인간의 오성에 선천적으로 갖추어진 실체와 속성이 외부 대상의 감각 자료들과 결합하여 실체가 구성된다고 보고 있으므로, 내면을 출발점으로 보는 표현주의에 대해서도 이와 같은 원리에 의해 예술로서의 표현이 이루어진다고 언급할 것이다.

오답 이유 ① 외부의 압박이 인간의 내부로 들어오는 것은 전통적인 예술의 양태이므로 적절하지 않다.
② 칸트는 오성이 먼저 형성된 외부의 경험을 받아들인다고 본 것이 아니라, 먼저 갖추어진 오성이 외부와 결합한다고 보았으므로 적절하지 않다.
③ 객관적 대상으로서의 사실이 존재한다는 진술은 실체와 속성이 인간 정신에 의해 구성된다고 본 칸트의 견해에 해당한다고 보기 어려우므로 적절하지 않다.
④ 칸트는 자연이 인간의 정신을 벗어나 존재하는 것이 아니라고 보았으며, 표현주의 역시 내면의 표출을 중심으로 하는 사상이므로 적절하지 않다.

03 구체적 상황에 적용하기 답 ⑤

정답 해설 ㄴ. 3문단에 의하면 강렬한 색채가 본능적 삶의 표현이며 본능적 충동을 나타낸다고 하였다. 〈보기 1〉의 그림에서도 하늘을 나타내는 주황색과 노란색의 강렬한 색채가 이러한 경향성을 드러내고 있다고 볼 수 있다.
ㄷ. 2문단에서 예술가의 주관적인 내적 심상을 밖으로 내보내는 양태에 대해 설명하고 있는데, 〈보기 1〉의 설명에서 알 수 있듯이 이 작품은 작가의 내면을 나타낸 작품이다. 그림 속의 인물들의 초점을 잃은 눈에서 불안한 감정을 읽어 낼 수 있는데, 이는 곧 작가의 불안한 내면을 표현한 것으로 볼 수 있다.
ㄹ. 2문단에 의하면 표현주의 작품에서 인간 정신은 외부를 주관적으로 주조하는 투사의 태도를 취하게 된다. 강과 하늘의 선을 구부러지게 표현한 것은 이와 같은 외부의 주관적 주조를 보여 주는 것으로 볼 수 있다.

오답 이유 ㄱ. 3문단에서 니체 철학이 표현주의 화가들로 하여금 인간이 이상적인 미와 조화 또는 이성과 관계없이 욕구나 본능에 의해서 동기를 부여받는다는 사실을 자각하게 하였다고 하고 있다. 따라서 작가의 내면의 표출을 특징으로 하는 〈보기 1〉의 그림이 이상적인 조화를 보여 준다고 보는 것은 적절하지 않은 진술이다.

03 원리로 사회 독해

기출 사회 독해 1 본문 192~195쪽

01 ② 02 ④ 03 ③

「채권과 CDS 프리미엄」

해제 이 글은 채권 시장에서 투자자들이 신용 위험을 피하려는 목적으로 활용하는 파생 금융 상품인 CDS와 이에 관련된 경제 지표인 CDS 프리미엄에 대해 설명하고 있다. 채권 발행자의 지급 능력 부족으로 이자와 원금이 투자자에게 지급되지 않을 가능성을 신용 위험이라 한다. 채권 투자자들은 CDS 거래를 통해 신용 위험을 보장 매도자에게 이전함으로써 신용 위험을 회피하는데, CDS 프리미엄은 이때 보장 매도자에게 지급되는 일종의 보험료이다. CDS 프리미엄에 영향을 주는 요인으로는 보장 매도자의 지급 능력이나 기초 자산인 채권의 신용 등급 등이 있다.

주제 신용 위험을 보상하는 CDS 거래와 CDS 프리미엄에 영향을 주는 요인

01 세부 정보, 핵심 정보 파악 답 ②

정답 해설 2문단에 따르면 신용 위험은 채권 발행자의 지급 능력 부족 등의 사유로 이자와 원금이 지급되지 않을 가능성을 의미한다. 이를 통해 채권 발행자의 지급 능력이 부족할수록 신용 위험이 커지고, 채권 발행자의 지급 능력이 우수할수록 신용 위험이 작아진다는 것을 추측할 수 있다. 따라서 채권 발행자의 지급 능력이 커질수록 신용 위험은 작아진다고 할 수 있다.

오답 이유 ① 2문단의 '채권은 정부나 기업이 자금을 조달하기 위해 발행'을 통해 채권을 발행하는 이유를 알 수 있다.
③ 2문단의 '각국은 채권의 신용 위험을 평가해 신용 등급으로 공시하는 신용 평가 제도를 도입하여 투자자를 보호하고 있다.'를 통해 신용 평가 제도가 채권을 매입한 투자자를 보호하는 장치임을 알 수 있다.
④ 3문단을 통해 신용 위험이 커짐에 따라 신용 등급이 낮게 평가됨을 알 수 있다. 또한 같은 문단의 다른 조건이 일정한 가운데 신용 위험이 커지면 채권 시장에서 해당 채권의 가격이 떨어진다는 내용을 통해 다른 조건이 일정할 경우, 채권의 신용 등급이 낮아지면 신용 위험이 커지고, 해당 채권의 가격이 하락한다는 것을 알 수 있다.
⑤ 2문단의 '채권의 발행자는 정해진 날에 일정한 이자와 원금을 투자자에게 지급할 것을 약속한다.'를 통해 채권 발행자는 투자자에게 일정한 이자와 원금의 지급을 약속한다는 점을 알 수 있다. 또한 같은 문단의 '채권 투자에는 발행자의 지급 능력 부족 등의 사유로 이자와 원금이 지급되지 않을 가능성'이 있다는 내용을 통해 채권 투자에는 해당 약속이 지켜지지 않을 신용 위험

이 수반된다는 것을 알 수 있다.

02 내용들 간의 의미 관계 파악 답 ④

정답 해설 4문단의 '보장 매도자는, 보장 매입자가 보유한 채권에서 부도가 나면 이에 따른 손실을 보상하는 역할을 한다.'를 통해 ㉠이 신용 위험을 피하기 위해 CDS 계약을 체결한 보험 회사인 ㉢은 ㉠을 대신해 ㉡이 발행한 채권의 신용 위험을 부담하는 '보장 매도자'임을 알 수 있다.

오답 이유 ① ㉡이 발행하고 ㉠이 매입한 채권은 ㉢과의 CDS 거래에서 신용 위험의 이전이 일어나는 자산이다. 따라서 ㉠이 매입하여 보유한 채권은 기초 자산이다.

② ㉠이 신용 위험을 피하기 위해 보험 회사인 ㉢과 CDS 계약을 체결한 것이기 때문에 ㉠은 보장 매입자, ㉢은 보장 매도자이다. 기초 자산인 ㉡이 발행한 채권에 부도가 나면 손실을 보상하는 역할을 하는 것은 ㉠이 아니라 ㉢이다.

③ ㉡은 채권을 발행하는 발행자이며, 채권을 매입한 ㉠이 채권 투자자이다. 채권 투자자인 ㉠은 신용 위험을 기피하기 위해 파생 금융 상품인 CDS를 활용한다.

⑤ 5문단의 보장 매도자는 기초 자산의 신용 위험을 부담하는 것에 대한 보상으로 보장 매입자로부터 일종의 보험료를 받는다는 내용을 통해, 보장 매도자인 ㉢이 ㉡이 발행한 채권의 신용 위험을 부담하는 것에 대한 일종의 보험료를 ㉠에게 받는다는 것을 알 수 있다. 따라서 기초 자산인 채권이 부도가 나지 않으면 ㉢은 ㉠이 지불한 보험료만큼 이득을 볼 수 있다. 반면 기초 자산에 부도가 난다면 ㉢은 이에 따른 손실을 보상해야 하기 때문에 이득을 본다고 보기 어렵다.

03 구체적 상황에 적용하기 답 ③

정답 해설 〈보기〉에서 X는 채권 발행자, Y는 채권을 매입한 투자자이자 보장 매입자, Z는 보장 매도자이다. Z는 X가 발행한 채권의 신용 위험으로 Y가 손실을 입을 가능성을 보상하는 역할을 한다. X의 재무 상황이 악화되었다는 것은 신용 위험이 커졌음을 의미하며, 반대로 지급 능력이 개선되었다는 것은 신용 위험이 작아졌음을 의미한다. 그러므로 X의 지급 능력이 개선된 2013년 1월에는 B_X의 신용 위험이 2011년 10월보다 작아졌으므로 Y가 손실을 입을 가능성을 보상해 주어야 하는 Z가 손실을 입을 가능성도 작아지게 된다.

오답 이유 ① 〈보기〉를 통해 2011년 1월 1일 X가 채권 B_X를 발행하였으며, Y가 발행 즉시 B_X를 전량 매입하고 Z와 CDS 계약을 체결했다는 사실을 알 수 있다. 신용 위험을 부담하는 것은 Z이며, X는 채권의 발행자로 신용 위험을 부담하지 않는다.

② 〈보기〉를 통해 2011년 9월 17일에는 X의 재무 상황이 악화되었기 때문에 2011년 11월 B_X의 신용 등급은 계약 체결 당시 B_X의 신용 등급인 A-보다 낮았음을 추측할 수 있다.

④ 〈보기〉에서 2013년 9월 30일 Z가 발행한 채권의 신용 등급은 계약 체결 당시의 AAA에서 AA+로 하락했다는 사실을 알 수 있다. CDS 프리미엄은 보장 매도자가 발행한 채권의 신용 등급이 높을 때 커지므로, Z의 신용 등급이 낮아진 시점의 CDS 프리미엄이 100bp라면 신용 등급이 높았을 때에는 100bp보다 컸음을 추측할 수 있다.

⑤ 〈보기〉에 의하면 계약 체결 당시 B_X의 신용 등급은 A-였으며, 2011년 9월 17일 X의 재무 상황 악화로 인해 신용 위험에 대한 우려가 발생하기 전까지는 이 등급을 유지하고 있었을 것이다. 2012년 12월 30일에는 X의 지급 능력이 2011년 8월 시점보다 개선되었다고 하였으므로 2012년 12월 30일 이후 시점인 2013년 4월에는 B_X의 신용 등급이 A-보다 높아졌을 것을 추측할 수 있다. 그러므로 B_X의 신용 등급이 BB-보다 낮았을 것이라는 진술은 적절하지 않다.

기출 사회 독해 2

본문 196~199쪽

01 ② **02** ① **03** ③

「사법(私法)의 계약과 그 효력」

해제 이 글은 사법에서의 법률의 규정과 계약의 내용이 어긋나는 다양한 경우에 대해 설명하고 있다. 사법에서는 당사자들이 계약의 구체적인 내용을 스스로 정할 수 있는 '계약 자유의 원칙'이 우선적으로 적용된다. 사법은 원칙적으로 '임의 법규'이므로, 사법으로 규정한 내용에 대해 당사자들이 계약으로 달리 정하지 않았다면 법률의 규정이 적용된다. 하지만 법률로 정해진 내용과 어긋나게 계약을 하면 당사자들에게 법적 불이익이 있거나 계약의 효력이 부정되는 예외적인 경우도 있다. '단속 법규'의 경우 법률로 정해진 내용과 어긋나게 계약이 이루어지면 벌금과 같은 법적 불이익은 있지만 계약 내용은 유효하다. 그러나 '강행 법규'의 경우에는 법적 불이익이 있을 뿐 아니라 계약의 효력 자체도 인정되지 않는다. 이때 이미 계약을 통해 급부를 이행하여 재산적 이익을 넘겨주었다면 비도덕적이거나 반사회적인 행위가 아닌 경우 '부당 이득 반환 청구권'이 인정된다. 국가는 국가 안보, 사회 질서, 공공복리 등의 정당한 입법 목적을 달성하기 위해 사법의 계약에 개입할 수 있는데, 이 경우 계약의 자유를 필요한 만큼만 최소로 제한해야 한다는 '비례 원칙'이 적용된다.

주제 사법에서 적용되는 법률의 규정과 그 제한

01 구체적 상황에 적용하기 답 ②

정답 해설 ㄱ. 2문단을 통해 방충망 수선에 대한 것은 당사자들이 계약으로 달리 정하지 않았다면 원칙적으로 법률의 규정이 적용되는 '임의 법규'임을 알 수 있다. 그러므로 계약서에 방충망 수선에 관한 내용이 없으면 건물주가 수선 의무를 지게 된다. '임의 법규'는 법률상으로 규정되어 있더라도 당사자가 자유롭게 계약 내용을 정할 수 있는 법률 규정이므로, 수선 의무를 계약에 포함하지 않은 것에 대한 법적 불이익은 누구에게도 없다.
ㄷ. 방충망 수선에 대한 것은 '임의 법규'이므로, '계약 자유의 원칙'에 따라 당사자들이 자유롭게 계약 내용을 정할 수 있다. 그러므로 계약서에 세입자가 방충망을 수선한다는 내용이 있으면 세입자가 수선 의무를 지고, 법률 내용과 다르게 계약한 것에 대한 법적 불이익은 누구에게도 없다.

오답 이유 ㄴ. 계약서에 방충망 수선에 관한 내용이 없으면 법률에 따라 건물주가 수선 의무를 져야 하며, 건물주가 수선 의무를 계약에 포함하지 않은 데에 대한 법적 불이익은 없다.
ㄹ. 계약서에 세입자가 방충망을 수선한다는 내용이 있으면 세입자가 수선 의무를 져야 한다. 방충망 수선에 대한 것은 '임의 법규'에 해당하여 법률 내용과 다르게 계약한 것에 대한 법적 불이익이 없으므로 건물주가 법적 불이익을 받는다는 내용은 적절하지 않다.

02 내용들 간의 의미 관계 파악 답 ①

정답 해설 ㉠은 '단속 법규'의 적용을 받는 계약으로, 계약 당사자인 공인 중개사에게 벌금이 부과되는 법적 불이익이 있다. ㉡은 '강행 법규'의 적용을 받는 계약으로, 법적 불이익이 있을 뿐만 아니라 계약의 효력이 인정되지 않는다. 이를 통해 ㉠과 ㉡의 계약에서는 법적 불이익을 받는 계약 당사자가 있음을 알 수 있다.

오답 이유 ② ㉠은 계약 자체는 유효하므로 계약 내용에 따른 행동인 급부를 할 의무가 인정된다고 하였다.
③ 계약에 따라 넘어간 재산적 이익을 반환하는 것은 '부당 이득 반환 청구권'과 관련이 있으며, 이는 ㉡에만 해당한다.
④ ㉠은 법률 규정을 위반하였으나 체결된 계약의 효력은 인정된다.
⑤ ㉠, ㉡ 모두 계약 당사자가 계약의 구체적인 내용을 결정할 수 있는 사법의 영역에 해당한다.

03 구체적 상황에 적용하기 답 ③

정답 해설 〈보기〉의 대법원 판례는 체결된 계약 내용이 법률에 정해진 내용과 어긋난다고 하여 벌금을 부과할 뿐만 아니라 체결된 계약의 효력 자체도 인정하지 않고 있다. 이는 벌금만 부과하고 계약의 효력은 인정하는 '단속 법규'만으로는 입법 목적을 달성하기 어렵다고 보아 '강행 법규'를 적용한 것이라고 할 수 있다.

오답 이유 ① 농지 임대차 계약은 개인과 개인 사이의 재산과 관련이 있으므로, 사법의 적용을 받는다.
② 임대인에게 벌금을 부과한 것은 법률로 정해진 내용과 어긋나게 계약을 한 것에 대한 법적 불이익을 주기 위한 것이지, 농지 임대차 계약의 효력을 인정하지 않아 벌금을 부과한 것은 아니다.
④ 5문단에 따르면 '강행 법규'를 위반한 경우라도 급부의 내용이 비도덕적이거나 반사회적인 행동이라면 '부당 이득 반환 청구권'이 인정되지 않는다. 〈보기〉의 대법원 판결에 따르면 '부당 이득 반환 청구권'이 인정되므로 급부의 내용이 비도덕적이거나 반사회적 행동에 해당한다고 할 수 없다.
⑤ 대법원이 B가 A에게서 받은 사용료를 반환하라고 판결한 것은 사용료가 부당 이득에 해당한다고 판단했기 때문이다.

기출 사회 독해 3

본문 200~203쪽

01 ④ **02** ① **03** ②

「집합 의례」

해제 '집합 의례'가 공동체의 결속을 강화하는 과정 및 양상에 대한 다양한 학자들의 견해를 소개한 글이다. 뒤르켐에 따르면 문제 상황이 발생할 때 사람들은 이를 성과 속의 분류 체계를 활용하여 판별하는 집합 의례를 행하고, 이를 통해 기존의 도덕 공동체를 재생한다. 그는 또한 현대 사회에서 집합 의례가 새로운 도덕 공동체를 창출할 수 있다고 보았는데, 이 과정에서 새로 창출된 성스러움이 개인들이 서로 결속할 수 있는 도덕적 의미를 제공할 것이라 여겼다. 파슨스와 스멜서는 성스러움을 가치라는 말로 바꾼 기능주의 이론을 주창하였는데, 그들에 따르면 평상시에 잠재해 있던 가치가 위기 시기에는 부상하여 사회의 통합이 회복된다는 것이다. 알렉산더는 파슨스, 스멜서와 달리 집합 의례가 유기체의 생리 작용처럼 자연스럽게 진행되거나 결과가 정해져 있는 것이 아니라고 보았다. 따라서 '사회적 공연론'을 통해 공연의 요소들이 어떤 조건에서 어떤 과정을 거쳐 융합이 이루어지는지를 경험적으로 탐구해야 한다고 주장한다.

주제 집합 의례에 대한 학자들의 다양한 견해

01 세부 정보, 핵심 정보 파악 답 ④

정답 해설 뒤르켐은 집합 의례를 통해 새로 창출된 성스러움이 자기 이해관계를 추구하며 속된 세계에서 살아가는 개인들에게 서로 결속할 수 있는 도덕적 의미를 제공한다고 하였으므로 공동체 성원들이 집합 의례를 거쳐 구체적인 이해관계를 중심으로 묶인다는 것은 적절하지 않다.

오답 이유 ① 집합 의례를 통해 약해진 기존의 도덕 공동체를 재생한다는 부분을 통해 확인할 수 있다.
② 집합 의례를 통해 단순히 먹고사는 문제에 불과했던 생계 활동이 성스러움과 연결된 도덕적 의미를 지니게 된다는 부분을 통해 확인할 수 있다.
③ 뒤르켐은 현대 사회의 집합 의례가 기존 도덕 공동체의 재생으로 끝나지 않고 새로운 도덕 공동체를 창출할 것으로 보았으므로 적절하다.
⑤ 문제 상황이 발생할 경우 이 상황이 성스러운 것인지 아니면 속된 것인지를 판별하는 집합 의례가 행해진다는 부분을 통해 확인할 수 있다.

02 내용들 간의 의미 관계 파악

답 ①

정답 해설 파슨스, 스멜서는 집합 의례의 결과 사회의 통합이 회복된다고 보았는데, 이는 유기체가 흐트러진 항상성의 기능을 회복하는 것처럼 결과가 정해진 것이라고 보는 것이다. 반면 알렉산더는 집합 의례는 현대 사회에서 유기체의 생리 작용처럼 자연적으로 진행되는 것이 아니라, 그 결과가 정해지지 않은 과정이라 보았다.

오답 이유 ② 파슨스, 스멜서는 집합 의례의 과정을 거치며 사회의 통합이 회복될 것이라 보았다. 사회 통합이 회복된다는 것은 도덕 공동체가 구성된 것으로 볼 수 있기 때문에 '㉡과 달리'라고 말하는 것은 적절하지 않다.

③ 집합 의례가 이루어지는 과정을 경험적으로 세밀하게 탐구해야 한다고 주장한 학자는 알렉산더이므로 적절하지 않다.

④ 집합 의례를 유기체의 생리 과정과 유사하다고 본 것은 파슨스와 스멜서이다. 알렉산더는 그렇지 않다고 보았으므로 적절하지 않다.

⑤ 파슨스와 스멜서는 위기 시기에 사회적 삶 아래 잠재해 있던 성이 부상하며 속보다 우선시된다고 하고 있으므로 성과 속의 분류 체계를 두었다고 볼 수 있다. 알렉산더 역시 현대 사회의 사회적 공연의 요소로 성과 속의 분류 체계를 구체화한 대본 등을 들고 있으므로 성과 속의 분류 체계 없이 집합 의례가 일어난다고 본 것이 아니다.

03 구체적 상황에 적용하기

답 ②

정답 해설 알렉산더의 견해에 따르면 가치를 전 사회로 일반화하는 집합 의례는 그 결과가 정해지지 않은 과정이다. 〈보기〉의 사례는 대본, 배우, 미장센 등의 공연 요소들이 융합되는 사회적 공연에 해당한다고 볼 수 있지만, 소각장 유치에 대해 A시 주민들 사이에서 서로 동의가 이루어지지 않고 있다는 점에서 가치의 일반화가 일어났다고 볼 수는 없다. 찬성이든 반대이든 공통된 가치를 주민들이 주장하게 된다면 가치의 일반화가 이루어진 것으로 볼 수 있겠지만, 현재의 상황에서는 주민들이 찬성과 반대로 갈려 집회를 하고 있는 상황이므로 가치의 일반화가 일어난 것으로 볼 수 없다.

오답 이유 ① 소각장의 유치를 둘러싼 논란은 A시에 한정되어 있으며, 서울에서의 집회도 불허되었다고 했으므로 미장센이 A시에 한정되어 펼쳐지고 있다고 볼 수 있다.

③ 토박이와 노인은 반대 운동에, 이주민과 젊은이는 찬성 운동에 적극적으로 참여하고 있다는 〈보기〉의 내용을 통해 출신 지역과 나이로 분화된 관객이 배우로 직접 나서고 있다고 할 수 있다.

④ 중앙 언론은 상징적 생산 수단으로, 경찰은 사회적 권력으로 볼 수 있는데, 이러한 상징적 생산 수단과 사회적 권력에 의해 반대 운동이 전국적으로 알려지지 않고 있다. 언론은 이 사건을 보도하지 않았으며, 경찰은 서울 집회를 허용하지 않았기 때문이다.

⑤ 찬성 측과 반대 측 모두 지역 경제 발전에 동의하고 있지만 소각장의 유치에 대해서는 서로 다른 견해를 가지고 있으므로 배우들이 지역 경제 발전에는 동의하면서도 서로 다른 대본을 가지고 공연을 수행한다고 할 수 있다.

실전 사회 독해 1

본문 204~207쪽

01 ④ 02 ④ 03 ②

「감가상각의 의미와 계산」

해제 이 글은 고정 자산의 가치 감소를 예정 사용 기간 내에 적절히 배분하는 회계 절차인 감가상각에 대해 설명하고 있다. 기업의 고정 자산에 감가상각이 나타나는 원인으로는 물리적 감가와 기능적 감가가 있는데, 이는 기업의 정상적인 경영 활동 중 예측이 가능한 감가에 해당하므로 '정상적 감가'라고 한다. 이와 달리 기상 이변, 천재지변, 전쟁 등의 예측할 수 없는 원인에 의한 감가는 '우발적 감가'라고 한다. 한편 감가상각비의 계산 방법에는 매 회계 연도마다 일정한 금액을 감가상각하는 정액법과, 회계 장부상 가액에 일정한 상각률을 곱해 감가상각비를 구하고 이를 감가상각하는 정률법이 있다.

주제 감가상각의 개념과 종류, 계산 방법

독해 포커스

기업의 감가상각의 개념과 종류, 계산 방법 등을 설명하고 있는 글이다. 따라서 감가상각(비)이라는 추상적 개념의 의미를 나타내는 부분을 찾아 구체적인 정보를 대응시켜 이해할 수 있어야 한다. 그리고 감가상각의 종류와 계산 방법을 설명하는 부분에서는 각각의 종류가 어떤 차이점을 가지고 있는지 주목하며 읽어야 한다.

01 세부 정보, 핵심 정보 파악

답 ④

정답 해설 1문단에서 감가상각비를 자산의 취득 연도 또는 폐기 연도에 비용으로 계상하는 것은 불합리하며, 그렇다고 가치의 감소가 일어남과 동시에 회계 장부에 반영하는 것도 사실상 불가능하다고 언급하고 있다.

오답 이유 ① 2문단에서 고정 자산을 사용하거나 시간의 흐름에 따라 고정 자산이 물리적으로 소모되거나 마모되면 그 가치가 감소한다고 언급하고 있다.

② 1문단에서 가치의 감소가 일어남과 동시에 회계 장부에 반영하는 것도 사실상 불가능하다고 언급하고 있다.

③ 1문단에서 감가상각은 특정 기간 동안의 손익 계산을 정확히 하기 위한 것이라고 언급하고 있다.

⑤ 1문단에서 감가상각은 고정 자산의 가치 감소를 예정 사용 기간 내에 적절히 배분하는 인위적인 회계 절차라고 언급하고 있다.

02 구체적 상황에 적용하기

답 ④

정답 해설 〈보기〉의 내용에 따르면 5년 전에 도입했던 생수 제조 자동화 설비는 극심한 가뭄과 기상 이변에 의해 감가가 이루어진 것이므로 우발적 감가에 해당한다. 따라서 회계에서는 특별 손실로 처리하는 것이 적절하다.

오답 이유 ① 2문단에 따르면 고정 자산을 사용하거나, 시간이 흐르면 물리적 감가가 필연적으로 발생한다. 따라서 D 기업이 새로운 공장을 신설하여 생수 제조 자동화 설비를 갖추게 되더라도 기존 설비에 감가가 발생하며 새로운 설비에도 감가가 발생한다.
② 2문단에 따르면 시간이 흐름에 따라 물리적으로 자산이 소모, 마모되어 가치가 감소하는 물리적 감가가 발생하는데, 이는 계속적, 규칙적, 필연적으로 발생하는 것이라고 하였다. 따라서 기능이 정상적이라고 해도 공장 가동으로 인해 물리적 마모가 발생하는 것은 필연적인 것이므로 물리적 감가가 진행되지 않았다고 볼 수는 없다.
③ 〈보기〉에 따르면 D 기업의 공장 설비는 기상 이변으로 인한 가뭄에 의해 우발적 감가가 이루어진 것이다.
⑤ 2문단에 따르면 경제적 감가 즉 기능적 감가는 고정 자산의 물리적 사용 가치가 있을 때 나타나는 것이다. 따라서 물리적 사용 가치가 모두 상실되어 경제적 감가가 발생했다는 진술은 적절하지 않다. 또 경제적 감가는 정상적 감가의 한 종류이지만, D 기업의 경우에는 기상 이변에 의한 우발적 감가가 이루어진 것으로 볼 수 있다.

03 내용들 간의 의미 관계 파악 답 ②

정답 해설 3문단에 따르면 정액법은 매 회계 연도마다 일정 금액을 감가상각비로 설정하므로 고정 자산의 사용 정도에 따라 자산의 가치 감소 정도가 달라지는 것을 무시한 계산 방법으로 볼 수 있다. 또 정률법 역시 상각률이 계산되면 이를 바탕으로 일정한 비율로 감가상각이 이루어지므로 고정 자산의 사용 정도에 따른 가치 감소가 정확히 반영되지 않는다.

오답 이유 ① [A]를 보면 해마다 54만 원이 감가상각되는 것을 확인할 수 있다. 이처럼 매 회계 연도마다 균등액을 감가상각하는 방법을 정액법이라고 한다. 하지만 [B]는 매 회계 연도마다 감가상각비가 다르다는 것을 확인할 수 있다.
③ 3문단에서 정률법은 상각률 산정을 위한 계산이 복잡하다고 언급하고 있다. 이에 비해 정액법은 매 회계 연도마다 일정한 금액을 감가상각비로 처리하므로 계산이 간단하다고 언급하고 있다.
④ 3문단에서 정률법은 초기에는 감가상각비가 많고 시간이 경과할수록 감가상각비가 점차적으로 줄어든다고 언급하고 있다.
⑤ 1문단에서 감가상각은 고정 자산의 가치 감소를 예정 사용 기간 내에 적절히 배분하는 인위적인 회계 절차라고 언급하고 있다. 또 표를 보면 [A], [B] 모두 회계 연도가 5년으로 되어 있으며 해마다 감가상각이 이루어지고 있음을 알 수 있다.

실전 사회 독해 2

본문 208~211쪽

01 ② 02 ⑤ 03 ③

「리디노미네이션의 개념과 효과」

해제 이 글은 화폐의 단위를 변경하는 리디노미네이션에 대해 설명하고 있다. 리디노미네이션이 필요한 이유로는 터무니없이 큰 화폐 단위로 인해 국민의 경제생활에 불편을 초래하는 다양한 문제들을 해결하고, 우리 화폐 단위의 가치를 높일 수 있으며, 화폐의 위 · 변조 방지 기능을 강화할 수도 있다는 점 등을 들 수 있다. 하지만 리디노미네이션은 엄청난 사회적 비용을 발생시키고, 인플레이션, 사재기 등 국민 경제의 혼란을 불러일으킬 수 있다. 따라서 리디노미네이션은 국민 경제에 미치는 영향을 충분히 분석한 후 그 실시 여부를 결정하는 것이 바람직하다.
주제 리디노미네이션의 개념과 효과

☑ 독해 포커스
화폐 단위를 변경하는 것을 의미하는 리디노미네이션의 개념과 도입의 필요성, 부작용 등을 설명하고 있는 글이다. 따라서 추상적 경제 용어인 리디노미네이션의 개념을 관련 정보를 대응시켜 정확히 이해하고, 그것의 필요성과 부작용과 관련하여 논리적 인과 관계를 파악하며 읽을 수 있어야 한다.

01 중심 화제 파악 답 ②

정답 해설 이 글에서는 리디노미네이션의 개념과 필요성, 예상되는 부작용, 기대 효과 등이 언급되어 있기는 하지만 그것의 유래는 제시되어 있지 않다.

오답 이유 ① 1문단에서 리디노미네이션의 개념을 확인할 수 있다.
③ 2문단에서 리디노미네이션의 필요성을 확인할 수 있다.
④ 4문단에서 리디노미네이션이 가져오는 부작용을 확인할 수 있다.
⑤ 3문단에서 리디노미네이션의 기대 효과를 확인할 수 있다.

02 구체적 상황에 적용하기 답 ⑤

정답 해설 리디노미네이션은 외화의 가치에 비해 우리나라 돈의 액면 가치가 낮을 때, 즉 우리나라 화폐 단위가 지나치게 큰 경우 그 실행이 고려된다. 따라서 리디노미네이션을 해야 할 상황이라면 우리나라 돈의 액면 가치가 매우 낮은 상황이므로 우리나라 돈으로 많은 양의 돈을 주어야 외화로 바꿀 수 있다. 그런 맥락에서 환전을 해 주는 입장에서는 반드시 많은 금액의 외화를 준비해 두어야 하는 것은 아니다.

오답 이유 ① 우리나라 돈의 가치가 낮고 액면가가 크면 외국인 투자가의 경우 투자나 지출 규모가 과다하다고 생각할 수 있다. 또 외국인 투자가가 우리나라 화폐의 가치가 너무 낮다고 인식하거나 우리나라 경제 상황에 대한 이해가 떨어져 투자나 소비의 위축을 가져올 수 있다.
② 도매점이나 소매점에서 상품의 가격을 입력할 때 '0'이 많아

입력 시간이 오래 걸릴 수 있다.

③ 회계 장부를 전산화하는 경우 '0'을 계속 표기하여야 하기 때문에 데이터베이스의 용량이 커질 수밖에 없고, 이런 경우 대용량의 데이터베이스 구축에 많은 비용이 들 수 있다.

④ 리디노미네이션이 필요한 정도의 상황이라면 돈의 가치가 매우 낮은 경우이다. 그러므로 사소한 물건을 구입하기 위해 가치가 낮은 화폐를 많이 휴대해야 하는 불편함이 발생할 수 있다.

03 구체적 상황에 적용하기 답 ③

정답 해설 리디노미네이션 이후 새로운 화폐 단위인 △이 사용되고, △이 외화와 낮은 교환비를 갖게 되어 대외적 위상이 높아지는 것은 맞다. 하지만 이러한 결과는 달러의 가치가 하락한 것이 아니라 새로운 화폐인 △의 가치가 기존 화폐인 □□의 가치에 비해 높아졌기 때문이다.

오답 이유 ① ○○국은 리디노미네이션 이전에는 환율이 1달러당 200만 □□이었으나 100만 □□을 1△로 화폐 단위를 바꾸었다. 따라서 리디노미네이션이 실시된 후 환율은 달러당 2△이 된다.

② 〈보기〉에 따르면 ○○국 환율은 1달러당 200만 □□으로, □□의 가치가 매우 낮은 것으로 볼 수 있다.

④ 1문단에서 리디노미네이션을 할 때에는 화폐의 호칭을 바꾸는 것이 일반적이며, 이를 바꾸는 이유는 국민 생활에 혼란을 초래하지 않기 위함이라고 언급하고 있다.

⑤ 4문단에 따르면 리디노미네이션을 하면 각종 자동화 기기나 자동판매기의 교체 비용과 같은 사회적 비용이 발생할 수 있다.

실전 사회 독해 3

본문 212~215쪽

01 ④ 02 ⑤ 03 ④

｢근대 국가의 발전 과정과 관련 이론｣

해제 이 글은 자본주의와 더불어 성장해 온 근대 국가의 성립과 발전 과정을 설명하고 아울러 근대 국가를 설명하는 대표적인 이론들을 소개하는 글이다. 특히 근대 국가를 설명하는 이론으로는 자유주의자, 마르크스, 베버의 이론을 들 수 있는데, 이 이론들은 국가가 사회 공동체와 국민 생활에 일정 부분 개입하고 사회를 억압할 수 있다고 본다는 점에서 공통점을 가지고 있다.

주제 근대 국가의 발전 과정과 관련 이론

☑ 독해 포커스

근대 국가가 성립되기까지의 과정과 근대 국가를 설명하는 대표적인 이론들을 설명하고 있는 글이다. 시간의 흐름에 따라 국가의 형태가 변화하여 근대 국가에 이르는 과정을 정확하게 파악하고, 절대주의 국가와 국민 국가의 공통점과 차이점을 따져 가며 읽어야 한다. 아울러 근대 국가를 설명하는 자유주의자, 마르크스, 베버의 이론의 각각의 내용들을 이해하고 공통점과 차이점을 파악하며 읽어야 한다.

01 내용 전개 방식 파악 답 ④

정답 해설 이 글은 근대 국가가 탄생하기까지의 역사적인 과정들을 설명하고, 근대 국가에 대한 유력한 이론인 자유주의자, 마르크스, 베버의 이론을 자세하게 설명하고 있다. 하지만 근대 국가를 설명하는 이론들을 절충하여 새로운 이론을 제시한 부분은 찾을 수 없다.

오답 이유 ① 1, 2, 3문단에서 근대 국가가 탄생하게 된 과정을 시간적 순서에 따라 설명하고 있다.

② 1, 2, 3문단에는 부족 및 부족 연맹, 폴리스 등의 정치 체제로부터 17세기 중반 베스트팔렌 조약 이후의 주권 국가 등의 다양한 정치 체제가 열거되어 있다.

③ 4, 5, 6문단에는 근대 국가에 대한 가장 유력한 이론인 자유주의자, 마르크스, 베버의 이론이 소개되고 각각의 이론에 대한 설명이 제시되어 있다.

⑤ 4, 5, 6문단에는 근대 국가에 대한 각각의 이론에 대한 설명과 함께 각 이론 간의 차이점이 제시되어 있다.

02 세부 정보, 핵심 정보 파악 답 ⑤

정답 해설 3문단의 내용을 통해, 오늘날의 국가는 그 규모와 형태의 차이에도 불구하고 모두 동등한 국민 국가로 간주되고 있음을 알 수 있다.

오답 이유 ① 1문단의 내용을 통해, 근대 국가는 자본주의와 더불어 성장해 온 제도임을 알 수 있다.

② 2문단의 내용을 통해, 주권 국가의 개념이 베스트팔렌 조약 이후에 나타났음을 알 수 있다.

③ 2문단의 내용을 통해, 절대주의 국가와 국민 국가는 모두 고유의 영토를 가진 배타적인 조직체라는 유사성이 있음을 알 수 있다.

④ 3문단의 내용을 통해, 제2차 세계 대전 이후 본격적인 국민 국가의 시대가 열리게 되었음을 알 수 있다.

03 반응의 적절성 평가 답 ④

정답 해설 〈보기〉에 따르면 정보 통신 기술의 발달과 다국적 기업의 증가는 국가 간의 경계를 느슨하게 하면서 자본주의적 세계화를 가속화하였음을 알 수 있다. 그리고 자본주의적 세계화는 결국 강대국과 약소국 간의 불평등을 심화시키는 결과를 초래하였음을 알 수 있다. 그런데 5문단에서 국가의 소멸을 예언했던 마르크스는 그 전제 조건으로 계급의 철폐를 언급하고 있으므로 정보 통신 기술의 발달과 다국적 기업의 증가는 마르크스가 예언한 국가의 소멸과는 관련이 없다.

오답 이유 ① 20세기 말 자유주의와 사회주의 진영 사이의 냉전이 자유주의의 승리로 끝났으며 냉전 종식 이후에도 국가가 계속 존재하고 있다는 점에서 마르크스의 예언이 실현되지 못했음을 알 수 있다.
② 최근 들어 필요성이 강조되고 있는 보호 무역은 국가가 시장에 인위적으로 개입하는 것을 의미한다. 그리고 이러한 국가의 시장 개입은 국가가 어떤 형태로든 사회와 시장에 개입하게 된다는 자유주의자들의 입장과 상통하는 것으로 이해할 수 있다.
③ 〈보기〉에 따르면 세계 경제의 장기적인 경기 침체와 전 세계적인 금융 위기는 곧 국가 안보의 중요성과 보호 무역의 필요성을 대두시키는 결과를 초래했다. 그런데 이러한 결과는 곧 사회에 대한 국가의 개입을 더욱 강화하는 것으로 이해할 수 있다.
⑤ 〈보기〉에 따르면 불량 국가들의 테러에 맞서 국가 안보가 강조되었다고 하였으므로 테러 방지를 위한 국가의 역할이 강화되고 결국 사회에 대한 통제가 강화되는 양상이 나타난 것임을 알 수 있다. 이는 6문단에서 국가 기구의 수단적 합리성이 인간 사회를 억압하게 될 것이라는 베버의 지적과 맥을 같이하는 것이라고 볼 수 있다.

실전 사회 독해 4 본문 216~219쪽

01 ② **02** ③ **03** ⑤ **04** ⑤

「방송 산업」
해제 과거에는 방송을 산업으로 여기는 사람들이 극히 적었으나, 방송사 간의 경쟁이 심화되고 방송 프로그램의 시장 규모가 확대됨에 따라 방송을 산업으로 보는 시각이 보편화되었다. 이 글에서는 방송을 산업으로 보는 입장을 바탕으로 방송 프로그램의 상품적 특성과 방송의 특성을 설명하고 있다. 방송 프로그램은 여느 상품처럼 저장성과 소구 대상 세분화를 기준으로 분류될 수 있으며, 이렇게 분류되는 프로그램의 유형에 따라 투자 전략이 다르게 수립될 수 있다. 방송 시장이 커짐에 따라 방송 프로그램의 상업성은 더욱 커질 수 있는데, 그렇다고 방송의 공익성이 사라지는 것은 아니다. 방송은 공익에 기여해야 한다는 제도적 틀 속에 존재하게 된다. 그리고 이 글에 따르면, 방송에 네트워크 외부성이 작용하는 것도 방송 산업에서 중요하게 고려되어야 할 요소이다.
주제 방송의 산업적 특성

☑ 독해 포커스
방송을 산업으로 보는 입장을 바탕으로 방송 프로그램의 상품적 특성과 방송의 특성을 설명하고 있다. 따라서 특성에 해당하는 정보에 주목해 독해를 해야 한다. 그리고 이때 '저장성', '소구 대상 세분화' 등의 용어의 개념을 정확하게 이해해야 한다. 낯선 용어가 제시되면, 그 개념을 중심으로 정보를 이해하는 독해를 해야 한다.

01 세부 정보, 핵심 정보 파악 답 ②

정답 해설 이 글에서는 방송 산업의 마케팅과 관련해 방송 프로그램의 상품적 특성을 고려해 제작, 판매, 구매 등을 위한 투자 전략이 다양하게 수립되고 있다는 설명을 하고 있다. 방송 산업의 마케팅 비용이 일반 산업에 비해 적게 드는지는 이 글을 통해 알 수 있는 내용이 아니다.
오답 이유 ① 5문단에서 방송은 일정 수준 이상의 시청자가 있어야 존재할 수 있다고 하였다.
③ 4문단에서 방송은 사회적 영향력이 매우 크기 때문에 공익에 기여해야 한다는 제도적 틀 속에 존재하게 된다고 하였다.
④ 4문단에서 방송은 사회 구성원들이 문화를 전파하고 계승하는 수단이 된다고 하였다.
⑤ 4문단에서 채널의 전문화와 차별화로 많은 수의 프로그램이 제작되고 유통됨에 따라 방송 프로그램의 상업성이 강해지고 있다고 하였다.

02 구체적 상황에 적용하기 답 ③

정답 해설 〈보기〉에 따르면, 보도나 교양 프로그램의 시청률이 오락 프로그램에 비해 낮으므로, 이들 프로그램의 시청률을 높이기 위한 전략이 필요하다. 그런데 보도 프로그램은 시의성이 강하기 때문에 저장성이 (−)에 해당한다. 교양 프로그램도 시사에 관한 것이면, 시의성이 중요하기 때문에 저장성이 (−)에 해당한다. 따라서 보도나 교양 프로그램의 저장성이 (+)인 특성을 고려해 시청률을 높이기 위한 전략을 세워야 한다고 말하는 것은 적절하지 않다.
오답 이유 ① 5문단에 따르면, 시청자 수가 많을수록 광고 수입이 크게 증가한다. 이러한 이유 때문에 방송사들은 프로그램을 편성할 때 시청률을 중요 기준으로 삼고 있는 것이다.
② 자극적인 내용 위주의 오락 프로그램 위주로 편성되면 보도, 교양 프로그램이 위축되고, 그에 따라 방송이 사회적 여론을 형성하는 구심력으로 작용하는 데에 한계가 있게 된다.
④ 일반 상품은 소비자가 많아지면 그만큼 제품을 많이 생산해야 하기 때문에 제품 생산에 들어가는 총비용이 커지게 된다. 하지만 방송은 일반 상품의 소비자에 대응하는 시청자 수가 많아지더라도 프로그램을 제공하는 데에 드는 비용이 크게 달라지지 않는다. 이러한 이유 때문에 방송 프로그램으로 거둘 수 있는 이익은 시청자 수가 많을수록 크게 증가하게 된다. 보도, 교양 프로그램보다 오락 프로그램의 시청률이 높으므로 보도, 교양 프로그램보다 오락 프로그램을 통해 거둘 수 있는 이익이 더 크다.
⑤ 방송에는 네트워크 외부성이 작용한다. 그렇기 때문에 먼저 인기를 얻는 것이 중요하다. 먼저 인기를 얻으면 그에 따라 시청자 수가 더 많아지고 광고 수익도 더 많이 거둘 수 있기 때문이다.

03 세부 내용 추론 답 ⑤

정답 해설 저장성이 (+)이고 소구 대상 세분화가 (−)인 프로그램은 오랫동안 언제든지 방송이 가능하며 불특정 다수를 대상으로 방영되는 프로그램이다(ㄷ). 그렇기 때문에 새로운 프로그램 제작의 필요성을 감소시켜 그에 따른 비용 절감이 가능하다(ㄹ).

오답 이유 ㄱ. 저장성이 (+)이고 소구 대상 세분화가 (+)인 프로그램은 시기에 구애받지 않고 방송이 가능하지만 시청자가 제한적이다. 저장성이 (+)이고 소구 대상 세분화가 (+)인 프로그램이 모두 여러 규제에 묶여 방송이 제한되는 것은 아니다.

ㄴ. 저장성이 (+)이고 소구 대상 세분화가 (+)인 프로그램은 소비자들의 다양하고 전문화된 욕구를 충족시켜 줄 가능성이 크다. 전문 정보를 필요로 하는 일부의 시청자를 위해 제작된 프로그램이 저장성이 (+)이고 소구 대상 세분화가 (+)인 특징을 나타내는 것이다.

04 어휘의 사전적 의미 파악 답 ⑤

정답 해설 '확보(確保)'는 '확실히 가지고 있음.'을 의미하는 말이다. '체계나 견해, 조직 따위가 굳게 섬.'은 '확립(確立)'의 의미에 해당한다.

실전 사회 독해 5

본문 220~223쪽

01 ③ 02 ① 03 ④

「상징적 상호 작용 이론」

해제 미드의 이론을 중심으로 상징적 상호 작용 이론에 대해 설명하고 있는 글이다. 상징적 상호 작용 이론은 사회화 과정에서의 인간의 능동성을 인정하며, 인간이 다른 사람들과 접촉하고 상호 작용하는 가운데 발생하는 일상적인 현상에 초점을 맞추어 인간의 주관적인 동기와 의미를 사회 · 문화 현상의 중요한 요소로 간주한다. 이러한 입장을 바탕으로 이 이론에서는 자아의 형성이 타인과의 관계 속에서 이루어진다고 본다. 그리고 그러한 관계를 토대로 자아의 발달이 단계적으로 이루어진다고 설명한다. 상징적 상호 작용 이론을 대표하는 미드는 이러한 사회화 과정에서의 자아가 객체로서의 '나'와 주체로서의 '나'로 구별될 수 있다고 본다. 상징적 상호 작용 이론은 자발적인 자아의 활동을 강조함으로써 사회를 보는 새로운 시각을 제시하고 있다는 점에서 의의가 있다.

주제 상징적 상호 작용 이론의 특징과 의의

☑ 독해 포커스

'상징적 상호 작용 이론'의 핵심적인 입장을 소개하고 상징적 의미의 구성과 자아 형성에 관한 상징적 상호 작용 이론의 입장을 제시하고 있다. 그리고 자아의 발달에 관한 미드의 이론을 제시하고 있다. 견해 · 주장이 논지의 핵심을 이루고 있는 글인 것이다. 이와 같은 글은 견해 · 주장을 제시하는 문장을 찾아 핵심 어구 중심으로 그 내용을 정확하게 이해하는 것이 중요하다. 즉 '상징적 상호 작용 이론'과 미드의 이론을 정확하게 이해해야 하는 것이다.

01 내용 전개 방식 파악 답 ③

정답 해설 ㉰에서는 상징적 상호 작용 이론과 관련해, 상징적 의미의 구성과 자아의 형성에 대해 설명하고 있다. 여러 관점에서 상징적 상호 작용 이론의 특징을 밝히고 있지는 않다.

오답 이유 ① ㉮에서는 사회적 압력이 인간의 자아를 통제하고 규정한다는 기존 사회학의 입장에 반발해 상징적 상호 작용 이론이 등장하게 되었다는 배경을 제시하고 있다.

② ㉯에서는 인간이 다른 사람들과 접촉하고 상호 작용하는 가운데 발생하는 일상적인 현상에 초점을 맞추고, 그러한 현상을 만들어 내는 인간의 주관적인 동기와 의미를 사회 · 문화 현상의 중요한 요소로 간주한다는 상징적 상호 작용 이론의 핵심적인 입장을 제시하고 있다.

④ ㉱에서는 미드의 견해를 토대로 상징적 상호 작용 이론에서 주장하는 자아의 발달 단계를 설명하고 있다.

⑤ ㉲에서는 객체로서의 '나'와 주체로서의 '나'라는 대비되는 개념을 제시한 후, 자발적인 자아의 활동을 강조하고 사회를 보는 새로운 시각을 제시했다는 상징적 상호 작용 이론의 의의를 덧붙이고 있다.

02 구체적 상황에 적용하기 답 ①

정답 해설 미드는 자아의 발달 단계를 '유희기', '게임 단계', '일반화된 타자'의 세 단계로 나누어 설명하고 있다. 이 중 두 번째 단계인 게임 단계에서는 조직된 활동을 통해 타자의 역할을 취한다. 이는 세 번째 단계에서 '일반화된 타자'의 역할을 습득하기 위한 전 단계라고 할 수 있다. (가)에 그려져 있는 B의 모습을 보면 B는 눈을 감고 전혀 A를 의식하지 않고 있어 B가 A의 역할을 취했다고 볼 수 없기 때문에 (가)에 나타나 있는 B의 모습을 A의 역할을 취해 '일반화된 타자'의 역할을 습득하기 위한 준비를 마친 상태라고 보는 것은 적절하지 않다.

오답 이유 ② 상징적 상호 작용 이론에서는 인간의 사회적 행위를 의미를 매개하는 상호 작용으로 이해한다. 이 관점에서 푯말을 가지고 와 설치하는 A의 행동이 상징적 의미를 매개로 B와 상호 작용하는 역할을 했다고 볼 수 있다.

③ 상징적 상호 작용 이론에 따르면, 상징적 의미는 본래부터 획득되는 것이 아니라 외부 세계와의 지속적인 상호 작용을 통해 구성되는 것이다.

④ 상징적 상호 작용 이론에서는 자아가 타인과의 관계 속에서 만들어진다고 본다. 이러한 관점에서 A와 B의 관계가 B의 자아 형성에 영향을 미쳤다고 볼 수 있다.

⑤ 상징적 상호 작용 이론에서는 인간의 행위를 대상과 의미를 주고받는 과정으로 이해한다. A가 '개를 조심하세요.'라는 푯말을 가지고 온 행위는 A가 B를 '조심해야 할 개'라고 인식하고 있음을 B에게 전달해 준다. 이에 따라 (다)와 같이 B의 자아가 변화했다고 볼 수 있는데, 이는 B가 A와의 상호 작용을 통해 전달된 상징적 의미를 내면화한 결과라고 할 수 있는 것이다.

03 세부 내용 추론 답 ④

정답 해설 ㉠에서는 객체로서의 '나'와 주체로서의 '나'를 설명하고 있다. 객체로서의 '나'는 공동체의 사회적 규범과 가치가 내면화된 자아이기 때문에 공동체의 사회적 규범이나 가치를 알면 어떻게 행동할 것인지를 기대 · 예측하는 것이 가능하다. 그런데 주체로서의 '나'는 자유롭고 자율적이며 창조적인 자아이다. 이는 사회적 규범이나 가치에 입각해 기대하는 대로 행동하지 않을 수 있음을 의미한다. 따라서 상징적 상호 작용의 상황에서 공동체의 규범이나 가치를 알고 있다고 해서 참여자의 행동을 모두 정확하게 예측할 수 있는 것은 아니다.

오답 이유 ① 상징적 상호 작용의 과정에서 참여자는 객체로서의 '나'의 모습을 보여 줄 수도 있고, 주체로서의 '나'의 모습도 보여 줄 수 있다. 따라서 참여자의 역할이 고정되어 있다고 말하는 것은 적절하지 않다.
② 상징적 상호 작용 이론에서는 객체로서의 '나'와 주체로서의 '나'를 구별한다.
③ '일반화된 타자'의 역할은 객체로서의 '나'를 형성하는 데에 영향을 미친다. 그렇기 때문에 '일반화된 타자'의 역할을 습득하면 객체로서의 '나'의 모습을 보다 뚜렷하게 보여 줄 수 있다.
⑤ 주체로서의 '나'는 자유롭고 자율적이며 창조적인 자아이다. 이러한 자아는 공동체의 규범이나 가치에 따르지 않는 창조적인 행동을 할 수 있는 가능성을 내포하고 있다. 이는 공동체의 사회적 규범이나 가치 공유를 어렵게 만드는 요인으로 작용할 수도 있다.

실전 사회 독해 6

본문 224~227쪽

01 ④ 02 ⑤ 03 ④

「종교 자유의 원칙」

해제 이 글은 우리나라 헌법에서 보장하고 있는 종교의 자유에 대해 설명하고 있는 글이다. 종교의 자유는 크게 내심상의 신앙의 자유와 외면적 종교 행위의 자유로 구분되는데, 특히 후자는 상대적 기본권으로서 법적 문제를 일으킬 수도 있다. 따라서 외면적 종교 행위가 합당한 종교 행위로서 인정을 받기 위해서는 종교로서 성실성을 갖추어야 하며, 현재적인 위험이 있는 경우나 공공의 복리를 해치는 경우에는 인정되지 않으며 법적으로 제한을 받기도 한다. 또 다른 대용 수단이 없는 경우에만 합당한 종교적 자유를 행사한 것으로 인정된다.

주제 헌법에 의해 보장된 '종교의 자유'의 의미와 인정 기준

☑ 독해 포커스

헌법에 보장되어 있는 '종교의 자유'에 대해 설명하고 있는 글이다. '종교의 자유'로 구분되는 두 가지 유형인 내심상의 신앙의 자유와 외면적 종교 행위의 자유를 명확하게 구분하고 그 차이점을 분명히 인식하여야 하며, 외면적 종교 행위가 제한되는 다양한 유형과 기준을 정확하게 이해하며 읽을 수 있어야 한다.

01 내용 전개 방식 파악 답 ④

정답 해설 이 글에서는 '종교의 자유'에 대해 개념적으로 설명한 후, 종교의 자유가 외면적 종교 행위로 표현되었을 때 그것을 인정할 수 있는 조건과 범위를 구체적 사례를 통해 설명하고 있다. 그러나 이 글에서는 시간의 흐름에 따라 '종교의 자유'라는 대상이 변화하는 과정을 설명한 부분은 찾아볼 수 없다.

오답 이유 ① 1문단에서 종교의 자유가 지닌 의미를 설명하면서 종교의 자유를 두 가지로 분류하여 설명하고 있음을 확인할 수 있다.
② 3, 4문단에서는 종교의 자유로 인정받지 못하는 구체적 사례를 통해 외면적 종교 행위가 종교의 자유로 인정받기 위한 조건과 범위를 제시하여 독자의 이해를 돕고 있음을 확인할 수 있다.
③ 1문단에서 내심상의 신앙의 자유와 외면적 종교 행위의 자유 간의 차이점을 대비하고 이를 통해 '종교의 자유'의 의미를 설명하고 있다.
⑤ 2문단에서 외면적 종교 행위가 종교의 자유로 인정되기 위해 어떤 조건이 필요한가에 대한 의문을 제기하고 그에 대한 해답을 제시하며 내용이 전개되고 있음을 확인할 수 있다.

02 세부 내용 추론 답 ⑤

정답 해설 5문단에서 종교의 자유를 제한하는 두 가지 형식 중 첫째로 특정 종교에 대해 특별법을 제정하여 해당 종교를 제한하는 형식을 설명하고 있다.

오답 이유 ① 1문단의 내용을 통해, 내심상의 신앙의 자유는 시비를 가리거나 제한할 수 없는 절대적 기본권이며 따라서 법적인 문제가 될 수 없음을 알 수 있다.
② 5문단에서 국가의 안보, 질서 유지 및 공공복리와 관련한 문제가 발생한 경우 헌법상의 종교의 자유보다 일반법에 의한 규제가 행해지는 경우가 많다고 언급한 부분을 확인할 수 있다.
③ 2문단에서 종교로서의 성실성이 부족한 종교 단체가 정부에 종교 단체로 공인해 줄 것을 요청하거나 종교 단체의 법적 혜택을 요구할 경우 받아들여지지 않는다고 언급하고 있다. 그러므로 공인된 종교 단체는 법적으로 혜택을 받기도 한다는 사실을 알 수 있다.
④ 5문단에서 순수한 종교 내적인 문제에 대해서는 대체로 종교의 자율권이 인정되지만 꼭 제한을 해야 할 경우에는 법적 규제가 종교에 가하는 부담과 그 규제를 통해 얻을 수 있는 공공 이익을 비교하여 법적 규제 여부를 결정한다고 언급하고 있다.

03 구체적 상황에 적용하기 답 ④

정답 해설 〈보기〉에 제시된 급진적인 종교 단체들은 지금까지 마약 성분을 종교 행사에 사용하지 않았던 집단임을 알 수 있다. 그런데 이런 종교 단체들이 법원의 허가를 통해 종교 행사에 마약

을 사용한다고 해도, 이미 법적으로 ○○의 사용을 허가받은 인디언 종교 단체의 종교적 자유 행사의 권리를 침해하는 것은 아니다.

오답 이유 ① 〈보기〉에 따르면, ○○의 사용은 이 종교를 믿는 사람들로 제한될 뿐만 아니라 교인들끼리의 일부 종교 의식에서만 사용되었음을 알 수 있다.
② 〈보기〉에 따르면 인디언 종교는 전통적으로 마약 성분이 든 ○○을 사용해 왔음을 알 수 있다. 그런데 ○○은 마약 성분을 통한 신비로운 체험의 기능을 하므로 이를 대체하려면 현행법에서 금지하고 있는 마약을 사용해야 한다. 따라서 ○○은 결국 대체할 수 있는 수단이 없는 물질이라고 볼 수 있다. 또한 이 글의 4문단에서 종교의 자유 행사는 이를 대체할 수 있는 다른 방법이나 수단이 없는 경우에만 인정되는 경향이 있다고 하였는데, 법원이 ○○ 사용을 허가한 것에서 ○○을 대체할 다른 수단이 없다고 판단했음을 알 수 있다.
③ 이 글의 5문단에서는 순수한 종교 내적인 문제에 대해 법적 제한을 두는 것은 법적 규제로 인해 종교에 가하는 부담과 그 규제를 통해 얻어지는 공공 이익을 비교하여 결정한다고 언급하고 있다. 따라서 법원이 ○○ 사용을 허용한 것은 그것의 사용 금지로 인해 기대되는 공공 이익에 비해 인디언 종교 단체에 가하는 부담이 더 크다고 판단했기 때문이다.
⑤ 〈보기〉에 제시된 급진적인 종교 단체들은 그동안 마약 성분을 종교 행사에 사용하지 않았던 집단이다. 즉 지금까지 마약 성분을 활용하지 않더라도 종교 행사에 문제가 없었음을 알 수 있으며, 이는 4문단에서 언급한 대용 수단이 없는 경우로 볼 수 없다.

실전 사회 독해 7

본문 228~231쪽

01 ③ 02 ③ 03 ③

「부정부패의 개념과 발생 원인」

해제 이 글은 동서고금을 막론하고 사회 공동체 내에서 존재해 왔던 부정부패의 개념과 발생 원인에 대해 설명하는 글이다. 부정부패는 사회적, 역사적, 문화적 환경에 따라 개념이 다양하게 정의되지만 대체적으로 공직, 시장, 공익 중심의 정의가 받아들여지고 있다. 그리고 이러한 부정부패의 발생 원인으로는 관료제의 부작용, 불필요한 인허가 제도, 공무원의 낮은 보수 수준, 부정부패 감시 정책의 비효율성 등을 들 수 있다.

주제 부정부패의 개념과 발생 원인

☑ 독해 포커스
부정부패의 개념과 그것이 발생하는 원인을 설명하고 있는 글이다. 먼저 부정부패가 사회적, 역사적, 문화적으로 상대적인 개념임을 인식하고 공직, 시장, 공익 중심의 정의가 의미하는 바와 각 개념 간의 차이점에 주목하며 글을 읽어야 한다. 그리고 부정부패가 발생하는 원인으로 제시된 네 가지 원인을 파악하고, 추상적인 설명에 대해 글에 제시된 구체적 내용을 대응시키거나 사회적 경험을 떠올려 가며 능동적으로 글을 읽을 수 있어야 한다.

01 세부 정보, 핵심 정보 파악 답 ③

정답 해설 6문단의 내용을 통해, 부정부패를 통제하기 위해 설치된 정부 기관들이 제 기능을 발휘하지 못하는 경우 법률의 실질적 효력이 사라진다는 사실을 알 수 있다. 따라서 반부패 정책이 마련되어 있더라도 부정부패가 나타날 수 있다.

오답 이유 ① 1문단의 내용을 통해, 부정부패의 개념이 사회 문화적 전통과 역사에 따라 다르게 규정될 수 있음을 알 수 있다.
② 4문단에서 규제의 단계가 많고 각각의 단계마다 독점적 권한을 가진 관료들이 있는 경우 조직적인 부정부패의 구조가 생기기도 한다고 언급하고 있다.
④ 2문단에서 부정부패에 대한 다양한 정의들은 공직자를 넘어 민간 기업이나 사회의 다양한 조직에도 적용될 수 있다고 언급하고 있다.
⑤ 5문단에서 공무원에게 지급되는 보수가 낮은 경우 공무원이 부정부패의 유혹에 빠지기 쉽고 공직에 우수 인력을 유치하지 못해 행정 능률과 서비스 질 저하를 초래할 수 있다고 언급하고 있다.

02 구체적 상황에 적용하기 답 ③

정답 해설 〈보기〉에 따르면 이 모 씨는 위반 건축물 사진을 정상적인 건물인 것처럼 수정하였으므로 건축물 인허가와 관련한 행정 제도나 법규가 있음을 알 수 있다. 또 이 모 씨가 바로 건축물 인허가를 담당하는 공무원이므로 역시 관련 행정 제도가 갖추어져 있음을 알 수 있다.

오답 이유 ① 이 모 씨는 건축물 인허가와 관련한 자신의 재량권을 이용하여 불법 건축물을 정상 건물로 둔갑시키고 그 대가로 금품을 수수한 부정부패 행위를 저질렀다.
② 〈보기〉에 따르면 정상 건물로 둔갑시킨 다세대 주택에서 화재가 발생해 수 명의 사망자가 발생했다고 하였다. 그리고 이러한 결과는 2문단에서 언급한 공익을 훼손한 것으로 볼 수 있다.
④ 이 모 씨는 사진 편집 프로그램을 이용하여 불법 건축물의 모양을 정상 건물처럼 조작해 왔다. 이는 이 모 씨가 건축물의 인허가와 관련한 자신의 전문 지식을 활용하여 사실을 왜곡하여 부정부패를 범한 것으로 볼 수 있다.
⑤ 〈보기〉의 마지막 부분에 따르면 이 모 씨는 직무와 관련하여 지난 4년간 어떠한 감사와 점검도 받지 않았다. 이는 6문단에서 언급한 부정부패 관련 정책과 기구가 제대로 작동하지 않아 공무원에 대한 감시와 관리가 소홀했음을 의미하는 것이다.

03 세부 내용 추론 답 ③

정답 해설 4문단에는 국가의 불필요한 인허가 제도가 기업이나 개인들로 하여금 뇌물 공여와 같은 손쉬운 방법을 선택하게 한다고 언급되어 있다. 따라서 불필요한 인허가 제도를 정비하면 기업이나 개인들이 부정부패의 유혹에 빠지는 것을 방지할 수 있다.

오답 이유 ① 6문단에서 부정부패를 감시하는 정책이 미흡하거나 그것이 마련되어 있더라도 정부 기구가 제 기능을 하지 못하면 관련 정책의 효과가 없음을 알 수 있다. 그런데 부정부패를 감시하는 기구 자체를 해체하는 것은 곧 부정부패를 감시하는 수단이나 방법 자체를 없애는 것이므로 적절하지 않다.

② 5문단에서 공무원에게 지급되는 낮은 보수 수준이 부정부패의 원인이 되기도 한다고 언급하고 있으므로 단순히 부정부패가 발생한 관료 조직의 보수를 삭감하는 것은 적절한 개선 방안이 아니다.

④ 3, 4문단에서 관료들의 권력 독점이 부정부패의 원인이 된다고 설명하고 있으므로 역시 적절한 개선 방안이 아니다.

⑤ 3, 4문단에서 권한을 독점하고 있는 관료와 관료 조직이 부정부패를 유발하는 주요한 원인이 될 수 있다고 설명하고 있으므로 역시 적절한 개선 방안으로 볼 수 없다.

04 원리로 과학 독해

기출 과학 독해 1 본문 234~237쪽

01 ④ 02 ⑤

「종단 속도와 힘의 평형」

해제 이 글은 먼저 중력과 부력, 항력의 개념과 특징에 대해 설명하고 마찰 항력, 압력 항력과 전체 항력의 관계에 대해 다룬 후, 이를 종단 속도의 개념으로 연결하고 있는 글이다. 종단 속도는 물체가 낙하하면서 항력이 증가하여 항력과 부력의 합이 중력의 크기와 같아지게 되면 물체의 가속도가 0이 되면서 일정해지는 속도를 말한다.

주제 종단 속도와 힘의 평형

☑ 체크 포인트

이 글은 중력과 부력, 항력의 개념에 대한 선 이해를 바탕으로 다음 문단의 마찰 항력, 압력 항력과 전체 항력의 관계, 그리고 종단 속도의 개념까지 개념의 폭을 점차 확장시켜 가며 이해해야 하는 글이다. 따라서 1, 2문단에서 제시되고 있는 중력과 부력의 개념, 그리고 항력의 개념을 명확하게 이해하고 이를 기반으로 뒤 문단의 내용을 순차적으로 이해할 수 있도록 해야 한다.

01 세부 정보, 핵심 정보 파악 답 ④

정답 해설 액체 속에서 동전에 작용하는 부력은 동전 부피만큼의 액체의 무게에 해당하는 힘이다. 동전이 낙하하는 액체의 밀도가 균일하다고 하였으므로 동전에 작용하는 부력은 일정하다.

오답 이유 ① 스카이다이버가 낙하 운동을 할 때의 마찰 항력은 무시할 만한 수준으로 미미하다.

② 물체가 유체 속에서 운동할 때 물체 전후방에 생기는 압력 차에 의해 압력 항력이 생기는데, 이 압력 항력은 물체의 속도에 비례하여 물체의 운동 방향과 반대로 작용한다. 따라서 그 물체의 속도를 감소시킨다.

③ 낙하하는 물체가 종단 속도에 이르면 가속도가 0이 된다고 하였으므로, 중력 가속도와 같아지지 않는다.

⑤ 부력은 쇠막대의 '부피'만큼의 액체의 무게에 해당하는 힘이다. 따라서 쇠막대가 서 있을 때나 누워 있을 때나 상관없이 부력은 일정하다.

02 구체적 상황에 적용하기 답 ⑤

정답 해설 유체의 밀도가 클수록 부력은 커지므로, B가 공기보다 밀도가 더 큰 기체 내에서 상승 운동을 할 경우 공기에서보다 부력이 커진다. 또한 중력은 일정하게 작용하므로, B가 일정한 속도를 유지할 때 항력은 더 커진다.

오답 이유 ① 〈보기〉에서는 두 물체가 고정되어 있다고 하였으므로 항력을 비교하기 어렵다.

② A와 B는 부피가 같으므로 부피만큼의 공기 무게에 해당하는 힘인 부력이 같다. 그러나 A보다 B의 밀도가 더 크므로 질량도 더 커서 중력 역시 A보다 B가 더 크다. 상승 운동에서 부력의 힘의 방향은 위로 향하고 중력의 힘의 방향은 아래로 향하며 항력도 아래로 향한다. 따라서 종단 속도는 항력과 중력의 합이 부력의 크기와 같아질 때 나타나는데, 두 물체가 일정한 속도를 유지할 때 A의 항력은 B의 항력보다 크다.
③ A에 작용하는 부력이나 중력은 모두 일정하므로 A의 속도 변화에 관계없이 부력과 중력의 크기 차이에는 변화가 없다.
④ A와 B는 처음에는 부력 때문에 상승 속도가 증가하지만, 이에 따라 항력도 점점 증가하게 되어 항력과 중력의 합이 부력의 크기와 같아지게 된다. 따라서 두 물체의 항력이 점점 감소하기 때문에 일정한 속도에 도달한다는 설명은 적절하지 않다.

기출 과학 독해 2

본문 238~241쪽

01 ③ 02 ②

「전향력의 발생 원인과 물체 운동의 편향성」

해제 이 글은 전향력이라는 개념에 대해 소개하면서 이 힘의 발생 원인과 위도에 따른 전향력의 작용을 설명하고 있다. 전향력은 지구상에서 운동하는 물체의 운동 방향이 편향되는 현상의 원인이 되는 가상적인 힘인데, 위도에 따른 자전 속력의 차이로 인해 발생한다. 적도에서 북위 30도로 물체를 발사하면 목표 지점에 비해 오른쪽에 도달하게 되는데, 북위 30도에서 북위 60도로 물체를 발사하면 적도에서 북위 30도를 향해 발사했을 때보다 더 오른쪽으로 떨어지게 된다. 이 전향력은 지표를 기준으로 이동 속력이 빠를수록 커지며, 북반구에서는 운동 방향의 오른쪽으로, 남반구에서는 운동 방향의 왼쪽으로 편향되게 한다.

주제 전향력의 발생 원인과 물체 운동의 편향성

✔ 체크 포인트

이 글은 전향력이라는 개념을 소개하고 있는 글이므로, 개념의 의미를 정확히 파악하는 데 초점을 맞춘다. 그리고 위도에 따른 전향력의 차이를 지문에서 언급하고 이를 적용하는 문제가 제시되어 있으므로 전향력이 차이를 보이는 지점에 주목할 수 있도록 한다.

01 세부 정보, 핵심 정보 파악 답 ③

정답 해설 자전하는 속력은 적도에서 가장 빠르고 고위도로 갈수록 속력이 느려진다. 따라서 남위 50도 지점은 남위 40도 지점보다 자전 방향으로 움직이는 속력이 더 느리다.

오답 이유 ① 지구의 자전 주기는 위도와 상관없이 동일하다.
② 지표상에 정지해 있는 물체에는 전향력이 나타나지 않는다.
④ 남위 30도는 남반구이다. 남반구에서 작용하는 전향력은 물체를 왼쪽으로 편향되게 한다.
⑤ 운동하는 모든 물체에 편향 현상이 나타난다고 했으므로, 야구장에서 타자가 쳐서 날아가는 공의 이동 방향은 전향력에 의해 영향을 받는다.

02 구체적 상황에 적용하기 답 ②

정답 해설 파리보다 고위도에서 같은 실험을 하면 편향되는 정도가 더 커지므로, 파리에서보다 C쪽과 D쪽으로 휘어지는 폭이 더 커질 것이다. 편향의 정도가 커지는 만큼 진동면은 더 빨리 회전하게 된다.

오답 이유 ① 추가 A에서 B로 향할 때, 실제로는 B보다 오른쪽인 C로 휘어져 이동하는 것을 통해 이 실험은 물체가 오른쪽으로 편향하는 북반구에서 진행되었음을 알 수 있다. 따라서 남반구에서 이 실험을 하면 진자의 진동면이 이 실험과 반대 방향인 시계 반대 방향으로 회전할 것이다.
③ 운동 방향이 좌우로 편향되는 정도는 북극과 남극에서 동일하게 최대가 되므로, 북극과 남극에서 전향력의 크기는 같다. 또 전향력의 크기가 같으므로 회전 주기도 같다. 따라서 북극과 남극에서 진자 실험을 할 경우 진자의 진동면의 회전 주기는 동일하다.
④ 적도에서는 전향력이 0이 되므로 진자의 진동면은 회전하지 않고, A에서 B로 진동한다.
⑤ 남반구에서는 전향력이 운동하는 물체의 진행 방향을 왼쪽으로 편향되게 하므로, 추는 이동 방향의 왼쪽으로 편향된다.

기출 과학 독해 3

본문 242~245쪽

01 ③ 02 ① 03 ③ 04 ②

「단백질의 분해 과정과 필수 아미노산의 의의」

해제 이 글은 단백질의 합성과 분해의 의의, 단백질의 분해 과정, 필수 아미노산과 제한 아미노산의 개념에 대해 다루고 있다. 우리 몸은 단백질의 합성과 분해를 끊임없이 반복하는데 이를 통해 오래되거나 손상된 단백질이 축적되는 것을 막고, 우리 몸에 부족한 에너지 및 포도당을 보충할 수 있다. 단백질 합성에 필요한 아미노산 중 체내에서 합성할 수 없어 필요량을 스스로 충족할 수 없는 것을 필수 아미노산이라고 하며, 단백질 합성에 필요한 각각의 필수 아미노산의 양에 비해 공급된 어떤 식품에 포함된 해당 필수 아미노산의 양의 비율이 가장 낮은 필수 아미 노산을 제한 아미노산이라고 한다.

주제 단백질의 분해 과정과 필수 아미노산의 의의

✔ 체크 포인트

이 글은 우리 몸에서 일어나는 단백질의 분해 과정에 대해 다루고 있는 글이다. 이처럼 우리 몸의 세부 기관에 대해 다루는 지문의 경우 배경지식을 일부 활용하여 접근하는 것도 효율적인 방법이 될 수 있으며, 관련된 배경지식이 없다고 하더라도 제시되는 기본 개념(여기에서는 단백질과 아미노산)에 주목하여 글을 이해할 수 있도록 한다.

01 세부 정보, 핵심 정보 파악 답 ③

정답 해설 2문단에 따르면 아미노산의 아미노기가 아미노산으로부터 분리되어 암모니아로 바뀐 다음에 요소로 합성된다. 그러므로 요소로 합성되는 것은 아미노기이다.

오답 이유 ① 1문단에 의하면 체내 단백질 분해를 통해 오래되거나 손상된 단백질이 축적되는 것을 막게 된다.

② 2문단에 의하면 프로테아솜은 유비퀴틴이라는 물질이 일정량 이상 결합되어 있는 단백질을 아미노산으로 분해한다.

④ 1문단에 의하면 단백질의 합성에서 아미노산들은 DNA 염기서열에 담긴 정보에 따라 정해진 순서대로 결합한다.

⑤ 3문단에 의하면 성장기 어린이의 경우, 체내에서 합성할 수는 있으나 그 양이 너무 적어서 음식물로 보충해야 하는 아미노산도 필수 아미노산에 포함된다.

02 세부 내용 추론 답 ①

정답 해설 제한 아미노산은 필수 아미노산에 포함되므로 필수 아미노산이 아닌 것은 제한 아미노산이 될 수 없다.

오답 이유 ② 3문단에 의하면 체내 단백질 분해를 통해 생성되는 필수 아미노산도 다시 단백질 합성에 이용되기도 한다.

③ 3문단에 의하면 체내 단백질 분해를 통해 생성되는 필수 아미노산도 다시 단백질 합성에 이용되기도 하지만, 부족한 양이 외부로부터 공급되지 않으면 전체의 체내 단백질 합성량이 줄어들게 된다. 그러므로 필수 아미노산은 반드시 음식물을 통해 섭취되어야 한다. 이를 통해 필수 아미노산은 체내 단백질 분해나 음식물 섭취를 통해 공급됨을 알 수 있다.

④ 4, 5문단에 의하면 제한 아미노산이 없다는 것은 단백질 합성에 필요한 모든 필수 아미노산이 비율에 맞게 포함되어 있다는 뜻이므로, 제한 아미노산이 없는 식품은 단백질 합성에 필요한 필수 아미노산이 균형 있게 골고루 함유되어 있는 식품을 말한다.

⑤ 3문단에 의하면 단백질 합성에 필요한 각 필수 아미노산의 비율은 정해져 있는데, 부족한 양이 외부로부터 공급되지 않으면 전체의 체내 단백질 합성량이 줄어들게 된다.

03 구체적 상황에 적용하기 답 ③

정답 해설 (나)와 (다) 모두 B의 부족으로 조건을 충족하지 못하므로 A, B, C가 각각 2, 3, 1몰씩 사용되어 1몰의 Q를 합성하게 된다.

오답 이유 ① (가)는 2몰의 Q를 합성할 수 있는 조건을 충족하므로 제한 아미노산이 없다.

② (가)는 총 12몰이 사용되는 반면 (다)는 총 6몰이 사용된다.

④ (나)와 (다) 모두 B의 부족으로 2몰의 합성이 제한되므로 제한 아미노산은 B이다.

⑤ (나)는 A 4몰, C 2몰이 남는 반면 (다)는 A 2몰, C 2몰이 남는다.

04 어휘의 문맥적 의미 파악 답 ②

정답 해설 ㉠은 '값이나 비율 따위가 보통보다 위에 있다.'의 의미로, ②의 '높다'가 이와 유사한 의미로 쓰였다.

오답 이유 ① '아래에서부터 위까지 벌어진 사이가 크다.'의 의미로 쓰였다.

③ '아래에서 위까지의 길이가 길다.'의 의미로 쓰였다.

④ '어떤 의견이 다른 의견보다 많고 우세하다.'의 의미로 쓰였다.

⑤ '이름이나 명성 따위가 널리 알려진 상태이다.'의 의미로 쓰였다.

실전 과학 독해 1

본문 246~249쪽

01 ⑤ 02 ③ 03 ②

「입의 진화」

해제 동물들의 입이 시간의 흐름에 따라 진화하는 과정에 대해 설명하고 있는 글이다. 이 글에서는 특히 동물들의 입 진화와 관련해 턱, 이빨 등이 진화한 과정에 주목하고 있다. 초기 척추동물, 유악어류, 양서류, 파충류, 수궁류, 포유류로 이어지는 진화 과정을 제시하고 있으며, 진화의 각 단계 간 차이점에 주목해 동물들의 입이 어떻게 다양해졌는지에 대해 서술하고 있다.

주제 동물들의 입의 진화 과정

☑ 독해 포커스

과정에 따라 동물들의 입이 어떻게 진화되었는지를 설명하고 있는 글이다. 이와 같이 과정에 따라 서술된 글은 단계의 특징을 정확하게 이해하는 것이 중요하다. 초기 척추동물의 여과 섭식 방식, 턱과 이빨을 이용한 먹이 섭취 방법, 양서류 · 파충류에서 수궁류와 포유류로의 입의 진화, 파충류와 포유류의 이빨 교체 방식의 차이 등을 정확하게 이해해야 하는 글이다.

01 세부 정보, 핵심 정보 파악 답 ⑤

정답 해설 4문단에 따르면, 양서류에서 파충류에 이르기까지는 먹이 전체를 삼키거나 먹이를 크게 잘라 삼키는 방식으로 섭취한다. 따라서 양서류와 달리 파충류만 먹이를 크게 잘라 삼키는 방식으로 섭취해 왔다고 말하는 것은 이 글에서 알 수 있는 내용으로 적절하지 않다.

오답 이유 ① 4문단에서 유악어류 중 일부가 육상으로 진출해 육상 동물의 조상이 되었다고 하였다.

② 1문단에서 동물의 입이 다양하게 변한 것에 대해 알기 위해서는 턱, 이빨 등의 진화 과정에 주목해야 한다고 하였다.

③ 2문단에서 초기 척추동물은 여과 섭식을 이용해 먹이를 섭취했고 여과 섭식을 통해 섭취할 수 있는 먹이는 주로 작고 느린 생물들이었을 것이라고 하였다.

④ 2문단에서 고생대에 살았던 갑주어를 소개하고 있다. 갑주어

는 커다란 근육성 인두를 사용해 먹이가 들어 있는 물을 초기 척추동물들에 비해 더욱 세게 빨아들일 수 있었다.

02 세부 정보, 핵심 정보 파악 답 ③

정답 해설 입 주위에 있던 치판의 작은 돌기에서 이빨이 나타난 것은 유악어류이다. 유악어류에 턱이 생기기 시작하면서 동시에 어류의 입 주위에 있던 치판의 작은 돌기에서 이빨이 등장했다.

오답 이유 ① 초기 척추동물은 물을 빨아들인 뒤 섬모, 강모, 아가미 등을 이용해 먹이를 걸러 먹는 여과 섭식의 방법으로 먹이를 섭취했다.

② 유악어류는 턱을 갖게 됨으로써 먹이를 물 수 있게 되어 입안으로 들어왔다가도 재빠르게 도망가던 먹이를 붙잡을 수 있게 되었다. 즉 유악어류는 초기 척추동물들이 단순 흡입과 여과 섭식으로 먹을 수 없던 먹이들을 섭취할 수 있게 된 것이다.

④ 수궁류는 크고 작은 어금니가 왕관 모양의 뾰족한 표면을 가지고 있어 이를 이용해 먹이를 잘게 부수거나 자를 수 있었다.

⑤ 양서류나 파충류는 비도개구의 위치가 입의 앞쪽에 있어 입안에 먹이가 가득 차 있는 동안에는 호흡을 일시적으로 중단한다. 포유류는 산소 공급이 중단되면 금방 질식하기 때문에 비도개구의 위치가 호흡이 중단되지 않도록 바뀌었다.

03 반응의 적절성 평가 답 ②

정답 해설 이빨의 교체 현상은 성장하면서 섭취하는 먹이의 크기가 커지는 것에 보조를 맞추기 위해 나타난 것이라고 할 수 있다. 즉 먹이를 효율적으로 섭취하기 위해 나타난 것이라고 할 수 있다.

오답 이유 ① 이빨의 교체 현상은 몸의 성장과 관련이 있다.

③ 이빨의 교체가 머리와 입이 커지는 것을 촉진하는 기능을 수행한다는 내용은 찾아볼 수 없다.

④ 파충류에서는 윗니와 아랫니가 교차하는 방식으로 이빨이 바뀌어 윗니와 아랫니가 정확히 맞물리지 않는 반면, 포유류는 위아래의 이빨이 쌍으로 교체되어 윗니와 아랫니가 맞물린다.

⑤ 이빨의 교체 현상은 작은 이빨이 커다란 이빨로 교체되어 큰 이빨이 많아지는 것이다. 이빨 모양이 일률적으로 같아지도록 만드는 역할을 하는 것은 아니다.

실전 과학 독해 2

본문 250~253쪽

01 ③ 02 ⑤ 03 ①

「무지개의 원리」

해제 무지개가 생성되는 원리를 수무지개와 암무지개의 경우로 나누어 설명하고 있는 글이다. 무지개는 빛의 굴절과 반사에 의해 생성된다. 햇빛이 물방울 속으로 들어가면 색깔에 따라 굴절률이 다르기 때문에 빛이 분산된다. 이 분산된 빛이 물방울 안에서 반사되고 다시 굴절을 한 번 더 겪어 나온 것이 바로 무지개의 빛깔이다. 이러한 원리에 의해 1차 무지개인 수무지개가 생기는데, 2차 무지개인 암무지개도 수무지개와 같은 원리로 생성된다. 그런데 암무지개는 물방울 안에서 반사가 두 번 일어난다. 이에 따라 물방울 안에서 감소하는 빛의 양이 많아 수무지개에 비해 어둡다.

주제 수무지개와 암무지개의 생성 원리

✔ 독해 포커스

수무지개와 암무지개가 생성되는 과정과 원리를 설명하고 있는 글이다. 과정에 따라 서술되어 있기 때문에 단계를 나누어 각 단계의 특징을 이해해야 하며, 핵심 원리에 주목해 정확하게 이해해야 한다. 그리고 무지개에서 빨간색이 보라색보다 위에 보이는 이유, 암무지개의 특징, 암무지개의 빛깔이 어두운 이유 등도 주목해 이해해야 하는 글이다.

01 내용 전개 방식 파악 답 ③

정답 해설 무지개의 생성에 영향을 주는 요인을 유형별로 분류해 제시하는 부분은 이 글에서 찾아볼 수 없다.

오답 이유 ① 2문단에서 수무지개가 생성되는 원리를 과정에 따라 제시하고 있다.

② 3문단에서 묻고 답하는 형식을 통해 수무지개의 색 순서에 대해 설명하고 있다.

④ 4문단에서 수무지개와 암무지개의 차이점에 주목해 암무지개의 생성에 대해 설명하고 있다.

⑤ 1문단에서 수무지개와 암무지개의 개념을 제시해, 이 둘이 글의 중심 서술 대상임을 밝히고 있다.

02 구체적 상황에 적용하기 답 ⑤

정답 해설 물방울의 경계면을 지나면서 굴절된 빛은 물방울과 공기의 경계면에서 반사되는데, 이때 빛이 물방울과 공기의 경계면에 닿을 때의 각도와 반사되어 나오는 각도는 같다. 이는 수무지개와 암무지개 모두에 적용되는 것이다. 왜냐하면 암무지개는 기본적으로 수무지개와 같은 원리로 만들어지기 때문이다.

오답 이유 ① 암무지개는 수무지개에 비해 무지개각의 차이가 커서 빛이 넓게 분산된다.

② 암무지개의 무지개각은 빨간색의 경우 약 50.4°, 보라색은 약 53.5°이다. 그런데 수무지개의 무지개각은 빨간색은 약 42.4°, 보라색은 약 40.7°이다. 암무지개는 수무지개와 달리 보라색의 무지개각이 빨간색보다 더 크다.

③ 암무지개와 수무지개는 모두 빛의 굴절과 분산에 의해 생성된다.

④ 암무지개는 수무지개와 달리 물방울 안에서 빛이 두 번 반사된다.

03 세부 내용 추론 답 ①

정답 해설 암무지개는 수무지개에 비해 어둡다. 이렇게 어두운 것은 물방울 속으로 들어간 빛이 두 번 반사되면서 감소되는 빛의 양이 수무지개보다 많고 빛이 넓게 분산되기 때문이다. 수무지개는 반사가 한 번 이루어지는 반면, 암무지개는 반사가 두 번 이루어진다. 반사 횟수가 많으면 그만큼 감소하는 빛의 양이 많아진다. 따라서 눈에 잘 보이려면 감소하는 빛의 양보다 훨씬 많은 양의 빛이 있어야 한다. 물방울의 크기가 크면 많은 빛이 물방울 안으로 들어 가게 되고, 빛이 감소되더라도 물방울이 작을 때보다 암무지개가 더 잘 보이게 된다. 즉 암무지개가 물방울의 크기가 클 때 우리 눈에 보이는 이유는 물방울의 크기가 커야 모을 수 있는 빛의 양이 많기 때문이다.

오답 이유 ② 빛의 굴절되는 정도는 색깔에 따라 다르다는 정보는 제시되어 있으나, 물방울의 크기에 따라 굴절되는 빛의 종류가 달라진다는 정보는 이 글에서 찾아볼 수 없다.

③ 암무지개와 수무지개의 색깔에 따른 무지개각이 다른데, 물방울의 크기에 따라 무지개각이 변화하는 것은 아니다.

④ 빛의 반사가 많이 일어날수록 감소하는 빛의 양이 늘어난다.

⑤ 수무지개가 암무지개에 어떤 영향을 미치는 것은 아니다.

실전 과학 독해 3

본문 254~257쪽

01 ④ 02 ⑤ 03 ② 04 ②

「온도 따라 변신하는 물」

해제 수소 원자 2개, 산소 원자 1개로 이루어진 물 분자는 수소 결합을 한다. 이러한 물 분자의 특성을 중심으로 물의 여러 특성에 대해 설명하고 있는 글이다. 물 분자를 이루는 산소 원자들은 음전하를 띠고 있는데, 분자 자체 내의 수소 원자를 끌어당기기도 하지만 다른 물 분자의 수소 원자까지도 끌어당겨 결합한다. 이를 수소 결합이라고 하는데, 이러한 수소 결합으로 물은 여러 가지 특성을 지닌다. 이 글에서는 물이 얼음으로 변하면 부피가 늘어나고 밀도가 낮아지는 특성, 표면 장력이 큰 특성, 열용량, 비열, 증발열 등과 관련된 특성 등에 대해 설명하고 있다.

주제 수소 결합에 기인한 물의 여러 가지 특성

✔ 독해 포커스

수소 결합으로 인한 물의 특성을 설명하고 있는 글이다. 이를 위해 물 분자를 구성하는 원자의 특성을 제시하고 있으며, 극성과 수소 결합의 개념도 제시하고 있다. 이 글처럼 특성이나 개념에 관한 정보가 제시되어 있으면, 그 정보들은 중요한 출제 요소로 활용되므로 정보를 정확하게 이해해야 한다.

01 내용 전개 방식 파악 답 ④

정답 해설 이 글에서는 물이 지닌 여러 가지 특성을 설명하고 있다. 이를 수소 결합의 개념으로 설명하고 있으며, 여러 가지 특성을 병렬적으로 제시하고 있다. 수소 결합 특성이 변모하는 과정을 시간적 순서에 따라 제시하고 있지는 않다.

오답 이유 ① '공유 결합, 수소 결합, 열용량, 비열' 등 용어의 개념을 제시하고 있다.

② 1문단에서 물 분자의 산소 원자들은 부분적으로 음전하를, 수소 원자는 부분적으로 양전하를 띠는 특성을 갖게 된 것을 인과의 방식을 사용해 설명하고 있는 것을 확인할 수 있다.

③ 3문단에서 컵에 물을 가득 채운 후 동전을 물 위에 놓는 예를 들어 물의 표면 장력에 대한 이해를 돕고 있다.

⑤ 마지막 문단에서 '물이 수소 결합을 하지 않아 현재와 상반된 특성을 갖고 있다면 어떤 일이 벌어질까?'라는 물음을 던진 후 그에 답하는 방식을 통해 물이 지닌 특성의 중요성을 강조하고 있다.

02 구체적 상황에 적용하기 답 ⑤

정답 해설 물이 얼음이 될 때, 물 분자들은 수소 결합을 유지하면서 육각형의 고리를 만들어 부피가 늘어나고 밀도가 낮아진다. 즉 얼음 결정 구조 내의 빈 공간은 물이 얼음이 되는 과정에서 부피가 늘어나고 밀도가 낮아지는 것과 관련이 있는 것이다. 빈 공간 자체는 얼음이 녹을 때 주변 공기의 열을 빼앗는 것과는 직접적인 관련이 없다.

오답 이유 ① 얼음이 물에 뜨는 것은 얼음의 밀도가 물의 밀도보다 낮기 때문이다.

② 물은 얼음이 될 때 물 분자들이 수소 결합을 유지하면서 육각형의 고리를 만들어 빈 공간이 생겨 부피가 늘어난다.

③ 물은 수소 결합으로 다른 액체에 비해 표면 장력이 커 물보다 밀도가 큰 물체들도 물 위에 떠 있을 수 있게 해 준다.

④ 얼음의 물 분자들은 수소 결합으로 뭉쳐 있다. 이러한 얼음의 수소 결합을 끊기 위해서는 에너지가 필요하다. 얼음이 녹는 데에 상당한 양의 열이 필요한 것은 이 때문이다.

03 다른 상황에 적용하기 답 ②

정답 해설 기름과 물이 섞이기 위해서는 기름 분자와 물 분자가 서로 결합해야 한다. 그런데 〈보기〉에 의하면 기름의 분자는 한 분자 안에 부분적으로 양전하와 음전하를 갖고 있지 않다. 이는 기름의 분자가 물과 달리 극성을 띠지 않음을 나타낸다. 기름이 전기장에 반응을 하지 않는 것도 이 때문이다. 이러한 기름과 달리 물 분자는 극성을 띠고 있다. 그래서 물 분자는 이웃해 있는 물 분자는 끌어당기지만 기름 분자는 끌어당기지 못한다. 물과 기름이 섞이지 않는 까닭은 여기에 있다.

오답 이유 ① 물 분자를 구성하는 산소 원자와 수소 원자 중 끌어당기는 힘이 큰 것은 산소 원자이다. 산소 원자가 수소 원자를 끌어당겨 수소 결합이 이루어지는 것이다. 그렇기 때문에 수소 원자가 2개 들어 있다는 사실만으로는 물과 기름이 섞이지 않는 이유를 설명하지 못한다.

③ 물 분자들이 육각형의 고리를 만들어 결합하는 것은 물이 얼

음으로 얼 때이다. 이는 얼음의 밀도가 낮은 이유에 해당한다.
④ 물은 다른 액체에 비해 물질의 온도를 1℃ 올리는 데에 필요한 열용량이 크다.
⑤ 고체, 액체, 기체의 세 상태로 존재하는 것이 가능한 것은 물과 기름이 섞이지 않는 이유가 되지 못한다.

04 반응의 적절성 평가 답 ②

정답 해설 ㉠에서는 인간이 한여름이나 한겨울에 체온을 유지할 수 있는 것이 물의 특성 때문이라고 설명하고 있다. 물은 비열이 크다. 그렇기 때문에 다른 물질에 비해 온도를 1℃ 올리는 데에 상대적으로 많은 에너지가 필요하다. 즉 온도 변화가 쉽게 일어나지 않는 것이다. 이는 체온을 유지하는 데에 많은 도움을 준다.

오답 이유 ① 비열은 물질 1그램의 온도를 1℃ 올리는 데 필요한 열에너지를 의미한다. 비열은 체내의 수분이 흡수되는 것과 직접적인 상관관계를 맺고 있지 않다.
③ 물의 비열이 크다는 것은 물의 온도를 올리기가 힘들다는 것을 의미한다. 즉 체온이 쉽게 변하지 않는다는 것을 의미한다. 비열은 체내의 물이 사라지지 않는 것과 직접적인 상관관계를 맺고 있지 않다.
④ 체중의 70%에 이를 만큼 체내에 수분이 많기 때문에 체온이 쉽게 변하지 않는 것이다.
⑤ ㉠은 물의 특성 때문에 인간이 한여름이나 한겨울에 체온을 유지할 수 있다고 설명하고 있다. 체온을 높이기 위해 많은 에너지가 필요하다는 것은 ㉠을 제대로 이해한 반응이 아니다.

실전 과학 독해 4

본문 258~261쪽

01 ④ **02** ① **03** ③

「돌연변이, 질병과 진화의 열쇠」

해제 이 글은 '돌연변이'라는 현상이 인류에 어떤 영향을 미쳤는지에 대해 다각도로 접근하고 있다. 유전적 이상에 의해 혹은 외부 요인에 의해 생기는 돌연변이는 DNA 수준의 작은 변화로 이루어지지만 이는 침팬지와 인간과의 차이를 가져오는 큰 변화로 이어지기도 한다. 또 우월한 특성의 돌연변이가 후손에게 이어지는 것은 인류의 다양한 외형적 차이에 대한 설명이 되기도 하고, 질병과 관련된 돌연변이는 개인의 삶에 큰 영향을 미치기도 한다.
주제 질병과 진화의 열쇠인 돌연변이

☑ 독해 포커스
핵심 개념인 '돌연변이'를 중심으로 이것이 인류에게 미친 영향을 다양한 측면에서 설명하고 있는 글이다. 각 문단이 ㉮~㉲로 구분되어 있다는 점에서 각 문단의 중심 내용을 파악하는 데 중점을 둘 필요성이 있다. 글을 읽으면서 'DNA 수준에서의 작은 변화가 큰 변화를 가져올 수 있다.', '우월한 특징을 지닌 돌연변이는 유전된다.', '돌연변이는 질병의 원인이 되기도, 질병을 차단하는 열쇠가 되기도 한다.' 등의 돌연변이와 관련된 특징을 찾아내고 이를 문제에 적용시킬 수 있도록 한다.

01 중심 화제 파악 답 ④

정답 해설 ㉱의 중심 내용은 돌연변이가 질병의 원인이 되기도, 질병을 차단하는 열쇠가 되기도 한다는 점이다. 돌연변이가 질병의 원인이 되는 사례로 제시된 것이 바이러스 돌연변이와 후천성 면역 결핍증인데, 이것이 문단 전체의 중심 내용이라고 보기는 어렵다. 백혈구에 생긴 돌연변이가 질병을 차단하는 사례에 대한 언급도 포함되어야 한다.

오답 이유 ① ㉮에서는 네덜란드의 식물 유전학자가 달맞이꽃 재배 과정에서 돌연변이를 발견하고 이 단어를 처음 사용하였음을 나타내고 있으며, 유전적 이상 혹은 외부 요인에 의해 돌연변이가 발생한다는 사실을 밝히고 있다.
② ㉯에서는 돌연변이가 DNA 수준에서의 작은 변화로 발생한다는 점을 세포의 구조를 구체적으로 명시하며 설명하고 있다. 또한 인간과 침팬지가 분화된 것도 인간의 유전자에서 글리콜릴 유라민산이라는 성분이 사라지면서 발생하였음을 언급하고 있다.
③ ㉰에서는 우월한 특징의 돌연변이가 후손에게 유전된다는 점을 언급하면서 금발 돌연변이의 사례를 들고 있으며, 이러한 유전적 변이를 바탕으로 인류가 다양한 머리카락 색과 눈동자 색, 서로 다른 피부색을 가지게 되었음을 언급하고 있다.
⑤ ㉲에서는 돌연변이를 유발하는 외부 요인을 제시하면서 그 가운데 가장 심각한 요인인 담배에 대해 언급하고 있다.

02 구체적 상황에 적용하기 답 ①

정답 해설 〈보기〉의 사례는 유전자 수준의 돌연변이로 인해 질병이 유발되거나 차단될 수 있음을 보여 주는 사례이다. 이러한 돌연변이가 피부색의 변화를 가져올 것이라는 근거는 찾아볼 수 없다.

오답 이유 ② 〈보기〉에서는 적혈구의 모양에 의해 말라리아에 걸리지 않게 되는 특성을 지닐 수 있음을 나타내고 있다.
③ 낫 모양의 적혈구는 산소 운반을 원활하게 하지 못하고 혈의 흐름까지 막아서 빈혈을 잘 일으키는데, 이를 통해 돌연변이가 질병(빈혈)의 원인이 될 수 있다는 점을 알 수 있다.
④ 이 글의 금발 돌연변이와 마찬가지로 어떤 돌연변이가 우월성을 지니고 있다고 판단된다면 이 돌연변이가 후손에게 전해질 가능성이 높다. 무서운 질병인 말라리아에 걸리지 않는 특성이 우월하다고 판단되어 낫 모양의 적혈구를 가진 사람이 결혼할 확률이 높아짐에 따라 같은 특성을 지닌 사람들이 점점 많아질 수 있다.
⑤ 돌연변이는 질병 차단의 열쇠가 되기도 한다. 이 글에서는 CCR5에 돌연변이가 생겨 에이즈로부터 보호받는 사람들의 예가

제시되었는데, 이와 비슷하게 낫 모양의 적혈구가 모세 혈관에 염증이 생기지 않게 하여 말라리아에 걸리지 않게 해 준다는 점은 돌연변이가 질병 차단의 열쇠가 될 수 있음을 말해 준다.

03 어휘의 문맥적 의미 파악 답 ③

정답 해설 ㉠은 보다1(대상을 평가하다.)의 피동사로 쓰인 것으로 볼 수 있다. 이와 가장 유사한 의미로 사용된 것은 '그녀가 매우 가련하게 보였다(보-+-이-+-었-+-다).'로 볼 수 있다.

오답 이유 ①, ⑤ 보다1(눈으로 대상의 존재나 형태적 특징을 알다.)의 사동사로 쓰였다.

② 보다1(어떤 결과나 관계를 맺기에 이르다.)의 피동사로 쓰였다.

④ 보다1(대상의 내용이나 상태를 알기 위하여 살피다.)의 피동사로 쓰였다.

실전 과학 독해 5

본문 262~265쪽

01 ① **02** ③ **03** ③

「하늘이 파란 이유」

해제 이 글은 하늘이 파랗게 보이는 이유를 과학적 원리를 활용하여 설명하고 있다. 지구에는 대기가 있기 때문에 지구로 들어온 태양 빛은 대기의 기체 분자에서 산란이 일어난다. 특히 태양 빛에 포함되어 있는 가시광선의 파장은 대기의 기체 분자보다 크기 때문에 '레일리 산란'이 일어나는데, 레일리 산란은 짧은 파장의 빛이 가장 잘 산란되는 특성이 있다. 따라서 태양 빛의 가시광선 중 파장이 짧은 파란색 빛이 가장 잘 산란되기 때문에 하늘이 파랗게 보이는 것이다. 또 석양이 붉은색으로 보이는 것은, 해 질 무렵 태양 빛은 대기 중을 통과하는 거리가 대낮에 태양 빛이 대기 중을 통과하는 거리보다 길기 때문에 짧은 파장은 관측자에게 도달하기 전에 사라지고, 파장이 긴 빨간색 빛만이 관측자의 위치까지 도달해 산란되기 때문이다.

주제 하늘이 파란 이유와 태양 빛의 산란

☑ 독해 포커스

우리가 하늘을 특정한 색으로 인식하는 이유를 설명하고 있는 글이다. 이 글을 정확하게 파악하려면 먼저 과학적 개념인 빛의 산란과 이러한 산란이 일어나기 위한 전제 조건 등을 정확히 이해해야 한다. 그리고 하늘이 특정한 색으로 보이는 이유를 과학적 인과 관계에 따라 명확하게 이해하여야 한다. 특히 하늘이 파란색과 붉은색으로 다르게 보이는 이유는 무엇인지, 무엇이 이러한 차이를 가져오는지 파악하며 글을 읽어야 한다.

01 세부 정보, 핵심 정보 파악 답 ①

정답 해설 이 글의 3문단에 태양 빛이 백색광이라는 언급은 있지만 왜 백색광인지에 대해 설명한 부분은 찾아볼 수 없다.

오답 이유 ② 3, 4문단에서 태양 빛이 산란되는 특성을 통해 하늘이 파랗게 보이는 이유에 대해 설명하고 있다.

③ 2문단에서 빛을 산란시키는 입자의 크기가 빛의 파장보다 작은 경우 레일리 산란이 나타난다고 설명하고 있다.

④ 1문단에서 산란된 빛은 빛이 들어온 방향과 무관하게 임의의 방향을 향한다고 설명하고 있다.

⑤ 5문단에서 석양이 붉은색을 띠는 것은 해 질 무렵 태양 빛이 관측자에게 도달하기 위해 대기 중을 통과하는 거리가 길어져 파장이 긴 빨간색 빛만이 남아 산란되기 때문이라고 설명하고 있다.

02 구체적 상황에 적용하기 답 ③

정답 해설 2문단에 따르면, 태양 빛을 산란시키는 기체 분자의 크기는 산란되는 빛의 파장보다 작다. [가]의 하늘 A에서 산란되는 빛은 파란 빛의 가시광선으로, 산란을 일으키는 기체 분자의 크기보다 크다.

오답 이유 ①, ② 4문단에서 하늘이 파랗게 보이는 것은 태양 빛의 가시광선 중 파란색 빛이 다른 파장의 빛에 비해 더욱 효과적으로 산란되기 때문이라고 언급하고 있다. 또 5문단에서 낮에는 태양의 고도가 높아 태양 빛이 대기 중을 통과하는 거리가 짧기 때문에 파란색 빛이 산란되어 하늘이 파랗게 보이지만, 해 질 무렵에는 이러한 파란색 빛이 관측자에게 도달하기 전에 산란되어 사라진다고 언급하고 있다.

④ 5문단에 따르면 낮에는 태양의 고도가 높아 태양 빛이 도달하는 거리가 짧고, 해 질 무렵에는 태양의 고도가 낮아 태양 빛이 관측자에게 도달하기 위한 거리가 낮에 비해 길어진다.

⑤ 1문단에서 대기가 없어 빛이 산란되지 않는 달의 하늘은 검은색으로 보인다고 언급하고 있다.

03 세부 내용 추론 답 ③

정답 해설 6문단에 따르면, 물방울 입자와 같이 산란을 일으키는 입자가 가시광선의 파장보다 큰 경우 빛의 산란은 파장에 영향을 받지 않음을 알 수 있다.

오답 이유 ① 3문단에 따르면, 태양 빛과 같은 전자기 파동이 지나가면 분자를 이루고 있는 전하들이 진동하게 되어 산란이 일어난다. 그러므로 ㉠에서 산란이 일어났다는 것은 산란을 일으킨 입자가 진동했다는 것을 의미한다.

② 1문단에서 산란이란 빛이 아주 작은 입자에 의해 흡수되었다가 같은 파장의 빛을 곧바로 다시 방출하는 과정을 의미한다고 언급하고 있다. 그러므로 물방울 입자를 통해 빛이 산란되었다는 것은 빛을 흡수한 것이 아니라는 것을 의미한다.

④ 1문단에서 산란은 빛이 입자에 의해 흡수되었다가 같은 파장의 빛을 곧바로 다시 방출하는 과정이라고 언급하고 있다. 그러므로 산란된 태양 빛의 파장이 모두 동일해지는 것은 아니다.

⑤ 5문단을 통해 태양 빛의 가시광선은 파장에 따라 대기를 통과하는 거리가 다르다는 것을 알 수 있다.

실전 과학 독해 6

본문 266~269쪽

01 ③ 02 ③ 03 ⑤

「위(胃)의 기능과 소화」

해제 이 글은 소화계를 구성하는 기관 중 하나로 소화의 중추적인 역할을 담당하는 위의 기능과 특성에 대해 설명하고 있다. 위는 연동 운동을 통해 음식물을 잘게 으깨고 위액을 뒤섞어 십이지장으로 내려보낸다. 이 과정에서 위는 음식물을 저장하고 살균하며, 고분자 물질을 저분자 물질로 분해하는 기능을 한다. 위액은 강산성의 염산과 소화 효소로 이루어지며, 특히 펩신은 단백질을 분해하지만 위의 점막 세포에서 분비된 뮤신을 통해 위벽을 보호한다.

주제 위의 기능과 음식물이 소화되는 과정

독해 포커스

위의 기능과 소화 과정에 대해 설명하고 있는 글이다. 이 글을 정확하게 파악하기 위해서는 먼저 물리적 소화와 화학적 소화의 개념을 명확히 이해하고, 이를 바탕으로 위가 어떤 과정을 거쳐 소화 기능을 하게 되는지를 이해하며 읽어야 한다. 특히 이처럼 과학적 과정에 대해 설명하는 글은 어떤 기관이 어떤 작용을 먼저하고 나중에 하는지, 해당 기관과 작용 과정의 순서에 유의하며 글을 읽어야 한다.

01 세부 정보, 핵심 정보 파악

답 ③

정답 해설 4문단에 따르면 뮤신은 위벽을 보호하는 기능을 한다. 음식물에 묻은 세균이나 곰팡이를 살균하는 것은 위액을 구성하는 강산성의 염산이다.

오답 이유 ① 3문단에서 위액은 강산성인 염산과 소화 효소로 이루어져 있다고 설명하고 있다.

② 1문단에서 물리적 소화는 음식물을 잘게 자르는 것이고, 화학적 소화는 소화 효소를 통해 고분자 물질을 저분자 물질로 분해하는 것이라고 언급하고 있다. 2문단에서 위가 음식물을 으깨 물리적 소화를 한다는 것을 알 수 있으며, 4문단에서 소화 효소인 펩신이 단백질을 분해한다는 내용을 확인할 수 있다.

④ 4문단에서 헬리코박터 파일로리라는 세균이 위 내부로 침투하면 독성 물질을 분비해 뮤신 막이 망가진다고 언급하고 있다.

⑤ 4문단에서 과식, 스트레스 등으로 뮤신이 분비되는 기능이 저하되면 펩신이 위벽을 소화해 위벽이 헐게 되어 질병이 발생한다고 언급하고 있다.

02 구체적 상황에 적용하기

답 ③

정답 해설 3문단에 따르면, 유문은 위의 하단부에 위치하여 위에서 내려온 것들이 중성이나 약산성이 되면 열린다. 그러므로 강산성의 죽 형태가 된 음식물이 유문을 열리게 한다는 진술은 적절하지 않다.

오답 이유 ① 3문단에서 유문과 분문은 모두 괄약근으로, 유문은 음식물이 위에서 십이지장으로 내려가는 것을 조절하고, 분문은 위의 음식물이 식도로 역류하지 않도록 한다고 언급하고 있다.

② 2문단에서 위는 연동 운동을 통해 음식물의 입자가 1mm 이하가 되어 묽은 죽처럼 될 때까지 음식물을 으깬다고 언급하고 있다.

④ 4문단에서 펩신은 원래 단백질을 분해하며 단백질로 된 위벽을 분해할 수 있지만 위 점막 세포가 뮤신을 계속 만들어 내기 때문에 위벽이 상하지 않는다고 언급하고 있다. 그런데 과식, 스트레스 등으로 이런 기능이 저하되면 펩신이 위벽을 소화해 위벽이 헐게 되어 질병이 발생한다고 언급하고 있다.

⑤ 4문단에서 위 표면에 있는 점막 세포가 위액을 중화시키는 알칼리성 물질인 중탄산이온(HCO_3^-)이나 뮤신이라는 점액을 분비해 위벽을 보호한다고 언급하고 있다.

03 세부 내용 추론

답 ⑤

정답 해설 1문단에서 음식이 잘게 부수어져 물에 녹을 수 있는 정도가 되어야 세포막을 통해 세포 안으로 흡수될 수 있다고 언급하고 있다.

오답 이유 ① 위가 음식을 잘게 으깨는 것과 강한 염산과 소화 효소로부터 위벽을 보호하는 것은 직접 관련이 없다.

② 음식물이 식도로 역류하지 않도록 하는 것은 분문의 역할로 음식물을 잘게 으깨는 것과는 관련이 없다.

③ 위가 음식물을 잘게 부수는 것은 오히려 소화를 촉진하는 기능을 한다. 그러므로 ㉠은 소화된 음식물이 십이지장으로 내려가는 데 도움을 준다고 볼 수 있다.

④ 위로 들어온 음식물의 부피가 줄어들면 더 많은 음식물이 위에 저장될 수는 있지만, 위가 음식물을 잘게 으깨는 것은 더 많은 음식물을 저장하기 위해서가 아니라 소화를 위해서이다.

실전 과학 독해 7

본문 270~273쪽

01 ② 02 ② 03 ②

「식물의 빛 흡수와 광합성」

해제 이 글은 식물의 빛 흡수와 광합성 이용에 대해 설명하고 이를 실험을 통해 증명하는 과정을 설명하는 글이다. 식물은 주로 녹색을 띠고 있으며 이는 주로 녹색광을 반사한다는 의미이다. 그래서 식물은 녹색 이외의 다른 빛을 흡수하는데 주로 청색광과 적색광을 광합성에 이용한다. 엥겔만은 흡수한 빛이 광합성에 이용된다는 것을 입증하기 위해 식물에 빛(분광된 빛)을 비추고 호기성 박테리아가 군집하는 실험을 실시하였으며, 그 결과 식물에 흡수된 빛이 광합성에 이용되며, 특히 청색광과 적색광이 광합성에 사용되는 것을 확인하였다.

주제 식물의 빛 흡수와 광합성

독해 포커스
식물의 빛 흡수와 광합성에 대해 설명하고 있는 글이다. 먼저 빛의 성질을 이해하고 이를 바탕으로 식물에 빛이 흡수되는 과정은 어떠하며, 또 어떤 빛이 흡수되는지 그 원리를 이해해야 한다. 그리고 엥겔만의 실험이 어떤 과정을 거쳐 빛이 광합성에 이용된다는 것을 입증하는지 그 과정을 이해하며 읽어야 한다.

01 세부 정보, 핵심 정보 파악 답 ②

정답 해설 이 글은 식물의 빛 흡수와 광합성에 대해 설명하고 있다. 하지만 빛의 세기에 따른 광합성의 효율에 대해서는 설명하고 있지 않다.

오답 이유 ① 이 글에서는 광합성에 사용되는 빛의 색깔로 청색광, 적색광, 녹색광을 언급하고 있다.
③ 3문단에서 식물이 광합성을 하면 탄소 화합물이 발생하고, 이산화 탄소가 흡수되며 산소가 방출된다고 언급한 부분을 확인할 수 있다.
④ 1문단에서 물질에 빛을 비추면 투과, 반사, 흡수되는 속성이 있고, 사물이 나타내는 색은 반사된 빛의 색이라고 설명한 부분을 확인할 수 있다.
⑤ 2문단에서 광합성의 능률은 녹색 계열에 비해 적색 계열의 빛이 높으므로 식물의 잎이 녹색을 띠는 것이 광합성에 유리하다고 하였다. 또 4, 5문단에서 엥겔만과 바르부르크가 청색광과 적색광의 광합성 효율이 높다는 것을 실험을 통해 확인하였음을 알 수 있다.

02 구체적 상황에 적용하기 답 ②

정답 해설 빛을 비춘 식물의 표면에 호기성 박테리아가 모여든 것은 광합성에 의해 식물의 표면에서 산소가 방출되었기 때문이다. 그리고 광합성은 주로 엽록소가 청색광과 적색광을 흡수하여 이루어지는 것으로, 반사된 빛의 양과 흡수한 빛의 양에 의해 결정되는 것이 아니다.

오답 이유 ① 4문단의 내용에 따르면, [A]와 같이 분광이 되지 않은 햇빛을 비추는 경우 호기성 박테리아가 모여드는 것을 알 수 있다. 그리고 분광된 빛을 사용할 경우 청색광과 적색광에 호기성 박테리아가 집중적으로 모여드는 것을 알 수 있다. 따라서 [A]는 분광되지 않은 가시광선이 식물에 비추어져 식물 표면에 호기성 박테리아가 고르게 분포하게 된 것임을 알 수 있다.
③ 2문단에서 광합성에 주로 이용되는 빛은 청색광과 적색광이라고 밝히고 있다. 또 4문단의 내용을 통해 엽록소에 의해 흡수된 빛은 광합성에 이용되며 산소를 배출하여 호기성 박테리아가 모여든 것임을 알 수 있다.
④ 1문단에서 사물의 색깔은 곧 그 사물이 반사시키는 빛의 색깔임을 알 수 있다. 그리고 6문단에서 엽록소 자체가 녹색인 까닭에 대부분의 녹색광을 반사 또는 투과시킨다고 언급하였다. 따라서 녹색광이 흡수된 양이 적기 때문에 녹색광이 비추어진 부분에 호기성 박테리아가 많이 모여들지 않은 것임을 알 수 있다.
⑤ 3문단에서 식물이 광합성을 하면 산소를 배출한다고 언급하였으며, 4문단에서 호기성 박테리아는 산소를 좋아하는 성질이 있어 산소가 배출되면 모여든다고 언급되어 있다. 따라서 [A], [B]의 표면에 호기성 박테리아가 모여든 것은 빛이 광합성에 사용되고 그 결과 식물의 표면에서 산소를 배출했기 때문임을 알 수 있다.

03 인과 관계, 상관관계 추론 답 ②

정답 해설 ㉠의 앞 문장에 따르면, 광합성 작용 스펙트럼 곡선과 엽록소 흡수 스펙트럼 곡선의 모양이 매우 유사하며, 녹색광 영역에 해당하는 곡선의 중앙부에서 광합성 작용 스펙트럼 곡선이 엽록소 흡수 스펙트럼 곡선보다 높은 수치를 나타내는 것을 알 수 있다. 따라서 이러한 사실은 녹색광 영역에서도 광합성이 이루어졌음을 의미한다. 또 6문단에서 식물은 녹색광도 일부 흡수하며, 녹색광으로도 광합성이 가능하기 때문에 광합성 작용 스펙트럼 곡선의 중앙부가 더 높게 나타나게 되는 것이라고 언급하고 있다.

오답 이유 ① ㉠의 전후 맥락상 녹색광 영역에서 나타난 상황이 언급되어야 하므로 녹색광 이외의 다른 빛이 광합성에 작용했다는 언급은 적절하지 않다.
③, ④ 광합성 작용 스펙트럼 곡선의 녹색광 영역이 엽록소 흡수 스펙트럼 곡선에 비해 높다고 설명한 것은 녹색광이 광합성에 사용되었다는 것을 의미한다.
⑤ ㉠의 전후 맥락상 녹색광 영역에서 나타난 상황이 언급되어야 하므로 막연히 가시광선이 광합성에 사용되었다는 설명은 적절하지 않다.

실전 과학 독해 8 본문 274~277쪽

01 ③ 02 ⑤ 03 ② 04 ④

「신기루 현상의 원리」
해제 이 글은 신기루가 발생하는 원리에 대해 설명하고 있다. 빛은 매질의 밀도에 따라 굴절되는 정도가 달라지는데 일반적으로 밀도가 낮은 매질일수록 굴절률이 작아진다. 그래서 여름날 지표면에 의해 뜨거워진 공기로 인해 매질인 공기의 밀도가 달라져 신기루가 발생한다. 같은 원리로 극지방에서도 차가운 지표면이나 얼음에 의해 냉각된 공기로 인해 대기의 밀도와 굴절률의 차이가 발생하여 신기루가 발생하기도 한다. 또 같은 원리로, 태양이 진 후에 보이는 태양의 상 역시 신기루 현상이 발생한 것이다.

주제 신기루 현상의 발생 원리

✅ 독해 포커스
신기루가 발생하는 원리를 설명하고 있는 글이다. 신기루가 발생하는 원리가 근원적으로 빛의 굴절에 있다는 것을 이해하고 매질의 밀도와 빛의 굴절 정도가 어떠한 관계를 갖고 있으며 그 결과 신기루가 어떤 형태로 나타나게 되는지를 이해해야 한다. 아울러 신기루가 발생하는 원리를 사막, 북극, 석양 무렵의 지평선 부근에서 나타나는 신기루 현상에 적용해 보며 글을 읽어야 한다.

01 중심 화제 파악 답 ③

정답 해설 이 글은 신기루 현상이 나타나게 되는 원리를 과학적으로 설명하고 있는 글로, 신기루가 대기의 밀도 차에 따른 굴절률의 차이에 의해 나타나는 현상임을 설명하고 있다.

오답 이유 ① 이 글의 핵심 내용은 신기루를 판별하는 방법이 아니며 관련 내용에 대해 언급된 부분도 확인할 수 없다.

② 이 글에서는 신기루 현상의 원리를 설명하면서, 공기의 온도에 따른 빛의 굴절률을 언급하고 있을 뿐 빛의 세기와 관련된 내용은 언급하고 있지 않다.

④ 이 글에는 신기루가 공중에 생기는 경우와 지표면에 생기는 경우에 대한 내용이 언급되어 있지만 신기루의 다양한 형상에 대해서는 언급하고 있지 않다.

⑤ 이 글에는 사막, 북극에서 보이는 신기루에 대한 설명이 제시되어 있기는 하지만 그곳에서 나타나는 태양의 신기루를 설명하고 있지는 않다.

02 내용들 간의 의미 관계 파악 답 ⑤

정답 해설 2문단을 살펴보면 ⓐ에서는 지면을 향하던 광선 B가 상대적으로 공기의 온도가 낮은 지표면의 위쪽 방향으로 휘어진 것을 확인할 수 있다. 또 3문단을 살펴보면, ⓑ에서는 공중을 향하던 광선이 공기의 온도가 낮고 밀도가 높은 지표면 방향으로 휘어지는 것을 알 수 있다.

오답 이유 ① 3문단에 ⓐ에서 나타나는 신기루는 지표면 부근에, ⓑ에서는 공중에 신기루가 나타난다고 언급되어 있다.

② ⓐ에서는 지표면이 뜨겁게 달구어져 있으므로 지표면 근처에서 상대적으로 공기의 온도가 높으며 밀도가 낮다. 하지만 ⓑ에서는 지표면이 차갑게 냉각되어 있기 때문에 지표면으로부터 높이 떠 있는 공기일수록 공기의 온도가 높고 밀도가 낮다.

③ ⓑ는 지표면에서 높을수록 공기의 온도가 높으므로 밀도가 낮아져 빛의 굴절률도 작아진다.

④ 2, 3문단의 내용을 통해 ⓐ, ⓑ에서 나타나는 신기루는 모두 공기의 온도 차이와 이로 인해 발생하는 공기의 밀도, 굴절률의 차이에 의해 발생한 것임을 알 수 있다.

03 구체적 상황에 적용하기 답 ②

정답 해설 n1과 n3 사이의 중력 차가 크다면 곧 대기의 밀도도 큰 차이를 가져오게 되며, 이는 빛의 굴절률이 커지는 원인이 된다.

오답 이유 ① ㉮는 지평선 아래에 있던 태양의 상이 빛의 굴절에 의해 지평선 위에 떠 있는 것과 같이 보이는 신기루이다.

③ n1에서 n3로 갈수록 대기의 밀도가 낮아지므로 ㉯에서 나온 빛의 굴절률도 작아진다.

④ n1과 n3에 있는 대기의 밀도 차가 커지면 굴절률이 커지기 때문에 ㉯가 지표 방향으로 굴절하는 각도가 커진다. 따라서 지표면에 있는 사람은 신기루가 더 높이 떠 있는 것으로 인식하게 된다.

⑤ 〈보기〉의 신기루는 대기에 가해지는 중력의 차이로 인해 대기의 밀도가 달라지고 이로 인해 빛의 굴절률이 달라져 나타나는 것이다. 따라서 지구의 중력이 작용하지 않으면 ㉮와 같은 신기루가 발생하지 않는다.

04 인과 관계, 상관관계 추론 답 ④

정답 해설 태양의 경우 빛의 세기가 강하고 구의 형태를 하고 있으며, 사람들이 공중에 떠 있는 태양만을 보게 되므로 신기루에 의해 공중에 떠 있는 태양의 모습이 실상인지 아닌지 구분하기가 어렵다.

오답 이유 ①, ②, ③ 태양이 지는 위치가 달라지는 것, 태양이 지구의 대기 밖에 존재하는 것, 태양이 지구 중력에 미치는 영향 등은 사람들이 공중에 떠 있는 태양이 신기루임을 알아차리지 못하는 것과는 관련이 없다.

⑤ 태양에서 나오는 빛의 세기가 강하긴 하지만 이를 육안으로 확인하지 못하는 것은 아니다.

05 원리로 기술 독해

기출 기술 독해 1

본문 280~283쪽

01 ② 02 ② 03 ⑤ 04 ④

「디지털 데이터의 부호화 과정」

해제 이 글은 데이터의 부호화 과정을 중심으로 디지털 통신 시스템의 전송 과정 및 방식에 대해 설명하고 있다. 기호 집합에 있는 기호들의 조합인 데이터는 부호화 과정을 거쳐 전송된다. 부호화 과정은 소스 부호화, 채널 부호화, 선 부호화 과정을 거쳐 이루어진다. 소스 부호화는 데이터를 압축하기 위해 기호를 0과 1로 이루어진 부호로 변환하는 과정이며 채널 부호화는 오류를 검출하고 정정하기 위하여 부호에 잉여 정보를 추가하는 과정이다. 그리고 선 부호화는 부호들을 전기 신호로 변환하는 과정이다. 이러한 과정을 거쳐 데이터는 효율적으로 전송되는 것이다.

주제 디지털 통신 시스템의 전송 과정과 부호화 방식

01 세부 정보, 핵심 정보 파악 답 ②

정답 해설 2문단에서 전송된 부호를 수신기에서 원래의 기호로 복원하려면 부호들의 평균 비트 수가 기호 집합의 엔트로피보다 크거나 같아야 한다고 하였다. 이를 통해 수신기에는 부호를 원래의 기호로 복원하는 기능이 있음을 알 수 있다.

오답 이유 ① 2문단에서 소스 부호화는 데이터를 압축하기 위해 기호를 부호로 변환하는 과정이라고 설명하였다. 그러므로 영상을 비롯한 디지털 데이터는 소스 부호화 과정에서 압축된다고 할 수 있다.

③ 3문단에서 잉여 정보는 오류를 검출하고 정정하기 위해 추가하는 정보라고 하였다. 그러므로 잉여 정보는 데이터를 압축하기 위해 추가하는 정보가 아님을 알 수 있다.

④ 3문단에서 송신기에서 부호를 전송하면 채널의 잡음으로 인해 오류가 발생한다고 하였다. 그러므로 영상을 전송할 때도 잡음으로 인한 오류가 발생한다고 할 수 있다.

⑤ 3문단에서 채널 부호화는 오류를 검출하고 정정하기 위하여 부호에 잉여 정보를 추가하는 과정이라고 하였다. 그러므로 전송할 기호에 정보를 추가하여 오류에 대비하는 과정은 채널 부호화 과정이라고 할 수 있다.

02 내용들 간의 의미 관계 파악 답 ②

정답 해설 1문단에서 기호 집합의 평균 정보량을 기호 집합의 엔트로피라고 하는데 모든 기호들이 동일한 발생 확률을 가질 때 그 기호 집합의 엔트로피가 최댓값을 갖는다고 하였다. 따라서 평균 정보량이 최댓값을 갖기 위해서는 기호들의 발생 확률이 동일해야 한다고 할 수 있다. 그러므로 기호들의 발생 확률이 각각 1/4, 3/4인 경우에는 평균 정보량이 최댓값이 될 수 없다.

오답 이유 ① 1문단에서 어떤 기호 집합에서 특정 기호의 발생 확률이 높으면 그 기호의 정보량은 적고, 발생 확률이 낮으면 그 기호의 정보량은 많다고 하였다. 그러므로 기호들의 발생 확률이 1/2로 동일하다면 각 기호의 정보량은 동일하다고 할 수 있다.

③ 1문단에서 어떤 기호 집합에서 특정 기호의 발생 확률이 높으면 그 기호의 정보량은 적고, 발생 확률이 낮으면 그 기호의 정보량은 많다고 하였다. 그러므로 기호들의 발생 확률이 각각 1/4, 3/4인 경우, 기호의 정보량이 더 많은 것은 발생 확률이 1/4인 기호라고 할 수 있다.

④ 2문단에서 기호 집합의 엔트로피는 기호 집합에 있는 기호를 부호로 표현하는 데 필요한 평균 비트 수의 최솟값이라고 하였다. 그리고 1문단에서는 모든 기호들이 동일한 발생 확률을 가질 때 그 기호 집합의 엔트로피는 최댓값을 갖는다고 하였다. 그러므로 각 기호들의 발생 확률이 모두 1/2로 동일한 경우 이 기호 집합에 있는 기호를 부호로 표현하는 데 필요한 평균 비트 수의 최솟값(기호 집합의 엔트로피)은 최대가 된다고 할 수 있다.

⑤ 1문단에서 기호 집합의 평균 정보량을 기호 집합의 엔트로피라고 하였으며, 평균 정보량은 각 기호의 발생 확률과 정보량을 서로 곱하여 모두 더한 것이라고 하였다. 또한 특정 기호의 발생 확률은 기호의 정보량과 반비례한다고 설명하고 있다. 그러므로 기호들의 발생 확률이 각각 1/4, 3/4인 기호 집합의 엔트로피와 기호들의 발생 확률이 각각 3/4, 1/4인 기호 집합의 엔트로피는 같다고 할 수 있다.

03 세부 내용 추론 답 ⑤

정답 해설 3문단에서 삼중 반복 부호화는 0과 1을 각각 000과 111로 부호화하는 것이라고 설명하였다. 그리고 수신기에서는 수신된 부호에서 과반수를 차지한 부호로 판단을 하므로 하나의 비트에서 오류가 생겨도 오류는 정정된다고 하였다. 즉 000, 001, 010, 100을 모두 0으로 판단하므로 오류가 정정된다는 것이다. 그런데 삼중 반복 부호화를 이용하여 부호화한 경우 수신된 부호에서 두 개의 비트에 오류가 생기면 오류가 정정되지 않는다. 0이 삼중 반복 부호화 과정을 거치면 000이 되는데, 만일 이 중 두 개의 비트에 오류가 생겨 011이 되면 1이 과반수를 차지하여 1로 인식되므로 오류가 정정되지 않는 것이다.

오답 이유 ① 4문단에서 선 부호화는 부호들을 0 또는 1에 해당하는 전기 신호의 전압을 결정하는 과정이라고 설명하였다. 그런데 2문단의 설명에 따르면 선 부호화는 수신기가 아니라 송신기에서 이루어진다. 그러므로 수신기에서 부호를 전기 신호로 변환한다는 설명은 적절하지 않다.

② 2문단에서 허프만 부호화에서는 발생 확률이 높은 기호에는 비트 수가 적은 부호를, 발생 확률이 낮은 기호에는 비트 수가 많

은 부호를 할당한다고 하였다. 그리고 1문단에서는 어떤 기호 집합에서 발생 확률이 낮은 기호의 정보량은 많다고 하였다. 그러므로 허프만 부호화에서는 정보량이 많은 기호는 기호의 발생 확률이 낮으므로 상대적으로 비트 수가 많은 부호를 할당한다고 판단해야 한다.

③ 3문단에 따르면 채널 부호화의 하나인 삼중 반복 부호화는 잉여 정보를 추가하여 0과 1을 각각 000과 111로 부호화함으로써 하나의 비트에서 오류가 생겨도 오류를 정정할 수 있게 해 주는 과정이다. 그러므로 채널 부호화를 거친 부호들은 잉여 정보를 포함한 상태에서 선 부호화한다고 할 수 있다.

④ 3문단에서 부호율은 채널 부호화를 하기 전의 비트 수를, 채널 부호화를 한 이후의 비트 수로 나눈 것이라고 하였다. 그런데 채널 부호화 과정을 통해 잉여 정보를 추가한 후의 비트 수는 채널 부호화 과정 전의 비트 수보다 많아지기 때문에 부호율은 1보다 작아진다고 할 수 있다.

04 구체적 상황에 적용하기 답 ④

정답 해설 4문단에서 차동 부호화는 기준 신호를 활용하여 부호의 비트가 0이면 전압을 유지하고 1이면 전압을 변화시킨다고 하였다. '비'의 부호는 '10'이므로 삼중 반복 부호화 과정을 거치면 '111000'이 된다. 여기에 차동 부호화 방식을 활용할 경우 기준 신호가 양이라면 처음에 1이 나왔으므로 전압을 음으로 변화시켜야 한다. 뒤이어 1이 나왔으므로 전압을 양으로 변화시켜야 한다. 다음에도 1이 나왔으므로 음으로 변화시켜야 한다. 이후 '000'이 나올 때에는 전압을 변화시키지 않아도 되므로 그대로 '음, 음, 음'의 전압을 갖게 된다. 따라서 '111000'이 차동 부호화 과정을 거치면 '음, 양, 음, 음, 음, 음'의 전압을 갖는 전기 신호로 변환된다고 할 수 있다.

오답 이유 ① 2문단에서 기호 집합의 엔트로피는 기호 집합에 있는 기호를 부호로 표현하는 데 필요한 평균 비트 수의 최솟값이라고 하였으며 1문단에서는 모든 기호들이 동일한 발생 확률을 가질 때 그 기호 집합의 엔트로피는 최댓값을 갖는다고 하였다. 〈보기〉에서 4개의 기호는 동일한 발생 확률을 가지며, 각각의 기호는 2개의 평균 비트 수를 갖고 있다. 그러므로 기호 집합 {맑음, 흐림, 비, 눈}의 엔트로피의 최댓값은 2이다.

② 2문단에서 기호 집합을 엔트로피에 최대한 가까운 평균 비트 수를 갖는 부호들로 변환하는 것을 엔트로피 부호화라고 하였다. 그러므로 날씨 데이터 '흐림비맑음흐림'은 엔트로피 부호화를 통해 '01100001'로 바뀐다고 할 수 있다.

③ 3문단에서 삼중 반복 부호화 과정은 '0'과 '1'을 각각 '000'과 '111'로 부호화하며, 수신기에서 수신한 부호에 0이 과반수인 경우에는 0으로 판단하고 1이 과반수인 경우에는 1로 판단한다고 설명하였다. 따라서 삼중 반복 부호화된 결과를 '110001'과 '101100'으로 수신하였다면 이는 모두 '10'으로 판단되어 같은 날씨로 판단된다.

⑤ '흐림'이 삼중 반복 부호화 과정을 거치면 '000111'이 된다. 이를 차동 부호화할 때 기준 신호가 양의 전압이라면 부호 000111은 '양, 양, 양, 음, 양, 음'의 전기 신호로 변환되게 된다. 그러므로 '음, 음, 음, 양, 양, 양'의 전기 신호를 '흐림'이라고 판단하는 것은 적절하지 않다.

기출 기술 독해 2

본문 284~287쪽

01 ③ **02** ① **03** ⑤

「주사 터널링 현미경(STM)」

해제 이 글은 주사 터널링 현미경(STM)의 특징과 이를 활용하기 위해 필요한 진공 기술에 대해 설명하고 있다. STM은 금속 탐침과 시료 표면 사이의 접촉 없이 전류를 흐르게 하는 방식을 이용하여 시료 표면 상태를 관찰한다. STM은 시료 표면의 관찰을 방해하는 기체 분자와 시료의 접촉을 최대한 차단하기 위해 진공을 필요로 한다. STM을 활용하는 실험에서 요구되는 진공도의 정도는 단분자층 형성 시간에 따라 달라진다. 단분자층 형성 시간은 단위 면적당 기체 분자의 충돌 빈도, 충돌한 기체 분자들이 표면에 달라붙을 확률, 고정된 온도에서의 기체 분자 질량, 기체의 압력 등에 영향을 받는다. 시료의 관찰 가능 시간을 확보하기 위해서는 초고진공이 요구된다. 초고진공은 스퍼터 이온 펌프를 이용하여 얻을 수 있다. 스퍼터 이온 펌프는 1, 2차 펌프 작용을 통해 기체 분자로부터 분리된 양이온을 고정시키고, 떠돌아다니는 기체 분자가 흡착되게 하여 초고진공 상태를 만든다.

주제 주사 터널링 현미경(STM)의 활용에 요구되는 진공 기술

01 세부 정보, 핵심 정보 파악 답 ③

정답 해설 3문단에 따르면 질소의 경우 단분자층 형성 시간이 760토르 대기압에서는 3×10^{-9}초이지만 압력이 10^{-9}토르로 낮아지게 되면 약 2,500초로 증가한다. 단분자층 형성 시간이 길어지는 만큼 시료의 관찰 가능 시간을 확보할 수 있으므로 시료의 관찰 가능 시간을 늘리기 위해서는 진공 통 안의 기체 압력을 낮추어야 한다는 진술은 적절하다.

오답 이유 ① 1문단에 따르면 STM의 탐침과 시료 표면 사이에 흐르는 전류의 크기는 탐침과 시료 표면 사이의 거리가 원자 단위의 크기에서 변하더라도 민감하게 달라진다. 이러한 특징은 시료 표면의 높낮이 측정을 원자 단위까지 가능케 하므로 시료 표면의 높낮이를 원자 단위까지 측정할 수 없다는 진술은 적절하지 않다.

② 1문단에 따르면 STM을 이용해 시료를 관찰하기 위해서는 금속 탐침과 시료 표면 간에 전압을 걸어 주어 전류가 흐르도록 해야 한다. 이때 전류가 흐를 수 없는 시료의 표면 상태는 STM을 이용해 관찰할 수 없다고 명시되어 있다. 따라서 시료의 전기 전도 여부에 관계없이 시료를 관찰할 수 있다는 설명은 적절하지

않다.
④ 2문단에 따르면 떠돌아다니는 기체 분자들이 시료의 표면에 붙어 표면과 반응하거나 표면을 덮어 시료 표면의 관찰을 방해한다. 따라서 시료 표면의 관찰을 위해서는 시료와 기체 분자의 접촉을 최대한 차단할 필요가 있으므로 단분자층 형성 시간이 길어지도록 진공이 요구되는 것이다.
⑤ 1문단에 따르면 탐침과 시료의 거리가 매우 가까우면 양자 역학적 터널링 효과에 의해 접촉 없이도 둘 사이에 전류가 흐른다.

02 세부 내용 추론 답 ①

정답 해설 4문단에 따르면 스퍼터 이온 펌프는 영구 자석, 금속 재질의 속이 뚫린 원통 모양의 양극, 타이타늄으로 만든 판 형태의 음극으로 구성된다. 이때 자기장은 자석에 의해 형성된다. 고전압의 영향으로 ㉡의 '음극'에서 방출된 전자는 이러한 자기장의 영향을 받아 양극으로 이동한다. 따라서 ㉡의 '음극'이 고전압과 전자의 상호 작용으로 자기장을 만든다는 진술은 적절하지 않다.
오답 이유 ② 4문단에 따르면 양이온이 ㉡의 '음극'에 충돌하면 타이타늄이 떨어져 나오게 되는데, 이 타이타늄은 높은 화학 반응성 때문에 떠돌아다니던 기체 분자를 흡착한다. 따라서 음극이 기체 분자를 흡착하는 물질을 내놓는다는 설명은 적절하다.
③ 4문단에 따르면 음극에서 방출된 전자는 기체 분자와 충돌하여 기체 분자를 양이온과 전자로 분리시키며, 이 과정에서 생성된 양이온은 전기력에 의해 ㉡의 '음극'으로 당겨진다.
④ 4문단에 따르면 기체 분자가 분리되는 과정에서 생성된 양이온은 ㉡의 '음극'에 박혀 이동 불가능한 상태가 된다. 따라서 ㉡의 '음극'이 양이온을 고정시킨다는 설명은 적절하다.
⑤ 4문단에 따르면 양극과 음극 간에 걸린 고전압의 영향으로 음극에서 전자가 방출된다. 음극에서 방출된 전자는 기체 분자를 양이온과 전자로 분리시킨다.

03 구체적 상황에 적용하기 답 ⑤

정답 해설 3문단에 따르면 시료의 표면과 충돌한 기체 분자들이 시료 표면에 달라붙을 확률이 작을수록, 단위 면적당 기체 분자의 충돌 빈도가 낮을수록 단분자층 형성 시간은 길어진다. 통 내부에서 기체 분자들이 시료 표면에 달라붙을 확률은 같기 때문에 E와 D의 단위 면적당 기체 분자의 충돌 빈도만 비교 대상이 된다. E의 압력, 즉 단위 부피당 기체 분자 수는 D와 같으나 분자의 질량은 D보다 크기 때문에 단분자층 형성 시간이 길다. 따라서 E의 충돌 빈도는 D보다 낮다고 볼 수 있다.
오답 이유 ① 3문단에서 질소를 예로 들어 온도가 20℃, 압력이 10^{-9}토르일 때 단분자층 형성 시간이 대략 2,500초라고 하였다. 따라서 조건이 같은 〈보기〉의 진공 통 A 내부에서의 단분자층 형성 시간은 대략 2,500초라고 할 수 있다.
② 2문단에 따르면 통 내부의 기체 압력은 단위 부피당 기체 분자의 수에 비례한다. B는 기체 압력이 10^{-9}토르인 A보다 단위 부피당 기체 분자 수(A: $4N$, B: $2N$)가 적으므로 기체 압력이 10^{-9}토르보다 낮을 것이라고 추론할 수 있다.
③ 2문단에 따르면 진공도는 기체 압력이 낮을수록 높아지고, 기체 압력은 단위 부피당 기체 분자 수에 비례한다. 따라서 진공도는 기체 분자 수가 많을수록 낮아진다. C는 B에 비해 단위 부피당 기체 분자 수가 많으므로 C 내부의 진공도가 B 내부의 진공도보다 낮을 것이라고 추론할 수 있다.
④ 3문단에 따르면 기체 분자의 질량이 클 때 단분자층 형성 시간이 길다. D는 A에 비해 분자의 질량이 크므로 D 내부에서의 단분자층 형성 시간은 A의 경우보다 길 것이다.

기출 기술 독해 3

본문 288~291쪽

01 ② **02** ① **03** ③

「디젤 엔진의 오염 물질 저감 기술」
해제 가솔린 엔진에 비해 디젤 엔진은 출력과 열효율이 높기 때문에 자동차뿐만 아니라 대형 장비, 공장, 발전소 등에서 널리 이용된다. 그러나 디젤 엔진은 대기 오염 물질을 많이 발생시키기 때문에 이를 규제하기 위한 법규들이 강화되고 있으며 이에 따라 오염 물질을 저감하기 위한 기술들이 개발되고 있다. SCR(Selective Catalytic Reduction) 방식은 화학 반응을 통해 요소에서 암모니아를 생성하여 질소 산화물을 저감하는 기술로, 입자상 물질을 저감하는 DPF 방식과 복합적으로 쓰인다. 선택적 촉매 환원법인 SCR 방식은 일산화 질소나 이산화 질소를 산소와 함께 암모니아와 반응시켜 물과 질소로 바꾸는 기술이다. 이 방식은 질소 산화물 저감 효율이 80~90%로 높고 연료 대비 5~6%의 요소수만이 소모되는 장점이 있다. 하지만 요소수 공급 장치를 추가적으로 설비해야 하고 암모니아가 배기가스와 함께 배출되는 문제점 등이 있을 수 있다.
주제 디젤 엔진에서 배출하는 오염 물질 저감 기술과 문제점

01 내용들 간의 의미 관계 파악 답 ②

정답 해설 3문단에 따르면 ㉠ EGR 방식은 배기가스를 재순환시켜 연소 온도를 낮추어 질소 산화물이 적게 발생하도록 하는 것으로, 배기가스가 엔진으로 재순환되어 연료와 함께 연소되는 과정에서 엔진에 불순물이 쌓일 수 있다. 4문단에 따르면 ㉡ SCR 방식은 배기가스 중 질소 산화물을 암모니아와 반응시켜 저감하는 기술이다. 따라서 질소 산화물을 SCR 장치에서 저감하는 과정이 엔진에서의 연소 과정과는 별도로 이루어진다고 할 수 있다.
오답 이유 ① 3문단에 따르면 배기가스를 엔진으로 재순환시켜 질소 산화물을 저감하는 것은 ㉠ EGR 방식이다.
③ 4문단에서 ㉡ SCR 방식에서는 암모니아를 이용하여 질소 산

화물을 저감하는데, 암모니아는 폭발의 위험이 있고 특유의 자극적인 냄새를 풍겨 불쾌감을 유발한다고 하였다.
④ 4문단에서 질소 산화물의 저감 효율은 ㉠ EGR 방식에 비해 ㉡ SCR 방식이 높다고 하였다.
⑤ 4문단에서 ㉡ SCR 방식은 배기가스를 재순환시키지 않기 때문에 ㉠ EGR 방식보다 엔진에서의 연소 온도가 높다고 하였다.

02 세부 내용 추론 답 ①

정답 해설 공간 속도는 단위 시간당 공급되는 배기가스의 양을 SCR 장치의 촉매의 부피로 나눈 값이기 때문에 단위 시간당 공급되는 배기가스의 양이 많거나 촉매의 부피가 작으면 공간 속도가 빨라진다. 공간 속도가 빨라지면 배기가스가 장치 내를 빠르게 통과하기 때문에 체류 시간이 짧아지고 저감 효율이 감소할 것이다.

오답 이유 ② 금속 촉매의 표면에 단위 시간당 흡착되는 배기가스의 양이 많을수록 공간 속도를 느리게 할 것이므로 저감 효율은 증가할 것이다.
③ SCR 장치 내부에 백금이나 바나듐 같은 금속 촉매를 이용하는 것은 배기가스를 흡착하여 오래 머물도록 하기 위해서이다.
④ 배기가스의 양이 일정할 때 SCR 장치의 촉매의 부피가 클수록 공간 속도는 느려질 것이다.
⑤ 공간 속도는 단위 시간당 공급되는 배기가스의 양을 SCR 장치의 촉매의 부피로 나눈 값이다. 따라서 SCR 장치의 촉매의 부피가 일정할 때 공간 속도가 빨라졌다면 단위 시간당 공급되는 배기가스의 양이 늘어난 것이다.

03 구체적 상황에 적용하기 답 ③

정답 해설 ⓒ는 DPF 장치이므로 입자상 물질을 저감한다. ⓓ는 SCR 장치이므로 질소 산화물을 저감한다. 그러므로 ⓓ를 거치게 된다고 하더라도 입자상 물질이 저감된다고 보기 어렵다. 즉 ㉯에서 입자상 물질의 양은 ㉮와 다르지 않다고 할 수 있다.

오답 이유 ① 2문단에서 배기가스 중의 입자상 물질은 DPF 장치를 거치면서 저감된다고 설명하고 있다. 따라서 입자상 물질이 ⓒ의 DPF 장치를 거치면서 저감될 것이라고 이해하는 것은 적절하다.
② 4문단에서 SCR 장치에 공급된 요소는 열분해를 통해 암모니아와 아이소사이안산으로 분해되고, 아이소사이안산은 가수 분해가 되어 이산화 탄소와 암모니아를 생성한다고 하였다. 따라서 ⓓ의 SCR 장치에서 암모니아가 생성된다고 이해하는 것은 적절하다.
④ 4문단에 따르면 ⓓ의 SCR 장치에서 화학 반응이 일어나도록 유도하기 위해서 압축 공기 주입기를 사용하여 공기를 주입하고 있다. 한편 일산화 질소는 암모니아와 함께 산소와 반응하여 질소와 물로 바뀐다. 이를 통해 ⓓ의 SCR 장치에서 일산화 질소가 암모니아와 반응하여 물과 질소가 만들어지기 위해서는 ⓑ를 통해 공급된 공기 중의 산소가 필요하다는 것을 알 수 있다.
⑤ 4문단에서 연소 온도가 높을 때 입자상 물질이 적게 발생하는 대신 질소 산화물이 더 많이 발생한다고 하였다. 따라서 질소 산화물의 농도가 높은 것은 연료가 높은 온도에서 연소될수록 질소 산화물이 많이 생성되기 때문이라고 이해하는 것은 적절하다.

실전 기술 독해 1 본문 292~295쪽

01 ⑤ **02** ④ **03** ③ **04** ②

「음성 인터페이스 기술」

해제 이 글은 음성 인식의 과정과 원리를 설명하고 있다. 음성 인식은 '음성 입력 → 음성 전처리 → 패턴 인식 → 언어 처리 → 인식 결과'의 과정을 통해 이루어지는데, 이 글에서는 각 단계에 적용되는 원리와 방법을 과정에 따라 설명하고 있다.

주제 음성 인식의 과정

독해 포커스

음성 인식 기술의 원리와 과정을 설명하고 있다. 과정에 따라 설명을 하고 있기 때문에 단계를 파악하고 각 단계에서 이루어지는 일을 정확하게 이해해야 한다. 그리고 '선형 정합 방식'과 '동적 정합 방식'을 설명하고 있으므로 두 방식 간의 차이점도 주목해 독해해야 한다.

01 중심 화제 파악 답 ⑤

정답 해설 이 글에서는 음성 인식 기술의 원리와 방식을 음성 인식이 이루어지는 과정에 따라 단계적으로 설명하고 있다. 음성 인식은 '음성 입력 → 음성 전처리 → 패턴 인식 → 언어 처리 → 인식 결과'의 과정에 따라 이루어지는데, 이 글에서는 특히 '음성 전처리', '패턴 인식', '언어 처리' 단계에서 어떤 원리와 방식으로 음성 인식이 이루어지는지를 설명하고 있다.

오답 이유 ① 음성 인식 기술의 의의나 음성 인식 기술이 생활에 미친 영향을 설명하고 있지 않다.
② '패턴 인식'의 방법 중 '선형 정합 방식'과 '동적 정합 방식'의 장단점에 대해 설명하고 있지만, 이는 글의 한 부분에 해당하는 것이다. 그리고 '입력 패턴'과 '기준 패턴'의 차이점을 중심으로 글을 전개하고 있지도 않다.
③ 음성 인식 기술이 어떻게 발전하여 왔는지를 설명하고 있지 않다.
④ '패턴 인식'의 한 방법으로 '통계학적 방식'에 대해 설명하고 있지만, 이는 글의 한 부분에 해당하는 것이다. 그리고 음성 인식 기술에 대한 전망을 다루고 있지도 않다.

02 세부 정보, 핵심 정보 파악 답 ④

정답 해설 통계학적 방식에서는 발음 시간이 다양하게 나타나는 음성 신호를 통계적으로 처리한 결과를 바탕으로 음향 모델을 구성한다. 그리고 그 음향 모델 중에서 실제 음성 신호와 가장 유사한 모델을 결괏값으로 채택한다. 음성 신호의 발음 시간에 관한 통계 결과들이 있는 것은 맞지만, 그 통계 결과들로부터 발음 시간이 동일한 음성 신호를 추출한다는 것은 적절한 이해가 아니다.

오답 이유 ① '음성 전처리' 과정에서는 소음과 음성을 구분하고 음성의 특징을 잡아낸다. 이를 위해 음성 신호를 아주 작은 시간 단위로 자르고 각 구간별로 소리의 주파수나 에너지가 어떻게 변하는지를 살핀다.

② '패턴 인식' 과정에서는 '입력 패턴'과 '기준 패턴'의 비교가 이루어진다.

③ '선형 정합 방식'이나 '동적 정합 방식'은 음성 인식률이 높지만, 인식 대상 어휘가 늘어나면 계산량이 방대해져 음성 인식 속도가 느려지는 단점이 있다. '통계학적 방식'은 '선형 정합 방식'이나 '동적 정합 방식'에 비해 문장이나 대화까지 인식할 수 있게 해 준다. 이는 인식해야 할 어휘가 많을 경우에는 '통계학적 방식'이 '선형 정합 방식'이나 '동적 정합 방식'보다 더 적합한 방식임을 나타낸다.

⑤ '언어 처리' 과정에서는 음성 인식기의 문법 체계에 해당하는 '언어 모델'을 참조해 문법적 점검이 이루어진다.

03 구체적 상황에 적용하기 답 ③

정답 해설 ㉠의 '동적 정합 방식'은 입력 패턴과 기준 패턴의 발음 시간을 같게 설정하고, 음파에 있는 정점들의 시간까지 일치시켜 '입력 패턴'과 '기준 패턴'을 비교하는 방식이다. 이와 같은 방식에 의해 비교가 이루어진 것은 ③이다. ③을 보면 '입력 패턴'과 '기준 패턴'의 음성 신호 정점이 일치된 것을 확인할 수 있다.

오답 이유 ①, ④, ⑤ '동적 정합 방식'은 입력 패턴과 기준 패턴의 발음 시간을 같게 설정할 뿐만 아니라 음파에 있는 정점들의 시간까지 일치시켜 비교하는 방식이다. A와 B의 정점들이 일치하고 있지도 않지만, A와 B의 발음 시간이 같게 설정되어 있지도 않기 때문에 ㉠의 방식으로 처리한 것을 보여 주는 예가 되지 못한다.

② A와 B의 발음 시간이 같게 설정되어 있지만, A와 B의 정점들이 일치하고 있지 않다. 따라서 '동적 정합 방식'이 사용된 예로 볼 수 없다.

04 어휘의 문맥적 의미 파악 답 ②

정답 해설 ⓐ는 '값이나 비율 따위가 보통보다 위에 있다.'라는 의미를 나타내고 있으며, ⓑ는 '품질, 수준, 능력, 가치 따위가 보통보다 위에 있다.'라는 의미를 나타내고 있다. ⓐ와 문맥적 의미가 가장 유사한 것은 ㄱ이다. ㄱ에서는 '높다'의 주어가 '의존도'인데, 이는 의존하는 비율을 의미한다. ⓑ와 문맥적 의미가 가장 유사한 것은 ㄹ이다. ㄹ의 '높은'은 앞의 '품질'을 서술하고 있다.

오답 이유 ㄴ. '높다'는 '어떤 의견이 다른 의견보다 많고 우세하다.'라는 의미를 나타내고 있다.

ㄷ. '높은'은 '아래에서 위까지의 길이가 길다.'라는 의미를 나타내고 있다.

실전 기술 독해 2

본문 296~299쪽

01 ③ **02** ④ **03** ③

「고속 항공기의 S 라인 동체와 면적 법칙」

해제 이 글은 고속 항공기 동체가 S 라인으로 설계된 이유와 이러한 설계에 반영된 면적 법칙에 대해 설명하고 있다. 휘트콤은 초음속 탄환의 진행 방향에 대해 수직인 단면적의 변화가 완만하다는 것에 착안하여, 항공기 동체와 진행 방향에 수직인 단면적의 변화와 항력 사이의 관계를 규명하는 연구를 진행하였다. 그 결과 천음속 영역에서 날개와 동체가 결합된 기체에서 발생하는 항력을 작게 하기 위해서는 항공기 진행 방향에 대하여 수직으로 자른 단면적의 변화가 완만해야 한다는 사실을 알게 되었으며 이러한 면적 법칙의 원리를 항공기 설계에 반영하였다.

주제 항공기 설계에 적용된 면적 법칙

✔ 독해 포커스

'면적 법칙'을 설명한 후, 면적 법칙에 관한 휘트콤의 연구와 그 법칙을 적용해 항공기를 S 라인으로 설계하는 것에 대해 설명하고 있다. 이에 대한 이해를 돕기 위해 보잉 747 여객기에 적용된 면적 법칙을 설명하고 있는 것도 이 글의 특징이다. 따라서 이 글을 독해할 때는 '면적 법칙'부터 정확하게 이해해야 한다. 그리고 이 법칙이 적용된 항공기 설계에 대해 이해해야 한다.

01 세부 정보, 핵심 정보 파악 답 ③

정답 해설 4문단을 통해, 보잉 747 여객기의 동체 앞부분에 있는 혹은 면적 법칙이 적용된 것으로, 항력을 줄어들게 하여 운항 속도를 증가시키는 역할을 한다는 사실을 확인할 수 있다.

오답 이유 ① 3문단에서 F-102 전투기에, 4문단에서 보잉 747 여객기에 면적 법칙이 적용된 것을 확인할 수 있다.

② 2문단에서, 면적 법칙은 휘트콤이 초음속 탄환의 진행 방향에 수직인 단면적의 변화가 완만하다는 것에서 착안한 것임을 알 수 있다. 또 3문단에서 F-102 전투기에 면적 법칙이 적용된 것을 알 수 있다. 따라서 초음속 탄환과 F-102 전투기에는 면적 법칙의 원리가 적용된 것을 알 수 있다.

④ 2문단에 따르면, 고속 항공기의 동체가 S 라인으로 생긴 것은 항공기의 항력을 작게 하여 동일한 엔진 출력으로 더 빠른 속도로 비행함으로써 경제적인 비행을 하기 위해서이다.

⑤ 2문단에서, 항공기의 항력을 줄여 동일한 엔진 출력으로 더 빠른 속도로 비행함으로써 경제적인 비행을 할 수 있다고 언급한 부분을 확인할 수 있다.

02 내용 전개 방식 파악 답 ④

정답 해설 이 글에는 실험과 연구를 통해 면적 법칙을 발견하고 이를 항공기 설계에 적용한 휘트콤에 대해 서술되어 있지만, 면적 법칙의 과학적 타당성을 뒷받침하기 위해 전문가의 말이 인용된 부분은 확인할 수 없다.

오답 이유 ① 1문단에는 항공기 모양이 S 라인을 이루는 이유에 대한 질문이 제시되어 있으며, 2문단에는 이러한 질문에 답하는 형식으로 그 까닭이 제시되어 있음을 알 수 있다.

② 2문단과 3문단에는 휘트콤이 연구 활동을 통해 면적 법칙을 발견하게 되는 과정부터 항공기 설계에 면적 법칙이 적용되어 실제 항공기가 제작되는 과정에 해당하는 내용들이 시간적 순서에 따라 제시되고 있다.

③ 4문단에는 면적 법칙이 적용된 보잉 747 여객기의 사례가 제시되어 있다.

⑤ 이 글은 항공기 동체의 모양이 S 라인이 된 이유를 과학적, 기술적으로 설명하고 있다.

03 구체적 상황에 적용하기 답 ③

정답 해설 면적 법칙을 적용한 비행체는 항력이 감소하게 된다. 그런데 항력 발산 마하수는 천음속 영역에서 항력이 급격히 증가하는 속도를 의미한다. 따라서 면적 법칙을 적용한 ⓒ의 경우 항력의 증가가 억제되어 항력 발산 마하수가 더 커지며, 면적 법칙이 적용되지 않은 ⓑ의 경우에는 항력 발산 마하수가 상대적으로 작다.

오답 이유 ① 2문단을 통해, 휘트콤은 동체의 항력 계수는 날개를 부착하지 않은 물체(ⓐ)가 날개를 부착한 경우(ⓑ)보다 작다는 결과를 도출하였음을 알 수 있다.

② 그래프를 통해 날개가 부착되지 않은 ⓐ의 항력 계수가, 날개가 부착된 ⓑ, ⓒ의 항력 계수보다 낮은 수준임을 확인할 수 있다. 또 2문단을 보면, 휘트콤은 천음속 영역에서 동체의 항력 계수는 날개를 부착하지 않은 물체가 날개를 부착한 경우보다 작다는 결과를 발표했다고 언급하고 있다.

④ 3문단에 따르면, 비행기 동체를 S 라인 또는 콜라병 모양으로 허리를 잘록하게 제작하면 항력의 급격한 증가가 억제된다. 따라서 ⓒ는 ⓑ에 비해 항력의 급격한 증가가 억제되므로 ⓑ와 동일한 엔진 출력으로 천음속 영역에서 비행할 경우 ⓒ의 비행 속도가 ⓑ의 비행 속도보다 빠르다.

⑤ 2문단에 따르면, 면적 법칙은 항공기 진행 방향에 대하여 수직으로 자른 단면적의 분포를 연속적으로 완만하게 변화시켜야 한다는 법칙이다. 또 3문단을 통해 비행기 동체를 S 라인 또는 콜라병 모양으로 허리를 잘록하게 제작하는 것은 면적 법칙을 적용한 것임을 알 수 있다.

실전 기술 독해 3

본문 300~303쪽

01 ③ **02** ③ **03** ①

「밀리미터파가 바꾸는 세상」

해제 밀리미터파의 특징과 활용 분야 및 전망에 대해 설명하고 있는 글이다. 밀리미터파는 파장이 짧아 주파수가 30~300GHz로 높은 전파이다. 주파수가 높기 때문에 진동수가 많아 대용량 정보를 전송하기에 적합하다. 하지만 도달 거리가 짧아 현재는 근거리 무선 통신에 많이 활용되고 있다. 밀리미터파는 투사나 반사의 성질이 크기 때문에 높은 해상도의 정보를 제공해 준다. 이는 전방에 어떤 대상이 있는지를 정확하게 감지할 수 있게 해 준다. 이러한 특징은 자동차 충돌 방지 레이더에 응용되고 있다. 이 글은 밀리미터파가 앞으로 더 많은 분야에서 활용될 것으로 전망하고 있다.

주제 밀리미터파의 특징과 활용 분야

☑ 독해 포커스

밀리미터파의 특징을 토대로 활용 분야에 대해 설명하고 있다. 그렇기 때문에 밀리미터파의 특징부터 정확하게 파악해야 하는 글이다. 그리고 '주파수가 높을수록 파장은 짧아진다.', '파장이 짧아지면 전파의 진동수가 많아지고 직진성도 강해진다.'와 같은 원리에 해당하는 정보들도 제시되어 있다. 이처럼 '~수록 ~다.', '~이면 ~다.'와 같이 서술되어 있는 정보들은 원리에 해당하는 정보들로 독해 시 주목해야 하는 것들이다.

01 세부 정보, 핵심 정보 파악 답 ③

정답 해설 2문단을 보면, 파장이 짧아지면 전파의 진동수가 많아진다고 하고 있다. 3문단에서는 파장이 짧은 밀리미터파의 가용 대역폭이 넓다고 하고 있다. 이들 정보를 통해 진동수가 많아질수록 전파의 가용 대역폭이 넓어진다는 것을 알 수 있다.

오답 이유 ① 2문단에서 파장이 1~10mm인 것을 주파수로 환산하면 30~300GHz라고 하고 있다.

② 5문단에서 밀리미터파가 암세포를 찾아 파괴하는 의료 기기에 활용되고 있다고 하고 있다.

④ 1문단에서 AM 라디오는 주파수가 0.3~3MHz인 중파를 사용해 진폭을 변조해서 정보를 싣는다고 하고 있으며, FM 라디오는 주파수가 20~300MHz인 초단파를 사용해 주파수를 변조해서 정보를 싣는다고 하고 있다.

⑤ 2문단에서 밀리미터파는 출력을 높이기 위해 장비를 크게 만들어야 하고, 이에 따라 장비의 가격도 매우 비싸 군사용 레이더 같은 특수한 경우에만 사용되었다고 하고 있다.

02 구체적 상황에 적용하기 답 ③

정답 해설 밀리미터파를 이용한 자동차 충돌 방지 레이더는 안개나 눈 때문에 시야가 확보되지 않더라도 100~150m 앞까지 어떤 대상이 어디에 있는지 정확하게 감지해 운전자에게 정보를 알려 주는 장치이다. 밀리미터파의 직진성과 산소 분자에 의해 신호가 감쇠되는 특징은 밀리미터파의 감지 범위가 제한적이라는 단점과 관련이 있다. 단점에 해당하는 특징을 응용해 장치를 만들었다고 이해하는 것은 적절하지 않다.

오답 이유 ① 어떤 대상이 어디에 있는지 정확하게 감지하려면 밀리미터파를 이용한 자동차 충돌 방지 레이더가 높은 해상도를 갖고 있어야 한다. 밀리미터파는 투사나 반사의 성질이 커서 높은 해상도의 정보를 얻을 수 있다.

② 기존의 큰 레이더 장비는 자동차에 부착하기가 어렵다. 자동차에 밀리미터파 레이더를 장착하기 위해서는 레이더의 크기가 소형화되어야 한다.

④ 밀리미터파는 X선보다 파장이 길어 감지 능력은 떨어지지만 인체에 유해하지 않으며 적외선보다는 감지 영역이 넓다.

⑤ 대상을 정확하게 감지하기 위해서는 해상도가 높아야 한다. 높은 해상도의 정보는 그 데이터 양이 크기 마련인데, 밀리미터파는 대역폭이 넓어 대용량 데이터의 고속 전송이 가능하다.

03 인과 관계, 상관관계 추론 답 ①

정답 해설 밀리미터파는 파장이 짧아 진동수가 많기 때문에 대기 중의 감쇠 효과가 커 멀리 퍼지지 못한다. 도달 거리가 짧으면 중계 역할을 하는 기지국이 많아야 원활한 통신이 가능해진다.

오답 이유 ② 관련 장비의 부품을 CMOS로 구현하는 것은 장비의 상용화와 관련이 있다.

③ 기존에 사용하던 주파수가 포화 상태가 되었기 때문에 밀리미터파를 활용한 기술이 모색되고 있는 것이다.

④ 밀리미터파는 진동수가 많아 대용량 데이터를 전송하기에 적합하다. 정보를 한 번에 수신하기 어렵다는 단점은 글에 제시되어 있지 않다.

⑤ 기지국은 신호를 중계하는 역할을 하는 것이다. 전파의 출력을 반복적으로 높여 주는 장치가 아니다.

실전 기술 독해 4

본문 304~307쪽

01 ③ **02** ④ **03** ④ **04** ②

「타(Rudder), 작지만 강한 힘」

해제 이 글은 선박의 방향 조정을 가능하게 하는 타의 기능과 종류, 선회의 3단계를 설명하는 글이다. 타는 배의 뒷부분에 달린 조그만 판으로서 양력이 작용하게 하여 회전 효과를 일으키는데, 그 모양에 따라 전가동타, 호른타, 플랩타로 나눌 수 있다. 선회의 1단계는 타를 돌리기 시작하는 순간부터 타각이 최대가 될 때까지이며, 2단계는 1단계가 끝나고 배가 움직이면서 3단계의 정상 선회에 이르기 전까지를 말한다. 3단계는 모든 힘이 평형을 이루어서 배가 원운동을 하며 동심원의 궤적을 그리는 단계를 말한다.

주제 타의 기능에 의한 선박의 방향 조정

독해 포커스
이 글은 선박의 뒷부분에 달린 조그만 판인 '타'라는 요소의 기능을 바탕으로 선박의 방향 전환 방식에 대해 다루고 있는 글이다. 먼저 타가 움직임으로 인해 어떻게 배가 선회하게 되는지 기본적인 원리를 먼저 파악하고, 타의 종류에 따라 나타나는 차이점을 구분할 수 있도록 한다. 기술 지문의 경우 이와 같이 전체를 이루고 있는 구성 요소 한 가지에 주목하여 글이 전개되는 경우가 많다는 점을 인식하자.

01 중심 화제 파악 답 ③

정답 해설 이 글은 선박의 방향 조정을 가능하게 하는 타의 기능과 종류, 선회의 3단계를 다루고 있는 글이다. 선박의 방향 조정이라는 큰 기능을 표제로 삼고, 그 세부적 내용인 타의 기능과 종류, 선회의 3단계를 부제로 삼는 것이 적절하다.

오답 이유 ① 군함의 경우 일반 상선보다 선회 기능이 중요시된다는 점이 마지막 문단에서 언급되었지만 이것이 중심 내용은 아니다.

② 선박 건조(선박을 만드는 것)의 단계와 타의 제조법은 전혀 언급되고 있지 않다.

④ 선박에서 타의 역할은 방향을 조정하는 것으로, 양력에 따른 모멘트의 작용으로 인한 방향 조정이 이루어진다는 내용은 1, 2문단에서만 제시되고 있다. 따라서 이를 글 전체의 표제와 부제로 삼는 것은 적절하지 않다.

⑤ 타의 종류별 작동 방식의 차이가 드러나지만 이뿐만 아니라 선회 시험에 대한 내용도 포괄할 수 있는 부제가 되어야 하므로 적절하지 않다.

02 세부 내용 추론 답 ④

정답 해설 ㉡은 ㉠과 달리 타의 앞부분이 고정되어 있기 때문에 같은 각도로 돌린다고 해도 타의 뒷부분만 돌아가게 된다. 따라서 타가 ㉠과 다른 모양을 형성하게 되므로 배에 작용하는 양력 역시 달라질 것이다.

오답 이유 ① ㉡은 고정된 부분과 고정되지 않은 부분으로 구분되며, ㉢은 끝부분에 플랩이 덧붙어 있다. 따라서 ㉠만이 ㉡, ㉢과 달리 타 전체가 부분으로 나뉘지 않는 일체형을 이루고 있다고 볼 수 있다.

② 3문단에 의하면 ㉡은 앞부분이 배에 고정되어 있어서 타에 들어오는 물의 흐름을 좀 더 고르게 해 준다.

③ ㉠과 ㉢은 타 전체가 방향에 따라 움직이지만 ㉡은 일부분이 고정되어 있는 것이 특징이다.
⑤ 3문단에 의하면 ㉢은 타를 회전시켜서 양력을 얻을 때 플랩 부분이 본체보다 좀 더 꺾이게 되어 같은 면적의 다른 타에 비해 더 큰 힘이 발생한다.

03 반응의 적절성 평가 답 ④

정답 해설 배의 선회 능력이 떨어질수록 원의 크기는 커지므로 (가)의 길이도 길어질 것이다.

오답 이유 ① a는 선회의 1단계에 해당하는 배의 위치로서, 전체 그림에서 배가 오른쪽으로 돌고 있으므로 타를 오른쪽으로 돌리기 시작했을 것이라는 점을 알 수 있다.
② b는 선회의 2단계에 해당하는 배의 위치이다. 이 위치에서는 배가 회전하면서 충분한 모멘트를 발생시키기 전에 타에 작용하는 양력에 의해 배 전체가 왼쪽으로 밀려 가게 되는데 이를 킥이라고 한다.
③ c는 배가 선회의 3단계에 들어선 위치를 나타내므로 이때부터 동심원을 그리기 시작한다는 점을 알 수 있다.
⑤ 마지막 문단에 의하면 '전술 직경'이라 함은 배가 선회하기 시작해서 180도 방향으로 돌 때까지 옆으로 이동한 거리를 지칭하는데, 이는 전투 시에 무기 체계가 약한 방향이 적함을 향하고 있을 때 재빨리 배를 돌려 함포로 적함을 겨냥하는 것이 중요한 군함의 전투적 특징에서 유래한 용어이다.

04 어휘의 문맥적 의미 파악 답 ②

정답 해설 ⓑ에서 '발생시키다'는 앞에 나온 모멘트와 연결되어 '어떠한 힘이 일어나게 하다.'의 의미로 사용되었다. 이를 '살아나게 하다'로 표현하게 되면 맥락에 어울리지 않는 표현이 된다.

오답 이유 ① 선회(旋回)하게: '돌다.'의 의미를 지니고 있다.
③ 증가(增加)시킴으로써: 앞의 면적과 연결하여 '커지게 하다.'의 의미로 파악할 수 있다.
④ 고정(固定)된: '움직이지 않다.'의 의미를 지니고 있다.
⑤ 관찰(觀察)하는: '관찰하다'는 '사물이나 현상을 주의하여 자세히 살펴보다.'의 의미이므로 '살펴보는'으로 바꿀 수 있다.

실전 기술 독해 5

본문 308~312쪽

01 ⑤ 02 ③ 03 ④

「잠수함 탐지 기술」

해제 이 글은 탐지가 어려워 위협적인 무기로 평가되고 있는 잠수함 탐지 기술에 대해 설명하고 있다. 잠수함 탐지를 위한 가장 중요한 수단은 음파 탐지기, 곧 소나이다. 소나는 크게 액티브 소나와 패시브 소나로 구분되며, 잠수함을 탐지하기 위해서는 소나로 잠수함을 탐지해 접촉을 유지한 후 대잠 항공기의 소나 부이와 디핑 소나 등을 통해 정확한 위치를 탐지한다. 아울러 잠수함 탐지를 위해서는 대잠 항공기의 레이더나 자기 탐지기를 이용하기도 하지만 잠수함의 탐지가 어려워 여러 가지 방법을 동시에 사용한다.

주제 잠수함 탐지 기술

독해 포커스
은밀성을 자랑하는 잠수함을 탐지하기 위한 다양한 기술에 대해 설명하고 있는 글이다. 잠수함 탐지에 사용되는 기술을 크게 분류해 본 후, 각각의 기술이 어떠한 원리를 통해 잠수함을 탐지하는지 이해하며 글을 읽어야 한다. 그리고 각각의 탐지 기술이 어떠한 차이를 가지고 있는지 파악하며 글을 읽어야 한다.

01 세부 정보, 핵심 정보 파악 답 ⑤

정답 해설 5문단에 따르면 해상 초계기의 자기 탐지기는 수면 가까이에 있는 수중의 잠수함을 탐지할 수 있다.

오답 이유 ① 2문단에서 제1차 세계 대전에서 독일 잠수함으로 인해 큰 피해를 입은 영국이 음파 탐지기, 즉 소나를 개발했다고 언급하고 있다.
② 6문단에서 최신 잠수함들은 잠수함에서 발생하는 소음을 줄이기 위한 다양한 장치와 설계를 적용하고 있기 때문에 탐지가 어렵다고 언급하고 있다.
③ 1문단에서 영국은 포클랜드 전쟁에서 막대한 전쟁 물자와 시간을 투입했음에도 결국 아르헨티나 잠수함을 찾는 데 실패했다고 언급하고 있다.
④ 4문단에서 대잠 헬기의 디핑 소나는 제공권이 확보되지 않았거나 기상 조건이 좋지 못한 경우 사용이 어렵다는 단점이 있다고 언급하고 있다.

02 구체적 사례에 적용하기 답 ③

정답 해설 4문단에서 해상 초계기에서 투하하는 소나 부이는 설정된 수심에 도달해 수중의 음향 정보를 수집하여 대잠 항공기에 송신한다고 언급되어 있다.

오답 이유 ① 3문단에서 액티브 소나는 음파 발신 위치가 상대방에게 역추적되어 발신자의 위치가 노출된다는 단점이 있다고 언급하고 있다.
② 3문단에서 패시브 소나는 수상함이나 잠수함이 고속으로 이동할 경우 자체 소음으로 인해 성능이 크게 저하된다고 언급하고 있다.
④ 4문단에서 대잠 헬기는 잠수함이 있을 것으로 추정되는 수중에 디핑 소나를 내려보내 음향 정보를 수집하는데, 줄을 이용해 디핑 소나의 탐색 수심을 조절할 수 있다고 언급하고 있다.

⑤ 5문단에서 잠수함이 잠망경이나 스노클을 수면 위로 올릴 경우 대잠 항공기의 레이더로 탐지할 수 있다고 언급하고 있다.

03 세부 정보, 핵심 정보 파악 답 ④

정답 해설 2, 3문단에 따르면 소나는 크게 두 종류가 있으며, 액티브 소나는 발신한 음파가 목표물에 부딪혀 돌아오는 음파를 통해 목표물과의 거리와 방향을 측정한다. 또 패시브 소나의 경우는 목표물에서 발생하는 소음, 즉 음파를 감지해 목표물을 탐지한다. 한편 5문단에 따르면, 레이더는 발신된 레이더 전파가 목표물에 반사되어 돌아오는 신호를 수신해 목표물을 탐지한다.

오답 이유 ① 3문단에서 패시브 소나는 수상함이나 잠수함 자체의 소음, 주변의 수중 소음 등에 영향을 받는다고 언급하고 있다.
② 3문단에 따르면 액티브 소나는 스스로 음파를 발신해 목표물을 탐지하는 장치로 기상 조건으로 인해 목표물 탐지에 어려움을 겪지는 않는다.
③, ⑤ 3문단에 따르면 잠수함이나 수상함에서 사용하는 액티브 소나는 음파 발신 위치가 상대방에게 역추적되어 발신자의 위치가 노출된다는 단점이 있다.

인용 사진 출처

포토파크닷컴

97쪽 마그리트, 「골콩드」
160쪽 폴 세잔, 「세잔 부인의 초상」
171쪽 막스 에른스트, 「오이디푸스 왕」, 얀 페르메이르, 「우유를 따르는 하녀」
188쪽 에드바르 뭉크, 「불안」

Memo